DICTIONNAIRE
MÉDICAL
BORDAS

sous la direction des docteurs
Georges et Pierre Bellicha

préface du professeur Jean-Pierre Bader
chef de service à l'hôpital Henri Mondor

DICTIONNAIRE
MÉDICAL
BORDAS

Bordas

Édition	Agnès Dumoussaud
Fabrication	Christine Callard Sylvie Bayer
Révision	Tewfik Allal
Lecture et correction	Tewfik Allal Trudi Strub Alain Othnin-Girard
Maquette	Marguerite Leenhardt Michel Ganne
Mise en pages	Marguerite Leenhardt Jeanne Courjeaud Edmonde Sauer
Dessins	Jean-François Duthil Catherine Beaumont (p. 16, 371, 377, 394)
Recherche iconographique	Christine Varin
Responsable d'édition	Christian Dorémus

ont participé à la rédaction de cet ouvrage,
sous la direction des docteurs
Georges et Pierre **Bellicha :**

Yves **Adam** neuro-chirurgien; ancien chef de clinique-assistant; ex-neuro-chirurgien des hôpitaux; membre du Groupe de recherche et de traitement de la douleur.

Gilles **Allouch** chirurgie pédiatrique, urologique et viscérale; ancien interne des hôpitaux de Paris; ancien chef de clinique-assistant des hôpitaux de Paris.

Claude **Annonier** sénologue.

Bernard **Attal** cardiologue; attaché consultant de l'hôpital Boucicaut; ancien interne des hôpitaux de Paris; ancien chef de clinique-assistant des hôpitaux de Paris.

Pierre **Bellicha** médecin généraliste.

Jean-Charles **Benzimra** angéiologue-phlébologue; attaché des hôpitaux de Paris.

Olivier **Bergeaud** docteur en chirurgie dentaire; attaché de consultation à l'hôpital, attaché d'enseignement à la Faculté.

Jacques **Créhange** ophtalmologue; ancien assistant de la fondation A. de Rothschild.

Max **Dana** cancérologue; chef de service à l'hôpital de Poissy; ancien interne des hôpitaux de Paris; ancien chef de clinique-assistant des hôpitaux de Paris; directeur d'enseignement clinique au C.H.U. Paris-Ouest.

Jacques **Dayan** psychiatre.

Maxime **Dubois** podologue.

Yves **Dumez** chef de clinique adjoint; responsable de médecine fœtale à la clinique universitaire Port-Royal.

Philippe **Duprat** médecin; maîtrise de santé publique et d'épidémiologie.

Maurice **Enriquez-Sarano** cardiologue; ancien interne des hôpitaux de Paris; ancien chef de clinique-assistant des hôpitaux de Paris.

Claude **Eugène** gastro-entérologue; praticien hospitalier; ancien chef de clinique-assistant des hôpitaux de Paris; membre de la Société française d'endoscopie digestive.

Nadia **Faidherbes** diététicienne; surveillante générale à l'hôpital Lariboisière.

Olivier **Gotlib** chef de service d'oto-rhino-laryngologie à l'hôpital de St-Germain-en-Laye; ancien interne des hôpitaux de Paris; ancien chef de clinique-assistant des hôpitaux de Paris; chirurgie plastique et réparatrice.

Franklin **Khazine** néphrologue.

Bernard **Kron** chirurgien de l'appareil digestif; urologue; ancien interne des hôpitaux de Paris; ancien chef de clinique chirurgicale-assistant des hôpitaux de Paris.

Bruno de **Lignières** endocrinologue; attaché consultant à l'hôpital Necker.

Étienne **Leroy-Terquem** pneumologue; médecin adjoint à l'hôpital Henri Dunan; Croix-Rouge française.

Alain-Charles **Masquelet** chirurgien des hôpitaux de Paris; chirurgie orthopédique et réparatrice à l'hôpital Trousseau et à l'hôpital Avicenne.

Jean **Meaume** allergologue; attaché de consultation à l'institut Pasteur.

Pierre **Oger** gynécologie-accouchements; ancien assistant, *in first*, des hôpitaux américains.

Annie **Oger-Peigné** psychomotricienne et psychopédagogue spécialisée dans la prévention et les soins de la toxicomanie.

Bernard **Pavy** chef du département de chirurgie plastique et réparatrice; chirurgie pédiatrique à l'hôpital St-Vincent-de-Paul; ancien interne des hôpitaux de Paris; ancien chef de clinique chirurgicale-assistant des hôpitaux de Paris; professeur au Collège de chirurgie plastique.

Georges-François **Pennecot** chirurgie pédiatrique et orthopédique; ancien interne des hôpitaux de Paris; ancien chef de clinique-assistant des hôpitaux de Paris.

Andrée **Piekarski** cardiologue; ancienne interne des hôpitaux de Paris; ancienne chef de clinique-assistante des hôpitaux de Paris.

Yves **Polack** rhumatologue; attaché consultant à l'hôpital Beaujon.

Claudine **Polack-Livak** pédiatre; attachée consultante à l'hôpital St-Vincent-de-Paul.

Françoise **Rastoin** médecin; protection maternelle et infantile.

Gilles **Récanati** dermatologue; attaché consultant à l'hôpital de St-Germain-en-Laye.

Claire **Roucou-Zimmermann** kinésithérapeute.

Jean-Yves **Scoazec** hématologue; assistant à l'hôpital Bichat; ancien interne des hôpitaux de Paris.

Daniel **Sidi** cardiologue à l'hôpital Necker-Enfants malades; ancien chef de clinique-assistant des hôpitaux de Paris.

Nous remercions toutes les personnes qui ont bien voulu nous aider à la recherche iconographique de cet ouvrage et toutes celles qui voudront bien nous aider encore afin de le tenir à jour et ainsi l'améliorer à chacune des rééditions.

Nous remercions particulièrement les **Dr Abeille**, Charenton; **Pr Amor**, hôpital Cochin, Paris; **Dr Baran**, Cannes; **Dr Champailler**, Saint-Étienne; **Pr Chevrot**, hôpital Cochin, Paris; **Pr Cottenot**, hôpital Saint-Louis, Paris; **Dr Deguine**, Lille; **Pr de Gennes**, groupe hospitalier Pitié - Salpétrière, Paris; **Dr Guérin**, centre international de l'Enfance, Paris; **Pr Pouliquen**, Hôtel - Dieu de Paris; **Pr de Prost**, hôpital Necker - Enfants malades, Paris; **Dr Schuhl**, hôpital - école de la Croix-Rouge française, Boisguillaume.

Préface

Est-il nécessaire de répéter et de commenter l'idée selon laquelle dans notre hiérarchie humaine des valeurs la santé a la priorité absolue ?

Faut-il souligner la place considérable qu'occupe, dans nos vies individuelles et collectives, cette structure dite « de santé » : hôpitaux, cliniques, médicaments, laboratoires, médecins, infirmières, Sécurité sociale, mutuelles, etc. ?

Mais sur ces problèmes de santé et de maladies que savons-nous au juste ? Et, est-il d'ailleurs souhaitable que les non-professionnels *sachent* quelque chose ?

Le savoir médical est devenu d'une fantastique complexité. Comment imaginer que tout un chacun, non initié, patient au moins potentiel, puisse accéder à un savoir minimum ?

Certes, la science moderne a parfaitement démontré que la confiance que le patient accorde à son médecin et aux thérapeutiques qu'il administre, est, par le jeu des facteurs psychosomatiques, un élément décisif de certains succès. Mais confiance et ignorance totale ne vont pas forcément de pair. L'efficacité d'un traitement, quel qu'il soit, ne peut pas se contenter d'une obéissance aveugle du patient.

Prenons l'exemple du diabétique. Une fois le diagnostic établi, le suivi du traitement, que ce soit par prise de comprimés ou par injections d'insuline, nécessitera la coopération permanente du patient car les doses de médicaments varieront en fonction de l'évolution de la maladie, ainsi que de l'alimentation et de l'activité physique du patient. Comment cette coopération véritablement interactive entre médecin et patient peut-elle se réaliser si le malade ignore tout, ne sait pas ce qu'est un dosage de sucre dans le sang ou dans les urines, ne connaît pas l'influence des aliments sur la maladie... ?

De même un certain savoir est indispensable pour les notions d'hygiène et les stratégies de prévention qui doivent prendre dans la politique de santé une place toujours plus grande. On n'imagine pas, en effet, que l'on puisse motiver des individus à se faire vacciner contre le tétanos si l'on ne leur a pas expliqué l'essentiel de cette maladie, ou qu'il soit possible de persuader quelqu'un de modifier son alimentation sans lui avoir décrit les conséquences d'un excès de cholestérol dans le sang.

Je pourrais multiplier les exemples démontrant la nécessité d'une collaboration confiante médecin-malade, reposant sur un minimum de connaissances de la part du patient. En matière de savoir médical, l'équilibre se situe donc entre l'impossibilité d'en *savoir beaucoup* et l'utilité d'en *savoir un peu*.

Dans ce **Dictionnaire**, vous trouverez l'essentiel de ce qu'il vous est utile de *savoir* pour comprendre vos problèmes de santé et ceux de votre famille. Vous trouverez des informations fiables, éprouvées par la pratique et incluant les acquisitions les plus récentes de la science médicale, car cet ouvrage a été entièrement réalisé par une équipe de praticiens, généralistes et spécialistes de toutes les disciplines.

S'adressant à des lecteurs non-médecins mais désireux de comprendre, ce **Dictionnaire** a su éviter le jargon technique des ouvrages spécialisés et une vulgarisation par trop simplificatrice.

Enfin, l'organisation interne de l'ouvrage avec ses repères de couleur, ses logos liés à la nature de l'information, son index très clair et son iconographie descriptive, rendent sa consultation mieux qu'aisée, agréable.

Avec le **DICTIONNAIRE MÉDICAL BORDAS**, vous deviendrez un partenaire efficace de votre propre médecin dans ses indications diagnostiques et ses prescriptions thérapeutiques. Vous serez un patient éclairé.

Jean-Pierre Bader
Chef de service de l'hôpital Henri Mondor

avant-propos

En France, cinq millions d'individus souffrent d'hypertension artérielle; ces dernières années des progrès immenses ont été accomplis dans la connaissance des mécanismes de l'hypertension et son traitement par des médicaments efficaces et bien tolérés. La facilité d'accès aux soins est l'une des plus remarquables du monde. Et pourtant! Plus d'un hypertendu sur deux abandonne son traitement à l'insu de son médecin. Le rôle de celui-ci n'est plus alors seulement de tout connaître des médicaments les plus révolutionnaires, mais bien de faire en sorte que le patient observe le traitement. Or, le contrôle et l'observance des traitements ne s'apprennent pas à la faculté! Comment agir sur les événements lorsqu'on en est pas le maître? Comment inquiéter sans effrayer? Comment responsabiliser le patient afin qu'il ne néglige pas sa maladie?

Nous approchons bien là du but de cet ouvrage. Il se veut un cordial avertissement: améliorons encore la qualité des soins par le respect mutuel indispensable à toute relation entre le médecin et le patient; retenons que la santé est l'affaire de tous, et que toute volonté de collaboration ne saurait être négligée.

Le projet, qui enthousiasma les auteurs, est donc de fournir au lecteur les principaux points de repère, et surtout de lui permettre d'élaborer une réflexion critique face à la maladie, aux médecins, aux progrès de la science et à l'avalanche d'informations médicales dont il est régulièrement l'objet.

L'originalité tient au langage adopté: accessible, rassurant car les progrès sont immenses, mais alarmant à bon escient, en considérant chaque symptôme ressenti par le patient à sa juste valeur.

L'ouvrage entend ainsi renforcer la relation, souvent complexe, existant entre le malade et son médecin. Cette relation est, dans l'immense majorité des cas, établie sur la confiance mutuelle. Nous pensons qu'il est bon que le patient sache apprécier lui-même la gravité des symptômes, qu'il sache exposer clairement ce qu'il ressent, qu'il ait les moyens de comprendre l'évolution des rnaladies, le choix et les critères de surveillance des traitements, qu'il puisse adresser à son médecin ses remarques, ses suggestions mêmes, et parfois ses critiques.

Car le médecin reste l'interlocuteur privilégié du patient. Personne ne peut le remplacer, aucun article, aucune émission de télévision, aucun dictionnaire. Nous n'avons donc jamais négligé de fournir au lecteur les éléments lui permettant de coopérer sainement avec son médecin.

Georges et Pierre Bellicha

avertissement

Le **DICTIONNAIRE MÉDICAL BORDAS** a été conçu pour répondre aux besoins d'information médicale de tous. Cet objectif a décidé de son organisation et de sa rédaction. Il comporte 1 350 articles – expressions ou termes médicaux – classés par ordre alphabétique.

D'une part, le choix des articles traités, la formulation de leur intitulé et, pour la plupart d'entre eux, les renvois qui les accompagnent, doivent faciliter l'accès de ce livre.

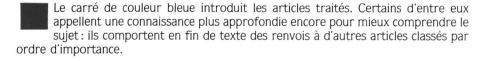

Le carré de couleur bleue introduit les articles traités. Certains d'entre eux appellent une connaissance plus approfondie encore pour mieux comprendre le sujet : ils comportent en fin de texte des renvois à d'autres articles classés par ordre d'importance.

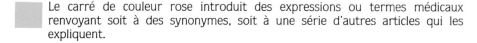

Le carré de couleur rose introduit des expressions ou termes médicaux renvoyant soit à des synonymes, soit à une série d'autres articles qui les expliquent.

D'autre part, les articles sont codés par des signes particuliers disposés en marge du texte, qui indiquent la nature de l'information : **alerte, maladies et traitements, prévention.**

ALERTE : Pour celui qui souhaite obtenir un renseignement urgent, il est possible de lire tout d'abord les articles signalés par le logotype « point de vue », qui répondent :

- à une connaissance élémentaire des conduites médicales urgentes ;
- à une meilleure compréhension des grandes fonctions de l'organisme ;
- au dépistage précoce, avant même l'appel du médecin.

MALADIES ET TRAITEMENTS : Les articles signalés par un caducée traitent des connaissances médicales plus importantes. Il s'agit ici, lorsque le médecin a établi son diagnostic, de permettre aux patients ou aux curieux :

- de mieux comprendre une maladie ;
- de mieux suivre son évolution ;
- de mieux savoir la surveiller ;
- de mieux suivre les traitements.

PRÉVENTION : Les articles signalés par un soleil répondent aux grandes questions soulevées par la prévention et la gestion de la santé :

- les moyens mis en œuvre pour prévenir la maladie ;
- l'hygiène et la bonne santé ;
- les aspects sociaux.

Dans le corps du texte, les expressions ou termes médicaux signalés par un astérisque signifient qu'ils sont traités dans le dictionnaire et renvoient à des examens complémentaires (par exemple,... L'échographie* doit confirmer la taille du bébé...).

Toute flèche évidée doit être traduite par « voir » (par exemple,... cœlioscopie : ▷ ce terme.).

IMPORTANT : Le lecteur trouvera à la fin de l'ouvrage un index thématique qui répertorie tous les articles du dictionnaire **classés par spécialités médicales et par ordre alphabétique.**

abcès du poumon

 pneumonie

abcès du sein

 Il s'agit d'une collection de pus due à une infection microbienne, localisée dans une cavité anormale du sein. Cette cavité peut résulter de la destruction tissulaire qu'opère l'infection ou préexister à celle-ci (kyste, dilatation d'un canal). Dans le premier cas, l'abcès est précédé d'une mastite aiguë, dans le second il peut survenir soudainement.

L'abcès du sein est relativement fréquent en période d'allaitement. Son signe principal est l'apparition d'une boule mal délimitée, très douloureuse spontanément ou à la pression. La peau du sein est chaude, rouge; en direction de l'aisselle s'y dessine un réseau de lignes plus ou moins parallèles, appelé lymphangite et dû à la participation des vaisseaux lymphatiques au processus de défense. Il existe une fièvre modérée.

Des compresses chaudes d'eau bouillie additionnée d'alcool ainsi que de l'aspirine peuvent apporter dans l'immédiat un soulagement. Le médecin établira en règle générale un traitement antibiotique. Il jugera de la nécessité d'une intervention chirurgicale immédiate ou d'une surveillance médicale pendant quelques jours.

Lorsque les signes inflammatoires auront disparu, un bilan sénologique sera pratiqué pour rechercher l'anomalie éventuellement responsable de la formation de cet abcès.

 mastite aiguë

abcès

 L'abcès est une collection de pus dont la formation se fait par surinfection de lésions préexistantes (boutons grattés, plaies non nettoyées) ou à la suite d'une piqûre septique (clou rouillé, ronces).

Le premier stade est marqué par une douleur modérée et par l'apparition d'une tuméfaction ferme, chaude et rouge. En un jour ou deux, l'abcès arrive à maturation, la douleur devient intense et lancinante, la tuméfaction se ramollit en son centre et reste chaude et rouge avec parfois apparition d'un point blanc en son milieu. En l'absence de traitement, l'abcès s'ouvre spontanément et se draine souvent de manière incomplète avant de se reformer.

 La prévention des abcès sera faite par une hygiène correcte en permanence et la désinfection de toute plaie, aussi minime soit-elle, par un savon ou un antiseptique.

 Une fois l'abcès en voie de constitution, l'utilisation de compresses alcoolisées à 70° le fait mûrir plus rapidement et raccourcit de ce fait la durée de l'infection.

Le traitement de l'abcès se fait au mieux lorsqu'il est mûr, par incision en son centre et évacuation du pus et de la coque de l'abcès. Si ce dernier est volumineux, il sera drainé.

L'opportunité d'utiliser des antibiotiques aux divers stades de l'abcès est à apprécier par le médecin, en sachant que lorsque le pus est apparu, le traitement antibiotique sera toujours inefficace. L'apparition d'abcès multiples et fréquents doit faire rechercher un diabète. La constatation d'un abcès en formation doit entraîner l'avis du chirurgien.

abdomen
(traumatisme fermé de l')

 Tout traumatisme de l'abdomen n'est pas nécessairement dangereux pour votre santé, cependant une consultation médicale est souvent justifié car tout choc dans l'abdomen peut y créer des lésions, parfois graves, voire mortelles, dont le diagnostic est difficile. En effet, elles touchent souvent des polytraumatisés dont l'état de conscience est parfois altéré; par ailleurs, la palpation de la paroi abdominale est délicate, car elle est douloureuse.

Plusieurs points sont importants à préciser.

Tout d'abord quel était l'état de plénitude des organes creux, comme l'estomac ou la vessie, lors du traumatisme ?

— L'heure du dernier repas permet de connaître l'état de plénitude de l'estomac au moment de l'accident; durant les premières heures qui suivent un repas, l'estomac est distendu, susceptible de se rompre en cas de choc violent à la partie supérieure de l'abdomen. Une telle rupture conduit à la péritonite.

— L'heure de la dernière miction (évacuation des urines) permet de suspecter une rupture de vessie si l'accidenté n'avait pas uriné dans les quatre à six heures avant le traumatisme. Dans ce cas, le malade n'a pas envie d'uriner; il peut émettre quelques gouttes d'urine sanglante, et souffre de la partie inférieure de l'abdomen.

Il faut également reconnaître rapidement la **présence de sang dans la cavité abdominale**. Pour cela, les chirurgiens disposent d'une technique très efficace et peu grevée de complications : c'est la *ponction-lavage du péritoine*. La présence de sang lors de la ponction ou du lavage impose l'intervention. Cet examen permet encore de déceler la présence, dans le liquide de lavage, de pigments biliaires (bilirubine), d'enzymes pancréatiques (amylase), d'urée, etc., qui évoque une lésion biliaire, pancréatique, de l'arbre urinaire, etc.

Les lésions des organes solides sont en effet plus fréquentes, avec en tout premier lieu la rate, qui peut saigner considérablement et dont la conservation est très souhaitable chez l'enfant. Les lésions hépatiques, certes rares, sont néanmoins à redouter; l'ablation d'un fragment du foie est rarement nécessaire, mais les traumatismes graves de cet organe posent des problèmes chirurgicaux complexes. Une rupture pancréatique est peu fréquente et difficile à diagnostiquer; parfois, la survenue ultérieure d'un faux kyste permettra d'en établir le diagnostic *a posteriori*. Les lésions rénales se traduisent souvent par une hématurie (sang dans les urines); il est peu fréquent qu'elles imposent une intervention, mais celle-ci peut être alors très urgente.

Pour les lésions des organes solides, le diagnostic sera aidé parfois par des examens complémentaires, comme l'échographie*, les radiographies* simples des côtes, des poumons, de l'abdomen, ou avec préparation, comme par exemple l'urographie* intra-veineuse ou l'artériographie*. Dans certains cas, le blessé arrive dans un état très critique; les chirurgiens doivent l'opérer sans attendre et le bilan des lésions se fait alors au cours de l'intervention.

☞ **hémorragie interne**

abdomen de l'enfant
(douleurs de l')

Douleurs récentes

Votre enfant a eu récemment de vives douleurs à l'abdomen. Une consultation médicale s'impose. Votre médecin tâchera de savoir si la cause de cette crise douloureuse est une maladie nécessitant la chirurgie d'urgence, sinon il recherchera la maladie responsable parmi les innombrables diagnostics possibles.

Le médecin vous rassurera s'il s'agit d'une banale gastro-entérite ou d'une indigestion; dans le cas de l'appendicite, de la péritonite, de l'occlusion intestinale aiguë, de la hernie intestinale étranglée, de la torsion du testicule ou de l'ovaire, lui seul reconnaîtra les signes nécessitant le recours au conseil du chirurgien.

D'autres maladies abdominales ou parfois même extra-abdominales peuvent débuter brusquement par une douleur à l'abdomen. C'est le cas notamment de l'adénolymphite mésentérique, de la pneumonie, de l'otite, de l'infection urinaire, du calcul urinaire ou vésiculaire, de la migraine, de l'hépatite

abdominaux. *Pendant ces exercices abdominaux, votre région lombaire ne doit pas décoller du sol.*

virale, de l'ulcère gastro-duodénal, du diabète, du purpura...

Douleurs anciennes

Les douleurs abdominales qui sont plus anciennes et qui se répètent trop souvent posent des problèmes bien différents.

Le plus fréquemment, il ne s'agit que d'une maladie bénigne : la colite spasmodique, la simple constipation, les vers intestinaux (oxyurose, ver solitaire, lambliase).

En fait, bien des douleurs abdominales chroniques sont l'expression d'un problème psychologique (soucis scolaires ou familiaux). Un bilan est cependant souhaitable : prise de la tension artérielle, fond* d'œil, examen cyto-bactériologique des urines*, numération sanguine (▷ sang), vitesse* de sédimentation, échographie* abdominale. Ce bilan a l'avantage, s'il est négatif, de conforter les médecins et les parents dans l'éventualité d'une cause psychologique ou, s'il est positif, de ne pas rapporter trop vite à celle-ci toutes les douleurs abdominales chroniques.

abdominaux

L'intérêt d'une bonne musculature de la paroi abdominale est multiple :

— Elle soulage la compression des disques intervertébraux lors des efforts de redressement du tronc et participe à la statique de la colonne lombaire. Votre médecin vous prescrira dans certaines circonstances une rééducation des abdominaux si vous souffrez de douleurs lombaires.

— La sangle abdominale facilite, lors de l'accouchement, l'expulsion de l'enfant. Dans le deuxième mois qui suit l'accouchement, dix séances de rééducation, prises en charge par la Sécurité sociale, permettront de rendre leur tonicité aux muscles fortement étirés pendant la grossesse.

 kinésithérapie

abeilles et guêpes

Les piqûres d'hyménoptères (abeilles, guêpes, frelons) s'accompagnent d'une vive douleur locale suivie d'un gonflement (œdème), avec rougeur (érythème) et démangeaisons (prurit) autour de celles-ci. Ces manifestations sont banales lorsqu'elles demeurent localisées et d'importance modérée ; elles ne doivent pas susciter d'inquiétude.

En revanche, lorsque l'œdème est très important, dépassant le segment de membre — par exemple gagnant le bras, suite à une piqûre à l'avant-bras —, ou lorsque survient une réaction dite « générale », il faut être très vigilant. Il peut

s'ensuivre tout d'abord de simples étourdissements (vertiges), puis une sensation de malaise général avec apparition d'une crise d'urticaire ou d'un œdème de Quincke. Si la tension artérielle s'effondre, s'il survient une gêne respiratoire laryngée ou une syncope, le recours d'urgence à une aide médicale s'impose. Ces manifestations constituent un redoutable avertissement : elles indiquent une sensibilisation anaphylactique à un venin d'hyménoptère.

Le risque d'apparition d'un malaise très grave, susceptible d'entraîner la mort lors d'une piqûre ultérieure, ne peut être négligé. Il est essentiel de consulter un allergologue qui déterminera la nature exacte de votre sensibilisation et prescrira une désensibilisation spécifique. Celle-ci se pratique actuellement en milieu hospitalier (hospitalisation de quelques jours suivie d'injections mensuelles d'entretien). En attendant cette thérapeutique, il est recommandé au patient allergique aux piqûres d'hyménoptères de se munir d'une trousse d'urgence comportant essentiellement de l'adrénaline, des corticoïdes et des anti-histaminiques injectables.

 ■ allergènes ■ urticaire et œdème de Quincke ■ choc anaphylactique ■ désensibilisation

accidents

« L'accident est un événement fortuit, imprévisible » (Le Petit Robert). Or, nombre d'accidents dommageables pourraient être évités car, s'ils surviennent de façon imprévue, ils sont souvent prévisibles.

De nombreux articles de ce livre sont consacrés à la pathologie accidentelle. Ils mettent l'accent sur la responsabilité individuelle ou collective en matière de prévention et de secours d'urgence.

 ■ secours d'urgence ■ accidents à la maison (prévention des) ■ accidents de la route ■ corps étrangers inhalés – ingérés – dans l'oreille – dans le nez – dans l'œil ■ intoxications ■ champignons ■ traumatismes ■ traumatismes bénins (ecchymose, hématome) ■ traumatisme avec écrasement ■ plaies ■ hémorragie interne ■ doigts sectionnés et réimplantation digitale ■ brûlures ■ morsure ou griffure d'animal domestique ■ abeilles et guêpes ■ hydrocution et noyade ■ électrocution ■ alcool ■ ivresse ■

accidents à la maison
(prévention des)

Nombre d'accidents domestiques pourraient être évités si les principes essentiels de sécurité étaient respectés. La principale victime en est l'enfant.

Les dessins ci-contre vous signalent les dangers les plus importants, particulièrement ceux survenant dans la cuisine, la salle de bains, la chambre, l'escalier.

Retenez dès à présent que chez l'enfant âgé de moins de 3 ans c'est la surveillance qui assure la meilleure prévention. L'enfant âgé de plus de 3 ans doit bien sûr être surveillé, aidé, mais il doit surtout être éduqué.

 ■ secours d'urgence ■ corps étrangers ingérés – inhalés – dans le nez – dans l'œil – dans l'oreille ■ morsure ou griffure d'animal domestique ■ brûlures ■ hydrocution et noyade ■ électrocution ■ intoxications

accidents de la route

Les accidents de la route, en France, sont la cause de près de 13 000 décès par an. Pourtant la plupart de ces accidents, par ailleurs tout aussi graves quant aux séquelles corporelles occasionnées et tout aussi néfastes quant aux retombées économiques, pourraient être évités par le respect des règles de la circulation routière et en particulier des limitations de vitesse.

Mais la cause majeure actuelle de ce fléau reste la consommation d'alcool, chronique ou aiguë. La première règle est donc de ne jamais conduire en état d'ébriété; il suffit même de quelques verres d'alcool pour perturber profondément le comportement psychomoteur.

La deuxième règle à respecter est le port de la ceinture — par ailleurs obligatoire aussi bien pour le conducteur que pour les passagers, en ville comme sur route ou autoroute. Depuis la législation sur le port de la ceinture de sécurité, le nombre des fracas du visage et des traumatismes thoraciques a considérablement diminué. Pour les deux-roues, le port du casque est impératif.

accidents à la maison. *L'univers familier de la maison recèle de nombreux risques dont il faut assurer une prévention active...*

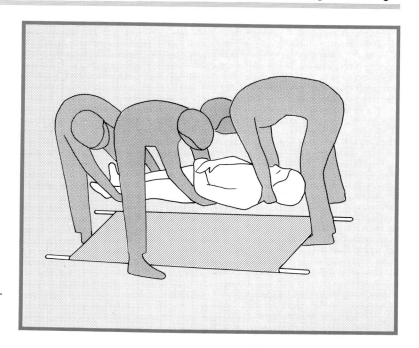

accidents de la route. *L'axe tête-cou-tronc doit toujours être respecté chez les accidentés, en particulier lors de la mise sur brancard (ici, technique du pont).*

La troisième règle est de circuler dans un véhicule en bon état, régulièrement contrôlé. Respectez les temps de conduite, les pauses régulières; ayez connaissance des médicaments susceptibles d'affecter la vigilance; toutes règles que chacun doit connaître, respecter et faire pratiquer pour conduire avec attention, en toute sécurité, pour soi, pour les siens et... pour les autres.

Que faire devant un accident?

Garer son propre véhicule avec calme et dans un endroit ne gênant le trafic en aucune façon. Si les secours publics sont sur place et si vous n'avez pas de compétences particulières dans ce domaine, ne jouez pas les badauds!

Si vous êtes parmi les premiers arrivants sur les lieux, vous pouvez aider au « balisage » de l'accident; si celui-ci a eu lieu sur route rapide, postez-vous à plusieurs centaines de mètres pour prévenir les automobilistes, en attendant l'arrivée des secours.

Le secours routier est un ensemble de techniques complexes, comprenant en particulier des techniques médicales de réanimation et des techniques dites de « désincarcération », c'est-à-dire visant à extraire les victimes des amas de tôles enchevêtrées sans aggraver leurs éventuelles blessures. Nous ne pouvons ici que nous contenter de rappeler quelques principes, en complément de l'indispensable bilan des fonctions vitales, associés si besoin est aux gestes de secours de base.

Les conseils

— Parler calmement et rassurer.
— Refuser ou empêcher de donner à boire (une

perte de conscience secondaire peut survenir, une anesthésie peut être nécessaire dans les heures qui viennent).
— Faire allonger les blessés; cela permet d'assurer la prévention de l'état de choc et facilite un premier bilan.
— Respecter l'axe tête-cou-tronc, car les blessures de la colonne vertébrale sont inapparentes et peuvent être aggravées par une mobilisation intempestive.
— Vérifier l'absence de risques d'incendie et d'explosion (couper le contact du véhicule accidenté, interdire de fumer sur les lieux).

 secours d'urgence

accidents du travail
(certificats d')

 certificats médicaux et législation

accident vasculaire cérébral, par hémorragie

 Un sujet d'une cinquantaine d'années, hypertendu de longue date, présente brusquement une *attaque* avec perte de connaissance complète.

17

Le médecin appelé en urgence constate un coma plus ou moins profond — qui gêne la mise en évidence de l'hémiplégie (*paralysie d'un hémicorps*) —, une déviation de la tête et des yeux du côté de la lésion. La respiration est souvent bruyante et la tension artérielle toujours très élevée.

L'hospitalisation d'urgence s'impose. Le scanner* confirmera l'hémorragie cérébrale qui est souvent un hématome.

Le traitement de l'hémorragie cérébrale est parfois décevant. En ce qui concerne le coma et les troubles neurovégétatifs, la réanimation permet dans la majorité des cas de passer le cap vital, mais les séquelles neurologiques restent souvent graves (hémiplégie, aphasie) malgré une rééducation prolongée. L'évacuation chirurgicale de l'hématome est nécessaire s'il est superficiel et compressif. Le traitement de l'hypertension artérielle devrait éviter en partie l'apparition de ces accidents graves.

Cette hémorragie cérébrale grave, soit par son évolution mortelle, soit par ses séquelles neurologiques, est une complication de la maladie hypertensive. Il faut donc *soigner* et *corriger* toutes les *hypertensions artérielles*.

 ■ artériosclérose ■ hypertension artérielle ■ aphasie

■ ## accident vasculaire cérébral transitoire, par ischémie

Vous avez à peu près soixante ans et venez d'avoir un malaise au cours duquel, pendant quelques minutes, vous avez présenté une paralysie de la main droite avec des difficultés de langage. C'est probablement un accident vasculaire cérébral transitoire : vous devez consulter votre médecin. Mais d'autres symptômes neurologiques transitoires peuvent se manifester : paralysie d'un hémicorps, trouble du langage (*aphasie*), paresthésies d'un membre ou d'un hémicorps, cécité d'un œil, qui durent de quelques minutes à quelques heures.

Devant cet accident cérébral par ischémie, votre médecin évoquera soit une origine carotidienne (*rétrécissement* ou *sténose de la carotide*), soit une origine cardiaque (*embolie*). Lors de la consultation :
— l'examen neurologique est le plus souvent redevenu normal;
— l'auscultation du cou permet parfois de retrouver un souffle très évocateur d'une sténose de la carotide;
— l'auscultation cardiaque peut permettre d'évoquer un trouble du rythme parfois responsable d'embolie;
— la tension artérielle est souvent élevée.

Des examens complémentaires sont nécessaires pour affirmer l'origine de l'accident.
— *Le diagnostic de la sténose de la carotide* nécessite le doppler* cervical et l'échographie* pour confirmer le rétrécissement de calibre de la carotide, avec découverte éventuelle de plaque d'athérome; l'angiographie* numérisée par voie veineuse pour explorer sans danger les bifurcations carotidiennes; l'artériographie* pour préciser l'allure de la sténose et apprécier la circulation vasculaire cérébrale.
— Le *diagnostic de l'embolie d'origine cardiaque exige* : un électrocardiogramme* avec souvent un enregistrement continu de Holter* pour déceler le trouble du rythme cardiaque; l'échographie* cardiaque pour retrouver éventuellement une lésion cardiaque emboligène.
— Dans tous les cas, la recherche des facteurs de risques d'*artériosclérose* est indispensable (▷ artériosclérose).

Le traitement des accidents ischémiques transitoires doit prévenir une récidive et surtout un accident définitif responsable de lourdes séquelles neurologiques.

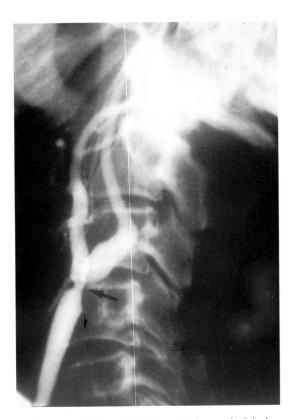

accident vasculaire cérébral transitoire par ischémie.
Cette artériographie précise la sténose de la carotide (indiquée par la flèche).

Sur les sténoses de la carotide, l'endartériectomie est une intervention maintenant bien codifiée
qui met le plus souvent le malade à l'abri d'une
récidive.

Lorsqu'il s'agit de soigner une maladie cardiaque
emboligène, il faudra instituer un traitement anticoagulant *efficace* et bien *surveillé*, et traiter la
maladie cardiaque causale.

La sténose de la carotide, responsable d'un
accident ischémique tout d'abord transitoire puis
souvent non réversible, est une complication de la
maladie athéromateuse; sa prévention comprend
donc la surveillance et le traitement des anomalies
lipidiques et de la tension artérielle, avec suppression du tabac.

accommodation et convergence

L'accommodation est une mise au point automatico-réflexe des images sur la rétine, quelle que soit
la distance de l'objet fixé. Elle se fait par contraction du muscle ciliaire qui provoque une modification de la courbure du cristallin et de sa puissance.

La convergence est un mouvement coordonné
des deux yeux vers le nez, sollicité dans la vision de
près; il existe un rapport direct entre accommodation et convergence. Le défaut de convergence,
très fréquent, cause des troubles dans la vision de
près: maux de tête à la lecture prolongée, vision
trouble, vision double (diplopie).

☞ ■ œil ■ vue *(dépistage des troubles de
la)* ■ presbytie

accouchement *(généralités)*

Vous allez accoucher dans quelques mois. Réussir
un « bel accouchement » est, à maints égards, de
votre ressort. Vous pouvez en effet choisir votre
mode d'accouchement:
– attendre et subir passivement un phénomène
« naturel », mais quelquefois fort douloureux –
c'est dommage !
– désirer une anesthésie péridurale: ce mode
d'anesthésie est à l'heure actuelle suffisamment
maîtrisé et répandu en France pour que vous
puissiez trouver en toute région un anesthésiste
compétent. Entre des mains expertes, les complications en sont rares et les avantages certains:
accouchement en général rapide, strictement indolore, en pleine conscience. Par ce choix, vous
heurterez peut-être de solides traditions reli-
gieuses et familiales, voire... administratives puisque la péridurale, dite « de complaisance », n'est

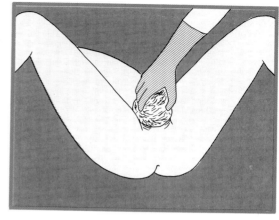

accouchement *(généralités). Si la progression de la tête du bébé
est interrompue, ou la vulve pas trop distendue,
l'épisiotomie devient nécessaire: elle évite
l'éclatement du périnée et la souffrance fœtale.
L'incision est indolore si elle est faite au cours
d'une contraction.*

pas remboursée ! Cette décision, vous seule pouvez
la prendre: elle est affaire de philosophie personnelle...
– bénéficier d'un accouchement psycho-prophy-
lactique, dit abusivement « sans douleurs ». Ce
mode d'accouchement comporte dix séances d'enseignement: vous y apprendrez les grands mécanismes de l'accouchement, le contrôle des contractions par la respiration, la relaxation, les efforts
expulsifs et leur technique. Vous aurez acquis
entre-temps une bonne réserve de confiance en
vous-même et vous vous familiariserez avec l'é-
quipe obstétricale qui vous assistera lors de l'en-
fantement.

Ainsi, selon votre décision, aurez-vous satisfait à
des impératifs familiaux et sociaux, accouché
comme maman; aurez-vous peut-être la fierté
d'avoir parfaitement contrôlé votre accouchement
et participé activement à la naissance de votre
bébé...

En dépit de quoi, l'accouchement reste fréquemment long et douloureux, la progression de la tête
dans la cavité pelvienne (voir ci-dessous) particulièrement pénible: tous ces éléments sont du reste
parfaitement imprévisibles et variables d'une
femme à l'autre.

L'exposé schématique qui va suivre n'a pour but
que de vous aider à mieux comprendre les grands
mécanismes d'un accouchement normal et leurs
termes techniques que vous entendrez prononcer.

L'*accouchement* est un phénomène essentiellement dynamique qui met en jeu plusieurs facteurs:
une force expulsive (les *contractions utérines*), un
verrou (le *col de l'utérus*), un mobile (le *bébé*) et
un canal qui va de l'utérus à la vulve (la *filière
génitale*).

Les contractions utérines

Elles sont spontanées, intermittentes, d'intensité progressive, douloureuses au-delà d'un certain seuil qui varie selon chaque femme; elles sont sous commande hypophysaire.

On dira que vous êtes « en travail » lorsque les contractions dureront une minute à une minute et demie et seront séparées par un intervalle de trente secondes à une minute. Ces contractions ont pour effet de dilater le col de l'utérus.

Le col de l'utérus

Le col est en effet un verrou musculaire qui garde fermé l'orifice inférieur de l'utérus pendant toute la grossesse. Sous l'action des contractions utérines, le col se dilate progressivement et son diamètre passe de un à dix centimètres : on parle alors de « dilatation complète ». Le col se confond ainsi avec la paroi utérine, établissant une continuité directe entre l'utérus et le vagin.

La phase de dilatation est de durée variable : plusieurs heures chez les femmes dont c'est le premier accouchement (*primipares*), moins d'une heure parfois chez les autres (*multipares*).

À la dilatation complète, le bébé peut progresser dans la filière génitale

Le bébé

La tête de l'enfant (son volume et sa position) constitue un facteur capital dans l'heureux déroulement de l'accouchement : en effet, une tête normale, bien fléchie – vous entendrez souvent prononcer ce mot –, offre un diamètre d'« engagement » de neuf à dix centimètres, mal fléchie (présentation du front) un diamètre de treize centimètres environ.

La filière génitale

La tête va devoir franchir, dans la filière génitale, un premier obstacle, inextensible : le bassin osseux, appelé encore *détroit supérieur*.

La tête franchit le détroit supérieur : elle est dite « engagée ». Elle plonge ensuite dans l'*excavation pelvienne* tapissée de muscles et d'aponévrose, et atteint le détroit moyen (épines sciatiques), puis le détroit inférieur (bord inférieur du sacrum). Elle doit alors forcer des muscles puissants, les *releveurs de l'anus*, ensuite, continuant sa progression, les muscles du périnée antérieur (*les transverses profonds* et *superficiels*) pour atteindre la vulve. La nuque du bébé est fixée sous la symphyse pubienne et va servir d'axe de rotation tandis que la tête et les cheveux pointent à la vulve.

L'orifice vulvaire se distend progressivement pour laisser apparaître le front puis les yeux, le nez, le menton de l'enfant.

La progression de la tête dans la filière génitale est puissamment aidée par les efforts expulsifs de la mère qui multiplient par deux l'efficacité des contractions utérines. Cette phase dure de dix à trente minutes.

L'essentiel est fait. Il appartient à votre accoucheur, avec des gestes doux et patients, d'aider au dégagement de la tête et des épaules; l'abdomen et les membres sortiront sans aucune difficulté.

Le bébé est doucement déposé sur le ventre maternel, et poussera son premier cri – témoin d'un bon déplissement des alvéoles pulmonaires –; le cordon sera coupé entre deux pinces ou deux ligatures. L'enfant a quitté le milieu liquide et chaud où il vivait depuis neuf mois pour vivre en milieu aérien et froid.

 ■ anesthésie ■ césarienne ■ épisiotomie ■ nouveau-né (*examens du*)

accouchement après césarienne

Votre première grossesse s'est terminée par une césarienne. Vous vous posez très légitimement la question : pourrai-je lors de ma prochaine grossesse accoucher « normalement » ? Les statistiques, pour une fois concordantes, donnent déjà un élément de réponse : 50 % des femmes ayant eu une césarienne pourront accoucher par les voies naturelles.

Ceci dépend très schématiquement de quatre conditions.

– Votre bassin doit être normal, ce que la radiopelvimétrie vérifiera (▷ mensurations radiologiques). Il est bien évident qu'un bassin étroit reste un handicap insurmontable à un accouchement par voie basse.

– Votre première césarienne doit avoir été « accidentelle », liée à une souffrance fœtale inexpliquée, par exemple une procidence du cordon (▷ cordon ombilical).

– La cicatrice utérine doit être solide, à même de supporter les contractions de l'accouchement sans se rompre. On admet qu'une cicatrice acquiert sa pleine solidité au bout de 18 mois; vous devez attendre ce laps de temps avant d'envisager une nouvelle grossesse. Il est indispensable par ailleurs de vérifier cette cicatrice par une hystérographie* (cliché radiographique effectué de profil : l'image de la cicatrice ne doit pas excéder 0,5 cm).

– Vous êtes en fin de grossesse, tout doit augurer un heureux accouchement... Les échographies* doivent confirmer la taille raisonnable du bébé, un liquide amniotique d'abondance normale, une présentation céphalique, le col doit être souple...

Votre accoucheur vous encouragera alors à accoucher par voie basse, sous surveillance particulièrement stricte afin d'intervenir chirurgicalement si un ralentissement du cœur fœtal ou une petite hémorragie évoquait une rupture de la cicatrice.

Vous accouchez avec quelque fierté d'un beau bébé... Sachez que vous serez très probablement endormie pour quelques minutes afin que votre accoucheur puisse, tout en retirant le placenta, vérifier « au doigt » que l'utérus est intact.

C'est au prix de ces précautions et de ces

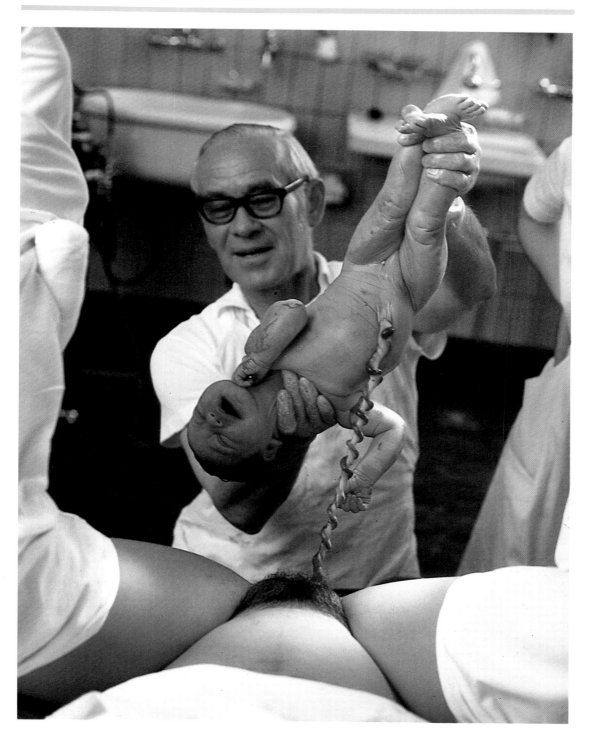

accouchement *(généralités). La naissance d'un enfant est une joie véritable pour tous ceux qui ont aidé à sa venue au monde.*

contraintes que 50 % des femmes, antérieurement césarisées, pourront accoucher sans risques par les voies naturelles.

accouchement impromptu au domicile

Votre femme ou votre voisine qui a déjà accouché une ou deux fois présente, depuis une heure ou deux, des contractions utérines dont le rythme et l'intensité ne ressemblent en rien à ce qu'elle a connu lors de ses accouchements précédents : faibles, presque indolores, ou au contraire violentes, rapprochées... Et brusquement voici qu'elle a envie de « pousser ». La tête du bébé « n'est pas loin » et sollicite déjà le périnée (▷ accouchement [généralités]).

L'accouchement tel qu'il se présente a toute chance d'être extrêmement rapide et facile. Appeler une ambulance est certes recommandable, mais c'est prendre peut-être le risque d'un accouchement en pleine circulation routière.

Prévenez le SAMU et préparez-vous à faire l'accouchement, c'est moins difficile que vous ne le pensez ; gardez votre calme et :
— allongez la parturiente, le siège au bord du lit ;
— demandez-lui de maintenir avec les mains ses genoux contre la poitrine, la vulve étant ainsi largement exposée ;
— nettoyez, si vous avez le temps, la région vulvaire avec un antiseptique ou simplement du savon ;
— demandez à l'accouchée de pousser *doucement* lors de chaque contraction ;
— vous verrez bientôt apparaître à la vulve le crâne du bébé et ses cheveux.

Quelle aide apporter ?
Votre rôle essentiel est non pas d'accélérer mais de *freiner* l'expulsion de la tête, faute de quoi elle sortirait en « bouchon de champagne » avec tous les risques de déchirure du périnée que cela comporte. Pour ce faire, maintenez fermement la tête avec la paume de la main afin de ne la laisser sortir que millimètre par millimètre : c'est ainsi que très lentement apparaîtront d'abord le front, puis le nez et la bouche, enfin le menton ; la tête est sortie, l'essentiel est fait.

Vous aiderez alors au *dégagement des épaules* : comment ? En plaçant l'index et le majeur de chaque côté du cou de l'enfant, l'un sous la mâchoire, l'autre sous la nuque, puis vous tirez doucement la tête vers le bas en direction de vos pieds.

Vous verrez alors apparaître sous le pubis l'épaule dite antérieure. Sitôt celle-ci sortie (voir fig. 4), il vous faut alors dégager l'autre épaule dite postérieure : tirez doucement la tête du bébé vers le haut (voir fig. 5), et l'épaule postérieure va venir balayer le périnée qu'elle distend et qu'elle risque,

elle aussi, de déchirer si le dégagement est trop rapide. L'abdomen et les membres inférieurs sortiront spontanément.

Prenez bien garde à soutenir le bébé et à ne pas le laisser tomber. Mettez alors le nouveau-né sur le ventre de sa mère ou bien, s'il ne crie pas immédiatement, prenez-le par les pieds, tête en bas, et frottez-lui le dos ; aspergez-le d'eau de Cologne, vous aurez la grande joie de l'entendre pousser son premier cri.

Un geste capital
Vous devez savoir que ce nouveau-né quitte un milieu liquide et chaud pour un milieu aérien et froid où il doit pouvoir respirer librement. Aussi vous attacherez-vous, avec beaucoup de soin et de minutie, à dégager son nez et sa bouche des mucosités qui peuvent l'encombrer ; vous le protégerez par ailleurs du froid avec un drap et une couverture.

Le SAMU n'est pas encore arrivé... Vous avez tout votre temps pour couper le cordon : prenez pour ce faire deux bouts de ficelle avec lesquels vous ferez une ligature serrée à deux centimètres d'intervalle, à peu près au milieu du cordon, et, avec une paire de ciseaux préalablement passée à l'alcool, vous couperez le cordon entre vos deux ligatures.

Le SAMU n'arrive toujours pas et vous voyez apparaître à la vulve après quelques contractions le placenta : il s'agit d'une galette entourée de membranes de couleur rouge foncé. Aidez à son extraction en tirant très doucement le cordon et, en le laissant glisser entraîné par son propre poids, mettez-le dans une cuvette que vous aurez placée immédiatement en dessous de la région vulvaire. L'accouchement est fini.

Faites une grande toilette à la jeune maman, nettoyez et habillez le bébé et... sortez le champagne.

Il est normal qu'après l'accouchement il y ait un écoulement de sang à peu près équivalent à des règles. En cas de perte de sang plus importante, massez doucement l'utérus qui bombe visiblement à travers la paroi abdominale : l'écoulement doit diminuer en quelques minutes.

 ■ secours d'urgence

accouchement par le siège de l'enfant

L'accouchement par le siège intéresse 3 % environ des grossesses. Il est caractérisé par la position de l'enfant dont la tête occupe le fond utérin et qui présente, immédiatement au-dessus du col, soit les fesses (siège dit décomplété, deux tiers des cas), soit les pieds (siège dit complet, un tiers des cas).

L'accouchement par le siège, moins laborieux qu'on ne le dit, comporte cependant des risques ; il

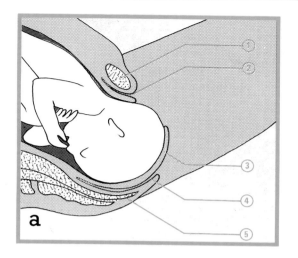

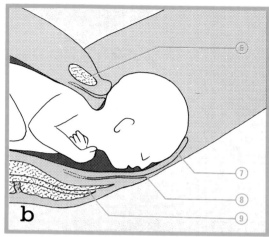

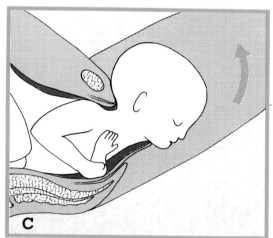

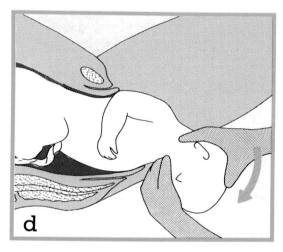

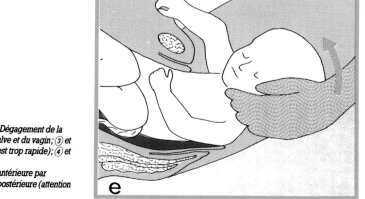

accouchement impromptu au domicile. *Dégagement de la tête (a, b, c):* ① *et* ⑥ *pubis;* ② *partie antérieure de la vulve et du vagin;* ③ *et* ⑦ *périnée (qui risque de se rompre si l'accouchement est trop rapide);* ④ *et* ⑧ *rectum et anus;* ⑤ *sacrum et* ⑨ *sacrum et coccyx.*
Dégagement des épaules: (d) dégagement de l'épaule antérieure par traction douce vers le bas; (e) dégagement de l'épaule postérieure (attention au périnée) par traction douce vers le haut.

exige quelques règles de sécurité : la tête du bébé franchit en dernier le bassin osseux ou détroit supérieur; un blocage serait catastrophique. Il faut donc s'assurer par une radiopelvimétrie (▷ mensurations radiologiques) que le bassin est normal, et par une échographie* que la tête du bébé n'est pas trop grosse.

La tête du bébé doit être bien fléchie en début d'accouchement; là encore une radio du « contenu utérin » en fera la preuve. Une tête défléchie impose une extraction par voie haute, c'est-à-dire une césarienne.

Si tout est normal, votre accoucheur choisira l'accouchement par les voies naturelles. Dans ce cas, le travail doit être rapide et la dilatation du col normale. Un arrêt de la dilatation, un travail laborieux obligeraient à pratiquer une césarienne.

Ces restrictions étant faites, la plupart des accouchements par le siège seront faciles; l'accoucheur devra néanmoins pratiquer, dans la quasi-totalité des cas, une épisiotomie.

Il va sans dire qu'un utérus malformé, présentant un fibrome dans sa partie basse, ou toute anomalie grave connue avant la grossesse et repérée par hystérographie* ou une échographie, sont autant de contre-indications à un accouchement par les voies naturelles.

☞ ■ épisiotomie ■ césarienne

accouchement prématuré
(menace d')

Vous êtes en fin du deuxième trimestre ou au début du troisième trimestre de la grossesse, l'enfant n'a pas atteint sa maturité : il convient de prolonger cette grossesse jusqu'à la trente-huitième semaine et de consulter d'urgence votre accoucheur si apparaissent les signes suivants :
— Vous avez des contractions utérines régulières qui, d'abord indolores et espacées, deviennent douloureuses et rapprochées; ces contractions surviennent parfois au cours d'une infection urinaire que vous ne devez donc pas négliger.
— Vous perdez le bouchon muqueux sous forme d'une glaire sanglante.
— Vous « perdez les eaux »; il s'agit là d'un risque majeur d'accouchement prématuré qui doit entraîner une hospitalisation d'urgence.

Votre accoucheur découvre à l'examen un col court, quelquefois ouvert, et une présentation basse de l'enfant. Selon le terme et l'état de santé de l'enfant, il mettra en œuvre les traitements permettant de prolonger la grossesse jusqu'à une maturité fœtale convenable (plus de trente-six semaines).

☞ **fœtus** (état de santé du)

Calculez votre coefficient de risque d'accouchement prématuré (C.R.A.P.)

Informations médicales	Évaluation
Vous avez : — une prise de poids excessive — déjà subi un curetage — une vie matérielle difficile — plusieurs enfants à charge	1 point
— une prise de poids < 1 kg/mois — de l'albuminurie — une hypertension modérée : d'un maximum > 13 et d'un minimum ⩾ 10 — déjà subi trois curetages — moins de 18 ans ou plus de 40 ans	2 points
— une taille < 1,50 m et un poids < 45 kg — déjà subi trois curetages — un travail pénible et fatigant — une tête ou un siège appliqués précocement sur le col	3 points
— une pyélonéphrite, c'est-à-dire une infection urinaire (d'où l'importance des cystites à contrôler et à traiter) — un col court et légèrement ouvert — des contractions utérines (même indolores) — des métrorragies au cours du deuxième trimestre	4 points
— une grossesse gémellaire — un placenta praevia — un hydramnios — une béance de l'isthme (même cerclé) — une malformation utérine connue — déjà accouché prématurément	5 points

C.R.A.P. < 5 points : aucun risque.

C.R.A.P. compris entre 5 et 10 points : risque faible.

C.R.A.P. > 10 points : risque certain.

Que retenir de tout ceci ? Un conseil pratique : évitez en cours de gestation toute fatigue inutile, les longs déplacements, les efforts excessifs — contraintes bien légères, toute pathologie mise à part, puisqu'elles vous aident à bien et à terme une heureuse grossesse.

accouchement prématuré
(risque d')

La prématurité intéresse 7 à 9 % des accouchements. Un prématuré sur quatre ne survivra pas. 70 à 80 % des retards psychomoteurs et des débilités mentales trouvent leur origine dans une naissance prématurée. Ces chiffres dans leur sécheresse illustrent bien la gravité du problème. C'est pourquoi a été codifié dans un esprit de prévention un coefficient de risque d'accouchement prématuré (ou C.R.A.P.) qui prend en compte divers facteurs et amène à une surveillance obstétricale renforcée.

☞ ■ grossesse ■grossesses à risque élevé pour le fœtus (dépistage des)

acétone (crise d')

☞ vomissements de l'enfant

acide urique

Le dosage de l'acide urique sanguin (uricémie) fait partie de tout bilan systématique. L'hyperuricémie est responsable de l'accès de goutte.

Le taux normal d'acide urique sanguin varie entre 50 et 60 mg chez l'homme et augmente peu après 20 ans. Chez la femme, l'uricémie est en moyenne inférieure de 10 mg à celle de l'homme; à la ménopause, elle augmente légèrement. 90 % des goutteux ont une uricémie augmentée mais tous les hyperuricémiques ne sont pas goutteux. L'élimination urinaire excessive d'acide urique provoque parfois la formation de calculs urinaires (lithiase), notamment lorsque les urines sont trop acides.

D'où provient l'acide urique ?

L'acide urique est le produit final de la dégradation des composés puriniques. Il provient de la destruction des nucléoprotéines alimentaires ainsi que de celle des cellules humaines (purino-synthèse), à partir de substances simples aboutissant à la fabrication d'acide urique.

L'organisme contient une quantité constante d'acide urique. Une partie est éliminée par les urines et les sécrétions digestives, une quantité équivalente est quotidiennement produite, maintenant la stabilité de cet équilibre : la balance entre les apports et les sorties est équilibrée. Toute modification, soit par excès de formation, soit par ralentissement des excrétions urinaires, aboutit à l'hyperuricémie.

La prolifération cellulaire de certaines maladies hématologiques, l'excès de fabrication de la syn-thèse organique ou l'accumulation des purines alimentaires entraîne une hyperuricémie. De même, une insuffisance rénale ou l'absorption de médicaments rentrant en compétition rénale avec l'acide urique (diurétique, aspirine) élève le taux d'acide urique sanguin, par diminution de son élimination.

 ■ goutte ■ insuffisance rénale chronique ■ diurétiques ■ lithiase urinaire

acné juvénile

Vous avez entre treize et vingt ans, des lésions évocatrices d'acné sont apparues sur votre visage ou sur votre dos :
— des petites élevures blanchâtres qui soulèvent la peau (comédon fermé contenant le sébum),
— des points noirs (comédon ouvert : le sébum chargé de pigment apparaît à la surface de la peau),
— de gros boutons rouges douloureux,
— des pustules infectées.

Ne désespérez pas, il s'agit d'une maladie bénigne et votre médecin, s'il confirme le diagnostic, dispose de plusieurs traitements efficaces. Mais avant tout, sachez que l'acné est une maladie chronique qui nécessite un traitement de plusieurs mois, d'abord quotidien puis de plus en plus espacé dès qu'apparaît une amélioration.

Retenez dès à présent ces quelques conseils :
— ne pressez pas les boutons, car une lésion d'acné manipulée guérit plus lentement qu'une lésion non traumatisée; par ailleurs, le risque de cicatrice résiduelle est plus important si les boutons sont «triturés»;
— n'accusez pas l'alimentation; les facteurs responsables de l'acné sont avant tout une hyper-production de sébum — sécrété par des glandes

acné juvénile. Ces petites élevures qui soulèvent la peau du front sont des comédons.

sébacées stimulées par des hormones − et une gêne à son évacuation;

− ne croyez pas que le soleil améliore l'acné; il épaissit la peau et empêche l'éruption de comédons, mais les éléments rétentionnels continuent à s'accumuler tant que dure l'exposition solaire et, lorsque la peau aura retrouvé son épaisseur normale dans les semaines qui suivent, toutes les lésions jusqu'alors invisibles feront éruption à la surface de la peau;

− l'activité sexuelle n'a aucune répercussion sur l'acné, contrairement aux idées reçues;

− certaines pilules contraceptives peuvent aggraver l'acné, d'autres avoir un effet bénéfique.

Il sera peut-être nécessaire de tenter plusieurs thérapeutiques avant de trouver la plus efficace; respectez la prescription de votre médecin. Celui-ci dispose de :

− *traitements locaux* : comédolytique, bactéricides et anti-inflammatoires (ces produits peuvent irriter la peau et nécessiter l'espacement des applications en début de traitement); utilisez un savon doux pour la toilette et, au besoin, appliquez une crème hydratante si votre peau a tendance à être desséchée par les produits; antibiotiques locaux;

− *traitements généraux* : les antibiotiques à faible dose ont une action anti-inflammatoire (l'acné n'est ni infectieuse ni contagieuse même si des antibiotiques sont prescrits); les rétinoïdes aromatiques inhibent l'activité des glandes sébacées et modifient le revêtement de la peau (ils sont réservés aux formes graves d'acnés rebelles aux traitements locaux car ils entraînent un certain nombre d'effets secondaires).

☞ ■ séborrhée ■ cosmétologie

acrocyanose

Lorsque les mains ou les pieds sont en permanence froids et uniformément violacés, indolores et moites, il s'agit vraisemblablement d'une *acrocyanose*, affection bénigne mais inesthétique, qui s'aggrave lors de l'exposition au froid et s'atténue avec le réchauffement.

Attention, la survenue brutale d'une douleur d'*un* pied ou d'*une* main, qui devient froid et cyanique, évoque une obstruction artérielle. Il s'agit là d'une extrême urgence qui doit vous amener à consulter votre médecin (▷ artérite).

Lorsque l'atteinte des mains est paroxystique, survenant par crises, il s'agit vraisemblablement d'un *syndrome de Raynaud*. Les crises surviennent lors de l'exposition des mains au froid. Elles sont constituées de trois phases successives : les doigts deviennent blancs, engourdis (impression de doigts morts), puis bleus, enfin rouges et douloureux. Ce phénomène impose de consulter votre médecin car, bien que dans la très grande majorité des cas il

s'agisse d'une affection parfaitement bénigne, il est parfois l'expression d'une intolérance médicamenteuse (bêta-bloquant, anti-migraineux, pilule contraceptive) ou encore l'un des symptômes de maladies plus complexes appelées « maladies de système » : sclérodermie, polyarthrite rhumatoïde, lupus érythémateux...

La capillaroscopie, qui permet à l'aide d'un microscope d'observer les capillaires du lit de l'ongle, est parfois une aide au diagnostic.

acromégalie

L'hypophyse sécrète une « hormone de croissance » appelée, selon la nomenclature internationale, STH (*somatotropin hormone*) ou encore GH (*growth hormone*). Cette hormone est indispensable pour permettre à un individu d'atteindre une taille normale à l'âge adulte.

Dans certains cas, cette hormone est insuffisamment sécrétée, ce qui provoque un nanisme. Dans d'autres, une tumeur bénigne de l'hypophyse la sécrète en excès, ce qui peut provoquer chez l'adulte un développement exagéré de toutes les extrémités, appelé *acromégalie*.

Le visage des sujets qui sont atteints d'acromégalie est déformé par le volume anormal du nez, des arcades sourcilières et de la mâchoire inférieure; les mains et les pieds sont d'une taille excessive par rapport à la morphologie du sujet. L'excès permanent de STH provoque aussi des troubles biochimiques, avec très fréquemment l'apparition d'un diabète. D'autre part, l'activité des testicules ou des ovaires est bloquée, provoquant absence de règles chez la femme et impuissance chez l'homme.

acte manqué

Acte par lequel se traduit involontairement un désir ou une intention inconsciente du sujet; mot prononcé ou écrit pour un autre, lecture et audition mal interprétées, rendez-vous oubliés, etc.

acuité visuelle

C'est la plus petite image perçue par notre rétine : le minimum séparable. Dans ces conditions, l'objet observé est vu sous un angle de 1'.

En pratique, on mesure l'acuité visuelle de loin sans accommodation à 5 mètres et au-delà, et celle de près à 30 cm pour évaluer l'accommodation. Pour mesurer la vision de loin, on utilise en France soit les échelles d'acuité de Maunoyer, soit des projecteurs de tests ou encore des échelles pour illettrés: les lettres de 7,5 mm vues à 5 mètres correspondent à une acuité visuelle de 10/10, celles de 75 mm à 1/10.

On admet que la vision est normale lorsque l'acuité visuelle est de 10/10, mais celle-ci peut atteindre 15 à 16/10. Un sujet qui voit, par exemple, 1/10 sans verre correcteur, et aura une acuité de 10/10 quand on place devant son œil un verre concave de 2 dioptries, sera dit myope de deux dioptries.

L'acuité visuelle de près est mesurée avec l'échelle de Parinaud: un myope, quel que soit son âge, la lira sans verre correcteur, mais un hypermétrope ou un presbyte sera obligé de porter des verres correcteurs convexes.

Addison *(maladie d')*

☞ surrénales *(glandes)*

adénome de la prostate

☞ prostate

adrénaline

☞ surrénales *(glandes)*

aérophagie

☞ ■ colite fonctionnelle ■ dyspepsie

âge gestationnel

☞ maturation du nouveau-né et croissance intra-utérine

âge osseux

☞ ■ croissance *(retard de)* ■ croissance staturo-pondérale

agglutinines irrégulières

☞ ■ grossesse *(généralités et surveillance)* ■ incompatibilité sanguine fœto-maternelle

agitation

Gesticulation motrice plus ou moins agressive qui survient parfois lors de véritables crises de colère destructrice. Son aspect et son traitement varient avec son origine:

– *delirium tremens*: agitation au sein d'un délire hallucinatoire complexe chez un alcoolique brutalement sevré;

– *ivresse aiguë* souvent agressive;

– *déambulation nocturne incessante* du vieillard dément;

– agitation logorrhéique joviale expansive mais parfois agressive du maniaque (psychose maniaco-dépressive);

– *théâtralisme de l'hystérique*, et d'autres états névrotiques;

– *violence du psychopathe*;

– *bizarrerie*, *discordance* et *dangerosité du schizophrène*.

Le traitement repose, quand il est possible, sur le dialogue confiant avec le médecin, qui fait accepter au patient une thérapeutique (tranquillisants, neuroleptiques). L'hospitalisation est parfois nécessaire; si le malade la refuse, le médecin rédige avec les proches un certificat de placement volontaire; exceptionnellement, il fait appel aux forces de l'ordre si la dangerosité et le trouble de l'ordre public sont manifestes.

☞ ■ ivresse ■ démence ■ psychose maniaco-dépressive ■ hystérie ■ schizophrénie ■ certificats médicaux et législation

agoraphobie

☞ névroses

albinisme

L'albinisme est une absence congénitale partielle ou totale de la pigmentation de la peau, des poils ou des cheveux. Les sujets atteints présentent une inaptitude au bronzage et un risque important d'apparition de cancers cutanés; ils doivent protéger leur peau du soleil.

albuminurie

☞ protéinurie

alcool

L'alcool ingéré est absorbé dans l'estomac et la première partie de l'intestin grêle, puis il passe très rapidement dans le sang. L'*alcoolémie* est le dosage de l'alcool dans le sang: elle varie en fonction de la teneur en alcool de la boisson ingérée, de la quantité ingérée, de l'état de satiété au moment de l'ingestion (moindre absorption au cours d'un repas qu'à jeun), de la prise concomitante de médicaments interférant avec le métabolisme de l'alcool...

Puis l'alcool est diffusé dans tout l'organisme, notamment dans le foie, le cerveau, le pancréas, le poumon, le placenta, le lait maternel... Il est détruit principalement dans le foie, puis est éliminé dans les urines et par la respiration — ce qui permet de le détecter par l'alcootest.

Une consommation légère d'alcool au cours du repas n'entraîne aucun dommage. Mais cette notion doit être nuancée en fonction de la susceptibilité de chaque individu. Rappelons qu'il peut suffire de boire deux verres de vin et un alcool pour entraîner la positivité de l'alcootest et un taux d'alcoolémie supérieur aux normes légales en cas de conduite automobile.

Une consommation modérée d'alcool, même régulière, est elle aussi sans danger. Mais là encore, rappelons que 75 cl de vin par jour chez l'homme (50 cl chez la femme) pendant dix ans peuvent suffire à provoquer une cirrhose hépatique.

En dehors de la destruction hépatique, l'alcool a une responsabilité parfois prépondérante dans la survenue des cancers de la bouche, du pharynx et de l'œsophage (notamment en cas de tabagisme associé), de complications neurologiques (polynévrites, névrite optique, encéphalopathies, impuissance), de complications pancréatiques (pancréatite aiguë et chronique)..., et d'accidents de la route ou du travail.

Vous pensez boire trop d'alcool (vin, bière, apéritifs, digestifs, cidre...) : avant la survenue des complications déjà citées, ou d'un accident de la route ou du travail, vous devez consulter votre médecin. Celui-ci appréciera par un examen clinique et par un simple examen du sang (augmentation du taux des gamma GT, augmentation du volume des globules rouges) si votre consommation est excessive. Une franche diminution, ou un arrêt total de la consommation d'alcool normalisera ces examens. Si malgré la constatation d'anomalies biologiques, vous persistez à vous intoxiquer, vous courez le risque de voir survenir des lésions irréversibles.

 ■ ivresse ■ cirrhose du foie d'origine alcoolique ■ alcoolisme

alcoolisme

 L'alcoolisme est une maladie qui suppose abus d'alcool par la quantité, l'habitude et la grande dépendance physique et mentale. On distingue : *l'alcoolisme d'entraînement*, *les névroses alcooliques* et, plus rare, *l'alcoolisme intermittent et compulsif*.

L'alcoolisme d'entraînement
Il est le plus souvent masculin, bien qu'il ait tendance à augmenter actuellement chez les femmes.

Il commence souvent à l'adolescence, ne s'accompagne d'aucun sentiment de culpabilité, ni, en général, de troubles de la sexualité; socialement bien accepté, il est fortement rationalisé. Il s'arrête à la sénescence soit spontanément, soit par intolérance hépato-digestive ou délirium.

On retrouve souvent des ascendants alcooliques.

Les névroses alcooliques
Elles entraînent des conduites toxicomaniaques, solitaires et chargées de culpabilité. Elles apparaissent plus tardivement et s'accompagnent de conflits familiaux, de troubles de la sexualité et du comportement. Elles peuvent évoluer vers des états psychotiques. On retrouve souvent une névrose ou une psychose chez un parent.

L'alcoolisme compulsif
Il répond à des pulsions fortes et incontrôlables. Il est intermittent et fortement culpabilisé.

Aucune hérédité familiale particulière n'est à l'origine de cette maladie. Bien souvent elle se déclare sur le tard, son évolution peut tendre vers la névrose alcoolique.

 Selon le type de conduites alcooliques, on retrouve : une sensibilité particulière du système nerveux favorisant la dépendance, une intolérance à la frustration, avec des comportements impulsifs, des tendances dépressives et anxieuses, peu de capacité d'introspection, une image paternelle faible ou au contraire écrasante, une mère ambivalente tantôt rejetante, tantôt surprotectrice. Bien que ces traits de caractère soient fréquemment retrouvés, ils n'autorisent pas à parler de « personnalité alcoolique ».

La prise en charge est assurée par le médecin généraliste avec l'appui des structures spécialisées. Toute thérapie doit commencer par une prise de conscience du patient. Si le malade est un buveur excessif, il convient de l'aider à diminuer sa consommation; si le malade est un buveur dépendant, il faudra l'aider à un arrêt total de consommation. Ceci nécessite des contacts réguliers et parfois la prescription de tranquillisants ou d'antidépresseurs. Il est nécessaire de vérifier que le patient ne substitue pas à l'alcool un autre toxique même médicamenteux.

Les cures de désintoxication sont parfois nécessaires mais non suffisantes. Elles doivent être accompagnées et suivies de psychothérapie.

Les groupes d'anciens buveurs apportent aux malades alcooliques et à leur famille une aide irremplaçable. Ils permettent aux buveurs de se reconnaître malades alcooliques, de perdre leur culpabilité, de retrouver leur dignité et de se restructurer en s'identifiant à d'anciens buveurs devenus abstinents. Les familles, moins isolées, retrouveront espoir et connaîtront un soutien qui leur permettra d'aider le malade alcoolique.

 L'alcoolisme n'est ni inéluctable, ni incurable. Il n'est pas l'apanage d'une classe sociale. La prévention est éducative. Elle doit porter sur l'agent

(l'alcool), le buveur ou futur buveur et le contexte social.

☞ ■ cirrhose du foie d'origine alcoolique

aldostérone

☞ surrénales *(glandes)*

alerte *(comment donner l')*

☞ secours d'urgence

algie vasculaire de la face

Vous avez moins de cinquante ans et vous souffrez d'une douleur pulsatile (battante comme le pouls). Celle-ci dure d'une demi-heure à quelques heures, progressivement croissante, touchant l'œil, la tempe, les dents, le maxillaire supérieur d'un seul côté de la face, et s'accompagne de troubles vasomoteurs, larmoiement, sensation d'obstruction nasale ou d'écoulement par le nez du côté de la douleur, parfois de rougeur de l'hémiface. Il s'agit vraisemblablement d'une algie vasculaire de la face.

Le diagnostic est établi à partir des caractéristiques de la douleur et de son évolution par période de quelques semaines ou mois avec des accès quotidiens survenant presque toujours à la même heure. Mais, il n'y a pas de facteurs qui déclenchent les crises. Des intervalles libres de quelques mois à quelques années séparent les périodes douloureuses et les récidives siègent presque toujours du même côté du visage.

Les examens complémentaires n'apporteront que peu d'éléments diagnostiques; les radiographies du crâne chercheront à vérifier s'il n'y a pas d'autre cause locale à ces douleurs : sinusite, douleurs dentaires ou du maxillaire.

On traite l'algie vasculaire faciale comme une migraine, mais cette thérapeutique est souvent d'efficacité moindre dans le cas de l'algie. D'autres thérapeutiques, telle la stimulation électrique cutanée externe ou *électro-acupuncture*, associées à une prise en charge psychologique dans un centre de traitement de la douleur, ont parfois de bons résultats.

Dans le cas d'une algie vasculaire rebelle à tout traitement, on procède à une *phénolisation* du ganglion sphéno-palatin.

algoneurodystrophie

Maladie fréquente, le plus souvent favorisée par un facteur déclenchant (traumatisme, intervention), l'algoneurodystrophie se manifeste à sa phase

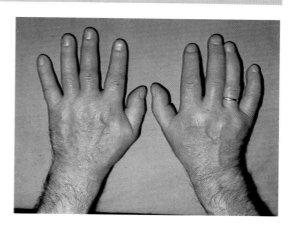

algoneurodystrophie *de la main.*

précoce par une douleur d'une ou plusieurs régions articulaires, d'intensité variable, permanente ou survenant lors de la mobilisation de l'articulation ou de sa mise en charge, entraînant une impotence fonctionnelle importante : le malade « protège » son articulation.

La région atteinte est rouge, chaude, tuméfiée, son aspect est inflammatoire. La radiographie à ce stade est souvent normale ou montre un aspect de décalcification; le mérite de cet examen est d'éliminer une autre pathologie. La scintigraphie* osseuse révèle une hyperfixation de l'articulation atteinte : ceci affirme le diagnostic. Le bilan biologique ne met pas en évidence de syndrome biologique inflammatoire.

A ce stade, la calcitonine ou les bêta-bloquants sont souvent efficaces.

L'évolution de cette phase aiguë est extrêmement variable. Elle aboutit quelquefois, malgré un traitement bien conduit, à une phase « froide » caractérisée par des douleurs atténuées et l'apparition de troubles trophiques entraînant une limitation de la mobilité articulaire ainsi qu'une rétraction cutanée et donc une impotence fonctionnelle parfois importante.

Cependant, l'algoneurodystrophie guérit toujours après une période dont la durée est imprévisible, de quelques semaines à plusieurs mois. Cette maladie, encore mal expliquée, récidive parfois.

alimentation du nourrisson

De la naissance à 3 mois

L'alimentation *exclusive* par le *lait* est préférable.

Vous avez décidé d'allaiter
En effet, le lait maternel est le mieux adapté aux

besoins nutritionnels du nouveau-né : de plus, il favorise la création de liens affectifs privilégiés entre la mère et son enfant et constitue un bon moyen de prévention contre les allergies et l'infection.

L'allaitement commence dès la première heure qui suit l'accouchement; il peut se poursuivre exclusivement jusqu'à 3 mois et plus. Assurez-vous que la ration de lait est suffisante en pesant votre bébé tous les jours jusqu'à un mois puis éventuellement deux fois par semaine ensuite. Il doit prendre 15 à 30 g par jour le premier trimestre, un peu moins ensuite. Le comportement de votre bébé est aussi un excellent indice : s'il pleure avant l'heure, c'est bien souvent que la ration est insuffisante.

— *La fréquence des tétées*, variable selon l'appétit de l'enfant, devra respecter un intervalle d'au moins deux heures entre deux tétées. Elle sera en moyenne de huit à six tétées le premier mois, six à cinq les mois suivants. Une tétée la nuit est en général nécessaire jusqu'à l'âge de 3 mois.

— *Nettoyez vos seins* à l'eau et au savon de Marseille une fois par jour. Appliquez une compresse stérile après chaque tétée.

— *Prévenez les crevasses* en veillant à ce que l'enfant ait une bonne position pour téter, de manière à ce que les lèvres recouvrent bien le mamelon. Ne le laissez pas téter plus de 15 minutes à chaque sein. Si malgré ces précautions, vous souffrez de crevasses, la mise au repos du sein pendant 24 heures par l'utilisation d'un tire-lait et l'application d'une pommade cicatrisante suffisent en général à entraîner la guérison.

— *Votre régime alimentaire* doit être un peu plus calorique qu'en temps normal (2 500 calories environ), riche en calcium (laitages) et en vitamines (légumes). Il doit comporter au moins 1,5 à 2 litres de boissons non alcoolisées par jour.

Certains aliments modifiant le goût du lait sont à éviter : choux, choux-fleurs, poireaux, asperges, ail, oignons, navets. En revanche, certaines épices comme le curry, le cumin ou le fenouil sont réputés pour donner un bon goût au lait et entrent même dans la composition de produits utilisés pour stimuler la lactation. La consommation excessive de café, thé, tabac, alcool est fortement déconseillée.

Si vous devez suivre un traitement, votre médecin vous indiquera s'il est compatible avec la poursuite de l'allaitement. En effet, la plupart des médicaments passent dans le lait mais tous ne sont pas toxiques pour l'enfant.

Vous ne désirez pas ou ne pouvez pas allaiter

Votre bébé sera nourri au lait artificiel premier âge dont il existe deux formules : « maternisé » ou « adapté »; la différence vient essentiellement de leur mode de sucrage et la tendance actuelle est de préférer les seconds réputés pour donner moins de régurgitations et mieux satisfaire l'appétit du bébé.

La quantité de lait à proposer au nourrisson est fonction de son appétit et de son poids. Pour la

Alimentation du nourrisson pendant la première année	
1er mois	6 à 8 tétées au sein ou lait 1er âge
2e mois	6 à 7 tétées de 120 g ou 5 de 135 g
3e mois	6 à 7 tétées de 150 g ou 5 de 165 g
À partir du 4e mois pas moins de 1/2 litre de lait par jour	
4e mois	4 tétées de 180 g Introduction des légumes, des fruits, de la farine
5e mois	2 tétées de 195 à 210 g de lait **déjeuner :** purée de légumes à la petite cuillère + dessert **dîner :** soupe de légumes épaisse au lait ou bouillie
6e mois	**petit déjeuner :** lait 2e âge + farine **déjeuner :** purée de légumes + viande (10 g) + dessert fruité **goûter :** lait (210 g) **dîner :** soupe de légumes + yaourts ou petits suisses
du 6e au 12e mois	**petit déjeuner :** lait + farine **déjeuner :** purée de légumes + viande + dessert **goûter :** lait + biscuit **dîner :** soupe de légumes épaissie avec semoule ou tapioca + gruyère râpé + dessert lacté ou fruits.

calculer, sachez qu'elle est d'environ égale au 1/10 du poids du corps (en grammes) + 250 g, avec des petites variations individuelles; soit pour un nourrisson de 4 kg : $\dfrac{4000\,g}{10} + 250\,g = 650\,g$.

L'horaire des biberons dans la journée est également fonction de chaque enfant; il doit respecter, comme pour l'allaitement au sein, un intervalle minimum de 2 heures entre chaque biberon. Si l'enfant se réveille la nuit, ce qui est souvent le cas les premières semaines, ne donnez pas de l'eau sucrée mais du lait.

Les petits problèmes de l'allaitement

— *Les régurgitations* ne doivent pas être confondues avec les vomissements : la quantité de lait renvoyé est souvent minime, la courbe de poids en général ascendante. Bien souvent, ce symptôme pourrait être évité en respectant des règles simples : bonne reconstitution des biberons (1 mesure pour 30 ml d'eau), respect d'un intervalle minimum de 2 heures entre les tétées, ne pas forcer l'enfant à finir les biberons et éviter les jus de fruits.

Si malgré le respect de ces règles, votre bébé continue à régurgiter, votre médecin vous conseillera d'introduire un épaississant dans le biberon et de placer l'enfant en position à demi assise après les repas; si l'enfant est encore au lait maternisé, il pourra juger nécessaire de changer celui-ci au profit d'un lait adapté.

— *La constipation* est l'émission de selles dures, peu abondantes et peu fréquentes. En dehors de cas purement médicaux, elle est souvent due à une alimentation incorrecte et insuffisante : mauvaise reconstitution des biberons, ration quotidienne trop faible, utilisation abusive de farines. Si après avoir écarté ces causes la constipation persiste, préparez un ou plusieurs biberons avec une eau laxative vendue en pharmacie ou encore, dès l'âge de 2 mois, ajoutez dans les biberons quelques cuillères à café de légumes homogénéisés

Sachez aussi que les jus d'orange et de raisin ont des propriétés laxatives; eux seuls suffisent parfois à résoudre le problème. Une place à part doit être faite à la fausse constipation du bébé au sein qui peut ne pas émettre de selles pendant deux à trois jours sans pour cela être constipé.

Il y a très peu de résidus dans le lait maternel et certains bébés « absorbent » tout. Cependant, une constipation persistante impose de rechercher certaines maladies (hypothyroïdie, maladie de Hirschsprung...)

— *Les selles liquides :* le lait maternel et les laits maternisés donnent souvent des selles fréquentes et molles (à différencier de la diarrhée). Si la courbe de poids est satisfaisante, aucun traitement particulier n'est à envisager; en revanche, si elle est stationnaire, votre médecin vous conseillera l'adjonction à chaque tétée d'un antidiarrhéique léger, le plus souvent sous forme de poudre à mélanger au biberon.

— *Les selles vertes* ne doivent pas vous inquiéter; elles ne sont que l'expression d'un transit intestinal accéléré.

— *Les enfants voraces :* certains nourrissons ont faim, bien que s'alimentant avec du lait maternisé. Mieux vaut alors leur proposer un lait adapté.

À 3 mois

À cet âge commence la diversification alimentaire par adjonction de purées de légumes, de compotes de fruits, de farines, de jus de fruits.

— *Les farines* doivent être données avec modération et sous une forme totalement dépourvue de gluten jusqu'à 6 mois afin de prévenir l'intolérance au gluten.

— *Les purées de légumes ou de fruits* peuvent être confectionnées avec des produits frais, mais les petits pots sont d'une bonne valeur nutritive et peuvent apporter une aide précieuse au début de la diversification alimentaire.

— *Les jus de fruits* que l'on donnait classiquement dès le premier mois peuvent n'être introduits qu'à 3 mois, étant donné l'adjonction de vitamine C aux laits premier âge.

À 5 mois

Le lait deuxième âge vient remplacer le lait premier âge. Il est conseillé jusqu'à l'âge de 1 an, à raison d'au moins 500 ml par jour. On introduit des protéines d'origine animale (1 cuillère à café de viande, ou jambon, ou poisson maigre ou un jaune d'œuf dur), et les laitages autres que le lait (yaourts, petits suisses, fromage blanc, gruyère râpé).

À partir de cet âge où l'alimentation devient variée, veillez à ce que la ration de lait ne soit pas inférieure à 0,5 litre par jour, le lait étant, comme vous le savez, la principale source de calcium nécessaire à l'ossification.

Les purées et la viande, mixées au départ, devront être moulinées vers 6 mois pour que l'enfant s'habitue aux petits morceaux qu'il doit savoir mastiquer dès l'âge de 15 mois.

Les quantités de nourriture sont augmentées progressivement en fonction de l'appétit de l'enfant.

À un an

Certains aliments qui jusque-là étaient déconseillés peuvent être introduits : abats (foie, cervelle), œuf à la coque, fromages fermentés, lait de vache.

La ration quotidienne de viande ne doit pas dépasser 50 g.

Dès l'âge de 15 mois, habituez votre bébé à commencer son repas de midi par une crudité très légèrement assaisonnée (tomate pelée, carotte râpée finement).

Ainsi, peu à peu, l'alimentation du nourrisson se rapproche de celle de l'enfant plus grand. À 18 mois, votre enfant peut manger de tout. Sachez respecter son appétit et ne le forcez jamais à finir son assiette.

☞　■allaitement ■vitamines du nourrisson

alimentation normale

L'organisme a besoin d'aliments pour assurer sa croissance, réparer ses pertes et maintenir sa température. Pour répondre à ces fonctions, l'alimentation doit être diversifiée, c'est-à-dire constituée de nutriments de source et de composition variées.

Les nutriments

On distingue quatre groupes de base de nutriments : les *protéines*, les *glucides* (sucres) et les *lipides* (matières grasses), qui constituent les ma-

Régime normal équilibré à 2 000 calories

protides 75 g = 15 % de calories

lipides 75 à 80 g = 35 % de calories

glucides 250 g = 50 % de calories

Aliments	Équivalents	Quantités/jour
Lait entier	1/2 écrémé	250 ml soit 1/4 l
Fromage	fromages variés à pâte cuite fermentés, à pâte moisie	30 g
Yaourt nature	voir tableau p. 34 *« Équivalences par groupe d'aliments »*	1
Viande	voir tableau p. 34 *« Équivalences par groupe d'aliments »*	200 g
Pain	biscottes, pain au son, ou pain complet selon tolérance	150 g
Pommes de terre	autres légumes féculents	300 g
Légumes verts	à consommer en crudités ou cuits, voir p. 35 la liste de légumes dits « verts »	400 à 500 g
Fruits frais	si possible un agrume/jour	200 à 300 g
Beurre et margarine	essayez de consommer au moins 10 g de beurre frais ou doublez la ration si le beurre est allégé	20 g
Huile	utilisez huile d'arachide pour fritures, huile de maïs ou tournesol ou soja ou nouvelle huile de colza pour les crudités	20 g
Sucre et confiture ou miel	sucres purs non indispensables	30 g
		Quantités/semaine
Fruits secs et oléagineux (amandes, cacahuètes...)	aliments très caloriques, riches en oligo-éléments	30 g
Chocolat	aliments très caloriques, riches en oligo-éléments	50 g

L'eau est une boisson indispensable. La consommation de boissons sucrées n'est pas recommendée (voir tableau p. ci-contre *« Taux calorique moyen de certains aliments et de boissons non alcoolisées »*). La consommation des boissons alcoolisées est à éviter ou tout au moins à limiter (voir tableau p. 36 *« Consommation d'alcool chez l'adulte »*).

cro-nutriments, et les micro-nutriments (*vitamines et oligo-éléments*).

Chacun de ces nutriments assure plusieurs fonctions biologiques mais on peut très schématiquement attribuer à chacun d'eux un rôle particulier. Ainsi les protéines sont indispensables pour la croissance et la réparation des structures « nobles » de l'organisme (cellules). Les glucides, dénommés aussi hydrates de carbone, fournissent de l'énergie de même que les lipides. Les vitamines sont indispensables pour le bon fonctionnement du métabolisme des cellules et des tissus. Les oligoéléments (fer, calcium, etc.) assurent des fonctions très diversifiées (synthèse de l'hémoglobine, constitution de l'os, etc.). Quant à l'eau contenue aussi dans les aliments, elle est indispensable à la vie.

En dehors du lait maternel, aucun aliment n'est capable à lui seul de couvrir l'ensemble des besoins de l'organisme. Pour être équilibrée, l'alimentation doit donc être constituée d'aliments différents. Certains aliments sont constitués d'une seule catégorie de nutriments. Ainsi l'huile contient 100 % de lipides et le sucre 99,5 % de glucides. La majorité des aliments sont composites. Ils contiennent en proportions variables les trois macronutriments (lipides, glucides, protides), des oligoéléments et des vitamines, sans oublier l'eau qui peut représenter leur majeure partie. Il est habituel de classer les aliments selon leur origine (animale ou végétale), selon leur contenu en macro et micro-nutriments.

Les protides

La majorité des aliments riches en protides sont d'origine animale. Il s'agit des viandes, des poissons, des œufs et des produits laitiers. Les viandes et les poissons contiennent environ 60 % d'eau et 15 à 25 % de protides. Leur contenu en matières grasses (lipides) est variable. D'une manière générale les viandes sont plus riches en matière grasse que les poissons. Parmi les produits laitiers, les fromages sont les plus riches en protides.

Si dans les pays riches les protides consommés sont avant tout d'origine animale, dans le reste du monde les calories protidiques sont pour une très large part végétales. Les légumes secs peuvent contenir jusqu'à 25 % de protides, la farine 10 %, le pain 8 %.

La qualité nutritionnelle des protéines dépend de leur digestibilité et de leur capacité a être utilisées par l'organisme. La cuisson améliore la digestibilité du blanc d'œuf ou des légumes secs.

Les glucides

Les glucides alimentaires se présentent sous deux catégories : les *sucres simples* et les *sucres complexes* faits d'une association de sucre simples (par exemple amidon) sous forme de longues chaînes associées.

Le sucrose (sucre simple) est tiré de la canne à sucre ou de la betterave. Il est consommé tel quel ou sous forme de sucreries, pâtisseries, confiserie. Les sucres simples sont aussi présents dans les fruits.

Les sucres complexes se trouvent dans le pain, les céréales, le riz, les pâtes, les pommes de terre. Les chaînes qui constituent ces glucides complexes vont être rompues par la digestion qui libère

Taux calorique moyen de certains aliments et de boissons non alcoolisées

Aliments	Taux calorique
1 glace	200 à 250
1 glace avec chantilly	400 à 600
1 part de tarte aux pommes	200 à 250
1 sorbet	100 à 150
1 croissant (50 g)	190
1 pain au chocolat	250
1 bouchée au chocolat	150
2 chewing-gums	20
2 bonbons	40 à 60
1 tranche de cake (50 g)	100
10 petits gâteaux salés	60
3 olives	25
10 cacahuètes	100
10 amandes grillées	150
10 pistaches	150

Aliments	Taux calorique
10 chips	75
1 cornet de frites	300 à 400
4 saucisses à apéritif	50
2 apéricubes	30
Boissons non alcoolisées	
eau	0
1 limonade	50
1 chocolat	160
1 milk-shake	280
1 jus d'orange du commerce (12 cl)	100
1 coca-cola (12 cl)	85
1 soda	80
1 schweppes	75
1 jus de tomate du commerce	20

Équivalence par groupe d'aliments

Groupes d'aliments	Apports	Équivalence protidique
Produits laitiers 200 ml lait	6 à 7 g protides animales calcium	30 g fromage 1 yaourt 2 petits suisses 60 g fromage blanc
Viande - poissons - œufs 100 g viande	15 à 22 g protides animales	100 g poisson = 2 œufs
Féculents 100 g pain	55 g glucides complexes	7 biscottes
100 g pommes de terre	20 g glucides complexes	40 g pain 25 g riz, pâtes, semoule (pesés crus) 35 g légumes secs (pesés crus) 100 g petits pois

Consommation quotidienne idéale en vitamines

Vitamines	Besoins quotidiens	Aliments vitaminiques
vitamine A rétinol	1 mg/j	œufs, foie, lait, beurre, carottes, légumes verts, fruits.
vitamine B_1 thiamine	1,5 mg/j à 2 mg/j	viandes, jaune d'œufs, lentilles, abricots, fruits et légumes.
vitamine B_2 riboflavine	1,5 mg/j à 2 mg/j	viandes, jaune d'œufs, lentilles, abricots, fruits et légumes.
vitamine B_3 niacine	15 à 20 mg/j	viandes, abats, poissons, légumes secs.
vitamine B_5 acide pantothénique	10 à 20 mg/j	viandes, abats, jaune d'œufs, blé, choux.
vitamine B_6 pyridoxine	2 à 2,5 mg/j	viandes, abats, jaune d'œufs, lait, céréales.
vitamine B_8 biotine	0,1 à 0,3 mg/j	viandes, abats, jaune d'œufs, lait, céréales.
vitamine B_9 acide folique	0,4 à 0,8 mg/j	viandes, abats, jaune d'œufs, lait, céréales.
vitamine B_{12} cobalamine	0,004 mg/j	viandes, lait, produits laitiers.
vitamine C acide ascorbique	60 à 100 mg/j	fruits frais, pommes de terre, foie.
vitamine D cholécalciférol	0,01 mg/j	poissons, jaune d'œufs, huile de foie de morue ou de fletan, lait.
vitamine E rocophérol	12 à 15 mg/j	huiles de colza, de maïs, de tournesol, de soja, foie, œufs, céréales, légumes verts.
vitamine K phylloquinone	1 à 1,5 mg/j	foie, œufs, légumes verts.

lentement les sucres simples. Ceux-ci pourront alors être absorbés. A titre d'exemple, les pommes de terre contiennent environ 20 % de glucides (complexes), le riz avant cuisson 80 % et les fruits frais 15 % : ceci illustre le fait que la saveur sucrée d'un aliment ne suffit pas pour évaluer sa teneur en glucides, car les sucres complexes n'ont pas le goût sucré.

Les lipides

Les aliments les plus riches en lipides sont le beurre, les huiles, le lard, le saindoux et la margarine. D'autres aliments en contiennent de façon plus ou moins évidente : produits laitiers (crème, lait), viandes, poissons. Il est habituel de distinguer les graisses visibles (beurre, huile, gras de jambon) et invisibles (contenus dans les aliments protéiques).

On attache une grande importance à la qualité des acides gras présents dans les graisses alimentaires. Selon leur structure chimique on parle d'acides gras saturés (d'origine avant tout animale) ou insaturés (d'origine végétale). Ces deux types d'acides gras influencent de façon différente le taux des lipides sanguins (cholestérol).

Les lipides alimentaires sont une source d'énergie mais ils ont aussi un rôle important en favorisant l'absorption intestinale de vitamines (A, D, E et K) et en fournissant des acides gras dits essentiels (car non fabriqués par l'organisme) nécessaires au bon développement du système nerveux.

La quantité d'énergie fournie par les aliments se compte en calories ou en joules (1 calorie = 4,18 joules). Un gramme de glucides ou de protides fournit 4 calories, et un gramme de lipides 9 calories.

Les vitamines

Les vitamines sont par définition des substances indispensables à la vie, agissant à de très faibles quantités. Elles ne fournissent pas d'énergie mais sont essentielles au fonctionnement correct des différents cellules et organes. Certains excès vita-

miniques peuvent être toxiques (vitamines A et D en particulier).

La majorité des individus adultes ayant un niveau socio-économique suffisant pour avoir une alimentation variée, absorbe quotidiennement une quantité suffisante de vitamines dans la nourriture habituelle. Seuls certains individus soumis à des conditions particulières, du fait soit d'une malnutrition, soit de la prise chronique de certains médicaments, de la consommation excessive d'alcool ou de tabac pourraient se trouver réellement exposés à un déficit vitaminique dans les pays économiquement développés. D'autre part, la surconsommation de vitamines peut provoquer des incidents ou des accidents sérieux. L'évaluation de la consommation quotidienne idéale de vitamines reste très approximative faute de dosages intracellulaires précis (▷ tableau ci-contre).

Les oligo-éléments et minéraux

Les oligo-éléments, les minéraux jouent, comme les vitamines, un rôle très important.

A titre d'exemple, le sodium détermine l'équilibre de l'eau entre l'intérieur et l'extérieur des cellules; le calcium et le potassium jouent un rôle crucial dans tous les mécanismes cellulaires où interviennent des charges électriques (par exemple le rythme cardiaque). Le fer sert à la synthèse d'hémoglobine, et l'iode à celle des hormones thyroïdiennes. Les oligo-éléments sont présents en quantités variables selon les aliments.

Les besoins nutritionnels

Il existe des tables de composition qui permettent de connaître la teneur de chaque aliment en macro- et micro-nutriments. Quelles que soient ces données, un fait reste sûr : tout individu placé dans les conditions d'environnement habituelles des pays développés est capable de choisir, parmi la multitude des aliments qui se présentent à lui, la quantité et la qualité des nutriments nécessaires à sa croissance et à son équilibre. Il existe donc à l'évidence des mécanismes internes à l'organisme

Légumes dits « verts »

asperge	chou rouge	endive	tomate
artichaut	chou Broccolis	poireau	fenouil
aubergine	rutabaga	navet	petit pois
courgette	betterave rouge	oignon	*(extra-fin frais)*
carotte	bette	ail	radis
céleri branche	*(côtes et feuilles)*	échalotte	rhubarbe
céleri rave	cardon	épinard	concombre
champignon	salade *(laitue, scarole, mâche,*	haricot vert	cornichon
chou vert	*frisée, batavia, cresson,*	salsifis	germe de soja
chou-fleur	*pissenlit)*	potiron	etc.
chou de Bruxelles		poivron	

Consommation d'alcool chez l'adulte

Il est important de ne pas dépasser :

1/4 l de vin par jour pour la femme soit environ 175 calories apportées par l'alcool.
1/2 l de vin par jour pour l'homme soit environ 350 calories apportées par l'alcool.

En cas de consommation d'autres boissons alcoolisées il faut diminuer ou supprimer le vin.

Boissons alcoolisées	Calories	Boissons alcoolisées	Calories
1 verre de vin rouge à 11°	65	1 coupe de champagne	125
1 verre de vin blanc sec	60	1 verre de porto	100
1 bière pression	60	1 verre de punch	200 à 250
1 bière bouteille (33 cl)	110	1 cognac	80
1 bouteille de cidre (30 cl)	65	1 liqueur	90
1 whisky	90		

qui lui permettent d'adapter son comportement alimentaire à ses besoins. Ces mécanismes font intervenir des processus neuro-hormonaux d'une très grande complexité.

Les besoins énergétiques

Ces besoins varient d'un individu à l'autre et chez un même individu selon son activité, son âge. Il est donc impossible de fixer un chiffre précis d'apport énergétique valable pour l'ensemble de la population.

On conseille en moyenne les apports énergétiques suivants : 2 000 à 3 000 calories par jour chez l'homme, 1 800 à 2 200 chez la femme de 30 à 40 ans. Les besoins diminuent ensuite de 5 à 10 % par décennie.

Chez l'enfant, les apports énergétiques se situent entre 1 400 calories de 1 à 3 ans à 2 200 vers 9 ans. Chez l'adolescent, les apports sont de l'ordre de 2 400 à 3 000 calories. Chez les nourrissons, au cours des premiers mois de la vie les besoins énergétiques liés à la croissance et à la thermorégulation sont importants; on estime que 100 à 120 calories par kg de poids sont nécessaires.

Au cours de la grossesse, les besoins énergétiques augmentent, mais les experts ne sont pas d'accord sur les apports supplémentaires à conseiller (environ 150 calories pendant le premier trimestre et 300 calories à la fin de la grossesse). D'une manière générale chez l'adulte, en dehors de la grossesse, la meilleure façon d'évaluer l'adéquation entre entrée et sortie d'énergie est de vérifier la stabilité du poids.

Les apports énergétiques

La répartition des macro-nutriments doit être la suivante : les protéines représentent 15 % des apports énergétiques, les glucides 50 %, les lipides 35 %. Cette répartition tient compte des données épidémiologiques qui indiquent qu'une alimentation trop riche en lipides, telle que celle des pays occidentaux (45 % de lipides) favorise le développement des maladies cardio-vasculaires (artériosclérose).

Il est donc nécessaire de réduire la part des lipides dans l'alimentation en consommant, sans excès, beurre, charcuterie et viandes grasses. Les matières grasses contenant des acides gras polyinsaturés (huile et margarine de tournesol, poissons) sont conseillées.

Les apports en protéines doivent être diversifiés en sachant que les protéines animales d'excellente valeur nutritionnelle sont souvent associées à des lipides et que les protéines d'origine végétale doivent garder leur place.

Les apports en fibres alimentaires sont assurés par la consommation de légumes, céréales et pain complet.

Les apports hydriques sous forme de boisson doivent être de l'ordre de 1,2 litre par jour chez l'adulte.

Les besoins en minéraux et vitamines

Les besoins en principaux minéraux sont généralement couverts par l'alimentation usuelle. Les besoins par jour en calcium varient de 600 à 1 200 mg, en magnésium de 50 à 400 mg, en fer de 10 à 20 mg, d'iode de 70 à 140 mg. Les femmes présentent souvent une carence en fer et en magnésium, même dans les pays occidentaux.

Les besoins vitaminiques varient suivant l'âge et les conditions d'environnement. Dans les pays occidentaux, l'alimentation usuelle couvre largement les besoins sauf dans certains groupes. La vitamine D doit être fournie aux enfants surtout pendant les premières années de la vie. Des carences en acide folique peuvent être observées chez les femmes enceintes et chez les alcooliques.

Certains acides gras sont essentiels car ils

remplissent des fonctions irremplaçables et ne sont pas synthétisés par l'organisme humain : c'est le cas de l'acide linoléique, présent dans le lait de femme mais pas dans le lait de vache. Les laits du premier âge doivent être enrichis en acide linoléique et arachidonique.

alitement prolongé

L'alitement prolongé d'un patient présente un certain nombre de risques. Ceux-ci sont variables avec l'âge, le terrain, la maladie et le mode de traitement de celle-ci.

L'alitement prolongé est toléré sans aucun risque par l'enfant, et ce d'autant mieux qu'il est plus jeune. Un enfant de 8 ans alité durant trois mois, suite à un accident sur la voie publique par exemple, ne présente pas de risque particulier. Dès l'âge de 13 ou 14 ans, les risques apparaissent et croissent avec les années pour devenir très importants chez les vieillards.

— Les risques de phlébite avec embolie pulmonaire doivent être prévenus par un traitement anticoagulant, adapté à chaque patient selon l'âge et la pathologie. Ce risque est plus important après une opération sur l'abdomen.

— Le risque d'escarre doit être prévenu par une mobilisation fréquente du patient et des massages sur les points d'appui (talons, sacrum...). Le danger est plus important chez les sujets âgés, dénutris, handicapés moteurs ou comateux, d'où l'intérêt des matelas spéciaux (alternating, matelas à eau).

— La mobilité des articulations sera préservée par une kinésithérapie régulière; on évitera ainsi un enraidissement ou une ankylose.

— Les complications respiratoires peuvent survenir chez le patient âgé et seront au mieux prévenues par une kinésithérapie respiratoire.

 ■ escarres ■ phlébite ■ anticoagulant
(traitement)

allaitement

Les bonnes conditions de l'allaitement

L'allaitement maternel offre bien des avantages : ce lait est le meilleur aliment pour votre bébé. Riche en anticorps, il immunise l'enfant contre les infections. Stérile, et à bonne température, il est plus facile à digérer. De plus, il établit entre vous et votre bébé une complicité mutuelle.

L'enfant apprécie l'intimité de ce contact privilégié; il est au chaud dans vos bras, ses pleurs cessent. Tout en se rassasiant, il peut vous regarder fixement, très heureux de vos paroles et de vos sourires si proches. Ces tétées sont plus profitables lorsque vous êtes confortablement installés dans une pièce un peu sombre, calme et privée des stimuli extérieurs qui pourraient détourner l'attention du bébé.

Le père peut également participer à cette fonction nourricière, si chargée d'affectivité, en donnant un biberon de lait maternel au bébé. Il sera alors ravi de se sentir plus utile à son enfant et à sa femme (lorsqu'il s'agit d'un biberon nocturne par exemple). Ces biberons sont faits à partir du lait maternel récupéré par un tire-lait puis congelé dans un biberon stérilisé, en plastique. Il peut être conservé ainsi un mois. Ce lait, facilement décongelé en trempant le biberon une dizaine de minutes dans une eau chaude, garde pratiquement toutes ses qualités. Il peut également être donné par une baby-sitter ou une grand-mère pour permettre au couple un peu de liberté.

Il est recommandé de donner le sein à l'enfant dès la naissance pour activer la lactation. Au début, cet allaitement peut être fait à la demande sans horaires stricts (habituellement 6 à 7 tétées par jour espacées d'au moins deux heures). Vous pouvez conserver la tétée de la nuit tant qu'elle est réclamée.

L'enfant se réglera ensuite de lui-même. Il est préférable de donner les deux seins à chaque tétée, afin d'éviter une congestion mammaire douloureuse. Mieux vaut commencer la tétée suivante avec le sein incomplètement vidé. Pour éviter les crevasses, les tétées ne doivent pas dépasser quinze minutes (après ce délai, l'enfant n'a plus faim et veut seulement s'amuser avec le sein).

Pendant toute la durée de l'allaitement, le tabac, l'alcool, le café et les médicaments pris sans avis médical sont interdits.

Les mamans qui allaitent doivent boire davantage et éviter les aliments donnant à leur lait un goût désagréable (ail et asperges surtout); la contraception peut être reprise rapidement car l'allaitement ne protège pas complètement contre une nouvelle grossesse.

Comment stopper la lactation

A la naissance, la montée laiteuse peut être facilement stoppée par un court traitement hormonal prescrit par le médecin accoucheur.

Plus tard, la lactation devient auto-entretenue. L'allaitement doit alors être progressivement arrêté afin d'éviter un gonflement douloureux des seins et un sevrage brutal du bébé, habitué au goût du lait maternel, à l'odeur et à la chaleur des seins.

En pratique, vous pouvez par exemple supprimer une tétée par jour toutes les deux semaines en conservant, au début, celles qui vous permettent le plus de liberté (en prévision de la reprise du travail, les mères conservent souvent préférentiellement les tétées du matin et du soir).

Il n'y a pas d'âge idéal pour sevrer l'enfant. Ce sevrage s'effectue souvent au troisième mois, âge de la diversification des repas et des essais d'alimentation à la petite cuiller.

 alimentation du nourrisson

allergènes. *Scène de tendresse touchante... Mais gare à l'allergie ! La présence des animaux familiers dans la chambre de l'enfant, et surtout sur son lit, est vivement déconseillée ; elle est à proscrire formellement chez les asthmatiques.*

allergènes

On appelle *allergènes* des substances susceptibles de provoquer, de la part d'un organisme, une réaction dite de *sensibilisation* pouvant se traduire par des manifestations cliniques : rhinite, trachéite, asthme, eczéma, urticaire, etc. Voici les principaux allergènes :

Les poussières de maison

Très fréquent, cet allergène contient des éléments d'origine animale, végétale ou minérale. Des débris d'acariens microscopiques (*dermatophagoïde pteronyssinus* et *dermatophagoïde farinae*) s'y rencontrent en abondance. Ces minuscules parasites se nourrissent de squames de peau humaine présentes dans la literie, de moisissures et de céréales. Ils sont abondants dans les maisons humides où l'atmosphère est confinée. Le soleil (rayonnement ultraviolet) les tue, de même que certains produits antiparasitaires. Leur période de multiplication se situe chaque année en octobre et novembre. Ils ne peuvent vivre en altitude, au-dessus de 1 200 mètres environ, ce qui explique les bienfaits du séjour en montagne observés chez beaucoup d'allergiques.

Les poils d'animaux

Le chat est extrêmement sensibilisant, qu'il s'agisse du chat européen ou plus encore du chat siamois. Sa salive contient en grande quantité un allergène très puissant (*Cat One*) qu'il répand sur son pelage en se léchant. Poils et squames de chat deviennent ainsi porteurs de cet allergène. Du fait de son intimité avec l'homme et en particulier avec les enfants, cet animal constitue une source d'allergie particulièrement importante.

Le chien est moins souvent responsable d'allergie, avec des différences notables suivant les races.

La multiplicité des allergènes canins (plus de dix-sept ont déjà été identifiés) explique la complexité du problème. Les chiens à poils longs et ceux qui perdent leurs poils sont plus sensibilisants que ceux à poils courts ou bien plantés (caniche).

Le hamster, le cobaye, le lapin sont également des sources d'allergènes non négligeables.

La sensibilisation au pelage d'un animal est rarement isolée, elle s'étend fréquemment à celui d'autres mammifères. Les squames de cheval portent un allergène très violent, causant des maladies allergiques non seulement chez ceux qui pratiquent l'équitation ou l'élevage, mais aussi dans leur entourage. Les squames de bovins constituent une source d'allergie plus pour les vétérinaires que pour les éleveurs.

Les pollens

L'allergie pollinique la plus fréquente dans nos pays est celle due aux graminées. Ces végétaux sont très répandus : il s'agit de l'herbe des pelouses et des prés, responsable du rhume des foins. Leur pollinisation a lieu, dans la moitié nord de la France et au Benelux, de mai à juillet, dans la moitié sud, d'avril à juin. La famille des graminées a de nombreuses espèces — le dactyle, la flouve, le paturin et la phléole — et l'effet de ses pollens s'associe à ceux des céréales.

Les pollens de la famille des composées apparaissent en septembre et octobre : absinthe, armoise, ambrosia. Le pollen d'ambrosia (*ragweed*) est responsable d'allergies très intenses aux États-Unis ; en France, il ne sévit guère que dans la région lyonnaise. Le pollen de plantain est répandu dans toute l'Europe occidentale, alors que celui de la pariétaire ne se rencontre que dans le sud de la France, d'avril à octobre.

Les pollens d'arbres donnent des manifestations allergiques dans les premiers mois de l'année : l'aulne, le bouleau, le charme, le chêne et le noisetier en sont souvent la cause. L'allergie au bouleau est fréquente et intense; elle est parfois curieusement associée à une allergie alimentaire aux pommes et aux cerises en raison de la présence d'antigènes communs.

Les moisissures

Elles se rencontrent particulièrement dans les maisons humides et peu aérées; leur cycle saisonnier produit un maximum de sporulation l'été. On les classe habituellement en groupes principaux qui servent à pratiquer les tests cutanés :
— le groupe I comporte *Penicillium*, *Aspergillus*, *Alternaria* et *Cladosporium*;
— le groupe II *Mucor*, *Rhizopus*, *Botrytis* et *Stemphylium*;
— le groupe III *Neurospora*, *Chaetomium*, *Pullularia* et *Fusarium*;
— le groupe IV *Gyrophana*, *Epicoccum*, *Trichothecium* et *Helminthosporium*.
Les plus répandus sont *Aspergillus*, *Alternaria* et *Fusarium*.

Les venins d'hyménoptères

Les abeilles, les guêpes et les frelons sécrètent un venin particulièrement sensibilisant qu'ils inoculent par piqûre. Ils peuvent être responsables d'urticaire généralisée, d'œdème de Quincke ou de choc anaphylactique susceptible d'entraîner la mort. Une fois leur responsabilité reconnue, on prescrira une désensibilisation spécifique.

Les allergènes alimentaires ou trophallergènes

Leur responsabilité, difficile à affirmer, est souvent invoquée lors de crises d'urticaire : lait de vache (surtout chez le nourrisson), œuf de poule, viande, poissons, crustacés, mollusques, légumes, épices et fruits. Les additifs alimentaires — colorants, antioxydants et conservateurs — à base de tartrazine (E 102), érythrosine, jaune orangé, rouge cochenille..., sont parfois source d'allergie.

Les autres allergènes

On leur impute, en dermatologie notamment, les crises d'eczéma, d'urticaire et d'œdème de Quincke. Ils peuvent être de nature vestimentaire (composition du tissu, apprêts, colorants), cosmétologique (lanoline, colorants, parfums), professionnelle ou médicamenteuse.

Les groupes principaux de médicaments sensibilisants sont les antiseptiques, les antibiotiques, les anti-inflammatoires, les produits de contraste (iode), les anesthésiques locaux et généraux, les médicaments à base de végétaux.

Pour vérifier leur nocivité, on teste généralement les malades à une batterie d'allergènes « standard » comprenant des sels de métaux (chrome, nickel, cobalt), le caoutchouc et ses composés, l'essence de térébenthine, le formol, la lanoline, etc.

☞ ■ allergique *(êtes-vous)* ■ désensibilisation

allergie à la maison
(comment prévenir l')

S'il est admis que la survenue d'une allergie nécessite un terrain génétique particulier, prédisposé héréditairement, la rencontre avec l'allergène constitue le second facteur indispensable à sa manifestation. Pour empêcher ou, tout au moins, atténuer les effets de l'allergène, des précautions doivent être prises dès les premiers mois du nouveau-né : elles seront d'autant plus importantes que les ascendants allergiques sont nombreux. Ainsi, l'allaitement au sein permet d'accroître les capacités immunologiques de l'enfant allergique et de lui éviter les risques éventuels de sensibilisation au lait non maternel.

Dans la chambre de l'enfant, évitez :
— tout ce qui attire ou retient la poussière (moquettes, doubles rideaux, coussins en duvet);
— la literie en matière animale (plumes, laine cardée, poils) ou végétale (kapok, crin);
— la présence de plantes vertes, d'animaux;
— la fumée de tabac et vapeurs diverses;
— l'humidité sur les murs, en particulier ceux exposés à l'ouest (pluie).

En revanche, on prendra soin :
— d'aérer fréquemment la chambre; l'ensoleillement assainit l'atmosphère, alors que l'air confiné favorise l'humidité et la multiplication des acariens;
— de choisir une literie en mousse de latex ou autre matière synthétique, et de l'exposer périodiquement au soleil ou de la traiter avec des bombes acaricides;
— de laver fréquemment les draps et taies d'oreiller et de bien les rincer pour éliminer les traces de détergents;
— de maintenir une température douce, aux environs de 20°C;
— de préférer des jouets en peluche lavables pour être souvent nettoyés.

Aggravant les allergies, les infections devront être évitées. Les vaccinations habituelles seront effectuées très tôt chez l'enfant allergique. Elles sont en général bien tolérées, à l'exception parfois du vaccin anticoquelucheux qui peut nécessiter des précautions particulières que votre médecin vous indiquera. Seul le vaccin antivariolique, aujourd'hui abandonné, ne doit jamais être effectué chez un enfant lorsqu'il souffre d'eczéma.

Les infections à virus devront être prévenues autant que possible. Ainsi, évitez :
— la mise à la crèche de l'enfant allergique, si les parents en ont la possibilité;
— le contact avec d'autres enfants infectés. Son père ou sa mère se laveront les mains, mettront un bâillon et changeront de vêtements avant de prendre l'enfant s'ils sont enrhumés ou grippés.

Les mêmes précautions s'appliquent à l'adoles-

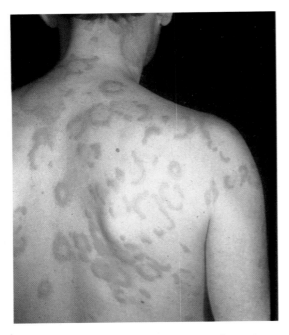

allergie aux médicaments *(comment reconnaître une).*

À la suite de la prise d'un médicament (ici la pénicilline), votre dos s'est recouvert de cette curieuse éruption : il s'agit d'une urticaire. À l'avenir, évitez le médicament qui en est la cause !

cent et à l'adulte « à risque allergique ». Le recours rapide au médecin s'impose lors des infections.

 ■ **allergique** *(êtes-vous)* ■ **allergènes** ■ **désensibilisation**

 ## allergie aux médicaments
(comment reconnaître une)

L'allergie aux médicaments est très fréquente et ses manifestations peuvent aller d'une simple éruption cutanée à des réactions générales dramatiques. Après avoir pris un comprimé ou reçu une injection médicamenteuse, vous êtes pris, dans les minutes ou les heures qui suivent, d'un malaise : sensation de démangeaisons (*prurit*), éruption de plaques rouges sur tout ou partie de la surface cutanée (*urticaire*). Dans d'autres cas, c'est une partie de votre corps qui se met à enfler de façon inquiétante : il s'agit d'un *œdème de Quincke*. Une gêne laryngée, avec toux et oppression respiratoire, peut compliquer ce tableau.

Ces manifestations sont en générale bénignes, sauf lorsqu'il s'agit d'un véritable choc anaphylactique ou d'un œdème de la glotte : dans ce cas, s'imposent alors un traitement d'urgence, avec injection d'adrénaline, de corticoïdes et d'antihistaminiques, puis un recours rapide au médecin ou une conduite en milieu hospitalier.

L'allergie médicamenteuse peut aussi se traduire par des réactions plus tardives, survenant parfois plusieurs jours après le contact avec l'allergène responsable. C'est le cas de la *maladie sérique* qui débute environ une semaine après une injection de sérum de cheval ou la prise de certains médicaments; une éruption d'urticaire apparaît, accompagnée d'œdèmes, de fièvre et de douleurs articulaires.

D'autres réctions de votre organisme sont susceptibles de relever d'une allergie médicamenteuse : certains cas de diminution du nombre de vos plaquettes sanguines, de vos globules blancs ou même de vos globules rouges. Enfin des manifestations cutanées chroniques à type d'urticaire récidivante ou d'eczéma peuvent être dues à des médicaments.

 Comment éviter ces allergies ? Ne prenez aucun médicament s'il ne vous a pas été prescrit par votre médecin. Les conseils de votre entourage, même s'ils sont dictés par le désir sincère de vous venir en aide, ne sont pas à suivre sans discernement, surtout si vous vous savez allergique. Signalez à votre médecin les médicaments qui vous ont causé une crise d'urticaire ou un malaise quelconque : cela lui permettra de ne pas en choisir un de la même famille chimique, susceptible d'entraîner à nouveau ces troubles.

Un dernier conseil : conservez vos ordonnances, notez également tous les médicaments, même ceux qui sont les plus usuels et vous paraissent les plus inoffensifs, que vous achetez de vous-même chez le pharmacien. En cas de manifestation allergique, il importe que vous puissiez les citer tous lorsque votre médecin vous interrogera.

 ■ **allergique** *(êtes-vous)* ■ **allergènes** ■ **urticaire et œdème de Quincke** ■ **eczéma** ■ **choc anaphylactique**

 ## allergie solaire

☞ soleil

allergique *(êtes-vous)*

Toutes les affections des voies aériennes, digestives ou de la peau en relation avec une intolérance à un aliment, un médicament ou une autre substance, ne sont pas nécessairement d'ordre *allergique*. Par exemple, les douleurs abdominales, les vomissements provoqués par la prise d'un antibiotique ne signifient pas que *vous êtes allergique* à celui-ci. En effet, l'allergie implique chez le sujet atteint un processus précis de médiation d'anticorps et/ou de mécanismes lymphocytaires.

Le sujet dit *porteur de terrain atopique*, c'est-à-dire prédisposé héréditairement à l'allergie, se plaint de symptômes bien définis, évocateurs de l'allergie, dont les plus caractéristiques, selon l'âge, sont :
— *chez le nouveau-né*, quelques semaines après la naissance, apparition sur la peau de lésions d'eczéma prurigineux; celui-ci disparaît après quelques années, persiste parfois ou, plus rarement, s'efface pour laisser place à de l'asthme;
— *chez l'enfant*, infections O.R.L. et bronchiques à répétition;
— *chez l'adolescent*, rhume des foins.

L'allergie peut se manifester sous d'autres formes, également bien reconnaissables :
— A votre lever, chaque matin, vous êtes sujet à des séries d'éternuements incoercibles accompagnés de larmoiement; le phénomène se reproduit chaque fois que vous remuez de la poussière : il s'agit très probablement d'une rhinite allergique.
— Il se peut également que vous soyez soumis à des accès de toux se concluant par une gêne respiratoire et que l'air expiré sorte péniblement avec un sifflement : il s'agit sans doute d'une crise d'asthme, diagnostic qui doit être toutefois précisé par votre médecin.
— L'eczéma dû à l'allergie peut apparaître sous de multiples aspects — eczéma du visage, des mains, des pieds... —, suite à un contact direct avec un allergène. Cependant, l'urticaire est la forme d'allergie cutanée la plus typique : éruption de taches rouges, irrégulières, bombées et très prurigineuses. Cette dermatose s'accompagne parfois de phénomènes œdémateux qui peuvent également survenir de façon isolée; suite à la consommation d'un aliment ou d'un médicament, ou d'une injection, vous ressentez une sensation de chaleur et de picotements dans une région de votre corps qui se met brusquement à augmenter de volume; c'est un œdème de Quincke dont la cause est souvent d'ordre allergique.
— Vos muqueuses peuvent également être sujettes à des manifestations allergiques, se traduisant par des phénomènes de rougeur des yeux et de larmoiement, surtout lorsque celles-ci surviennent au printemps et en été. Moins fréquemment, la bouche, l'estomac et l'intestin peuvent être le siège de l'allergie.

Si vous souffrez d'un ou de plusieurs de ces symptômes précédemment décrits, votre médecin vous conseillera de consulter un allergologue qui, au moyen de tests sanguins et cutanés, précisera la nature de l'allergie et la conduite à tenir : évitement de l'allergène, désensibilisation et/ou traitement symptomatique.

☞ ■ **allergie à la maison** *(comment prévenir l')* ■ **allergie aux médicaments** *(comment reconnaître une)* ■ **désensibilisation** ■ **eczéma** ■ **asthme** ■ **rhinite spasmodique** ■ **rhume des foins** ■ **urticaire et œdème de Quincke** ■ **abeilles et guêpes** ■ **choc anaphylactique** ■ **œil rouge**

alopécie

☞ cheveux

Alzheimer *(maladie d')*

☞ démence

ambiguïtés sexuelles

Dans certains cas, il est difficile de se prononcer, à la naissance, sur le sexe du nouveau-né : garçon ou fille. L'apparence des organes génitaux revêt deux formes :
— soit un aspect masculin, mais avec une petite

allergique *(êtes-vous)*. Éternuements et conjonctivites printaniers... : c'est une allergie aux pollens; il vous faut consulter un allergologue.

verge, un hypospadias (▷ verge de l'enfant) et une absence des testicules dans les bourses ;
— soit un aspect féminin, mais avec une augmentation de volume du clitoris et l'absence d'orifice vaginal au niveau de la vulve.

Ces états intersexués entraînent donc une modification de l'aspect extérieur des organes génitaux, et on observe toutes les formes intermédiaires entre le garçon et la fille.

Du point de vue chromosomique, on distingue :
— les *hermaphrodismes* vrais, qui sont rares (présence à la fois de cellules mâles et de cellules femelles) ;
— les *faux hermaphrodismes*, où toutes les cellules ont le même sexe mais où une sécrétion hormonale anormale pendant la vie embryonnaire a modifié la formation des organes génitaux.

À la naissance, il convient de donner à l'enfant un prénom mixte (Claude, Dominique...), tant que le bilan complet n'est pas effectué.

En fonction du sexe chromosomique, et de l'aspect des organes génitaux, il sera nécessaire d'opérer le nourrisson, pour lui donner un aspect normal.

amblyopie

☞ strabisme et amblyopie

aménorrhée

☞ règles ou menstruations

amiante

L'amiante reste très répandue dans notre environnement domestique et professionnel malgré les règlements récents. Elle est responsable de plusieurs affections pulmonaires graves souvent observées très longtemps après l'exposition à ce produit : l'*asbestose* est une pneumoconiose et peut conduire à une insuffisance respiratoire grave, le *cancer bronchique* et, surtout, le *mésothéliome pleural*, tumeur maligne de la plèvre, qui peut se déclarer parfois vingt à trente ans après l'exposition à l'amiante.

Les professions exposées sont nombreuses : industries textiles, isolation, calorifugeage, industries du bâtiment, fabrication de chaudières, de joints, de garnitures de freins...

Quoique la réglementation soit maintenant plus rigoureuse, les conséquences de l'exposition à l'amiante risquent de se faire sentir longtemps encore en raison d'un très grand délai entre la période d'exposition et l'apparition d'une tumeur bronchique ou pleurale.

 ■ **risques respiratoires professionnels**
■ **bronches** (cancer des)

amibiase

C'est parfois des semaines, voire des mois après le séjour dans un pays où l'amibiase existe de façon endémique, que peut apparaître la dysenterie, diarrhée particulière qui caractérise la maladie : les selles sont nombreuses mais peu volumineuses ; elles sont aqueuses, afécales, contiennent des glaires et un peu de sang. Le malade souffre de douleurs abdominales diffuses, mais n'a pas de fièvre.

Le diagnostic est affirmé par la mise en évidence dans les selles (coproculture*) des amibes hématophages ainsi que par l'endoscopie* (rectoscopie) qui retrouve des ulcérations en coup d'ongle sur la muqueuse rectale.

Lorsque l'amibiase intestinale a été très importante, il peut persister une colite chronique malgré l'éradication complète du parasite par les médicaments anti-amibiens. Son traitement est celui d'une colite banale (antispasmodiques).

Cette parasitose sévit surtout dans les pays tropicaux lorsque les conditions d'hygiène sont mauvaises. On peut cependant la contracter sur tous les continents, Europe y compris. Elle est transmise par voie féco-orale à partir des mains sales, des légumes, des fruits, de l'eau souillée par les amibes émises avec les selles des malades.

La prévention repose sur les mesures suivantes :
-- évitez les crudités, les fruits que vous n'épluchez pas vous-même, les sorbets, les glaces artisanales, les mollusques et la viande insuffisamment cuite ;
— ne buvez que de l'eau minérale ou préalablement bouillie ; on peut aussi désinfecter l'eau. Attention aux glaçons. Il est pratique de boire des infusions.

Amibiase hépatique

La survenue d'une fièvre à 39°, de douleurs de la région hépatique, d'une forte accélération de la vitesse* de sédimentation, d'une augmentation du nombre des globules* blancs fait craindre une atteinte du foie. L'échographie* ou le scanner* rechercheront la formation d'un abcès hépatique qui modifierait le traitement.

 ■ **diarrhée aiguë** ■ **colites** ■ **tropicales** (maladies)

amnésie

☞ mémoire (troubles de la)

amniocentèse

L'amniocentèse est un acte relativement simple pour des mains expérimentées ; elle consiste à prélever par ponction transabdominale une certaine quantité (20 cm³ environ) du liquide amniotique dans lequel baigne le fœtus, pour l'analyser.

Dans quels cas pratique-t-on l'amniocentèse ?

— *L'amniocentèse précoce* est pratiquée à dix-sept semaines précises d'aménorrhée (absence de règles) en vue du diagnostic* anténatal des maladies fœtales. Elle est (presque) systématique après 40 ans.

— *L'amniocentèse tardive* est pratiquée au cours du troisième trimestre de la grossesse. Elle trouve ses indications dans des grossesses hautement pathologiques (▷ grossesse et hypertension artérielle, grossesse et diabète, incompatibilité fœtomaternelle), lorsqu'il y a risque de mort *in utero* et lorsque l'extraction même prématurée de l'enfant s'avère indispensable; elle permet d'apprécier la maturité fœtale, très particulièrement la maturité pulmonaire, et donc les chances de survie du bébé hors de l'utérus maternel.

L'amniocentèse est indiquée par ailleurs dans les cas d'incompatibilité sanguine fœto-maternelle; c'est le moyen le plus sûr d'évaluer la gravité de l'atteinte fœtale, par dosage de la bilirubine, et de prendre en connaissance de cause les mesures quelquefois urgentes qui s'imposent.

■ amnioscopie

Il s'agit d'un examen simple, pratiqué en fin de grossesse (après trente-quatre à trente-six semaines). Le tube ou amnioscope, muni d'un dispositif d'éclairage, est introduit dans le vagin puis

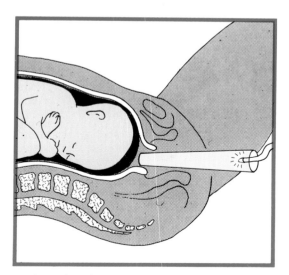

amnioscopie. *Introduction de l'amnioscope dans le col de l'utérus jusqu'au contact des membranes (transparentes), et appréciation de la couleur du liquide amniotique.*

dans le col ouvert en fin de grossesse. Il est très rare que l'amnioscopie provoque une rupture de membranes ou déclenche le travail. Cet examen permet essentiellement d'apprécier la couleur du liquide amniotique. La modification de la couleur du liquide traduit une souffrance du fœtus.

■ amputation accidentelle

☞ doigts sectionnés et réimplantation digitale

■ amygdales et végétations

Les *amygdales* sont placées de chaque côté de la base de la langue; elles sont bien visibles lors de l'ouverture buccale. Elles ont vraisemblablement un rôle de protection immunitaire. Cette action de défense de l'organisme disparaît lorsque les angines se répètent.

Les *végétations* sont placées derrière le nez, cachées par le voile du palais, et sont donc invisibles lors de l'ouverture buccale. A l'inverse des amygdales, il ne s'agit pas d'un tissu normal, mais d'une prolifération anormale qui augmente avec les rhumes et diminue spontanément à la puberté.

L'importance des végétations est appréciée par l'existence d'un ronflement et/ou de l'ouverture buccale pendant le sommeil. L'examen par un spécialiste confirme leur présence; dans certains cas, l'examen radiographique peut être utile.

Il est souvent difficile d'apprécier le rôle des végétations dans les rhinites répétées, car interviennent également les facteurs d'ordre climatique, l'hypersensibilité de la muqueuse, l'insuffisance des défenses immunitaires ainsi que le facteur allergique. Ainsi, un enfant constamment enrhumé, chez qui l'indication d'ablation des végétations a été portée, peut voir tous ses ennuis disparaître à l'occasion d'un déménagement dans une région au climat plus sec, plus favorable.

L'ablation des amygdales et des végétations est une intervention très banale, qui était pratiquée de façon presque systématique chez les enfants. Aujourd'hui, l'attitude est beaucoup plus nuancée et mesurée.

L'amygdalectomie

L'ablation des amygdales ou amygdalectomie, complétée toujours par celle des végétations — alors que l'inverse n'est pas vrai —, est pratiquée sous anesthésie générale. Elle comporte un petit risque hémorragique, justifiant une surveillance de quelques jours. Les suites de l'intervention sont d'autant plus douloureuses que l'enfant est plus grand : pendant une semaine, des précautions alimentaires doivent être observées.

Elle est indiquée à partir de 3 ans, lorsque les angines se reproduisent fréquemment (plus de trois fois par an) et qu'il s'agit bien d'angines bactériennes à points blancs, ainsi qu'en cas de persistance de streptocoques hémolytiques dans la gorge même en dehors des périodes d'angines.

Elle n'est pas indiquée, en revanche, si les amygdales sont simplement volumineuses, ou si l'enfant est essentiellement atteint de rhume sans angine. Il faudra également être très attentif à l'égard des allergiques, chez lesquels l'amygdalectomie peut déclencher d'autres manifestations allergiques, telle que l'asthme.

L'adénoïdectomie

L'ablation des végétations ou adénoïdectomie est une intervention plus bénigne qui se déroule également sous anesthésie générale. Les végétations sont enlevées par la bouche.

Il n'y a pas de limite d'âge inférieure pour cette intervention qui est pratiquée même chez l'enfant tout petit, lorsqu'elle s'avère nécessaire.

— L'indication principale d'adénoïdectomie est la répétition des otites purulentes ou séreuses. Elle est, dans ce cas, souvent combinée avec la mise en place du yoyo.

— Elle est également justifiée en cas de rhinite à répétition, associée à des végétations adénoïdes volumineuses.

Dans les cas où il est difficile de préciser le rôle des végétations dans les épisodes infectieux répétés, on est autorisé à faire un essai de vaccination pendant tout l'hiver, de façon à reconsidérer la position médicale adoptée en fonction des résultats obtenus : si ceux-ci sont satisfaisants, on s'abstiendra d'opérer et l'on reprendra cette vaccination chaque hiver.

 ■ angine ■ rhinopharyngite ■ otite ■ yoyo ■ streptocoque

anémies

Vous êtes anémique : votre médecin vient d'en faire le diagnostic grâce à l'hémogramme qu'il vous avait prescrit (▷ sang). Celui-ci montre une diminution de votre taux d'hémoglobine* — au-dessous de 12 g/dl si vous êtes un homme, 11 g/dl si vous êtes une femme. Ce critère de diagnostic est plus fiable que celui de la diminution du nombre de globules rouges et c'est lui que votre médecin retiendra.

Il lui faut désormais déterminer le mécanisme et la cause de votre anémie : défaut de production ou destruction excessive des globules rouges;

— il vous interrogera : pensez à lui signaler l'existence de cas identiques dans votre famille, d'éventuels saignements récents; donnez-lui la liste des médicaments que vous absorbez, y compris ceux qu'il ne vous a pas prescrits lui-même...;

— il vous examinera et recueillera les informations complémentaires que lui fournissent votre hémogramme et les examens qu'il aura demandés pour confirmer ses premières hypothèses.

Les trois causes d'anémie les plus fréquentes sont : la *carence en fer*, les *carences vitaminiques* et la *destruction excessive des globules rouges* (anémies dites hémolytiques).

La carence en fer

Votre médecin évoquera une carence en fer si les globules rouges ont diminué de volume (*microcytose*), s'ils ont une faible teneur en hémoglobine (*hypochromie*). Il la confirmera par le dosage du fer sanguin ou, mieux, de la ferritine, molécule qui reflète précisément le niveau des réserves en fer de l'organisme. Afin de corriger l'anémie, il vous prescrira du fer pendant une période prolongée. Parallèlement, il recherchera la cause de la carence, habituellement due à un saignement gynécologique ou digestif, souvent occulte.

Les carences vitaminiques

Pour votre médecin, le signe le plus évocateur d'une carence vitaminique est l'augmentation du volume des globules rouges (*macrocytose*). Il recherchera une carence en folates, la plus fréquente, d'origine alimentaire (favorisée par l'alcoolisme), ou une carence en vitamine B 12, beaucoup plus rare (sujets opérés de l'estomac ou atteints de la maladie de Biermer). Le traitement consiste en l'absorption de folates ou l'injection intra-musculaire de vitamine B 12.

Les anémies hémolytiques

Elles s'associent souvent à un ictère ou à une grosse rate. Chez l'enfant, il s'agira le plus souvent de maladies héréditaires, dont il existera souvent déjà des cas dans votre famille. Elles sont très diverses : anomalies de l'hémoglobine ou du globule rouge; l'avis d'un spécialiste sera nécessaire. Ces maladies sont chroniques et nécessitent des transfusions fréquentes. Chez l'adulte, les anémies hémolytiques chroniques ont des causes diverses, notamment la prise de certains médicaments.

Dans certains cas, votre médecin devra recourir à des examens spécialisés (ponction* sternale, biopsie* de moelle osseuse) pour établir la cause de votre anémie : anémies réfractaires du sujet âgé, anémies révélatrices de leucémies. L'anémie peut encore n'être que l'un des signes d'une maladie générale : insuffisance rénale, maladies inflammatoires chroniques, etc.

 ■ pâleur ■ transfusion

anesthésie

On peut définir l'anesthésiologie comme l'ensemble des connaissances et techniques permettant d'assurer le contrôle de la conscience et/ou des phénomènes douloureux dans un cadre médical. Deux buts principaux sont recherchés : d'une part la mise au repos de l'activité de conscience, d'autre part le contrôle des phénomènes douloureux ou analgésie.

L'anesthésie peut être réalisée sur l'ensemble de l'organisme (*anesthésie générale*) ou seulement sur une partie du corps (*anesthésie locale*). Le plus souvent, l'anesthésie est conduite en associant des techniques visant à diminuer l'état de conscience et des techniques visant à diminuer les sensations douloureuses. De nombreuses techniques existent et l'anesthésiste les choisit en fonction de nombreux paramètres : état et antécédents du patient, type et durée de l'intervention, etc.

L'une des principales préoccupations de l'anesthésiste est de maintenir les fonctions vitales; c'est pourquoi il utilise de façon routinière les techniques de réanimation respiratoire et circulatoire qu'impose l'anesthésie et qu'il faut poursuivre jusqu'au réveil complet du patient, c'est-à-dire jusqu'à l'élimination par l'organisme des substances utilisées pour réaliser l'anesthésie.

Les techniques anesthésiques

Trois grandes techniques sont utilisées, parfois associées : anesthésie par gaz, anesthésie intra-veineuse, anesthésie loco-régionale.

L'anesthésie par gaz ou anesthésie par inhalation

Elle consiste à ajouter à l'air inspiré des gaz anesthésiques ou des substances chimiques volatiles. Les produits utilisés peuvent être administrés au masque ou par une sonde trachéale, en ventilation spontanée ou assistée.

Un gaz d'anesthésie largement utilisé est le protoxyde d'azote, de faible toxicité et d'élimination rapide, avec faible action anesthésique. Les anesthésiques volatils non fluorés sont devenus d'intérêt historique (éther, chloroforme). La dernière catégorie est celle des anesthésiques fluorés (type halothane, fluothane) qui permettent une perte de conscience rapide et une anesthésie rapidement réversible (élimination pulmonaire).

Le pouvoir analgésique de ces techniques est faible, le tonus musculaire est relâché, la dépression respiratoire nécessite le contrôle de la ventilation. Toutes ces techniques sont associées en général à l'anesthésie par voie intra-veineuse.

L'anesthésie par voie intra-veineuse

Plusieurs catégories de substances sont fréquemment employées. L'administration se fait directement dans le courant sanguin. La substance injectée est donc rapidement et largement distribuée à l'ensemble de l'organisme; elle est ensuite éliminée, le plus souvent après métabolisation hépatique, par voie urinaire.

Les barbituriques de brève durée d'action sont souvent utilisés pour les interventions de courte et moyenne durée. La profondeur de l'anesthésie dépend de la dose administrée.

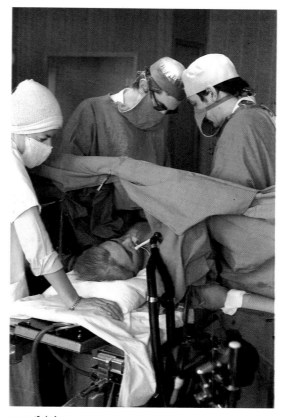

anesthésie. *Les techniques d'anesthésie-réanimation permettent à l'organisme de subir les interventions chirurgicales. A la tête du patient veille l'anesthésiste.*

Les anesthésiques intra-veineux non barbituriques comprennent plusieurs catégories : les tranquillisants et dérivés (benzo-diazépines), les dérivés de la phénocyclidine, le gamma OH (qui jouerait un rôle dans le sommeil physiologique), les dérivés des stéroïdes, etc. Chacune des substances est choisie en fonction de sa durée d'action et de son profil d'activité.

Les neuroleptiques sont utilisés en particulier pour les anesthésies de longue durée; en association avec les analgésiques, ils permettent de réaliser la neuroleptanalgésie.

Les analgésiques permettent de compléter l'action antalgique souvent insuffisante des agents anesthésiques. Ce domaine a fait l'objet d'importants progrès : depuis la morphine base extraite de l'opium, de nombreux dérivés morphiniques ont été synthétisés, avec un pouvoir analgésique toujours plus important. Ces substances ont en commun un effet dépresseur respiratoire.

Enfin, les myorelaxants, ou plus exactement les drogues modifiant la transmission neuro-musculaire, permettent de compléter le relâchement musculaire indispensable au geste chirurgical. Là encore, les alcaloïdes du curare tendent à être remplacés par des molécules synthétiques. Certains myorelaxants ont une durée d'action très brève et peuvent donc être utilisés dans le cadre d'interventions de courte durée.

Les anesthésies loco-régionales

De plus en plus employées, ces techniques permettent de maintenir l'opéré conscient et d'éviter l'administration d'analgésiques. Elles sont particulièrement appréciées pour les petites interventions, ou encore chez des sujets fragiles, ou dans des contextes particuliers comme l'accouchement.

Le principe commun à toutes ces techniques est le suivant : l'anesthésiste pratique une injection à des endroits prédéterminés commandant l'innervation des zones sur lesquelles doit être pratiqué le geste opératoire. Le produit utilisé est l'un des dérivés de l'acide benzoïque (type lidocaïne), capable d'interrompre la conduction nerveuse. Les blocs nerveux réalisables peuvent l'être à différents niveaux : anesthésie de contact (sur une muqueuse), anesthésie par infiltration et par bloc tronculaire (injections trans-dermiques à proximité des racines nerveuses), anesthésie régionale intraveineuse (qui nécessite l'emploi d'un garrot). Il faut citer à part :
— *La rachianesthésie :* elle est réalisée en injectant directement l'anesthésique dans l'espace sous-arachnoïdien, dans le liquide céphalo-rachidien au niveau lombaire. L'anesthésie obtenue, dont l'étendue dépend de la position du patient, permet d'intervenir sur la partie inférieure du corps. Le patient reste conscient.
— *L'anesthésie péridurale :* la solution est injectée grâce à un cathéter introduit dans l'espace péridural lombaire. L'étendue de l'anesthésie dépend de la position du cathéter et de la quantité d'anesthésique injectée. Le sujet reste conscient et il est possible de réinjecter de l'anesthésique, si nécessaire. Cette technique est particulièrement utilisée pour les accouchements. Elle peut également permettre d'assurer le contrôle momentané de certaines affections extrêmement douloureuses dans la moitié inférieure du corps.

Ces techniques loco-régionales sont bien connues de nombreux anesthésistes. Elles assurent une anesthésie de qualité, souvent confortable pour le patient, et représentent un apport très important pour de nombreux cas où l'anesthésie générale serait contre-indiquée ou non justifiée.

Nouvelles techniques d'anesthésie

Hormis la recherche de nouvelles molécules plus performantes, plusieurs approches ont été expérimentées dans le cadre anesthésiologique ces dernières années. Leur mécanisme d'action reste incomplètement expliqué, leurs indications et leur efficacité parfois encore à préciser.

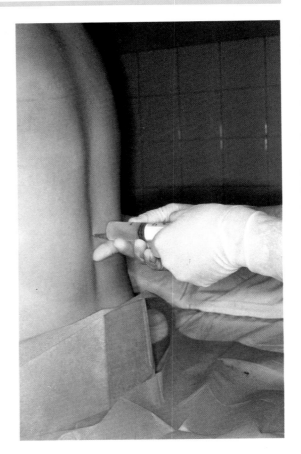

anesthésie. *Les techniques d'anesthésie loco-régionale comme la péridurale ont permis des progrès importants, par exemple en obstétrique.*

L'anesthésie électrique

L'utilisation de la stimulation électrique transcutanée à visée antalgique locale est en plein développement (douleurs chroniques et douleurs ne relevant pas de la chirurgie). L'utilisation de courants dans le cadre de l'anesthésie générale est expérimentée depuis une dizaine d'années. Il s'agit d'une technique codifiée avec électrodes crâniennes qui permet de diminuer les besoins en analgésiques intra-veineux dans certains cas, ce qui est favorable au maintien des fonctions vitales. L'anesthésie électrique a été particulièrement étudiée en obstétrique, en dentisterie, mais aussi dans le sevrage des toxicomanes.

L'anesthésie par acupuncture

Les avis sont partagés sur ce point et il semble que, malgré les spectaculaires démonstrations chinoises, cette approche nécessite toujours un complément anesthésique classique pour des interventions très douloureuses. L'efficacité loco-régionale de l'acupuncture est cependant à rapprocher des techniques d'électro-stimulation électrique.

L'anesthésie sous hypnose

Il existe peu d'éléments fiables d'évaluation en ce qui concerne son utilisation en contexte chirurgical.

● Ce que vous devez savoir lors d'une intervention chirurgicale avec anesthésie

L'anesthésiste-réanimateur fait partie de l'équipe chirurgicale qui vous prendra en charge. C'est lui qui aura la responsabilité de choisir la technique anesthésiologique, de surveiller ou d'organiser la surveillance pendant et après l'intervention, de pratiquer les gestes nécessaires à votre confort et à votre sécurité.

Ces différentes étapes sont le plus souvent organisées comme suit :
— La *visite pré-anesthésique* et le *bilan pré-opératoire*, à la veille de l'intervention, sont systématiquement effectués, grâce à des examens cliniques et biologiques, une radiographie des poumons et un électrocardiogramme.

L'anesthésiste prend connaissance des résultats et vous questionnera également sur vos antécédents médicaux — en particulier les allergies, les traitements en cours, la façon dont se sont déroulées les éventuelles anesthésies déjà subies (n'omettez pas de signaler vos prothèses dentaires amovibles !) : le choix de la technique anesthésiologique la mieux appropriée à votre état en dépend.

Suivez attentivement les recommandations précises qui vous seront données concernant l'arrêt de toute alimentation, de toute boisson et du tabac une douzaine d'heures avant l'intervention. Un somnifère est souvent prescrit la veille de l'intervention pour faciliter votre endormissement.
— Le *jour de l'intervention*, le jeûne est maintenu, y compris l'abstention de boire.

Une « prémédication » aura pour but de faciliter le début de l'anesthésie et de diminuer les sécrétions de l'organisme.

Vous serez « préparé » pour éviter le risque d'infection (désinfection de la peau, éventuellement rasage et port de vêtements stériles) et souvent une première injection sera pratiquée.
— *Au bloc opératoire*, l'anesthésiste vous prendra en main, vous posera une perfusion. Dans tous les cas de figure, l'anesthésie moderne permet un endormissement rapide et agréable.
— *Au réveil* : selon le type de l'intervention, un certain nombre de mesures de réanimation sont parfois nécessaires (perfusions, sonde nasale ou gastrique, tuyaux divers). Toutes ces aides seront retirées progressivement. Limitez vos tentatives de mouvement et suivez les instructions qui vous sont données.
— *Dans les jours qui suivent l'intervention :* là encore, suivez les instructions. La reprise de l'alimentation dépend de la reprise du travail intestinal. La mobilisation des membres dès que possible et le lever précoce sont importants pour éviter les deux grands risques des suites chirurgicales : les thrombophlébites et les escarres.

☞ intervention chirurgicale

anévrysme de l'aorte

L'aorte est l'artère qui naît du cœur et se prolonge jusqu'à l'abdomen ; elle distribue par ses branches le sang oxygéné à l'ensemble du corps. Un anévrysme ou *ectasie aortique* est une dilatation avec boursouflure des parois de ce vaisseau ; bien que l'affection soit rare, elle est redoutée en raison du risque de rupture. Votre médecin s'en inquiétera si vous ressentez certaines douleurs de l'abdomen.

La palpation de l'abdomen permet de noter le caractère boursouflé, large, expansif de l'aorte ; l'auscultation reconnaît la présence d'un souffle à cet endroit. Le diagnostic est confirmé par des radiographies et, surtout, par une artériographie*.

La possibilité, récente, de faire des examens simples d'angiographie* numérisée avec injection

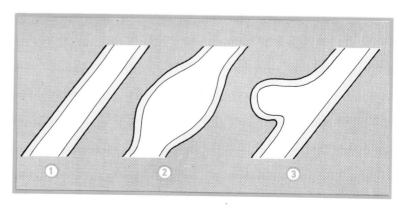

anévrysme de l'aorte. ① *artère normale ;* ② *et* ③ *exemple de deux types de dilatation du calibre de l'artère (anévrysme).*

au niveau d'une veine du bras a grandement facilité le diagnostic.

Dès qu'un anévrysme est volumineux, une intervention chirurgicale doit être éventuellement envisagée, même en l'absence de symptômes, pour éviter la rupture qui est très souvent fatale. Les petits anévrysmes doivent être simplement surveillés régulièrement. Le type, la difficulté et donc le risque des interventions dépendent de la localisation de l'anévrysme (thorax ou abdomen).

angine

Vous vous plaignez de fièvre et de douleurs de la gorge lors de la déglutition ; il s'agit probablement d'une angine, c'est-à-dire d'une inflammation des amygdales.

Vous devez consulter votre médecin, car si l'angine est une maladie très régulièrement bénigne, il est des cas où le recours aux antibiotiques est impératif.

Le rôle de votre médecin est de confirmer le diagnostic, ce qui est facile : il lui suffit pour cela d'examiner la gorge. Puis il devra proposer un traitement dont le choix nécessite un examen et une réflexion rigoureuse : étude des antécédents, aspect des amygdales, présence de ganglions banals ou inquiétants, conservation ou altération de l'état général...

Une angine rouge ou blanche impose la prescription d'un traitement antibiotique anti-streptococcique (pénicilline ou érythromycine). En effet, le streptocoque est souvent responsable de ce type d'angine. L'angine streptococcique guérira le plus souvent sans traitement antibiotique, comme la plupart des angines, mais le streptocoque a la propriété de fabriquer une toxine responsable du rhumatisme articulaire aigu, ou de la glomérulonéphrite aiguë. Ces maladies surviennent quinze jours après la guérison de l'angine.

Le traitement antibiotique anti-streptococcique est entamé dès le début des signes, puis poursuivi à dose suffisante pendant huit jours afin d'éviter le risque de complications streptococciques.

Ce constat justifie le traitement anti-streptococcique systématique de toutes les angines blanches ou rouges (notamment chez l'enfant après 2 ou 3 ans, et chez l'adolescent jusqu'à 20 ans). La preuve de l'infection streptococcique nécessite un prélèvement de gorge et deux analyses de sang à dix jours d'intervalle. Le coût de ces examens et les délais imposés par les techniques d'analyse bactériologique et la sérologie* imposent de traiter sans preuve. Mais c'est grâce à l'antibiothérapie systématique que le rhumatisme articulaire aigu et la glomérulonéphrite aiguë d'origine streptococcique ont pratiquement disparu.

Cette attitude doit bien sûr être nuancée. Votre médecin saura reconnaître parmi les angines qu'il est amené à traiter :

— celles qui relèvent d'un traitement chirurgical urgent : c'est le cas du phlegmon de l'amygdale. Cette complication se signale par un trismus (difficulté à ouvrir la bouche) et l'examen constate le bombement du pilier d'une amygdale ; la présence d'un phlegmon impose son incision chirurgicale et ultérieurement l'ablation des amygdales ;

— celles qui relèvent d'un traitement médical urgent : c'est le cas notamment de l'angine de la diphtérie, de la leucémie aiguë ; ces deux maladies font l'objet d'articles particuliers ;

— celles qui ne nécessitent pas de traitement antibiotique : l'angine rouge accompagnée d'une rougeur diffuse du pharynx, d'un écoulement nasal clair, et parfois d'une toux sèche ramenant une expectoration propre, a de fortes chances d'être virale ; le repos, les médicaments de la fièvre et de la douleur sont suffisants, notamment chez l'enfant de moins de 2 ans et chez l'adulte. L'angine de la mononucléose infectieuse ne nécessite pas, elle non plus, le recours à l'antibiothérapie (▷ mononucléose infectieuse).

— Il est un cas particulier : c'est celui de l'amygdalite cryptique caséeuse. Il ne s'agit pas d'une angine bactérienne : les points blancs apparaissent périodiquement sur les amygdales en dehors de tout mouvement de fièvre. L'amygdalite cryptique caséeuse entraîne souvent une mauvaise haleine et

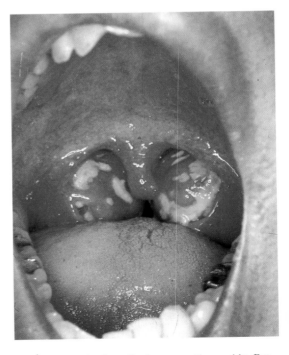

angine. *De grandes plaques blanches recouvrent les amygdales. C'est une angine qui nécessite toute l'attention de votre médecin.*

ne nécessite qu'un nettoyage avec un jet d'eau, semblable à celui utilisé pour la toilette dentaire. L'ablation des amygdales est inutile dans ce cas.

☞ ■ streptocoque ■ rhumatisme articulaire aigu ■ glomérulonéphrite aiguë *(après une angine à streptocoque non soignée)*

angine de poitrine

☞ insuffisance coronaire

angiocholite

☞ ■ colique hépatique ■ lithiase biliaire

angiographie numérisée

L'angiographie numérisée est un examen qui consiste à visualiser des vaisseaux sanguins, après injection d'un produit opaque aux rayons X, par un procédé associant une technique radiologique et un ordinateur.

L'injection est effectuée par simple voie intraveineuse ou par un cathéter. Vous pouvez ressentir une bouffée de chaleur lors de l'injection. Ensuite, les vaisseaux sanguins injectés sont visualisés par un appareil d'enregistrement qui transforme l'image de votre corps, donnée par les rayons X, en une image projetée sur un écran de télévision.

Cet appareil, « *amplificateur de brillance* », associé à l'ordinateur permet la visualisation des vaisseaux contenant peu de produit opaque aux rayons X: ce procédé évite ainsi des examens parfois plus difficiles ou plus douloureux, telles certaines artériographies* directes.

On peut obtenir des photographies de ces images télévisées, qui vous seront remises pour votre médecin traitant.

angiomes

Les angiomes sont des malformations vasculaires, parfois transitoires. Il en existe plusieurs variétés. Les plus fréquents sont:

les angiomes plans ou « tache de vin » sont des taches rouges présentes à la naissance. Ils ne régressent pas spontanément, sauf lorsqu'ils ont une localisation médiane (nuque, front, entre les sourcils). Situés sur un membre ou sur un côté du visage, ils nécessitent une surveillance particulière. Seul le traitement par laser paraît efficace, mais il

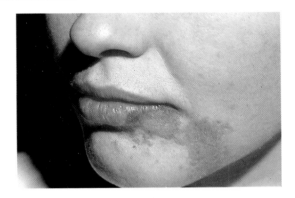

angiomes. *Cet angiome plan, présent depuis la naissance, ne disparaîtra pas spontanément. Il devra être traité au laser après la puberté.*

ne doit pas être pratiqué avant la fin de l'adolescence (▷ nouveau-né).

Les angiomes tubéreux ou « fraise » apparaissent dans les jours ou les semaines qui suivent la naissance; ils doublent de volume en quelques mois, puis se stabilisent et commencent leur involution. Leur régression complète peut être obtenue en quelques années, c'est pourquoi l'abstention thérapeutique paraît être la meilleure attitude à adopter. Mais, lorsque leur localisation entraîne des risques fonctionnels graves (paupière, larynx, lèvre, autour des orifices naturels), une embolisation suivie parfois d'un traitement chirurgical est nécessaire.

De petits angiomes, qui ont l'aspect de points rouges, peuvent apparaître en cours de grossesse. Ils ne doivent pas être traités, car ils disparaissent spontanément dans les semaines qui suivent l'accouchement.

Les angiomes stellaires sont de petits points rouge vif légèrement surélevés d'où part une arborescence de fins vaisseaux en étoiles. Ils se traitent par électrocoagulation fine du point central, mais les récidives ne sont pas rares.

L'angiomatose de Rendu-Osler est une affection héréditaire qui se manifeste dès l'enfance par des saignements du nez ou des gencives. A la puberté, apparaissent des petits angiomes sur les mains, la face, les lèvres, la langue; mais, tous les viscères pouvant être atteints, une surveillance régulière est nécessaire.

angoisse et anxiété

Angoisse et anxiété, considérées couramment comme synonymes, désignent un sentiment pénible, parfois intense, lié à l'attente d'un danger imprécis et mal définissable. Elles se différencient de la peur : « On a peur de quelque chose mais l'anxiété se rapporte à soi. »

Des manifestations physiques y sont constamment associées, variables dans leur expression et leur intensité :

— symptôme cardio-vasculaire (palpitations, douleur thoracique, pâleur),

— symptôme respiratoire (sensation d'étouffement, gêne thoracique, crise asthmatiforme),

— symptôme digestif (« boule œsophagienne », nausée, vomissements, éructation, diarrhées),

— mais aussi tremblements, céphalées, troubles de la vue, de l'audition, sueurs, bouche sèche...

Ces symptômes peuvent eux-mêmes aggraver le sentiment d'angoisse.

L'insomnie dite d'endormissement est fréquente.

Des impressions particulières comme la perte du sentiment de son identité propre ou de la réalité de l'existence du monde extérieur peuvent accompagner certains épisodes aigus.

Des troubles du comportement sont souvent présents :

— un état d'inhibition, de paralysie motrice pouvant aboutir à une véritable « stupeur anxieuse »,

— un état d'agitation,

— un état d'agressivité, tel un accès de colère,

— voire, une fugue, une conduite délictueuse, une impulsion suicidaire.

Les causes

Angoisse et anxiété ne sont pas toujours pathologiques : elles suscitent bien souvent des démarches créatrices et originales et donc ne doivent pas être traitées systématiquement. Mais si leur intensité, leur répétition ou leur persistance entravent la vie des patients, elles doivent être prises en compte.

L'anxiété est un symptôme fréquemment retrouvé dans diverses affections névrotiques, ainsi dans la névrose d'angoisse, traumatique, hystérique, phobique, obsessionnelle, dans « l'attaque de panique » récurrente, dans l'hypochondrie névrotique. Mais elle existe aussi dans la schizophrénie : angoisse de morcellement. Enfin, elle accompagne de nombreuses affections somatiques telles que : l'angine de poitrine, l'embolie pulmonaire, l'hyperthyroïdie, l'hypoglycémie, l'épilepsie temporale, les intoxications iatrogènes, etc.

Que faire ?

La crise cède souvent au dialogue confiant et rassurant avec le médecin ou l'entourage. Mais la grande crise aiguë d'angoisse nécessite l'administration, par un médecin, de tranquillisants (anxiolytiques) injectables, traitement qui doit être renouvelé jusqu'à sédation de la crise. L'hospitalisation ne doit être envisagée qu'en dernier recours.

Les états d'anxiété chroniques pathologiques relèvent de différentes thérapeutiques, selon leur origine :

— *réactionnelle* : traitement tranquillisant, par voie orale, pendant au moins deux mois, associé éventuellement à un traitement antidépresseur;

— *névrotique* : traitement médicamenteux similaire au précédent, auquel on peut adjoindre, selon le cas, l'indication d'une psychothérapie, voire d'une psychanalyse ou d'une relaxation.

— *psychotique* : traitement neuroleptique.

 ■ **névroses** ■ **dépression** ■ **psychosomatiques** *(maladies)*

anguillulose

Il s'agit d'une parasitose très fréquente en zone tropicale; des cas autochtones ont cependant été décrits. Le malade se plaint d'une alternance de diarrhée et de constipation, ainsi que de douleurs abdominales semblables à celles de l'ulcère, de l'infection de la vésicule ou encore de l'appendicite.

La présence d'une urticaire et d'une élévation du nombre de certains globules blancs, les éosinophiles, permettent de penser au diagnostic d'anguillulose. Celui-ci est affirmé par la coproculture* et l'examen parasitologique des selles qui isole des vers. Les médicaments antiparasitaires assurent la guérison de l'infection.

Le ver est présent dans l'eau et la boue souillées par des selles déjà infectées. Il pénètre dans l'organisme par voie transcutanée. Des auto-infestations sont possibles.

Il faut donc rappeler la nécessité de se laver les mains après chaque selle, de se couper les ongles courts en zone d'endémie; ne vous baignez pas dans les eaux douces et stagnantes, ne marchez pas pieds nus sur le sol humide. Attention au passage à gué.

Il faut toujours rechercher et soigner au moindre doute cette maladie chez les individus qui ont séjourné en zone d'endémie, et devront être traités par les corticoïdes ou les immunosuppresseurs : en effet, ces traitements favorisent l'apparition d'une forme grave de la maladie chez les patients contaminés.

 tropicales *(maladies)*

anorexie du nourrisson

L'anorexie du nourrisson est un « refus de manger » survenant le plus souvent entre cinq et huit mois, après une modification des habitudes alimentaires : passage du biberon à la cuillère, introduction d'aliments nouveaux, modification des horaires de repas... Il peut succéder également à une restriction alimentaire, elle-même due à une contrainte ou un traumatisme.

Le nourrisson anorexique est vif, tonique, éveillé; il manifeste de la curiosité pour son entourage. La croissance pondérale est satisfaisante; il n'y a ni fièvre, ni vomissements, ni aucune autre sorte d'altération de l'état général, ce que le médecin vérifie.

Rapidement s'installe un cercle vicieux : la mère, anxieuse, tente de faire manger l'enfant par la séduction, la ruse, ou bien la force; s'instaure alors un véritable combat dont l'enfant sort toujours vainqueur. La culpabilité et l'anxiété s'aggravent, la mère a une conduite de plus en plus inadaptée, et l'enfant se fixe dans une attitude de refus.

Le traitement, souvent simple et efficace, doit être précoce : arrêt du forçage alimentaire, après que le médecin a rassuré la mère sur l'absence de risque pour l'enfant qui, souvent, compense le peu qu'il mange par le grignotage et par l'absorption de boissons lactées ou sucrées. Au besoin, une tierce personne, père ou nourrice, peut donner le repas à l'enfant qui l'accepte sans problème.

Il peut arriver — c'est rare — que l'anorexie prenne des formes plus sévères : l'enfant est pâle, fatigué et amaigri. L'hospitalisation permet d'éliminer une pathologie organique rare (cardiopathie, malabsorption digestive, infection, encéphalopathie ou tumeur), mais aussi de séparer la mère de l'enfant.

Très différente est l'*anorexie essentielle* précoce, qui apparaît dès la naissance chez un enfant ne marquant aucun intérêt pour les biberons, puis les refusant activement : il s'agit parfois des premiers signes d'une psychose infantile.

anorexie mentale de la jeune fille

☞ comportement alimentaire
(troubles non organiques du)

antibiogramme

Après isolement au laboratoire du germe responsable d'une infection, l'antibiogramme permet de tester sa sensibilité à différents antibiotiques. Le médecin biologiste dresse la liste des antibiotiques testés, selon que le germe est sensible, résistant ou de sensibilité intermédiaire. L'antibiogramme constitue ainsi un précieux critère du choix d'un antibiotique.

antibiotiques

Certains de nos patients parlent des antibiotiques en termes affectifs : ils les aiment ou au contraire les craignent; certains même les détestent. Et

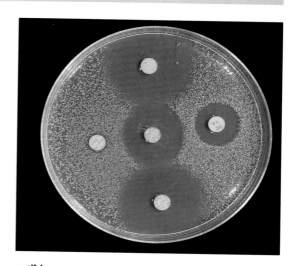

antibiogramme. *Le laboratoire d'analyse transmet à votre médecin les résultats de l'antibiogramme, ce qui lui permettra de prescrire un antibiotique actif contre le germe en cause.*

pourtant, l'attitude du médecin en matière d'antibiothérapie est parfaitement rationnelle : guérir l'infection ou la limiter ou encore la prévenir.

Le praticien cherche à savoir quel est le germe en cause, à préciser le lieu où le traitement devra agir, s'il existe un abcès qu'il faudra évacuer chirurgicalement ou un corps étranger qui favorise la prolifération des germes et qu'il faudra extirper. Lorsqu'il aura choisi un antibiotique, il devra encore s'assurer que ce choix est adapté à l'état du patient et d'une façon plus générale à l'écologie afin que l'antibiothérapie ne sélectionne pas des germes résistants.

Il devra enfin déterminer la posologie, le mode d'administration (orale, injectable, locale...), l'horaire des prises et décider quelle spécialité disponible en pharmacie répond aux différents critères du choix.

La surveillance du traitement se juge sur les critères d'efficacité et de tolérance. La durée du traitement est elle aussi fonction de nombreux critères : nature de l'infection, guérison clinique, négativation des prélèvements, risque de rechute...

Que le lecteur nous comprenne bien, il n'est pas dans notre intention de nier les inconvénients des antibiotiques, ni de mettre encore plus en valeur l'immense apport que ces thérapeutiques représentent, mais de rappeler que le choix d'un antibiotique résulte d'une réflexion rigoureuse qui ne peut être confiée qu'aux médecins, et que priver un patient du bénéfice de l'antibiothérapie est un non-sens historique.

☞ infections

anticoagulant *(traitement)*

Le *traitement anticoagulant* vise à réduire la capacité de l'organisme à former un caillot de sang dans les vaisseaux. Il intervient dans la partie finale du processus de coagulation, lors de la formation d'un réseau dense de fibrine. Il est donc à distinguer du *traitement anti-agrégeant* qui, lui, intervient dans la partie initiale de la coagulation, lors de la formation d'un amas de plaquettes. En aucun cas il ne « fluidifie le sang », dont il ne change pas la viscosité, mais il diminue la réaction de coagulation.

Les indications de ce traitement s'imposent dans les cas où un caillot anormal s'est formé (phlébite et embolie pulmonaire) ou risque de se former (arythmie cardiaque complète, infarctus du myocarde, prothèses valvulaires et vasculaires, etc.).

Les modalités dépendent de l'indication qui guide le choix du produit; nous disposons de deux types d'anticoagulants :
— *l'héparine*, qui bloque directement la coagulation, agit donc immédiatement, mais doit être injectée régulièrement par voie veineuse (*héparine de sodium*) ou par voie sous-cutanée (*héparine de calcium, de magnésium*); la première nécessite soit une perfusion continue (au mieux), soit six à douze injections intra-veineuses par jour, la seconde deux ou, au mieux, trois injections par jour; ce traitement nécessitera très souvent une hospitalisation;
— *les antivitamines K* ne bloquent pas directement la coagulation, mais empêchent, en neutralisant la vitamine K, la synthèse dans le foie des facteurs de coagulation; ils sont pris par voie orale aisément, mais mettent quelques jours avant d'être efficaces. Ils sont disponibles sous des formes nombreuses et diverses; leur durée d'action varie selon les molécules.

Ces deux types d'anticoagulants ont des modalités d'emploi différentes et complémentaires : l'héparine est utilisée lors de la *phase aiguë* pour son efficacité forte, facilement contrôlée et immédiate; les antivitamines K sont utilisées en relais de l'héparine, lors de la *phase chronique*, pour leur simplicité et leur compatibilité avec une vie normale. Entre ces deux phases, une période intermédiaire est nécessaire pendant laquelle l'héparine est encore prescrite en attendant que les antivitamines K soient efficaces.

Surveillance et interactions

Les anticoagulants sont des médicaments utiles mais puissants et donc potentiellement dangereux; ils risquent de provoquer des hémorragies parfois graves. Une surveillance stricte s'impose. En aucun cas vous ne devez prendre un autre médicament qui interfère avec la coagulation comme l'aspirine. Votre médecin veillera à ce que les antivitamines K ne soient pas associées à des médicaments qui en changent le métabolisme, comme les barbituriques

ou certains hypolipémiants, ou anti-inflammatoires.

Le patient sous traitement doit éviter tout ce qui peut provoquer ou favoriser une hémorragie, en particulier les sports dangereux ou les activités qui provoquent des chocs répétés. Si une intervention chirurgicale ou une biopsie sont programmées, signalez bien sûr votre traitement afin que les précautions nécessaires soient prises.

Le traitement anticoagulant est souvent fluctuant autant qu'imprévisible dans son efficacité; aussi une surveillance très régulière et très stricte avec prises de sang répétées s'avère obligatoire. En hospitalisation, le médecin déterminera la fréquence de cette surveillance. En ville, le patient sous antivitamine K aura à faire des prises de sang toutes les deux à quatre semaines, voire moins, pour surveiller le taux de prothrombine : la zone d'efficacité se situe généralement entre 25 et 35 %; au-dessus de 35 % la dose sera augmentée (efficacité insuffisante), en dessous de 25 % diminuée. Notez le résultat sur un carnet, avec la date et la dose utilisée, ainsi que, à la première page, votre groupe sanguin.

Surveillez si une hémorragie se produit, et notez sa provenance : saignements gingivaux ou nasaux, mais surtout émission de sang au cours de toux ou de vomissements ou dans les selles et les urines. Des selles noires et malodorantes, une pâleur inhabituelle doivent vous faire consulter très rapidement.

anticorps

☞ ■ immunologie ■ infections ■ sérologie des maladies infectieuses

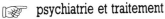

antidépresseur *(traitement)*

☞ psychiatrie et traitement

anti-inflammatoires cortisoniques et non cortisoniques

Les anti-inflammatoires non stéroïdiens

Largement utilisés en rhumatologie, ils ont pour but de combattre la douleur provoquée par l'inflammation articulaire.

Ils ont tous, à des degrés divers, des effets indésirables communs, quel que soit le mode d'administration (orale, rectale, injectable) :
— troubles allergiques (cutanés, asthme),
— irritation de la muqueuse gastro-intestinale; la

prescription d'un pansement gastrique est souvent utile.

Les A.I.N.S. (anti-inflammatoires non stéroïdiens) sont utilisés avec prudence chez les patients ayant déjà souffert de l'estomac, ainsi que chez les sujets sous anticoagulants (risque hémorragique). L'action des A.I.N.S. diminue l'efficacité des stérilets. Ils sont contre-indiqués chez la femme enceinte et chez les ulcéreux en poussée.

Les atteintes péri-articulaires (tendinite par exemple), les lésions arthrosiques, les rhumatismes inflammatoires aigus et chroniques sont les principales indications des A.I.N.S.

La corticothérapie

Deux formes sont utilisées en rhumatologie :
— la corticothérapie locale (infiltrations),
— la corticothérapie par voie générale, thérapeutique efficace non dénuée de risques; son utilisation correcte en limite les effets secondaires et la crainte qu'elle inspire dans le grand public n'est pas justifiée. Sa prescription nécessite toujours une surveillance clinique (tension artérielle) et biologique (ionogramme, glycémie).

Les effets secondaires dépendent de la dose et de la durée du traitement; les complications sont essentiellement la diminution des défenses contre les infections, l'atrophie cutanée (avec retard de cicatrisation) et musculaire, la décalcification osseuse, l'excitabilité psychique, la révélation ou l'aggravation du diabète, l'augmentation de la tension artérielle.

Attention, un traitement corticoïde prolongé est toujours prescrit à la dose minimale efficace; il ne doit jamais être interrompu brutalement car des risques d'insuffisance surrénalienne peuvent se déclarer.

Les indications et la dose prescrite varient selon le malade et l'importance de l'affection traitée.

La corticothérapie est utilisée dans de nombreuses affections (état de mal asthmatique, œdème de Quincke, choc anaphylactique, syndrome néphrotique, glomérulonéphrite chronique).

anus *(pathologie de l')*

Les **hémorroïdes** représentent la pathologie anale la plus fréquente. Si vous avez un saignement de sang rouge (rectorragie) après les selles ou sur le papier en vous essuyant, il y a de fortes chances pour qu'il ne s'agisse que de cette pathologie banale; mais seul un examen par le médecin permettra d'éliminer une autre maladie. Une endoscopie* est également nécessaire : anuscopie qui visualise des hémorroïdes internes qu'on ne sent pas bien au toucher rectal; rectoscopie et/ou coloscopie et parfois radiologie du côlon par lavement* baryté en double contraste (c'est-à-dire baryte plus air) pour éliminer une lésion tumorale,

telle un polype, voire un cancer, ou une colite (amibiase, recto-colite hémorragique...).

Le **prurit anal** est également très fréquent. Les causes peuvent être classées en deux groupes.
— *Les causes locales* : s'il s'agit d'un de vos enfants, une oxyurose est très probable. Les autres causes seront détectées lors de l'examen par le médecin : il peut s'agir d'hémorroïdes, de suppuration, d'ulcération, de végétations vénériennes ou « crêtes de coq » d'origine virale, d'herpès, voire de syphilis, rarement de cancer, ou encore de champignons, d'eczéma, d'allergie...
— *Les causes générales* sont rares : diabète, maladie du sang...

Une **fissure anale** est une petite ulcération en raquette. Des facteurs mécaniques comme la constipation peuvent favoriser son apparition sur certains terrains. Elle se manifeste par une douleur au moment de la défécation qui typiquement reprend après un intervalle libre. Quelques rectorragies sont possibles. Votre médecin en fera le diagnostic en examinant la marge anale; la douleur et une contracture du sphincter empêchent souvent le toucher rectal et l'anuscopie. Le traitement est médical et, en cas d'échec, chirurgical.

 ■ **hémorroïdes** ■ **rectorragie** ■ **oxyurose** ■ **maladies sexuellement transmissibles**

anus de l'enfant
(pathologie de l')

Imperforation anale

Il s'agit de nouveau-nés dont l'anus n'est pas en place :
— chez la fille, il s'abouche souvent au niveau de la vulve (anus vulvaire);
— chez le garçon, le rectum se termine en cul-de-sac et aucun orifice n'est visible.

Ces enfants doivent être opérés dès la naissance.

Fistules anales

Elles s'observent souvent chez le nourrisson. Une glande de la paroi du rectum s'infecte, réalisant un petit abcès, qui se dirige vers la marge de l'anus, en dehors de lui.

Le traitement est chirurgical.

Fissures anales

Il s'agit d'une déchirure de la muqueuse de l'anus, que l'on observe chez des enfants très constipés. Cette fissure se révèle par des douleurs au moment de la défécation, associées parfois à des saignements.

Le traitement consiste à faire cicatriser cette déchirure soit par un régime et des soins locaux, soit, en cas d'échec, par une intervention chirurgicale.

anxiété

☞ angoisse et anxiété

anxiolytique *(traitement)*

☞ psychiatrie et traitement

aoûtats

Les aoûtats sont des larves d'insectes vivant dans les herbes, de juillet à septembre, qu'ils quittent pour se fixer aux poils des jambes. Ils grimpent le long des membres inférieurs et s'accumulent dans les plis, surtout à la ceinture. Leur piqûre entraîne de violentes démangeaisons et des élevures surmontées de vésicules (▷ prurigo strophulus).

Apgar *(score d'),*

☞ nouveau-né *(examens du)*

aphasie

Une personne, le plus souvent âgée, présente brusquement des difficultés de langage : elle ne trouve plus les mots pour s'exprimer, en utilise un pour un autre et, si elle arrive à décliner son nom, son âge, ou à s'exprimer par des formules acquises, elle ne peut en revanche construire une phrase complète. Lorsqu'on lui demande de dénommer des objets, elle trouve le premier mais se trompe pour les suivants ou n'en donne que le sens : par exemple, pour une montre elle déclare « c'est pour lire l'heure ».

Lorsque le trouble est important, le patient ne peut prononcer qu'un ou deux mots ou, au contraire, s'exprime dans un jargon incompréhensible. Il s'agit probablement d'une aphasie.

L'aphasie est toujours due à une lésion de l'hémisphère cérébral dominant, c'est-à-dire gauche chez le droitier. L'examen neurologique peut aussi déceler une paralysie du côté droit du corps.

L'électro-encéphalogramme*, le scanner*, et parfois l'artériographie* en rechercheront les causes dont la plus fréquente est un accident vasculaire cérébral; dans ce cas, elle s'installe de façon brutale. Plus rarement, l'aphasie est due à une tumeur cérébrale, et son installation est progressive.

Le traitement de l'aphasie fait appel à la rééducation orthophonique souvent prolongée et au traitement de la cause.

☞ ■ accident vasculaire cérébral transitoire par ischémie ■ tumeurs cérébrales

aphtes

Vous avez remarqué que la consommation de certains aliments (fruits secs, noix, gruyère...) provoquait l'apparition de petites érosions à fond jaunâtre et à bord rouge extrêmement douloureuses au niveau de la muqueuse buccale. Il s'agit d'aphtes qui surviennent la plupart du temps par poussées. Pour les traiter, on ne connaît pas à l'heure actuelle de remèdes véritablement efficaces, si ce n'est d'éviter de consommer les aliments qui déclenchent ces poussées.

L'apparition concomitante d'aphtes buccaux et d'ulcérations génitales doit faire rechercher les signes d'un *syndrome de Behcet*.

Les aphtes ne doivent pas être confondus avec un zona débutant ou avec certaines allergies médicamenteuses s'accompagnant d'érosions de la cavité buccale.

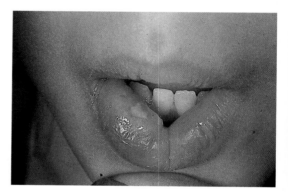

aphtes. *Extrêmement douloureux, cet aphte guérira néanmoins en huit à quinze jours sans laisser de cicatrice.*

aplasies médullaires

Les aplasies débutent le plus souvent brutalement. Elles provoquent une pâleur, une fatigue, des infections, des hémorragies traduisant l'effondrement du taux des globules rouges, des globules blancs et des plaquettes que la moelle osseuse est devenue incapable de produire (▷ sang). L'hémogramme demandé en urgence par votre médecin appréciera le degré de gravité. L'hospitalisation immédiate dans un service d'hématologie s'impose. Là, le diagnostic d'aplasie sera affirmé : la ponction* sternale et la biopsie* prouveront le caractère désertique de la moelle osseuse.

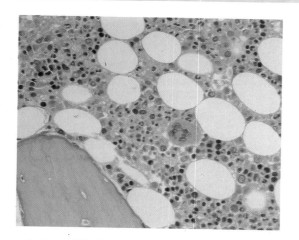
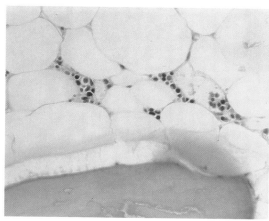

aplasies médullaires. *Comparez, sur ces deux clichés, l'aspect d'une moelle osseuse normale (à gauche) et celui d'une moelle aplasique (à droite) : les éléments précurseurs des cellules sanguines ont disparu et ont été remplacés par des cellules graisseuses.*

Le traitement palliatif d'urgence sera entrepris. Celui au long cours est un traitement hormonal visant à stimuler la reprise de la fonction médullaire. La cause de l'aplasie ne sera pas toujours retrouvée. La plupart des aplasies sont dues à la prise de médicaments toxiques.

 greffe de moelle osseuse

appareil respiratoire

Les deux poumons sont les organes les plus importants de l'appareil respiratoire : c'est là que s'effectuent les échanges gazeux entre l'oxygène de l'air inspiré et le gaz carbonique expiré par les divers tissus de l'organisme et amené par les artères pulmonaires.

Les deux poumons situés entièrement dans le thorax sont divisés en *lobes* : trois pour le poumon droit, assurant 55 % de la ventilation, et deux pour le poumon gauche, assurant les 45 % restants. En cas d'intervention chirurgicale sur le poumon, afin d'éliminer une tumeur par exemple, on peut être amené à enlever un lobe (*lobectomie*) ou le poumon entier (*pneumonectomie*).

Les deux poumons limitent entre eux un espace appelé *médiastin*, contenant le cœur, les gros vaisseaux thoraciques, l'œsophage et la trachée.

Chaque poumon est entouré d'une membrane, la *plèvre*, composée de deux feuillets au contact l'un de l'autre : la *plèvre viscérale*, qui adhère intimement au poumon et qui s'engage entre les lobes, et la *plèvre pariétale*, qui tapisse intérieurement la paroi thoracique et le diaphragme. Ces deux feuillets peuvent glisser l'un sur l'autre, mais la pression négative entre eux solidarise les poumons de la paroi thoracique et du diaphragme, ce qui rend possible les mouvements respiratoires (inspiration, expiration). Dans certaines situations pathologiques, les deux feuillets de la plèvre peuvent se séparer, désolidarisant le poumon de la paroi thoracique : c'est le cas du *pneumothorax*, où de l'air s'insinue entre les feuillets pleuraux, et de la *pleurésie*, où du liquide vient séparer les deux feuillets pleuraux.

A la face interne de chaque poumon pénètrent la *bronche* souche issue de la trachée, l'*artère* et les *deux veines pulmonaires* qui vont se ramifier comme un arbre pour donner une branche à chaque lobe. La ramification se poursuit ensuite à l'intérieur du poumon. Ainsi, chacune des deux bronches souches se divise dix à douze fois pour aboutir aux *alvéoles pulmonaires*, lieu des échanges gazeux : le sang amené par l'artère pulmonaire s'y débarrasse du gaz carbonique, se charge d'oxygène et repart par les veines pulmonaires vers l'oreillette et le ventricule gauches du cœur. Un adulte possède 300×10^6 alvéoles, soit une surface d'échange gazeux disponible de 70 à 95 m².

Les volumes pulmonaires se répartissent en deux parties, l'une *mobilisable* et l'autre *non mobilisable* : le volume mobilisable au cours des efforts inspiratoires et expiratoires maxima s'appelle la *capacité vitale*; le volume non mobilisable ou *volume résiduel* est le volume d'air restant dans les poumons à la fin d'une expiration maximale; la somme du volume résiduel et de la capacité vitale représente la *capacité pulmonaire totale*.

Le volume expiré maximal par seconde (V.E.M.S.) permet de mesurer la circulation de l'air

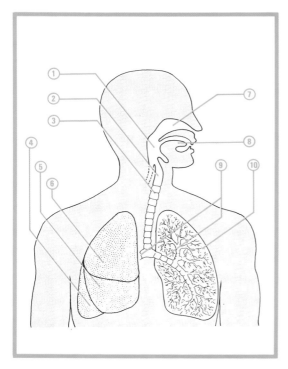

appareil respiratoire. ① *pharynx,* ② *larynx,* ③ *trachée,* ④ *lobe inférieur,* ⑤ *lobe moyen,* ⑥ *lobe supérieur,* ⑦ *fosses nasales,* ⑧ *langue,* ⑨ *bronches,* ⑩ *bronchioles.*

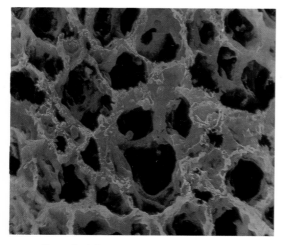

appareil respiratoire. *Adulte, nous possédons* 300×10^6 *alvéoles pulmonaires, soit une surface disponible de 70 à 95 m² pour l'oxygénation du sang!*

à travers l'arbre bronchique et d'en évaluer les variations. A l'aide de ces mesures simples, on peut distinguer deux grandes catégories de troubles respiratoires :

— les *troubles restrictifs,* où la capacité pulmonaire totale est diminuée (séquelles de traumatismes thoraciques ou de tuberculose, ablation chirurgicale d'un lobe ou d'un poumon par exemple, entraînant une diminution de la surface d'échanges gazeux disponibles);

— les *troubles obstructifs,* où la capacité pulmonaire est conservée intacte mais où la circulation d'air dans les bronches est défectueuse (bronchite chronique, asthme).

Les échanges gazeux peuvent être également altérés par modification ou épaississement de la paroi alvéolaire ou des vaisseaux sanguins au contact de l'alvéole (pneumoconiose, pneumopathie par intoxication médicamenteuse, sarcoïdose, certaines maladies plus rares appelées connectivites).

Enfin, l'appareil respiratoire est normalement capable d'épurer l'air arrivant aux alvéoles de tout élément étranger (particules minérales, micro-organismes...). Il agit non comme un filtre classique, mais plutôt comme un dispositif auto-nettoyant :

— la *cavité nasale* et le *pharynx* constituent une première barrière, arrêtant les plus grosses particules;

— l'*arbre trachéo-bronchique,* grâce au mucus qu'il sécrète et aux cils microscopiques et mobiles dont sont pourvues ses cellules superficielles, permet le rejet des particules plus petites vers le pharynx;

— dans les alvéoles pulmonaires, les *macrophages,* véritables cellules anti-poussières, permettent l'épuration du poumon profond et la destruction des micro-organismes.

Toute perturbation de l'une de ces trois phases épuratives est susceptible d'altérer la fonction respiratoire, de faciliter les infections bronchiques ou pulmonaires : c'est par exemple le cas de la bronchite chronique où le tabac a entraîné une altération des mécanismes de défense des bronches et du poumon profond.

Les principaux symptômes cliniques orientant vers un problème respiratoire sont la toux, l'expectoration, la dyspnée et parfois la douleur thoracique (▷ ces mots).

appendicite

L'appendicite est l'inflammation, puis l'infection de l'*appendice iléo-cæcal,* aboutissant à la constitution d'un abcès à l'intérieur même de l'appendice. Cet abcès peut se rompre dans l'abdomen, entraînant une *péritonite.*

Les signes en sont très variés; c'est l'un des diagnostics les plus difficiles de la chirurgie pédia-

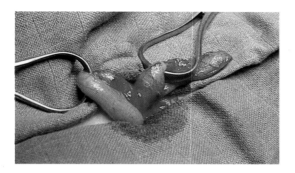

appendicite. *Appendicite aiguë : il était temps d'opérer !*

trique, et mieux vaut opérer sans certitude diagnostique que de laisser évoluer l'infection appendiculaire.

Peuvent s'y associer à des degrés divers :
— des douleurs abdominales prédominantes dans la fosse iliaque droite;
— de la fièvre peu élevée, généralement 37°8 C à 38° C; une fièvre à 40° C oriente vers une péritonite;
— des vomissements.

Devant l'un quelconque de ces signes et *a fortiori* s'ils sont concomitants et persistants, vous devez consulter car le diagnostic repose sur l'examen clinique effectué par le médecin et le chirurgien. Une élévation des globules blancs peut s'observer mais n'est pas constante. De même, une radiographie de l'abdomen peut montrer des signes indirects d'appendicite.

Les tableaux cliniques sont très variés, et l'on observe tout, de l'enfant qui souffre depuis plusieurs jours, voire plusieurs semaines, jusqu'à l'enfant qui développe une péritonite en quelques heures.

Le traitement consiste, par une incision de la fosse iliaque droite, à enlever l'appendice. L'hospitalisation dure cinq à huit jours.

aptitude aux sports
(certificat d')

☞ certificats médicaux et législation

aréole

☞ mamelon et aréole

armoire à pharmacie

☞ secours d'urgence

arrêt cardiaque

☞ secours d'urgence

arrêt de travail *(avis d')*

☞ certificats médicaux et législation

arrêt respiratoire

☞ secours d'urgence

artériographie

L'artériographie est un examen radiologique qui consiste à visualiser les vaisseaux artériels du corps humain : on injecte dans une artère superficielle, soit par ponction directe à l'aiguille ou par cathéter, un produit de contraste opaque aux rayons X, en général à base d'iode.

Le plus souvent indolore, cet examen s'accompagne d'une bouffée de chaleur lors de l'injection et nécessite parfois une anesthésie, locale ou générale.

L'examen peut visualiser un grand secteur artériel, aorte par exemple : il s'agit d'une *artériographie globale*. Il peut se limiter à un segment artériel : on parle alors d'*artériographie sélective* (une coronarographie* par exemple).

Des clichés sont pris à rythmes rapides, afin d'étudier la propagation et la traversée du produit opaque dans les vaisseaux artériels.

☞ **angiographie numérisée**

artériosclérose

L'artériosclérose est la conséquence d'un processus dégénératif de vieillissement des artères par accumulation de dépôts de graisses dans leur paroi. Cette dernière s'épaissit, perd de sa souplesse normale et rétrécit de calibre, voire s'obstrue totalement. L'artériosclérose est appelée communément « durcissement des artères ».

On conçoit aisément que, dans de telles conditions, le flux sanguin dans ces artères soit ralenti; quelquefois, il devient même très insuffisant pour irriguer normalement l'organe auquel il est destiné et entraîne son dysfonctionnement.

L'artériosclérose, processus de formation généralement *lent*, peut être totalement *latente* au début, n'entraînant aucun signe anormal. A un stade plus tardif, ses symptômes vont dépendre du

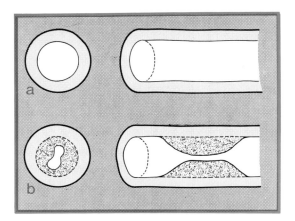

artériosclérose. *Artère normale (fig. a). L'artère est le siège d'une plaque d'artériosclérose (fig. b).*

territoire vasculaire lésé, donc de l'organe concerné : ainsi l'atteinte des artères coronaires peut entraîner une angine de poitrine, celle des artères des membres (artérite des membres inférieurs) provoquer des crampes douloureuses des mollets, celle des artères à destinée cérébrale causer des vertiges...

L'hypertension artérielle, l'*obésité* augmentent les risques d'installation et de développement de l'artériosclérose. Il en est de même des maladies métaboliques comme le *diabète sucré* et l'*hypercholestérolémie*. Le *tabac* est aussi nocif pour les artères : les sujets qui fument deux paquets, ou plus, de cigarettes par jour sont quatre fois plus exposés au risque d'artériosclérose que ceux qui ne fument pas.

Le traitement de l'artériosclérose est avant tout préventif. Il est, en effet, maintenant clairement admis qu'elle débute tôt dans la vie, dès l'enfance, qu'elle évolue silencieusement et insidieusement pendant l'adolescence et la jeunesse et ne devient généralement patente qu'aux alentours de la cinquantaine et au-delà. C'est la raison pour laquelle la majorité des praticiens estime qu'une prévention efficace doit être instituée dès l'adolescence. Elle consiste principalement en une réduction de l'ingestion de graisses alimentaires, en une cure d'amaigrissement en cas de surcharge pondérale, en une suppression radicale d'un éventuel tabagisme et en une surveillance régulière de la tension artérielle.

Le traitement curatif proprement dit dépend du territoire artériel lésé : traitement vasodilatateur, traitement antalgique, souvent assortis d'un traitement hypolipémiant (pour réduire le taux des graisses dans le sang) et éventuellement hypotenseur (en cas d'hypertension artérielle). Enfin, s'y associe éventuellement le traitement spécifique d'une angine de poitrine, d'une artérite des membres inférieurs...

artérite

L'artérite est une maladie caractérisée par une obstruction artérielle qui entraîne une diminution du flux sanguin de l'artère vers la partie du corps correspondante. L'obstruction des artères peut être due :

— soit à leur inflammation (comme dans la maladie de Takayashu ou maladie « des femmes sans pouls ») ; cette affection rare touche des sujets jeunes et porte le plus souvent sur les artères du bras et du cou ;

— soit à un dépôt de graisse sur leur paroi (artériosclérose) ; c'est l'immense majorité des cas.

Nous traiterons ici de l'artérite qui touche les membres inférieurs.

La consultation médicale s'impose si vous ressentez :

— *des douleurs*, perçues au niveau des muscles privés d'apport sanguin, au mollet, voire à la cuisse, ou même à la fesse dans certains cas ; elles doivent attirer votre attention si elles concernent une seule jambe et surviennent en marchant ; toutefois des douleurs survenant aux deux jambes et/ou au repos sont possibles ;

— *un refroidissement* d'une jambe ou du pied.

Lorsque vous consulterez votre médecin, il vous rassurera le plus souvent, car la plupart des douleurs des jambes ne sont pas dues à une artérite. Son diagnostic reposera sur l'examen des artères qu'il palpe. La diminution ou la disparition du pouls d'une artère de la jambe témoigne de son obstruction. En cas de doute, ou simplement pour dresser le bilan, il demandera un Doppler* — examen simple, sans danger, donnant d'excellents renseignements. Cet examen permet, en effet, de confirmer l'obstruction des grosses artères, d'explorer les petites artères que l'on ne peut sentir avec la main et, aussi, de suivre d'année en année l'évolution des lésions.

Dans certains cas, une artériographie* est nécessaire : elle permet de juger du calibre des artères, lorsque l'éventualité d'une intervention chirurgicale est envisagée.

Une fois le diagnostic établi, un bilan artériel complet s'impose. L'obstruction peut, en effet, avoir lieu sur d'autres trajets artériels ; systématiquement, on recherchera un anévrysme de l'aorte, une insuffisance coronaire, une obstruction des artères destinées au cerveau.

Au terme de ce bilan, un traitement vous sera proposé.

Il faut empêcher la progression de l'arté-riosclérose, afin d'éviter l'aggravation des lésions (▷ artériosclérose).

– Vous devez être attentif aux symptômes qui pourraient témoigner d'un athérome des artères coronaires ou cérébrales.

– Si vous ressentez une douleur dans la poitrine lors d'une course ou d'une marche, à l'exposition au froid ou aux émotions, si vous ressentez un vertige, un manque subit de la parole, une paralysie même incomplète et transitoire d'une jambe ou d'un bras ou d'une partie de la face, un trouble de la vue, parlez-en rapidement à votre médecin et faites le bilan nécessaire, car ce qui s'est produit au niveau des jambes peut se produire ailleurs.

Il faut améliorer la circulation de vos jambes

– Certaines cures peuvent être bénéfiques.

– Un certain nombre de médicaments vasodilatateurs ou anti-ischémiques sont utiles et vous seront prescrits par votre médecin.

– Surtout, il faut faire travailler votre organisme qui va progressivement développer une circulation collatérale; ainsi, votre jambe continuera à recevoir du sang par de petites artères qui « contourne-ront » l'artère obstruée. Le développement de cette circulation collatérale explique que dans la grande majorité des cas les symptômes s'améliorent ou disparaissent dans l'année qui suit leur première apparition. Pour cela, il est préférable de faire travailler vos muscles en vous imposant un exercice quotidien, c'est-à-dire une marche la plus longue possible mais sans atteindre l'apparition de la douleur. Ne cherchez pas à marcher vite; il est inutile de vous tester.

– Enfin, si vous restez gêné pour une distance faible, il faut envisager une intervention qui peut être une *endartériectomie* (retrait de la plaque graisseuse obstructive) ou un *pontage* (mise en place d'une veine ou d'un tube prothétique qui fournit le sang au-delà de la zone obstruée). Ces interventions ne seront envisagées qu'après l'artériographie* qui permet de visualiser les lésions et les artères d'aval, et de juger des possibilités chirurgicales.

Il faut enfin surveiller votre jambe

– Ne faites pas de soins de pédicurie sans en parler à votre médecin. La cicatrisation est chez vous plus lente, l'infection plus facile et une catastrophe peut se produire.

– Si des douleurs surviennent la nuit, souvent la position debout apporte un soulagement, mais ne vous limitez pas à cela et consultez votre médecin pour envisager une intervention. De même, il faut très vite consulter si un orteil noircit : ceci traduit une gangrène débutante.

– Si brutalement la jambe fait très mal et se refroidit, rendez-vous immédiatement à l'hôpital car il peut s'agir d'une obstruction artérielle aiguë qui menace votre jambe et même votre vie. Dans ce cas, une intervention simple et immédiate peut être salvatrice.

La correction des facteurs de risque de l'artériosclérose, l'amélioration de la circulation artérielle des membres inférieurs et la surveillance régulière permettent, fort heureusement, le plus souvent d'éviter ces accidents.

arthrite

Ne confondez pas arthrite et arthrose.

L'arthrite est une atteinte inflammatoire articulaire. L'articulation touchée est douloureuse, gonflée et chaude, du moins lorsque l'affection est superficielle. La douleur a un rythme particulier : elle est surtout présente le matin et parfois réveille le patient dans la deuxième moitié de la nuit. La vitesse* de sédimentation est accélérée. L'arthrite est soulagée par les anti-inflammatoires.

L'arthrite est dite aiguë, lorsque l'inflammation est vive (mais de courte durée). Elle est dite chronique, lorsqu'elle se prolonge plus de trois mois (l'inflammation est en général d'intensité modérée).

artérite. *Image échotomographique de lésions athéromateuses de la bifurcation de l'artère fémorale chez un patient souffrant d'artérite des membres inférieurs. La flèche indique la plaque d'athérome échogène obstruant partiellement l'origine de l'artère fémorale superficielle et, presque totalement, celle de l'artère fémorale profonde. F.C.G. : artère fémorale commune gauche. F.S.G. : artère fémorale superficielle gauche. F.P.G. : artère fémorale profonde gauche.*

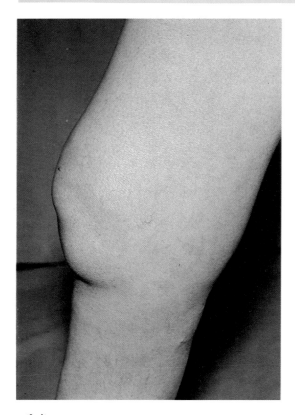

arthrite. *Tuméfaction, rougeur, chaleur et douleur de l'articulation caractérisent l'arthrite aiguë (ici le genou).*

L'arthrite est mono-articulaire ou poly-articulaire, selon qu'elle touche une ou plusieurs articulations.

Elle est dite infectieuse ou septique lorsqu'elle est due à la présence d'une bactérie ou d'un virus dans l'articulation.

L'arthrite est dite post-infectieuse (ou rhumatisme infectieux) lorsque, bien que d'origine infectieuse, elle est aseptique : l'articulation touchée ne renferme pas le germe en cause, comme par exemple dans le rhumatisme articulaire aigu.

L'arthrite est micro-cristalline lorsque l'inflammation est due à la présence de micro-cristaux dans l'articulation (goutte et chondrocalcinose articulaire).

Enfin, dans un grand nombre de rhumatismes (polyarthrite rhumatoïde, pelvispondylite rhumatismale par exemple), la physiopathogénie de l'arthrite reste mal connue.

☞ ■ anti-inflammatoires cortisoniques et non cortisoniques ■ arthrite infectieuse

■ rhumatisme articulaire aigu ■ goutte ■ chondrocalcinose articulaire ■ polyarthrite rhumatoïde ■ pelvispondylite rhumatismale ■ maladies systémiques ■ Fiessinger-Leroy-Reiter *(maladie de)*

arthrite infectieuse

L'arthrite infectieuse est due à la présence d'un germe microbien dans une articulation. Elle se manifeste, le plus souvent brutalement, par une fièvre et des signes d'inflammation articulaire : l'articulation est chaude, douloureuse, tuméfiée, sa mobilisation limitée et très douloureuse.

Vous devez consulter rapidement votre médecin, le pronostic fonctionnel de l'articulation est en jeu.

Le diagnostic est facilité par la connaissance du point de pénétration du germe dans l'organisme (plaie cutanée par exemple), ou d'une infection connue à distance (infection urinaire, blennorragie).

Une enquête bactériologique s'impose d'urgence, sur le sang, les urines, le liquide de ponction* articulaire. L'examen direct, la mise en culture, l'antibiogramme* sont systématiquement réalisés.

Dans l'attente des résultats, l'articulation est immobilisée par plâtre bivalvé, un traitement antibiotique institué, puis adapté en fonction du résultat bactériologique et de la sensibilité du germe. Cette antibiothérapie est prolongée plusieurs semaines.

Toute arthrite infectieuse doit être traitée précocement, sous peine de séquelles ultérieures. Traitée à temps, le rétablissement complet est souvent réussi.

☞ ■ marche *(refus de la)* ■ membre supérieur *(votre enfant refuse de bouger son)*

arthrographie

L'arthrographie est un examen radiologique destiné à visualiser l'intérieur d'une articulation, du genou, de l'épaule ou de la hanche, après injection d'un produit opaque aux rayons X, ou d'air, ou les deux associés.

L'injection est peu douloureuse, d'autant qu'elle est parfois accompagnée d'une légère anesthésie locale; elle n'est pas handicapante, car le produit se résorbe en une ou deux heures.

Le produit injecté permet de « mouler » les surfaces cartilagineuses, les capsules articulaires qui relient les os entre eux, les bourses séreuses qui permettent le glissement de l'articulation examinée. Il permet aussi la visualisation des ménisques internes et externes des genoux, siège de fractures en particulier chez les sportifs.

arthroscopie

L'arthroscopie a un but diagnostique et parfois thérapeutique. Pratiquée sous anesthésie générale ou locale, elle permet de visualiser directement et par écran vidéo l'ensemble de la cavité articulaire; elle précise les structures anatomiques lésées et évite ainsi l'ouverture de la cavité articulaire (*arthrotomie*).

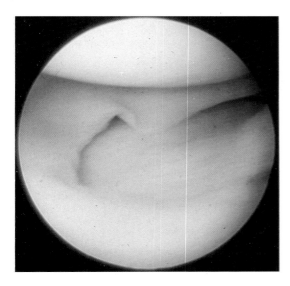

arthroscopie. *L'arthroscopie du genou permet un diagnostic de visu de l'affection en cause. D'autres articulations peuvent être explorées par cette méthode : l'épaule, la hanche, la cheville.*

Un geste thérapeutique est parfois pratiqué en même temps (par exemple au genou, ablation ou suture méniscale, ablation de corps étrangers, nettoyage de la face postérieure de la rotule, résection de replis synoviaux, synovectomie).

Les suites opératoires sont simples : l'arthroscopie raccourcit le temps d'hospitalisation; la reprise des activités est plus rapide.

Les genoux et depuis peu les épaules, les coudes, les chevilles sont explorés par cette méthode.

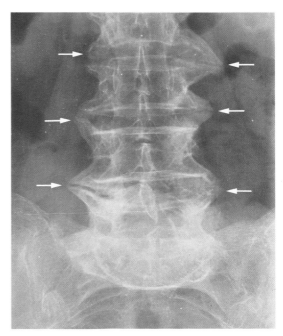

arthrose. *L'arthrose vertébrale peut se traduire par la présence d'ostéophytes (becs de perroquet). Il n'y a pas de relation entre les symptômes ressentis par les patients et l'importance des lésions radiologiques.*

arthrose

L'arthrose est la maladie la plus fréquente de l'appareil locomoteur. Cette affection, dont la fréquence augmente avec l'âge, n'est pas liée seulement au vieillissement.

Les causes de l'arthrose sont en effet multiples :
— les causes mécaniques, par surcharge articulaire (excès de poids) ou par anomalie anatomique (incongruence articulaire, déséquilibre statique);
— dans d'autres cas, l'articulation est anatomiquement normale mais le cartilage, lui, est lésé. Ces lésions cartilagineuses peuvent être causées par un traumatisme (arthrose post-traumatique), par des phénomènes métaboliques (chondrocalcinose) ou encore par d'autres affections (telles que l'hypérostose, la maladie de Paget).

L'arthrose touche de préférence les grosses articulations, les plus sollicitées (genou, hanche), mais n'épargne pas les petites articulations (polyarthrose des doigts). Elle se manifeste par une douleur et une impotence de l'articulation.

L'examen clinique retrouve une limitation, le

plus souvent douloureuse, à la mobilité articulaire. L'examen biologique confirme l'absence de syndrome inflammatoire : la vitesse* de sédimentation est normale et l'analyse du liquide d'épanchement articulaire ramené par ponction* articulaire est de type mécanique. Le pincement articulaire, la production excessive d'os ou osthéophytose (bec de perroquet par exemple), l'ostéosclérose (l'os apparaît plus dense) sont les signes radiologiques de l'arthrose. Il n'y a pas de corrélation entre la clinique et la radiologie; de nombreuses personnes ont des lésions arthrosiques radiologiques mais n'en souffrent pas.

L'arthrose se transmet-elle ?

On relève une incidence familiale dans l'arthrose des doigts chez la femme. Pour les autres arthroses, le caractère génétique est difficile à prouver, car les facteurs intervenant dans l'arthrose peuvent être intriqués.

Le traitement de l'arthrose repose sur les anti-inflammatoires, les infiltrations, la kinésithérapie et les interventions chirurgicales. Il n'y a pas de traitement de fond efficacement reconnu de l'arthrose, du fait essentiellement des nombreuses inconnues physio-pathologiques.

 ■ **cartilage** ■ **mains déformées** ■ **coxarthrose** ■ **gonarthrose** ■ **cervicarthrose** ■ **rotule** (syndrome fémoro-rotulien) ■ **rachis** (douleurs du) ■ **lumbago aigu** ■ **sciatique par hernie discale**

arthrose de la hanche

 coxarthrose

arthrose du cou

 cervicarthrose

arthrose du genou

 gonarthrose

articulations (douleurs des)

 ■arthrite ■ arthrose

arythmie cardiaque

 rythme et conduction cardiaques (troubles du)

asbestose

 ■ amiante ■ risques respiratoires professionnels

ascaridiose

Cette parasitose sévit dans les pays chauds; elle n'est cependant pas rare sous nos climats.

L'homme est contaminé en ingérant des légumes et des fruits souillés par des œufs d'ascaris. Dans le tube digestif du malade, les œufs libèrent des larves qui rejoignent le poumon. Il s'agit de la première phase de l'infection semblable à une bronchite atypique : le malade se plaint de démangeaisons, d'une urticaire, d'une douleur thoracique; parfois la toux ramène une expectoration sanglante. La radiographie* des poumons montre des opacités inhabituelles au cours des bronchites (d'autant plus inhabituelles qu'elles sont fugaces, le ver continuant sa migration). L'hémogramme prescrit par votre médecin découvrira une augmentation du nombre des polynucléaires éosinophiles, évocatrice de la parasitose.

Lors de la deuxième phase, l'ascaris remonte les voies respiratoires, est dégluti, puis pénètre dans le tube digestif où il provoque des douleurs abdominales, une accélération du transit, un amaigrissement avec diminution de l'appétit, une fatigue. Le diagnostic est alors facilement affirmé par la coproculture* et l'examen parasitologique des selles qui isolent des œufs ou des vers adultes (ressemblant à des vers de terre). Le traitement anti-parasitaire est efficace et bien toléré.

 La maladie est transmise par les selles. Il faut se laver les mains après chaque selle. Dans les pays chauds, lavez les fruits et les légumes consommés crus avec de l'eau préalablement stérilisée.

 tropicales (maladies)

aspirine

L'aspirine possède plusieurs propriétés bénéfiques qui en font un des médicaments le plus couramment utilisé.

— Ce médicament lutte très efficacement contre la fièvre, mais sans s'attaquer à sa cause.

— Il soulage la douleur, notamment les douleurs articulaires et musculaires, les névralgies, la migraine. En revanche, les douleurs viscérales sont peu influencées par l'aspirine.

— L'aspirine possède également un effet anti-inflammatoire qui n'égale pas cependant celui des anti-inflammatoires non cortisoniques ou celui de la cortisone. De plus, cet effet n'apparaît qu'à des doses plus élevées que celles habituellement utilisées pour soulager les douleurs.

— Enfin, l'aspirine possède la propriété de « fluidifier » le sang par son action anti-agrégeante plaquettaire. Cet effet est utilisé dans la prévention des accidents cérébraux ou coronariens.

Les effets indésirables de l'aspirine vous sont bien connus :

— Brûlures et parfois saignement de l'estomac : il est donc interdit de l'utiliser sans l'accord de votre médecin si vous souffrez de l'estomac et surtout si vous avez eu un ulcère.

— Vertiges et bourdonnements d'oreilles peuvent survenir lors de la prise d'une trop forte dose.

— Vous devez signaler à votre médecin les manifestations allergiques survenant à l'occasion de la prise d'aspirine (urticaire, asthme, œdème des lèvres), car l'allergie à l'aspirine en interdit formellement l'emploi.

— L'intoxication par l'aspirine est redoutable chez l'enfant. C'est pourquoi vous devez prendre garde de conserver ce médicament dans une armoire fermée à clé, et de n'utiliser pour vos enfants que les conditionnements spécialement étudiés pour eux.

— La femme enceinte doit éviter dans la mesure du possible l'automédication en raison du risque d'hémorragie fœtale.

— Enfin, les patients soumis à un traitement anticoagulant ou anti-inflammatoire doivent proscrire l'aspirine par crainte de cumuler les effets hémorragiques de ces différentes drogues.

☞　■ **fièvre de l'adulte** ■ **fièvre du nourrisson** ■ **douleur**

asthme

L'asthme est une affection caractérisée par une gêne à la respiration (dyspnée), particulièrement à l'expiration, résultant d'une diminution de calibre des bronches.

L'évolution se fait par accès entre lesquels les troubles respiratoires sont partiellement ou totalement absents. La crise d'asthme est l'élément le plus caractéristique et le plus spectaculaire de la maladie asthmatique : il s'agit d'une crise de dyspnée expiratoire, paroxystique et transitoire, dont la périodicité varie parfois selon les circonstances déclenchantes qu'il faudra préciser lors de la consultation.

La crise asthmatique survient le plus souvent la nuit, débute soudainement ; la gêne respiratoire est intense : l'expiration est lente, sifflante et pénible ; la toux qui, parfois, a précédé la crise réapparaît souvent à la fin de l'accès, en même temps qu'une expectoration un peu épaisse. La crise va durer une à deux heures mais elle peut être écourtée par le traitement. Elle peut être isolée dans le temps, pour ne se reproduire que plusieurs jours ou quelques semaines plus tard, ou, au contraire, se répéter quotidiennement avec une gêne persistante entre deux accès.

Le médecin, appelé à l'occasion de la crise, en confirmera facilement le diagnostic en auscultant le patient ; il appréciera ensuite l'importance de la crise ; s'agit-il de :

— *une simple crise isolée* dans le temps avec gêne respiratoire mineure ;

— une crise d'asthme plus sévère se répétant depuis plusieurs jours tous les soirs : c'est l'*attaque d'asthme* ;

— à l'extrême, l'*état de mal asthmatique*, qui est une complication redoutable ; à son origine, on trouve une infection bronchique ou une erreur thérapeutique (abus de certains médicaments en aérosols, arrêt trop brutal d'un corticoïde, utilisation trop importante de sédatifs) : il s'agit alors d'une *crise dyspnéique* intense, qui se prolonge et qui s'intensifie en même temps que diminue le sifflement expiratoire. Les médicaments habituels ne sont pas assez efficaces pour calmer la crise et le médecin demandera une hospitalisation en urgence, après avoir commencé le traitement.

Le rôle du médecin ne se résume pas à traiter la crise, mais également à en rechercher la cause. L'asthme peut résulter d'une hypersensibilité des bronches à l'inhalation de substances présentes dans l'environnement aérien. Ces substances, appelées allergènes, sont très nombreuses : citons les poussières de maison contenant les acariens, les pollens, les plumes, les poils des animaux domestiques, les moisissures, les céréales, etc. Elles peuvent être aussi d'origine professionnelle, dont les farines, les iso-cyanates, certains métaux, textiles, décapants, vapeur de chlorure de polyvinyle, etc.

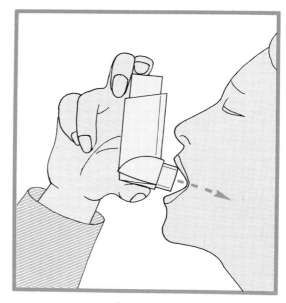

asthme. *Comment prendre un médicament - en aérosol doseur - en cas de crise d'asthme.*

Votre médecin complètera l'enquête en recherchant un terrain allergique antérieur : eczéma, rhume des foins, urticaire, œdème de Quinck, polypes dans le nez, sinusite, allergie à certains médicaments... Il vous fera également préciser les conditions de déclenchement des crises, leur moment de survenue dans la journée, leur périodicité dans l'année, notions qui permettront éventuellement de s'orienter vers une allergie précise. A l'opposé, il peut ne retrouver aucun facteur d'hypersensibilité : il s'agit alors d'un *asthme intrinsèque* qui apparaît souvent tardivement, à l'âge adulte ; chez la femme, il peut débuter à la ménopause.

Votre médecin devra ensuite apprécier le caractère évolutif de la maladie asthmatique : s'agit-il de crises espacées entre lesquelles il n'existe aucune anomalie ou, au contraire, d'un asthme évoluant depuis plusieurs années, se compliquant d'insuffisance respiratoire entre les crises ou s'associant progressivement à une bronchite chronique sur laquelle se greffent des accès asthmatiques paroxystiques ?

Votre médecin s'efforcera, enfin, d'apprécier le retentissement général, et en particulier respiratoire, de votre asthme : les examens comprendront dans un premier temps une radiographie* des poumons, un hémogramme* à la recherche d'une augmentation du nombre des polynucléaires éosinophiles, et un dosage des immunoglobulines E souvent augmentées dans l'asthme allergique ; ensuite, une radiographie des sinus et un examen par le médecin spécialiste O.R.L. seront demandés afin de dépister d'éventuels foyers infectieux susceptibles d'entretenir ou d'aggraver l'asthme.

Votre médecin demandera également une épreuve* fonctionnelle respiratoire, effectuée par le spécialiste pneumologue. Cet examen, réalisé en dehors de toute crise, permet d'évaluer l'existence d'une éventuelle obstruction bronchique persistant entre les crises, et de mesurer l'efficacité de certains médicaments sur cette obstruction. Enfin, il vous confiera éventuellement à un spécialiste allergologue, s'il juge probable l'origine allergique de votre asthme.

Ce n'est qu'au terme de cette enquête minutieuse, faisant appel à de nombreux spécialistes, qu'un traitement complet pourra être entrepris. Celui-ci comprend le traitement à mettre en œuvre en cas de crise et le traitement de fond de la maladie asthmatique. L'efficacité des médicaments employés a comme rançon des effets secondaires non négligeables ; c'est donc à vous de respecter la thérapeutique prescrite par votre médecin, en évitant au maximum l'auto-médication.

En cas de crise, le médecin prescrira le plus souvent une bouffée de bêta-mimétiques en pulvérisation (salbutamol) associée éventuellement à une injection intra-veineuse lente de théophylline. Les corticoïdes injectables ne se justifient qu'en cas de crises plus sévères ; ils seront alors associés à des bêta-mimétiques injectés en sous-cutané.

Le traitement de fond de l'asthme vise à prévenir la crise et assurer une fonction respiratoire normale entre les crises.

— La *théophylline* est utilisée par voie orale et dont les formes actuelles ont beaucoup diminué les effets secondaires ; elle représente un médicament de fond efficace à condition de bien respecter les posologies prescrites par le médecin : en effet, l'efficacité est fonction de la dose prescrite, mais le dépassement de celle-ci engendre fatalement des effets secondaires néfastes (tachycardie, insomnie, troubles digestifs) ; il convient en particulier d'être très prudent dans le cas du jeune enfant, chez qui l'intoxication par la théophylline peut être très grave.

— Les *bêta-mimétiques* en pulvérisation sont non seulement des médicaments efficaces dans la crise, mais aussi d'un grand intérêt en traitement de fond, à condition là encore de ne pas dépasser les doses prescrites : au maximum 4 à 6 bouffées, ou doubles bouffées, par jour.

— Le *kétotifen* et le *cromoglycate* sont des médicaments souvent actifs dans la prévention des crises. Parfois associés aux médicaments précédemment cités, leurs effets secondaires sont réduits.

— Les *corticoïdes* restent parfois nécessaires en traitement de fond des asthmes sévères là où les autres thérapeutiques se sont avérées insuffisantes. Le médecin ne les utilisera qu'en cas de nécessité absolue, cherchant chaque fois à utiliser la dose minimale efficace, soit pour une durée limitée, soit si la maladie l'y contraint ; pour des périodes plus longues, il s'efforcera alors de ne prescrire ces médicaments qu'un jour sur deux ou deux jours sur trois.

— La *désensibilisation spécifique* est un autre aspect du traitement de fond. Elle n'est qu'inconstamment efficace mais parfois bien utile quand un allergène précis a été identifié et que son éviction de l'environnement du patient n'a pu être obtenue.

Certains médicaments doivent être évités par le patient, en particulier les sédatifs, lorsque son asthme entraîne une insuffisance respiratoire importante, et les bêta-bloquants, médicaments utilisés en cardiologie pour l'angine de poitrine et l'hypertension artérielle.

D'autres précautions, également importantes, doivent être observées par l'asthmatique : la prévention des infections microbiennes bucco-dentaires par une hygiène rigoureuse, le traitement de toutes les infections O.R.L. ou bronchiques par antibiotiques ; le tabac, facteur aggravant considérable de l'asthme, doit être systématiquement proscrit.

Il convient enfin d'être particulièrement vigilant sur l'environnement domestique et professionnel de l'asthmatique. Les animaux domestiques doivent être évités ainsi que les atmosphères empoussiérées, les moisissures, la literie en plumes, l'humidité. Le reclassement professionnel est parfois nécessaire lorsqu'un asthme d'origine professionnelle a été dépisté. Le sport n'est nullement contre-indiqué chez l'enfant asthmatique ; bien au contraire, le but du traitement est justement de lui permettre de mener une vie normale, moyennant quelques précautions dans l'hygiène de vie.

L'asthme est une affection à évolution imprévisible dans laquelle la multiplicité et la fréquence des médicaments, les rechutes et les échecs, risquent de conduire le patient à l'auto-médication : ceci est un danger majeur car il entraîne l'utilisation de médicaments dangereux à doses inadaptées. C'est à votre médecin, aidé au besoin d'un spécialiste, qu'il appartient de planifier votre traitement, de le renforcer dans certaines situations ou de l'alléger en cas d'amélioration.

 ■ dyspnée ■ allergènes ■ allergique *(êtes-vous)* ■ allergie à la maison *(comment prévenir l')* ■ désensibilisation

astigmatisme

 On entend par astigmatisme un défaut de sphéricité de la cornée (▷ œil, vue [dépistage des troubles de la]); le cristallin peut aussi être astigmate. La courbure verticale de la cornée est plus importante que l'horizontale ou inversement. Si les images verticales se forment sur la rétine, les images horizontales se situeront alors soit en avant de la rétine *(astigmatisme myopique)*, soit en arrière *(astigmatisme hypermétropique)*.

L'astigmatisme est, la plupart du temps, congénital mais peut apparaître à la suite d'une maladie ou d'un traumatisme de la cornée ainsi qu'après une intervention chirurgicale sur l'œil.

L'astigmatisme est quasi constant, mais il est généralement bien toléré jusqu'à une dioptrie. Au-delà, il se corrige avec des verres cylindriques. Il semble qu'on puisse l'améliorer, voire le supprimer, par une intervention chirurgicale sur la cornée (kératotomie radiaire : opération de Ruiz).

attitude scoliotique

 ☞ dos de l'enfant *(déformation du)*

audiogramme

 L'audiogramme mesure le seuil de perception des sons par chaque oreille, sur toutes les fréquences, des plus basses (sons graves) aux plus hautes (sons aigus). Des sons transmis par un casque placé sur vos oreilles permettent d'étudier la conduction aérienne (CA); un petit vibrateur posé derrière chaque oreille permet l'étude de la conduction osseuse (CO) des sons.

Ces examens ne comportent aucun danger. Ils se déroulent durant une vingtaine de minutes dans une pièce insonorisée du cabinet de l'O.R.L. Ils chiffrent en décibels la perte auditive, précisent également le siège de l'obstacle à la propagation des sons, en distinguant les surdités de perception (CA et CO abaissées, déficit prédominant sur les aigus) et les surdités de transmission (seule la CA est abaissée, déficit prédominant sur les graves).

audition *(troubles de l')*

 ☞ surdité

avortement

☞ ■ fausse-couche spontanée du premier trimestre de la grossesse ■ interruption volontaire de la grossesse

athérome

 ☞ artériosclérose

atopie

☞ allergique *(êtes-vous)*

attaque cérébrale

 ☞ accident vasculaire cérébral

attelles

 ☞ orthopédie *(traitement en)*

bacille de Koch

 tuberculose pulmonaire

balanites

 Les balanites sont des inflammations aiguës ou chroniques de la muqueuse du gland. Les plus fréquentes d'entre elles sont de nature infectieuse. L'application de produits agressifs sur la muqueuse peut être responsable de balanite caustique ou allergique. Certaines affections comme le psoriasis, le lichen plan s'accompagnent parfois de balanites. Chez le sujet âgé, la persistance d'une balanite est parfois une lésion précancéreuse.

 ■ maladies sexuellement transmissibles ■ peau *(cancer de la)* ■ psoriasis

ballonnement abdominal

 colite fonctionnelle

bandage

 orthopédie *(traitement en)*

Basedow *(maladie de)*

 thyroïde *(glande)*

B.C.G.

 vaccins et sérums

bébé éprouvette

 fécondation *in vitro (ou bébé éprouvette)*

bec-de-lièvre

 fentes labiales

bégaiements

Le bégaiement est un trouble du débit de la parole, involontaire, qui peut être :
— *clonique* quand une syllabe est répétée de façon explosive et saccadée ;
— *tonique* quand la parole est bloquée avec impossibilité d'émettre un son ;
— ou encore *tonico-clonique.*

Le bégaiement apparaît plus d'une fois sur deux chez des enfants âgés de trois à cinq ans ; il doit être distingué du bégaiement normal physiologique qui disparaît en quelques mois durant la quatrième année.

D'origine psychomotrice, il peut s'y associer une hérédité bègue, une dyslatéralité (gaucherie), un retard de langage.

Le traitement, pour être efficace, doit être commencé le plus tôt possible : orthophonie, traitement psychomoteur ou psychothérapie ; des traitements médicamenteux sont proposés selon l'âge et la personnalité de l'enfant.

béquilles

 orthopédie *(traitement en)*

bêta-bloquant *(traitement)*

Les bêta-bloquants sont des médicaments dont le rôle est de s'opposer, en les rendant insensibles, aux récepteurs appelés β des cathécholamines. Les cathécholamines sont des hormones et neuro-transmetteurs sécrétés par l'organisme (surrénale, nerf) en particulier pour stimuler l'appareil cardio-vasculaire.

Les effets de ces médicaments sont donc de ralentir ou, du moins, d'empêcher l'accélération du cœur, de diminuer ou de contenir l'augmentation de sa force de contraction et d'entraîner une certaine constriction des vaisseaux artériels. Ces différents effets se combinent plus ou moins dans chaque type de bêta-bloquant, de sorte que tous les médicaments de cette famille ne sont pas équivalents : certains vont peu ou pas ralentir le rythme cardiaque de repos; d'autres, dits cardio-sélectifs, n'auront que peu d'effets artériels.

Les indications des bêta-bloquants sont multiples.

— *L'angine de poitrine*: ils réduisent notablement la fréquence des crises. Il faut toutefois savoir que, dans certains cas où un spasme coronarien est présent, ce traitement n'est pas souhaitable.

— *L'infarctus du myocarde*: ils réduisent le travail du cœur qui souffre. Selon certaines études, ce traitement serait susceptible d'améliorer la survie après un infarctus du myocarde.

— *L'hypertension artérielle*: ils font baisser durablement, et avec peu d'effets secondaires, les chiffres de pression artérielle.

— *Les troubles du rythme cardiaque*: ils constituent surtout un traitement préventif.

— *D'autres indications cardio-vasculaires* comme l'éréthysme cardiaque.

— *D'autres indications extracardiaques* comme l'hyperthyroïdie, les migraines, les tremblements.

Il est bien évident que cette liste n'est pas exhaustive et que d'autres indications existent.

Les modalités de leur utilisation sont simples. Rarement ces « drogues » sont utilisées par voie veineuse, sauf, parfois, dans le cas de l'infarctus du myocarde. Généralement, ils sont pris par voie orale et le nombre de prises dépend de leur durée d'action. Bien que leur tolérance soit très fréquemment excellente, un examen cardio-vasculaire avec électrocardiogramme* est souvent demandé avant de commencer le traitement.

Habituellement, le traitement prévoit une progression croissante de la dose, en surveillant le rythme cardiaque qui se situe souvent entre 45 et 55/mn pour un effet optimum.

Effets secondaires et surveillance

Lors de la phase initiale du traitement, une fatigue est souvent ressentie, puis elle va progressivement s'estomper. De même, une diminution de l'activité sexuelle chez l'homme peut survenir pour redevenir le plus souvent normale ultérieurement.

Ce traitement peut entraîner :

— une sensibilité des mains au froid (syndrome de Raynaud) qui disparaîtra à l'arrêt du traitement;

— une accentuation de la douleur liée à une artérite;

— le réveil d'un asthme soit soudainement, soit à l'occasion d'une bronchite;

— un ralentissement excessif du cœur (par exemple, le traitement accentuera des troubles de conduction de l'influx électrique intra-cardiaque);

— l'apparition ou l'aggravation des signes d'insuffisance cardiaque;

— des variations de la glycémie chez le diabétique.

Aussi, il est fondamental de rechercher soigneusement les contre-indications afin d'éviter ces effets secondaires. Si, au cours du traitement, vous ressentez une faiblesse, des malaises ou un essoufflement, consultez très rapidement votre médecin qui jugera de ce qui doit être imputé aux médicaments. Bien que la liste des effets secondaires soit longue, elle ne doit pas masquer la rareté de leur survenue et, surtout, l'extrême utilité de ces médicaments.

N'interrompez pas brutalement et de vous-même le traitement, surtout en cas d'angine de poitrine ou de suites d'infarctus du myocarde, car une rechute est possible.

bilan sanguin hépatique

Le bilan sanguin hépatique étudie la fonction du foie et s'attache à reconnaître quatre syndromes principaux.

— *La cholestase* traduit un obstacle à l'écoulement intra ou extra-hépatique de la bile : elle est responsable d'une augmentation de la bilirubine conjuguée (à l'origine de la jaunisse), des phosphatases alcalines et des gamma glutamyl transpeptidases (G.G.T.). Ces deux dernières ne sont pas spécifiques de la cholestase. Les G.G.T. peuvent aussi être augmentées sous l'effet d'inducteurs enzymatiques comme l'alcool et certains médicaments. Les phosphatases alcalines sont parfois élevées au cours d'affections osseuses (par exemple la maladie de Paget).

— *La cytolyse*, c'est-à-dire la destruction d'une partie des cellules hépatiques, libère les transaminases, enzymes contenues dans les cellules. Une forte élévation des transaminases évoque une hépatite, qu'elle soit virale, alcoolique ou médicamenteuse.

— *L'insuffisance de synthèse* hépato-cellulaire (lors d'une hépatite ou d'une cirrhose par exemple) se traduit par une diminution du taux de prothrombine et parfois d'autres facteurs de coagulation comme le fibrinogène ou l'accélérine. De multiples constantes sanguines peuvent aussi être abaissées : le cholestérol, l'albuminémie, l'urée, etc.

— *Le syndrome inflammatoire* est dû à une augmentation des immunoglobulines sériques objectivée par l'électrophorèse des protéines.

 ■ **ictère** ■ **hépatites virales** *(A, B ou non A, non B)* ■ **cirrhose du foie d'origine alcoolique**

bilan sénologique

La sénologie englobe l'étude, le diagnostic et le traitement des maladies des seins. Cette spécialité fait appel à de nombreuses techniques tant pour le diagnostic (examen clinique, radiologie, échographie, thermographie, cytologie, anatomie pathologique) que pour le traitement des maladies bénignes (médecine interne, endocrinologie, chirurgie, psychologie...) et malignes (chirurgie, radiothérapie, chimiothérapie, immunothérapie...).

Le bilan sénologique consiste à réunir un ensemble de renseignements à la suite d'examens, effectués si possible entre le quatrième et le treizième jour du cycle et en une seule séance, et d'en faire la synthèse. Il permet d'établir :
— un bilan fonctionnel (quel effet ont les hormones sur les seins ?);
— un bilan organique (existe-t-il une lésion bénigne ou cancéreuse et quelle est l'estimation des facteurs de risque de cancer ?).

L'examen clinique

La patiente est interrogée sur les symptômes qu'elle a ressentis, ses antécédents personnels (maladies, opérations, grossesses) et familiaux (cancers dans la famille).

L'inspection du buste permet de détecter toute déformation ou coloration anormale.

La palpation des seins a pour but de rechercher une boule ou simplement une consistance anormale, un manque de souplesse, un écoulement du mamelon provoqué par la pression, un ganglion dans le creux de l'aisselle ou au-dessus de la clavicule.

L'échographie

Il s'agit d'un examen aux ultrasons qui peut être effectué par deux méthodes :
— la patiente est à plat ventre, les seins plongeant dans une cuve d'eau à l'intérieur de laquelle une sonde d'échographie se déplace automatiquement et réalise en vingt minutes une centaine de clichés montrant la totalité des deux seins;
— la patiente est sur le dos, le médecin tient la sonde à la main et dirige l'examen et la prise de clichés en fonction de ses constatations.

Dans les deux cas, l'échographie est indolore et sans inconvénient sur les seins.

La radiographie

Elle utilise l'image formée par les rayons X. La mammographie utilise les films classiques; la xérographie produit des images sur papier, faciles à lire mais de moindre finesse.

Le risque de cancer du sein dû à l'irradiation par la mammographie a suscité de nombreuses discussions. Les techniques modernes de mammographie (emploi d'écrans) permettent de diviser par huit la dose de rayons X employée. C'est donc avec une grande marge de sécurité que peuvent être effectuées les mammographies de diagnostic, de surveillance et de dépistage.

La thermographie

Elle permet de mesurer la température cutanée soit par contact d'une plaque (thermographie aux cristaux liquides), soit avec une caméra aux infrarouges. Outre sa contribution au diagnostic, la thermographie donne une appréciation du caractère évolutif des lésions et contribue à l'estimation du pronostic et parfois au choix du traitement.

La diaphanoscopie

Elle consiste à observer la transparence des tissus à la lumière visible. C'est une méthode accessoire qui peut rendre service dans l'appréciation de la densité des tissus, ou d'une tumeur, dans la recherche d'un hématome.

La cytologie

Elle étudie au microscope des cellules prélevées soit au moyen d'une piqûre à l'aiguille fine faite dans une tumeur (prélèvement rapide et peu douloureux), soit après recueil de l'écoulement spontané d'un mamelon.

La cytologie est capable de donner un résultat très fiable dans nombre de cas. Elle permet un diagnostic certain de cancer avant toute intervention chirurgicale.

Cette technique a un point faible : elle oblige à s'entourer de maintes précautions et de prudence d'interprétation lorsque l'examen des cellules ne donne pas de résultat significatif. Il ne faut pas hésiter à recommencer la cyto-ponction ou à passer au prélèvement chirurgical.

La ponction-biopsie (forage)

Elle est un prélèvement pratiqué avec une très grosse aiguille. Elle nécessite l'anesthésie au moins locale. Elle permet d'obtenir des fragments de tissu, et non plus simplement des cellules comme dans la cyto-ponction : il en résulte une étude plus précise.

L'anatomie pathologique

Elle étudie des coupes de tumeur ou de tissu obtenues par prélèvement chirurgical (biopsie ou exérèse-biopsie). Elle permet le diagnostic le plus précis.

bilharziose

Le ver responsable de la bilharziose est présent dans l'eau et dans la boue. Il pénètre l'organisme par voie transcutanée. Il existe plusieurs formes de bilharziose.

La *bilharziose urinaire* sévit dans toute l'Afrique noire (sauf dans certaines régions d'Afrique du Sud), à Madagascar, en Égypte, dans certains pays du Moyen-Orient. Elle est responsable d'une hématurie (présence de sang dans les urines), de cystites, de calcifications dans les voies urinaires. Le diagnostic est affirmé par l'isolement du ver dans les urines des patients et par la biopsie* rectale ou vésicale.

La *bilharziose intestinale* sévit dans toute l'Afrique noire — à l'exception de la partie ouest de l'Afrique du Sud —, sur la côte est de Madagascar, en Égypte, en Amérique du Centre et du Sud, en Guadeloupe et en Martinique. Elle est responsable d'une diarrhée pâteuse contenant parfois du sang. Elle risque surtout de provoquer une atteinte hépatique semblable à une cirrhose et des hémorragies digestives. Son diagnostic est affirmé par l'isolement du ver dans les selles et par la biopsie du côlon sigmoïde pratiquée lors d'une endoscopie*. En Asie du Sud-Est sévit une bilharziose intestinale particulièrement grave.

Les médicaments antibilharzieux assurent la guérison des lésions récentes mais ne font pas disparaître d'éventuelles atteintes scléreuses anciennes, urinaires ou digestives.

 En zone d'endémie, ne vous baignez pas dans les eaux douces, les lacs ou les rivières ayant peu de courant. Ne marchez pas pieds nus sur le sol humide à l'exception des plages du bord de mer.

☞ ■ **tropicales** *(maladies)*

bilirubine

☞ ■ bilan sanguin hépatique ■ ictère

biopsie

 Faire une biopsie, c'est prélever dans un but diagnostique un fragment d'organe : œsophage, estomac, côlon, bronche, sein, foie, rein, peau, vessie, moelle osseuse... Le prélèvement lui-même sera assuré par le spécialiste que vous aurez consulté. Il effectuera la biopsie le plus souvent sur une anomalie visible de l'organe atteint, mais parfois « à l'aveugle » s'il s'agit d'un organe pro-

biopsie. *Sur cette biopsie du col de l'utérus, le médecin anatomopathologiste a pu diagnostiquer une zone cancéreuse (indiquée par la flèche). Le cancer est ici à un stade de début et le traitement pourra être efficace.*

fond comme le foie ou le rein. L'analyse du fragment prélevé sera confiée à un autre spécialiste : le médecin anatomo-pathologiste. Celui-ci pratiquera l'examen histologique du *fragment biopsique*, c'est-à-dire qu'il examinera au microscope des coupes très fines (de l'ordre de 5/1000 de millimètre) du tissu spécialement préparé. Cette préparation technique nécessite un délai de quarante-huit heures minimum pour une biopsie, de plusieurs jours pour un organe entier prélevé au cours d'une intervention chirurgicale.

Le concours de l'anatomo-pathologiste est indispensable à votre médecin ou votre chirurgien. Il leur permet en effet de définir précisément la maladie dont vous souffrez. Son rôle est essentiel pour le diagnostic et le traitement des cancers : en effet, seule la certitude diagnostique apportée par l'examen histologique autorise votre médecin à commencer le traitement.

blennorragie

 maladies sexuellement transmissibles

bloc cardiaque

 ■ cœur du fœtus *(trouble du rythme et malformations du)* ■ rythme et conduction cardiaques *(troubles du)*

BM-test

 mucoviscidose

boiterie de l'enfant et/ou douleurs de la hanche

 Toute boiterie chez l'enfant est anormale et doit entraîner une consultation : elle est, en effet, le témoin soit d'une douleur, soit d'une diminution de la mobilité, notamment au niveau de la hanche.

 Après s'être assuré que cette boiterie n'a pas une origine infectieuse, le médecin va chercher d'autres causes; une radio du bassin est toujours nécessaire. Deux causes sont fréquentes chez les enfants entre 5 ans et 9 ans.

Le plus souvent, il s'agit d'un *rhume de hanche* ou *arthrite aiguë bénigne* ou *synovite transitoire*. L'enfant boite, la mobilité de sa hanche est diminuée, la radio ne montre qu'une discrète augmentation du volume de son articulation (*capsule*). Le simple repos peut suffire, mais il est parfois nécessaire de mettre l'enfant en traction pour quelques jours, le temps qu'il retrouve une mobilité indolore de la hanche. Une radio du bassin est toujours nécessaire deux mois après, afin d'éliminer formellement une *ostéochondrite primitive* de la hanche. Cette affection appelée également maladie de Legg-Perthes-Calvé est une nécrose de la tête fémorale. Pour une raison mal connue, l'apport sanguin à la tête fémorale ne se fait plus, aboutissant à la mort de celle-ci. Mais l'évolution naturelle se fait vers la reconstruction d'une nouvelle tête fémorale. La durée de ce processus est malheureusement longue. Le but du traitement qui sera entrepris est de permettre la reconstruction d'une tête régulière et bien arrondie. Plusieurs techniques sont utilisées : mise en traction pour assouplir la hanche, port d'un appareillage, ou chirurgie, ces techniques pouvant être associées. En l'absence de traitement, l'évolution se fera vers la reconstruction d'une tête déformée menant plus tard à l'arthrose.

S'il s'agit d'un adolescent, et surtout s'il est un peu gros, le diagnostic d'*épiphyslolyse* doit être évoqué. La tête fémorale glisse progressivement sur le col du fémur provoquant de graves modifications de l'architecture de la hanche. C'est la radio qui permettra d'en faire le diagnostic. Le traitement est impérativement chirurgical. Si le glissement est peu important, on peut éviter son aggravation en fixant la tête au col fémoral par des vis. Si le glissement est trop important, le résultat est plus aléatoire. Il faudra particulièrement surveiller votre enfant car cette maladie touche l'autre hanche dans 20 % des cas. Si le diagnostic est fait précocement — lorsque le glissement est minime, — le pronostic à long terme est bon.

☞ ■ marche *(refus de la)*

bosse séro-sanguine

☞ nouveau-né *(examen du)*

botulisme

Toxi-infection alimentaire provoquée par l'ingestion de conserves ou de charcuterie de production familiale et artisanale, le botulisme est responsable d'une diarrhée survenant quelques heures après le repas infectant; la température est normale. Deux à quatre jours plus tard, alors que la diarrhée cesse, apparaissent des signes neurologiques : les pupilles sont dilatées et se contractent mal à la lumière; plus rarement, la vision devient floue ou double, la bouche est sèche et le malade se plaint de difficultés pour uriner et de constipation.

Son diagnostic est affirmé par l'isolement du germe pathogène dans l'aliment responsable et dans le sang du malade (hémoculture*). Tous les sujets ayant ingéré le même produit sont recherchés et examinés. Le patient est traité et surveillé en réanimation, car l'atteinte neurologique peut s'étendre et provoquer une paralysie respiratoire.

bouche-à-bouche

☞ secours d'urgence

bouchon de cérumen

C'est en nettoyant votre oreille avec votre petit doigt, et non pas avec un coton-tige enfoncé profondément, que vous éviterez la fabrication d'un bouchon de cérumen. Celui-ci peut provoquer une sensation « d'oreille bouchée », une diminution de l'audition, des bourdonnements. Un simple lavage de l'oreille à l'eau tiède permet d'évacuer le bouchon qui masquait le tympan.

☞ ■ surdité ■ surdité brusque

bouchon muqueux

☞ accouchement *(généralités)*

bouffées de chaleur

☞ ménopause

boule dans la gorge

Très fréquemment ressentie et souvent mal définie, la sensation de « boule dans la gorge » est un facteur d'anxiété. Un examen soigneux est toujours nécessaire afin d'éliminer formellement une lésion locale.

Celle-ci étant écartée, on retiendra ce trouble comme une modification de la sensibilité de la région, encore appelée *paresthésie pharyngée*.

Il peut s'agir d'une impression de corps étranger, de nœud dans la gorge, parfois accompagné d'une difficulté d'avaler la salive. En revanche — élément très positif —, les repas se passent normalement, voire même font disparaître la gêne. Il ne s'agit pas d'une dysphagie (▷ ce mot). Cette gêne est due à une contracture de la musculature du pharynx; la progression du bol alimentaire oblige au relâchement de ces muscles et fait disparaître la contracture. Un tel trouble est souvent en relation avec une cancérophobie à laquelle les sédatifs et les tranquillisants apportent une amélioration passagère; les personnes s'en plaignant décrivent en effet ce genre de symptôme, souvent pendant des années.

Des gestes locaux sont parfois utiles, tels la cryo-chirurgie (traitement par le froid), ou l'électro-coagulation de certaines cryptes amygdaliennes. Cependant, le soutien psycho-thérapeutique reste l'élément important du traitement lorsque les troubles sont anciens ou très gênants, et notamment s'il existe des cas de cancers dans l'entourage.

boule dans le cou

Il ne s'agit pas ici de la sensation de « boule dans la gorge », manifestation psycho-somatique d'une contracture des muscles du pharynx.

Nous distinguerons les boules situées au milieu du cou et celles situées sur ses faces latérales.

Les boules situées au milieu du cou évoquent un kyste thyréoglosse ou une tuméfaction thyroïdienne

— Le *kyste thyréoglosse* d'origine congénitale se présente comme une tuméfaction arrondie, régulière, habituellement indolore, d'aspect tout à fait banal. Il est dû à la dilatation d'un canal qui a persisté anormalement au cours du développement de la vie embryonnaire. Le kyste peut s'infecter, diminuer, augmenter à nouveau, et devra être supprimé. L'intervention est relativement délicate, car elle doit enlever le kyste, mais aussi l'os hyoïde qui, laissé en place, expose à des récidives.

— La *tuméfaction thyroïdienne :* une boule thyroïdienne s'appelle un goitre ou un nodule; elle n'entraîne pas de douleurs, mais parfois une simple gêne lorsque son volume devient important. Faut-il l'enlever ou est-il possible de la traiter médicalement ? Seule la scintigraphie* à l'iode radioactif apportera la solution : elle montre parfois que la glande thyroïde fabrique de l'hormone thyroïdienne en excès et, dans ce cas, un traitement médical est éventuellement possible (▷ thyroïde); si au contraire cette boule ne sécrète plus d'hormone thyroïdienne, le nodule est dit « froid », n'est pas accessible au traitement médical et nécessite une intervention chirurgicale.

Les boules latérales du cou évoquent un ganglion ou la tuméfaction d'une glande salivaire

Les ganglions

La présence de ganglions dans le cou est liée à trois sortes de causes :

— réaction du ganglion à une inflammation ou à une infection de voisinage : c'est le cas le plus fréquent (▷ angine, rhinopharyngite...);

— envahissement du ganglion par des cellules cancéreuses (▷ O.R.L. [cancers]);

— prolifération tumorale du tissu ganglionnaire lui-même (▷ lymphomes malins).

Une conduite médicale précise permet d'aboutir au diagnostic (▷ ganglions).

Les tuméfactions des glandes salivaires

— La parotide est située au-dessous et en avant de l'oreille. La présence d'un calcul, mais surtout d'une tumeur bénigne entraîne une augmentation du volume de la parotide. Ces maladies nécessitent une intervention chirurgicale longue et minutieuse en raison du passage du nerf facial à l'intérieur de la glande.

— La glande sous-maxillaire est placée sous la mâchoire inférieure. La présence d'un calcul empêche l'écoulement normal de la salive et entraîne ainsi une dilatation de la glande. La maladie évolue par poussées douloureuses provoquées par les repas (production plus abondante de salive); progressivement, la salive s'élimine, et la glande retrouve son volume normal. L'ablation chirurgicale de la glande est presque toujours nécessaire. L'exérèse d'une ou deux glandes salivaires n'entraîne pas de gêne fonctionnelle, et notamment pas de sécheresse de la bouche, les autres glandes suppléant facilement à la déficience de l'une ou de deux d'entre elles.

boule dans un sein

Nombre de femmes découvrent un jour une boule dans leur sein; en règle générale, la cause en est bénigne. Cependant, dans tous les cas, vous consulterez votre médecin et essayerez de noter certains signes qui orienteront votre opinion.

Il est important de savoir si cette boule est apparue dans les deux semaines précédant les règles et surtout si elle régresse après celles-ci. En ce cas, la responsabilité des hormones est probable et l'on peut évoquer une tumeur bénigne, notamment un kyste.

Si plusieurs boules apparaissent de part et d'autre alors que les seins deviennent très douloureux, il peut s'agir d'un simple dérèglement hormonal sans vraie lésion : c'est le syndrome prémenstruel, phénomène survenant de façon fréquente ou constante, à chaque cycle, chez certaines femmes. Elles le connaissent bien mais doivent pourtant être attentives à tout changement : boule nouvelle ou plus grosse ou plus douloureuse, ou régressant moins nettement après les règles.

Une boule constituée par une tumeur bénigne est plus ou moins ferme, mobile, bien lisse et régulière. S'il s'agit d'un kyste, c'est en fait une poche de liquide, de consistance un peu élastique, devenant souvent douloureuse avant les règles.

La boule que constitue un cancer est dure, irrégulière, peu mobile et même adhérente à la peau ou au mamelon. Si l'on pince la peau du sein au niveau de la boule, elle prend un aspect de « peau d'orange ».

Ces données n'ont qu'une valeur indicative : un cancer peut présenter l'aspect d'une tumeur bénigne et réciproquement.

Le médecin procédera d'abord à un interrogatoire systématique lui permettant notamment de rechercher d'autres manifestations de dérèglement hormonal ainsi que des facteurs de risque de cancer du sein. Son examen clinique comportera d'abord l'inspection, à la recherche d'une déformation du sein, d'une rétraction de la peau ou du mamelon. La palpation lui permettra de repérer la boule et d'en définir les caractères : situation, taille, forme, contour, mobilité, fermeté. Il recherchera d'autres boules dans les deux seins, ainsi que la présence de ganglions dans les creux axillaires (aisselles) et dans les creux sus-claviculaires. Le plus souvent, le médecin aura recours à un bilan* sénologique pour établir le diagnostic exact de la nature de la boule.

Différentes décisions seront prises suivant les cas :

— Si l'on juge que la boule est une simple condensation glandulaire d'origine hormonale sans lésion réelle, on établit un traitement d'épreuve. Après trois mois de traitement médicamenteux pour corriger le déséquilibre hormonal, on vérifiera que la boule a totalement disparu.

— Si la boule est un kyste (ce que l'échographie* montre parfaitement), elle est ponctionnée et le liquide est remplacé par de l'air, ce qui permet de radiographier sa paroi intérieure (kystographie).

— Si l'on diagnostique que la boule est une tumeur bénigne solide (adénome, fibro-adénome), il y a lieu d'en demander confirmation à la cyto-ponction (prélèvement indolore de cellules de la tumeur). Lorsque la bénignité n'est pas remise en cause, l'ablation de la boule n'est pas obligatoire, mais une surveillance est indiquée au moins durant les premières années.

— S'il existe le moindre doute ou si la boule est gênante (zone de frottement vestimentaire) ou si l'angoisse de la patiente ne peut être calmée, il y a lieu d'enlever chirurgicalement cette tumeur et d'en faire l'analyse microscopique (exérèse-biopsie).

— Si au terme de l'examen sénologique le diagnostic de cancer est porté ou suspecté, l'attitude dépendra du choix thérapeutique possible : ablation plus ou moins large de la tumeur qui sera alors bien entendu analysée, ou au contraire prélèvement par ponction avec une grosse aiguille (drill-biopsie ou forage) pour permettre une analyse microscopique précise même si l'on décide de traiter ce cancer sans opération du sein.

 ■ syndrome prémenstruel ■ sein (cancer du) ■ kyste du sein

boulimie

 comportement alimentaire (troubles non organiques du)

bourdonnement d'oreille

Le bourdonnement d'oreille, encore appelé sifflement ou *acouphène*, est une sensation de bruit de caractère extrêmement variable et perçu dans une ou les deux oreilles, ou parfois mal localisé au niveau de la tête. Il peut ressembler aux bruits des cigales, à un jet de vapeur; très souvent, il est comparé au battement du pouls.

Il peut être isolé; les causes les plus fréquentes sont : le bouchon de cérumen, l'hypertension artérielle, le traumatisme sonore (par coups de fusil ou bruit violent). Même si le traumatisme sonore s'est produit une seule fois et il y a fort longtemps, le bourdonnement peut apparaître dès ce moment et ne plus jamais cesser.

Bien souvent, aucune cause n'est retrouvée; le bourdonnement, accentué par la fatigue ou l'énervement, atténué par le repos, entraîne une gêne très variable : il est bien toléré lorsqu'il n'est perçu que dans le silence, et masqué pendant la journée lorsque l'environnement sonore est suffisant.

Parfois le bourdonnement d'oreille n'est pas isolé, mais s'accompagne de surdité et/ou de vertiges. Le traitement de ces symptômes peut parfois faire disparaître le bourdonnement.

 ■ surdité ■ vertiges ■ hypertension artérielle

bourses

 testicules

Bouveret (maladie de)

rythme et conduction cardiaques (troubles du)

bradycardie

■ cœur du fœtus (troubles du rythme et malformations du) ■ rythme et conduction cardiaques (troubles du)

brides cicatricielles

occlusion intestinale

bronches (cancer des)

Le cancer bronchique est dans la plupart des pays industrialisés la première cause de mortalité par

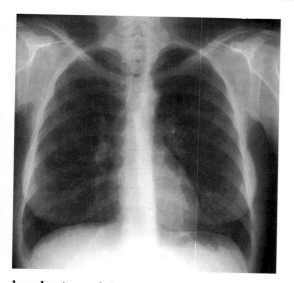

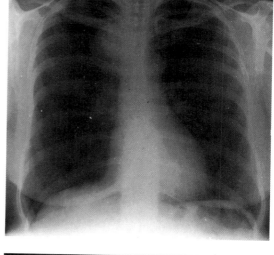

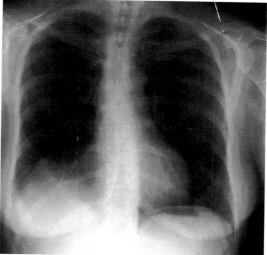

bronches *(cancer des). La radiographie pulmonaire (ci-dessus, à gauche) est normale. Le cliché (ci-dessus, à droite) révèle un volumineux cancer de la partie supérieure du poumon droit. Le cliché (ci-contre) atteste que l'ablation chirurgicale du lobe supérieur droit a permis d'enlever la tumeur. Notez l'ascension de l'hémidiaphragme droit qui compense la diminution de volume du poumon droit après l'intervention.*

cancer. En France, il est responsable chaque année de la mort de 18 000 hommes et de 3 000 femmes.

On peut estimer que 95 % des cancers bronchiques sont la conséquence directe du tabagisme; le risque s'accroît avec le nombre de cigarettes consommées, leur charge en goudron et en nicotine, l'inhalation de la fumée.

Cancer rare avant 40 ans, il peut néanmoins apparaître avant cet âge si le tabagisme est précoce et intense.

Les signes d'alerte sont nombreux mais rarement évocateurs :
— accentuation de la toux, sèche et quinteuse ou productive, qui n'inquiète pas toujours le fumeur tellement elle est banale et habituelle;
— douleur thoracique plus ou moins localisée;
— apparition d'un essoufflement à l'effort;
— infection bronchique ou pulmonaire traînante ou récidivante après un premier traitement antibiotique;
— crachats teintés de sang; ce symptôme doit toujours entraîner une consultation auprès du médecin;
— amaigrissement ou fatigue inexpliqués, modification de la voix.

De tels symptômes survenant chez un patient fumeur vont amener le médecin à prescrire un bilan biologique à la recherche de signes inflammatoires (augmentation de la vitesse* de sédimentation) ainsi qu'une radiographie* des poumons. Celle-ci peut déjà montrer une image évocatrice, comme elle peut être encore normale. Quoi qu'il en soit, et même si la radiographie n'est pas évocatrice, la seule notion de tabagisme, associée à des signes anormaux, justifie une consultation spécialisée. Le pneumologue pratiquera une endoscopie* bronchique : cet examen permet à l'aide d'un système optique souple d'explorer directement la trachée et les grosses bronches; il s'effectue en général sous anesthésie locale, l'hospitalisation n'étant pas nécessaire. Les biopsies* des zones suspectes permettront le plus souvent un diagnostic précis.

Une fois le diagnostic posé, c'est au spécialiste pneumologue, en liaison avec le médecin traitant, d'orienter le traitement après un bilan précis de l'état général du patient et de l'extension locale et générale de la tumeur.

Chaque fois que cela est possible, le patient est confié au chirurgien thoracique et la tumeur est extirpée par une *lobectomie* (ablation d'un lobe) ou une *pneumonectomie* (ablation d'un poumon). Cette intervention n'est, bien sûr, envisageable que si l'état respiratoire du malade le permet, si l'extension locale de la tumeur n'est pas trop importante et s'il n'existe pas déjà des métastases à distance. Ainsi, l'ablation chirurgicale de la tumeur est loin d'être toujours possible; il faut alors recourir à d'autres thérapeutiques, mais les chances de guérison sont alors beaucoup plus faibles.

Néanmoins, l'utilisation, en association ou isolément, de la chimiothérapie ou de la radiothérapie a permis d'obtenir une amélioration de la durée de survie et parfois même des guérisons, mais il s'agit toujours de traitements lourds, difficiles, qui sont du ressort d'équipes spécialisées.

 Ainsi, malgré de réels progrès de la chirurgie thoracique, de la chimiothérapie et de la radiothérapie, le cancer bronchique est loin d'être un cancer toujours curable. Les tentatives de dépistages précoces par des radiographies pulmonaires systématiques n'ont pas entraîné les résultats escomptés car la survenue de signes radiologiques évocateurs est souvent le fait de tumeurs déjà évoluées.

L'examen cytologique des crachats, à la recherche de cellules malignes, permettrait peut-être de dépister le cancer à un stade plus précoce. Cependant, appliqué régulièrement à tous les sujets à risque, cet examen est actuellement économiquement insupportable en regard du bénéfice attendu.

Le meilleur moyen de diminuer la mortalité du cancer bronchique reste encore aujourd'hui la lutte contre le tabagisme.

☞ ■ tabac *(risques liés au)*

bronchiolite

☞ dyspnée aiguë du nourrisson

bronchite aiguë

 A la suite d'une rhinopharyngite (douleurs de la gorge et écoulement nasal) est apparue une toux sèche et douloureuse; en deux ou trois jours, celle-ci devient productive ramenant une expectoration

jaune ou verdâtre; la fièvre s'élève en même temps que la douleur à la toux diminue: il s'agit d'une bronchite aiguë, c'est-à-dire d'une inflammation des voies aériennes — trachée et bronches — d'origine infectieuse, microbienne ou virale.

 Votre médecin, consulté à cette occasion, va confirmer le diagnostic de bronchite aiguë: l'auscultation montre des râles diffus sans signe de pneumonie; la radiographie* des poumons, si elle est demandée, confirme qu'il n'y a pas d'atteinte pulmonaire associée. Il en appréciera ensuite l'importance; en effet, la signification d'une bronchite aiguë est bien différente selon l'état respiratoire antérieur:
— si vous êtes indemne de maladie respiratoire antérieure, elle est sans danger; un traitement antibiotique suffira à vous guérir;
— si vous êtes bronchitique chronique, asthmatique ou emphysémateux, elle peut avoir un retentissement respiratoire plus important et conduire votre médecin à décider une hospitalisation.

Le traitement comprend des médicaments antalgiques, tels l'aspirine ou le paracétamol pour calmer la douleur initiale de la toux, et presque toujours un antibiotique prescrit pour une durée minimale de cinq jours. Éventuellement, une kinésithérapie respiratoire sera prescrite, surtout s'il s'agit d'une bronchite aiguë compliquant ou aggravant un état respiratoire antérieurement pathologique et entraînant un encombrement bronchique important.

Quant aux multiples sirops ou comprimés antitussifs, ils ne doivent jamais être prescrits si la toux est productive. Dans ce cas, seuls les médicaments fluidifiant l'expectoration et facilitant son évacuation par la toux sont adaptés.

 Deux facteurs peuvent aggraver la répétition de ces bronchites aiguës:
— un mauvais état dentaire, point de départ d'une affection possible de la gorge et des bronches,
— le tabagisme dont l'arrêt est la condition nécessaire pour éviter des récidives, sources de complications pulmonaires plus graves.

☞ ■ toux ■ expectoration ■ tabac *(risques liés au)*

bronchite asthmatiforme

☞ dyspnée aiguë du nourrisson

bronchite chronique

Au moins deux mois par an, vous vous plaignez d'une toux productive, chronique, matinale: il s'agit vraisemblablement d'une bronchite chronique.

Ne négligez pas ce symptôme: si vous êtes fumeur, la toux matinale persistant un quart d'heure ou une demi-heure chaque matin est une anomalie qui n'attire pas beaucoup l'attention; pourtant, il s'agit d'une affection potentiellement grave, susceptible de conduire à une insuffisance respiratoire sévère entraînant à son tour une insuffisance cardiaque.

Les causes de la bronchite chronique sont multiples et intriquées : infection bronchique à répétition, pollution atmosphérique, maladie infectieuse de l'enfance, mais surtout et avant tout le tabagisme.

Votre médecin aura dans un premier temps pour tâche d'apprécier le stade évolutif de la bronchite chronique :
— *bronchite chronique simple* où l'expectoration matinale est le seul symptôme et où n'existe encore aucun essoufflement à l'effort;
— *bronchite chronique avec atteinte des petites bronches* où l'essoufflement à l'effort est encore peu important, mais où certains examens fonctionnels respiratoires peuvent déjà déceler une obstruction des bronches de petits calibres;
— *bronchite chronique obstructive* où l'essoufflement à l'effort est une gêne dans la vie courante; des perturbations évidentes existent alors dans la mesure des débits bronchiques lors des examens fonctionnels respiratoires;
— *bronchite chronique compliquée* d'emphysème pulmonaire où la gêne respiratoire est alors majeure, avec retentissement sur le fonctionnement cardiaque et perturbation de tous les gestes de la vie courante du patient.

Votre médecin, aidé par le spécialiste, appréciera donc le stade évolutif de la maladie, à l'aide de la radiographie* des poumons, de la mesure des gaz du sang artériel et, surtout, de l'épreuve* fonctionnelle respiratoire pratiquée par le spécialiste; éventuellement, des examens cardiologiques plus approfondis (électrocardiogramme* et échographie* cardiaque) seront demandés.

L'essentiel du traitement est d'empêcher la maladie d'évoluer vers un stade plus grave; aussi, un diagnostic précoce de la bronchite chronique — lorsque ses manifestations sont encore minimes — est décisif.
— Dans tous les cas, la suppression complète, absolue et définitive du tabac est une condition nécessaire et parfois suffisante pour éviter l'aggravation.
— Le traitement de toutes les infections microbiennes susceptibles de retentir sur les bronches imposera une hygiène bucco-dentaire impeccable, un traitement des sinusites, etc.
— La prévention des infections virales saisonnières impliquera une vaccination anti-grippale et, éventuellement, une vaccination anti-microbienne polyvalente.
— Le traitement par les antibiotiques de toutes les complications infectieuses bronchiques sera effectué précocement.
— Parfois, enfin, la kinésithérapie et la rééducation respiratoire permettront d'obtenir une expectoration plus efficace et une meilleure utilisation des volumes pulmonaires restants (▷ appareil respiratoire).
— Le reclassement professionnel, en cas de travaux présentant un risque pour l'appareil respiratoire, s'impose.

● kinésithérapie de l'encombrement bronchique

Quel que soit l'âge du patient — du nourrisson à la personne âgée —, la rééducation respiratoire est nécessaire lorsqu'il existe un encombrement bronchique (bronchite chronique, bronchite asthmatiforme, dilatation des bronches...).

La rééducation facilite le drainage des mucosités contenues dans les bronches, et réalise ainsi une véritable « toilette bronchique ». Elle est un complément efficace du traitement médical et permet :
— d'éviter les surinfections et donc les prescriptions répétées d'antibiotiques,
— d'améliorer la capacité respiratoire,
— d'initier le patient ou la maman du nourrisson malade à la technique de la toilette bronchique.

Après quelques séances guidées par le kinésithérapeute, le malade continuera lui-même sa rééducation.

De nouvelles séances sont épisodiquement nécessaires, afin de contrôler l'efficacité de la rééducation respiratoire.

 ■ expectoration ■ vaccins et sérums ■ emphysème ■ tabac *(risques liés au)*

bronchodilatateurs
☞ asthme

bronchographie
☞ dilatation des bronches

broncho-pneumonie
☞ pneumonie

bronchoscopie
☞ endoscopie

brucellose

 La brucellose est une infection bactérienne transmise à l'homme par les animaux (chèvres, porcs, ovins, bovidés). Elle peut revêtir des aspects multiples :
— une fièvre d'allure septicémique (c'est habituellement ainsi que débute la maladie);

— une fièvre ondulante accompagnée de sueurs nocturnes et de douleurs diffuses musculaires, articulaires et osseuses;

— une fièvre isolée, discrète mais prolongée;

— des localisations viscérales apparaissant d'emblée ou secondairement : arthrites des membres, des articulations sacro-iliaques ou de la colonne vertébrale, augmentations de volume de la rate et du foie, manifestations neuro-méningées, orchite (inflammation douloureuse d'un testicule).

Face à l'une de ces situations, le médecin évoque la brucellose en priorité lorsque la profession du malade est exposée (vétérinaires, bergers, éleveurs, agriculteurs, bouchers, employés d'abattoir, équarrisseurs) ou encore lorsque le patient se souvient d'avoir absorbé un laitage non pasteurisé : ces malades sont contaminés par les sécrétions génitales, les produits d'avortement brucellique et le lait des animaux infectés.

Le diagnostic est affirmé par l'hémogramme (diminution des globules blancs portant sur les polynucléaires neutrophiles : ▷ sang), par la mise en évidence du germe responsable dans les hémocultures*, enfin par la sérologie* de la maladie. L'antibiothérapie permet d'obtenir la guérison.

Certaines mesures sont à bien connaître :

— N'absorbez jamais de laitages non pasteurisés.

— La vaccination protège efficacement les professions exposées. Les vétérinaires porteront des vêtements de protection et des gants lors des délivrances : les produits d'avortement brucellique doivent être détruits. Les éleveurs revêtiront une tenue de travail et veilleront à la quitter au seuil de leur maison; ils doivent se laver régulièrement les mains au cours de la journée.

— La prévention générale est essentielle : vaccination des jeunes femelles, dépistage et mise hors marché des animaux infectés.

La brucellose est une maladie professionnelle indemnisable. Elle est très fréquente dans le bassin méditerranéen (Corse) mais sévit sur tout le territoire français.

☞ ■ **fièvre de l'adulte**

brûlures

Il s'agit de l'un des accidents les plus graves et malheureusement les plus fréquents chez l'enfant. Les brûlures représentent une cause non négligeable de la mortalité infantile. Leur gravité dépend de deux facteurs : l'*étendue* et la *profondeur*.

— Toute brûlure atteignant 10 % de la surface corporelle impose une hospitalisation en milieu spécialisé.

— La profondeur, autre facteur majeur de gravité, est fonction de la cause de la brûlure :

l'eau bouillante est très souvent en cause chez le jeune enfant; la brûlure sera superficielle sur les

zones découvertes et souvent plus profonde (intermédiaire 2e degré ou profonde 3e degré) dans les zones couvertes de vêtements; ceux-ci sont à enlever au plus vite;

l'électricité provoque des brûlures très profondes avec d'importantes destructions tissulaires, mais en général moins étendues;

les brûlures chimiques sont très dangereuses, souvent associées à l'ingestion de produits toxi-

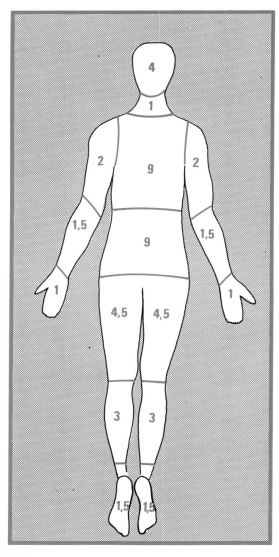

brûlures. *Schéma de calcul de la surface brûlée en pourcentage de la surface corporelle (les chiffres indiqués sont à multiplier par 2 : face et dos). L'addition des pourcentages permet d'apprécier l'étendue d'une brûlure.*

ques chez le petit enfant (brûlures de la bouche et du tube digestif).

Selon l'étendue

En cas de brûlure étendue, les premiers gestes à faire sont de déshabiller le patient, de l'envelopper dans un linge propre (drap ou serviette propres) et d'appeler les pompiers, ou le SAMU qui entreprendra la réanimation.

En cas de petites brûlures, il faut les laver à l'eau tiède propre ou avec un antiseptique simple, faire un pansement gras et consulter le médecin.

Selon la profondeur

Une brûlure superficielle est cicatrisée en dix jours et ne laissera pas de séquelles.

Une brûlure intermédiaire demande vingt jours et plus. Elle laissera peu de séquelles.

Une brûlure profonde mettra longtemps à cicatriser. Souvent elle nécessite des greffes de peau et laissera des cicatrices visibles, épaisses, avec parfois des risques de rétractions cutanées.

Le traitement des cicatrices impose beaucoup de patience chez l'enfant, car l'évolution en est longue (parfois supérieure à deux ans).

Les cures thermales et les corrections chirurgicales permettent en général d'améliorer le recouvrement de la fonction et l'esthétique.

brûlures en urinant

 ■ infection urinaire ■ maladies sexuellement transmissibles ■ testicules

bulles

 peau

calcium

 ■ alimentation normale ■ tétanie et spasmophilie ■ vitamines, oligo-éléments et minéraux

calculs

 ■ lithiase biliaire ■ lithiase urinaire

calories

 ■ alimentation normale ■ obésité

calvitie
(chirurgie esthétique de la)

 La calvitie masculine est héréditaire. Elle débute vers 20 ans, évolue rapidement jusqu'à l'âge de 30 ans, et beaucoup plus lentement ensuite.

Le principe des corrections chirurgicales de la calvitie repose sur le fait que les cheveux du pourtour de la tête (la couronne) ne tombent jamais, à l'inverse de ceux du centre, et peuvent être utilisés pour recouvrir les zones dépourvues. Mais il faut bien entendu qu'ils soient en quantité suffisante, et s'il ne reste qu'une étroite bande de 4 cm de cheveux, elle ne saurait recouvrir tout le reste du crâne. Afin d'envisager leur utilisation, il faudra s'assurer de leur stabilité, et l'on ne devra pas intervenir avant 28 ou 30 ans, afin de ne pas greffer des cheveux destinés à tomber dans un avenir rapproché.

La chirurgie de la calvitie utilise plusieurs techniques souvent combinées : la réduction de tonsure par l'utilisation d'expanseurs cutanés (▷ tatouages [chirurgie esthétique des]), la couverture de la zone de calvitie par un lambeau entier de cuir chevelu, et surtout par l'utilisation de greffes. Seule cette dernière technique sera décrite ici.

Les greffons sont des carottes de 4 mm de diamètre, profondes d'environ 6 à 7 mm, car elles doivent passer au-dessous du bulbe pileux à partir duquel se fera la repousse, et qui doit impérativement être préservé. Chaque greffon contient environ 10 à 15 cheveux qui seront prélevés dans la région occipitale. La création d'orifices de même diamètre dans les zones chauves permettra la mise en place de ces carottes, simplement posées dans le lit ainsi créé, et qui s'y maintiennent sans qu'il soit besoin de les suturer.

L'intervention se déroule sous anesthésie locale ; les zones de prélèvement des greffons cicatrisent spontanément et les cheveux environnants dissimulent les cicatrices qui restent totalement inapparentes. Les croûtes se forment pendant une quinzaine de jours ; les cheveux greffés tombent dans les semaines qui viennent, et la repousse ne se fait qu'après un délai de trois mois.

Il est possible d'utiliser 50 à 100 greffons par séance, chaque côté pouvant fournir environ 150 greffons, soit 300 en tout, ce qui permet une couverture convenable de la partie antérieure du crâne, mais d'une densité qui est inférieure à celle d'une chevelure normale.

En fait, la qualité du résultat dépend surtout de la qualité des cheveux, médiocre dans le cas des cheveux blonds, fins et raides, excellent en cas de cheveux épais et frisés.

canal artériel (persistance du)

Il s'agit de la persistance, anormale, de l'ouverture du canal artériel qui doit se fermer complètement après la naissance (▷ cœur du fœtus, cœur du nouveau-né).

Dans la grande majorité des cas, cette ouverture — qui fait communiquer l'aorte et l'artère pulmonaire —, quand elle persiste, est de petite taille. Ainsi la quantité de sang qui la traverse et la pression transmise de part et d'autre de ce vaisseau, qui ne sont pas trop élevées, n'abîment pas les poumons et ne surchargent pas trop le cœur.

Une intervention chirurgicale (section du vaisseau) est toutefois nécessaire pour que cette lésion vasculaire ne s'infecte pas, ce qui pourrait être extrêmement grave. Très simple d'exécution, cette intervention peut être pratiquée même chez le tout petit prématuré.

canal carpien (syndrome du)

Le syndrome du canal carpien est l'expression d'une souffrance du nerf médian comprimé lors de sa traversée du poignet. Des fourmillements, un engourdissement des trois premiers doigts d'une ou des deux mains, vous reveillant parfois la nuit, sont sans doute l'expression d'un syndrome du canal carpien.

Votre médecin recherchera un déficit sensitif (hypoesthésie) dans le territoire atteint, un déficit musculaire et surtout tentera de reproduire les troubles sensitifs par la compression de la face antérieure du poignet : c'est le signe de Tinel. Le diagnostic est généralement facile ; en cas de doute, un électromyogramme* confirmera l'atteinte neurologique.

Des causes locales (micro-traumatismes, fractures, ténosynovites infectieuses ou inflammatoires) ainsi que des causes générales (grossesse, diabète, maladie endocrinienne) peuvent être responsables de ce syndrome, mais dans la majorité des cas aucune cause n'est retrouvée.

Outre le traitement étiologique d'une cause précise (maladie thyroïdienne), le traitement médical consiste en l'injection locale de corticoïdes (infiltration). En cas d'échec ou de récidive, le chirurgien décomprime le nerf (neurolyse) en sectionnant le ligament annulaire antérieur du carpe. Les suites immédiates ne posent pas de problème ; les résultats de cette chirurgie sont excellents. Après une petite rééducation, les activités peuvent être reprises dès la troisième semaine après l'opération.

cancer

Nous fabriquons tous les jours des millions de cellules cancéreuses qui sont heureusement détruites par les défenses immunitaires de l'organisme. Le cancer ne peut se développer que si ces cellules anormales sont trop nombreuses ou si les défenses immunitaires sont affaiblies (immunodépression).

Origine du cancer

Il existe dans le code génétique cellulaire des gènes, appelés facteurs oncogènes, qui permettent la transformation d'une cellule normale en une cellule anormale cancéreuse. Ces oncogènes sont normalement inactivés et silencieux chez l'adulte mais peuvent être réactivés par divers agents : un virus dans le cas de la tumeur de Burkitt par exemple, un produit chimique (tabac, goudron), une mutation par des rayons (radioactivité) ou par une simple erreur de copie lors de la division cellulaire. Nous portons dans toutes nos cellules la « clef » pour que le cancer apparaisse ; il suffit qu'un agent la fasse tourner.

Extension du cancer

Si une cellule cancéreuse échappe aux défenses immunitaires de l'organisme, elle va se multiplier par division anarchique sans signe extérieur apparent, tout au moins au début. Tant que le volume global des cellules anormales n'atteint pas 1 mm³ (cent millions de cellules), il n'y a aucun moyen clinique, biologique ou radiologique pour le dépister. Pour être visible sur la peau ou sur une muqueuse, palpable sous forme de boule dans un organe superficiel, ce volume doit être encore supérieur, voire bien plus important lorsqu'il s'agit d'un organe profond.

L'extension du cancer s'effectue généralement en trois phases.

— *Une phase locale :* les cellules cancéreuses en se multipliant constituent une tumeur, une « boule ». Celle-ci peut parfois s'ulcérer et saigner. Par sa taille, elle peut comprimer les tissus voisins : nerfs (douleurs), vaisseaux (gonflement), œsophage (difficulté à avaler), bronches (gêne respiratoire), intestin (constipation inhabituelle), urètre ou uretère (troubles urinaires), selon le siège de la tumeur.

— *Une phase régionale :* des cellules cancéreuses peuvent quitter la tumeur mère pour passer dans les canaux lymphatiques. Elles seront bloquées dans les ganglions lymphatiques qui jouent le rôle de filtres à cellules. Elles vont alors se diviser dans le ganglion qui devient palpable et dur. Puis, lorsque celui-ci devient volumineux, il peut se rompre et les cellules cancéreuses iront vers un autre ganglion situé plus haut ou passeront dans la circulation générale.

— *Une phase de dissémination :* les cellules cancéreuses vont passer dans le sang et coloniser des organes à distance. Ce sont les *métastases*.

Classification des cancers

— *Classification par stades :* on a établi une classification par stades de gravité croissante, selon la taille de la tumeur, son extension locale, l'atteinte des ganglions, l'absence ou l'existence de métastases. Un stade précoce a de très grandes chances de guérison avec un traitement relativement simple.

— *Classification anatomo-pathologique :* l'examen au microscope d'un fragment de cancer prélevé par *biopsie** ou de la tumeur enlevée chirurgicalement, permet souvent d'y retrouver la caricature des cellules normales dont le cancer est dérivé. On distingue ainsi parmi les principaux cancers :

les *cancers épithéliaux* ou *épithéliomas* ou *carcinomes épidermoïdes* dérivés des épithéliums de revêtement (épiderme ou muqueuses) : peau et orifices (lèvres, paupières, anus, verge, vulve) ; muqueuses (bouche, pharynx, larynx, bronches, œsophage, col de l'utérus) ;

les *carcinomes glandulaires* ou *adénocarcinomes* développés aux dépens des glandes (sein, corps de l'utérus, tube digestif, prostate) ;

les *sarcomes* des parties molles développés sur les tissus conjonctifs (fibrosarcome, ostéosarcome, liposarcome, etc.) ; on peut y rattacher les *hémato-sarcomes* (maladie de Hodgkin par exemple) et les *leucémies* dérivés du mésenchyme ;

les *cancers neuro-ectodermiques* comportent : les *cancers pigmentaires* ou *naevocarcinomes* ou *mélanomes* malins dérivés des naevi ou « grains de beauté » ; les *cancers du tissu nerveux* (glioblastome, médulloblastome) ;

les *cancers anaplasiques* ou indifférenciés sont des cancers que l'on ne peut classer, car ils n'ont aucun caractère qui les rattache à un tissu normal quelconque.

Signes d'alarme du cancer

— Bouton ou plaie sur la peau ou sur les muqueuses qui ne guérit pas.
— Grosseur dans le cou, le sein, l'aisselle ou l'aine.
— Hémorragie par le vagin, en dehors des règles ; saignements après un rapport sexuel ou après la ménopause ; pertes de sang par l'anus ; crachement de sang.
— Douleur qui persiste, non calmée par le repos.
— Troubles de la voix.
— Constipation récente.
— Toux persistante chez un fumeur.
— Infection traînante et qui ne guérit pas : pneumopathie, pertes blanches fétides abondantes chez la femme, écoulement glaireux avec les selles.

Facteurs de risque

Il est impossible de faire des examens de santé approfondis et fréquents à toute la population. En revanche, il faut surveiller particulièrement les catégories de personnes qui ont le plus de probabilité de faire les cancers les plus fréquents, c'est-à-dire qui ont des facteurs de risque élevés.

— *Lésions précancéreuses :* les kératoses verruqueuses de la peau des sujets âgés peuvent se transformer en cancer de la peau ; les polypes de l'intestin évoluent souvent en cancer et doivent être opérés préventivement ; les leucoplasies, les infections chroniques du col de l'utérus peuvent aussi dégénérer, ainsi que certains grains de beauté.

— *Rôle du tabac et de l'alcool :* le tabac, surtout au-delà de dix cigarettes par jour, multiplie par cinq à dix fois la fréquence du cancer O.R.L., bronchique ou vésical. Les conjoints de fumeur qui ne fument pas eux-mêmes ont un facteur de risque double. Les boissons alcoolisées augmentent légèrement la fréquence des cancers bucco-pharyngés, mais l'association tabac + alcool en excès multiplie le risque de cancer par quarante et plus. La consommation en excès d'aliments fumés favoriserait certains cancers.

— *Facteurs professionnels :* certaines substances à usage industriel ou professionnel favorisent le cancer. Elles sont surveillées par la législation et la médecine du travail : l'amiante (floquage, fibrociment) provoque des mésothéliomes ou cancers de la plèvre ; la poussière de bois et de cuir provoque des cancers des sinus ; le chlorure de vinyle (matières plastiques), certains colorants sont cancérigènes.

— *Facteurs héréditaires* : il n'y a pas à proprement parler de cancer héréditaire, mais une prédisposition de certaines familles à faire des lésions précancéreuses ; polypes de l'intestin, mastose de sein, maladies de la peau, par exemple, constituent des facteurs de risque familiaux. Il y a aussi fréquemment un mode de vie familial qui se transmet de génération en génération et qui favorise le cancer : exposition exagérée au soleil, tabac, alcoolisme, consommation en excès d'aliments fumés, etc.

— *Radiations* : l'exposition exagérée aux rayons ultraviolets du soleil favorise l'apparition de cancers de la peau, surtout sur les parties découvertes (marins, agriculteurs) ; la législation très rigoureuse en France sur les radiations ionisantes a réduit à un taux inoffensif les risques dans l'industrie nucléaire et en radiologie, et les doses de rayons reçues au cours des examens radiologiques sont d'un risque négligeable par rapport aux avantages que l'on peut en attendre.

— *Autres facteurs* :
l'âge : la plupart des cancers sont rares avant quarante ans ;
le sexe : chez la femme, le cancer du sein est le plus fréquent, suivi de celui du col de l'utérus. Chez l'homme, outre les cancers liés au tabac, on doit rechercher un cancer de la prostate après cinquante ans ;
l'obésité favoriserait également le cancer ;
les infections et les micro-traumatismes répétés : cancer de la peau, notamment dans les zones de frottement des lunettes, ou cancer du col de l'utérus chez les femmes ayant eu des grossesses nombreuses ou des infections génitales répétées (notamment chez celles qui ont eu des rapports précoces, des partenaires multiples et une hygiène insuffisante).

Prévention des cancers
Une prévention absolue est impossible, mais on peut considérablement diminuer le risque en prenant un certain nombre de précautions nécessaires à une bonne hygiène de vie :
— évitez le tabac ou, tout au moins, ne dépassez pas dix cigarettes par jour ;
— évitez l'alcool en excès : ne pas dépasser 1/2 litre de vin par jour ou un apéritif ;
— ayez une alimentation équilibrée, évitant l'excès d'aliments fumés et l'obésité ;
— évitez l'exposition exagérée au soleil ;
— appliquez les règles d'hygiène du travail (port de masque lors du travail de l'amiante, du bois, port du dosifilm en service de radiologie) ;
— ayez une bonne hygiène gynécologique et traitez toutes les infections traînantes (pertes blanches importantes) ;
— soumettez-vous régulièrement à des examens de dépistage, surtout si vous êtes dans une catégorie à risque.

Dépistage
Le dépistage consiste à rechercher dans la population : les sujets exposés à des facteurs cancérigènes, les sujets atteints de lésions précancéreuses, et les sujets atteints de cancer à un stade précoce avant même les signes d'alarme. Le but est d'empêcher l'apparition du cancer en supprimant les facteurs cancérigènes, de traiter les lésions précancéreuses avant le passage au cancer confirmé et d'améliorer le pronostic du cancer en le décelant à un stade précoce.

Certains éléments du dépistage vous incombent, tels que l'auto-examen des seins, la recherche des signes d'alarme (pertes de sang, modification de la voix, des urines, des selles) ; d'autres sont des examens à pratiquer par votre médecin ou spécialiste avec une fréquence variable selon la catégorie à plus ou moins grand risque à laquelle vous appartenez.

— *Catégories avec risque* :
vous êtes fumeur : examen O.R.L., *radiographie* du poumon* ou *endoscopie* bronchique* à la moindre infection pulmonaire ou toux traînante ;
vous travaillez dans la poussière de bois (menuisier) : examen O.R.L., radiographie du sinus tous les ans ;
vous ou l'un de vos parents directs a eu des polypes ou un cancer du côlon ou du rectum : faites-vous faire une endoscopie colique tous les ans à partir de quarante-cinq ans ;
il y a eu des cancers du sein chez votre mère, tantes, grand-mère, ou bien vous découvrez une anomalie à la palpation : faites-vous faire une *mammographie** ou *échographie** mammaire tous les ans à partir de quarante ans.

— *Catégories sans risque* :
Femme : examinez et palpez vos seins à la recherche d'une déformation ou d'une boule, tous les trois mois au moins à partir de trente ans ; consultez un gynécologue tous les ans au moins dès les premiers rapports sexuels : il vous fera un *frottis** tous les trois ans au moins ou même tous les ans s'il n'est pas parfait.
Homme : toucher rectal tous les ans par votre médecin à la recherche d'un cancer de la prostate à partir de quarante-cinq ans.
Pour les deux sexes : examen général tous les ans à partir de quarante-cinq ans, avec toucher rectal pour rechercher une tumeur du rectum ; recherche de sang dans les selles par un test sur papier buvard spécial tous les ans à partir de quarante-cinq ans ; coloscopie tous les ans à partir de cinquante ans ; être attentif aux signes d'alarme qui imposent une consultation du médecin et des examens complémentaires.

Diagnostic du cancer
Le cancer peut être découvert ou soupçonné directement quand il est visible (cancer de la peau, de la gorge), quand il se palpe (cancer du sein) ou quand il se révèle par des signes indirects (saignement anormal, douleurs, troubles de la voix, troubles digestifs), par des signes trompeurs (in-

fection traînante) ou vagues (fatigue, amaigrissement).

Tantôt le diagnostic est facile quand la tumeur est aisément accessible (cancer de la peau, examen O.R.L., examen du col de l'utérus au spéculum), tantôt il s'agit d'un organe profond qui nécessite des examens complémentaires (endoscopie, radiographies, voire intervention chirurgicale exploratrice).

Dans tous les cas, le cancer doit être confirmé par un examen anatomo-pathologique :
— par les frottis, on recherche les cellules anormales au microscope, après les avoir prélevées sur une spatule et étalées sur une lame (cancer du col de l'utérus ou de la peau);
— la biopsie prélève un fragment (peau, O.R.L., col);
— la ponction cytologique aspire les cellules au moyen d'une seringue munie d'une aiguille et les étale sur une lame (sein, ganglion);
— la drill-biopsie consiste à prélever une « carotte » du tissu au moyen d'un trocard rotatif;
— l'examen fait en cours d'opération nécessite la présence de l'anatomo-pathologiste quand le diagnostic n'a pu être établi; le chirurgien prélève une partie de la tumeur qui est examinée immédiatement au microscope. Le résultat anatomo-pathologique est indispensable pour décider de la thérapeutique la plus appropriée.

Bilan d'extension

Quand un cancer est décelé, il est très important d'en préciser l'extension par un bilan, après examens clinique, radiologique, endoscopique et biologique.

— *Examen clinique* : il évalue la taille de la tumeur et ses adhérences, palpe les ganglions régionaux et recherche des métastases par un examen complet.
— *Examen radiologique* : il est indispensable dans le cas où le cancer loge dans un organe profond. Il permet de préciser le siège exact et l'étendue de la tumeur grâce à des techniques diverses de radiographie : transit* œso-gastro-duodénal, lavement* baryté, urographie*, lymphographie*. La tomodensitométrie ou scanner permet d'avoir des images précises des organes profonds. D'autres types d'examens localiseront éventuellement les métastases de la tumeur : radiographie pulmonaire pour le poumon, échographie abdominale pour le foie, scintigraphie osseuse pour le squelette, etc.
— *Examen endoscopique* : il est nécessaire pour préciser l'extension de la tumeur dans les organes creux (cancer de l'œsophage, des bronches, du côlon et du rectum, de la vessie) et permet d'examiner l'état des organes creux de voisinage.
— *Examen biologique* : aucun examen de laboratoire ne permet de dépister un cancer à un stade précoce. Mais, certaines tumeurs sécrètent dans le sang des substances anormales dont le dosage peut être effectué grâce à des marqueurs tumoraux, à condition toutefois que leur quantité soit importante, c'est-à-dire que la tumeur soit suffisamment évoluée. Ces marqueurs tumoraux sont

employés aussi pour surveiller l'évolution de la tumeur lors de son traitement. Les marqueurs les plus utilisés sont : l'ACE (antigène carcino-embryonnaire) pour les cancers de l'intestin et du sein, l'αFP (alpha-fœto-protéine) pour ceux du foie. Notons que la présence de substances anormales dans le sang, repérée par le marqueur tumoral, ne signifie pas obligatoirement que le patient soit atteint d'un cancer. C'est leur augmentation progressive, bien au-delà de leur dosage normal dans le sang, qui a une valeur d'alarme.

Au terme de ce bilan, on peut définir : le type de cancer, son extension locale et régionale, la présence ou non de métastases, son stade de gravité et le traitement approprié (▷ cancérologie).

☞   *INDEX THÉMATIQUE (CANCÉROLOGIE)*

cancérologie

La cancérologie est une spécialité médicale dont l'objet est l'étude et le traitement du cancer.

Cancérologues et comité thérapeutique

Médecins spécialisés dans le traitement du cancer, les cancérologues ont des formations variables : chirurgie, radiothérapie, chimiothérapie, anatomo-pathologie, sciences de la physique, mais aussi O.R.L., gynécologie, hématologie, pneumologie. S'occupant essentiellement de cancer à partir de leur discipline respective, ils exercent en coordination, dans le cadre d'une *équipe multidisciplinaire*.

En effet, le traitement du cancer fait appel à des connaissances si diverses qu'il est impossible à un homme seul d'avoir la possibilité de juger du meilleur traitement à appliquer et de le réaliser. Les décisions sont donc prises en *consultation multidisciplinaire* (ou *comité thérapeutique*).

Protocole thérapeutique

Pour chaque cas de cancer, il y a plusieurs possibilités de traitement faisant appel à la chirurgie et/ou à la radiothérapie, avec ou sans chimiothérapie. Parmi ces armes, il importe de déterminer lesquelles seront utilisées, à quel degré et dans quel ordre, ceci afin d'obtenir les meilleures chances de guérison, mais aussi le moins de séquelles, le moins de désagrément pour le malade et le moindre coût pour la société.

C'est le rôle de la *consultation multidisciplinaire* de proposer, en tenant compte du désir du malade, un programme thérapeutique ou *protocole thérapeutique*, puis de confier au chirurgien, au radiothérapeute, au chimiothérapeute... la partie du programme qui le concerne. Ensuite, elle surveillera l'application de ce protocole qui peut être remis en cause par l'évolution de la maladie.

Recherche en cancérologie

Des programmes considérables de recherche sur le cancer sont en cours dans plusieurs pays, notamment ceux dotés de technologies avancées. On distingue la recherche fondamentale (qui étudie la cellule cancéreuse, la cancérisation, l'action de différents agents physiques ou chimiques sur les cultures de cellules cancéreuses, le cancer de l'animal) de la recherche clinique qui analyse les effets des traitements sur l'homme.

On compare les résultats thérapeutiques de plusieurs protocoles établis par différentes équipes multidisciplinaires, nationales ou internationales. On expérimente le meilleur traitement : si l'on hésite entre deux protocoles qui semblent d'efficacité identique, on applique l'un d'eux à un premier groupe de patients, l'autre à un second groupe; le meilleur protocole sera généralisé à tous les cas analogues.

Tous ces résultats sont publiés dans des revues spécialisées, communiqués lors de congrès. Les cancérologues sont obligés continuellement de se documenter et de s'informer, aidés en cela par des fichiers informatisés dont les terminaux peuvent être consultés de part et d'autre de l'Atlantique. Pour améliorer le dépistage, un effort de vulgarisation de ces connaissances est fait auprès des médecins non cancérologues et du public.

Armes contre le cancer

Elles sont actuellement au nombre de cinq : la chirurgie, la radiothérapie, la chimiothérapie, l'immunothérapie et les traitements médicaux associés.

— *La chirurgie cancérologique* permet de se débarrasser rapidement de la tumeur et d'en faire une bonne analyse au microscope. Par sécurité, elle doit être large, enlevant les tissus voisins soupçonnés d'être atteints par le cancer. Elle n'est pas toujours possible si la tumeur atteint un organe vital ou si l'âge ou l'état général du malade ne permet pas l'intervention.

La chirurgie cancérologique nécessite l'hospitalisation. Elle peut laisser une infirmité fonctionnelle (par exemple ablation du larynx, anus artificiel) ou esthétique (ablation du sein, d'une oreille). La tendance actuelle est de préférer chaque fois que cela est possible une intervention plus limitée entraînant moins de séquelles (par exemple, la tumorectomie conservant la majeure partie du sein plutôt que l'ablation complète de celui-ci), quitte à la compléter par un traitement de radiothérapie de sécurité sur les tissus voisins de la tumeur enlevée.

Le laser permet de volatiliser de petites tumeurs, surtout en *endoscopie** (œsophage, vessie); son avantage est de ne pas provoquer de saignement.

— *La radiothérapie** et *la chimiothérapie** : ces deux types de traitement font l'objet d'articles particuliers dans ce livre.

— *L'immunothérapie* vise à renforcer les défenses immunitaires de l'organisme afin de leur permettre de détruire elles-mêmes les cellules cancéreuses qui pourraient rester dans les tissus. En l'absence de vaccin spécifique du cancer, on a tenté des vaccinations par des agents microbiens (B.C.G.

par exemple, utilisé normalement contre la tuberculose) dans l'espoir de renforcer toutes les défenses de l'organisme non seulement contre les agents microbiens, mais aussi contre les cellules cancéreuses. En fait, ces tentatives n'ont pas apporté d'amélioration et sont abandonnées. Cependant, la recherche d'un vaccin spécifique est l'un des objectifs de la recherche fondamentale actuelle.

— *Les traitements médicaux associés* sont accessoires, mais souvent d'un grand intérêt :

traitements hormonaux : hormones mâles ou femelles, anti-hormones sont utilisées afin de freiner la croissance des tumeurs dont les cellules sont sensibles aux hormones (cancer du sein, de la prostate, du corps de l'utérus);

traitement par la cortisone pour diminuer les complications inflammatoires;

traitements visant à améliorer l'état général;

traitements de la douleur : de grands progrès ont été faits dans la connaissance des mécanismes de la douleur et des moyens de la combattre;

traitements antibiotiques contre l'infection.

Choix du traitement

Il a lieu en consultation multidisciplinaire. D'une façon générale, deux situations sont possibles :

— *Le cancer est localisé* ou n'a qu'une *extension régionale*. On préférera le traitement local : chirurgie seule ou complétée par une radiothérapie ou radiothérapie seule si la chirurgie est impossible ou trop mutilante. Ces traitements s'adressent à la tumeur primitive, mais aussi aux extensions régionales (curage ganglionnaire chirurgical).

Si l'on suspecte la possibilité d'extension de cellules cancéreuses dans le reste de l'organisme à un stade indétectable, on peut faire une chimiothérapie dite prophylactique ou préventive. Certains cancérologues commencent par cette chimioprophylaxie avant le traitement local : c'est la chimiothérapie néo-adjuvante.

— *Le cancer est généralisé* : en présence de métastases, la guérison est peu probable mais la situation peut être améliorée et la survie prolongée pour plusieurs années par un traitement médical général (chimiothérapie, hormonothérapie), complété par un geste local dans certains cas (opération d'une tumeur gênante, flash radiothérapique sur une métastase douloureuse).

Problèmes psychologiques des cancéreux

Malgré les efforts des médias et d'une grande partie du corps médical pour montrer que le cancer est curable comme bien d'autres maladies, il garde encore un caractère « tabou » en France et dans la plupart des pays latins. On peut en comprendre les raisons, sans pour autant accepter le fatalisme qui s'en dégage.

45 % des cancers peuvent être définitivement guéris et les traitements de certains d'entre eux atteignent, quand ils sont décelés précocement, 100 % de guérison. Quant aux inconvénients des traitements, ils ont été réduits au minimum : les progrès de l'anesthésie et de la chirurgie font que

les interventions n'entraînent plus de conséquences mortelles et ne nécessitent qu'une hospitalisation brève; les rayons de haute énergie ne provoquent plus ni brûlures ni fatigue importante; la chute des cheveux due à la chimiothérapie peut être évitée dans bien des cas. Il vaut mieux consulter au début, lorsqu'un traitement simple permet une guérison avec un minimum de séquelles que d'attendre des complications dont le traitement serait difficile ou impossible.

Faut-il dire la vérité aux malades ? Dans les pays anglo-saxons, on a l'habitude de le faire mais le public y est beaucoup mieux informé des possibilités de guérison. Dire la vérité en France sans précaution risque d'entraîner un découragement du malade. Le cancérologue doit juger dans chaque cas, en fonction de la psychologie du malade après avis de son médecin et de son entourage, si le malade peut supporter la vérité, car il est préférable de la dire chaque fois que cela est possible.

Les problèmes sociaux des cancéreux

Les complications et les séquelles des traitements provoquent des conséquences psychologiques ou fonctionnelles qui retentissent sur la vie familiale : impuissance ou frigidité passagère par fatigue ou action des médicaments; conséquences psychologiques d'un anus artificiel, de la perte d'un sein, des cheveux, de la voix,...

L'aide de la famille, du médecin traitant, de l'assistante sociale, d'un psychologue, des associations d'anciens malades est capitale pour que le patient puisse supporter ces épreuves si elles sont passagères, et les séquelles si elles sont définitives.

Les conséquences socioprofessionnelles sont souvent importantes : arrêt du travail prolongé ou arrêts fréquents, perte d'emploi, nécessité d'un reclassement parfois. La reprise du travail est souhaitable chaque fois qu'elle est possible, au besoin après une phase à mi-temps. Le médecin et l'assistante sociale doivent intervenir auprès de l'employeur pour éviter un déclassement ou une mise à la retraite anticipée injustifiés.

Le malade même guéri de longue date peut avoir des difficultés administratives, par exemple pour l'obtention d'un prêt, d'une assurance sur la vie ou pour l'embauche dans une administration. Il a intérêt, avant toute demande, à consulter le cancérologue qui l'a suivi.

D'autres malades peuvent également avoir des difficultés de relation avec leur entourage (voisins, amis, clients) : le cancer est une maladie qui fait peur; pourtant, il n'est ni contagieux, ni héréditaire, et ce n'est ni une punition, ni une malédiction.

Le cancer peut guérir comme toute autre maladie. En attendant que l'éducation du public fasse son effet, il est recommandé de n'en parler qu'avec circonspection aux personnes de l'entourage.

Surveillance d'un ancien malade

La surveillance d'un ancien malade vise deux objectifs : recherche de récidive et traitement des séquelles.

— Rechercher une récidive et la détecter précocement :

par un examen clinique local, régional (palpation des régions ganglionnaires), général;

par des examens radiologiques : *radiographie* du poumon, échographie* du foie, scintigraphie* osseuse, scanner** ou autres examens spécifiques à certaines tumeurs;

par des examens biologiques, à l'aide de marqueurs tumoraux (▷ *cancer*).

Cette recherche est fréquemment négative, confirmant la guérison. Elle peut aussi permettre de détecter un deuxième cancer indépendant du premier. Être guéri d'un cancer ne signifie pas être immunisé contre le cancer et le dépistage doit continuer comme pour le reste de la population.

— Évaluer les sequelles et essayer d'y remédier : des soins locaux, un appareillage, une intervention esthétique peuvent améliorer les séquelles.

Cette surveillance a un double intérêt : pour le malade d'une part, pour les progrès de la cancérologie d'autre part. L'étude du taux de guérison, des séquelles, de la qualité de la vie du malade guéri est très instructive : les spécialistes du cancer peuvent ainsi modifier les protocoles afin d'en améliorer les résultats.

Candida albicans

☞ champignons

cannes anglaises

☞ orthopédie *(traitement en)*

caractériel *(enfant)*

☞ comportement de l'enfant *(troubles du)*

cardiaque *(hygiène de vie du)*

Mode de vie du cardiaque

Votre médecin vous a dit que vous étiez porteur d'une maladie cardiaque. Le terme « cardiaque » recouvre des réalités extrêmement diverses et surtout de gravité très variable. Peut-être votre cas est-il assez bénin. Demandez des précisions à votre médecin.

Les traitements, aussi bien médicaux que chirurgicaux, des cardiopathies ont fait récemment des progrès considérables, souvent méconnus. Il est possible, en effet, à l'heure actuelle d'offrir une vie longue et confortable à des patients considérés autrefois comme condamnés. Votre hygiène de vie fait partie intégrante de ces thérapeutiques.

Climat et voyages

Des conditions climatiques trop rudes — grand froid et grande chaleur — demandent un excès de travail cardiaque, qu'il faut éviter. En particulier en cas d'angine de poitrine, le froid risque de provoquer des crises, de même que la marche contre le vent; ceci est sensible surtout à la première sortie matinale : vous pouvez essayer de l'éviter en vous couvrant bien et éventuellement en prenant, avant de sortir, le même médicament qui calme vos crises, mais cette fois à titre préventif. En cas de neige, assurez-vous avant de sortir de trouver facilement un abri bien chauffé.

Les sports d'hiver vous sont déconseillés en raison du froid, mais aussi de l'altitude : la pression atmosphérique diminue et l'air est d'une moindre teneur en oxygène; le risque de « crise » ou d'œdème du poumon est donc accentué surtout si votre cardiopathie est sérieuse.

De même les voyages en avion, malgré la pressurisation, sont l'équivalent d'un séjour en altitude moyenne. Avant d'effectuer un voyage aérien prolongé, prenez l'avis de votre cardiologue. En cas de malaise pendant le voyage, le meilleur remède est l'oxygène au masque, disponible sur les avions de ligne.

Sport et activité physique

Votre capacité physique dépend du type et de la gravité de votre cardiopathie. Il faut donc demander conseil à votre cardiologue. Toutefois une certaine activité physique est souvent conseillée. Elle n'améliore pas l'état cardiaque mais peut éviter la prise de poids et, surtout, remet votre organisme « en route » en lui apprenant à mieux tirer parti de vos capacités cardiaques. Les principes de base sont :
— ne jamais chercher à vous tester (cela peut se faire mais sous contrôle médical),
— vous échauffer progressivement,
— ne pas vous exposer à une situation dangereuse (alpinisme, nage loin des rives),
— choisir les sports à efforts stables (cyclisme, marche, jogging) et non ceux à efforts brusques (tennis, football),
— interrompre l'effort physique dès l'apparition des premiers symptômes.

Dents et infection

Si vous êtes sous traitement anticoagulant, votre dentiste vous en demandera souvent la diminution ou l'arrêt, avant d'entamer les soins dentaires. Ne changez rien avant d'avoir vu votre médecin.

Les soins dentaires — détartrage, extraction, soins touchant la pulpe — génèrent le passage de bactéries dans le sang. Si vous êtes porteur d'une anomalie valvulaire, d'un souffle au cœur, d'une cardiopathie congénitale ou d'une prothèse cardiaque notamment, la prise d'antibiotiques sera souvent nécessaire. Afin d'éviter l'apparition de germes résistants, il faudra commencer le traitement antibiotique une heure avant les soins dentaires et le poursuivre après, 24 ou 48 heures

voire plus selon les cas. Ce traitement s'avère également nécessaire avant une intervention chirurgicale ou une cystoscopie, mais non avant un accouchement normal.

En cas de fièvre, ne prenez pas de traitement sans consulter votre médecin : s'il constate une infection précise, il la traitera; sinon il prescrira des examens biologiques, préalables à tout traitement antibiotique.

Activité sexuelle, contraception, grossesse

Après un accident cardiaque, l'activité sexuelle diminue souvent franchement et pour un temps parfois long. Une impuissance plus ou moins prolongée peut survenir. Ceci est également fréquent au début d'un traitement pour hypertension artérielle. Un sentiment de vexation et d'anxiété ne fait qu'aggraver les choses. Soyez patient, parlez-en à votre conjoint. Au cours des rapports sexuels, limitez vos efforts sans chercher à réaliser les prouesses de votre jeunesse et sachez vous interrompre en cas de symptôme cardiaque. Un nouvel équilibre est nécessaire.

La contraception peut favoriser les accidents cardiaques. On est parfois amené à l'interrompre totalement. Cependant, les pilules microdosées et progestatives pures peuvent être souvent utilisées. En cas de maladie valvulaire ou de prothèse, le stérilet est formellement déconseillé.

La grossesse multiplie le travail cardiaque et est parfois contre-indiquée. Il vous faut donc discuter avec votre cardiologue de l'opportunité d'une grossesse. Certaines précautions et modifications de traitement seront nécessaires, de même qu'une surveillance très soigneuse et régulière que le gynécologue et le cardiologue assureront de concert.

Après un infarctus du myocarde

L'infarctus du myocarde entraîne une destruction d'une partie du muscle cardiaque, puis une cicatrice solide se forme progressivement sur plusieurs semaines. Plusieurs phases sont à considérer.

La phase hospitalière

Pendant quelques jours après la survenue de l'infarctus, vous êtes hospitalisé en unité de soins intensifs. Durant cette période, ne soumettez votre cœur à aucun effort et restez strictement au lit, même pour y faire vos besoins. Ultérieurement, en fonction de votre état, on vous autorise tout d'abord à laisser pendre vos jambes au bord du lit, vous asseoir, puis à vous lever pour faire quelques pas.

N'oubliez pas de signaler tout symptôme que vous pourriez ressentir. Cette phase dure de trois semaines à un mois.

La phase de rééducation

Au cours de cette période d'un mois environ, il est souhaitable de ne pas reprendre votre travail; en revanche, il faut progressivement réapprendre à faire des efforts. En aucun cas, vous ne devez vous tester pour connaître vos limites, car cela peut être dangereux. Vous devez avoir constamment sur vous de quoi calmer une éventuelle crise d'angine de poitrine (dérivés nitrés).

La rééducation peut se faire sous contrôle médical : comme au cours d'une épreuve d'effort, vous vous maintiendrez en deçà de vos capacités maximales. Votre tension artérielle, votre pouls et éventuellement votre électrocardiogramme seront surveillés. Ceci peut être fait en maison de repos. Sinon, à votre domicile, il faudra progressivement vous réhabituer à la marche sur terrain plat, avec une allure modérée et sur des distances de plus en plus longues, ensuite à la marche en côtes douces après avoir constaté que la marche sur du plat est bien tolérée, puis enfin à la montée lente d'escaliers. Vous pouvez faire une gymnastique douce d'assouplissement, mais sans effort de soulèvement brusque, ni de course rapide.

Vous pouvez reprendre une activité sexuelle, mais évitez tout effort brutal. Vous prenez, peut-être pour la première fois de votre vie, un traitement régulier : sachez qu'il ne doit jamais être interrompu car, au bout de quelques heures, vous perdriez la protection cardiaque qu'apporte ce traitement. La vie pendant cette période doit être calme : faites une grasse matinée jusque vers neuf ou dix heures, un déjeuner léger, puis une sieste ; couchez-vous tôt. Ne vous exposez pas à des températures trop froides ou trop chaudes. Évitez ce qui peut être source de colère ou d'émotion. Consultez au moins une fois votre cardiologue pendant cette période.

La phase de prévention ou phase chronique

La qualité de votre vie dépend de l'importance de votre infarctus et de certains facteurs, variables cas par cas. Il faudra donc en discuter avec votre médecin et votre cardiologue. L'arrêt de travail aura duré un à trois mois après votre sortie de l'hôpital. La reprise des activités normales est possible très fréquemment. Vous pouvez, et vous devez le plus souvent, faire des efforts, sans violence et en vous échauffant auparavant. Évitez aussi les changements brusques de température et les bains en eau froide. Le froid et le vent sont néfastes, apprenez à les éviter ou en tout cas à bien vous couvrir.

La correction des facteurs de risque de l'artériosclérose doit se poursuivre toute la vie, quel que soit le traitement de l'insuffisance coronaire proposé (▷ tabac [risques liés au] ; obésité ; hypertension artérielle ; diabète sucré ; cholestérol, triglycérides et lipides ; stress).

carie dentaire *(prévention de la). Le brossage des dents doit être pratiqué matin, midi et soir, dès le plus jeune âge.*

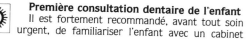

carie dentaire *(prévention de la)*

Première consultation dentaire de l'enfant

Il est fortement recommandé, avant tout soin urgent, de familiariser l'enfant avec un cabinet dentaire, de l'habituer à la vue des différents instruments et au son qu'ils produisent. Avec la complicité du dentiste, une première consultation sera organisée le plus tôt possible, vers l'âge de 5 ans environ.

Cette première visite sera d'autant mieux vécue que l'enfant ne souffre pas encore de caries. Elle permet au praticien de créer un climat serein, confiant, dénué d'angoisse. Les parents ont un rôle essentiel à jouer ; ils veilleront, même s'ils gardent un mauvais souvenir de leurs soins dentaires, à ne pas effrayer l'enfant par l'emploi de termes négatifs (« tu n'auras pas mal »...) : en effet, les techniques actuelles de travail, alliées à une bonne approche psychologique de l'enfant, permettent de pratiquer des soins efficaces avec le maximum de confort.

Une visite semestrielle chez le chirurgien-dentiste pendant l'enfance permet un meilleur dépistage des caries : les dents de lait nécessitent autant d'attention et de soins que les dents permanentes ;

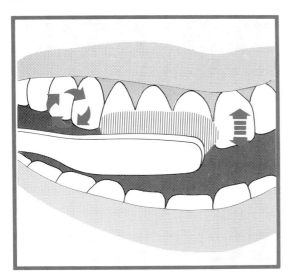

carie dentaire *(prévention de la). Le schéma indique comment le brossage des dents doit être pratiqué : vertical ou rotatif.*

une dent de lait cariée non traitée peut entraîner une mortification de la pulpe dentaire, puis l'apparition d'un abcès; ce dernier peut causer, en l'absence de soins, des lésions du germe de la dent permanente sous-jacente.

Le brossage des dents

La lésion carieuse est une atteinte irréversible de l'organe dentaire. Il est donc très important de consulter son chirurgien-dentiste au moins une fois par an, même si l'on ne ressent aucune douleur.

En dehors de ces visites préventives régulières, la prévention majeure de la carie consiste en un brossage triquotidien : le praticien doit en vérifier l'efficacité en demandant au patient d'apporter sa brosse à dents au cabinet; celui-ci pourra ainsi corriger sa technique de brossage.

Le nettoyage des surfaces dentaires permet d'éliminer les dépôts alimentaires, et les bactéries qui constituent la plaque dentaire. Cette plaque est la cause majeure de l'apparition des caries et des problèmes de gencives.

Le brossage doit s'effectuer après le repas. Celui du midi est le plus difficile à obtenir, aussi bien de la part des enfants, qui ont peur du ridicule en se brossant les dents à l'école, que de la part des parents, pour qui le brossage sur le lieu de travail est difficile. Pourtant ce brossage intermédiaire permet de couper l'action des bactéries et leur développement, réduisant considérablement leur attaque de l'émail. Certains établissements scolaires commencent à encourager ce brossage sys-

tématique, ce qui le banalise aux yeux des enfants.

Un bon brossage s'effectuera au moyen d'une brosse classique ou électrique, munie de poils synthétiques souples, et d'une pâte dentifrice fluorée. Il existe des colorants sélectifs de la plaque dentaire qui permettent, après le brossage, de vérifier son efficacité.

L'utilisation du fluor

Les modes d'utilisation du fluor sont nombreuses et diverses : en comprimés, en applications topiques, en dentifrices ou en sels fluorés.

L'intérêt majeur de l'utilisation du fluor — empêcher la formation de lésions carieuses — réside dans sa capacité à s'intégrer aux tissus dentaires en formation. Les ions fluorés sont capables de contribuer à la formation d'un émail plus résistant.

— Ils peuvent être administrés dès le plus jeune âge sous forme de *comprimés*. Des études menées entre autres dans les pays nordiques montrent une chute spectaculaire du taux de caries chez les jeunes ayant absorbé des comprimés fluorés.

— On peut également pratiquer des *applications topiques de fluor* par électrolyse; ceci est réalisé en plusieurs séances au cabinet dentaire.

— Une fois la dentition formée, l'utilisation du fluor dans les *pâtes dentifrices* ou dans les bains de bouche permet une diminution de l'activité de la plaque dentaire et protège donc, à un moindre niveau, les dents et les gencives.

— Enfin, il faut noter la mise sur le marché de *sel de table fluoré* qui permet également un renforcement de la structure de l'émail pendant sa formation.

 dents *(soins des)*

cartilage

Le cartilage recouvre les extrémités articulaires des os; il a un rôle statique et dynamique, lui permettant d'amortir les pressions et de faire jouer les éléments articulaires entre eux.

Il est constitué à 75 % d'eau et d'une matrice contenant des fibres de collagène, des protéoglycans et des cellules du cartilage : les *chondrocytes*. Le cartilage est ni vascularisé ni innervé; il se nourrit au dépens de l'os et du liquide synovial. Chez l'enfant, le cartilage de conjugaison assure la croissance en longueur de l'os; une fois fusionné, la croissance est arrêtée (étude de l'âge osseux).

Le cartilage articulaire s'altère avec l'âge en se fissurant. Mais si le vieillissement est un élément favorisant, il est nécessaire que d'autres facteurs interviennent pour aboutir à l'arthrose. L'idée que l'arthrose est une maladie essentiellement du troisième âge est erronée : des sujets jeunes peuvent en effet en être atteints.

 arthrose

caryotype fœtal

☞ diagnostic anténatal des maladies fœtales

cataracte

Quand l'acuité* visuelle baisse progressivement après soixante ans et que le port des lunettes n'apporte aucune amélioration, il faut songer à l'éventualité d'une cataracte (▷ œil, vue [dépistage des troubles de la]).

Souvent, au début, une fausse myopie apparaît. Un seul œil peut être atteint; la pupille prend parfois un aspect blanchâtre ou brunâtre, mais seul l'examen au *biomicroscope*, pratiqué par un ophtalmologue, permet de faire le diagnostic.

La cataracte est une opacification du cristallin, parfois périphérique – peu gênante – ou atteignant les couches postérieures de la lentille cristallinienne, ce qui altère surtout la vision de près. L'évolution se fait souvent vers l'opacification totale.

Quand la vision reste acceptable, on tente de stopper le processus évolutif par un traitement médical local (collyre, vitamines, calcium, triphosadénine) ou général s'il existe une cause connue.

Cette forme de cataracte dite « sénile » est la plus fréquente; elle peut aussi être congénitale – atteignant les enfants dont les mères ont été victimes d'une rubéole dans les premiers mois de la grossesse –, traumatique ou endocrinienne (diabète, diminution du taux de calcium dans le sang).

A un stade ultérieur, le déficit visuel devient tel qu'il perturbe la vie du malade. L'opération est nécessaire, de plus en plus pratiquée avec implant, ce qui permet de supprimer les lunettes à verres très épais qui rétrécissent considérablement le champ visuel. L'opération consiste à enlever le cristallin cataracté soit en totalité (*extraction intra-capsulaire*), soit en laissant la capsule postérieure (*extraction extra-capsulaire*).

– *L'opération intra-capsulaire* n'autorise la pose d'un implant (cristallin artificiel en matière plastique) qu'en avant de l'iris; on peut aussi remplacer le cristallin par une lentille sur la cornée ou par un greffon de cornée humaine de puissance calibrée.

– *L'opération extra-capsulaire* peut se pratiquer par émulsification aux ultrasons; elle permet la pose, derrière l'iris, d'un implant.

Ces opérations sont maintenant pratiquées sous anesthésie locale assistée. Les deux yeux ne sont généralement pas opérés le même jour. L'intervention dure de trente à soixante minutes; l'hospitalisation est de plus en plus courte, actuellement quatre à huit jours, mais tend à être quasiment supprimée : le malade se lève le soir ou le lendemain de l'intervention. Le pansement permanent, *uniquement sur l'œil opéré*, est maintenu un à trois jours; il n'est ensuite placé que pour la nuit.

Les mouvements brutaux et le port d'objets lourds sont à proscrire pendant au moins deux mois. L'œil peut rester rouge pendant quelques semaines. Le traitement après le huitième jour ne comprend en général que quelques instillations de collyres anti-inflammatoires. Les opérés de la cataracte doivent porter des lunettes teintées au soleil car le filtre (cristallin) n'existe plus.

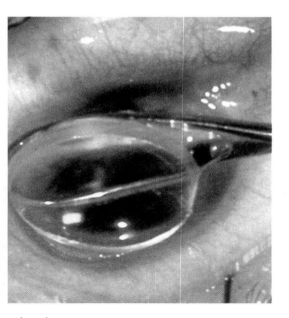

cataracte. *Le cristallin est récupéré sur une petite anse métallique.*

catécholamines

☞ surrénales *(glandes)*

cauchemar de l'enfant

☞ sommeil de l'enfant *(troubles du)*

céphalées

☞ crâne et face *(douleurs)*

céphalhématome

☞ nouveau-né *(examens du)*

certificats médicaux et législation

C'est toujours dans le cadre du code d'éthique médicale que le médecin est amené à établir des certificats à ses patients. Il engage ainsi sa responsabilité et doit toujours refuser de céder à des demandes abusives.

Certificat médical initial de coups et blessures

Encore appelé certificat d'origine, il constitue le premier élément du processus médical légal auquel la victime d'un dommage corporel, mettant en cause un tiers, va avoir recours.

Le certificat peut être établi par le médecin de famille, mais en cas de lésions spécifiques (par exemple dommages oculaires, viol...), l'appel à un spécialiste permettra une description plus complète des lésions. Le rôle de ce certificat est de décrire très précisément la nature, la localisation et la gravité des lésions observées; seront également déclarés les signes subjectifs rapportés par la victime.

Il est donc important de :
— signaler au médecin tous les troubles liés à l'événement, apparents ou inapparents, qu'ils semblent graves ou bénins;
— faire établir ce constat le plus vite possible après le traumatisme;
— préciser les circonstances exactes de l'accident;
— subir un examen complet qui permettra de faire un bilan exact.

La durée d'un éventuel arrêt de travail est notée sur le certificat; le document, daté et signé, est remis directement au patient.

Ce document est donc important car il permet de préserver les droits des victimes. Cependant, il n'est qu'un constat et ne peut servir à établir un taux d'incapacité.

Certificats médicaux obligatoires prescrits par la loi

Ils sont remis en mains propres au patient pour répondre à une obligation légale : naissance, décès, certificats prénuptiaux, certificats de santé, vaccinations, I.V.G., tutelle, internement.

Certificat prénuptial

Chacun des futurs époux doit fournir un certificat prénuptial type établi par le médecin de son choix. Cet examen est important et permet :
— le dépistage et le traitement d'une maladie sexuellement transmissible passée inaperçue,
— la vérification des tests sérologiques de la rubéole et de la toxoplasmose (maladies dangereuses pour le fœtus et dont on peut éviter les conséquences),
— et enfin l'étude des groupes sanguins et rhésus

afin de connaître le risque éventuel d'incompatibilité fœto-maternelle.

Déclaration de grossesse

(▷ grossesse [généralités, surveillance]).

Déclaration de naissance

Elle est obligatoire. Le médecin établit le certificat s'il a assisté à l'accouchement ou si le père est absent, décédé ou inconnu. Dans tous les cas, la déclaration doit être faite dans les trois jours.

Certificat de décès

L'inhumation d'un défunt ne peut être effectuée que sur production d'un certificat médical de décès. Dans certains cas de mort suspecte, les autorités judiciaires peuvent refuser le permis d'inhumer ou encore le médecin peut refuser de signer le certificat de décès. Il faut également savoir que, en cas de transport du corps, avant mise en bière, un certificat spécial est exigé.

Certificat de santé

Il est exigé huit jours après la naissance de l'enfant, au cours des neuvième et vingt-quatrième mois, sur les formulaires remis lors de la naissance. Cependant, l'outil principal de surveillance reste bien sûr le carnet de santé.

Les certificats de vaccinations

Deux types d'exigences sont à distinguer :
— d'une part, les certificats obligatoires concernant les vaccinations suivantes : antidiphtérique, antitétanique, antipoliomyélitique et B.C.G.; les contre-indications sont rares et doivent être signalées par certificat médical;
— d'autre part, les certificats internationaux qui doivent être mentionnés sur le carnet international de vaccinations type O.M.S. Le médecin praticien peut effectuer les vaccins anticholérique et antivariolique alors que la vaccination antimalariale (fièvre jaune) doit l'être par un centre spécialisé.

Certificat d'I.V.G.

(▷ interruption volontaire de la grossesse).

L'hospitalisation en psychiatrie

— *Le service libre* : le malade accepte son hospitalisation sans formalité particulière.
— *Le placement volontaire* est fait à la demande de l'entourage qui précise la nature de ses relations avec le patient, et accompagne sa demande par un certificat médical.
— *Le placement d'office* concerne un « état d'aliénation qui compromet l'ordre public » et nécessite un arrêté du préfet ou une ordonnance du maire ou du commissaire de police. Le certificat médical n'est pas obligatoire.

Le malade ou toute autre personne peut contester la légitimité de l'internement et adresser un recours au tribunal de grande instance.

La protection des biens des malades mentaux

Lorsque son état physique ou psychique rend le malade incapable de conserver ses biens, des mesures spéciales de protection existent, accor-

dées en règle par un juge des tutelles du tribunal d'instance, et sur la demande d'un médecin.
— *La sauvegarde de justice* est une mesure d'urgence qui n'est pas rendue publique, et peut permettre d'entamer une action de nullité pendant la période où elle est instituée.
— *La tutelle* : le tuteur est le plus souvent le conjoint du malade, ou une association qui gère à sa place les biens; le malade perd alors ses droits civiques, et ne peut voter, se marier, ni rédiger un testament.
— *La curatelle* est un régime beaucoup plus souple où le patient peut gérer ses biens courants, mais doit avoir l'accord du curateur pour une donation, une vente, un emprunt et pour son mariage.

Toxicomanes et alcooliques dangereux

L'action thérapeutique permet de réserver les sanctions pénales aux toxicomanes récidivistes et aux trafiquants.

Un contrôle est effectué par la D.A.S.S. qui en informe la justice si celle-ci a imposé une cure de désintoxication ou une surveillance médicale.

L'anonymat est réservé, au contraire, aux personnes qui se présentent spontanément aux services de prévention.

Un projet de loi est en cours d'élaboration : il renforce l'aspect répressif de la loi de 1970 en permettant une sanction pénale pour le simple usager (non trafiquant, non récidiviste), ainsi que la notion d'obligation de soins. Ceux-ci peuvent être décidés par les instances judiciaires directement ou à la demande de la famille ce qui équivaut au placement d'office. Le non-respect de l'injonction thérapeutique ou son insuccès peut conduire les magistrats à prononcer une peine d'amende ou d'emprisonnement.

Les alcooliques dangereux signalés à l'autorité sanitaire sont placés sous son contrôle. Celle-ci peut alors imposer des soins sous peine d'amende ou d'emprisonnement.

Certificats et Sécurité sociale

Plusieurs types de documents sont fournis par le médecin et seront à adresser à la Caisse d'assurance maladie. Ces documents sont indispensables pour faire valoir les droits aux prestations.

L'employeur doit également disposer d'un exemplaire.

Les principaux documents sont :
— *L'avis d'arrêt de travail* : il concerne toutes les situations nécessitant sur le plan médical une interruption de l'activité professionnelle non liée à un accident de travail ou à une maladie professionnelle; les dates de début et de fin d'arrêt de travail doivent y être mentionnées.
— Les *certificats d'accident de travail* sont divers :
le *certificat médical initial* qui sert à décrire la ou les lésions observées, les conséquences possibles et la durée d'arrêt de travail (ce certificat fait office de certificat d'arrêt de travail); il est rédigé en double exemplaire;
le *certificat de prolongation d'arrêt de travail*, si nécessaire;

enfin le *certificat médical final* qui précise l'état de guérison, la consolidation ou l'incapacité de la victime.
— Les *certificats de maladie professionnelle* ou *de maladie à caractère professionnel* : la liste de ces maladies et les professions qui s'y rapportent est publiée dans le Code de Sécurité sociale. Médecins praticiens, médecins-conseil de la Sécurité sociale et médecins du travail sont appelés à coopérer dans ce cadre.

Les documents cités sont pour la plupart rédigés par le médecin praticien. Cependant certaines pathologies nécessitent le recours à un spécialiste, certaines situations à un médecin expert.

Dans tous les cas, l'ensemble de ces situations est régi par l'obligation de secret médical qui est une des obligations professionnelles du médecin.

Un cas particulier : l'examen d'aptitude au sport

Très souvent, les médecins sont confrontés à la demande d'un certificat d'aptitude au sport ou d'un certificat de dispense. Ces certificats nécessitent un examen médical orienté et ne doivent pas être délivrés sous la pression de la famille ou par complaisance. Ils engagent la responsabilité du médecin et peuvent avoir des conséquences sur la santé du futur sportif.

L'activité physique, pratiquée à titre individuel dans le cadre scolaire ou dans le cadre d'associations, est un élément essentiel du développement et du maintien en condition du corps et de l'esprit. Ces effets positifs sont particulièrement notables en ce qui concerne l'appareil cardio-vasculaire, respiratoire, ostéo-articulaire et le système nerveux. Le sport peut contribuer à l'arrêt de l'usage du tabac ou de l'alcool.

Le sport peut être pratiqué à tout âge, par tous, à condition de tenir compte des problèmes particuliers liés aux phases de croissance et de vieillissement ainsi que des antécédents du sujet. C'est le but de l'examen médical, en vue d'une pratique sportive, que de prendre en compte ces éléments et de les confronter au projet de pratique sportive.

Le *certificat médical d'aptitude au sport* est prévu par la loi et correspond à trois niveaux de contrôle :
— examen classique de dépistage et d'orientation,
— examen préalable à la compétition, à renouveler chaque année,
— surveillance intensive des athlètes de haut niveau.

Il est important de penser à apporter le carnet de santé et de bien signaler au médecin les antécédents médicaux et chirurgicaux.

L'ensemble des grandes fonctions est vérifié, en particulier l'appareil locomoteur, l'appareil cardio-vasculaire et l'appareil respiratoire. En fait peu de contre-indications absolues aux sports existent et il ne faut pas transformer des recommandations de prudence en interdit. Au contraire, dans de nombreux cas de maladies ou de handicaps, la pratique d'un sport adapté a une valeur thérapeutique réelle et en tout cas une valeur adaptative, en favorisant l'insertion sociale. C'est la consultation médicale qui vous donnera le conseil adapté.

Le *certificat de dispense d'un sport* fut trop longtemps utilisé par certaines familles de façon abusive; ce type de certificat peut être délivré de manière temporaire ou définitive et ne devrait pas porter sur l'ensemble des activités physiques.

cervicarthrose

Sachez en préambule que l'arthrose du cou est trop souvent accusée de douleurs du cou, de vertiges. En effet, il est banal de constater des signes d'arthrose cervicale sur les radiographies du rachis cervical. Bien souvent l'arthrose cervicale est indolore et les douleurs cervicales sont fréquemment le fait d'une pathologie musculaire et tendineuse, ou l'expression de troubles d'origine psychologique. Cependant, toute cervicalgie persistante impose un examen clinique, biologique et radiologique.

Les cervicalgies s'accompagnent d'une limitation douloureuse des mouvements du rachis cervical, ces douleurs sont majorées par les mouvements du cou et souvent calmées par la mise au repos.

Le diagnostic d'arthrose est confirmé par l'examen radiologique : pincements discaux, ostéophytose, altération de plateaux vertébraux.

Mais avant d'incriminer l'arthrose, à l'origine des troubles cliniques, une question se pose à votre médecin : n'existe-t-il pas une autre cause à l'origine des douleurs cervicales ?

Le contrôle biologique et radiologique permet le plus souvent à votre médecin d'éliminer une origine infectieuse (spondylodiscite) ou tumorale.

Lorsque le diagnostic de cervicarthrose est retenu, votre médecin en recherche les éventuelles complications.

Quelquefois, c'est une complication qui vient révéler le processus arthrosique.

La névralgie cervico-brachiale

Elle provoque une radiculalgie : la douleur, d'abord limitée au cou, descend dans le membre supérieur; modérée ou intense et insomniante, elle s'accompagne de fourmillements dans un territoire anatomique précis. La mobilisation du cou est douloureuse et réveille la douleur.

Comme pour la cervicarthrose non compliquée, votre médecin doit éliminer les autres causes de névralgie cervicobrachiale : tumeur du sommet du poumon comprimant la racine nerveuse par exemple. Là encore, ce n'est donc qu'après le bilan complet que cette névralgie cervico-brachiale pourra être reliée à la cervicarthrose.

La myélopathie cervicarthrosique

Complication rare, elle est la conséquence de l'association d'un canal rachidien cervical de dimension réduite avec un processus arthrosique important, réduisant le volume du canal rachidien et comprimant la moelle cervicale.

Le traitement de la cervicarthrose simple ne peut être que celui de la douleur. Votre médecin vous conseillera d'éviter les positions déclenchant les crises douloureuses, vous prescrira des antalgiques dans un premier temps et, si cela s'avère nécessaire, une kinésithérapie prudente. Les anti-inflammatoires sont réservés aux formes invalidantes.

En cas de névralgie cervico-brachiale, le port d'un petit collier cervical immobilisant le cou est parfois utile. La cortisone, les traitements mécaniques (tractions cervicales douces) sont du domaine du spécialiste.

En cas de myélopathie cervicarthrosique mal tolérée, seul le traitement chirurgical à type de décompression est indiqué.

 ☞ ■ arthrose ■ rachis *(douleurs du)*

césarienne

On appelait *caeco* ou *césar* au temps de la Rome antique tout enfant extrait de l'utérus maternel par incision; le terme de césarienne provient du latin *caedere* (inciser).

La césarienne ou extraction haute du bébé est une opération théoriquement simple. Elle comporte plusieurs temps :
— incision de la paroi abdominale, soit verticalement, la plus facile, soit horizontalement au ras des poils pubiens, plus difficile, à la cicatrisation plus aléatoire mais esthétiquement plus satisfaisante;
— incision horizontale de l'utérus dans sa partie basse;
— extraction de l'enfant, du placenta et des membranes;
— suture soigneuse de l'utérus puis de la paroi abdominale plan par plan.

La césarienne est effectuée sous anesthésie générale ou péridurale. L'extraction de l'enfant demande en général quelques minutes pour un obstétricien expérimenté; l'opération dans sa totalité dure trois quarts d'heure environ. Elle s'avère nécessaire lorsque :
— le bassin est trop étroit, le bébé trop gros (disproportion fœto-pelvienne);
— le bébé se présente par le front ou l'épaule;
— une tumeur dite praevia gêne le passage de l'enfant (fibrome, kyste de l'ovaire);
— l'utérus est cicatriciel (perforation utérine lors d'une I.V.G., ablation d'un fibrome...);
— l'extraction de l'enfant doit être rapide (souffrance fœtale, toxémie gravidique, diabète...).

D'autres cas encore, moins évidents parce

qu'imprévus, – une mauvaise dynamique utérine, un col obstinément fermé, une procidence du cordon... –, interdisent l'accouchement par voie basse.

Les suites opératoires sont très simples : la surveillance de la température, du pouls, l'examen des jambes tenteront de dépister à temps une éventuelle phlébite. Vous sortirez de la clinique ou de l'hôpital au bout d'une dizaine de jours.

Sachez qu'il vous faut éviter toute fatigue inutile pendant les six semaines qui suivent l'intervention : en effet, toute ouverture des parois de l'abdomen exige ce laps de temps pour une complète récupération. Sachez également que si vous avez quelque regret de n'avoir pas vu naître votre enfant, vous avez une chance sur deux, lors d'une grossesse ultérieure, d'accoucher par les voies naturelles.

☞ ■ intervention chirurgicale ■ anesthésie ■ accouchement après césarienne

chalazion

Le chalazion est une tuméfaction souvent dure et limitée d'une paupière, rarement douloureuse. C'est un kyste formé aux dépens d'une glande papébrale (*glande de Meibomius*). Il est à différencier de l'orgelet ou « compère Loriot » qui est une tuméfaction inflammatoire de la racine d'un cil (▷ orgelet).

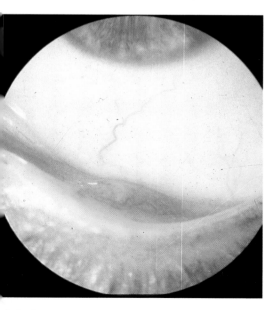

chalazion : *c'est un petit kyste visible qui siège sur la face inférieure de la paupière ; il peut être opéré sous anesthésie locale (petite intervention ambulatoire).*

champignons

Les mycoses s'observent fréquemment. Elles représentent 10 % des affections dermatologiques. Elles sont caractérisées par la prolifération de végétaux, appelés champignons, sur la partie superficielle de la peau ou sur les muqueuses.

Les deux grands groupes de champignons pathogènes chez l'homme sont les *dermatophytes* et certaines *levures*. Lorsque le diagnostic est hésitant, votre médecin prescrira un prélèvement mycologique (▷ peau). Mais, la plupart du temps, l'étude clinique des lésions et leur topographie permettront de porter un diagnostic précis.

Les facteurs qui prédisposent aux mycoses cutanées sont nombreux et variés : antibiotiques, médicaments déprimant les défenses immunitaires, macération, hypersudation, modification de l'acidité de la peau, diabète, maladies immunodépressives, grossesses, certaines maladies endocriniennes...

– La transmission des *dermatophytes* peut être d'origine animale. En ville, l'animal le plus souvent en cause est le chat, plus rarement le chien. La transmission peut se faire également par le sol ou par l'homme. Ce dernier type de transmission est le plus fréquent, la contamination pouvant se faire soit par contact direct, soit dans les piscines, les saunas, les salles de sport, les vestiaires...

– Les infections cutanées par *Candida albicans* sont le plus souvent secondaires à un foyer digestif initial.

Vous avez remarqué l'apparition d'une *tache en anneau* qui démange et qui s'étend vers l'extérieur : c'est une mycose provoquée par un champignon dermatophyte. Il faudra toujours penser à soigner votre chat ou votre chien car ceux-ci sont parfois responsables de la contamination. Un traitement local par un médicament antifongique suffit le plus souvent et devra être poursuivi trois à quatre semaines. Cependant, si les lésions sont nombreuses, un traitement par voie générale s'impose.

Une *rougeur du pli* de l'aine qui s'étale et qui démange est souvent une mycose qui nécessite un traitement local de quelques semaines.

Le « *pied d'athlète* » se caractérise par une desquamation blanche prurigineuse du dernier espace inter-orteil. En l'absence de traitement, cette mycose s'étend aux autres espaces et entraîne des fissures douloureuses. Favorisé par la transpiration et la macération (port de chaussures de sport, piscine, douches...) le « pied d'athlète » guérit facilement par application de produits antifongiques.

De vives démangeaisons de la vulve accompagnées de rougeurs et de pertes blanches sont caractéristiques d'une infection vaginale par le *Candida albicans*. Un traitement local à base de lotion et d'ovules gynécologiques antifongiques suffit habituellement à guérir cette mycose. Il faudra s'assurer que votre partenaire ne présente pas lui aussi une infection génitale. Le traitement du partenaire est habituellement conseillé. Une infection vaginale candidosique peut entraîner la contamination du nouveau-né lors de l'accouchement par les voies naturelles.

Chez l'homme, l'*infection candidosique* provoque une balanite : elle provoque rougeur et démangeaison du gland après les rapports sexuels; puis apparaissent des érosions suintantes du gland et de la face interne du prépuce qui se recouvrent d'un enduit blanchâtre. Un autre aspect possible est celui de placard rouge et sec (▷ gland [lésions du], maladies sexuellement transmissibles, balanites).

L'ongle de votre gros orteil jaunit et s'épaissit. La lésion atteint tout d'abord le bord libre de l'ongle : il s'agit d'une mycose, mais le port de chaussures trop serrées peut occasionner des lésions identiques. C'est pourquoi il est nécessaire de pratiquer un prélèvement mycologique pour s'assurer qu'il s'agit bien d'une mycose, car le traitement devra durer plusieurs mois et associer un traitement local et un traitement par voie générale.

La destruction progressive de l'ongle, survenant

après une tuméfaction douloureuse, parfois purulente, de la peau autour de l'ongle, évoque une infection candidosique.

Certaines mycoses font l'objet d'articles particuliers (▷ pityriasis versicolor, érythème fessier du nourrisson, muguet, cheveux).

 ■ **maladies sexuellement transmissibles** ■ **gland** *(lésions du)* ■ **vulve** *(maladies de la)* ■ **ongle** ■ **langue**

champ visuel

Le champ visuel est la partie de l'espace perçue par l'œil regardant droit devant lui. Il est voisin de 160° horizontalement, un peu moins verticalement. Son importance, souvent ignorée, peut être appréciée de la façon suivante : placez un tube creux devant un œil — l'autre étant obturé — et fixez, en regardant dans ce tube, un petit objet à quelques mètres devant vous :
— si votre vision est bonne, l'objet sera vu très net;
— en maintenant le tube devant votre œil, essayez de vous déplacer; bien qu'ayant une excellente acuité visuelle, vous vous conduisez comme un aveugle, car vous n'avez plus de champ visuel.

L'ophtalmologue mesure votre champ visuel soit avec un campimètre qui est un écran-plan, soit avec un périmètre qui est une coupole sur laquelle se déplace un spot de taille et d'intensité lumineuse variables.

Le champ visuel est altéré dans les maladies du nerf optique (névrites optiques, glaucomes, tumeurs), des voies optiques ou cérébrales (hémianopsies, quadranopsies).

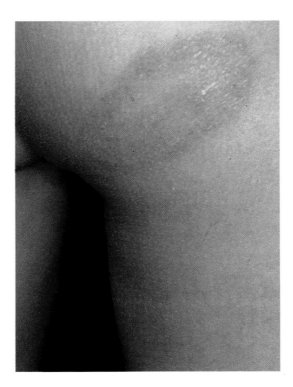

champignons. *Un champignon est responsable de cette tache cutanée en anneau. Consultez votre médecin, mais aussi votre vétérinaire...*

chancre syphilitique

☞ syphilis

chaude-pisse

☞ maladies sexuellement transmissibles

chéilite

La chéilite est une inflammation des lèvres. Celles-ci deviennent rouges, sèches, recouvertes de lamelles de peau qui se détachent et qui entraînent des fissures très douloureuses.

Le froid et le soleil, mais aussi une infection microbienne, un eczéma dû à un rouge à lèvres ou à un dentifrice peuvent être responsables de cette affection particulièrement désagréable, souvent entretenue par un tic de mordillement ou par l'humidification des lèvres.

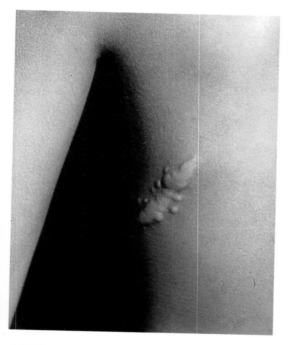

chéloïde. *Cicatrice chéloïde.*

chéloïde

La chéloïde est une cicatrice saillante et dure qui déborde une plaie opératoire ou une blessure et atteint la peau saine par des petits prolongements en « pince de crabe ». Elle récidive après ablation chirurgicale. Les épaules, le haut du tronc, le menton, les lobes des oreilles sont les zones électives d'apparition des chéloïdes.

cheveux

Chute des cheveux (*alopécie*), pellicules et cheveux gras sont des motifs fréquents de consultation.

Vous perdez vos cheveux

Consultez votre médecin car une maladie peut en être la cause.

Vos cheveux tombent de façon diffuse et la chute est brutale

— La chute survient deux à trois mois après un accouchement, après une intervention chirurgicale, une forte fièvre, un choc émotionnel : ne vous inquiétez pas, vos cheveux repousseront.
— Vous prenez certains médicaments, anticoagulants, hypocholestérolémiants, anorexigènes, antiépileptiques : à leur arrêt, la chute cessera.
— Vos cheveux sont cassés et tombent par touffe après certaines pratiques capillaires (permanentes, décolorations, décrépage...) : la chute cessera avec l'arrêt des soins capillaires trop agressifs.

Vos cheveux tombent de façon diffuse et la chute est chronique

— Un régime trop sévère, une carence en fer, une dysfonction thyroïdienne, des soins capillaires agressifs peuvent en être la cause. La correction de ces désordres favorisera la repousse des cheveux.
— Même s'il n'existe aucune cause à l'origine de la chute chronique et diffuse de vos cheveux, n'attendez pas trop longtemps pour vous soigner : il s'agit vraisemblablement d'une *alopécie séborréique héréditaire*. Alors qu'ils sont gras, les cheveux tombent périodiquement. Accalmies et chutes se succèdent : les cheveux repoussent plus fins et plus courts, puis ne repoussent plus. Non traitée, l'évolution conduit à la calvitie chez l'homme et à un aspect nettement dégarni du cuir chevelu chez la femme. L'alopécie séborréique peut commencer très jeune, dès la puberté. L'utilisation de shampooings doux est nécessaire. Chez les femmes, un traitement hormonal peut être essayé.

Vos cheveux tombent par plaque

— Vous découvrirez sur la tête de votre enfant une ou plusieurs plaques arrondies sans cheveux. Celles-ci apparaissent souvent après un choc émotionnel. Il s'agit d'une plaque de pelade plus connue sous le nom de « *plaque nerveuse* ».
— Des plaques recouvertes de pellicules avec des cheveux cassés courts évoquent, au contraire, une *mycose* provoquée par un champignon dermatophyte, transmis souvent par un chat ou un chien.
— Une plaque parsemée de cheveux cassés à différentes hauteurs avec un cuir chevelu sain est provoquée par un tic nerveux d'arrachage des cheveux ou *trichotilomanie*.

Vos cheveux sont gras

Vous avez du mal à coiffer vos cheveux car ils s'agglutinent en paquet. Augmentez la fréquence des shampooings doux : vous pourrez ainsi vous coiffer plus facilement et vous éliminerez la surproduction de sébum qui favorise la chute des cheveux. Si vous êtes une femme, votre médecin pourra vous proposer un traitement hormonal.

Vous avez des pellicules

C'est une desquamation chronique du cuir chevelu qui apparaît en général au moment de la puberté. Les pellicules peuvent être sèches, fines,

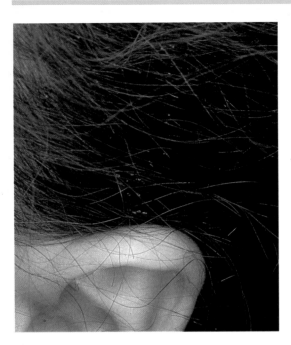

cheveux. *Les lentes sont les œufs que les poux déposent à la base des cheveux. Souvent peu nombreuses, elles doivent être recherchées avec minutie. Il ne faut pas les confondre avec les pellicules.*

blanches, n'entraînant pas ou peu de démangeaisons, ou grasses, de grosse taille, épaisses, s'accompagnant de démangeaisons et prédominant derrière les oreilles, à la lisière du cuir chevelu au niveau du front et des « pattes ». Chez l'enfant, l'apparition de pellicules évoque en premier lieu une *teigne débutante*. Le traitement précoce préviendra la cassure des cheveux.

La cause des états pelliculaires demeure encore incertaine. Quelques micro-organismes jouent probablement un rôle, mais d'autres facteurs peuvent faciliter la survenue des pellicules (pollution des grandes villes, stress...).

En cas de pellicules sèches, utilisez un shampooing anti-pelliculaire contenant des principes actifs antibactériens et antifongiques (pyridione-zinc). En cas de pellicules grasses, utilisez plutôt un shampooing contenant du goudron (huile de cade, coaltar).

Si l'utilisation d'un shampooing traitant ne suffit pas, consultez votre médecin qui complétera le traitement par des préparations à appliquer localement.

 ■ séborrhée ■ teignes ■ champignons
■ calvitie *(chirurgie esthétique de la)*

chimiothérapie des cancers

La chimiothérapie des cancers utilise des substances chimiques qui sont des poisons de la division cellulaire. Elle a l'avantage d'agir sur les cellules cancéreuses dans tout l'organisme. En revanche, à doses fortes, elle lèse la plupart des tissus normaux. Son utilisation nécessite un bilan préalable et un ajustement des doses pour obtenir le meilleur effet thérapeutique et le moindre effet toxique.

Substances utilisées

Elles sont très nombreuses; parmi les plus utilisées citons : moutarde azotée, vincaleucoblastine, adriblastine, bléomycine, cinq fluoro-uracile, cisplatinum.

Modes d'utilisation

Le traitement peut s'effectuer par voie intramusculaire ou orale, mais le plus souvent par voie générale en perfusions intra-veineuses. Si les veines sont en mauvais état, on peut utiliser de petites chambres implantées sous la peau où l'on injecte le produit qui est libéré progressivement dans une veine par une tubulure interne. Parfois la chimiothérapie est utilisée en perfusion intra-artérielle pour traiter une région (tête, cou, membre), ou intra-hépatique pour les tumeurs du foie (grâce à des pompes implantables internes).

Généralement, on établit un protocole où figurent plusieurs drogues simultanément pour renforcer leur action commune (polychimiothérapie). L'administration est le plus souvent discontinue, laissant des phases de repos à l'organisme. Certains protocoles peuvent être faits en ambulatoire, d'autres nécessitent une courte hospitalisation.

Inconvénients

La toxicité de la chimiothérapie se manifeste par une chute des globules du sang (d'où la nécessité d'une numération globulaire préalable), par des troubles digestifs, par la chute des cheveux pour certaines drogues (parfois prévenue par le port d'un casque réfrigérant). Certaines drogues ayant une légère toxicité cardiaque (*adriblastine*) ou rénale (*cisplatinum*) nécessitent un bilan cardiaque ou rénal préalable. Grâce à ces précautions, les inconvénients bien que gênants sont en fait transitoires et se réparent complètement. On évite cependant ces traitements chez les sujets trop âgés ou en trop mauvais état général.

Indications de la chimiothérapie

La chimiothérapie est utilisée pour son action générale dans les cancers métastasés et la leucémie.

Elle est employée également dans des cancers apparemment localisés mais où l'on soupçonne une diffusion générale des cellules cancéreuses : cette chimiothérapie prophylactique complète l'action locale de la chirurgie et des rayons.

La chimiothérapie est primordiale dans certaines

formes de cancer inflammatoires ou d'extension rapide pour limiter la tumeur et l'empêcher de disséminer avant d'effectuer un traitement local.

chlamydia

 maladies sexuellement transmissibles

chloasma

 ■ grossesse et petits maux ■ hyperchromie de la peau

choc anaphylactique

 Le choc anaphylactique se définit comme l'accident majeur, dramatique, heureusement exceptionnel, de l'allergie. Il se caractérise par la soudaineté de son déclenchement, l'intensité des symptômes qui reflètent la gravité de l'accident et la réversibilité remarquable, sauf exception, de ses manifestations sous l'effet d'un traitement approprié.

Dans les minutes qui suivent le contact avec une substance sensibilisante (médicament, aliment, venin d'abeille ou de guêpe...), le sujet ressent une impression de malaise général, avec démangeaisons de la paume des mains ou de la plante des pieds. Une pâleur intense, une sensation d'oppression respiratoire et d'œdème laryngé, une accélération rapide de la fréquence des battements cardiaques précèdent l'apparition d'une urticaire généralisée. Que faire devant ce tableau alarmant ? Essentiellement une injection de 0,5 à 1 mg d'adrénaline, par voie sous-cutanée, pour combattre les perturbations circulatoires. L'évolution du choc anaphylactique peut néanmoins se poursuivre, et il est indispensable de transporter d'urgence le malade dans un centre spécialisé de réanimation.

 Comment éviter pareil accident ? Notez avec soin, sur une petite carte conservée dans vos papiers d'identité, les médicaments qui ont été mal tolérés et signalez-les à votre médecin. Ne consommez pas les médicaments ou les aliments qui vous ont auparavant donné un malaise. Dans le cas d'une anaphylaxie aux venins d'abeille ou de guêpe, il importe de disposer d'une trousse d'urgence (adrénaline, corticoïdes, anti-histaminiques) et de faire effectuer dès que possible une désensibilisation spécifique à ces allergènes.

 ■ allergique (êtes-vous) ■ allergie aux médicaments (comment reconnaître une) ■ abeilles et guêpes ■ urticaire et œdème de Quincke

choc électrique externe

 ■ réanimation ■ rythme et conduction cardiaques (troubles du)

cholécystite

 ■ colique hépatique ■ lithiase biliaire

cholécystographie orale

 La cholécystographie est une radiographie de la vésicule biliaire préalablement opacifiée, après administration par voie orale d'un produit iodé.

Il est nécessaire de prendre rendez-vous, comme pour tous les examens digestifs, avec le radiologue afin qu'il vous indique :
– la préparation à suivre,
– les produits à acheter,
– si vous n'êtes pas allergique aux produits iodés.

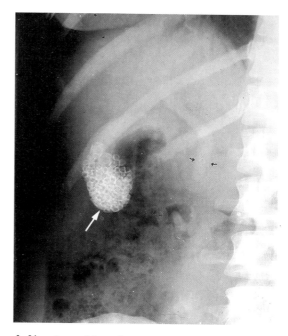

cholécystographie orale. *La vésicule biliaire renferme de nombreux petits calculs. Le cholédoque est dilaté; on y détecte aussi la présence de calculs.*

Vous devez venir le jour de l'examen complètement à jeun.

En général, l'administration par voie orale du produit iodé s'effectue en première intention, chez les patients non cholécystectomisés, c'est-à-dire n'ayant pas subi une ablation de la vésicule biliaire : on vous aura fait prendre ce produit iodé sous forme de comprimés, la veille, douze heures environ avant le rendez-vous — temps nécessaire pour opacifier la vésicule.

Après les premières radiographies, faites dès votre arrivée, pour apprécier la forme de la vésicule et l'éventuelle présence de calculs, on vous donnera un médicament pour vider la vésicule de son produit opaque : on définira ce temps d'évacuation (*épreuve de Boyden*). Une vésicule normalement opacifiée doit se vider en une demi-heure, une heure au plus, sous l'effet de ce médicament qui équivaut à un repas complet. Au-delà, elle est dite lente et provoque des troubles dyskinétiques.

La vésicule peut ne pas s'opacifier du tout après administration du produit iodé (vésicule « exclue »). Ceci indique la présence d'un obstacle dans le canal d'évacuation de la vésicule biliaire ou d'une inflammation aiguë ou chronique de la vésicule biliaire (cholécystite).

cholédoque

☞ colique hépatique

choléra

Dans sa forme majeure, le choléra se manifeste par une diarrhée brutale, très abondante, incessante, liquide, émise sans douleur. Le diagnostic est affirmé par l'isolement du germe, le *vibrion cholérique*, dans les selles.

Le traitement hospitalier repose sur la réhydratation par voie intra-veineuse. Les antibiotiques tels les tétracyclines ne jouent qu'un rôle d'appoint.

Le choléra est dû à l'ingestion d'eau ou d'aliments souillés par le vibrion cholérique. Il est exceptionnel lorsque les conseils d'hygiène sont strictement respectés. La vaccination anticholérique, malheureusement d'efficacité médiocre, est cependant exigée par certains pays.

☞ ■ diarrhée aiguë ■ vaccins et sérums

cholestéatome

Il s'agit d'une forme particulière d'otite chronique. A l'état normal, la desquamation de la peau et du tympan s'élimine spontanément par le conduit auditif. Dans certains cas (effraction, invagination),

le revêtement de la peau s'enferme dans l'oreille moyenne et se desquame en fabriquant une masse blanche qui érode les structures de voisinage.

☞ otite

cholestérol, triglycérides et lipides

Une certaine quantité de corps gras est normalement présente dans les tissus et le sang des humains. Ces graisses (ou lipides) proviennent d'une part de corps gras présents dans les aliments et d'autre part de leur fabrication par l'organisme lui-même.

Les graisses pénètrent dans l'organisme à partir du tube digestif puis du foie qui tous deux les transforment pour les rendre tolérables et utilisables. En dehors de tout apport alimentaire direct de lipides, l'organisme fabrique aussi des graisses, au niveau du tissu adipeux et du foie par exemple, à partir d'autres substances, comme les sucres, dans le but d'une part, de stocker des réserves énergétiques, et d'autre part, de fournir des éléments nécessaires à la constitution des tissus vivants comme les membranes cellulaires. A l'inverse, d'autres tissus, comme les muscles par exemple, sont capables de capter et de détruire les lipides circulant dans le sang pour en tirer de l'énergie. Il existe donc des échanges permanents très complexes, variables selon les heures de la journée et le rythme alimentaire, qui font circuler des lipides dans le sang en provenance ou à destination de différents organes.

Une des maladies les plus fréquentes et les plus graves dans les pays économiquement développés, l'artériosclérose, correspond à une circulation anormale de ces graisses qui aboutit à des concentrations excessives de certains constituants lipidiques comme le cholestérol à l'intérieur des parois artérielles. Celles-ci s'obstruent alors progressivement, provoquant des accidents dramatiques au niveau du myocarde et du cerveau. L'analyse le matin, après une dizaine d'heures de jeûne, des constituants lipidiques du sang, permet de dépister les sujets exposés à un grand risque d'artériosclérose et de leur indiquer les principales mesures préventives à observer dans leur cas personnel, mesures d'autant plus efficaces qu'elles sont respectées à un âge plus jeune.

Plus le taux de cholestérol est élevé par rapport aux normes correspondant à l'âge et au sexe, plus grand est le risque d'artériosclérose, et plus cette augmentation survient précocement dans l'existence, plus le risque d'accident cardio-vasculaire est élevé.

En cas d'hypercholestérolémie modérée, on peut obtenir une meilleure précision dans la prévision de ces risques en tenant compte des différentes protéines qui véhiculent et solubilisent le cholestérol dans le plasma sanguin : la fraction de cholestérol fixée sur des protéines de haute densité (HDL : *high density lipoproteins*) est, dans la majorité des circonstances spontanées, celle qui vient d'être extraite des différents tissus pour être ramenée au foie puis éliminée dans le tube digestif. Elle correspond donc à une relative protection des tissus périphériques, des parois artérielles en particulier, et plus elle est élevée, plus le risque vasculaire est atténué (attention : cette constatation n'est probablement pas valable chez les sujets qui prennent des comprimés contenant des œstrogènes).

La fraction de cholestérol fixée sur les protéines de basse densité (LDL et VLDL : *low density* et *very low density lipoproteins*) est au contraire celle qui va être distribuée aux tissus périphériques et qui correspond au maximum de risque.

L'élévation concomitante d'une autre catégorie

Régime hypocholestérolémiant à 1800 calories

protides 70 g = 15 % de calories

lipides 70 g = 35 % de calories

glucides 220 g = 50 % de calories

Aliments	Équivalents	Quantités/jour
Lait écrémé		250 ml
Fromages	maigres (le plus souvent)	30 g[1]
Yaourt maigre nature	fromage blanc à 0 % de matière grasse ou petits-suisses à 30 %	1
Viande maigre ou poisson	veau, cheval, blanc de poulet, lapin, bœuf maigre, mouton maigre (gigot), porc maigre (filet, jambon maigre), 2 œufs/semaine, pas de charcuterie	200 g[1]
Pain	pain complet selon tolérance ou biscottes	150 g
Pommes de terre	autres légumes féculents *(voir tableau « Équivalences par groupe d'aliments » à alimentation normale)*	300 g
Légumes verts		400 à 500 g
Fruits frais		200 à 300 g
Margarine ou tournesol	graisses riches en acides gras polyinsaturés	20 g
Huile de maïs ou tournesol ou soja ou nouvelle huile de colza	graisses riches en acides gras polyinsaturés	30 g
Sucre		10 g
Alcool		selon avis médical

(1) Quantités à ne pas dépasser

N.B. Si votre poids est excessif, avant d'appliquer le régime hypocholestérolémiant, il vous faudra suivre un régime hypocalorique avec une huile spéciale (voir tableau ci-dessus). Si votre poids est normal, vous suivrez un régime adapté à vos besoins en restreignant les graisses animales et en augmentant les graisses végétales qui contiennent des acides gras polyinsaturés.

En cas d'hypertriglycéridémie associée ou isolée, il convient généralement de supprimer les sucres purs et souvent l'alcool. Le régime devient plus complexe et devra être expliqué en consultation par votre médecin.

de lipides, les triglycérides, a été observée comme particulièrement dangereuse chez la femme de plus de 50 ans. Elle s'accompagne souvent dans les deux sexes d'une baisse du HDL-cholestérol et correspond à une diminution d'activité d'une enzyme (*lipoprotéine lipase*) présente dans le tissu adipeux et le muscle. Une hypertriglycéridémie peut aussi être favorisée par des apports alimentaires trop riches en sucre et/ou en alcool.

En pratique, il est très important et peu coûteux de faire pratiquer de temps en temps, dès l'adolescence, dans les deux sexes, un dosage de cholestérol et de triglycérides à jeun. En cas de découverte d'une anomalie minime, ce dosage peut être complété par l'analyse des lipoprotéines. Ces investigations sont d'autant plus importantes s'il y a déjà eu des accidents vasculaires dans la famille.

● Régime hypocholestérolémiant

Le taux de cholestérol sanguin varie selon l'alimentation : plus celle-ci est riche en graisses (*lipides*), plus la *cholestérolémie* augmente. La qualité des graisses consommées y influe également, selon qu'elles sont *saturées* ou *insaturées* : le taux de cholestérol augmente dans le premier cas, diminue dans le second.

En cas d'excès de cholestérol (*hypercholestérolémie*), il est donc nécessaire d'adapter l'alimentation en réduisant les apports lipidiques et en modifiant leur composition qualitative. Dans les pays occidentaux, les lipides alimentaires représentent en moyenne 45 % des calories consommées. En cas d'hypercholestérolémie, cette proportion doit être réduite à 35 %, ce qui suppose que, simultanément, la part des glucides et des protides augmente. Il importe aussi de modifier la composition des apports lipidiques en réduisant la consom-

mation de cholestérol et surtout celle des acides gras saturés (A.G.S.) : ces A.G.S. sont avant tout d'origine animale, présents dans les produits laitiers (beurre, crème, lait) et les viandes. La consommation des acides gras insaturés (A.G.I.) doit au contraire être accrue : ces A.G.I. sont présents dans certaines huiles (maïs, tournesol), margarines (spécialement conçues par les industriels) et certains poissons. Dans l'alimentation de la population générale, le rapport A.G.S./A.G.I. est de l'ordre de 0,4.

En pratique, deux mesures prioritaires doivent donc être prises : supprimer les graisses, visibles, riches en acides gras saturés (beurre, crème, lait entier, huile d'arachide, charcuterie sauf jambon sans gras, viandes grasses, sauces) mais utiliser les margarines et huiles riches en acides gras insaturés (tournesol). S'y ajoutent des conseils de préparation des aliments : cuissons des légumes mais aussi des poissons et des viandes sur un gril ou une poêle anti-adhésive, à l'eau, à la vapeur, (« braisés diététiques »). Les matières grasses autorisées seront ajoutées crues avant de servir, mais il faut savoir que les huiles désaturées actuelles peuvent être chauffées jusqu'à 180 °C sans être altérées.

Les effets de ces mesures diététiques sont variables suivant les sujets. Elles peuvent suffire à normaliser la cholestérolémie. Quelquefois, le résultat est insuffisant et des médicaments doivent être associés.

Ce régime dit « hypocholestérolémiant » est indiqué non seulement chez les sujets présentant une hypercholestérolémie mais aussi chez les sujets atteints de maladies cardio-vasculaires.

 ■ artériosclérose ■ alimentation normale

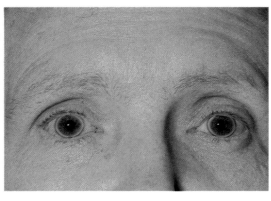

cholestérol, triglycérides et lipides. *Dans certaines hypercholestérolémies familiales sévères, on observe une décoloration particulière de la périphérie de l'iris (gérontoxon).*

chondrocalcinose articulaire

La chondrocalcinose articulaire est caractérisée par des dépôts de cristaux de pyrophosphate de calcium dans l'articulation. Il s'agit d'une maladie fréquente notamment chez le sujet âgé.

L'expression clinique de cette maladie est multiple.

— Elle peut être totalement asymptomatique, uniquement reconnue sur des clichés radiologiques : ces formes ne nécessitent pas de traitement particulier.

— Parfois, elle entraîne un accès aigu souvent confondu avec la crise de goutte (la chondrocalcinose articulaire est également appelée pseudogoutte). L'articulation atteinte est très inflammatoire, la douleur vive, brutale, entraînant une impotence fonctionnelle importante. Cet accès peut toucher toutes les articulations, la colonne vertébrale y comprise ; il est parfois accompagné de fièvre.

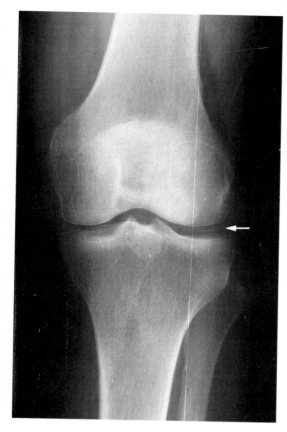

chondrocalcinose articulaire. *La présence d'un fin liseré calcique sur cette radiographie du genou confirme le diagnostic de chondrocalcinose articulaire.*

Devant ce tableau, votre médecin éliminera de parti pris une arthrite septique. Il affirmera le diagnostic de chondrocalcinose articulaire sur l'aspect typique des dépôts de pyrophosphate visibles sur les radiographies (genoux, poignets, la symphyse pubienne). L'examen microscopique du liquide de ponction* articulaire confirme le diagnostic en mettant en évidence les cristaux de pyrophosphate de calcium. L'examen bactériologique est stérile.
— Enfin, elle peut prendre le masque d'une symptomatologie simulant la polyarthrite rhumatoïde.

La découverte d'une chondrocalcinose articulaire impose un bilan à la recherche d'une cause ou d'une maladie associée (hémochromatose, hyperparathyroïdie). Son traitement est purement symptomatique (anti-inflammatoires).

☞ ■ arthrite ■ anti-inflammatoires cortisoniques et non cortisoniques

chromosomes

☞ ■ diagnostic anténatal des maladies fœtales ■ embryogenèse normale

cicatrices cutanées *(chirurgie esthétique des)*

La réparation cicatricielle tient compte de plusieurs éléments : ainsi, après une simple coupure n'entraînant pas de perte de substance, la fermeture ne pose généralement pas de difficulté; en revanche, après une brûlure, c'est l'importance de la surface lésée, et surtout son siège, qui sont à l'origine de rétractions plus ou moins importantes, ceci en raison de l'existence d'une perte de substance.

Chaque individu a une façon personnelle de cicatriser, qui n'est pas obligatoirement liée à la qualité de la suture. Ainsi, après un accident ou une intervention chirurgicale, si la suture est mal faite, mal affrontée, irrégulière, la réaction individuelle n'est pas en cause, et il est légitime de reprendre cette cicatrice pour l'améliorer. En revanche, même lorsque la suture est d'excellente qualité (bon résultat immédiat), on peut avoir la surprise dans les semaines ou les mois qui suivent de voir apparaître une détérioration de la cicatrice, qui prend un aspect élargi, atrophique ou, au contraire, très hypertrophique, pouvant aboutir au maximum à la formation de chéloïde (cicatrisation vicieuse pouvant prendre des proportions très importantes, particulièrement répandue dans certaines ethnies, notamment chez les Noirs).

Certaines cicatrices sont justifiables de la chirurgie esthétique; cependant, il est illusoire d'imaginer que l'on peut les faire disparaître de façon magique. La cicatrice est un stigmate indélébile de l'interruption du revêtement cutané. Les procédés chirurgicaux essayeront, d'une part de donner un aspect aussi satisfaisant que possible à la ligne cicatricielle, et d'autre part de la dissimuler dans un pli naturel, où elle deviendra pratiquement inapparente sans disparaître pour autant. Le chirurgien tentera de dissimuler la cicatrice dans les plis horizontaux du front par exemple, le sillon nasogénien, dans les plis des paupières..., ou encore de modifier ou d'inverser le sens d'une cicatrice par une plastie en Z par exemple. On s'efforcera également de diminuer au maximum les tensions qui s'exercent sur les bords de la plaie — facteurs de mauvaise cicatrisation — en compliquant la ligne cicatricielle à l'aide de formes géométriques en W, faisant alterner des tractions perpendiculaires les unes aux autres. La suture proprement dite sera souvent faite à l'aide de surjets intra-dermiques, évitant ainsi la marque des points ou des agrafes qui laissent parfois une trace blanche à chaque point d'entrée et de sortie du fil.

Lorsque la perte de substance est trop importante, l'affrontement des bords est impossible; le chirurgien pourra alors utiliser des lambeaux ou des greffes de peau, prélevées en d'autres endroits du corps, et suffisamment fines pour que la greffe puisse cicatriser spontanément.

Les greffes ont l'avantage de n'avoir pas de limite de taille, de prendre très facilement, en quelques jours, mais elles laissent malgré tout une cicatrice sur la zone de prélèvement (cuisse, abdomen, fesse), et surtout leur aspect n'est pas tout à fait normal. La peau greffée est généralement atrophique et de coloration un peu différente de la peau de voisinage. Aussi, les greffes sur le visage sont abandonnées de plus en plus fréquemment au profit des expanseurs cutanés, qui permettent d'utiliser la peau de voisinage (▷ tatouage).

Le choix de la méthode dépendra donc essentiellement de la taille et du siège de la cicatrice, de l'âge du sujet, en sachant que, contrairement à l'opinion courante, il est plus difficile d'obtenir une bonne cicatrice chez le sujet jeune, car la peau est très élastique, et toute incision va s'accompagner d'une traction importante. En revanche, chez le sujet âgé, les fibres élastiques sont rompues, et la peau n'exerçant pas de traction, les cicatrices sont moins visibles.

circulation sanguine

☞ cœur et circulation sanguine

cirrhose du foie d'origine alcoolique

 L'intoxication alcoolique chronique est responsable de la grande majorité des cas de cirrhose hépatique en France. Une consommation de 75 cl de vin par jour chez l'homme et de 50 cl chez la femme, pendant dix ans, peuvent suffire à entraîner une cirrhose chez certains individus.

La cirrhose associe une destruction progressive des cellules du foie (*hépatite alcoolique*), la formation d'une fibrose qui désorganise l'architecture normale du foie et la constitution de nodules de régénération.

L'intoxication alcoolique provoque donc tout d'abord une hépatite alcoolique dont les poussées successives déterminent l'apparition de la cirrhose. Les complications sont possibles : l'insuffisance hépatique, l'hypertension portale et l'ascite (cirrhose dite décompensée). Le sevrage complet en boissons alcoolisées est absolument nécessaire si l'on veut obtenir une amélioration du pronostic.

Les premières manifestations de l'intoxication alcoolique peuvent être :

— la perte de l'appétit, l'amaigrissement, les nausées, la soif, l'apparition de tremblements, de crampes musculaires, de troubles du sommeil;
— le bilan biologique recherche l'augmentation de volume des globules rouges, l'élévation du taux des gamma glutamyl transpeptidases.

 ■ alcoolisme ■ hépatites virales *(A, B ou non A – non B)* ■ ictère

claustrophobie

☞ névroses

coagulation

 Si, lorsque vous vous coupez, vous ne perdez pas tout votre sang, c'est que celui-ci contient les éléments nécessaires pour obturer la brèche (▷ sang) :

— les *plaquettes* interviennent les premières dans le processus de coagulation; elles s'agglutinent au siège même de la blessure et forment un bouchon d'arrêt de saignement si le vaisseau est de petite dimension;
— cette première réaction est complétée par la formation d'un caillot, qui correspond à l'organisation en réseau d'une protéine sanguine : la *fibrine*. La formation de la fibrine à partir de son précurseur inactif, le *fibrinogène*, implique une suite d'événements nécessitant la présence de plusieurs protéines plasmatiques, appelées *facteurs de la coagulation*.

 Différents examens permettent à votre médecin d'explorer la coagulation. La mesure du *temps de saignement* lui permet d'étudier l'efficacité des plaquettes. Pour analyser les facteurs de coagulation, il dispose de différents types de tests. Les tests globaux explorent l'ensemble de la réaction : par exemple, le *temps de Howell*. D'autres tests explorent plus particulièrement un groupe de facteurs de la coagulation : par exemple, le *taux de prothrombine* et le *temps de céphaline-kaolin*. Enfin, il peut avoir besoin du dosage spécifique d'un seul des facteurs de la coagulation pour affirmer un diagnostic.

Les anomalies de la coagulation peuvent être constitutionnelles ou héréditaires : l'hémophilie et la maladie de Willebrand en sont des exemples. Le plus souvent, ces anomalies sont la conséquence d'une autre affection : par exemple, les maladies graves du foie s'accompagnent d'un déficit de plusieurs facteurs de la coagulation, favorisant les hémorragies.

☞ ■ hémophilie ■ purpura ■ anticoagulant *(traitement)*

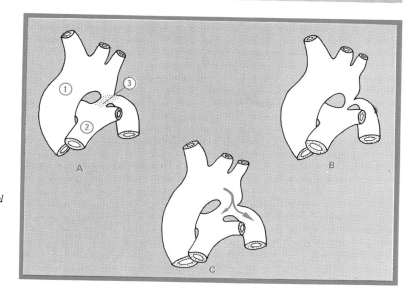

coarctation de l'aorte. ① *aorte,*
② *artère pulmonaire,* ③ *canal artériel.*
*A : lorsque le canal artériel est ouvert, la
coarctation n'y est pas encore constituée,
mais il y a extension de tissu normal (du canal
artériel) sur l'aorte en regard.*
*B : à la fermeture du canal artériel (après
quelques jours de vie), la coarctation de
l'aorte se constitue.*
*C : sous perfusion de prostaglandine E₁, le
canal artériel peut être réouvert et le
coarctation levée médicalement.*

coarctation de l'aorte

Il s'agit d'une malformation relativement fréquente qui se caractérise par un rétrécissement de l'aorte à l'implantation du canal artériel (▷ cœur du fœtus, cœur du nouveau-né, essoufflement du nourrisson pendant la prise du biberon).

Ce rétrécissement crée une hypertension artérielle dans toute la partie en dessus de la coarctation – en particulier le cerveau, le cœur et les membres supérieurs –, et une tension artérielle moindre dans toute la partie en dessous de la coarctation, c'est-à-dire l'abdomen, dont le rein et le tube digestif, et les membres inférieurs. Ainsi les pouls fémoraux sont faibles, voire disparaissent.

Chez le nouveau-né, cette malformation peut entraîner une défaillance cardiaque grave, qui peut être traitée par la réouverture du canal artériel (▷ schéma). La malformation peut être opérée avec facilité, sans toucher au cœur, dès les premiers jours de vie lorsque cela est nécessaire.

cobalt

 ☞ radiothérapie

cœlioscopie

La cœlioscopie est un remarquable mode d'exploration de la cavité abdominale et particulièrement des organes génitaux féminins. La technique en est simple : anesthésie générale, insufflation et distension de la cavité abdominale par un gaz inerte, en général le gaz carbonique, et introduction au niveau de l'ombilic (une autre technique appelée culdoscopie préfère la voie trans-vaginale) d'un appareil optique avec source lumineuse qui permet une vision directe et précise de tous les organes du petit bassin.

Cette petite intervention exige en général une hospitalisation de trois jours et un arrêt de travail d'une semaine environ; elle est peu douloureuse mais suivie de courbatures quelquefois désagréables pendant un jour ou deux.

Dans quels cas votre médecin sera-t-il amené à vous proposer une cœlioscopie ?
– *En cas de suspicion de grossesse extra-utérine :* c'est l'une de ses indications majeures.
– *Afin de préciser le diagnostic et le traitement médical ou chirurgical d'une affection pelvienne aiguë :* par exemple une torsion ou une hémorragie d'un kyste ovarien dont la sanction est chirurgicale et dont les symptômes peuvent se confondre avec une salpingite aiguë qui, elle, relève en première instance d'un traitement médical.
– *Exploration d'une stérilité et de son mécanisme :* dystrophies ovariennes (c'est-à-dire anomalies de développement et de fonctionnement de l'ovaire); infection tubaire et ses possibilités de restauration, médicales ou chirurgicales.
– *Suspicion d'une endométriose* que seule la cœlioscopie peut révéler.
– *Confirmation d'une tuberculose génitale* qui exige un traitement spécifique.
– *En cas de douleurs chroniques du petit bassin* dont la cause reste inconnue, avec découverte éventuelle d'une endométriose ou d'un syndrome

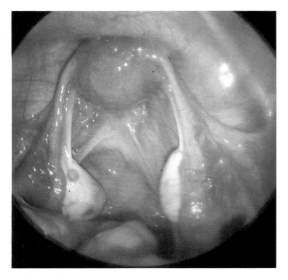

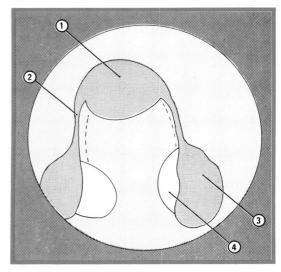

cœlioscopie. *La cœlioscopie permet une vision directe de l'utérus, des trompes, des ovaires... ① utérus, ② trompe, ③ pavillon de la trompe, ④ ovaire.*

de Masters et Allen (déchirure obstétricale d'un ligament pelvien).

La cœlioscopie permet en outre des interventions simples, sans ouverture de la paroi abdominale, donc sans cicatrice : ligature des trompes, libération d'adhérences, voire extraction d'une grossesse extra-utérine.

Les inappréciables services rendus par la cœlioscopie ne doivent pas faire oublier ses rares complications : perforation d'une anse intestinale, embolie gazeuse et hémorragies. Elle doit donc être réservée à des spécialistes et répondre à des indications précises et limitées.

 ☞ ■ grossesse extra-utérine ■ stérilité du couple ■ endométriose

 ## cœur du fœtus *(malformations et troubles du rythme du)*

 Les risques de malformation cardiaque du fœtus sont faibles, légèrement inférieurs à 1 %, sauf dans certaines circonstances particulières :

— vous avez un enfant, ou un frère ou un parent du premier degré qui a une malformation cardiaque; le risque est statistiquement multiplié par trois;

— dans certains contextes très particuliers, par exemple une intoxication alcoolique, une infection virale ou un traitement médicamenteux;

— enfin, si lors de la surveillance habituelle de la grossesse on note des anomalies du rythme cardiaque du fœtus, ou si l'on a découvert une anomalie à l'amniocentèse*, à l'échographie* ou à d'autres examens spécialisés.

A trois mois et demi de grossesse, grâce à l'échographie* cardiaque bidimensionnelle, on peut analyser le cœur du fœtus *in utero* et vérifier, dans 90 % des cas au moins, si celui-ci est bien formé. Grâce à un faisceau d'ultrasons, on étudie le cœur sur toute une série de coupes qui permettent de reconstituer son anatomie exacte. On peut également apprécier le rythme relatif de ses oreillettes et de ses ventricules et diagnostiquer les anomalies du rythme et de la conduction. On peut mesurer la contraction du ventricule et, grâce au Doppler* couplé à l'échocardiographie, estimer les flux sanguins à travers les différents éléments cardiaques ou vasculaires (cordon ombilical par exemple).

Ces examens, parfaitement indolores, ne doivent pas se prolonger et se répéter trop souvent afin de demeurer inoffensifs. Un examen de vingt minutes permet une étude complète, anatomique et fonctionnelle, du cœur du fœtus. La réalisation en est délicate et nécessite un appareillage particulier, ainsi qu'un médecin rompu à ces techniques et familiarisé avec les cardiopathies congénitales.

Malformations congénitales du cœur du fœtus

Dans la grande majorité des cas, le médecin pourra confirmer que le cœur de votre enfant est normalement formé et qu'il fonctionne bien, assurant ainsi une bonne nutrition et une bonne oxygénation du corps du fœtus. Cet examen sera éventuellement répété au cours de la grossesse afin de déceler des complications qui peuvent apparaître plus tardivement.

Dans certains cas, le diagnostic de malformation cardiaque congénitale est posé. On peut alors envisager la gravité potentielle de la malformation et en prévoir l'évolution à la naissance et au cours de l'enfance. Si la malformation est potentiellement grave et que la grossesse débute, il sera proposé un avortement thérapeutique. Si la malformation expose à des risques dès la naissance, on organisera un transfert très rapide en service spécialisé juste après l'accouchement. Si le fonctionnement du cœur n'est pas satisfaisant et que le fœtus est mal oxygéné, on pourra proposer des traitements médicamenteux, le plus souvent par administration à la mère mais parfois par administration directe au fœtus; on pourra également proposer un accouchement prématuré.

Le cœur du fœtus bat très vite

Lors d'une consultation obstétricale, à l'auscultation des battements du cœur du fœtus, on note que le rythme cardiaque est trop rapide. Normalement, le rythme cardiaque du fœtus est plus élevé que celui de l'enfant; il avoisine en général 130 à 180 battements à la minute. Lorsque la fréquence est supérieure à 200, cela traduit en général un trouble du rythme cardiaque qui peut gêner le fonctionnement du cœur du fœtus et, par là même, l'oxygénation et la nutrition de l'ensemble des organes.

Il est très important dès lors de faire une échographie obstétricale et une échocardiographie de façon à apprécier le retentissement sur l'ensemble de l'organisme et, en particulier, à rechercher des œdèmes qui se localisent soit autour du cœur (*épanchement péricardique*), soit dans l'abdomen (*ascite*). Il faut également rechercher un engorgement du foie.

L'échocardiographie du fœtus permet en général de définir le trouble du rythme cardiaque en regardant les battements des oreillettes et des ventricules qui sont soit synchrones, soit asynchrones. Surtout, on regarde attentivement la qualité de la contraction cardiaque et le volume des cavités du cœur du fœtus.

La présence d'une souffrance du fœtus ou d'une mauvaise contraction du cœur nécessite l'administration de médicaments à la mère, voire au fœtus directement, et, si l'on est proche du terme, elle impose le déclenchement de l'accouchement soit par voies basses, soit même par césarienne si l'état est inquiétant. Même si le bilan est satisfaisant, il faudra maintenir le traitement du trouble du rythme et la surveillance attentive des complications, car la fonction du cœur, en général, ne supporte pas de façon prolongée un rythme cardiaque rapide. Aussi les grossesses à haut risque sont-elles accueillies dans un service de maternité spécialisé.

Le cœur du fœtus bat lentement

Lors d'une surveillance de la grossesse, l'auscultation du cœur fœtal montre qu'il y a bradycardie, c'est-à-dire qu'il bat plus lentement que la normale. Une fréquence inférieure à 100 battements à la minute est tout à fait anormale et traduit en général un trouble de la conduction entre les oreillettes et les ventricules que l'on appelle *bloc auriculo-ventriculaire*.

En général, cette malformation est relativement bien supportée car le cœur s'adapte à ce rythme lent en éjectant plus de sang à chaque contraction, assurant ainsi une oxygénation et une nutrition satisfaisantes des tissus. Ceci n'est malheureusement pas toujours vrai lorsque le rythme est très lent (inférieur à 70 battements à la minute); il s'impose dans ce cas une surveillance attentive de la fonction du cœur et des signes de souffrance des tissus (épanchement péricardique, ascite, gros foie...), tout comme lorsque le cœur bat trop vite. Une échographie fœtale et une échographie obstétricale sont donc indiquées. Le diagnostic de bloc auriculo-ventriculaire est confirmé en montrant des oreillettes qui battent à une fréquence normale (autour de 150) et un ventricule qui bat beaucoup plus lentement. Outre la surveillance de la tolérance, il importe que la maman consulte un spécialiste des maladies immunologiques car, fréquemment, ce trouble de la conduction cardiaque est dû au passage d'anticorps (normalement absents du sang de la mère) qui, à travers le placenta, atteignent le fœtus.

A la naissance, le nouveau-né sera hospitalisé en service de cardiologie infantile pour que soit appréciée la tolérance de cette malformation. Lorsque la tolérance n'est pas parfaite, il y a lieu de mettre en place un pacemaker qui impose au cœur un rythme cardiaque plus rapide et adapté aux besoins du nouveau-né.

cœur du fœtus *(physiologie du)*

Le premier organe fœtal à assurer pleinement sa fonction, et ce dès la sixième semaine de grossesse, est le cœur. Si la fonction du cœur du fœtus et du nouveau-né est identique, il existe une différence organique fondamentale entre eux : c'est la présence du placenta. Celui-ci assure l'oxygénation du fœtus, sa fonction rénale et, en grande partie, sa fonction nutritionnelle.

Pour que la circulation fœtale soit adaptée à la présence du placenta qui est branché directement sur l'aorte, l'architecture du cœur du fœtus comporte des modifications physiologiques, faisant communiquer le cœur droit et le cœur gauche : d'une part entre les oreillettes et d'autre part entre l'aorte et l'artère pulmonaire. Cette dernière est constituée par un vaisseau, appelé *canal artériel*, qui permet au sang de court-circuiter les poumons pour aller au placenta. En raison de ces communications à l'entrée et à la sortie du cœur, on peut considérer que le cœur gauche et le cœur droit ont

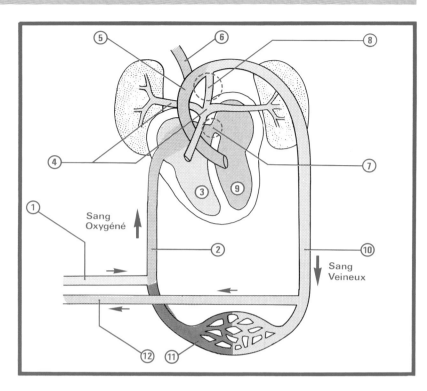

cœur de fœtus (*physiologie du*). *Seul le sang de la veine ombilicale ① est rouge (ci-contre, en haut). Dans toutes les autres cavités et vaisseaux, le sang est mélangé, avec une teneur en oxygène variable : relativement riche dans la veine cave inférieure ② et l'aorte ascendante ⑤ qui vascularise le cœur et le cerveau du fœtus ; relativement pauvre dans l'artère pulmonaire ④, l'aorte descendante ⑩ et l'artère ombilicale ⑫ ; très pauvre dans la veine porte ⑪ qui vascularise l'intestin et le foie, peu fonctionnels chez le fœtus.*
③ ventricule droit, ⑥ carotides, ⑨ ventricule gauche.
La communication interauriculaire ou trou de Botal ⑦ et le canal artériel ⑧ sont deux structures présentes chez le fœtus, qui se fermeront à la naissance. Ils sont indispensables au bon fonctionnement de la circulation fœtale.
Après la naissance (ci-contre, en bas), la disparition du placenta, l'expansion des poumons, la fermeture du canal artériel ⑧ et de la communication interauriculaire ⑦ modifient la circulation. Tout le sang bleu (désoxygéné) rejoint les poumons et revient au cœur gauche complètement oxygéné pour être éjecté dans l'aorte ⑩ d'où il rejoint tous les organes.

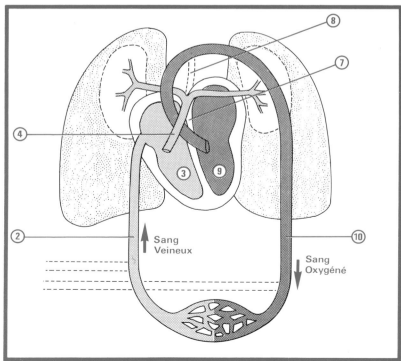

à peu près la même fonction et, surtout, que le mauvais développement de l'une des deux parties du cœur peut être complètement compensé par un hyperdéveloppement de l'autre. Aussi les malformations cardiaques les plus graves sont-elles habituellement très bien tolérées chez le fœtus qui se développe normalement.

Après la naissance, lorsque le placenta disparaît et que le poumon est déplissé et respire l'air ambiant, la circulation se modifie brutalement. Le canal artériel se ferme, ainsi que la communication inter-auriculaire. Il s'établit alors une circulation totalement différente pour le cœur droit et le cœur gauche : le cœur droit reçoit tout le sang des veines et l'éjecte à basse pression dans les poumons; ce sang oxygéné revient au cœur gauche où il est éjecté à forte pression dans l'aorte.

Dans ces conditions, la fonction du cœur droit et celle du cœur gauche sont totalement différentes et une déficience de l'une d'elles ne peut être compensée par l'autre. Ceci explique que les malformations cardiaques graves sont mal tolérées dès la naissance.

dès la naissance et responsable de symptômes (▷ cyanose du nouveau-né et du nourrisson, essoufflement du nourrisson pendant la prise du biberon). Mais dans les deux tiers des cas, les malformations cardiaques congénitales sont mineures et bien tolérées après la naissance; le cœur s'est adapté au nouveau mode de circulation lequel ne changera plus au cours de la vie. Elles ne nécessiteront qu'une surveillance, parfois, il est vrai, pendant toute la vie, et ne constitueront que des curiosités d'auscultation. Souvent, des moments critiques de la croissance de l'enfant comme la puberté, ou des stimulations intenses de l'activité cardiaque comme le sport, décompensent une malformation cardiaque jusque-là bien tolérée. Ailleurs, enfin, peuvent se constituer — sans entraîner de signes apparents — des lésions du cœur ou du poumon qui deviendront irréversibles si la malformation n'est pas traitée assez tôt.

 ■ canal artériel ■ coarctation de l'aorte ■ communication interventriculaire ■ rétrécissement aortique ■ tétralogie de Fallot ■ transposition des gros vaisseaux

cœur du nouveau-né
(malformations congénitales du)

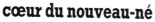

Les malformations cardiaques congénitales concernent environ 1 % des enfants. Elles recouvrent des anomalies intra-cardiaques ou vasculaires très diverses, affectant le plus souvent les valves du cœur ou les cloisons qui séparent ses différentes cavités. Les signes de leur présence et de leur gravité, la méthode de les diagnostiquer et de les traiter sont multiples et variés (nous en avons traité six cas dans ce livre, dont on retrouvera les noms dans les renvois en fin de cet article).

En dehors de quelques cas particuliers dont l'origine est patente (une infection virale comme la rubéole ou encore une intoxication par l'alcool ou le lithium pendant la grossesse), on ne retrouve pas la cause de ces malformations cardiaques. Elles sont rarement héréditaires mais ont parfois un caractère génétique, par exemple l'extrême fréquence des malformations cardiaques chez les enfants mongoliens. Celles qui touchent l'architecture du cœur (ouverture dans une cloison, imperforation d'une valve, mauvaise position d'une cavité par rapport à une autre ou d'un vaisseau par rapport à une cavité) surviennent très tôt pendant la grossesse, dès la sixième semaine après la fécondation. Aussi peuvent-elles être diagnostiquées précocement, dès le troisième mois de gestation, par l'échographie* cardiaque et le Doppler* du fœtus in utero (▷ cœur du fœtus [malformations et troubles du rythme du]).

Une malformation grave, affectant l'un des deux côtés du cœur, tolérée chez le fœtus (▷ cœur du fœtus [physiologie du]), sera très mal supportée

cœur et circulation sanguine

Le cœur est une pompe musculaire qui comporte *quatre cavités* (deux oreillettes et deux ventricules), séparées par des cloisons ou *septum* (les septum inter-auriculaire et inter-ventriculaire) et par des *valves* (valves auriculo-ventriculaires). Arrivent au cœur et en partent les plus gros vaisseaux sanguins de l'organisme; ils charrient ainsi, vers la partie droite du cœur, le sang périphérique non oxygéné, et distribuent, à partir de la moitié gauche du cœur vers la périphérie, le sang oxygéné par les poumons. Les gros vaisseaux que sont l'*artère pulmonaire* et l'*aorte thoracique* communiquent avec les ventricules, respectivement droit et gauche, par des « *portes* » ou valves, appelées *valves sigmoïdes*.

Les parois des cavités cardiaques comportent *trois couches tissulaires* : la plus interne, directement en contact avec le sang intra-cavitaire, est l'*endocarde*. Elle tapisse une couche musculaire, d'épaisseur particulièrement marquée au niveau ventriculaire : c'est le *myocarde*. Enfin, l'ensemble du cœur réside dans une enveloppe, appelée *péricarde*.

Le cœur est un muscle dont la contraction rythmique, régulière et coordonnée, est le résultat du *fonctionnement harmonieux du système de conduction, des valves, et des parois musculaires.* La contraction de ces dernières dépend de la mise en jeu des voies de conduction, à la manière d'un interrupteur électrique et d'une ampoule :
— l'ampoule s'allume (traduisez : le cœur se contracte) si l'on appuie sur l'interrupteur (traduisez :

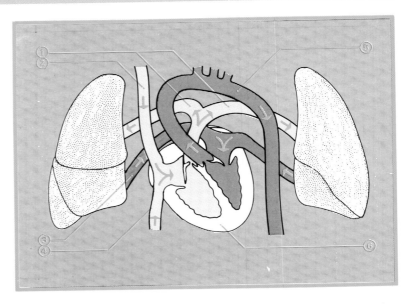

cœur et circulation sanguine.
*Schéma de la circulation sanguine dans le cœur et les poumons. ②
veine cave supérieure : elle draine le sang veineux non oxygéné de la tête et des membres supérieurs au cœur. ④
veine cave inférieure : elle transporte le sang veineux vers l'oreillette droite. ① artères pulmonaires : elles drainent le sang veineux du cœur droit aux poumons. ③ veines pulmonaires : elles transportent le sang riche en oxygène des poumons au cœur. ⑤ aorte : elle transporte le sang oxygéné du cœur à l'ensemble des organes périphériques. ⑥ cœur.*

si les voies de conduction intra-cardiaques de l'influx, ou du courant, sont excitées); c'est la phase dite de *dépolarisation*;
— l'ampoule s'éteint (traduisez : la relaxation musculaire survient), si l'on actionne l'interrupteur dans l'autre sens (traduisez : si le courant électrique intra-cardiaque est inversé); c'est la phase dite de *repolarisation*.

Toutefois, à la différence des systèmes électriques que l'on actionne des centaines de fois par jour, l'activité électrique du cœur est, elle, *automatique*, *spontanée*, *involontaire* et régulière.

A quoi sert cette activité cardiaque incessante, succession de battements, de contractions et de relaxation ? Elle est essentielle au maintien d'une circulation sanguine correcte, elle-même essentielle à la vie. Comme cela est indiqué plus haut, le cœur est composé de deux oreillettes, l'une droite, l'autre gauche, et de deux ventricules, l'un droit, l'autre gauche. Les deux « hémi-cœurs » droit et gauche ont des fonctions différentes. Ainsi, le sang désoxygéné qui provient des tissus et contient les déchets résultant de ces derniers, parvient à l'oreillette droite par les grosses veines caves (la veine cave supérieure et la veine cave inférieure formées par les multiples convergences des veinules, veines, grosses veines); la contraction auriculaire droite déclenchée par l'activité du *nœud sinusal* ou *sino-auriculaire* (interrupteur électrique spontané situé dans la paroi auriculaire) chasse le sang vers le ventricule droit après franchissement de la valve auriculo-ventriculaire droite ou *tricuspide*, elle-même ouverte sous l'effet de la contraction auriculaire droite; c'est ainsi que le ventricule droit se remplit (cette phase de remplissage est la *diastole ventriculaire*) de sang non oxygéné ou sang veineux; l'interrupteur ventriculaire (*faisceau*

de His) entraîne la contraction du muscle ventriculaire droit : c'est la *systole ventriculaire*. Le sang est alors chassé dans l'artère pulmonaire en passant par les valves sigmoïdes pulmonaires ouvertes sous l'effet de la systole ventriculaire. Ce sang parvient ainsi aux poumons où il est oxygéné.

Les poumons représentent un énorme entrepôt d'échanges où le sang se débarasse de son gaz carbonique et de ses autres déchets et récupère l'oxygène et autres nutriments. C'est alors le début du trajet du sang oxygéné dans le cœur gauche : par les veines pulmonaires, il parvient à l'oreillette gauche; sous l'effet de sa contraction, la valve auriculo-ventriculaire gauche ou *mitrale* s'ouvre : le ventricule gauche se remplit (diastole ventriculaire); puis, l'impulsion électrique venue de l'interrupteur ventriculaire entraîne la contraction ou systole du ventricule gauche. Celui-ci éjecte, après ouverture des valves sigmoïdes aortiques, du sang oxygéné dans l'aorte qui le distribue à la périphérie et, en particulier, à tous les organes importants comme le cerveau, le rein, le cœur lui-même, etc.

Les parties droite et gauche du cœur travaillent simultanément. Au repos, la pompe cardiaque fonctionne à une fréquence de 80 battements par minute en moyenne, et peut brasser 5 à 6 litres de sang par minute. Elle peut, dans certains cas (efforts, émotions, fièvre, etc.), brasser une quantité de sang beaucoup plus importante.

Ainsi, le maintien d'une bonne circulation sanguine dépend de l'intégrité et du bon fonctionnement du cœur et des vaisseaux : une atteinte des valves (*rétrécissement aortique*), du muscle cardiaque (*myocardiopathie*), du système de conduction (*bloc cardiaque*) peut perturber ce fonctionnement.

col de l'utérus *(cancer du)*

Le rappel de quelques notions fondamentales vous aidera à mieux comprendre cette maladie (▷ utérus) :

— le col de l'utérus fait saillie sous forme d'un tronc de cône dans le fond du vagin ; il est donc facilement accessible à la vue et au toucher ;
— en son centre s'abouche le canal cervical qui rejoint la cavité utérine ;
— c'est au niveau de la fonction des deux revêtements de la partie externe du col et du canal cervical que naîtront les cancers du col de l'utérus ; ils intéressent l'exocol dans 90 % des cas ;
— *notion capitale* : le cancer du col ne naît jamais sur un col sain ; il est toujours précédé de lésions inflammatoires, virales (condylome), dysplasiques (modification de l'architecture cellulaire)... qui ont toutes pour caractéristique de modifier la forme ou l'architecture cellulaire.

Ces modifications cellulaires sont reconnues par un examen simple : les frottis* du col de l'utérus.

Pourquoi les frottis doivent-ils être pratiqués avant l'âge de 18 ans ?

Parce que les lésions pré-cancéreuses apparaissent de plus en plus tôt (précocité des rapports, partenaires sexuels multiples... avec risque de contamination par les *Papovavirus* dont on sait qu'ils constituent un cofacteur important dans la genèse des cancers du col).

Pourquoi les frottis doivent-ils être systématiques ?

Parce que les lésions pré-cancéreuses sont extrêmement insidieuses et ne se manifestent par aucun symptôme ; ce n'est qu'en cas de cancer confirmé qu'apparaîtra le signe essentiel qui doit attirer votre attention : les *métrorragies* (pertes de sang entre les règles, souvent provoquées par les rapports sexuels ou la toilette) et moins fréquemment des leucorrhées (pertes blanches) purulentes simulant une infection.

Pourquoi les frottis doivent-ils être répétés ?

Parce qu'une lésion pré-cancéreuse ne signifie pas cancer : en effet, nombre de condylomes et de dysplasies régulières évoluent spontanément vers la guérison et ne nécessitent aucun traitement. Mais l'évolution de la lésion, toujours lente, peut être défavorable : votre frottis d'abord suspect devient classe IV ; le cancer est hautement probable. Le diagnostic doit être impérativement confirmé par une biopsie*, elle-même dirigée par une colposcopie (examen du col à l'aide d'un système optique à fort grossissement ou colposcope).

Vous avez un cancer du col, ce n'est pas aussi péjoratif que vous pouvez le craindre. En effet, reste à préciser un facteur capital qui va conditionner et votre avenir et le traitement : *y a-t-il*

effraction ou non du revêtement superficiel du col (la membrane basale) ?

Une large biopsie, ou mieux encore une amputation du col — opération simple et strictement localisée — permettra au laboratoire de préciser l'extension de la tumeur.

— *Cette tumeur n'a pas franchi la membrane basale* : il s'agit d'un cancer *in situ*, c'est-à-dire localisé au revêtement superficiel. L'amputation du col est passée à un centimètre au moins des limites de la tumeur ; vous êtes guérie. Il conviendra, par des frottis répétés, de vérifier l'absence de récidive (fort rare). Vous conserverez, bien sûr, vos règles et vos possibilités de grossesse.

— *Le cancer a franchi la membrane basale* : il s'agit d'un cancer invasif qui exige des investigations complémentaires afin de préciser son extension à la vessie et au rectum (endoscopies*), aux uretères (urographie* intra-veineuse), au petit bassin (scanner*, résonance* magnétique nucléaire). Au terme de ces examens sera institué un traitement qui comporte en général trois temps : radiothérapie au niveau du col ; ablation totale de l'utérus avec prélèvements des chaînes ganglionnaires dont on vérifiera l'envahissement ; en fonction des données précédentes, radiothérapie complémentaire ou non.

Au total, le cancer du col est un « bon » cancer ; son évolution est lente, sa détection aisée à des stades facilement curables. Ceci implique un frottis annuel, contrainte bien légère au regard des bénéfices assurés.

   règles ou menstruations

colibacillose

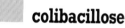 infection urinaire

colique hépatique

Vous souffrez d'une douleur violente de l'hypochondre droit (sous les côtes à droite) et/ou de l'épigastre (au-dessus du nombril), irradiant en arrière et en haut, sous la pointe de l'omoplate ou vers l'épaule, évoluant par paroxysmes : c'est une colique hépatique.

Un renforcement de la douleur quand vous inspirez profondément est fréquent. Il n'y a ni signes urinaires ni agitation comme dans une colique néphrétique. De la fièvre et/ou des frissons peuvent survenir de même que des signes de rétention biliaire : yeux jaunes (subictère conjonctival), urines foncées et selles décolorées.

Lorsqu'il vous examinera, votre médecin recherchera spécialement deux signes : une reproduction de votre douleur spontanée, en mettant un pouce au niveau de votre hypochondre droit et en vous demandant d'inspirer profondément, et surtout un manque de souplesse et une douleur provoquée à la pression de la région vésiculaire. Ce symptôme appelé « défense », associé à de la fièvre, est en faveur du diagnostic d'une cholécystite (inflammation et infection de la vésicule biliaire).

Le traitement est entrepris en urgence en raison du caractère extrêmement douloureux de la colique hépatique. Il comprend le repos au lit, une alimentation liquide et, bien sûr, des antispasmodiques (les dérivés de l'atropine sont contre-indiqués en cas de glaucome, et si vous en souffrez, pensez à le signaler), des antalgiques, parfois des anti-inflammatoires.

Différents examens complémentaires peuvent vous être proposés :
— *biologiques* : hémogramme (▷ sang) ; bilan* sanguin hépatique (bilirubine, transaminases, phosphatases alcalines...) ; dosage des enzymes pancréatiques (amylasémie, lipasémie...) — en effet le passage d'un calcul de la vésicule jusqu'au duodénum en traversant le canal cholédoque peut entraîner une « réaction pancréatique » responsable de l'augmentation de ces enzymes ;
— *radiologiques* : radiographie de l'abdomen sans préparation pour rechercher un calcul calcifié ; radiographie des voies biliaires par cholécystographie* orale ou cholangiographie intra-veineuse ; échographie de l'abdomen surtout, qui permet d'étudier le foie, la vésicule, les voies biliaires intra et extra-hépatiques, le pancréas... (cet examen aux ultrasons est indolore et sans danger). Le calcul se révèle sous l'aspect d'un écho intra-vésiculaire suivi d'un cône d'ombre.

La colique hépatique est habituellement due à un obstacle sur les voies biliaires, une lithiase (calcul) le plus souvent ; le cancer des voies biliaires ou du pancréas et la pancréatite sont plus rares ; les autres causes sont exceptionnelles (ascaris, douves du foie...). Quand ces étiologies sont éliminées, on parle de troubles moteurs (dyskinésies) et/ou inflammatoires (oddite). La chirurgie est indiquée en cas d'obstacle sur le cholédoque et dans la plupart des lithiases qui ont entraîné une colique hépatique.

 ■ ictère ■ lithiase biliaire

colique néphrétique

Tout obstacle dans les voies urinaires du bassinet à la vessie peut provoquer une colique néphrétique. Celle-ci évoque avant tout la migration d'un calcul le long des voies urinaires ou encore d'un caillot sanguin lié à un saignement dans les voies urinaires hautes (traumatisme, tumeur, chirurgie).

 Vous avez ressenti assez brutalement une douleur à une fosse lombaire (région basse du dos), à droite ou à gauche de la colonne vertébrale, qui irradie en avant et en bas vers les organes

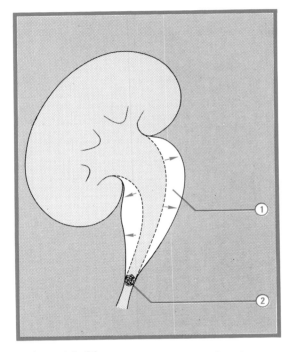

colique néphrétique. ① *dilatation de la voie urinaire sus-jacente,* ② *calcul urinaire.*

génitaux. Elle est accompagnée souvent de signes digestifs réflexes (vomissements, une distension abdominale). Cette douleur, souvent intense, ne cède pas aux changements de positions, entraîne une certaine agitation et se révèle très résistante aux médicaments habituels. Parfois les urines sont teintées de sang. S'il ne s'agit pas de la première crise, vous n'hésitez pas sur le diagnostic de colique néphrétique.

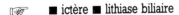 Votre médecin confirme en urgence le diagnostic par l'interrogatoire et parfois par l'échographie* qui retrouve une distension des cavités rénales du côté douloureux, ou par l'urographie* intra-veineuse qui montre un retard d'élimination des urines de ce même côté. Ces examens permettent encore de déterminer la nature et la cause de l'obstacle. Exceptionnellement, le rein du côté malade ne sera pas vu car l'obstacle est complet (mutité rénale).

Un obstacle complet impose un geste chirurgical ou endoscopique* urgent qui libérera les voies urinaires et sauvera le rein. Sinon, un traitement de la douleur, par des antalgiques et antispasmodiques, et de l'œdème qui existe au niveau de l'obstacle, par des anti-inflammatoires, permettra d'attendre l'élimination de ce dernier par les voies naturelles et de le récupérer pour analyse (filtration des urines).

 ■ lithiase urinaire ■ infection urinaire

colites

On appelle colites des affections du côlon au cours desquelles, contrairement aux fréquentes colopathies fonctionnelles, il existe vraiment une inflammation de la paroi colique.

Si vous êtes atteint d'une véritable colite, votre médecin s'efforcera de la classer parmi les nombreuses étiologies qu'on peut ranger sous les cinq rubriques suivantes : infectieuses, parasitaires, inflammatoires, vasculaires et iatrogènes.

— Les *colites infectieuses* comprennent : les entéro-colites infectieuses survenant après contamination alimentaire ou interhumaine (la coproculture* peut mettre en évidence divers germes : salmonelles, shigelles, staphylocoque, colibacille, clostridium difficile, etc.) ; la fièvre typhoïde ; les complications infectieuses de la diverticulose (sigmoïdite diverticulaire) ; la tuberculose iléo-cæcale (exceptionnelle en Europe).

— Les *colites parasitaires* mises en évidence par l'examen parasitologique des selles et/ou les prélèvements faits au cours d'une endoscopie* qui montrent des amibes ou une bilharziose à *shistosoma mansoni* (Antilles...).

— Les deux grandes *colites inflammatoires* sont la recto-colite hémorragique et la maladie de Crohn.

— Une *étiologie vasculaire* par le biais d'une insuffisance circulatoire (colite ischémique) est rare ; elle peut s'observer en particulier au cours de l'athérome des artères digestives (en règle générale associé à une artérite des membres inférieurs ou une insuffisance coronaire ou vasculaire cérébrale) et/ou en cas de chute prolongée de la tension artérielle.

— Vous risquez une *colite iatrogène* après absorption de certains antibiotiques qui risquent de sélectionner des germes (clostridium difficile, source de colite pseudo-membraneuse) ou des champignons *(Candida albicans)*. Les rayons X (colite radique) et plus prosaïquement les laxatifs irritants peuvent également être en cause.

☞ ■ **colopathie fonctionnelle** ■ **diarrhée aiguë du nourrisson** ■ **typhoïde** ■ **amibiase** ■ **diverticules** ■ **bilharziose** ■ **recto-colite hémorragique** ■ **Crohn** *(maladie de)* ■ **tropicales** *(maladies)*

collyre

Du grec *kollurion* (onguent), le collyre désigne une solution ou une suspension destinée à être instillée dans les yeux. Il est composé d'*un ou de plusieurs médicaments actifs* et d'un *excipient liquide*.

Le plus souvent, l'excipient est du sérum salé à 9 ‰ (même teneur en sel que les larmes), non douloureux ; il peut être également huileux (éserine) ou visqueux (méthyl-cellulose ou glycérine). Le médicament actif est généralement en solution dans l'excipient ; il peut être parfois insoluble et en suspension.

On utilise en collyre de très nombreux médicaments : *antibiotiques* (terramycine, rifamycine, néomycine, gentamycine, etc.), *antiseptiques, anti-inflammatoires* (hydrocortisone, dexaméthasone, prédnisolone), *myotiques* qui resserrent les pupilles (pilocarpine, éserine, etc.), *mydriatiques* qui dilatent les pupilles (atropine, néosynéphrine) et *anesthésiques.*

Cette liste n'est pas exhaustive. On associe souvent certains médicaments dans un même collyre, par exemple un antibiotique et un dérivé de la cortisone.

Les indications de ces collyres sont très précises. *Ne les employez que sur prescription médicale* et à la dose indiquée. N'oubliez pas que l'œil n'est pas un récipient et que six gouttes le matin ne sont pas équivalentes à deux gouttes trois fois par jour.

côlon *(cancer du)*

C'est le plus fréquent des cancers digestifs ; c'est pourquoi il est important d'en faire le dépistage et la prophylaxie par l'ablation de polypes susceptibles de se cancériser au fil des années. La radiogra-

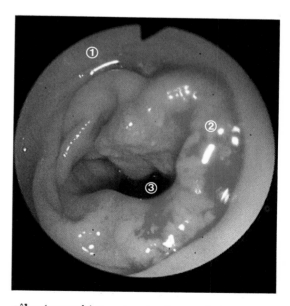

côlon *(cancer du). Vue endoscopique d'un cancer du sigmoïde :* ① *muqueuse normale,* ② *bourrelet tumoral rétrécissant la lumière,* ③ *lumière colique.*

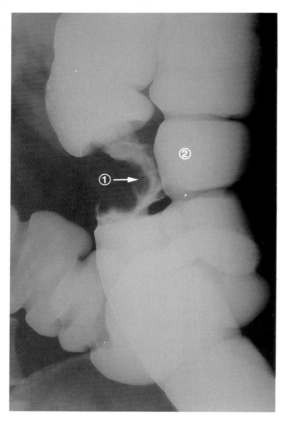

rectorragies et/ou méléna, occlusion, ou simplement d'une anémie ou d'un amaigrissement.

☞ ■ polypes du côlon et du rectum ■ rectorragie ■ méléna ■ constipation ■ diarrhée chronique ■ occlusion intestinale

 colonne vertébrale
☞ rachis *(douleurs du)*

colonne vertébrale
(traumatismes de la)

La colonne vertébrale peut être touchée lors d'un traumatisme. Dans ce cas, ne bougez pas le blessé et prévenez le SAMU afin qu'il puisse être emmené dans un centre spécialisé dans les meilleures conditions. Toute manipulation intempestive risquerait d'aggraver les lésions.
Plusieurs types de lésions sont possibles.

Les fractures
Elles peuvent concerner toute partie de la

côlon *(cancer du). Aspect d'un rétrécissement cancéreux, sur une radiographie (lavement baryté):*
① rétrécissement cancéreux, ② côlon gauche.

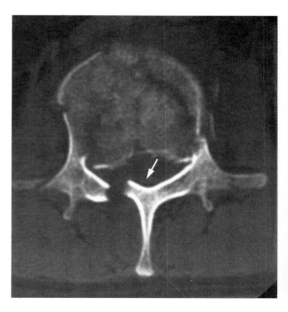

colonne vertébrale *(traumatismes de la). Ce scanner précise l'importance de la fracture vertébrale et surtout, ici, la compression de la moelle épinière par les fragments osseux.*

phie du côlon, appelée lavement* baryté, et surtout l'endoscopie* permettent le dépistage des polypes. Lors de l'examen endoscopique, on peut réaliser en outre l'ablation du polype si sa taille le permet.
Le dépistage concerne les sujets de 45 à 70 ans et doit surtout vous être proposé si vous avez:
— des antécédents personnels ou familiaux de polype ou de cancer colique;
— des antécédents personnels de cancer du sein ou des voies génitales;
— du sang dans les selles constaté par des moyens chimiques (en sachant que ces méthodes chimiques ne sont pas toujours fiables et ont des faux positifs mais aussi et, c'est plus grave, des faux négatifs).
Les explorations coliques par lavement baryté ou endoscopie sont bien évidemment prescrites aussi aux sujets souffrant de coliques abdominales, troubles du transit (constipation et/ou diarrhée),

colonne vertébrale. Certaines sont stables, c'est-à-dire que le risque de déplacement est très faible, d'autres sont dites instables, c'est-à-dire que leur déplacement risque d'entraîner une lésion de la moelle épinière et donc des conséquences neurologiques parfois très graves. Leur traitement dépend de cette stabilité. Le chirurgien choisira alors entre le simple repos associé à de la rééducation, une immobilisation par plâtre ou par corset, ou bien une fixation chirurgicale.

Les luxations

Elles peuvent affecter toute vertèbre, mais surviennent le plus souvent au niveau du rachis cervical. Le risque d'atteinte neurologique est très important. Leur traitement n'est possible qu'en milieu chirurgical spécialisé.

Les entorses

C'est au rachis cervical qu'on les rencontre. L'entorse grave correspond à une rupture ligamentaire déstabilisant la colonne vertébrale. Leur diagnostic est radiologique. Le traitement dépend de l'importance de l'instabilité. Une fixation chirurgicale permet d'éviter tout risque de déplacement secondaire et donc de lésion neurologique.

colonoscopie

☞ endoscopie

colopathie fonctionnelle

◄

La colopathie fonctionnelle se signale par trois symptômes diversement associés : douleurs abdominales — en barre, dans l'une ou les deux fosses iliaques, ou en cadre sur le trajet du côlon — qui sont volontiers soulagées par l'émission de gaz; ballonnement abdominal (météorisme); diarrhée et/ou constipation.

A ces signes, s'ajoute parfois une dyspepsie, mais il n'y a habituellement pas d'amaigrissement (sauf en cas de régime trop sévère !).

La colopathie fonctionnelle est une affection bénigne et extrêmement fréquente, due à des troubles moteurs et/ou sécrétoires du côlon : c'est le « côlon irritable » à différencier des colites vraies où il existe une réelle inflammation de la paroi colique. S'il y a dans votre famille des antécédents de colite, de polype ou de cancer colique, pensez à le signaler.

Les examens complémentaires qu'on vous proposera ont pour but de confirmer l'impression clinique de bénignité, après élimination d'une lésion organique telle une colite ou un cancer; c'est grâce à ces examens qu'on découvrira parfois, par hasard, un polype ou une diverticulose. Il peut s'agir :

— d'examens de selles : coproculture*, recherche de parasites;

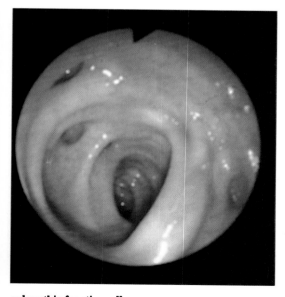

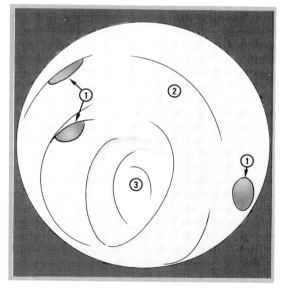

colopathie fonctionnelle. *Une endoscopie du côlon est pratiquée à l'occasion d'une diarrhée avec douleurs abdominales : elle ne montre que de banals diverticules (sorte de petites hernies) et confirme l'absence de tumeur (ni polype, ni cancer). ① diverticules, ② muqueuse normale, ③ lumière colique.*

– d'une radiographie du côlon par lavement* baryté en double contraste; cet examen est assez précis mais demande une préparation parfaite avec un régime, des laxatifs, des lavements évacuateurs, faute de quoi le radiologiste risque d'hésiter entre polypes et résidus stercoraux (matières).

L'endoscopie* nécessite aussi une préparation parfaite; celle-ci se fait parfois en buvant plusieurs litres d'un liquide spécial.

Les bases de votre traitement reposent sur des conseils diététiques et, si besoin, un traitement de la constipation ou de la diarrhée, des douleurs, voire de l'anxiété.

 ■ diarrhée chronique ■ constipation ■ dyspepsie ■ colites ■ côlon *(cancer du)* ■ polypes du côlon et du rectum ■ diverticules

coma acido-cétosique

☞ diabète sucré

coma hypoglycémique

☞ ■ diabète sucré ■ hypoglycémie

comédon

 Le comédon est la lésion initiale de l'acné. Il réalise tout d'abord une petite élevure blanchâtre, puis s'ouvre en évoluant vers la surface de la peau : c'est le point noir.

☞ acné juvénile

communication interventriculaire

 C'est la malformation cardiaque la plus fréquente (▷ cœur du fœtus [malformations et troubles du rythme du], cœur du nouveau-né [malformations congénitales du], essoufflement du nourrisson pendant la prise du biberon). La cloison entre les ventricules qui doit normalement être hermétique ne l'est pas : il peut s'agir simplement d'un retard à la fermeture qui d'habitude est complète dès le début de la grossesse; il peut s'agir aussi d'une anomalie qui persistera si le chirurgien ne ferme pas l'ouverture.

Lorsque cette communication interventriculaire

est isolée, sans rétrécissement de l'artère pulmonaire, elle entraîne une augmentation importante du sang et de la pression dans le poumon. Elle est alors responsable d'un essoufflement et éventuellement d'une compression des bronches. À la longue, si on laisse évoluer cette situation, les vaisseaux du poumon peuvent s'abîmer irrémédiablement. C'est la raison pour laquelle lorsque l'ouverture est large, et les pressions élevées dans les poumons, il faut opérer l'enfant atteint avant l'âge de 1 an, même si il est probable que le trou ce serait fermé de lui-même plus tard. Il est donc crucial dans cette malformation qu'il y ait une surveillance attentive par le médecin et le cardiologue-pédiatre.

compère loriot

☞ orgelet

complexe d'Œdipe

 Le conflit œdipien – stade obligatoire du développement d'un enfant normal – survient entre 3 ans et 6 ans. La manière dont il sera résolu déterminera la personnalité du futur adulte.

De façon schématique, il se présente, chez le petit garçon, comme un conflit entre le désir, plus ou moins génitalisé, de posséder sa mère et la culpabilité qui en résulte par rapport au rival, le père, dont la disparition devient forcément souhaitée. L'angoisse que le père puisse castrer l'enfant pour le punir accompagne cette culpabilité.

Chez la fille, l'idée du pénis est remplacée par celle de l'enfant, le désir d'avoir un pénis par celui d'avoir un enfant du père.

Le déclin du complexe d'Œdipe passe par l'identification du garçon à son père et à la renonciation à sa mère. Refoulement et sublimation constituent deux autres mécanismes qui permettent de lutter contre les pulsions œdipiennes.

comportement alimentaire
(troubles non organiques du)

 On distingue parmi les troubles non organiques du comportement alimentaire ceux caractérisés par l'excès (boulimie, gloutonnerie, phagomanie) de ceux caractérisés par l'insuffisance (anorexie mentale).

Les troubles alimentaires par excès

La *boulimie* est une sensation de faim exacerbée, contraignant à absorber rapidement une quantité excessive de nourriture. L'angoisse accompagne la prise alimentaire : quand le désir de manger est assouvi, apparaissent le dégoût et la culpabilité.

Symptôme névrotique, parfois psychotique, elle est rarement isolée. Le traitement relève, quand il est indiqué, d'une thérapie psychomotrice (relaxation), voire d'une psychothérapie.

Différente est la *gloutonnerie* des déments qui entraîne parfois la mort par «fausse route» alimentaire.

La *phagomanie* de l'anxieux l'oblige à manger sans faim entre les repas.

Les troubles alimentaires par insuffisance

La *restriction alimentaire* peut être liée à une perte d'appétit dans certaines affections organiques chroniques (tuberculose, cancer, maladies inflammatoires...) ainsi que dans la dépression et certaines névroses. Elle peut répondre à la crainte d'être empoisonné (délire de persécution) ou à une recherche délirante de purification : certaines psychoses schizophréniques sont révélées à l'adolescence par l'adhésion à des régimes excessifs végétaliens parfois enseignés par des sectes.

L'*anorexie mentale* de la jeune fille associe :
— une restriction alimentaire massive; les repas sont irréguliers (prolongés par le refus alimentaire et les conflits familiaux), limités à quelques rares aliments choisis que la jeune fille va tenter d'éliminer par des vomissements provoqués ou des laxatifs;
— un amaigrissement considérable (supérieur à 20 %) entraînant un aspect squelettique, mais l'activité intellectuelle et physique persiste, voire augmente;
— enfin, l'aménorrhée (absence de règles) est constante.

L'anorexie mentale survient chez les adolescentes de 18 ans à 23 ans, dont les performances scolaires sont souvent au-dessus de la moyenne. Elle est interprétée comme un refus profond de posséder un corps féminin, une sensation de toute-puissance intellectuelle et un déni du risque vital engendré par le refus alimentaire (5 à 10 % de décès même avec traitement).

Les relations dans la famille sont souvent très perturbées : tout est nié, les alliances entre les frères ou sœurs et parents, les conflits des parents entre eux; les motivations et désirs propres sont rapportés au désir de l'autre (« maman a dit »). Le père, exigeant sur l'apparence physique et sur les résultats scolaires, est en fait absent de la conduite éducative. La mère qui semble dominer est souvent frustrée sur le plan sexuel ou social. Elle apparaît dans l'esprit de sa fille comme dominatrice et castratrice.

Le traitement repose sur l'éviction familiale absolue : en cas de formes graves, l'hospitalisation s'impose. La psychothérapie est le traitement efficace à long terme mais difficile à instaurer si la patiente n'en fait pas la demande; l'intervention parentale est indispensable. L'évolution ultérieure est favorable dans la moitié des cas, un quart est marqué par des rechutes et des troubles mentaux graves, un quart par l'évolution schizophrénique ou la mort.

comportement de l'enfant
(troubles du)

Ce sont des troubles de la conduite sociale liés à la manière d'être de l'enfant, dans ses rapports avec autrui. Ils prennent une signification différente selon l'âge.

La violence : un enfant qui griffe, pince, mord ou donne des coups est rarement bien toléré. Pourtant ce comportement ne devient anormal qu'au-delà de 4 ans, âge auquel il trouve des moyens plus adaptés de réagir à la frustration, en particulier grâce au langage. L'immaturité entraînée par une carence affective précoce ou, à l'inverse, une relation fusionnelle à la mère, le retard de langage, l'identification à des parents brutaux en sont les causes essentielles (en dehors de la psychose). Les crises de rage sont des réponses, inadaptées, à la frustration et à l'angoisse dans un milieu familial perturbé. Les colères ne doivent alarmer que si elles persistent de façon répétée, au-delà de 4 ans.

Le mensonge : on ne parle de mensonge qu'au-delà de 6 ou 7 ans car l'enfant plus jeune n'a pas la même notion du vrai et du faux que l'adulte. Le mensonge de rêverie est fréquent. Le mensonge utilitaire est naturel à l'enfant. Dans ce dernier cas, il suffit pour le corriger de lui montrer qu'on n'est pas dupe mais sans l'angoisser ni le culpabiliser.

Le vol : l'objet du vol appartient d'abord aux parents, puis aux proches et, enfin, à des inconnus. Une carence affective ou séparation sont presque toujours présentes dans la survenue de vols répétés. Comme le mensonge, le vol ne devient pathologique qu'au-delà de 6 ou 7 ans, âge où la notion de propriété s'acquiert. Sa signification et son pronostic sont différents chez l'enfant et chez l'adolescent et doivent amener à la consultation spécialisée.

La fugue : fuguer, pour l'enfant, c'est fuir un milieu insécurisant, le plus souvent sans but, parfois en retournant à un endroit qu'il a idéalisé. L'école buissonnière, elle, peut révéler un comportement phobique, angoisse d'être séparé de la mère chez le petit enfant (6 ans, 7 ans), angoisse du milieu scolaire chez les plus grands; c'est un symptôme névrotique. C'est parfois le fait d'enfants en difficultés dans leur famille, handicapés, psychotiques, caractériels ou en échec scolaire.

La sexualité : les manifestations sexuelles ne prennent une signification pathologique que si leur fréquence, leur intensité ou le contexte dans lesquelles elles surviennent sont pathologiques. La masturbation épisodique du nourrisson, qui apparaît vers 8 mois, est normale; elle disparaît dans la deuxième année, puis réapparaît vers 3 ans, 4 ans, pour disparaître à nouveau vers les 6 ans, 7 ans jusqu'à l'adolescence. La curiosité sexuelle est particulièrement vive entre 3 ans et 6 ans.

compression médullaire

Un sujet adulte souffre depuis quelques semaines de douleurs dorsales avec une irradiation doulou-reuse tournant dans le flanc, en hémiceinture. Ces douleurs sont volontiers nocturnes et accentuées par la toux, l'éternuement et les mouvements. Depuis quelques jours, il se plaint d'une fatigabilité à la marche. C'est à ce stade qu'il faut savoir penser à une *paraplégie débutante* par compres-sion médullaire.

Lors de la consultation, votre médecin distingue-ra trois ordres de signes :
— *ceux en rapport avec le syndrome local*, c'est-à-dire les douleurs rachidiennes au niveau de la lésion — premier signe apparent de l'affection ; les douleurs sont augmentées par les mouvements et la pression locale sur le rachis, diminuées par le repos, le plus souvent accompagnées d'une con-tracture musculaire paravertébrale ;
— *ceux en rapport avec le syndrome lésionnel* par compression des racines nerveuses en regard de la lésion ; ce sont des douleurs radiculaires en hémi-ceinture thoracique, ou abdominales, mais qui peuvent irradier dans le bras (*névralgie cervico-brachiale*) ou dans la jambe (*sciatique* et *cruralgie*), suivant que la compression médullaire siège au niveau dorsal, cervical ou lombaire. Ces douleurs sont volontiers nocturnes, accentuées par la toux et l'éternuement. Elles s'accompagnent d'une para-lysie dans le territoire des racines comprimées ; ce déficit est invalidant si la compression siège au niveau de la moelle cervicale ou lombaire ; en revanche, au niveau thoracique le déficit d'un ou deux muscles intercostaux ne se remarque pas.
— *Enfin ceux en rapport avec le syndrome sous-lésionnel* qui traduit la compression des grandes voies de conduction de la moelle épinière — motrice et sensitive : paralysie progressive des membres inférieurs avec au début une fatigabilité, puis une véritable paralysie ; s'y associent une diminution de la sensibilité (*hypoesthésie*), ensuite une anesthésie complète au-dessous du niveau de la lésion ainsi qu'une aréflexie (disparition des réflexes) ostéo-tendineuse et des troubles sphinctériens à type de rétention. A ce stade de paralysie complète avec anesthésie et aréflexie, la récupération motrice ne peut plus guère être espérée même avec une intervention neurochirurgicale.

Devant les signes d'alerte, votre médecin de-mandera donc des radiographies de la colonne vertébrale et, au moindre doute, des examens neuroradiologiques seront réalisés lors de l'hospi-talisation (myélographie, scanner* rachidien, réso-nance* magnétique nucléaire).
La cause est souvent tumorale, parfois bénigne, mais malheureusement souvent cancéreuse.
Le traitement de la compression médullaire est toujours neurochirurgical et doit être aussi précoce que possible.

conjonctivite

 œil rouge

conseil génétique

 diagnostic anténatal des ma-ladies fœtales

constipation

Vous émettez des matières dures à intervalles de deux, trois ou huit jours, voire plus ; le diagnostic de constipation est facile : celle-ci se définit par un séjour trop long des matières dans le côlon. Mais parfois les selles sont liquides en raison d'une hypersécrétion réactionnelle du côlon. D'où l'inté-rêt ici d'un examen coprologique qui montre la surdigestion colique due au séjour trop long dans cet organe.

Votre médecin vous examinera, fera un toucher rectal et tentera de faire la part entre une « constipation symptôme » et une « constipation maladie ».
— La constipation symptôme peut ainsi être secon-daire à un rétrécissement inflammatoire (sigmoï-dite diverticulaire, colite) ou cancéreux. D'autres causes sont plus rares comme l'hypothyroïdie, la toxicomanie et certains médicaments.
— La constipation maladie, appelée aussi con-stipation fonctionnelle, est due à un trouble de la progression colique du fait d'une hyperspasmodi-cité ou au contraire d'une atonie. Il peut s'agir encore d'un trouble de la défécation ou constipa-tion terminale, appelé dyschésie. Le côlon trop large, ou *méga-côlon*, et le côlon trop long, ou *dolicho-côlon*, sont souvent accusés d'être à l'ori-gine de la constipation. Cependant leur rôle semble moins important qu'on ne le croit généralement. La radiographie (lavement* baryté) et l'en-doscopie* du côlon permettront d'éliminer une cause organique.

La thérapeutique qu'on vous conseillera dépen-dra bien sûr du type de votre constipation : chirurgie en cas d'obstacle organique, traitement d'une hypothyroïdie. Mais dans la plupart des cas, ce sera le traitement d'une constipation par trou-ble de la progression et/ou par dyschésie. L'impor-tant est que vous évitiez un usage abusif et prolongé de laxatifs irritants (préparations pilu-laires à base d'aloès, de bourdaine, de cascara, de rhubarbe, de séné et surtout de phénolphtaléine). En cas de dyschésie, après avoir éliminé une cause locale telle une fissure, une poussée hémorroïdaire, voire un cancer, on cherchera à rééduquer la défécation : horaire régulier, verre d'eau glacée ou jus de fruit et, si besoin, suppositoires ou petits lavements du commerce.

Dans la constipation essentielle, de simples règles d'hygiène et de diététique suffiront parfois à vous guérir : activité physique et boissons suffisantes, aliments de « ballast » comme le pain complet, les légumes verts, les fruits (riches en cellulose) qui facilitent par un effet « mécanique » le transit intestinal. La prise de son est efficace, mais la dose journalière utile (15 à 20 g en moyenne) doit être atteinte de façon progressive afin d'éviter le ballonnement. Si ces méthodes ne suffisent pas, votre médecin vous prescrira des médicaments ; il s'agit essentiellement de lubrifiants (huile de paraffine) et de mucilages.

 ■ laxatifs ■ fécalome ■ colopathie fonctionnelle ■colites ■ diverticules ■ côlon *(cancer du)* ■ thyroïde *(glande)*

constipation du nouveau-né et du nourrisson

Votre enfant est constipé lorsque ses selles sont rares (moins de quatre par semaine) ou lorsque leur aspect est anormal (selles dures, émises parfois avec des douleurs, par petites quantités).

Cette situation très fréquente ne doit pas vous inquiéter. La constipation du nourrisson est en effet le plus souvent anodine et passagère. Il est toutefois nécessaire de consulter votre médecin car une constipation peut révéler une maladie organique : malformation du tube digestif, hypothyroïdie, maladies neurologiques, mais surtout maladie de Hirschsprung.

Les arguments en faveur d'une constipation banale, c'est-à-dire non organique, sont :
— il n'y a pas eu de retard à l'évacuation de la première selle (le méconium) ; elle apparaît habituellement dans les vingt-quatre premières heures de la vie ;
— la constipation n'est pas apparue très précocement mais après un intervalle libre de quelques semaines ;
— l'abdomen de l'enfant est souple et plat ; il n'y a pas d'épisodes de distension abdominale cédant avec une débâcle diarrhéique ;
— le reste de l'examen est normal ; il n'y a pas notamment de signes d'hypothyroïdie ou d'atteinte neurologique ;
— il n'y a pas, enfin, d'erreur de régime : biberon trop concentré en lait sec, quantité globale de lait par vingt-quatre heures insuffisante.

Lorsque tous ces arguments sont réunis, la constipation est banale et sans gravité. Des mesures diététiques simples vont permettre de la corriger progressivement :
— pendant les 2 premiers mois de la vie, les jus de fruits (orange, citron, pamplemousse) vont accélérer le transit intestinal ; ou encore, la constipation

cède le plus souvent lorsqu'on utilise une eau laxative pour la confection du biberon ; en cas d'allaitement maternel, il suffit bien souvent que la mère boive beaucoup, mange des légumes verts et des fruits ;
— à partir du troisième mois, la diversification alimentaire et notamment l'introduction des légumes et des fruits vont progressivement guérir la constipation ; il est recommandé d'éviter les aliments qui constiperaient l'enfant : les aliments à base de riz, le tapioca, les carottes, les coings cuits, les pommes et les bananes crues ;
— lorsque ces mesures diététiques sont insuffisantes, on peut proposer un traitement médical transitoire : huile de paraffine, extrait de malt ou suppositoires à la glycérine.

 ■ alimentation du nourrisson ■ Hirschsprung *(maladie de)*

contraception

Le contrôle des naissances est un problème aussi vieux que l'humanité. Utilisées depuis toujours, les méthodes de contraception dites « naturelles » gardent encore de nombreux adeptes : l'allaitement prolongé, le coït interrompu, le condom devenu maintenant préservatif sophistiqué, fiable et lubrifié, les éponges au vinaigre de nos grands-mères devenues maintenant ovules et gels spermicides, la méthode des températures dite d'Ogino-Knauss (le décalage thermique précise exactement le jour de l'ovulation) représentent l'arsenal contraceptif de plus de 50 % des couples français en 1986. Ces méthodes d'une poésie et d'une fiabilité incertaines n'ont qu'un seul mérite, celui d'être strictement inoffensives.

Le stérilet

Les dispositifs intra-utérins (D.I.U.) sont connus depuis des millénaires. On a retrouvé des « stérilets » dans les utérus des momies égyptiennes et, dès le XVe siècle de notre ère, les chameliers arabes savaient placer une pierre dans l'utérus des chamelles afin d'éviter une grossesse indésirable.

Le stérilet a trouvé un regain d'intérêt avec l'avènement du plastique, souple et élastique, porteur maintenant de substances diverses, cuivre, progestérone... qui en augmentent la fiabilité et en limitent les effets indésirables. Ce mode de contraception, en théorie idéal puisqu'il ne requiert aucune participation active de la femme et n'interfère pas avec l'acte sexuel, reste néanmoins chargé de quelques complications qui en limitent l'utilisation :
— 1 % d'échec, c'est-à-dire de grossesses, ce n'est pas beaucoup, c'est encore trop pour certaines femmes, surtout pour celles qui ne veulent à aucun prix affronter une interruption volontaire de grossesse ;

— les hémorragies, souvent amendées par un traitement médical, imposent le retrait du D.I.U. dans 5 à 10 % des cas;
— l'infection reste la complication la plus sévère; elle est rare mais insidieuse. Il faut bien en connaître les premiers signes — leucorrhées (pertes blanches) purulentes, métrorragies (saignement entre les règles) fétides, vagues douleurs pelviennes, petite température — pour demander une consultation immédiate et mettre en œuvre un traitement anti-infectieux d'autant plus efficace qu'il sera plus précoce.

Ce risque, même minime, d'infection et de stérilité contre-indique la pose du stérilet chez les femmes qui n'ont pas encore eu de grossesse (ceci n'est pas le cas dans les pays anglo-saxons) et requiert chez la porteuse de stérilet des contrôles réguliers. L'examen sera pratiqué de préférence le dixième ou le onzième jour du cycle; à cette date en effet, votre gynécologue pourra vérifier l'état de la glaire : limpide, elle est le signe quasi irrécusable d'absence d'infection; opalescente ou purulente, elle impose des examens complémentaires.

10 % des femmes en âge de procréer trouvent dans le stérilet un mode de contraception des plus satisfaisants.

La contraception orale (ou pilule)

Le XXᵉ siècle a vu l'avènement de la contraception orale; pour la première fois depuis des millénaires, les femmes ont un contrôle quasi parfait de leur fécondité. L'acte sexuel n'est plus lié seulement à la procréation; les conséquences psychologiques, morales, sociologiques et démographiques... ne peuvent pas encore être valablement appréciées.

Mise au point en 1955 à Philadelphie, la pilule est actuellement utilisée par 30 % des femmes en âge de procréer (du moins dans les pays à haut niveau socio-économique).

Il existe deux types de pilule : les pilules combinées et les progestatifs de synthèse normo- ou micro-dosés.

Les pilules combinées

Elles contiennent deux composés chimiques :
— un dérivé de la folliculine (éthinyl-estradiol ou mestranol) dont le dosage est de 50 microgrammes dans les pilules normo-dosées, de 30 microgrammes dans les pilules mini-dosées (mini-pilules);
— un dérivé synthétique de la progestérone ou progestatif de synthèse (noréthistérone ou médroxyprogestérone); son dosage est constant dans les pilules dites mono-phasiques, mais variable dans les pilules bi-phasiques, voire tri-phasiques, où il tente de copier la sécrétion ovarienne.

En fait, la distinction entre pilules mini- ou normo-dosées, bi- ou mono-phasiques, est plus théorique que réelle. Les multiples combinaisons proposées ont au moins l'avantage d'adapter la contraception orale à toutes les susceptibilités ou presque.

Mode d'action des œstroprogestatifs. La contraception orale agit à trois niveaux :
— les œstrogènes synthétiques (dosés à 50 microgrammes) inhibent la sécrétion hypophysaire : pas d'hormone LH, donc pas d'ovulation (▷ ce mot);
— de leur côté, les progestatifs de synthèse rendent la glaire impropre au passage des spermatozoïdes;
— et par l'atrophie qu'ils induisent, l'endomètre (revêtement interne de l'utérus) devient impropre à la nidation.

Cette double voire triple sécurité donne à la contraception orale une fiabilité quasi parfaite.

Vous avez décidé de « prendre la pilule » : il appartient à votre médecin de juger des contre-indications absolues ou relatives à la contraception orale et de vous prescrire la pilule mini- ou normo-dosée qui lui paraît la plus appropriée.

Vous prendrez quotidiennement, dans l'ordre indiqué sur la plaquette, un comprimé à peu près à la même heure (ce n'est pas aussi impératif qu'on le dit), ceci pendant vingt et un jours; vous arrêterez sept jours et recommencerez : vous vous attacherez à respecter cette cadence quoi qu'il arrive. En effet, quelques incidents en début de contraception peuvent survenir et vous inquiéter. Ce sont essentiellement des nausées, quelquefois des pertes de sang qui disparaîtront au cours du deuxième cycle; l'absence de règles ne signifie que très exceptionnellement une grossesse; elle est le fait des pilules mini-dosées et pose l'indication d'une pilule normo-dosée. D'aucuns et surtout les mass-médias vous conseilleront un arrêt annuel pendant un mois ou deux de la contraception orale; ces « fenêtres thérapeutiques » sont inutiles, elles favorisent essentiellement les grossesses non désirées et les I.V.G., et ne sont d'aucun bénéfice, quoi qu'il puisse en être dit, pour l'activité ovarienne.

Vous désirez un bébé. Il vous suffit d'arrêter la contraception orale et de laisser faire la bonne nature sans attendre les deux, trois ou quatre cycles conseillés par d'aucuns et dont le bénéfice n'a jamais été démontré, les bébés post-pilule étant tous strictement normaux. Vos ovaires « endormis » par la pilule ont toutes les chances de récupérer une activité normale en un, deux ou trois cycles; dans les cas assez rares d'anovulation persistante, le clomiphène a un effet des plus remarquables; aucune stérilité ne peut être mise sur le compte de la contraception orale.

La surveillance. Une surveillance régulière est indispensable. Pourquoi ? Parce que la pilule peut révéler ou induire un diabète jusqu'alors latent, une hypertension artérielle ou une augmentation des graisses dans le sang (cholestérol et triglycérides). Cette pathologie se développe de façon tout à fait insidieuse, aussi doit-elle faire l'objet tous les ans d'une recherche systématique; outre le traitement propre à chacune de ces affections, l'arrêt de la contraception orale est obligatoire. On profitera de ces examens pour pratiquer un frottis* du col et un examen des seins, lequel, s'il révèle une

« boule », doit conduire à un bilan* sénologique et peut-être à l'arrêt des œstroprogestatifs.

La pilule ne peut pas être tenue responsable de l'apparition d'un cancer du sein ou de l'utérus. Mais la consultation pour contraception orale est une occasion de les dépister.

Les progestatifs de synthèse purs

Les indications de ces traitements sont en général d'ordre médical : l'endométriose, les hémorragies des fibromes de l'utérus, les affections bénignes du sein par insuffisance en progestérone.

Prescrits à raison de deux comprimés par jour, vingt jours par mois, les progestatifs de synthèse sont aussi d'excellents contraceptifs par leur action anti-ovulatoire, anti-glaire et anti-nidatoire. *Ils ne sont pas dépourvus d'effets secondaires* : prise de poids, phlébite des membres inférieurs, action péjorative sur le foie...

Ils doivent donc faire l'objet d'une surveillance aussi rigoureuse que celle de la contraception par œstroprogestatif. Ceci dit, certains sujets trouvent là une contraception idéale, surtout en période de péri-ménopause. Ce traitement devrait en théorie prévenir les cancers du sein et de l'endomètre, aucune statistique n'est encore probante à cet égard.

La micro-pilule

La micro-pilule est faite d'un progestatif microdosé qu'il convient de prendre tous les jours sans aucune interruption, faute de quoi une grossesse est possible ; les micro-pilules n'agissent que sur la glaire, qu'elles rendent hostile aux spermatozoïdes ; c'est dire que leur action n'est pas aussi efficace que celle de la pilule normale, d'où un taux de grossesse de l'ordre de 1 %. En revanche, les effets secondaires sont quasiment inexistants : pas de prise de poids, pas de modification des paramètres sanguins – le sucre en particulier –, peu ou pas d'action sur la circulation veineuse et la tension artérielle.

Il faut cependant signaler que la micro-pilule entraîne fréquemment des aménorrhées (absence de règles) et des métrorragies (saignement entre les règles), ce qui limite considérablement ses indications.

Elle a été accusée par ailleurs de favoriser les grossesses extra-utérines ; ce point reste à confirmer.

Il faut insister sur la remarquable tolérance de la contraception orale, sur l'intérêt des examens systématiques pratiqués à l'occasion de la consultation. Les statistiques font état d'une longévité améliorée chez les femmes soumises à une contraception orale.

contractions utérines

 ■ accouchement *(généralités)*
■ accouchement **prématuré**

(menace d')

convergence

 accommodation et convergence

convulsions fébriles du nourrisson

 La crise convulsive est le plus souvent facile à reconnaître :
– votre enfant de moins de 4 ans a plus de 38° de température;
– brusquement ses yeux se révulsent, il perd connaissance, ses membres et son visage sont agités de secousses. Après quelques minutes, les secousses s'arrêtent, il reprend progressivement conscience.

Parfois, la crise est plus difficile à reconnaître :
– les secousses peuvent n'intéresser que la moitié du corps ou même que la main;
– cas plus rares : il n'y a pas de secousses, mais une simple révulsion oculaire ou un raidissement de tout le corps ou encore l'enfant pâle, mou, est « ailleurs ».

Que devez-vous faire immédiatement ?
– Couchez votre enfant sur le côté, la tête en extension afin qu'il respire plus facilement.
– Déshabillez-le et enveloppez-le d'une serviette humide.
– Appelez immédiatement votre médecin.

 Le plus souvent, la crise cède avant la consultation, et parfois dans ce cas, afin d'éviter une récidive précoce, le médecin fera un petit lavement par l'anus avec un anti-convulsivant d'effet immédiat. Il utilise pour cela une seringue directement introduite dans l'anus (après avoir retiré l'aiguille) qu'il maintient en place pendant trois minutes.

Si la crise ne cède pas après cinq minutes, votre médecin pourra répéter cette opération.

Dans le cas d'une première crise convulsive, après avoir reconnu de façon certaine la convulsion *fébrile* et pratiqué les soins urgents, votre médecin se pose plusieurs questions, notamment :

Doit-il hospitaliser l'enfant ?

Il ne le fera vraisemblablement pas si :
– il est certain du diagnostic de convulsions dues uniquement à la fièvre et élimine toute autre cause de convulsions;
– la crise a été de courte durée, a cédé spontanément ou après un premier lavement, ne récidive pas et aucun signe neurologique ne subsiste après la crise;
– la fièvre n'est pas due à une maladie qui nécessiterait une hospitalisation;
– l'enfant a plus d'un an, et moins de 4 ans;
– la surveillance à domicile est possible pendant les deux premiers jours.

Doit-il prescrire des examens ?

Aucun examen n'est nécessaire lorsque le diagnostic est certain. Lorsque le diagnostic est hésitant ou lorsque les critères précédents ne sont pas réunis, les examens complémentaires sont nécessaires : glycémie, calcémie, ionogramme, fond* d'œil, électro-encéphalogramme, radiographie du crâne, ponction* lombaire...

Doit-il prescrire un traitement préventif des récidives ?

Vous devez savoir que le pronostic des convulsions fébriles du nourrisson est excellent. Un très petit nombre d'enfants feront ultérieurement une épilepsie. Il s'agit avant tout d'éviter que l'enfant ne convulse à nouveau à l'occasion d'une fièvre et cela jusqu'à l'âge de 4 ou 5 ans.

Le médecin décidera de prescrire un traitement anti-convulsivant préventif s'il retrouve un ou plusieurs des facteurs suivants :
— la première crise est survenue avant l'âge d'un an,
— ou la crise a duré plus de quinze minutes, quel que soit l'âge,
— ou les secousses n'ont concerné que la moitié du corps.

Le traitement symptomatique des poussées de fièvre reste nécessaire même si votre enfant suit un traitement anti-convulsivant préventif.

Ce traitement sera arrêté progressivement à l'âge de 4 ou 5 ans s'il n'y a pas eu de récidives depuis plus d'un an.

☞　fièvre du nourrisson

coproculture et examen parasitologique des selles

Cet examen consiste à prélever les selles, à les examiner macro et microscopiquement et à les ensemencer dans des milieux de culture.

La coproculture est utilisée dans le diagnostic des diarrhées infectieuses. Cependant, votre médecin ne la prescrit que fréquemment, *a fortiori* chez le nourrisson, car la majorité des diarrhées infectieuses sont d'origine virale, et la coproculture n'isolerait que les germes habituellement présents dans le tube digestif dépourvus de pouvoirs pathogènes (flore intestinale saprophyte). Cet examen est en revanche nécessaire lorsque les symptômes de la maladie ou l'aspect des selles (présence de glaire, de pus, de sang, diarrhée liquide très abondante...) évoquent une maladie nécessitant un traitement particulier (typhoïde, amibiase, choléra...).

L'examen parasitologique révèle la présence d'oxyures, du ver solitaire (tænia), de la douve du foie, de lambliase, d'anguillules, du ver de la bilharziose...

coqueluche

La coqueluche est une infection grave chez les nourrissons de moins de 6 mois.

Le diagnostic sera difficilement établi avant l'arrivée des quintes de toux caractéristiques. C'est pourtant au début que le traitement est le plus efficace. Le médecin sera alerté par une toux récente, sèche, inexpliquée, persistante, ne s'accompagnant pas de fièvre.

La notion d'une contamination possible est précieuse mais manque souvent. La vaccination n'est pas un argument contre la maladie car elle n'offre pas d'efficacité absolue. Deux examens simples et vite obtenus, demandés au moindre doute, permettent d'affirmer le diagnostic :
— l'hémogramme montre un nombre de globules blancs élevé (15 à 50 000/mm^3); cette augmentation porte surtout sur les lymphocytes (▷ sang);
— le prélèvement nasal et de gorge isole le bacille de Bordet-Gengou, responsable de la coqueluche (▷ prélèvement de gorge).

Des accès de toux de plus en plus rapprochés, sans intervalle de respiration, évoquent une coqueluche; l'enfant atteint se cyanose, ses yeux sont exorbités et larmoyants. Après dix à vingt secousses, survient une apnée de quelques secondes. L'enfant reprend ensuite son souffle par une inspiration bruyante et prolongée comparée au chant du coq.

La coqueluche peut, à ce stade, se compliquer d'un arrêt circulatoire ou respiratoire, inopiné, sans accès de toux préalable, privant momentanément le cerveau d'oxygène. Ces complications justifient l'hospitalisation en réanimation des nourrissons de moins de 6 mois.

L'antibiothérapie est utile surtout au début et en cas de surinfection broncho-pulmonaire. Les antitussifs, les gammaglobulines sont peu efficaces.

L'enfant coquelucheux n'ira pas en classe pendant trente jours. Un traitement antibiotique préventif sera prescrit à l'entourage.

La vaccination anticoquelucheuse a permis une nette raréfaction de la maladie. Il faut continuer de la pratiquer, même si son efficacité n'est pas absolue, en respectant ses contre-indications (atteinte cérébrale préexistante, antécédents de convulsion).

☞　vaccins et sérums

cor, durillon et œil-de-perdrix

Cor, durillon et œil-de-perdrix sont à l'origine de douleurs aux pieds. Souvent confondus, ils se distinguent par leurs caractères, leurs causes, leurs traitements et leurs préventions.

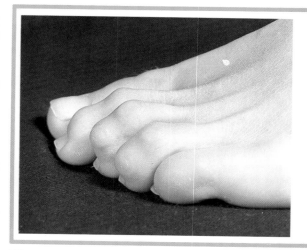

cor

Caractères : épaississement dur de la peau sur une petite surface, il se creuse en profondeur et siège sur le dos des articulations interphalangiennes des orteils.

Causes : frottement de la chaussure dû :
— aux chaussures trop serrées,
— aux griffes d'orteils,
— aux chaussures au cuir trop dur, ou en plastique.

Traitement : pédicural par excision.

Prévention : redressement ou protection de l'articulation en cause par une orthoplastie, en cas de récidive on pratiquera la chirurgie.

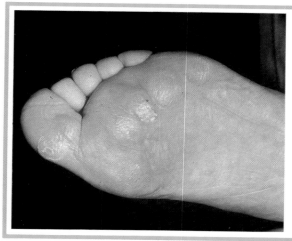

durillon

Caractères : épaississement dur de la peau sur une large surface, il s'étale en largeur et siège le plus souvent à la plante du pied sous les têtes métatarsiennes.

Causes : défaut de la statique dû :
— à l'avant-pied rond,
— au pied plat,
— au pied creux,
— aux déformations des orteils,
— aux inégalités de longueur des membres inférieurs.

Traitement : pédicural par mise à plat.

Prévention : port de semelles orthopédiques adaptées.

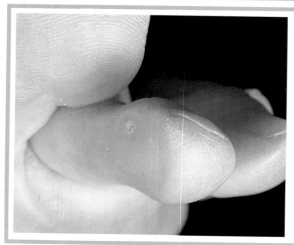

œil de perdrix

Caractères : épaississement mou de la peau sur une petite surface, il se creuse en profondeur et siège sur le bord latéral des orteils ou dans le fond de l'espace interdigital.

Causes : frottement de deux orteils l'un contre l'autre dû :
— aux chaussures trop serrées,
— à la déformation latérale des orteils.

Traitement : pédicural par excision.

Prévention : ouverture et protection de l'espace interdigital par un moyen mécanique (orthoplastie).

cordes vocales

 ■ laryngite ■ O.R.L. *(cancers)*
■ **voix** *(troubles de la)*

cordon ombilical

 Le cordon ombilical est une tige souple d'une longueur de soixante-dix cm environ qui réunit le fœtus au placenta. Il contient deux artères et une veine qui assurent la circulation fœto-maternelle. Il baigne librement dans le liquide amniotique et peut s'enrouler autour du cou de l'enfant ou tomber dans le vagin lors de la rupture de la poche des eaux.

La *circulaire du cordon* constitue une complication exceptionnelle, en général bénigne, dépistée par l'échographie*. Double ou triple, elle interdit la descente de l'enfant par raccourcissement de la portion libre du cordon et oblige à une césarienne.

La *procidence* ou *chute du cordon* dans le vagin en dessous de la tête de l'enfant impose une césarienne d'urgence. En effet, la descente de la tête comprimerait le cordon contre le bassin ou le vagin, avec interruption de la circulation sanguine et mort de l'enfant.

 ■ embryogénèse normale ■ accouchement *(généralités)* ■ nouveau-né *(examens du)*

coronaires

 ■ coronarographie ■ dilatation des coronaires ■ insuffisance coronaire ■ pontage coronaire

coronarographie

 La coronarographie est un examen qui permet de visualiser les artères coronaires, perfusées avec un produit opaque aux rayons X. Il est enregistré sur film, facilitant ainsi l'analyse de la vascularisation du myocarde et les éventuels rétrécissements de calibre des artères coronaires.

La technique de la coronarographie est simple. Elle ne nécessite qu'une anesthésie locale. Vous serez allongé sur une table et recouvert de champs stériles pour la propreté de la procédure. Après injection d'anesthésique au pli de l'aine, l'artère fémorale est ponctionnée et une gaine mise en place. La ponction de l'artère est plus rarement faite à l'aisselle ou au bras. Par la gaine, une sonde est introduite qui progresse jusqu'au cœur pour être glissée dans les artères coronaires où est injecté sélectivement le produit de contraste. Cette injection s'accompagne d'une légère chaleur. Parfois, on vous demandera de tousser pour accélérer le cœur. Après l'examen, il faudra rester allongé

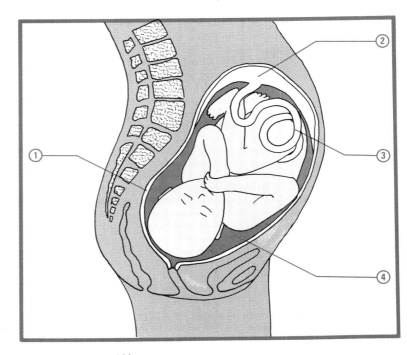

cordon ombilical. ① *utérus,* ② *placenta,* ③ *cordon ombilical,* ④ *liquide amniotique. En 9 mois, l'utérus, de la grosseur d'une petite poire, va remplir presque tout l'abdomen de la future maman.*

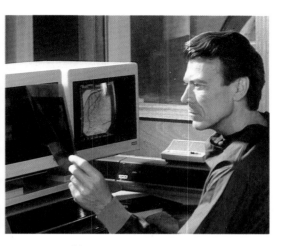

coronarographie. *Lecture du film enregistré lors de l'examen coronarographique.*

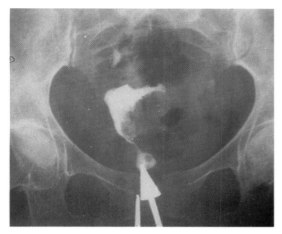

corps de l'utérus *(cancer du). Ici, l'hystérographie révèle une tumeur du corps de l'utérus.*

vingt-quatre heures.

Le risque de la coronarographie est minime mais justifie que vous soyez hospitalisé quelques jours avant et après l'examen.

corps de l'utérus *(cancer du)*

Ce cancer est bien différent du cancer du col de l'utérus. Il se développe au niveau de l'endomètre (revêtement interne de l'utérus) : c'est un adéno-carcinome.

Il apparaît chez les femmes d'un certain âge, ménopausées ou en préménopause, volontiers obèses, hypertendues ou diabétiques et qui n'ont, le plus souvent, pas eu d'enfant. Il se traduit essentiellement par des pertes de sang qu'il est tentant de prendre pour des règles et quelquefois par des leucorrhées (pertes blanches) purulentes qui simulent une infection.

Ces symptômes, même si leur origine est bénigne dans 70 % des cas, alors que l'examen ne décèle rien, exigent une exploration complète et systématique de l'appareil génital afin de ne pas méconnaître un cancer haut situé (utérus, trompe ou ovaire). Seront donc pratiqués :
— des frottis* du col de l'utérus : ils ne sont pas toujours révélateurs, le cancer de l'endomètre en effet « desquame » peu; 60 % ne seront pas dépistés. Ils doivent donc être complétés par une aspiration endométriale, intervention très simple pratiquée au cabinet du médecin;
— une radiographie de l'utérus (hystérographie*) qui peut être caractéristique en montrant une

image lacunaire ou déchiquetée de la cavité utérine.

Ces examens ne sont pas toujours convaincants : il convient alors de faire sous anesthésie générale une biopsie* qui confirmera ou infirmera le diagnostic.

Le scanner* et l'imagerie par résonance* magnétique nucléaire permettent de préciser l'extension du cancer aux organes de voisinage (vagin, ovaires, ganglions) et ses métastases (poumon), et de mieux définir l'attitude thérapeutique. Celle-ci consiste de toute façon en une ablation de l'utérus, des trompes et des ovaires; elle sera parfois suivie de radiothérapie.

Le cancer du corps de l'utérus est un cancer d'évolution lente; de son dépistage précoce dépend le pronostic.

  ■ utérus ■ règles ou menstruations

corps étranger dans le nez

Un écoulement nasal purulent, limité à un seul côté, doit faire rechercher dans les fosses nasales un corps étranger, fréquemment introduit par l'enfant au cours du jeu.
— Si l'accident est récent, le corps étranger est visible dès l'examen de la fosse nasale; il ne faudra surtout pas essayer de l'extraire à l'aide d'une pince, car vous risqueriez de le faire glisser et de l'enfoncer plus profondément. Il faut au contraire essayer de l'atteindre par l'arrière à l'aide d'un crochet, afin de le ramener vers l'extérieur. L'appel au spécialiste est donc presque toujours nécessaire.

Le danger du corps étranger dans les fosses nasales est qu'il peut être secondairement inhalé (▷ corps étrangers inhalés).

— Dans certains cas, l'introduction du corps étranger est passée inaperçue, et l'existence de l'écoulement purulent peut être fort ancien; il peut s'agir d'un fragment de coton, ou de jouet en matière plastique. Son extraction nécessite une anesthésie générale lorsque l'objet est profondément situé ou enclavé. La guérison est obtenue dès son ablation.

corps étranger dans l'œil

Vous avez reçu un corps étranger solide dans l'œil. Vous souffrez et vous larmoyez : il s'agit donc vraisemblablement d'un *corps étranger superficiel* sur la conjonctive ou sur la cornée.

Surtout, ne frottez pas votre œil. Demandez à une personne de votre entourage si elle peut localiser ce corps étranger sur le « blanc » de l'œil, derrière la paupière inférieure, ou même derrière la paupière supérieure, en la retournant (vous n'éprouverez aucune douleur).

Une fois repéré, il peut être souvent enlevé facilement avec une compresse stérile ou un coton-tige humide. Sinon, fermez les paupières et consultez rapidement un médecin, si possible ophtalmologue. Après instillation d'une goutte d'anesthésique, le corps étranger, parfois incrusté dans la cornée, sera enlevé. Il est préférable de porter ensuite un pansement pendant un jour ou deux.

Un corps étranger projeté avec violence sur l'œil peut le perforer (éclat métallique, bris de pare-brise). Paradoxalement, la douleur est souvent beaucoup moins intense mais la vue peut être altérée. L'examen ophtalmologique est impératif. On repérera l'entrée qui peut être *cornéenne évidente* ou *sclérale cachée* par une hémorragie sous-conjonctivale; la position du corps étranger sera précisée par la radiographie et l'échographie*.

Le traitement dépend de la nature et de la position du corps étranger. Les débris métalliques peuvent souvent être extraits avec un électro-aimant. L'ablation des particules de verre est souvent difficile, parfois impossible. C'est la raison pour laquelle les pare-brise en Sécurit sont dangereux. L'atteinte du cristallin provoque souvent une cataracte traumatique qui doit être opérée.

corps étranger dans l'oreille

Il est fréquent qu'au cours d'un jeu, l'enfant introduise un corps étranger dans le conduit de son oreille. Ceci est habituellement sans danger, sauf lorsque les tentatives d'extraction sont traumatisantes. N'essayez jamais d'extraire un corps étranger de l'oreille à l'aide d'une pince, car vous ne réussirez qu'à l'enfoncer et blesser le conduit. Consultez plutôt un spécialiste qui pratiquera l'extraction de l'objet à l'aide d'un crochet ou par lavage à l'aide d'une poire, parfois sous anesthésie générale.

corps étrangers ingérés
(dans les voies digestives)

La pénétration d'un corps étranger dans les voies digestives est plus fréquente, et heureusement bien moins grave, que l'inhalation d'un corps étranger.

Vous devez faire absorber à votre enfant de la mie de pain ou des aliments riches en fibres végétales (salades...) afin d'envelopper le corps étranger, de permettre son expulsion avec les selles et d'éviter qu'il ne blesse la paroi du tube digestif.

Si le corps étranger est opaque aux rayons X, on pourra suivre sa progression sur les radiographies. Parfois, le corps étranger se coince dans l'œsophage et entraîne un blocage du bol alimentaire; l'endoscopie* œsophagienne en permettra l'extraction.

corps étrangers inhalés *(dans le larynx, la trachée ou les bronches)*

L'enfant suffoque brusquement, de façon très impressionnante, au cours de son jeu (billes, bricolage...), ou très souvent à l'occasion de l'apéritif laissé malencontreusement à sa portée (cacahuètes). Il fait des efforts pour respirer, tousse violemment et s'agite.

Il s'agit du « syndrome de pénétration » dont les signes doivent immédiatement évoquer l'inhalation d'un corps étranger.

Si l'état de l'enfant paraît aussitôt menaçant :
— il vous faut pratiquer la manœuvre d'Heimlich (▷ schéma);
— et appeler sans délai le SAMU ou l'O.R.L. le plus proche du domicile. Le spécialiste renouvellera éventuellement la manœuvre et surtout pratiquera une laryngoscopie, afin d'extraire le corps étranger si celui-ci est enclavé dans le larynx. Si le larynx est libre, le corps étranger est probablement sous la glotte. Le médecin tentera alors une intubation, qui peut refouler le corps étranger plus loin dans la trachée ou les bronches, ou, en cas d'insuccès, pratiquera une trachéotomie, ou encore piquera la trachée avec une grosse aiguille afin de ventiler l'enfant.

corps étrangers inhalés *(dans le larynx, la trachée, ou les bronches). La compression brutale du thorax permet parfois l'expulsion du corps étranger qui a pénétré les voies respiratoires (manœuvre d'Heimlich).*

Bien souvent heureusement, la situation est moins dramatique

Les signes s'améliorent en quelques minutes. Parfois même tout rentre dans l'ordre : l'enfant reprend son jeu.

Éviter les gestes susceptibles d'aggraver la situation :

— ne mettez pas le doigt dans la bouche de l'enfant — vous risqueriez d'enclaver le corps étranger dans le larynx, ou de faire vomir l'enfant (ce qui est dangereux et inutile, car le corps étranger est dans les voies respiratoires et non dans les voies digestives);

— ne lui tapez pas dans le dos;

— ne le suspendez pas par les pieds : cela risque de mobiliser le corps étranger avec enclavement possible sous la glotte.

Conduisez sans délai l'enfant, maintenu en position rigoureusement assise, dans un service de pédiatrie, d'O.R.L. ou de pneumologie, ou mieux encore d'O.R.L. pédiatrique. Le médecin hospitalier pratiquera immédiatement une radiographie du thorax, et surtout une endoscopie* de tout l'arbre respiratoire, qui lui permettra de retirer le corps étranger avec une pince passée à travers l'endoscope. Il est très rare que le recours à la chirurgie soit nécessaire.

Parfois le syndrome de pénétration est méconnu

L'enfant est exposé à des complications infectieuses (bronchite, pneumonie, abcès du poumon...). Votre médecin saura penser à l'éventualité d'un corps étranger bronchique. Là encore, la radiographie du thorax et l'endoscopie s'imposent.

corset

☞ orthopédie *(traitement en)*

corticoïde *(traitement)*

☞ anti-inflammatoires cortisoniques et non cortisoniques

cortisol

☞ surrénales *(glandes)*

cosmétologie

 Seuls les soins du visage seront envisagés ici. Quels sont les produits d'hygiène pour le visage ?

— *Les savons* enrichis en corps gras pour éviter les sensations de dessèchement provoquées par le savon ordinaire;

— *les pains dermatologiques* ou « savons sans savon »;

— *les laits de toilette* que l'on étalera du bout des doigts en frottant doucement le visage et le cou, mais non sur les paupières, et que l'on retirera avec une serviette en papier, la peau étant ensuite rincée à l'aide d'eau ou de tonique;

— *les toniques* complètent l'action des laits;

— *les démaquillants pour les yeux*;

— *les crèmes protectrices* protègent la peau contre les agressions extérieures et servent de base de maquillage;

— *les crèmes hydratantes*, pour certaines d'entre elles, freinent l'évaporation de l'eau au niveau de la peau ou, pour d'autres, restituent les substances indispensables à une hydratation correcte;

— *les crèmes antirides* pour les peaux vieillissantes, mais surtout utilisées à titre préventif;

— *les crèmes désincrustantes* produisent un gommage grâce aux poudres légèrement abrasives qu'elles contiennent. Elles doivent être appliquées à l'aide de légers massages circulaires, puis rincées. Il ne faut pas les utiliser autour des yeux et sur les peaux fines et fragiles;

— *les masques* affinent le grain de la peau.

Votre peau est sèche

Elle est fine, fragile, parfois rugueuse et terne; elle rougit souvent au froid et a une tendance aux rides et ridules. Elle tolère mal le nettoyage à l'eau calcaire ainsi qu'à certains savons qui entraînent une sensation de tiraillement.

Pour son entretien, n'utilisez pas de lotion alcoolisée ou astringente, mais choisissez un lait de toilette que vous rincerez avec une eau thermale en atomiseur ou une lotion pour peau sèche.

Des crèmes de jour protectrices vous protégeront du vent ou du froid et serviront éventuellement de base de maquillage. Le soir, vous pouvez appliquer une crème hydratante et nutritive.

Votre peau est grasse

Elle est épaisse surtout sur le nez; elle présente des pores dilatés, un aspect luisant, est souvent le siège d'acné. Rides et ridules apparaissent plus tardivement.

Votre peau ne doit pas être dégraissée par des savonnages intempestifs ou des solutions détergentes : utilisez un savon doux de bonne qualité ou, si votre peau est congestive et irritable, un lait de toilette que vous rincerez avec une eau thermale ou une lotion sans alcool ou faiblement alcoolisée.

Masque purifiant, crèmes désincrustantes et gommantes peuvent être employés deux fois par semaine.

Votre peau est à la fois sèche et grasse

La partie médiane — front, nez, menton — est grasse, les joues et les pommettes sont sèches.

Pour la toilette, utilisez des produits pour peau normale; vous ajouterez sur les zones sèches, deux fois par jour, une crème pour peau sèche.

Vous avez de l'acné

En général, votre peau est grasse, mais peut être irritée ou desséchée par les traitements locaux anti-acnéiques.

Vous utiliserez pour la toilette un savon doux. Si votre peau ne le supporte pas, vous utiliserez un lait très fluide pour peau grasse et rincerez avec une eau thermale ou un tonique sans alcool.

Vous pouvez appliquer une crème protectrice fluide, tout particulièrement l'hiver quand le froid entraîne irritation et sécheresse de la peau.

Comment lutter contre le vieillissement cutané?

Certaines règles préventives peuvent ralentir le vieillissement de votre peau :

— une bonne hygiène de vie (peu d'alcool, pas de tabac);

— une protection de la peau contre le froid et le vent;

— pas d'exposition inconsidérée au soleil et protection avec des crèmes écran solaire;

— une bonne hydratation de votre peau;

— éventuellement l'application à titre préventif d'une crème anti-ride ou d'une crème régénératrice qui, en aucun cas, n'a le pouvoir de combler les rides, mais maintient une hydratation correcte de la peau et améliore la fonction sébacée.

Comment effacer les rides?

A moins d'une contre-indication, il est possible d'injecter des implants de collagène comblant les rides. Sachez toutefois, que si le résultat est souvent satisfaisant, il n'est pas éternel. Peeling, lifting peuvent être également envisagés (▷ rides [chirurgie esthétique des]).

☞ ■ acné juvénile ■ séborrhée

cou *(arthrose du)*

☞ cervicarthrose

coude *(douleur du)*

☞ épicondylite

coup du lapin

Même d'apparence bénigne, un traumatisme de la colonne cervicale doit conduire à une consultation médicale et à un examen radiographique.

☞ ■ colonne vertébrale
(traumatismes de la)

couperose

La couperose est une dilatation des vaisseaux sanguins superficiels des joues, des pommettes et du nez, qui forment un fin réseau sur un fond de rougeur diffuse. Elle est aggravée par l'abus des mets épicés et des excitants, le froid et le soleil.

Le seul traitement efficace consiste en une électrocoagulation fine des vaisseaux.

coups et blessures

 ■ certificats médicaux et législation ■ traumatismes

courbe ménothermique

La courbe ménothermique est un mode d'exploration fastidieux, mais relativement fiable, de la fonction ovarienne. Son principe est simple : la progestérone, hormone uniquement sécrétée après l'ovulation, fait monter de trois ou cinq dixièmes de degré la température basale.

La progestérone est sécrétée par certaines cellules ovariennes qui se transforment en « corps jaune » immédiatement après l'ovulation. Le décalage thermique signe la présence de progestérone, préjuge de l'ovulation (point bas de la courbe immédiatement avant le décalage), précise la durée du corps jaune qui doit être de treize à quatorze jours.

La courbe n'est interprétable que sur plusieurs cycles et au prix d'une certaine discipline : la température rectale prise toujours avec le même thermomètre sera relevée tous les matins avant le lever ; elle sera notée avec exactitude sur des feuilles prévues à cet effet que votre médecin ou votre pharmacien vous remettra. Seront également notés les événements qui peuvent la perturber (grippe, lever tardif...).

Une courbe ménothermique apporte des renseignements de grand intérêt :
— il y a un décalage franc d'une durée de quatorze jours, la courbe est normale, on peut présumer d'une bonne ovulation et d'un bon corps jaune ;
— il n'y a aucun décalage, la courbe reste désespérément en dessous de 37°, l'absence d'ovulation est hautement probable ;
— il y a décalage thermique mais il est court

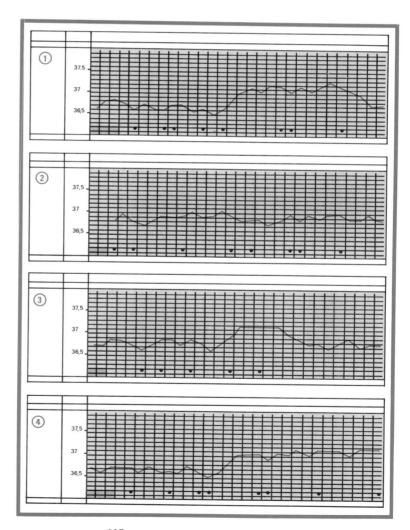

courbe ménothermique. *① courbe normale. ② courbe plate : absence d'ovulation. ③ décalage thermique court (5 à 8 jours) : dysovolation (?). ④ plateau thermique prolongé au-delà de 18 jours : grossesse.*

(moins de 10 jours); on peut évoquer un corps jaune inadéquat, une dysovulation et trouver là une cause curable d'infertilité;
— le cycle est long mais le plateau thermique est normal dans sa durée (14 jours); il n'y a pas là de pathologie;
— le dernier point bas de la courbe avant le décalage coïncide en principe avec l'ovulation; il permet donc de « programmer » les rapports en cas de grossesse désirée ou au contraire non souhaitée;
— le plateau thermique dure plus de 16 jours, il n'y a pas de règles, la grossesse est certaine;
— à l'inverse, une chute de la température au cours des dix premières semaines de grossesse signe une menace de fausse couche.

Cette méthode, pourvu qu'elle soit appliquée avec persévérance pendant plusieurs mois, permet une excellente appréciation de l'ovulation; malheureusement sa fiabilité n'est pas absolue non pas tant par le fait d'oublis (toujours possibles) que par des infections intercurrentes, par un travail nocturne, des horaires irréguliers ou la prise de certains médicaments.

En outre, il existe des décalages thermiques francs sans ovulation et des courbes plates avec ovulation.

Quoi qu'il en soit, la courbe ménothermique, même si elle doit être complétée par des examens plus sophistiqués, dosages hormonaux, échographies*, biopsies* de l'endomètre, garde le mérite de l'innocuité, présume hautement de l'ovulation ou de son absence et... n'a aucune incidence sur le coût social de la fertilité.

 ■ **ovulation** ■ **grossesse** *(généralités et surveillance)* ■ **contraception** ■ **stérilité du couple**

coxarthrose

Vous souffrez d'une douleur à la marche, de type mécanique, calmée par le repos. Le siège de cette douleur est variable : douleur de l'aine se propageant à la cuisse, douleur de la fesse ou encore de la face externe de la cuisse. Parfois, c'est une douleur du genou, extrêmement trompeuse, qui révélera la coxarthrose (votre médecin examine systématiquement l'articulation de la hanche devant toute douleur isolée du genou).

La coxarthrose peut également se manifester par une raideur de l'articulation de la hanche et/ou une boiterie indolore.

Devant cette symptomatologie articulaire, votre médecin appréciera :
— le retentissement de la coxarthrose sur la vie quotidienne (durée de marche, dérouillage matinal, port d'une canne) et le rôle des antécédents médicaux (traumatismes, sport);

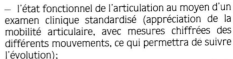

— l'état fonctionnel de l'articulation au moyen d'un examen clinique standardisé (appréciation de la mobilité articulaire, avec mesures chiffrées des différents mouvements, ce qui permettra de suivre l'évolution);
— l'examen radiologique indispensable (cliché du bassin de face, debout, et cliché en faux profil). Il précise : l'importance des lésions arthrosiques avec pincement plus ou moins important de l'interligne articulaire, production excessive de l'os (ostéophytose), présence de géodes dans la zone d'hyperpression; l'existence ou non d'un défaut anatomique, c'est-à-dire une malformation architecturale objectivée par la mesure précise des angles (coxométrie).

Porter le diagnostic de coxarthrose est facile mais insuffisant. L'important pour l'avenir fonctionnel de la hanche est de savoir s'il existe une orientation thérapeutique chirurgicale, pouvant arrêter ou freiner la détérioration de l'articulation.

L'évolution de la coxarthrose est généralement lente, la douleur souvent modérée pendant de nombreuses années. La limitation des mouvements articulaires s'aggrave lentement. Quelquefois au contraire, l'évolution est rapide ou extrêmement rapide (coxopathies rapidement destructrices), nécessitant un geste chirurgical précoce.

Le traitement de la coxarthrose prend en compte de nombreux paramètres : le caractère primitif ou secondaire de cette affection, le degré de destruction articulaire, ainsi que l'état général, la gêne fonctionnelle, l'âge et les desiderata du patient.

En règle générale, on oppose :
— Les coxarthroses secondaires (vice architectural), peu détruites anatomiquement. Dans ces cas, l'intervention chirurgicale (ostéotomie, butée...) reconstruit une anatomie correcte, en corrigeant la malfaçon. Elle permet aussi de stopper l'évolution arthrosique. Si la coxarthrose secondaire ne bénéficie pas de la chirurgie correctrice, elle aboutira, dans les années ultérieures, à une arthrose évoluée.
— Les autres coxarthroses, c'est-à-dire les coxarthroses primitives et les arthroses secondaires évoluées, seront traitées différemment. Le traitement est uniquement médical dans un premier temps; il repose sur les médications anti-inflammatoires, la rééducation fonctionnelle et le respect d'une hygiène de vie correcte (réduction pondérale chez les obèses, réduction d'activité).

En fonction de l'âge, dans un second temps, lorsque le traitement médical est insuffisant et, si le patient le demande, une intervention de type prothétique est réalisée.

La prothèse totale de hanche va permettre de remettre très rapidement le coxarthrosique sur pied, avec, dans la grande majorité des cas, un résultat fonctionnel excellent. Les complications de cette chirurgie sont rares (exceptionnellement survient une infection).

Tout patient porteur d'une prothèse de hanche doit scrupuleusement suivre les conseils du chirurgien (traitement des infections, pas d'injection intramusculaire fessière, surveillance régulière).

 ■ arthrose ■ anti-inflammatoires cortisoniques et non cortisoniques ■ orthopédie (traitement en)

crachats

 expectoration

crachats de sang

hémoptysie

crampes

La crampe est une contraction involontaire, intense et douloureuse de tout ou partie d'un muscle, notamment du mollet.
— Si vous souffrez de crampes des mollets ou des orteils d'apparition spontanée et non précédée d'effort, il faut consulter votre médecin dont l'examen clinique est le plus souvent normal.
Des examens biologiques rechercheront les causes les plus fréquentes : troubles métaboliques (carence en potassium ou en vitamine B); plus rarement, maladie par atteinte du neurone périphérique (polynévrite par exemple). Le traitement des crampes est souvent décevant. Il faut d'abord corriger les troubles biologiques, s'ils existent. Certains médicaments peuvent apporter une amélioration.
— La survenue d'une douleur du mollet, à type de crampe, lors de la marche et obligeant à interrompre celle-ci, est évocatrice d'une *artérite* des membres inférieurs.*
— La crampe survenant lors des efforts intenses du sportif a une signification toute différente : elle est due à la *fatigue musculaire.*

crâne *(traumatismes du)*

Les traumatismes crâniens sont fréquents, notamment chez l'enfant, et parfois graves. Et pourtant, nombre d'accidents du nourrisson pourraient être évités par des mesures préventives simples : protection de l'escalier et des fenêtres, éloignement des chaises hautes du mur ou de la table, afin que l'enfant ne puisse pas renverser sa chaise avec ses pieds. Les baby-relax doivent être posés à même le sol, et non pas sur un meuble. Surveillance attentive des nourrissons qui savent se retourner sur leur table à langer ou sur les lits d'adulte; protec-

tion des lits superposés... Chez l'adolescent et l'adulte port du casque lors des déplacements à vélomoteur, etc.
Lorsque l'accident a eu lieu, la mesure préventive essentielle est de vous rappeler que :
— tout traumatisme crânien peut entraîner dans les quarante-huit heures, ou, plus rarement dans les deux mois qui suivent, l'apparition d'un hématome intra-crânien nécessitant un geste chirurgical;
— tout signe anormal doit vous inquiéter; plus le délai d'apparition des signes est bref, plus le cas est urgent : en effet, même si le traumatisme est modéré, il est prudent de consulter votre médecin, que le traumatisme ait entraîné ou non une brève perte de connaissance.
Si l'examen médical initial est anormal, l'hospitalisation sera décidée, parfois d'extrême urgence, dans un service de chirurgie générale en cas d'éloignement du service de neurochirurgie du domicile. Le chirurgien fera un trou dans le crâne par lequel s'évacuera l'hématome intra-crânien.
Si l'examen médical initial est normal, la surveillance doit cependant être poursuivie pendant vingt-quatre ou quarante-huit heures. C'est à votre médecin de décider si la surveillance doit se faire à l'hôpital ou si elle peut être confiée à un membre de la famille. Dans ce cas, il expliquera comment effectuer la surveillance, et quels sont les signes qui doivent inquiéter : la survenue de vomissements, de maux de tête, d'une paralysie; tout comportement anormal du patient doit entraîner une consultation urgente. Le scanner* s'impose au moindre doute de lésion intra-crânienne traumatique. Mais même si aucun de ces signes n'apparaît, il faut s'assurer du bon état de conscience du patient, en le réveillant régulièrement pendant les vingt-quatre ou quarante-huit premières heures.

crâne et face *(douleurs)*

Vous avez mal à la tête. Les maladies qui s'accompagnent de céphalées sont très nombreuses et le médecin doit se forger un *schéma d'examen* afin d'aboutir au diagnostic.
Nous vous proposons ici un schéma de raisonnement médical possible et vous renvoyons aux articles consacrés aux maladies citées.

Vos maux de tête sont récents
— Vous avez de la fièvre et des vomissements : *méningite ?*
— La survenue du mal de tête est brutale, soudaine, au cours d'un effort : *hémorragie méningée ?*
— Avez-vous subi quelques heures, jours ou semaines auparavant un *traumatisme crânien ?*
— Vous avez plus de soixante ans. Vous êtes très fatigué et vous souffrez des épaules et des hanches : *maladie de Horton ?*

– L'œil est rouge, votre vue est troublée : *glaucome* ?

– Ne s'agit-il pas d'une *hypertension artérielle* ?

– N'accusez pas trop vite la *sinusite* ou l'*arthrose cervicale*, ou encore un trouble de l'*accommodation* ou de la *convergence*.

– Si aucune de ces causes n'est retrouvée, votre médecin voudra sûrement s'assurer qu'il ne s'agit pas d'une *hypertension intra-crânienne*.

Vos maux de tête sont anciens et répétitifs

– Ils ont débuté à l'adolescence, touchant la moitié du crâne, parfois la moitié gauche, parfois la moitié droite; ils durent vingt-quatre heures et s'accompagnent de vomissements : ce n'est pas une crise de foie, mais sans doute une *migraine* !

– Ils ont débuté à l'âge adulte, touchant toujours le même côté et sont associés à un larmoiement de l'œil, ainsi qu'à une obstruction de la narine : *algie vasculaire de la face* ?

– Ils se manifestent en « éclairs » douloureux, souvent provoqués par l'attouchement d'une zone gâchette, et vous obligent à interrompre votre activité pendant quelques secondes : *névralgie du trijumeau* ?

– Bien sûr, l'*arthrose cervicale* est parfois responsable de maux de tête mais votre médecin ne retiendra ce diagnostic que sur des critères précis.

– Il voudra sûrement éliminer, là encore, une *hypertension intra-crânienne* (fond d'œil, électro-encéphalogramme, radiographies du crâne et parfois même scanner) avant de retenir le diagnostic de maux de tête d'origine psychologique : *angoisse et anxiété* ? *Hypochondrie* ? *Dépression* ?

crâne et face de l'enfant
(douleurs)

La céphalée est-elle associée à de la fièvre et des vomissements ? Si oui, vous devez consulter rapidement votre médecin, car lui seul peut affirmer ou éliminer une méningite.

La céphalée est le seul symptôme dont se plaint l'enfant. Sa répétition impose une consultation médicale.

Orienté par l'interrogatoire et l'examen clinique, votre médecin découvrira le plus souvent à l'origine des douleurs :

– des *migraines* qui peuvent apparaître dès l'âge de 3 ans. Les crises sont atypiques : douleur peu intense, parfois bilatérale, où les phénomènes digestifs sont au premier plan (nausées, vomissements, douleurs abdominales). L'enfant est souvent très pâle, couvert de sueurs. Après 10 ans, les crises sont semblables à celles de l'adulte;

– une *sinusite*;

– un *trouble ophtalmologique* : la consultation ophtalmologique s'impose dans tous les cas où la céphalée reste inexpliquée (myopie, astigmatisme, hypermétropie, troubles de la convergence);

– un *trouble psychologique* ne sera jamais retenu avant d'avoir formellement éliminé une hypertension intra-crânienne : douleurs le plus souvent occipitales, matinales, presque toujours associées à des vomissements. Des examens complémentaires (fond* d'œil, radiographie du crâne, électro-encéphalogramme*, scanner*) sont nécessaires pour affirmer le diagnostic.

 ■ méningite ■ migraine ■ sinusite ■ hypertension intra-crânienne ■ myopie ■ hypermétropie ■ accommodation et convergence

créatinine
☞ insuffisance rénale chronique

crêtes de coq
☞ végétations vénériennes

crise de foie

La « crise de foie » est un motif fréquent de consultation. Elle se manifeste par un inconfort digestif, des vomissements, souvent associés à des maux de tête. L'examen ne révèle aucun signe objectif. Si la « crise de foie » est une réalité à laquelle nous avons tous été confrontés, elle laisse les médecins insatisfaits, bien que son traitement soit simple (repos, diète, anti-vomitifs...) car elle reste inexpliquée et donc abusivement attribuée à un désordre hépatique ou biliaire.

L'essentiel est de ne pas retenir trop facilement le diagnostic de « crise de foie » sans avoir éliminé une migraine, un vertige, une hypertension artérielle... (▷ ces mots).

Les examens complémentaires ne se justifient que si les symptômes persistent : fond* d'œil afin d'éliminer une hypertension intra-crânienne débutante (▷ hypertension intra-crânienne), échographie* du foie et de la vésicule biliaire à la recherche d'un calcul biliaire.

Cependant, l'association calcul biliaire – « crise de foie » ne serait que fortuite, car la colique hépatique (▷ ce mot), véritable douleur biliaire, est bien différente des douleurs abdominales accompagnant parfois la crise de foie, et l'ablation de la vésicule, ou la fonte du calcul, n'empêchera pas forcément la survenue de nouvelles crises.

cristallin
 cataracte

128

Crohn *(maladie de)*

Vous avez un ou plusieurs des symptômes suivants; diarrhée persistante, douleurs abdominales, fièvre, amaigrissement, lésions anales (fistule, ulcération); il peut s'agir d'une maladie de Crohn. C'est une affection inflammatoire pouvant toucher l'ensemble du tube digestif, de la bouche à l'anus. Des manifestations extra-digestives sont également possibles : inflammation articulaire, arthrites, inflammation oculaire.

Des examens complémentaires visant à confirmer ou infirmer ce diagnostic sont nécessaires : *biologiques* (présence d'un syndrome inflammatoire ?), *radiologiques* après administration de baryte par l'anus (lavement* baryté) ou par la bouche (transit* du grêle), *endoscopiques** enfin pour permettre des biopsies* des lésions.

Le traitement médical est double : diététique, surtout au moment des poussées, et médicamenteux. Les médicaments sont de deux types : les uns visent à soulager un symptôme (antispasmodiques, antalgiques, antibiotiques, antidiarrhéiques, etc.), les autres à supprimer l'inflammation intestinale (salazosulfapyridine, corticoïdes...).

Le traitement chirurgical est indiqué en cas de complications telles que l'occlusion, la fistule, ou en cas d'échec du traitement médical. L'acte opératoire qui consiste, en règle générale, en une résection des zones malades est parfois réalisé après une période de nutrition entérale continue (à l'aide d'une fine sonde gastrique et d'une nutripompe) ou de nutrition parentérale totale par voie veineuse.

 ■ colites ■ diarrhée chronique

croissance *(retard de)*

Vous vous posez fréquemment des questions sur la croissance de votre enfant : quelle sera sa taille définitive ? Pourquoi est-il plus petit que ses camarades ? Comment surveiller sa croissance ? Celle-ci peut-elle être accélérée ?... Le but de cet article est de tenter d'y répondre.

Quelle sera sa taille définitive ?

Des études statistiques ont permis d'établir des courbes de croissance de référence (voir pp. 130-131). Quelques points sur cette courbe, correspondant aux tailles mesurées à des âges différents, permettent de savoir à quel couloir de croissance appartient votre enfant. En suivant ce couloir sur les courbes, vous vous ferez une bonne idée de sa taille définitive. La taille à la naissance est également un bon indicateur (la taille moyenne d'un enfant à la naissance est de 50 cm).

Pourquoi est-il plus petit que les autres ?

Une petite taille peut simplement être due à une cause familiale : si les parents et les grands-parents sont petits, l'enfant risque aussi d'être petit.

Le retard de croissance a pu s'effectuer pendant la grossesse; on parle alors de retard de croissance intra-utérin (▷ grossesse et anomalie de développement de l'utérus).

Parfois le ralentissement de la croissance est provoqué par une maladie de l'enfant. La liste de ces maladies est longue; citons les carences alimentaires, les diarrhées chroniques, les maladies graves du cœur, des reins ou des poumons, le déficit hormonal, notamment en hormone de croissance qui peut être corrigé par un traitement substitutif.

Comment surveiller sa croissance ?

Mesurez régulièrement votre enfant (tous les mois pour les bébés, deux fois par an pour les plus grands). Reportez sa taille sur les courbes de croissance (voir schémas). Lorsque la courbe de votre enfant reste dans le même couloir, il ne faut pas s'inquiéter. Lorsqu'il existe une cassure de cette courbe, votre médecin recherchera une maladie responsable du retard de croissance.

L'âge osseux et l'âge de survenue de la puberté sont à prendre en considération; un enfant de petite taille atteindra une taille très acceptable, si :
— la puberté survient à un âge tardif; l'enfant va grandir plus longtemps et donc davantage;
— l'âge osseux (calculé sur la radiographie du poignet) est en retard sur l'âge réel de l'enfant.

Peut-on accélérer sa croissance ?

L'hormone de croissance est réservée aux enfants vraiment très petits ou aux enfants atteints de nanisme hypophysaire.

Les méthodes favorisant la croissance sont nombreuses

L'alimentation de l'enfant doit être diversifiée et équilibrée. Il ne s'agit pas de forcer son appétit, mais de lui proposer des menus variés. Une à deux cures par an de polyvitamines sont souhaitables. L'enfant doit se coucher tôt et faire du sport. Il faut également entourer l'enfant d'affection (un stress affectif important provoque parfois une cassure de la courbe de croissance).

Un enfant petit ne souffre pas habituellement de sa petite taille, du moins avant la puberté. Veillez à ne pas lui faire partager votre inquiétude. Rassurez-le au contraire et enseignez-lui que l'épanouissement d'un individu ne se mesure pas en centimètres.

voir graphiques pages suivantes.

croissance intra-utérine

☞ maturation du nouveau-né et croissance intra-utérine

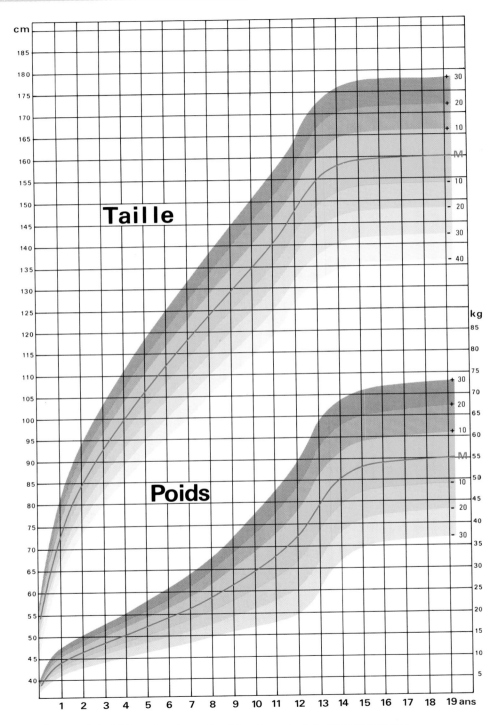

croissance (retard de). *Représentation graphique de la croissance d'après la méthode des écarts types.*
La croissance de votre enfant est normale si sa courbe est parallèle à l'une des courbes situées dans

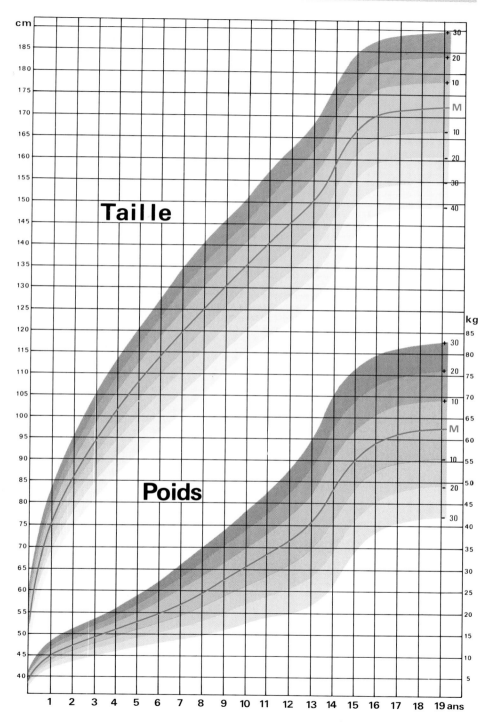

le couloir délimité par +20 et −20. Croissance somatique des filles de la naissance à 19 ans (graphique ci-contre), des garçons (graphique ci-dessus). Courbes établies d'après les Drs Sempé et G. Pédron.

croissance staturo-pondérale

La croissance staturo-pondérale est l'ensemble des phénomènes conduisant à la maturation de l'organisme, la croissance en poids et en taille allant de pair avec la maturation osseuse, viscérale, biologique et psychologique. De nombreux facteurs l'influencent : l'hérédité, l'alimentation, l'environnement, la maladie. La croissance est évaluée par la mensuration de la taille, du poids, du périmètre crânien, de la dentition, par le calcul de l'âge osseux.

La taille

Elle est de 50 cm à la naissance. Son accroissement est très irrégulier avec deux pics : les deux premières années, où le gain statural est de 35 cm en moyenne, et la puberté où la poussée commence avec les premiers signes pubertaires. Entre ces deux pics, la vitesse de croissance est beaucoup plus lente mais régulière (+ 5 cm en moyenne par an). Après la puberté, le gain n'est plus que de 3 à 5 cm, la taille définitive étant acquise vers 20 ans.

L'accroissement statural s'accompagne d'une modification des proportions du corps : le segment inférieur mesuré du pubis au sol, très inférieur au segment supérieur à la naissance, s'allonge peu à peu pour être sensiblement égal vers 12 ans.

Le poids

Il est considéré par rapport à la taille : 3,2 kg à 3,5 kg pour 50 cm. Il suit une évolution parallèle à

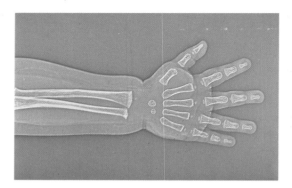

croissance staturo-pondérale. *La radiographie du poignet détermine l'âge osseux (1 an, photo ci-dessus; 6 ans, photo ci-dessous) en précisant l'apparition des points d'ossification.*

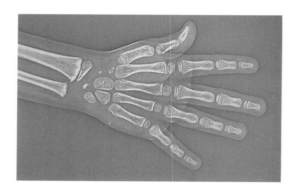

celle-ci, avec deux poussées : la première année (+ 6 à 7 kg) et la puberté où la poussée pondérale précède habituellement de peu la poussée staturale; entre les deux, la prise de poids régulière est d'environ 2 kg par an.

Le périmètre crânien

Il rend compte du développement du cerveau, aussi doit-il être mesuré régulièrement. Il croît très rapidement la première année : 35 cm à la naissance, 45 à 47 cm à 1 an; plus lentement par la suite : 47 à 50 cm à 2 ans, 53 à 55 cm à l'âge adulte.

La fontanelle se ferme entre 8 et 15 mois.

La taille, le poids, le périmètre crânien seront notés sur le graphique et rapportés à des courbes de référence. Une courbe normale doit être sensiblement parallèle à la courbe de référence, et ne pas s'écarter de plus de deux déviations standard (D.S.) de la moyenne. Toute cassure de la courbe, tout écart supérieur à deux déviations standard doivent faire écarter un trouble pathologique.

Les dents

Elles sont un bon reflet de la croissance, bien qu'elles soient sujettes à de grandes variations

Moyenne d'âge de chaque poussée dentaire

Âge	Poussée dentaire	Première et deuxième dentition
6 à 8 mois	incisives médianes	Première dentition (dents de lait)
8 à 10 mois	incisives latérales	
12 à 16 mois	1res molaires	
16 à 24 mois	canines	
20 à 30 mois	2es molaires	
6 à 7 ans	1re molaire (dents de 6 ans)	Seconde dentition (dents définitives)
6 à 8 ans	incisives médianes	
7 à 9 ans	incisives latérales	
8 à 9 ans	1res prémolaires	
10 à 12 ans	2es prémolaires	
10 à 12 ans	canines	
12 à 13 ans	2es molaires (dents de 12 ans)	
17 à 30 ans	3es molaires (dents de sagesse)	

individuelles. Le tableau ci-contre, en bas, donne la moyenne d'âge de chaque poussée dentaire.

La maturation osseuse

Elle est appréciée par l'âge d'apparition des points d'ossification sur les radiographies de la main (établissement de l'âge osseux par comparaison à des tables de référence) puis, plus tard, par la soudure des cartilages de conjugaison.

 ■ **nourrisson** *(examens du)* ■ **nouveau-né** *(examens du)* ■ **maturation du nouveau-né et croissance intra-utérine** ■ **puberté** ■ **obésité de l'enfant** ■ **maigreur de l'enfant**

curatelle

 certificats médicaux et législation

curiethérapie

 radiothérapie

Cushing *(syndrome de)*

 surrénales *(glandes)*

cutiréaction à la tuberculine

 réaction cutanée à la tuberculine

cyanose

 ■ détresse respiratoire du nouveau-né ■ dyspnée aiguë du nourrisson

cyanose du nouveau-né et du nourrisson

La cyanose est le témoin de la présence de sang non oxygéné dans les artères. Normalement, tous les globules rouges présents dans le sang artériel ont d'abord traversé les poumons où ils se sont entièrement saturés en oxygène (100 %); ce sang rouge rejoint le ventricule gauche et est éjecté dans l'aorte pour vasculariser tous les tissus. La présence de sang non oxygéné dans l'aorte provient soit d'une mauvaise oxygénation du sang dans les alvéoles pulmonaires, et ceci traduit une maladie

des poumons, soit d'un passage direct de sang bleu (veineux) dans le cœur gauche puis dans l'aorte en court-circuitant le poumon (maladie cardiaque).

Votre nouveau-né vous paraît bleu

 Appelez le médecin de la maternité sans tarder car cela peut être très urgent. Heureusement, il s'agit souvent d'une fausse cyanose, car seules les extrémités des mains et des pieds sont bleutées alors que les lèvres et la langue sont roses. Il n'y a donc pas lieu de s'alarmer.

 Parfois, le médecin confirme qu'il y a en effet cyanose, car la coloration des lèvres et de la langue est indiscutablement bleue. Ceci peut être confirmé soit par une analyse du sang, soit grâce à des équipements plus modernes — en apposant une petite pastille sur la peau de l'enfant — qui analysent en permanence la saturation en oxygène des capillaires de la peau. Dans le même temps l'examen clinique et la radiographie* des poumons permettront au médecin de reconnaître la cause pulmonaire ou cardiaque de cette cyanose. Cette distinction est fondamentale car elle va conditionner le traitement en urgence et l'endroit où doit être transféré l'enfant.

— En cas de *cyanose d'origine pulmonaire*, le nouveau-né est en détresse respiratoire; il lutte pour respirer et creuse la peau entre les côtes, au-dessus et au-dessous du sternum; il geint. Sa coloration est nettement améliorée lorsqu'on lui fait respirer de l'oxygène pur, et la radiographie des poumons montre en règle générale des anomalies pulmonaires. Si les signes de détresse respiratoire sont importants, il faut d'emblée recourir à la ventilation artificielle après intubation de l'enfant. Le transfert en néonatologie ou en réanimation infantile sera pratiqué dès que l'état de l'enfant est stable (▷ détresse respiratoire du nouveau-né).

— En cas de *cyanose cardiaque*, il n'y a pas ou peu de signes respiratoires; l'oxygène n'améliore pas la cyanose et, en général, il y a des anomalies à l'auscultation du cœur. La radio montre des anomalies de la silhouette cardiaque et de la vascularisation pulmonaire. Le traitement peut alors comprendre la prescription de drogues vaso-actives (comme les prostaglandines de type E) qui maintiennent le canal artériel ouvert, ce qui favorise l'oxygénation de l'enfant en augmentant la circulation pulmonaire. Le transfert doit dès lors être pratiqué en urgence dans un service de cardiologie infantile où le diagnostic de malformation cardiaque sera confirmé et défini avec exactitude grâce à l'échographie* cardiaque.

Votre nourrisson est bleu par moments

 Vous avez observé que les extrémités des mains et des pieds de votre nourrisson, ou ses lèvres, sont bleues lorsqu'il crie, qu'il sort du bain ou encore qu'il fait froid; mais par ailleurs il se porte bien, mange bien, grossit bien et n'est pas essoufflé. Même si l'examen clinique qu'il a subi à la sortie de la maternité était normal et qu'il n'y avait pas de souffle au cœur, vous devez consulter votre médecin, sans urgence, afin qu'il puisse de nouveau l'examiner. Le plus souvent, il s'agit d'une simple cyanose des extrémités sans réelle signification pathologique et témoignant de réactions normales à différentes situations comme le froid.

Parfois, il s'agit de vraie cyanose, notamment lorsqu'il crie et que ses lèvres et sa langue deviennent nettement bleutées. L'auscultation cardiaque du bébé retrouve presque toujours un souffle et l'association de ces deux éléments cyanose-souffle permet presque à coup sûr le diagnostic de malformation cardiaque congénitale. Il faut alors prendre rendez-vous pour une consultation en cardio-pédiatrie de façon à préciser très exactement quelle est la malformation cardiaque en cause. Dans la grande majorité des cas, une simple consultation avec radiographie* des poumons, électrocardiogramme* et échographie* cardiaque permet au spécialiste de faire le diagnostic de la malformation et de vous éclairer sur la conduite à tenir et le pronostic. Il s'agit le plus souvent d'une tétralogie de Fallot. Après la consultation, l'enfant retournera avec sa mère à la maison; s'il continue d'aller bien et qu'il ne présente que des accès de cyanose, il ne sera opéré que vers l'âge de 1 an. Plus rarement, il s'agit d'autres malformations cardiaques qui peuvent nécessiter en semi-urgence un geste chirurgical afin d'éviter que le cœur ou le poumon ne se fatiguent ou ne s'abîment. Il n'est pas possible de dégager une idée générale de ces cas particuliers et l'attitude doit être adaptée individuellement à chaque type de malformation cardiaque et à chaque enfant.

 ■ cœur du fœtus *(malformations et troubles du rythme du)* ■ cœur du nouveau-né *(malformations congénitales du)* ■ tétralogie de Fallot

cyphose

 dos de l'enfant *(déformation du)*

cystite

 infection urinaire

cystographie

 urographie intra-veineuse

cystoscopie

 endoscopie

daltonisme

 dyschromatopsie et daltonisme

dartres

 Les dartres sont des plaques de peau rosées ou rouges, à surface farineuse. Certaines vont devenir blanches mais d'autres sont d'emblée achromiques. Très communes chez l'enfant, les dartres siègent surtout au visage et sur les bras; elles ont un caractère saisonnier et récidivant, parfois en rapport avec une sécheresse cutanée. Elles ne doivent pas être confondues avec une mycose.

déambulateur

 orthopédie *(traitement en)*

décalcification

 ostéoporose

décès *(certificat de)*

 certificats médicaux et législation

déclaration de grossesse

☞ **grossesse** *(généralités et surveillance)*

défenses de l'organisme

☞ immunologie

délire

Délirer, c'est croire, en une perception inébranlable des sens et du jugement, à ce qui n'existe pas; c'est adhérer, avec une conviction totale, à une construction psychologique imaginaire – généralement avec une conscience claire et en l'absence de confusion mentale.

Le délire est parfois évident: le sujet atteint est froid, bizarre et distant ou, à l'inverse, théâtral, fébrile et visiblement halluciné. D'autres fois, le symptôme est masqué: le délirant est réticent à l'exprimer, ou peut même parfois entraîner l'adhésion de son interlocuteur.

Les thèmes en sont multiples: érotiques (scènes fantasmatiques d'orgies ou de séduction), mystiques (vision de Dieu, de la Vierge), mélancoliques (thème de la fin du monde), d'influence (le sujet est télécommandé par des instruments ou des voix extérieurs), de transformation corporelle et, surtout, persécutifs. L'extension du ou des thèmes délirants peut être le fait d'hallucinations, d'interprétations (raisonnement paralogique du paranoïaque), d'intuitions ou d'imaginations.

Le délire est transitoire et réversible dans le cas des bouffées délirantes, des accès maniaques ou mélancoliques (où il est inconstant), des causes iatrogènes, organiques ou toxiques (où il peut s'associer à la confusion mentale); mais il est durable dans les psychoses chroniques.

Les neuroleptiques en sont le traitement majeur.

☞ ■ hallucinations ■ psychoses

delirium tremens

Le delirium tremens survient chez des alcooliques chroniques brutalement privés d'alcool. Cette privation peut avoir lieu lors d'un accident, d'une blessure, d'une maladie, d'une intervention chirurgicale, ou même lors de tentatives d'arrêt trop rapide de l'alcool, ou lors de contrariétés. C'est un état très grave, avec troubles du comportement (agitation, agressivité, hallucinations), tremblements, incoordination et déshydratation.

Devant ce tableau, il faut éviter de provoquer chez l'alcoolique des comportements violents, ne pas s'exposer et mieux vaut avoir recours à un conseil médical, souvent avec assistance des forces de l'ordre: l'hospitalisation est nécessaire.

☞ alcoolisme

délivrance

☞ **accouchement** *(généralités)*

démangeaisons

☞ prurit généralisé

démence

Un sujet âgé qui présente des troubles de la mémoire, des oublis inexpliqués, s'égare dans des lieux connus, se trompe sur les dates, raisonne de façon lente ou fausse, ne trouve plus ses mots, n'arrive pas à s'habiller, doit être amené par sa famille à consulter.

D'autres fois, c'est l'insomnie avec agitation nocturne, l'agressivité, la gloutonnerie, les conduites aberrantes sexuelles ou urinaires qui révèlent la maladie. La tristesse, l'indifférence, l'apathie ou l'euphorie paradoxale, voire un délire véritable, peuvent en être les premiers signes.

Le spécialiste décèle une démence débutante par des tests qui mettent en évidence la détérioration. Il élimine ce qui n'est pas une démence, en particulier les accidents vasculaires cérébraux et la confusion mentale. Il recherche une cause éventuellement curable, ce qui est rare: intoxication chronique, hématome intra-crânien dit sous-dural, hydrocéphalie, trouble métabolique, tumeurs, syphilis. Il fait pratiquer une étude sanguine, un électro-encéphalogramme*, un fond* d'œil, voire un scanner*. Sinon, l'évolution est lente et inexorable vers la « désintégration démentielle »: puérilité, indifférence, troubles de la motricité, gâtisme alimentaire ou excrémentiel. Le dément doit être alors protégé médicalement et légalement.

Les causes de démence non curable sont dominées par:
— la *maladie de Pick* qui débute après 50 ans, le plus souvent chez la femme; le sujet atteint est euphorique, commet des actes absurdes (uriner en public, achats inconsidérés);
— la *maladie d'Alzheimer*, révélée souvent par les troubles de la mémoire; de début parfois précoce (45 ans), elle se complique, en 2 ans à 3 ans, de manifestations neurologiques: aphasie, apraxie et parfois épilepsie;
— la *démence sénile*, après 70 ans, est de loin la plus fréquente.

dentition

 croissance staturo-pondérale

dents *(douleurs des)*

Aujourd'hui encore, la majorité des patients attend d'avoir mal aux dents pour consulter un chirurgien-dentiste. De plus, nombre d'entre eux croient que le mal de dent est synonyme de carie. Dans les deux cas, ils commettent une erreur.

Il est très important de consulter régulièrement son dentiste, au moins une fois par an, afin de détecter un début éventuel de lésion carieuse, de vérifier l'état des gencives, de tester la vitalité des organes dentaires, de déceler la présence possible de kystes par un contrôle radiographique — toutes pathologies pouvant exister sans aucun symptôme douloureux.

Nous surprenons parfois nos patients en leur montrant la radio d'une de leurs dents qui ne les a jamais fait souffrir mais qui est pourtant complètement « rongée de l'intérieur ». Il y a aussi le cas des patients qui, lors de leur consultation, avouent souffrir depuis quelques jours mais avoir attendu avant de prendre rendez-vous dans l'espoir d'une guérison miraculeuse de leurs maux.

Il faut savoir que, si quelquefois les douleurs dentaires s'estompent momentanément, les lésions carieuses sont irréversibles, qu'une dent mortifiée « fera » tôt ou tard un abcès.

Le fait d'avoir mal aux dents ne doit pas faire craindre au patient la visite chez son dentiste : en effet, il dispose d'un arsenal thérapeutique et anesthésique chaque jour plus étendu, qui lui permet de soulager ses malades dans les meilleures conditions.

 ■ **carie dentaire** *(prévention de la)* ■ **gencives et dents déchaussées** ■ **dents** *(soins des)*

dents *(soins des)*

L'anesthésie locale

L'anesthésie locale représente une révolution dans le pratique quotidienne des soins dentaires, aussi bien pour le patient que pour le praticien.

Grâce à elle — une fois ses contre-indications médicales éliminées —, le patient peut en toute sérénité recevoir des soins allant du traitement d'une lésion carieuse débutante à l'extraction d'une dent de sagesse.

L'anesthésie locale s'effectue par injection entraînant une légère sensation de piqûre au tout début; quelques instants plus tard, la région anesthésiée s'engourdit. Cet engourdissement peut durer entre une demi-heure et deux ou trois heures selon la dose administrée; la durée varie également en fonction de l'individu, de son état nerveux ou éventuellement du traitement médical qu'il suit, traitement dont il aura prévenu le praticien. Peuvent débuter alors les soins, sans qu'aucune douleur vienne perturber le patient et, par conséquent, le travail du praticien qui peut ainsi exercer son art en toute sécurité.

Laser, ciments esthétiques et nouvelles techniques

Chaque jour, en dentisterie, apparaissent de nouveaux matériaux et de nouvelles techniques qui émanent des technologies les plus avancées et dont la presse se fait l'écho. Toutefois, entre l'annonce de ces découvertes et leur mise en application dans un cabinet dentaire, il y a tout le temps de la vérification de leurs résultats et de la précision de leurs indications multiples et diverses.

En dentisterie, le *laser* et ses applications sont prometteurs mais encore limités aux lésions carieuses de faible étendue; de plus, l'appareillage est très peu répandu en raison de son coût. Il ne faut pas confondre cet appareil avec le « soft laser » utilisé par exemple dans le traitement des gingivites, dont les résultats sont contestés.

Pour ce qui concerne les *ciments d'obturation* des dents antérieures — qui durcissent en quelques secondes au moyen d'un rayon lumineux —, de gros progrès ont été réalisés quant à leur esthétique et à leur fiabilité dans le temps. Néanmoins, les couronnes en céramique ont encore toute leur utilité et leurs qualités.

Le *détartrage aux ultrasons* est maintenant très répandu et peut être complété par un polissage au moyen de *microbilles* de bicarbonate projetées en jet; cet appareil permet d'éliminer avec précision les colorations tabagiques ou alimentaires.

De nouveaux *instruments endosoniques* dans le traitement des canaux radiculaires donnent également de bons résultats.

Prothèse dentaire : couronnes, dents sur pivot, bridges et appareils

La prothèse dentaire sert soit à reconstituer une dent très abîmée, grâce à une *couronne* ou au moyen d'une *dent sur pivot*, soit à remplacer une ou des dents manquantes, au moyen d'un *bridge* ou d'un *appareil*.

— La réalisation d'une couronne est indiquée lorsqu'une dent, vivante ou dévitalisée, est très délabrée ou bien inesthétique. Lorsque la dent est le siège d'une carie importante, la lésion est nettoyée, puis on reconstitue la dent au moyen d'un amalgame; mais si cet amalgame est trop volumineux, il persiste un risque de fracture de la dent : une couronne, scellée au moyen d'un ciment, permettra alors de consolider cette dent durablement.

— Lorsque la dent est encore plus atteinte, on peut réaliser une couronne munie d'un pivot qui va s'ancrer dans la racine; il s'agit alors d'une dent sur pivot, mais qui est également scellée.

Dans ces deux cas, on a le choix entre une prothèse entièrement métallique (acier, or blanc, or jaune) et une prothèse cosmétique (en métal recouvert de résine ou, mieux, de céramique appelée aussi porcelaine).

— Un bridge sert à remplacer des dents absentes. Il n'est réalisable que si l'édentement est limité, en avant et en arrière, par des dents qui vont lui servir de support. Il se construit comme un pont dont les piliers sont des couronnes scellées sur les dents-support, et dont l'arche est formée par une travée : celle-ci est soudée aux couronnes, et l'ensemble est donc fixé et inamovible, réalisé en métal seul ou recouvert de résine ou de céramique.

— Dans les cas où l'édentement n'est pas limité d'un côté (par exemple, s'il manque toutes les molaires d'un côté), le bridge est impossible à poser. On fait alors appel aux appareils dentaires, en résine ou en alliage métallique, qui s'enlèvent et doivent être nettoyés après chaque repas. Ils sont munis de crochets qui les maintiennent en place.

— Dans les cas d'édentement total, on réalise des dentiers; ces appareils sont en résine, remplaçant toutes les dents et tiennent comme une ventouse.

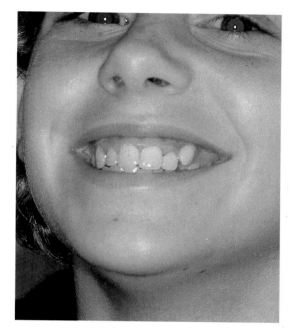

dents de lapin et dents mal plantées *(quand appareiller).*
Cette canine manque de place; il faut réaliser un appareillage.

dents cariées

    carie dentaire
(prévention de la)

dents déchaussées

    gencives et dents déchaussées

dents de lapin et dents mal plantées *(quand appareiller)*

Beaucoup de parents s'inquiètent très tôt de la façon dont « poussent » les dents de leurs enfants, et s'interrogent sur l'opportunité d'un traitement orthodontique.

Chaque cas nécessite des analyses, des examens radiographiques très précis, et entraîne un plan de traitement très variable d'un individu à l'autre.

Une visite annuelle chez le dentiste, dès la cinquième année, permet de suivre l'évolution de la dentition. Le traitement, s'il est décidé, débute souvent autour de la dixième année. Toutefois, ces traitements peuvent être instaurés plus tard et même à l'âge adulte.

En revanche, la demande de prise en charge par la Sécurité sociale, pour être valable, doit être établie avant la douzième année.

dents de sagesse

L'éruption des dents de sagesse, ou *troisièmes molaires*, a lieu vers l'âge de 18 ans. On peut en observer des éruptions précoces, mais plus souvent retardées, des éruptions incomplètes et même des absences d'éruption.

Si vers 25 ans, les dents de sagesse n'ont pas évolué, il est nécessaire d'en contrôler la présence par un cliché radiographique. En effet, certaines personnes n'ont pas de troisièmes molaires. Chez d'autres, ces dents existent mais demeurent invisibles car elles restent incluses dans l'os : le patient ne s'en plaint pas; il suffit d'en vérifier périodiquement l'absence d'évolution.

En dehors de ces deux possibilités, on observe souvent des « accidents » d'éruption :

— la dent reste partiellement recouverte d'un capuchon muqueux, qui peut s'infecter, entraînant de vives douleurs; un dégagement chirurgical de la couronne peut suffire mais l'extraction sera très souvent nécessaire;

— la dent est mal orientée, « coincée » par la molaire antérieure, oblique vers l'avant ou à l'horizontale; son extraction s'impose car elle peut entraîner une atteinte carieuse de la dent voisine, un abcès ou des malpositions dentaires au niveau de l'arcade intéressée.

 dents *(soins des)*

dépassement du terme

 grossesse prolongée

dépigmentation de la peau

 Certaines taches dépigmentées de la peau sont congénitales et s'observent dès la naissance *(sclérose tubéreuse de Bourneville)*.

Le *vitiligo* est une achromie acquise qui apparaît secondairement au cours de la vie.

Les *dartres achromiantes* forment des taches blanches à surface légèrement squameuse, très chroniques. Elles évoluent pendant plusieurs années sur les joues. Elles sont plus fréquentes chez les enfants atteints de dermatite atopique ou ayant la peau sèche.

Le *pityriasis versicolor* achromiant est une mycose très répandue qui entraîne l'apparition de taches blanches sur le tronc, les bras et le cou.

 ■ vitiligo ■ dartres ■ pityriasis versicolor

dépression

 C'est une disposition d'esprit pénible et triste, s'accompagnant d'un pessimisme profond, d'une souffrance morale, d'une indifférence à l'entourage, d'un dégoût de soi-même et de son passé, de la crainte de l'avenir. L'idée de suicide est presque toujours présente. Le sujet déprimé est apathique, adynamique; sa mimique est inexpressive; il se fatigue vite; sa pensée est ralentie, peu efficace; sa concentration difficile. L'anxiété est constante, souvent immotivée.

La dépression s'accompagne d'une grande lassitude et d'un affaiblissement; l'insomnie l'évoque sous forme de réveil précoce. La sexualité est fréquemment inhibée. Enfin, des algies diverses — céphalées, lombalgies, gastralgies, la perte de l'appétit, plus rarement la boulimie, des troubles cardio-vasculaires — peuvent être au premier plan et « masquer » la dépression.

On distingue :
— *la mélancolie*, forme grave de la dépression, en partie héréditaire, survenant sans facteur déclenchant particulier, et d'évolution périodique;
— *les dépressions névrotiques*, très fréquentes, moins bien individualisées; elles peuvent revêtir des formes « mineures » réactionnelles à un trau-

matisme affectif nettement repéré, ou des formes sévères et traînantes, en relation avec la personnalité antérieure du sujet. Le traitement associe, de façon variable, des médicaments (antidépresseurs, anxiolytiques) à une psychothérapie.

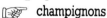 ■ angoisse et anxiété ■ psychose maniaco-dépressive ■ psychosomatiques *(maladies)*

dérivés nitrés

 ■ insuffisance coronaire ■ œdème aigu du poumon *(dû à une maladie cardiaque)*

dermatophytes

 champignons

descente d'organe

 prolapsus

désensibilisation

 Vous êtes allergique : votre médecin vous propose une désensibilisation. Il s'agit d'une méthode aujourd'hui bien codifiée, d'efficacité démontrée, qui consiste à injecter des doses croissantes du ou des allergènes responsables de la maladie, afin de permettre à l'organisme de les « tolérer ». Les effets favorables de la désensibilisation se font ressentir après quelques semaines de traitement et progressent pendant plusieurs mois. Le résultat est d'autant plus décisif qu'il a été possible auparavant de déterminer avec précision les allergènes en cause, que ceux-ci sont peu nombreux et que le malade suit régulièrement son traitement. La méthode est plus probante pour les sujets jeunes.

Deux méthodes principales sont utilisées : la *méthode classique*, de progression lente, et la *méthode rapide*, dite méthode « rush » ou « accélérée ».

La désensibilisation classique

Elle consiste à pratiquer, à des doses croissantes, des injections d'allergène(s) par voie souscutanée, dont la fréquence varie de deux par semaine en début de traitement à une tous les deux mois en fin de traitement. Sa durée est de trois à cinq ans environ, quelquefois plus.

Ces injections, non douloureuses, sont pratiquées par le médecin lui-même dans le cas d'allergènes pouvant entraîner des réactions immédiates importantes, par des auxiliaires médicaux dans les autres cas. Il est prudent de surveiller le patient dans la demi-heure qui suit l'injection. Une désensibilisation bien conduite n'entraîne habituellement aucun incident.

Avec certains allergènes très actifs (pollens) peut survenir une réaction d'intolérance aiguë (*choc anaphylactique*) ou, plus souvent, retardée : dans les heures qui suivent l'injection, le malade ressent une gêne pharyngée suivie de toux et d'asthme tandis que se développe une réaction d'urticaire généralisée. Le médecin, aussitôt prévenu, intervient efficacement par l'injection de corticoïdes et d'anti-histaminiques qui provoquent une sédation rapide des symptômes. Ces réactions deviendront exceptionnelles au fur et à mesure de la mise sur le marché d'allergènes de mieux en mieux préparés et étalonnés, en particulier des préparations dites « retard » libérant l'allergène de façon progressive et durable. Par précaution, on peut prendre un comprimé d'anti-histaminique une demi-heure avant l'injection.

La désensibilisation accélérée

Elle s'effectue à l'hôpital au cours d'un séjour de trois à quatre jours en moyenne. De demi-heure en demi-heure, des doses croissantes d'allergène(s) sont injectées au malade de manière à atteindre, en trois jours environ, une dose protectrice. Une injection de rappel, tous les mois, sera ensuite indispensable pendant une longue durée.

Cette méthode a surtout été développée pour la mise en œuvre de la désensibilisation aux venins d'hyménoptères (abeilles et guêpes); elle est actuellement la seule employée en pareil cas. Il est néanmoins possible de l'utiliser pour d'autres allergènes, mais ses inconvénients (hospitalisation, coût social élevé) en limitent les indications à des cas particuliers.

La désensibilisation peut-elle être interrompue ?

Cela est possible, en prenant bien soin d'abaisser les doses de tous les allergènes employés, lors de la reprise du traitement. L'avis de l'allergologue doit être sollicité.

Ce traitement n'empêche pas d'autres thérapeutiques associées. On peut administrer à un patient sous désensibilisation la majorité des médicaments, en évitant toutefois de le soumettre à une corticothérapie de longue durée : en effet, une prise de corticoïdes diminue la réponse immunitaire que la désensibilisation s'efforce de susciter. Cette association, si elle ne présente pas de danger, serait illogique si elle venait à être prolongée.

Tous les allergiques peuvent bénéficier de ce traitement pourvu que l'allergène responsable soit injectable, ce qui n'est pas le cas pour un grand nombre de substances (cosmétiques, produits ménagers, allergènes professionnels, etc.). Seuls certains sujets atteints de maladie de système, d'affections rénales ou de maladies comportant des troubles immunitaires doivent être exclus de ce traitement.

☞　■ **allergique** *(êtes-vous)* ■ **allergènes**

déshydratation aiguë du nourrisson

Le nourrisson est particulièrement exposé à la déshydratation. Le bon sens permet le plus souvent de l'éviter : en effet, certaines circonstances favorables à la survenue d'une perte importante d'eau imposent des mesures préventives immédiates.

Un nourrisson qui vomit et refuse de s'alimenter, qui a de nombreuses selles liquides, et *a fortiori* a de la fièvre, risque la déshydratation. Ces circonstances surviennent au cours des gastro-entérites aiguës essentiellement, mais aussi à l'occasion d'un « coup de chaleur » ou d'une simple maladie infectieuse fébrile (otite par exemple).

Le moyen le plus sûr d'apprécier la déshydratation est de peser l'enfant : une perte de 5 à 10 % du poids du corps est une déshydratation déjà sérieuse. Il faut prendre des mesures, sinon vont apparaître les signes d'une déshydratation intense : fièvre très élevée, extrême fatigue du nourrisson qui est prostré, dont le teint est pâle. Cela arrive parfois très rapidement.

Comment prévenir la déshydratation ?

— Tout d'abord en traitant la maladie responsable des troubles digestifs et/ou de la fièvre,
— en luttant contre les symptômes qui font courir le risque de déshydratation : la fièvre, les vomissements, la diarrhée,
— en évitant le « coup de chaleur » : ne laissez pas trop longtemps votre nourrisson exposé au soleil, pensez à lui donner à boire souvent (voyage en voiture).

Comment traiter la déshydratation ?

— Si l'enfant a perdu moins de 10 % du poids du corps et qu'il ne refuse pas de s'alimenter : proposez-lui de boire en petites quantités, cuillerée par cuillerée, toutes les 3 à 5 minutes, des préparations instantanées vendues en pharmacie ou à défaut de l'eau, du bouillon, des jus de fruits. Votre médecin complétera le traitement en fonction de la cause de la déshydratation : régime antidiarrhéique, lutte contre la fièvre et l'infection...

Si, en revanche, l'enfant vomit ou refuse de s'alimenter, seul votre médecin peut décider si le traitement doit être entrepris au domicile ou en milieu hospitalier.

— Si l'enfant a perdu 10 % ou plus du poids du corps, l'hospitalisation d'urgence est toujours nécessaire afin d'instituer une réhydratation et une alimentation par voie veineuse.

☞　■ **fièvre du nourrisson** ■ **diarrhée aiguë du nourrisson** ■ **vomissements du nourrisson**

détresse respiratoire du nouveau-né

La détresse respiratoire du nouveau-né est une extrême urgence thérapeutique. Elle nécessite parfois le transfert en centre de réanimation néonatalogique.

L'enfant est cyanosé. Sa fréquence respiratoire est trop rapide ou trop lente. L'enfant lutte pour respirer et s'épuise.

Des manœuvres de réanimation sont nécessaires : libération des voies respiratoires, vidange de l'estomac, oxygénation, pose d'une perfusion intra-veineuse...

Une fois ces mesures effectuées, les examens cliniques et complémentaires répétés permettent de surveiller l'enfant et de rechercher une cause.

Les causes de détresses respiratoires sont très nombreuses. Certaines d'entre elles imposent la chirurgie d'urgence : c'est le cas de la hernie diaphragmatique.

Nous nous contenterons dans cet article de décrire une des détresses respiratoires non chirurgicales : la maladie des membranes hyalines.

Il s'agit d'un enfant né prématurément avant la trente-cinquième semaine, qui, dès les premières minutes de vie, lutte pour respirer. La détresse respiratoire est due à une insuffisance de production dans les alvéoles pulmonaires fœtale d'une substance appelée surfactant. Le surfactant, lorsqu'il est produit en quantité suffisante (généralement après la trente-septième semaine), empêche, à la naissance, l'affaissement total des alvéoles pulmonaires lors de l'expiration. Il permet ainsi la permanence des échanges gazeux. La réanimation du nouveau-né permet de franchir le cap difficile des premiers jours, temps nécessaire à une production suffisante de surfactant. En fait, le traitement devrait être préventif : dépistage des causes de la prématurité, étude de la maturité pulmonaire fœtale par l'amniocentèse lorsqu'un accouchement prématuré est envisagé (▷ fœtus [état de santé du]).

développement psychomoteur du nourrisson

Il désigne l'évolution des fonctions motrices (tenue de la tête, station assise, marche) et intellectuelles (sourire, langage,...). Chez le nourrisson, ces deux fonctions sont intimement liées, le développement intellectuel ne pouvant se faire qu'au travers des activités motrices et sensorielles.

De la naissance à 3 mois, apparaissent :
— la poursuite oculaire : le nourrisson suit l'objet ou la personne qui se déplace devant ses yeux,
— le sourire réponse qui remplace le sourire aux anges,
— la tenue de la tête,
— le gazouillement.

De 3 mois à 12 mois, le tonus croît au niveau du tronc, entraînant :
— la station assise entre 6 et 8 mois,
— la station debout entre 8 et 10 mois,
— la marche entre 12 et 15 mois.
Parallèlement, la préhension devient de plus en plus fine :
— à 4 mois il saisit au contact de la paume,
— à 6 mois, la préhension devient volontaire,
— à 8 mois : préhension entre le pouce et l'index,
— à 12 mois : pince pouce-index fine.
Par ailleurs, vers 6 à 8 mois, des réactions normales d'angoisse apparaissent. Pleurs lorsque la mère quitte son enfant, pleurs devant un visage inconnu...

De 12 à 24 mois : la deuxième année est marquée par l'acquisition de la propreté et du langage.
— La propreté est acquise entre 18 et 24 mois, diurne d'abord, puis nocturne vers 2-3 ans, elle subit de grandes variations individuelles dépendant :
de facteurs physiologiques : capacité de contrôler ses sphincters qui survient quelques mois après le début de la marche,
de facteurs psychologiques où la relation mère-enfant joue un très grand rôle.
Le bon moment de l'apprentissage de la propreté se situe entre 15 et 18 mois. Celui-ci doit se faire avec douceur et patience, mais aussi avec fermeté. Mettez votre bébé sur le pot régulièrement après les repas pendant 5 à 10 minutes, en ayant, si possible, repéré le moment de l'émission des selles. L'enfant va peu à peu comprendre ce que vous attendez de lui, mais sachez que cela peut être plus ou moins rapide selon les enfants.
— Le langage est le résultat de la mémorisation des mots entendus par l'enfant depuis sa naissance. Après la répétition syllabique : ma-ma, pa-pa..., vers l'âge de 8 mois, les premiers mots sont dits vers 1 an.
Le vocabulaire s'enrichit peu à peu. L'enfant devient capable à 2 ans de faire de courtes phrases.
Un nourrisson sourd ne peut mémoriser les mots et sera donc incapable de les exprimer. La surdité doit être dépistée le plus tôt possible, par l'absence de réaction aux bruits par exemple.

Retard du développement psychomoteur
Toute acquisition psychomotrice qui ne se fait pas dans les délais normaux doit faire l'objet d'investigations particulières :
— étude des antécédents de l'enfant à la recherche d'une cause neurologique : naissance difficile avec réanimation, prématurité, anomalie chromosomique, embryopathie, méningite, encéphalite, convulsions, traumatisme crânien ;
— dépistage d'un déficit sensoriel (surdité, amblyopie) ;

Différentes étapes du développement psychomoteur du nourrisson

Âge	Acquisition psychomotrice
1 à 2 mois	poursuite oculaire
1 à 2 mois	sourire-réponse
2 à 3 mois	station ferme de la tête
2 à 3 mois	gazouillement
4 à 5 mois	préhension palmaire
6 à 8 mois	station assise
6 à 8 mois	angoisse du 8ᵉ mois
8 à 10 mois	répétition syllabique
8 à 10 mois	station debout
12 mois	pince pouce-index
12 mois	quelques mots isolés
12 à 15 mois	marche
18 mois	associe deux ou plusieurs mots
18 à 24 mois	propreté diurne
3 à 4 ans	propreté nocturne
2 ans	fait de courtes phrases

— recherche d'une affection ostéo-musculaire ;
— recherche d'un trouble psychologique.

Ce n'est qu'après avoir éliminé toutes ces causes que l'on pourra parler de retard essentiel qui, le plus souvent, évoluera favorablement avec des moyens simples, que votre médecin vous conseillera selon les cas.

☞ INDEX THÉMATIQUE *(PSYCHOLOGIE ET PSYCHIATRIE)*

diabète sucré

Le diabète sucré est une maladie fréquente caractérisée par un excès de sucre dans le sang *(hyperglycémie)*. Cette anomalie est liée à un *déficit en insuline*, hormone normalement sécrétée par le pancréas.

Rôle de l'insuline

Dans les conditions normales, l'insuline a pour principale fonction de maintenir l'équilibre du taux de glucose *(sucre)* dans le sang *(glycémie)*, en favorisant l'utilisation du glucose par un certain nombre de cellules (muscles, tissus graisseux, etc.) et en diminuant sa production par le foie. Ainsi, après un repas, la sécrétion d'insuline permet au glucose absorbé par l'intestin d'être capté par les cellules. La réponse de l'insuline au cours et après le repas permet un rapide équilibre de la glycémie. L'insuline, en moindre quantité, a aussi pour fonction de maintenir les réserves énergétiques de l'organisme (muscle, graisse).

Déficit en insuline

En cas de diabète, les conséquences de la carence en insuline vont être variables suivant le degré de son déficit. Si celui-ci est modeste, l'anomalie la plus nette est une augmentation anormale de la glycémie après ingestion de glucose, ce qui traduit une utilisation incomplète du glucose absorbé. Plus le déficit en insuline s'aggrave, plus l'hyperglycémie augmente : la glycémie est élevée à jeun comme après le repas. Si la glycémie dépasse 1,8 g/l, du glucose apparaît dans les urines *(glycosurie)*, tout se passant comme si, à partir d'un certain seuil de glycémie, l'organisme pouvait se débarrasser en partie de l'excès de glucose en l'éliminant dans les urines.

L'excrétion urinaire du glucose s'accompagne de celle d'eau, d'où une augmentation du volume et de la fréquence des mictions (polyurie), perte d'eau donc soif (polydipsie). La soif et l'abondance des urines sont deux signes très évocateurs de diabète sucré. A un stade plus avancé du déficit en insuline, l'organisme devient non seulement incapable d'utiliser le glucose présent dans le sang, mais aussi de maintenir ses stocks d'énergie : le tissu graisseux et les muscles fondent, d'où perte de poids et fatigue.

Si un déficit complet en insuline n'est pas rapidement corrigé, la perte des réserves énergétiques de l'organisme est telle que la survie devient impossible. Le décès survient après un coma dit « acido-cétosique » (la cétose, c'est-à-dire la présence en excès de corps cétoniques, traduit la fonte massive du tissu graisseux).

Les formes du diabète sucré

On distingue deux grands types de diabètes sucrés : le *diabète insulino-dépendant* (DID) et le *diabète non insulino-dépendant* (DNID).
— Le premier, DID, anciennement dénommé diabète maigre, cétosique, est caractérisé par une carence complète en insuline. Il s'observe chez le sujet jeune mais peut survenir à tout âge. Il est associé à des facteurs génétiques et d'environnement (virus en particulier) et paraît souvent lié à la présence d'anticorps dirigés contre le pancréas.
— Le diabète non insulino-dépendant débute à tout âge mais dans la majorité des cas après 40 ans, et plus particulièrement chez des sujets obèses. Ici la carence en insuline n'est pas complète mais rela-

tive : le sujet sécrète de l'insuline mais de façon retardée, insuffisante, inappropriée. Le rôle des facteurs génétiques et environnementaux est important mais il faut surtout insister sur celui de l'excès de poids. Plus un sujet est gros, plus son organisme doit sécréter de l'insuline pour maintenir une glycémie normale. Si pour des raisons génétiques le pancréas n'est pas des plus performants, la constitution d'un excès pondéral va venir précipiter la révélation de la carence en insuline. La sédentarité joue aussi un rôle, car l'absence d'exercice physique entraîne une moindre efficacité de l'insuline.

— Il existe d'autres types de diabète associés à certaines maladies (hémochromatose, cushing, acromégalie), ou provoqués par des médicaments (corticoïdes, hormones stéroïdiennes) ou encore survenant après intervention chirurgicale (ablation du pancréas).

Pourquoi devient-on diabétique ?

L'Organisation mondiale de la santé (O.M.S.) définit le diabète comme un état d'hyperglycémie chronique relevant de facteurs génétiques et exogènes, agissant souvent conjointement.

On peut dire que dans la majorité des cas on devient diabétique insulino-dépendant si l'on est génétiquement prédisposé et que l'on a a la malchance de rencontrer un facteur d'environnement favorisant l'expression du diabète (virus, toxique) et le développement d'une maladie par auto-anticorps.

Le risque de devenir diabétique non insulino-dépendant est lié aussi à une prédisposition génétique et surtout à des facteurs rendant l'insuline inefficace (obésité, sédentarité, agression).

Les manifestations cliniques du diabète

Les manifestations cliniques de la maladie sont variables suivant le type de diabète et son ancienneté. Il faut distinguer les conséquences à court et long terme de l'hyperglycémie.

A court terme, tout dépend du degré de carence en insuline, comme cela a été décrit plus haut. Ainsi, une hyperglycémie modeste peut être parfaitement latente et ignorée par le sujet diabétique. Urines abondantes, soif, fatigue, amaigrissement, coma acidocétosique apparaissent ou non selon la gravité de l'hyperglycémie et du déficit en insuline. A ces signes s'ajoute la fréquence des infections.

L'hyperglycémie chronique a des conséquences à long terme qui justifient un traitement rigoureux du diabète. Les complications chroniques du diabète sont liées à l'importance et à la durée de l'hyperglycémie. On distingue très schématiquement trois ordres de complications : la *macroangiopathie* (anomalies des gros vaisseaux), la *microangiopathie* (anomalies des petits vaisseaux) et les *neuropathies*.

— La *macroangiopathie* correspond à un athérome (artériosclérose) plus important, plus fréquent que dans la population générale, avec pour conséquence des problèmes coronariens, d'artérite des membres inférieurs et d'hypertension artérielle...

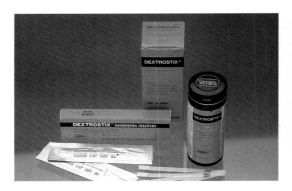

diabète sucré. *Les diabétiques disposent aujourd'hui de la possibilité de vérifier eux-mêmes leur taux de sucre (glucose) dans l'urine, ou même dans une goutte de sang. Ils peuvent ainsi mieux adapter l'apport insulinique à leurs besoins quotidiens.*

— La *microangiopathie* atteint principalement les vaisseaux de la rétine et du rein. L'examen du fond* de l'œil permet d'évaluer l'importance de la microangiopathie rétinienne. Au niveau du rein, celle-ci se manifeste par une hypertension artérielle et parfois une albuminurie* et une insuffisance rénale.

— Les *atteintes neurologiques* se traduisent principalement par des douleurs et des troubles sensitifs.

La cataracte est plus fréquente chez les sujets diabétiques. Il faut insister sur le fait que ces complications ne surviennent qu'en cas de déséquilibre chronique du diabète, de traitement insuffisant, et au bout de plusieurs années d'évolution (quinze ou vingt ans).

Prévention des complications du diabète

Les complications diabétiques peuvent être prévenues, pour une large part, par le traitement du diabète assurant un bon équilibre glycémique. De plus, des progrès considérables ont été faits dans le traitement de l'hypertension artérielle, des conséquences de l'artériosclérose et de la microangiopathie rétinienne (laser). Le traitement du diabète a pour objectif de faire disparaître les symptômes gênants à court terme (soif, fatigue, etc.) et de prévenir les complications chroniques. Il repose sur l'équilibre alimentaire, l'activité physique dans tous les cas, l'insuline ou parfois les médicaments.

Pour lutter contre l'artériosclérose, il est recommandé de consommer des graisses en quantité limitée (30 % de la ration calorique) et de privilégier les graisses insaturées (huile et margarine de tournesol par exemple).

L'exercice physique a un rôle essentiel dans le traitement car il favorise l'action de l'insuline, rendant l'organisme plus sensible à ses effets. De plus l'exercice physique est bénéfique sur le plan cardio-vasculaire.

L'insuline ne peut être administrée par voie orale car elle est digérée par le tube digestif. Il est donc nécessaire de l'administrer par injection sous-cutanée ou intramusculaire. Il existe plusieurs variétés d'insuline, de durée d'action variable entre six heures et plus de vingt-quatre heures. Récemment ont été mises au point des pompes qui délivrent en permanence l'insuline.

Deux catégories de médicaments peuvent être utilisées pour les diabètes non insulino-dépendants : les sulfamides et les biguanides.

L'autosurveillance du diabétique

Les sujets diabétiques ont la possibilité d'évaluer eux-mêmes l'équilibre de leur diabète en lisant le taux de sucre dans les urines et dans le sang grâce à des bandelettes réactives. Ceci est particulièrement important pour les sujets atteints de diabète insulino-dépendant dont la glycémie fluctue souvent beaucoup, entre les périodes d'hyperglycémie que l'on souhaite éviter pour prévenir les complications à long terme, et les périodes d'hypoglycémie qui exposent à des troubles désagréables.

Le manque de sucre dans le sang peut entraîner des fringales, des palpitations et un certain nombre de manifestations neurologiques (troubles visuels, vertiges) pouvant, à l'extrême, aller jusqu'à la perte de connaissance. Pour corriger l'hypoglycémie, il faut immédiatement manger du sucre et, si des troubles de conscience sont présents, une injection de glucagon (hormone antagoniste de l'insuline) doit être pratiquée.

Ces manifestations d'hypoglycémie sont rapidement réversibles sous traitement et sont plus spectaculaires et désagréables que graves. La diabétologie moderne a largement développé l'idée de l'autosurveillance donnant au sujet diabétique les moyens de contrôler et adapter lui-même son traitement. Une information est dispensée dans les centres de diabétologie.

● Régime du diabétique

Des mesures diététiques sont nécessaires quel que soit le type de diabète. Elles varient selon l'âge du sujet, son poids, son traitement (insuline ou non).

En cas de diabète non insulino-dépendant

Deux objectifs sont prioritaires : éviter ou réduire l'excès de poids, et équilibrer l'alimentation.

La majorité des sujets diabétiques présentent en effet un excès de poids, voire une obésité, et l'on sait que la surcharge pondérale favorise l'apparition et le développement du diabète. Dans la majorité des cas de diabète non insulino-dépendant, le traitement comporte donc dans un premier temps une réduction des apports caloriques (régime hypocalorique) pour permettre au sujet de perdre du poids. Cette mesure suffit dans bien des cas à faire disparaître l'hyperglycémie. On peut dire que le régime du diabétique non insulino-

dépendant présentant un excès de poids est identique à celui des sujets non diabétiques obèses.

A cette réduction des apports alimentaires doit être associé un bon équilibre alimentaire. On a longtemps considéré que la présence d'un excès de sucre dans le sang (hyperglycémie) justifiait une réduction importante des apports alimentaires en glucides. Cette position est actuellement abandonnée et il est admis que l'alimentation du diabétique doit être constituée d'environ 15 à 20 % de protides, 50 % de glucides et moins de 35 % de lipides. Cette composition rejoint celle préconisée pour la population générale. En ce qui concerne les glucides, il est recommandé de consommer plutôt des glucides *complexes* (pain, pâtes, riz, pommes de terre) que des sucres *simples* (sucre, miel, confiture, chocolat, pâtisserie...).

Il est formellement déconseillé de consommer des glucides seuls : les prises alimentaires (au moment ou en dehors des repas) doivent être mixtes, c'est-à-dire comporter un mélange de glucides, lipides et protides. En effet, l'ingestion d'une même quantité de glucides fait beaucoup plus monter la glycémie lorsqu'elle est isolée que si elle est associée à des protides et à des lipides.

En cas de diabète insulino-traité

Les mesures diététiques précédentes restent valables mais l'alimentation doit être fractionnée en fonction du type d'insuline utilisée. D'autre part, il est nécessaire d'ajouter des collations aux trois repas habituels (vers le milieu de la matinée et de l'après-midi, et en fin de soirée). Il est conseillé à tous les diabétiques d'enrichir leur alimentation en nutriments riches en acides gras insaturés et de réduire la consommation des graisses saturées. Ces mesures sont bénéfiques sur le plan vasculaire et préviennent l'artériosclérose.

☞ ■ artériosclérose ■ alimentation normale ■ obésité

diagnostic anténatal des maladies fœtales

Le diagnostic anténatal est un acte par lequel le médecin rassemble les symptômes présentés par le fœtus, lors de divers examens. Ces symptômes, décelés *in utero*, peuvent se rattacher à des maladies ou à des anomalies.

Les maladies ou anomalies fœtales peuvent être soit *génétiques*, c'est-à-dire transmises, avec des risques de récidives, soit *accidentelles*, soit *acquises* pendant la grossesse, et alors infectieuses le plus souvent.

Les anomalies génétiques

Lorsqu'il existe un antécédent d'anomalie ou de maladie génétique dans la famille ou chez le couple, celui-ci doit alors consulter un généticien pour

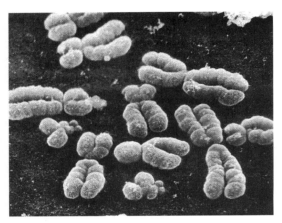

diagnostic anténal des maladies fœtales. *Chromosomes humains vus au microscope à balayage.*

établir ce que l'on appelle le *conseil génétique*. L'objectif est alors de définir le plus précisément possible le diagnostic de l'enfant qui a été atteint que l'on nomme le *cas index*. En fonction de la nature de ce cas index, de sa place dans l'arbre généalogique, et parfois du résultat d'examens complémentaires chez les futurs parents, on va pouvoir définir avec exactitude le risque d'avoir un nouvel enfant atteint.

Le conseil génétique va aussi définir une *stratégie diagnostique* pour la future grossesse, c'est-à-dire prévenir les futurs parents des examens à faire en cours de grossesse, du terme auquel il faudra les faire, et des équipes médicales à contacter parfois très tôt au début de la grossesse. Il s'agit, en effet, souvent d'examens très spécialisés, ne pouvant être effectués que dans des centres particuliers.

Enfin, certaines enquêtes génétiques sont longues et difficiles, compte tenu des délais pour recueillir les informations et pratiquer les examens nécessaires qui peuvent concerner plusieurs membres de la famille, avant même le début de grossesse.

Les anomalies accidentelles

Elles surviennent par hasard, chez des couples sans risques, lors d'une grossesse en apparence normale. Une grossesse sur cent présente des anomalies dont la gravité est variable et le diagnostic aisément établi grâce à l'échographie systématique pratiquée lors de la surveillance de toute grossesse.

Les anomalies acquises

Certaines maladies maternelles pendant la grossesse peuvent avoir des conséquences fœtales. Ce sont essentiellement la *toxoplasmose* et la *rubéole*,

plus rarement des maladies hématologiques, en particulier celles des plaquettes.

Lorsque la maladie est diagnostiquée chez la mère pendant la grossesse, le problème du risque fœtal est alors posé :
— pour la *rubéole*, avant dix semaines de grossesse il est de 100 %, après seize semaines nul, et entre dix et seize semaines de l'ordre de 40 à 10 % ;
— pour la *toxoplasmose*, il est de 5 %.

Dans tous les cas, un diagnostic sera établi grâce à l'analyse du prélèvement du sang fœtal.

Les moyens du diagnostic anténatal

L'échographie est le moyen du diagnostic anténatal le plus répandu, qui permet un dépistage de masse, sans aucun risque pour la grossesse. 95 % des malformations fœtales sont ainsi décelables. L'échographie, pour être fiable, doit être faite par un échographiste entraîné. Dès qu'une anomalie est détectée, elle doit être précisée dans un centre spécialisé en diagnostic anténatal (▷ échographie obstétricale).

L'amniocentèse procède par ponction du liquide amniotique, dans lequel baigne le fœtus. Elle s'effectue à travers la paroi de l'abdomen maternel, à dix-sept semaines précises d'aménorrhée (absence de règles). Réalisée en consultation externe et sans analgésie, elle est d'un risque minime (0,5 % de fausses couches). Le recueil de liquide amniotique permet l'analyse des chromosomes ou *caryotype*, de divers métabolismes, de paramètres biochimiques comme l'*alpha fœto-*

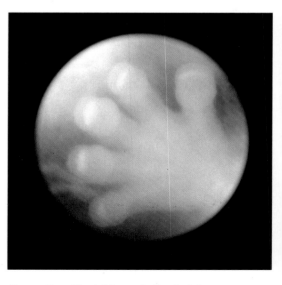

diagnostic anténatal des maladies fœtales. *Embryoscopie : main à 9 semaines d'aménorrhée.*

protéine pour la détection du *spina bifida*, ou de la *phosphatase alcaline* pour le diagnostic de la *mucoviscidose*.

La fœtoscopie permet de détecter certaines anomalies fœtales, peu visibles à l'échographie. C'est un examen visuel du fœtus, pratiqué à partir de dix-sept semaines d'aménorrhée jusqu'au terme, au moyen d'un système optique très fin introduit dans la cavité amniotique par voie abdominale; elle est effectuée sous anesthésie locale. Son risque est de 1 à 2 % de fausses couches. Elle permet également :
— le prélèvement de sang fœtal pour le diagnostic des anomalies sanguines (*hémoglobinopathies*, dont *drépanocytose* et *thalassémie*), des anomalies de la coagulation (*hémophilie*, *thrombopénies*, *déficits immunitaires* du fœtus) et des maladies acquises;
— le prélèvement de peau fœtale pour les maladies cutanées héréditaires graves;
— le prélèvement de foie fœtal pour certaines maladies métaboliques rares.

Elle permet aussi d'injecter dans la circulation fœtale des substances à titre de thérapeutique, ou de contrôler la pose de cathéter chez le fœtus dans le traitement *in utero* de certaines anomalies urinaires.

La ponction de sang fœtal sous échographie consiste à introduire une aiguille, sous contrôle échographique, dans le cordon ombilical pour obtenir un prélèvement du sang fœtal. L'analyse de celui-ci permet les diagnostics déjà envisagés ci-dessus. Son risque est de 1 à 2 % de fausses couches. Ce geste simple en apparence doit être effectué par des opérateurs très entraînés à cette méthode. La ponction est réalisée sous anesthésie locale, sans hospitalisation, à partir du terme de dix-huit semaines d'aménorrhée.

La biopsie de villosité choriale consiste à prélever un minuscule morceau du futur placenta, sous contrôle échographique, à l'aide d'une pince ou d'un cathéter introduit par les voies naturelles. L'examen est réalisé en consultation externe, sans anesthésie, au terme de dix semaines d'aménorrhée. Le risque est de 3 à 4 % de fausses couches, en remarquant qu'il existe encore à ce terme un risque de fausse couche spontanée non négligeable. Le tissu ainsi prélevé est particulièrement approprié à l'analyse des chromosomes, des métabolismes, et surtout à l'analyse moléculaire.

Depuis peu, on peut établir ainsi le diagnostic d'un nombre croissant de maladies génétiques, non plus à partir de l'expression du gène (hémoglobine, coagulation, métabolisme), mais directement à partir de l'étude du gène lui-même, en repérant la mutation responsable de l'anomalie. L'énorme avantage de cette méthode est non seulement la précocité des diagnostics, mais aussi la possibilité de détecter certaines maladies, dont on ignorait auparavant l'expression du gène, telle la myopathie de Duchenne.

D'ores et déjà on peut proposer, par cette méthode, les diagnostics de *drépanocytose*, de

diagnostic anténatal des maladies fœtales. *Villosité : unité placentaire contenant le patrimoine génétique du fœtus, qui peut être étudiée dès 10 semaines d'aménorrhée.*

thalassémie, d'*hémophilie*, et de *myopathie*. Il faut souligner que ces diagnostics ne sont possibles que si l'enquête génétique familiale a été réalisée auparavant, c'est-à-dire avant la grossesse, étant donné la précocité du prélèvement, d'où l'importance du conseil génétique préalable.

L'embryoscopie consiste à visualiser, à neuf semaines d'aménorrhée, l'ensemble de l'embryon, grâce à une optique très fine, introduite par les voies naturelles, sans anesthésie. Elle permet en particulier de réaliser le diagnostic d'anomalie des extrémités ou des membres, dans des familles pour lesquelles le risque peut atteindre 50 %. Le risque de l'examen est de 5 % de fausses couches.

A qui s'adresse le diagnostic anténatal ?

La grande majorité des femmes enceintes n'ont pas de risque particulier. Aussi, le conseil génétique et les examens qui nécessitent prélèvements ou introduction de matériel, telles l'amniocentèse ou la fœtoscopie, ne leur sont pas nécessaires. En revanche, l'échographie doit être généralisée : elle permet sans aucun danger de repérer la plupart des éventuelles malformations. Si, lors de l'étude de la morphologie fœtale, établie par échographie entre la vingtième et la vingt-deuxième semaine, une anomalie est décelée, alors d'autres examens complémentaires (amniocentèse, fœtoscopie...) s'imposent.

Ces examens complémentaires sont de rigueur pour les populations à risque sans pour autant avoir eu des antécédents :
— les femmes qui ont plus de trente-huit ans (le risque de mongolisme est de 1 %, voire plus au-delà de quarante ans); ce risque justifie l'étude du caryotype fœtal qui peut être établi à partir du liquide amniotique recueilli par amniocentèse à dix-

sept semaines, ou sur une biopsie de villosité à dix semaines;
— les femmes de certains groupes ethniques connus pour avoir un risque plus élevé pour telle ou telle maladie (les Celtes : le *spina bifida*; les Juifs ashkénazes : la *maladie de Tay Sachs*).

Enfin, d'autres femmes ont un risque génétique dans la famille ou en raison de leurs antécédents personnels. Les examens et les surveillances qui leur sont proposés dépendront de la nature de la maladie et du stade de la grossesse.

L'éthique du diagnostic anténatal

Le diagnostic anténatal permet de déceler un grand nombre d'anomalies fœtales : anomalies mortelles, anomalies au pronostic désastreux, mais aussi certaines maladies ou malformations moins graves mais qui posent des problèmes éthiques non résolus. En admettant qu'un consensus général existe pour proposer l'avortement thérapeutique en cas d'anomalies mortelles ou graves — cela est d'ailleurs à vérifier —, le doute moral subsiste en cas d'anomalies moins graves ou améliorables, mais sans possibilité de guérison complète. Faut-il avorter un fœtus atteint d'hémophilie grave, alors que la politique transfusionnelle actuelle apporte en effet bien des satisfactions ? Les progrès de la médecine dans les dix ou vingt ans à venir ne vont-ils pas permettre le traitement des fœtus que nous avortons à l'heure actuelle ? A l'opposé, doit-on obliger des parents à élever un handicapé certain, alors que la loi permet l'avortement de fœtus parfaitement sains avant douze semaines ? Comme très souvent, les possibilités techniques sont en avance sur la réflexion morale, et nous sommes pour l'instant dans une grande période d'incertitude.

En revanche, il existe une certitude : sans la possibilité de faire le diagnostic anténatal et la surveillance qui en découle, de très nombreux couples à risques n'auraient pas envisagé de faire un enfant.

diarrhée aiguë

Les problèmes de la diarrhée aiguë sont différents chez l'adulte et chez l'enfant. Reste une question commune : la diarrhée aiguë entraîne-t-elle une déshydratation ? La déshydratation impose des perfusions et donc l'hospitalisation.

Le plus souvent la réhydratation et l'hospitalisation ne sont pas nécessaires, votre médecin doit alors tenter de déterminer la cause de la diarrhée. Les arguments du diagnostic sont tirés du contexte dans lequel elle survient :
— notion d'intoxication alimentaire, parfois familiale ou de collectivité;
— séjour récent à l'étranger;
— survenue de la diarrhée pendant et après un traitement médicamenteux.

Les autres signes sont cliniques et parfois biologiques : présence ou absence de fièvre, de douleurs abdominales, de vomissements, aspect des selles (matières, sang, pus); votre médecin prescrira parfois une coproculture* et un examen parasitologique des selles.

Ce bilan conduit le plus souvent au diagnostic de diarrhée infectieuse banale.

Lorsque les troubles sont mineurs, un traitement diététique suffit le plus souvent. Lorsqu'au contraire la diarrhée est intense, la fièvre très élevée, ou lorsque la diarrhée survient chez un sujet en mauvais état général, un traitement antibiotique adapté au germe responsable vous sera parfois proposé.

En revanche, les diagnostics de choléra, de botulisme, d'amibiase, de typhoïde, de trichinose imposent des mesures spécifiques. Ces maladies font l'objet d'articles spécifiques dans ce livre.

Nous décrirons un peu plus longuement la diarrhée survenant au cours ou au décours d'un traitement antibiotique.

Certains antibiotiques sont parfois à l'origine d'une diarrhée banale et spontanément résolutive. Ailleurs, il peut s'agir d'une colite pseudo-membraneuse, complication beaucoup plus sérieuse avec fièvre, altération de l'état général, douleurs abdominales, diarrhée parfois sanglante. Le diagnostic repose sur l'examen endoscopique et, si possible, sur la recherche délicate de la toxine du *clostridium difficile*, germe responsable de la colite.

La prudence conseille d'interrompre le traitement, d'éviter les ralentisseurs du transit intestinal et, si la diarrhée se prolonge au-delà de l'arrêt de l'antibiothérapie, de subir les examens à visée diagnostique.

diarrhée aiguë du nourrisson

La diarrhée aiguë est une modification brutale du nombre et de la consistance des selles : elles deviennent plus nombreuses et plus liquides.

Cependant, les nouveau-nés ou les jeunes nourrissons ont souvent des selles nombreuses et molles, surtout lorsqu'ils sont alimentés au lait maternel : ceci ne doit pas inquiéter; ce n'est que la modification brutale des selles qui doit alerter.

La survenue d'une diarrhée aiguë impose une consultation médicale. Les problèmes qui se posent au médecin sont les suivants :

L'importance de la diarrhée impose-t-elle l'hospitalisation ?

— La diarrhée peut entraîner une déshydratation, d'autant plus que s'y associent de la fièvre, des vomissements, un refus alimentaire,
— le moyen le plus sûr d'apprécier la déshydratation est de peser l'enfant dès l'apparition de la diarrhée.

Quelle est la cause de la diarrhée aiguë ?

— Une erreur de régime (jus de fruit), une simple poussée dentaire;

— mais aussi une otite, une antibiothérapie, une méningite, une urgence chirurgicale. Ceci justifie que les nourrissons souffrant d'une diarrhée aiguë soient très bien examinés.

— Le diagnostic de gastro-entérite n'est donc qu'un diagnostic d'élimination; le diagnostic de « grippe intestinale » repose sur la diarrhée aiguë parfois associée à de la fièvre, des vomissements, une rhino-pharyngite. La gastro-entérite survient souvent au cours de petites épidémies à la crèche ou encore par contamination familiale.

Lorsque ce diagnostic est retenu, la coproculture* et l'examen parasitologique des selles sont le plus souvent inutiles.

Comment organiser le traitement de la diarrhée et la surveillance au domicile ?

— Il faut surveiller l'enfant, c'est-à-dire le peser deux fois par jour, noter le nombre et l'aspect des selles, les éventuels vomissements, s'assurer que le régime alimentaire est correctement suivi.

— Le régime alimentaire doit supprimer le lait et les laitages jusqu'à la normalisation du transit; il doit apporter une quantité suffisante de liquide et de calories. L'apport liquidien nécessaire à l'enfant est de l'ordre de 150 ml par kg et par jour. Il sera assuré au mieux par des solutions de réhydratation en sachets à diluer et des aliments diététiques vendus en pharmacie, ou par de la soupe de carottes salée, préparée à la maison ou en petits pots, ou encore par de l'eau de riz salée. Bananes mûres, pommes râpées, gelée de coing compléteront utilement le régime.

Ce régime trop peu calorique ne peut être poursuivi plusieurs jours.

Chez l'enfant de plus de 6 mois, il est nécessaire d'apporter des calories supplémentaires avec de la viande maigre et du poisson grillé.

— Dès que le transit redevient normal, le lait et les laitages sont progressivement réintroduits. Par exemple, chez le nourrisson de moins de 6 mois, commencer par 1/4 de lait et 3/4 de préparation pendant deux jours. Puis augmenter d'1/4 tous les deux jours ou même tous les jours si le transit reste normal.

Le traitement de la gastro-entérite est donc essentiellement diététique. Votre médecin aura parfois recours à des ralentisseurs du transit et à des anti-vomitifs. Les antibiotiques sont le plus souvent inutiles car la gastro-entérite est, dans la grande majorité des cas, d'origine virale. Parfois, lorsque la coproculture (prescrite en raison de selles sanglantes ou glaireuses, en raison d'un contexte épidémique ou encore de l'échec du traitement diététique) isole un germe particulier, l'antibiothérapie peut s'avérer nécessaire.

Que faire en cas d'échec du traitement diététique ?

La reprise de la diarrhée lors de la réintroduction du lait oblige à reprendre le régime diététique jusqu'à normalisation du transit. Il sera alors proposé à l'enfant un lait sans lactose pendant quelques semaines.

 ■ **fièvre du nourrisson** ■ **vomissements du nourrisson** ■ **déshydratation aiguë du nourrisson**

diarrhée chronique

Une diarrhée chronique peut se définir par une selle de plus de 300 g en vingt-quatre heures ou par une augmentation, sur un temps prolongé, du débit fécal, d'un ou plusieurs de ces constituants : excès d'eau des diarrhées hydro-électrolytiques, excès de graisses des stéatorrhées... Avant de retenir le diagnostic de diarrhée chronique, il est fondamental que vous ayez éliminé une « fausse diarrhée », c'est-à-dire la débâcle d'aspect liquide d'une selle qui en fait a stagné dans le côlon et est surdigérée. Celle-ci peut parfois être évoquée cliniquement devant la notion de « bouchon » précédant une selle molle ou devant la consistance hétérogène des matières : diarrhée acqueuse contenant des fragments de selles dures.

Les mécanismes d'une diarrhée sont nombreux; il peut s'agir de :

— *Diarrhées motrices* : elles sont émotionnelles ou fonctionnelles (colopathies fonctionnelles qui représentent 90 % des diarrhées chroniques). Il est peu probable qu'elles soient d'origine organique survenant à la suite d'une vagotomie, d'une sympathectomie, ou encore au cours d'une maladie hormonale (hyperthyroïdie, carcinoïde, cancer médullaire de la thyroïde).

— *Diarrhées par atteinte inflammatoire* ou *tumorale* du tube digestif : colites infectieuses (amibiase, tuberculose), colites iatrogènes (post-antibiothérapie ou post-radiothérapie), colites cryptogénétiques (recto-colite hémorragique, maladie de Crohn), polypes et tumeurs villeuses (ces dernières peuvent entraîner l'émission de glaires par l'anus), cancers du côlon mais aussi du grêle et de l'estomac.

— *Diarrhée par maldigestion* faute d'enzymes, soit bilio-pancréatiques à cause d'une pancréatite chronique, d'un cancer du pancréas ou d'obstacles sur la voie biliaire principale, soit gastriques après gastrectomie ou au cours de gastrites chroniques dont la maladie de Biermer; ou encore due à une maladie de l'intestin grêle : il peut s'agir par exemple de carence en disaccharidases comme la lactase, source de diarrhée lors de l'absorption de lait.

— *Diarrhées par malabsorption*, habituellement dues à un autre type d'atteinte de l'intestin grêle : résection chirurgicale, sténose ou anse stagnante, source de pullulation microbienne, maladie cœliaque, sprue tropicale, maladie de Crohn, maladie de Whipple.

Les examens complémentaires qu'on peut vous proposer sont donc très nombreux, surtout si l'interrogatoire et l'examen clinique n'orientent pas votre médecin vers une cause particulière. Il est important de signaler notamment un amaigrissement, de la fièvre, du sang ou des glaires dans les selles. Les examens de selles doivent être faits avant un examen radiologique baryté (lavement* baryté, transit* du grêle) et comprennent un examen coprologique, une coproculture*, un examen parasitologique, une stéatorrhée des vingt-quatre heures. On peut aussi faire ingérer du carmin et noter l'heure d'apparition et de disparition des selles rouges. L'étude morphologique nécessite parfois, outre la radiologie, des endoscopies* avec biopsies*. Différents examens biologiques, dosages hormonaux et test d'absorption, peuvent se révéler nécessaires.

 ■ constipation ■ colite fonctionnelle ■ colites ■ polypes du côlon et du rectum ■ côlon *(cancer du)* ■ pancréatite chronique ■ thyroïde *(glande)*

diarrhée chronique du nourrisson

Pour le médecin, le meilleur argument de ce diagnostic est la pesée des selles du nourrisson plusieurs jours de suite : le diagnostic est certain si les selles ont un poids supérieur à 50 grammes par jour. Une diarrhée qui se prolonge pendant plusieurs semaines est une diarrhée chronique.

L'enquête diagnostique est essentiellement fonction de l'état nutritionnel de l'enfant.

Votre enfant n'est pas dénutri : c'est le cas le plus fréquent

Le poids et la taille sont normaux pour l'âge. Les courbes de croissance sont harmonieuses. La diarrhée n'est survenue qu'après l'âge de 6 mois, elle est faite de selles molles glaireuses renfermant des fragments non digérés de légumes, mais il n'y a jamais de pus ni de sang. Elle alterne avec des périodes normales ou des périodes de constipation. L'examen du sang est normal.

Il s'agit très vraisemblablement d'une colite spasmodique dont la bénignité doit être connue des parents. Il existe d'ailleurs bien souvent un terrain familial de colite fonctionnelle et d'anxiété. Il faut bien entendu, pour affirmer ce diagnostic, avoir éliminé une infection chronique intestinale, O.R.L. ou urinaire souvent à l'origine d'une diarrhée prolongée. Dans ce cas, le traitement anti-infectieux fera régresser la diarrhée. Pour la colite spasmodique, le traitement n'est prescrit que par courtes cures au moment des épisodes de diar-

rhée : régime anti-diarrhéique, pansements intestinaux, antiseptiques intestinaux, anti-spasmodiques.

Votre enfant est dénutri : c'est heureusement le cas le plus rare

L'étude de la courbe de poids apporte le renseignement fondamental : le poids est inférieur au poids théorique donné par les courbes standard. Parfois, il existe une « cassure » de la courbe.

Lorsque la courbe n'a pas été réalisée, l'aspect de l'enfant est parfois suffisamment évocateur pour que le médecin recherche les signes biologiques de dénutrition : anémie, diminution des protides.

Le diagnostic s'oriente alors en fonction du contexte :

— une otite chronique doit toujours être recherchée car elle peut être responsable à elle seule de la diarrhée chronique ;

— l'enfant n'a jamais eu de selles normales au décours d'un épisode de diarrhée aiguë. Toute tentative de réintroduction du lait dans son alimentation a entraîné une réapparition de la diarrhée : ceci évoque une intolérance transitoire aux constituants du lait et impose d'utiliser pendant plusieurs semaines un lait sans lactose que votre médecin vous prescrira ;

— la diarrhée est apparue après l'introduction des farines dans l'alimentation du nourrisson. Elle s'accompagne d'une « cassure » franche de la courbe du poids, l'enfant est triste, pâle, anorexique, son ventre est ballonné ; ces signes font craindre une intolérance au gluten ou maladie cœliaque. La biospie* de la muqueuse intestinale, facile à réaliser, est nécessaire à l'affirmation de ce diagnostic. Le traitement consiste en l'exclusion totale du gluten de l'alimentation. Votre médecin vous fournira la liste des aliments contenant du gluten. Sa durée (au minimum 2 ans) varie avec chaque enfant. Des expériences de réintroduction du gluten dans l'alimentation seront alors régulièrement tentées ;

— l'association d'une diarrhée chronique avec dénutrition et d'infections bronchiques répétées évoque une mucoviscidose que confirme le test de la sueur (▷ mucoviscidose).

digitaline *(traitement par la)*

La digitaline est un des traitements de l'insuffisance cardiaque et de certains troubles du rythme : elle augmente la force contractile du muscle cardiaque et son excitabilité ; elle diminue la fréquence cardiaque et la conduction de l'influx entre les oreillettes et les ventricules. Ces propriétés indissociables expliquent l'efficacité de la digitaline, mais aussi les limites de son utilisation.

La surveillance du traitement est *clinique* (diminution des troubles liés à l'insuffisance cardiaque, maintien du rythme cardiaque voisin de soixante-dix pulsations/minute), *électro-cardiographique* (absence de troubles du rythme et de la conduction de l'influx) et *biologique* (la perturbation de la fonction rénale et du taux de potassium dans le sang accentuent la toxicité du médicament; dosage sanguin de la digitaline).

L'apparition de signes de toxicité – nausées, vomissements, manque d'appétit, maux de tête – doit conduire à interrompre le traitement et à rechercher leur cause : posologie excessive, perturbation de la fonction rénale ou du taux de potassium (sa diminution est souvent provoquée par des vomissements et/ou de la diarrhée survenant pour une tout autre cause, et surtout par un traitement diurétique concomitant)...

Les sujets âgés sont particulièrement exposés au risque d'intoxication digitalique; ils doivent donc en connaître les circonstances favorisantes et les premiers signes.

dilatation des bronches

Depuis plusieurs mois, voire plusieurs années, vous expectorez très abondamment, en particulier le matin, notamment lors d'une position particulière de votre corps, et la substance expectorée contient de nombreuses particules purulentes.

Votre médecin a évoqué une dilatation des bronches : il s'agit d'une augmentation anormale de leur calibre, s'accompagnant de la rupture de la charpente musculaire et cartilagineuse des bronches de moyen calibre, qui se terminent en cul-de-sac où viennent stagner les sécrétions avant d'être évacuées par la toux.

En vous interrogeant, votre médecin notera les maladies que vous avez contractées : une primo-infection ancienne, une infection bronchique ou pulmonaire sévère dans l'enfance, en particulier la rougeole ou la coqueluche, autant de maladies parfois responsables de la dilatation bronchique.

La radiographie* des poumons peut être normale ou montrer déjà des signes évocateurs de l'affection. C'est au spécialiste pneumologue que revient le rôle de confirmer le diagnostic et d'évaluer le retentissement de la maladie.

La confirmation du diagnostic repose sur la bronchographie : il s'agit d'une opacification des bronches par un produit de contraste radio-opaque, réalisé par l'intermédiaire d'une petite sonde glissée dans la trachée, puis dans l'une des deux bronches-souches. Cet examen permet de préciser l'importance et l'étendue des dilatations bronchiques. Le scanner* thoracique constitue aujourd'hui un autre moyen de confirmer le diagnostic, qui remplacera sans doute la bronchographie. Le pneumologue complétera les examens par un électrocardiogramme*, une épreuve* fonctionnelle respiratoire et une étude de la gazométrie artérielle afin d'évaluer le retentissement de l'affection sur la fonction respiratoire et, éventuel-

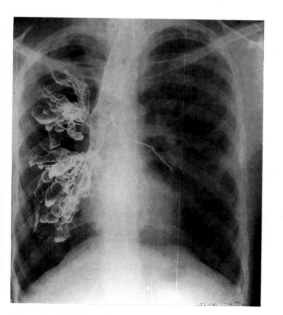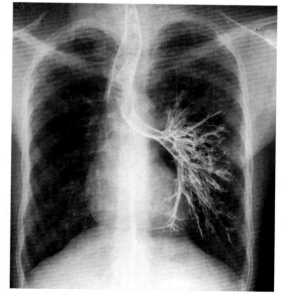

dilatation des bronches. *Les bronches du poumon droit (ci-dessus, à gauche), puis celles du poumon gauche (ci-dessus, à droite) ont été opacifiées par bronchographie : les bronches droites (ci-dessus, à gauche) se montrent anormales, dilatées, se terminent en cul de sac, signes d'une sévère dilatation.*

lement, cardiaque. Les examens biologiques dépisteront un éventuel état infectieux fréquemment associé.

Souvent, il s'agit d'une forme bien tolérée, limitée et sans retentissement général ou respiratoire. Mais il peut s'agir parfois d'une forme plus étendue avec invalidité respiratoire. En l'absence de traitement, des complications peuvent survenir :
— surinfection bronchique ou pulmonaire, pleurésie purulente;
— hémoptysie, parfois grave;
— insuffisance respiratoire.
— septicémie, insuffisance rénale;
Le traitement est d'abord médical :
— suppression des irritants bronchiques (professionnels et surtout tabagiques);
— traitement des foyers infectieux dentaires et O.R.L. (sinus);
— traitement par antibiotiques des épisodes (fréquents) de surinfections bronchiques marquées par de la fièvre et par un aspect purulent de l'expectoration;
— surtout, apprentissage d'un drainage bronchique et de l'expectoration volontaire sous le contrôle initial d'un kinésithérapeute compétent. Ces exercices de « toilette bronchique » devront être poursuivis quotidiennement, et toute la vie durant, pour éviter le développement d'une insuffisance respiratoire et d'infections graves.

Le traitement chirurgical reste d'exception. Il s'adresse aux formes très localisées et mal tolérées après échec d'un traitement médical bien fait et suffisamment prolongé.

☞ ■ toux ■ expectoration ■ bronchite chronique

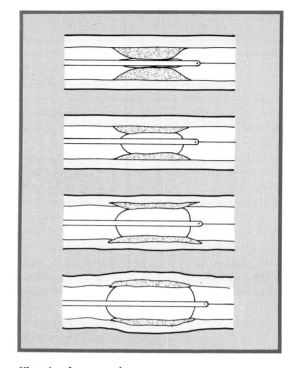

dilatation des coronaires. *Le guide est introduit dans l'artère coronaire rétrécie par la plaque athéromateuse : ce rétrécissement est responsable d'une insuffisance coronarienne. Le ballonnet est gonflé en regard de la plaque qui se trouve alors « écrasée ». Ce traitement permet de revasculariser l'artère et évite la chirurgie.*

dilatation du col lors de l'accouchement

☞ accouchement *(généralités)*

dilatation des coronaires

Il s'agit d'un traitement permettant la revascularisation d'une artère coronaire rétrécie. Son indication est donc l'insuffisance coronaire; les patients qui en bénéficient sont choisis selon des critères qui ne peuvent être schématisés ici.

Le premier temps de la dilatation est identique au déroulement de la coronarographie (▷ ce mot). Lorsque la sonde est en place, on glisse un guide dans l'artère coronaire qui permet de passer un ballonnet au contact même de la zone rétrécie. Le ballonnet est ensuite gonflé, écrasant ainsi la plaque graisseuse qui obstruait l'artère, puis dégonflé, permettant la libération du flux sanguin.

Le risque de cette intervention est faible, mais il faut savoir qu'en cas d'échec, une intervention de pontage peut être nécessaire, parfois en urgence. A plus long terme, une récidive de l'obstruction, bien que rare, est possible; cela nécessite une surveillance soigneuse.

L'avantage de cette technique est cependant de pouvoir être renouvelée. Ainsi, la dilatation par ballonnet gonflable permet à certains patients d'éviter l'intervention chirurgicale par pontage coronarien.

diphtérie

Maladie devenue heureusement fort rare grâce à la vaccination obligatoire pratiquée dès le plus jeune âge, la diphtérie se caractérise par une angine aiguë remarquable par :
— le contact du patient avec un sujet déjà atteint de diphtérie dans les jours précédents,
— l'existence d'un enduit blanchâtre extensif — « les fausses membranes » — sur les amygdales,

gagnant parfois le palais, la luette,
– quelquefois une extension vers le larynx, occasionnant une laryngite reconnaissable à l'extinction de la voix, associée à une toux rauque.

 Votre médecin saura ne pas confondre « les fausses membranes » avec « l'enduit pultacé » qui peut recouvrir les amygdales en cours d'angines banales telles l'angine streptococcique ou la mononucléose infectieuse.

S'il existe une suspicion de diphtérie, un prélèvement* de gorge sera immédiatement pratiqué au laboratoire et le traitement par l'injection intramusculaire de sérum antidiphtérique aussitôt entrepris sans attendre le résultat du prélèvement.

L'entourage du patient recevra un traitement antimicrobien préventif qui limitera ainsi le risque d'épidémie.

☞ ■ angine ■ laryngite ■ vaccins et sérums

diplopie

 Le sujet atteint de diplopie voit double. La diplopie peut être *horizontale* (les images du même objet sont juxtaposées) ou *verticale* (les images sont superposées); elle disparaît à l'occlusion d'un œil.

Parfois constante, la diplopie peut quelquefois n'apparaître que dans certaines positions du regard, ce qui permet de déterminer le ou les muscles oculaires paralysés par examen coordimétrique.

Quand la diplopie horizontale ne se manifeste qu'en vision de près (lecture), elle est généralement due à une banale insuffisance de convergence facilement réversible par le traitement orthoptique (▷ ce mot).

Certaines maladies, autres qu'ophtalmologiques, peuvent provoquer une diplopie : l'hypoglycémie, le diabète, la sclérose en plaque, l'alcoolisme chronique, le botulisme (▷ ces mots).

distomatose hépatique

 La distomatose hépatique ou douves du foie est une parasitose sévissant en France, tout comme l'oxyurose, le tænia et l'ascaridiose.

Elle est consécutive à l'ingestion de cresson, pissenlit ou chicorée sauvages. Elle est responsable d'une fatigue, d'une petite fièvre, de douleurs dans la région du foie et d'une urticaire.

L'hémogramme montre une importante élévation des polynucléaires éosinophiles. La coproculture* et l'examen parasitologique des selles sont négatifs au début de l'infection.

Le diagnostic est affirmé par la positivité de la sérologie*, spécifique de la maladie.

 Ne cueillez pas le cresson, les pissenlits et la chirorée sauvages. Nettoyez toujours très soigneusement ceux que vous achetez dans le commerce.

dispense sportive *(certificat de)*

☞ certificats médicaux et législation

disque intervertébral

 Les vertèbres, empilées les unes sur les autres, sont séparées par une structure particulière : le disque intervertébral, véritable amortisseur des pressions supportées par la colonne vertébrale. Le

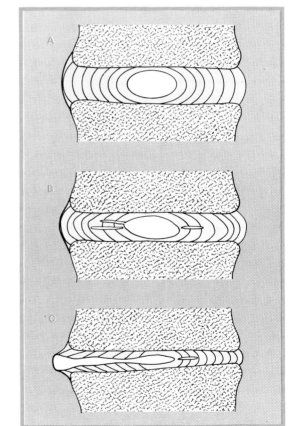

disque intervertébral. *Schématiquement, les étapes de la détérioration : A disque normal; B détérioration discale simple; C hernie discale.*

disque intervertébral est, par ailleurs, le principal moyen de la mobilité rachidienne.

Le disque intervertébral est formé de deux constituants essentiels; l'*anneau fibreux*, composé de lamelles fibrocartilagineuses et de fibres élastiques, entoure le *noyau pulpeux* (bille gorgée d'eau, située au centre du disque). Ce noyau pulpeux est incompressible; il répartit, de façon uniforme dans l'anneau fibreux, les pressions qui s'exercent sur le disque. Les pressions importantes supportées surtout par les derniers disques lombaires expliquent la fréquence des accidents discaux lombaires.

A partir de 30 ans, le disque vertébral s'altère, le noyau pulpeux se déshydrate, durcit et peut se fragmenter. L'anneau fibreux, quant à lui, se fissure et laisse échapper le noyau pulpeux, provoquant une hernie discale.

La dégénérescence discale se manifeste essentiellement par des douleurs (lombalgie aiguë ou chronique). La douleur sciatique est due à la compression par la hernie discale d'une des racines nerveuses destinées aux membres inférieurs. Radiologiquement, l'existence de la dégénérescence discale se traduit par un pincement discal, une ostéosclérose des plateaux vertébraux et une production osseuse excessive ou ostéophytose (bec de perroquet). Une radiographie normale n'élimine pas le diagnostic de dégénérescence discale.

L'image radiologique directe de la détérioration discale est visualisée par la discographie (injection d'un produit de contraste dans le disque). Cet examen reste un examen d'exception, surtout utile quand une indication opératoire est discutée (arthrodèse). Le scanner* et la résonance* magnétique nucléaire permettent d'étudier la pathologie discale, lorsqu'une indication opératoire est envisagée.

☞ ■ **lumbago aigu** ■ **sciatique par hernie discale** ■ **rachis** (*douleurs du*)

diurétiques

Les diurétiques sont des médicaments qui permettent d'éliminer, par les urines, une plus grande quantité d'eau et de sel (sodium) que ne le ferait spontanément le rein. D'autres substances, telles que le potassium et le calcium, sont aussi éliminées, en même temps que le sodium et l'eau. Fréquemment accompagnés d'un régime dit « sans sel », leur prescription est nécessaire pour deux types de maladie : l'*hypertension artérielle* et les *œdèmes*.

On distingue deux classes de diurétiques :
— ceux qui épargnent le potassium, dans des proportions parfois excessives, d'où la nécessité d'un contrôle très strict de la concentration sanguine (*kaliémie*);

— ceux qui éliminent le potassium et qui nécessitent un régime alimentaire comportant fruits secs et chocolat (riches en potassium), afin d'éviter une *hypokaliémie* dont le premier symptôme est la survenue de crampes des membres inférieurs.

Toute prescription de diurétiques imposera donc des contrôles réguliers des électrolytes sanguins et une surveillance clinique attentive : ils peuvent en effet provoquer, notamment chez le patient âgé, une déshydratation, avec soif, fatigue, hypotension excessive et malaises au lever.

Attention, l'obésité ne justifie en aucun cas la prescription d'un traitement diurétique.

diverticules

Le diverticule est une petite poche qui se développe aux dépens de la paroi d'un organe creux. La cavité formée communique librement avec l'intérieur de l'organe.

Voici quelques exemples de diverticules digestifs.
— Le *diverticule de Zenker*, de siège pharyngo-œsophagien, peut entraîner dysphagie et régurgitation.
— Le *diverticule de Meckel* résulte de la persistance anormale du canal vitellin; il siège sur le dernier mètre de l'intestin grêle. On le diagnostique surtout chez l'enfant et l'adulte jeune et cela dans des circonstances variées : par hasard, lors d'une intervention pour appendicite; ou à l'occasion d'une hémorragie digestive. Dans ce dernier cas, la scintigraphie*, la radiographie du grêle, l'artériographie* digestive en feront le diagnostic.
— La *diverticulose colique* est une affection très banale dont la fréquence croît régulièrement avec l'âge; plus de 40 % des sujets en sont porteurs à partir de 80 ans. Le sigmoïde, portion du côlon située en bas et à gauche dans l'abdomen, est le plus souvent atteint.

Le terme de *diverticulose* est réservé aux formes asymptomatiques (ces sujets n'en souffrent pas). C'est le cas le plus fréquent. Le diagnostic en est fait à l'occasion d'une radiographie du côlon (lavement* baryté) ou d'une endoscopie* pratiquées pour une tout autre cause. Le seul traitement proposé dans ce cas est celui d'une éventuelle constipation car celle-ci aggrave la diverticulose.

Le terme de *diverticulite* est réservé aux formes symptomatiques. On parle de sigmoïdite diverticulaire lorsque les diverticules siègent sur le sigmoïde. La sigmoïdite se révèle par des douleurs abdominales surtout de la fosse iliaque gauche, associées souvent à des troubles du transit : constipation ou diarrhée. Le traitement utilise des antispasmodiques, des désinfectants intestinaux, des laxatifs non irritants. L'existence d'une fièvre peut justifier une antibiothérapie et une surveillance en milieu chirurgical.

La perforation d'un diverticule entraînant une

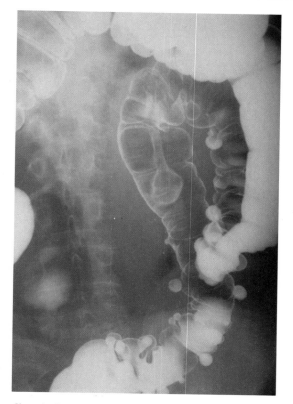
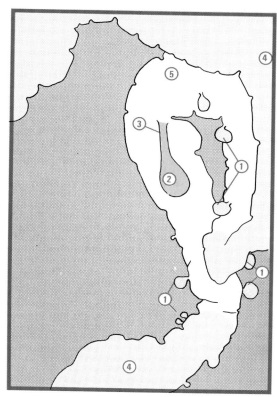

diverticules. *Diverticule colique : le lavement baryté en double contraste (baryte ④ + air ⑤) montre des diverticules du côlon (petites poches remplies de baryte : ①). Il permet aussi de découvrir un polype du côlon (tumeur habituellement bénigne : ② et ③) qui sera enlevé par voie endoscopique.*

péritonite, la formation d'un abcès, la sténose du côlon (resserrement), l'hémorragie digestive, sont les autres complications de la sigmoïdite diverticulaire.

doigts sectionnés
(et réimplantation digitale)

Les réussites les plus spectaculaires de la microchirurgie sont les réimplantations de membres amputés. Tout segment de membre sectionné peut théoriquement être réimplanté. Cependant, « le succès immédiat de cette greffe » n'est plus l'unique critère de réussite : le recouvrement des gestes et activités est un élément essentiel, et un doigt vivant mais raide et dépourvu de sensibilité altère l'utilisation de la main tout entière. Pour cette raison, les indications actuelles de réimplantation

sont devenues beaucoup plus sélectives. Trois facteurs sont à prendre en considération :

L'accident initial
Se faire couper un doigt par une machine à jambon ou par une presse d'usine n'est pas la même chose. Dans le premier cas, la section est franche et propre et les conditions techniques d'une réimplantation sont excellentes. Dans le second cas, les chairs sont écrasées, meurtries, les nerfs et les vaisseaux étirés et la réimplantation aura peu de chance de réussir. Il faut rappeler à ce sujet que deux des accidents les plus fréquents sont dus à la tondeuse à gazon du week-end et aux portes que l'on ferme sans faire attention. Dans les deux cas, les amputations digitales ne sont pas nettes.

L'âge du blessé
Chez l'enfant, le souci de retrouver l'intégrité initiale de la main domine. Tous les moyens seront mis en œuvre, même si les conditions techniques sont défavorables.

Chez l'adulte, en revanche, doivent passer au premier plan les préoccupations de réinsertion sociale et professionnelle car, répétons-le, ce n'est pas la survie du membre réimplanté qui prédomine mais la fonction. Et il est des cas où l'on sait d'emblée que celle-ci sera gravement compromise.

Le doigt sectionné et son niveau d'amputation

Ils constituent le troisième élément d'appréciation.

Il y a des situations où une réimplantation ne se discute pas : l'amputation du pouce ou celle de plusieurs doigts. En revanche, l'indication d'une réimplantation d'un doigt sectionné à sa base est moins formelle, surtout s'il s'agit de l'index, car ultérieurement le blessé aura tendance à utiliser le médius en excluant son index réimplanté.

Plus la section est située à l'extrémité du doigt et meilleurs seront les résultats. Il est donc utile de conserver les petits fragments de pulpe sectionnée qui seront remis en place même si à ce niveau il n'est pas possible de faire la suture des vaisseaux et des nerfs.

Nous terminerons en parlant de l'attitude à adopter d'urgence sur les lieux mêmes de l'accident.

S'efforcer de calmer le blessé et son entourage est une mesure prioritaire. Pour les doigts coupés, l'hémorragie est habituellement bien contrôlée par un pansement compressif que l'on imbibe d'un antiseptique banal. Il est impératif d'éviter le garrot, sauf, bien entendu, lorsqu'il s'agit d'une section d'un membre complet (bras ou jambe).

Le segment sectionné est récupéré et placé dans un sac en plastique étanche. Ce sac en plastique est mis au contact de la glace dans un deuxième récipient. Il est fortement déconseillé de laver le doigt amputé ou de le mettre directement dans la glace : cela compromet l'opération chirurgicale.

Il faut s'enquérir rapidement, auprès d'un pharmacien ou d'un médecin, du service chirurgical le plus proche ; en cas d'éloignement d'une grande ville, celui-ci assurera le transfert du blessé dans un centre « S.O.S. Mains » où sont disponibles des équipes d'urgence. Le délai écoulé entre l'accident et l'intervention chirurgicale ne doit pas dépasser une dizaine d'heures.

☞ secours d'urgence

Doppler et échographie des vaisseaux

Le Doppler est un examen simple, fidèle, sans danger, utilisant les ultrasons. Il permet d'apprécier la vitesse du flux sanguin dans les artères et les veines et de préciser ainsi le niveau et le degré d'obstruction des vaisseaux. La sonde Doppler, de

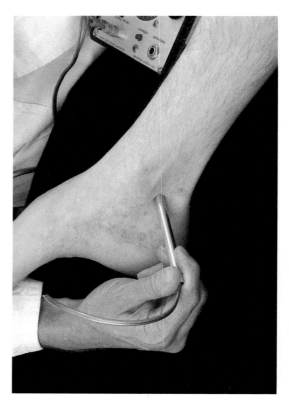

Doppler et échographie des vaisseaux. *La sonde Doppler, de la taille d'un crayon, est située en regard de l'artère à étudier. Il s'agit ici de l'artère tibiale postérieure.*

la taille d'un crayon, est appliquée sur la peau en regard des vaisseaux à explorer.

L'échographie vasculaire, de plus en plus fréquemment couplé au Doppler, permet d'obtenir une photographie des vaisseaux et une visualisation des plaques d'athérome (*artériosclérose*).

Doppler et échographie ne nécessitent pas d'hospitalisation. Couplés, ils peuvent être réalisés de façon répétitive et sont peu onéreux. Leurs indications principales sont : le diagnostic des phlébites, l'artérite des membres inférieurs, les accidents neurologiques transitoires, l'impuissance...

dos de l'enfant *(déformation du)*

Votre enfant se tient mal : c'est l'un des diagnostics les plus faciles. Il vous suffit d'observer de dos votre enfant pour faire le diagnostic de *scoliose*, de profil pour faire celui d'*hypercyphose* (exagération de la courbure du dos) ou d'*hyperlordose* (exagération de la courbure des reins).

Aller plus loin dans l'approche des anomalies de posture des enfants ou des adolescents est plus délicat. C'est en effet le rôle de votre médecin :
— de faire un bilan *précis et chiffré* de la déformation vertébrale qui servira de point de repère :
— d'affirmer qu'il s'agit seulement d'une mauvaise attitude ou au contraire d'une déformation réelle. Dans cette éventualité, il vous alertera car les déformations vertébrales sont souvent des maladies *évolutives* qui risquent de s'aggraver en l'absence de traitement.

La scoliose

Elle est une inclinaison latérale du rachis dans le sens frontal.

L'attitude scoliotique se distingue de la scoliose vraie car la déformation disparaît lorsqu'on examine l'enfant couché ou penché en avant. Il s'agit parfois d'une inégalité de longueur des membres inférieurs. La correction par une talonnette fait disparaître la déformation.

La scoliose vraie se reconnaît à la gibbosité chez l'enfant penché en avant et à la rotation des vertèbres sur les radiographies. Fréquemment, le médecin ne trouve aucune cause à son origine (scoliose vraie essentielle); ces malformations ne sont pas rares; elles atteignent plus souvent les filles que les garçons; elles apparaissent en général à l'âge de l'installation de la puberté (10-12 ans).

Le rôle de votre médecin est de mesurer précisément l'angle de la courbure et de vous expliquer dès la première consultation que la scoliose est une maladie évolutive et son aggravation linéaire. Ainsi, des consultations effectuées quatre mois et huit mois plus tard avec de nouvelles radiographies suffisent à apprécier l'aggravation de la courbure et à prévoir avec certitude son angle à la fin de la croissance (vers 16 ans, 17 ans). Votre médecin décidera alors, avec l'aide du chirurgien orthopédiste, du traitement le plus approprié (rééducation, port d'un corset, chirurgie correctrice) afin d'éviter le préjudice esthétique qu'entraînerait une évolution sans traitement.

La cyphose

Elle est une déviation de la colonne vertébrale dans le sens antéro-postérieur. L'enfant vu de profil est vouté, les épaules projetées en avant; il s'y associe, en règle générale, une accentuation de la cambrure lombaire. Il peut s'agir simplement d'une insuffisance de musculature à traiter par rééducation, mais chez l'adolescent il faut se méfier de la maladie de Scheuermann ou *épiphysite vertébrale de croissance* : c'est une atteinte des plateaux vertébraux qui évolue progressivement, jusqu'en fin de croissance, vers une accentuation de la cyphose. La radio permet le diagnostic. Si la cyphose est importante, le traitement nécessite le port d'un corset ou d'un plâtre jusqu'à normalisation des images radiologiques.

La lordose

Elle se traduit par une accentuation de la courbure lombaire, et des douleurs (lombalgies). Elle correspond le plus souvent au glissement vers l'avant de la cinquième vertèbre lombaire par rapport au sacrum. Cette malformation appelée *spondylolisthésis*, le plus souvent congénitale, est en règle générale stable. Néanmoins dans de rares cas, le glissement peut s'accentuer, notamment en période pubertaire. Si le glissement est trop important, seule l'intervention chirurgicale permet d'éviter une aggravation et de corriger le déplacement.

Si votre enfant présente un problème de colonne vertébrale, il est préférable qu'il soit bien musclé : tant qu'un traitement n'est pas mis en

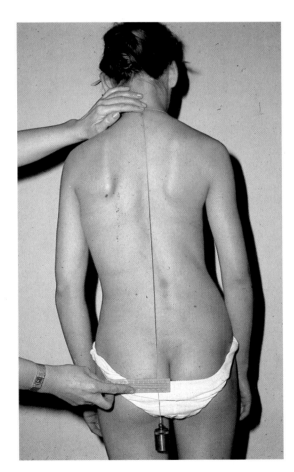

dos de l'enfant *(déformation du). Votre enfant a une scoliose. Le médecin apprécie les déviations latérales de la colonne vertébrale. La radiographie montre une scoliose déjà importante nécessitant la mise en route du traitement.*

route, il n'y a donc pas lieu généralement de lui interdire le sport. Par la suite, l'enfant choisira les activités sportives en fonction des possibilités laissées par le traitement orthopédique.

douleur

La douleur représente souvent un « cri d'alarme » de l'organisme qui réagit contre une agression exagérée ou qui accuse la sévérité d'une lésion interne : par exemple « coup de poignard » de la perforation d'un ulcère gastrique, douleur syncopale de la rupture d'une grossesse extra-utérine... On peut donc considérer cette douleur comme « utile », voire salvatrice, car elle permet le diagnostic et le traitement de la maladie.

Il en va tout autrement des *douleurs chroniques* qui peuvent devenir indépendantes de leur origine (douleur = maladie), telles celles du « membre fantôme » des amputés ou celles, rebelles, dont la cause ne peut être ni traitée ni guérie comme c'est le cas dans certains cancers. La douleur persistante provoquera un processus d'auto-aggravation, car elle inquiète, fatigue et même épuise le malade; elle entraîne des phénomènes neuro-végétatifs et psychologiques qui amplifieront le signal douloureux et finiront par le rendre insupportable. Inversement, l'élément douloureux pourra être atténué, voire masqué par une activité intense, une émotion ou des influences distractives du malade.

Il est possible, avec les moyens actuels dont dispose la médecine, de soulager la douleur. Vous devez consulter votre médecin qui cherchera tout d'abord à éliminer une douleur symptôme d'une maladie ou douleur « d'alerte ». La découverte de la cause permettra de mettre en route le traitement adapté, avec guérison des douleurs.

Lorsque la cause de la douleur ne peut être guérie ou lorsqu'elle reste inconnue (douleur chronique), votre médecin vous orientera vers un centre de traitement de la douleur où sont regroupées toutes les spécialités médicales et chirurgicales s'adressant au douloureux chronique.

La *première étape* sera de s'assurer qu'il ne s'agit pas d'une douleur symptôme d'une maladie jusque-là méconnue et qui aurait son traitement propre : c'est la phase diagnostique. Aussi, devez-vous vous munir de votre dossier médical et des résultats des examens déjà réalisés.

La *deuxième étape* consiste à spécifier et à classer la douleur du patient dans l'une de ces trois catégories :

— *douleurs par excès de nociception*, qui relèvent de la stimulation intense des récepteurs nerveux de la douleur et qui débordent les systèmes inhibiteurs de l'organisme; ce sont par exemple les douleurs des processus inflammatoires, les douleurs cancéreuses, les douleurs vasculaires, etc.;

— *douleurs par désafférentation* ou *de décon-*nexion qui s'expliquent par des lésions du dispositif inhibiteur des grosses fibres de la sensibilité tactile; c'est le cas des douleurs des polynévrites, des douleurs du zona, des douleurs de moignon ou de « membre fantôme » des amputés, de la douleur d'arrachement du plexus brachial ou des nerfs périphériques, etc.;

— *douleurs par défaut de régulation* qui proviennent de la déficience des systèmes endogènes d'analgésie (endorphines sécrétées par l'organisme); ce serait le cas du syndrome thalamique ou des douleurs de sevrage des drogués.

Cette classification est importante car ces douleurs relèvent de thérapeutiques très différentes.

La *dernière étape* avant la mise en route du traitement sera d'apprécier les composantes anxiogènes et psychogènes dans le syndrome douloureux, rôle dévolu aux psychiatres.

Le médecin coordinateur du centre orientera les traitements en fonction du type de la douleur.

Les douleurs par excès de nociception

Les traitements seront symptomatiques, antalgiques, anti-inflammatoires, décontracturants, etc., souvent associés à un anti-dépresseur léger s'il existe une composante psychogène dépressive.

Les thérapeutiques par stimulation électrique cutanée externe — acupuncture, mésothérapie, etc. — sont parfois de bons adjuvants. Pour les douleurs des cancéreux, qui sont aussi des douleurs par excès de nociception, il faut toujours commencer par les antalgiques simples; mais lorsqu'elles bouleversent la vie des malades, il faut utiliser les antalgiques majeurs, en particulier les sirops de morphine, et parfois les nouvelles thérapeutiques chirurgicales (réservoir intra-rachidien ou intra-ventriculaire de morphine qui permet, à l'aide de petites doses, de soulager presque toutes les douleurs). Ces techniques ont d'ailleurs supplanté toutes les interventions chirurgicales d'interruption des voies de la douleur.

Les douleurs par désafférentation

Les antalgiques classiques n'étant le plus souvent que d'efficacité médiocre, l'acupuncture et surtout la neurostimulation percutanée ou transcutanée, voire les stimulateurs médullaires implantables, sont une excellente indication.

Une prise en charge psychologique du patient est presque toujours indispensable, particulièrement en cas de dépression.

Les douleurs par défaut de régulation

Elles sont exceptionnelles et de traitement très difficile; le recours à la morphine intra-rachidienne est parfois utile. Dans le cas des douleurs thalamiques, la stimulation intra-cérébrale donne parfois de bons résultats.

 ■ arthrite ■ arthrose ■ périarthrite scapulo-humérale ■ boiterie de l'enfant et/ou douleurs de hanche ■ névralgie ■

☞ otite ■ règles ou menstruations ■ testicules ■ abdomen *(douleurs)* ■crâne et
face *(douleurs)* ■ dents ■ lombaires ■
pieds ■ pelviennes ■ sein ■ rachis ■
thorax

douves du foie

☞ dismatose hépatique

Dupuytren *(maladie de)*

☞ mains déformées

dyschromatopsie et daltonisme

La dyschromatopsie est un trouble de la vision des
couleurs qui peut être congénital ou acquis (altération du nerf optique de la sclérose en plaques ou de
l'intoxication alcool-tabac). Il concerne soit le
rouge et le vert (daltonisme), soit plus rarement le
jaune et le bleu.

dysenterie

☞ diarrhée aiguë

dysidrose

La dysidrose est une éruption palmaire et plantaire
de petites élevures à contenu liquidien, dures,
enchassées dans la peau, accompagnées de démangeaisons. Elles peuvent être provoquées par un
eczéma de contact, une allergie « indirecte » (due à
une mycose entre les orteils par exemple), mais la
sudation joue aussi un rôle important. Parfois, il
est impossible d'en trouver la cause.

dyskinésie biliaire

☞ colique hépatique

dyslexie et dysorthographie

La dyslexie est la difficulté à acquérir la lecture à
l'âge habituel, en dehors de toute débilité ou
atteinte sensorielle — auditive et visuelle —; elle

Texte libre en réponse à la question :
Que feras-tu pendant les vacances?

*je vais bien m'amuser, je n'ai pas décidé
je sais que je vais bien m'amuser*

Dictée : *je jouerai avec mes sœurs.*

9 ans - Intelligence normale

dyslexie et dysorthographie. *Écriture d'enfant dyslexique. Les
difficultés en orthographe sont indissociables
des difficultés en lecture.*

s'accompagne de confusion de graphèmes —
proches par la forme ou le son —, d'inversions ou
d'omission de lettres.

Le sujet dyslexique lit mal à haute voix, sa
dysorthographie est constante, mais sa compréhension des textes est bonne. Il accuse souvent un
retard de langage, parfois une mauvaise latéralisation ou gaucherie, une mauvaise organisation dans
le temps et l'espace.

Le traitement impose une rééducation spécialisée (« graphomotrice »); parfois, une psychothérapie, ou la relaxation, la complète ou la remplace.
Enfin, dans une faible proportion de cas, une
pédagogie spécialisée est nécessaire dans un établissement agréé.

☞ ■ langage de l'enfant *(troubles du)* ■
psychomoteurs *(troubles)* ■ échec scolaire

dyspareunie

La dyspareunie est la douleur ressentie par la femme lors de la pénétration.

Une douleur à l'orifice vaginal lors de l'intromission peut être due à une maladie infectieuse (par exemple l'herpès, ou la mycose), une sécheresse ou même une atrophie de la muqueuse chez la femme ménopausée, ou encore une cicatrice chirurgicale douloureuse (par exemple celle de l'épisiotomie).

Une douleur profonde peut être provoquée par une lésion du col (infection...), une infection localisée aux trompes (salpingite), une endométriose, un syndrome de Masters et Allen dû à une déchirure des attaches de l'utérus lors d'un accouchement traumatisant (enfant trop gros par exemple...).

Il est donc toujours nécessaire d'éliminer une cause organique à l'origine de la dyspareunie, bien que les facteurs psychologiques soient prépondérants dans la survenue de ce symptôme. Le traitement en sera alors surtout psychologique.

☞ **sexualité à l'âge adulte** (troubles de la)

dyspepsie

La dyspepsie se définit comme une sensation de digérer mal ou trop lentement. Elle peut comporter une pesanteur épigastrique (au-dessus du nombril) ou un ballonnement. Elle n'est pas spécifique de l'atteinte d'un organe particulier et peut se rencontrer au cours de troubles gastriques, coliques, pancréatiques, etc.

Les erreurs hygiéno-diététiques sont la cause la plus fréquente de dyspepsie : repas pris trop rapidement dans le bruit, sans mastiquer correctement, excès de graisses, de farineux, d'alcool... Si tel est le cas, la simple correction de cette situation suffira à améliorer les symptômes. Cependant toute dyspepsie persistante d'apparition récente justifie une consultation, surtout si elle concerne un sujet d'âge mûr et, a fortiori, s'il existe un amaigrissement.

Les examens complémentaires qu'on pourra vous prescrire sont variés ; ils peuvent être :

— *biologiques* (urée ou créatininémie, glycémie, cholestérol) ;

— *morphologiques* (endoscopie* avec éventuellement biopsies* pour authentifier une banale gastrite ou encore infirmer ou confirmer un cancer) ;

— *radiographiques* (radiographie de l'estomac après ingestion de baryte : transit* œso-gastro-duodénal) ;

— *échographiques* (échographie de l'abdomen afin

d'étudier notamment le foie, le pancréas et la vésicule biliaire) ; la cholécystographie* orale sera parfois pratiquée également pour l'examen de la vésicule biliaire.

Le traitement sera adapté à la cause de la maladie. Des conseils d'hygiène et de diététique vous seront souvent donnés : régime équilibré, manger lentement en mastiquant bien, dans le calme. On peut aussi vous prescrire différents médicaments visant à améliorer la vidange gastrique, à protéger la muqueuse gastrique, à favoriser la contraction vésiculaire et/ou le transit intestinal, etc.

 ■ **gastrite** ■ **hernie hiatale** ■ **ulcère gastrique et duodénal** ■ **estomac** *(cancer de l')* ■ **lithiase biliaire** ■ **colite fonctionnelle** ■ **constipation**

dysphagie

La dysphagie se définit comme une sensation d'accrochage, de blocage, d'arrêt lors du passage d'un aliment solide ou liquide dans l'œsophage après une déglutition normale.

Il ne faut pas confondre la dysphagie avec une anorexie qui est une diminution de l'appétit. Toute dysphagie, même mineure et fugace, impose d'en rechercher l'origine.

Une dysphagie constatée lors du passage d'aliments solides évoque une diminution du calibre de l'œsophage ; si elle est en revanche plus marquée pour les aliments liquides (on parle alors de dysphagie paradoxale), cela est en faveur d'une augmentation du calibre de l'œsophage ou méga-œsophage. L'existence dans le passé de brûlures remontant derrière le sternum (ou pyrosis) est en faveur d'une hernie hiatale et/ou d'un reflux gastro-œsophagien.

L'ingestion de caustique, même très ancienne, évoque une sténose (rétrécissement du calibre) d'origine caustique, etc.

L'examen complémentaire décisif est l'endoscopie* qui permet l'examen direct de la muqueuse œsophagienne et la pratique de biopsies*. La radiographie du thorax, celle de l'œsophage après ingestion de baryte (transit* œso-gastro-duodénal), voire la radiocinématographie, compléteront utilement le bilan.

Une manométrie œsophagienne permettra dans certains cas d'étudier les pressions et la motricité de l'œsophage et des sphincters supérieur et surtout inférieur.

☞ ■ **reflux gastro-œsophagien** ■ **œsophage** *(cancer de l')*

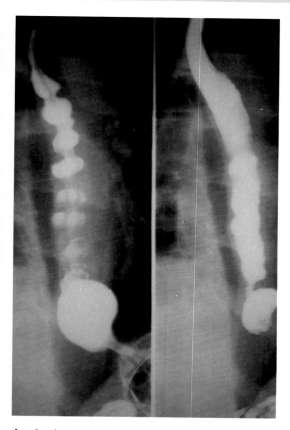

dysphagie. *Cette radiographie de l'œsophage après absorption de baryte radio-opaque montre des spasmes étagés, source de dysphagie.*

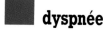

dyspnée

 La dyspnée se caractérise par une gêne à la respiration et traduit habituellement une atteinte thoracique, cardiaque ou respiratoire; plus rarement, elle résulte d'une anomalie ou d'une diminution du nombre des globules rouges dans le sang (*anémie*). C'est toujours un symptôme anormal dont l'analyse précise orientera le diagnostic: il faut donc en dresser avec votre médecin l'ancienneté, l'horaire, la fréquence et les circonstances d'apparition.

— *La gêne respiratoire est ancienne* — datant de plusieurs mois, voire plusieurs années, s'aggrave progressivement, survient tout d'abord lors d'efforts importants: elle n'inquiète pas outre mesure. Puis, elle apparaît lors des efforts plus légers: elle traduit alors une affection chronique, cardiaque ou respiratoire.

— *La gêne respiratoire est influencée par les saisons*, n'apparaissant que de mai à juillet; elle s'accompagne parfois de congestion nasale ou de conjonctivite: elle évoque alors une allergie au pollen. Elle disparaît en été pour réapparaître en hiver, en période d'humidité ou de froid, et suggère alors une allergie aux acariens.

— *L'horaire de sa survenue et les signes qui l'accompagnent sont parfois très évocateurs*: elle débute en pleine nuit, oblige le patient à s'asseoir dans son lit, s'accompagne de sifflements expiratoires audibles à distance; elle évoque alors une crise d'asthme. Cependant, la dyspnée nocturne et soudaine, accompagnée d'une toux, parfois d'une expectoration un peu mousseuse, s'aggravant en position allongée, suggère un œdème pulmonaire conséquent à un problème cardiologique.

L'essoufflement ou la gêne respiratoire peut ne survenir qu'au moment d'un effort ou juste après celui-ci: il s'agit parfois d'une crise d'asthme déclenchée à l'effort. Mais il peut aussi s'agir d'un problème cardiologique: l'essoufflement peut alors s'accompagner de douleurs thoraciques qui vont disparaître après quelques minutes de repos.

Enfin l'essoufflement peut ne s'accompagner d'aucun symptôme précis: il faut de toutes façons prendre l'avis de votre médecin; celui-ci, avant de vous examiner, vous posera trois questions:

— Êtes-vous fumeur? Quelle que soit la cause de la dyspnée, le tabac constitue un facteur aggravant; il est parfois seul responsable de la gêne respiratoire.

— Quel est votre métier? Vos métiers passés? Certaines professions exposent particulièrement aux affections respiratoires: mineurs, professions agricoles, professions de l'industrie chimique ou métallurgique, travail de maçonnerie, etc.

— Quels médicaments prenez-vous? En effet, de nombreux médicaments peuvent provoquer ou aggraver une gêne respiratoire, en particulier certains médicaments cardiologiques (bêta-bloquants).

Bien souvent, après vous avoir examiné, votre médecin vous proposera un certain nombre d'examens complémentaires afin d'essayer de préciser l'origine des troubles: hémogramme*, radiographie* des poumons, électrocardiogramme*, épreuves* fonctionnelles respiratoires: autant d'examens qui permettront d'orienter le diagnostic et, éventuellement, de vous diriger vers le spécialiste compétent.

 ■ **bronchite chronique** ■ **asthme** ■ **tabac** *(risques liés au)* ■ **emphysème** ■ **insuffisance cardiaque** ■ **œdème aigu du poumon** *(dû à une maladie cardiaque)* ■ **allergique** *(êtes-vous)* ■ **risques respiratoires professionnels**

dyspnée aiguë du nourrisson

La dyspnée se définit comme une gêne à la respiration : la *polypnée* est une accélération du rythme respiratoire, la *bradypnée* un ralentissement. La dyspnée peut être *inspiratoire* ou *expiratoire* ou les deux.

La dyspnée s'accompagne habituellement d'un tirage respiratoire qui se manifeste par un creusement lors de l'inspiration, au-dessus du sternum et entre les côtes. Les épisodes de dyspnée aiguë sont la conséquence d'une atteinte des voies respiratoires. Entre ces épisodes, la respiration est normale.

Une consultation médicale s'impose, mais dans certains cas, c'est à vous qu'appartient le premier geste thérapeutique.

L'enfant étouffe brutalement :
— il a inhalé un corps étranger (jouet, cacahuète). Ceci se traduit par une violente quinte de toux avec cyanose, agitation, survenant chez un enfant jusque-là parfaitement bien portant (▷ corps étrangers inhalés) ;
— une réaction allergique avec œdème de la glotte est à craindre, lorsqu'il s'y associe un œdème des lèvres, une urticaire ;
— l'enfant est enrhumé depuis quelques jours, la polypnée inspiratoire survient brutalement la nuit, accompagnée d'une toux rauque, d'une certaine agitation. Il s'agit d'une laryngite striduleuse ou « faux croup ». Si la dyspnée est d'emblée mal tolérée (fréquence respiratoire très rapide ou irrégulière, intensité du tirage, cyanose) le transfert à l'hôpital par le SAMU est justifié surtout si l'enfant a moins de 3 mois.

Le plus souvent, l'hospitalisation d'urgence ne s'impose pas : la dyspnée cède spontanément ou après humidification de l'air inspiré ; à défaut d'aérosol, ouvrez le robinet d'eau chaude dans la salle de bains.

Si la dyspnée persiste au-delà d'une demi-heure, l'intervention de votre médecin est nécessaire car il faut affirmer le diagnostic et proposer un traitement plus efficace (corticothérapie). L'absence d'amélioration rapide de l'état de l'enfant impose une surveillance à l'hôpital.

Au cours d'une infection O.R.L., grippale le plus souvent, la dyspnée s'aggrave peu à peu, en quelques heures ; il n'y a pas de modification de la toux, ni de la voix ; l'enfant refuse de s'allonger. Il s'agit d'une laryngite œdémateuse (ou épiglottite) mettant en danger la vie de l'enfant. Elle nécessite l'intervention d'extrême urgence de votre médecin. Si le diagnostic est confirmé, le transport par le SAMU et l'hospitalisation s'imposent (antibiotiques, corticoïdes, aérosols). Dans l'attente des secours, l'enfant doit rester en position assise, ne tentez pas de l'allonger.

Chez un enfant enrhumé depuis quelques jours, survient une polypnée avec expiration sif-

flante et toux rebelle. La fièvre est peu élevée, l'état général bien conservé. Il s'agit vraisemblablement d'une bronchiolite, nécessitant la prescription de mucolytiques, bronchodilatateurs, antibiotiques dans certains cas, mais surtout kinésithérapie respiratoire et aérosols (▷ bronchite chronique [kinésithérapie de l'encombrement respiratoire]). Le terme de bronchite asthmatiforme est parfois employé car la bronchiolite ressemble à une crise d'asthme.

Les deux affections doivent toutefois être bien différenciées. Certains médecins admettent actuellement que l'on peut considérer comme un asthme tout épisode dyspnéique avec râles sifflants qui se reproduit au moins trois fois avant l'âge de 2 ans. En fait, l'asthme ne sera affirmé qu'après l'âge de 4 ans, où les symptômes, les causes, le traitement sont semblables à ceux de l'adulte.

Une gêne respiratoire accompagne parfois **les infections pulmonaires**. L'examen clinique, la radiographie thoracique, permettront d'en faire le diagnostic.

La répétition des épisodes de dyspnée aiguë ne doit pas toujours faire incriminer une infection virale ou bactérienne. Votre médecin souhaitera parfois :
— qu'une enquête allergologique soit entreprise,
— qu'une radiographie de l'œsophage et de l'estomac soit pratiquée à la recherche d'un reflux gastro-œsophagien.
— que les maladies chroniques des bronches soient éliminées, notamment la mucoviscidose.

ecchymose

 traumatismes bénins

E.C.G.

☞ électrocardiogramme

échec scolaire

 La difficulté scolaire, concrétisée par des troubles de l'apprentissage, résulte de causes multiples qui, souvent, se renforcent les unes les autres; il peut s'agir
— de défauts dans l'organisation éducative : école trop éloignée, classe surchargée, enseignant absent ou insuffisant ou ayant de mauvais contacts avec l'élève, programme inadapté à l'intérêt de l'enfant dans son évolution personnelle;
— de difficultés socio-familiales : absence d'endroit calme pour travailler, langue étrangère parlée à la maison, désintérêt des parents pour l'école, conflit familial, difficultés psychologiques ou maladie du père ou de la mère;
— enfin, d'handicaps liés à l'enfant : un déficit auditif, une dyslexie...

L'échec scolaire proprement dit est constaté lorsque l'enfant ne peut suivre le cursus scolaire ordinaire. Il bénéficie alors, de façon temporaire ou définitive, d'un enseignement aménagé — section d'éducation spéciale, instituts médico-pédagogiques, classes d'adaptation... —, seul capable de le faire progresser.

Si l'échec scolaire sanctionne « objectivement » les déficiences de l'enfant, il ne les explique pas. S'il n'est parfois que l'étape ultime de simples difficultés scolaires négligées, il témoigne le plus souvent d'une déficience intellectuelle. Mais il peut aussi résulter :
— outre de troubles sensoriels — surtout auditifs, mais parfois visuels —, à faire rechercher systématiquement par un spécialiste;
— d'un refus scolaire qui témoigne soit de l'hostilité, plus ou moins manifeste, des parents vis-à-vis de l'école; soit, à l'inverse, de leurs exigences excessives; soit, enfin, de troubles de la personnalité de l'enfant;
— d'une inhibition scolaire qui entraîne une souffrance chez l'enfant, incapable de travailler ou de se concentrer malgré son désir, et traduit souvent une organisation névrotique de la personnalité;
— d'une psychose débutante, ou d'une véritable dépression, dont un dégoût subit et un ennui profond de l'école qui peuvent, chez un adolescent, en être les symptômes;
— de difficultés spécifiques d'apprentissage — la dyslexie et la dyscalculie — qui peuvent retentir sur l'ensemble des résultats et aboutir à l'échec scolaire;
— enfin, d'une phobie scolaire.

L'enfant en échec scolaire doit être aidé. Les moyens d'intervention sont multiples et adaptés : rééducation, psychothérapie, établissements spécialisés, aide sociale... Les parents peuvent saisir les commissions éducatives au siège de l'Inspection académique du département qui ont en charge le devenir éducatif de l'enfant, mais aussi s'adresser pour avis à un psychothérapeute.

☞ ■ tests mentaux ■ dyslexie et dysorthographie

échographie

 L'échographie, ou ultrasonographie, est une technique d'exploration par ultrasons. Un faisceau d'ultrasons, orienté avec précision sur un organe, ou une région du corps, sera réfléchi en écho, d'intensité variable suivant l'obstacle rencontré. L'enregistrement de cet écho dessine, sur un écran, une image qui représente l'organe ou la lésion et permet ainsi de préciser sa nature, son volume...

Cette technique, sans radiation ionisante, s'emploie pour les tissus jeunes en voie de développement (notamment ceux des femmes enceintes, des enfants) pour lesquels les rayons présentent des risques. Par ailleurs, elle n'a pas l'inconvénient cumulatif des examens radiologiques rapprochés et fréquents.

Sans danger et d'un prix de revient peu élevé par rapport à d'autres techniques iconographiques, l'échographie a pris une place très importante dans la hiérarchie des examens complémentaires.

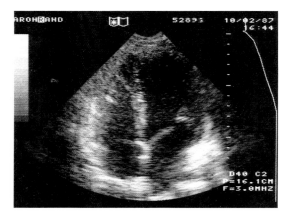

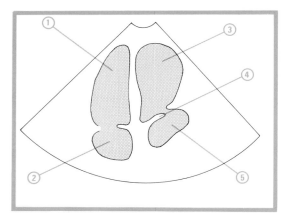

échographie cardiaque. *Cette échographie (ci-dessus, à gauche) illustre bien l'intérêt de l'échographie cardiaque qui, de façon non sanglante et par simple application du capteur d'ultrasons sur la poitrine du patient, permet de voir, sur cette seule coupe, l'ensemble des structures cardiaques les plus importantes : les quatre cavités du cœur, les cloisons inter-auriculaire et interventriculaire, les valves auriculo-ventriculaires.*
Schéma des quatre cavités du cœur (ci-dessus, à droite) : ③ ventricule gauche, ⑤ oreillette gauche, ④ valve mitrale, ① ventricule droit, ② oreillette droite.

Ses applications sont extrêmement variées tendant essentiellement à analyser, en raison de ses propriétés physiques, les organes pleins et les milieux liquidiens. Il en est ainsi :

— *de l'abdomen supérieur*, comprenant le foie, la rate, les voies biliaires, la vésicule biliaire, les organes rétro-péritonéaux tels que le pancréas, les reins et les surrénales;

— *des organes pelviens* tels que utérus et annexes, la prostate et la vessie;

— *des organes superficiels* tels que les seins, les testicules, la thyroïde et les para-thyroïdes, les glandes salivaires, et les parties molles sous-cutanées.

Notons également son application pour l'étude musculaire et tendineuse.

De plus en plus employée comme examen de dépistage, en particulier dans la pathologie d'urgence abdomino-pelvienne, l'échographie n'impose que peu de contraintes pour le malade. La seule condition technique nécessaire est de venir à jeun afin d'éviter au maximum les phénomènes de distension gazeuse digestive.

En ce qui concerne la pathologie du petit bassin, la vessie devra être pleine afin de favoriser l'analyse des organes situés derrière la vessie qui seraient masqués par les anses de l'intestin.

échographie cardiaque

C'est un examen dont le principe est fondé sur l'utilisation d'un faisceau d'ultrasons. Lorsqu'un faisceau ultrasonore est envoyé à travers la paroi thoracique vers le cœur, sa réflexion (qui s'inscrit sur un écran) correspond à la représentation graphique de la portion du cœur qu'il a traversée.

En mobilisant le faisceau, en balayant le cœur dans son ensemble, on peut obtenir une image globale de ce dernier sous différentes incidences. Ce faisceau est envoyé par un capteur posé sur la poitrine du patient, après avoir été enduit d'une pâte spéciale pour empêcher l'interposition d'air entre le capteur et la peau (l'air gêne la pénétration du faisceau). C'est ce même capteur qui recueille le faisceau ultrasonore réfléchi transformé en image du cœur.

L'échographie cardiaque est un examen totalement externe, donc sans danger pour le sujet qui la subit. Elle permet d'étudier non seulement *l'anatomie du cœur* — et, ainsi, de visualiser et situer une atteinte cardiaque précise, qu'elle siège sur les valves, le myocarde, le péricarde ou les vaisseaux —, mais aussi d'explorer le mouvement des différentes structures cardiaques, c'est-à-dire *d'évaluer la fonction cardiaque*. Étant donné son innocuité, sa fiabilité, son coût relativement faible, elle est maintenant un examen routinier en cardiologie, devenu presque aussi systématique qu'un électro-cardiogramme.

Elle est ainsi utilisée comme examen de « débrouillage » devant la constatation d'un souffle cardiaque, l'apparition de symptômes anormaux comme un essoufflement, devant l'existence d'un gros cœur sur une radiographie, pour en préciser l'origine. Lorsque la cardiopathie a déjà été diagnostiquée par d'autres moyens, elle permet d'en confirmer le diagnostic, mais également d'en préciser la sévérité et le retentissement. Elle est aussi très utile dans la surveillance de l'évolution d'une cardiopathie, dans l'appréciation des effets d'un traitement, notamment le traitement chirurgical de certaines maladies cardiaques. Cependant, chez près d'un malade sur cinq, il est impossible d'enregistrer un échocardiogramme correct : c'est en particulier le cas chez des patients fumeurs, ou atteints d'emphysème, ou obèses.

échographie obstétricale

En corrélation avec les examens cliniques et biologiques de la femme enceinte, l'examen ultrasonographique, ou échographie, est devenu systématique au cours de la grossesse. Ses indications sont variables en fonction de la période de la grossesse que l'on peut schématiquement considérer en trois trimestres.

Au cours du premier trimestre, associés aux données du bilan biologique, les examens échographiques permettent :
— de poser le diagnostic de la grossesse et de dater celle-ci précisément (à partir de quatre, cinq semaines d'absence de règles [aménorrhée]);
— d'en détecter le siège intra-utérin ou autre;
— d'en affirmer l'évolutivité (battements cardiaques perçus à partir de la sixième semaine d'aménorrhée);
— de rechercher d'éventuelles pathologies asso-

ciées (fibrome ou kystes ovariens le plus souvent fonctionnels...).

Ainsi, l'échographie sera-t-elle apte à détecter un grand nombre de grossesses pathologiques ou non évolutives telles que les fausses couches spontanées, les grossesses extra-utérines, les grossesses molaires.

Au cours du deuxième trimestre, il sera possible :
— *de suivre la bonne évolutivité de la croissance du fœtus* à partir de la mensuration de certains paramètres fœtaux (le diamètre bi-pariétal, le diamètre trans-thoracique et abdominal transverse ainsi que la longueur fémorale...) et de la présence des mouvements actifs et des battements cardiaques (analysés selon une technique qui permet l'étude des mouvements valvulaires en fonction du temps);
— *de rechercher un grand nombre de malformations fœtales*, en particulier du système nerveux central et périphérique (tumeur, hydrocéphalie, méningocèle), des cavités cardiaques et des gros vaisseaux, des principaux organes intra-abdominaux, de la face, des membres et du rachis.
— *d'analyser et de préciser la topographie des structures annexielles* (placenta, cordon...) : détection de placenta bas inséré ou praevia, pathologie placentaire propre (décollement, hématome), analyse du cordon, mesure du volume intra-utérin total (hydramnios, oligamnios);
— *de surveiller le col* et en particulier son orifice interne difficilement visualisé par les obstétriciens.

Au cours du troisième trimestre : les divers objectifs de l'échographie, étudiés au cours du deuxième trimestre, peuvent être renouvelés en fonction de la demande de l'obstétricien, et donneront lieu à l'établissement d'une courbe de croissance fœtale.

L'étude des malformations devient plus précise au fur et à mesure de la croissance du fœtus.

La détermination d'un poids fœtal proche du terme, l'analyse de la présentation fœtale et de la localisation placentaire seront autant de renseignements utiles donnés à l'obstétricien en vue de l'accouchement prochain.

Apports particuliers de l'ultrasonographie au cours de la grossesse
Certaines ponctions associées ou non à des traitements curatifs peuvent être effectuées sous repérage échographique, évitant parfois un acte chirurgical.

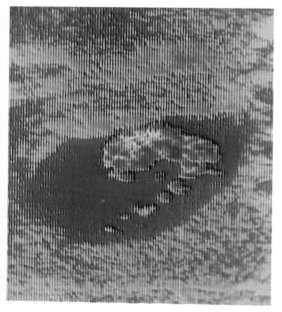

échographie obstétricale. *Fœtus de 9 semaines et son cordon vus en échographie.*

éclampsie *(crise d')*

La crise d'éclampsie affecte la femme enceinte et ressemble exactement à une crise d'épilepsie, si ce n'est l'absence d'émission involontaire d'urines : même phase de début, avec mouvements involontaires de la face et des membres supérieurs, mêmes contractures généralisées (dite phase toni-que), suivies de mouvements convulsifs puis d'un coma profond durant une à deux heures.

Pendant la crise, ne touchez pas à la malade, mais évitez qu'elle ne se blesse et surtout qu'elle ne se morde la langue (introduisez un linge entre ses mâchoires).

Dès la fin de la crise, l'hospitalisation d'urgence est impérative; un traitement précoce et énergique a quelques chances d'en prévenir les conséquences redoutables : rarement la mort maternelle, plus souvent la mort fœtale, sans compter les complica-tions vasculaires et cérébrales qui peuvent laisser chez la mère des séquelles définitives (cécité, hémiplégie...).

La crise d'éclampsie est rarement inopinée; elle est le fait d'un syndrome vasculo-rénal (hyperten-sion, albuminurie, œdème) qui doit être dépisté, surveillé et traité à temps (▷ grossesse et hyper-tension artérielle).

Cette crise est souvent précédée de signes prémonitoires : maux de tête, mouches devant les yeux, douleurs gastriques en barre, qui exigent, là encore, une hospitalisation immédiate en milieu spécialisé, aux fins de traitement préventif.

écoulement d'oreille

☞ otorrhée

écoulement mamelonnaire

☞ mamelon et aréole

écrasement

☞ traumatisme avec écrasement

ectopie testiculaire

☞ testicules

ectropion

L'ectropion est un retournement de la paupière en dehors, d'origine sénile, paralytique ou cicatricielle; il entraîne souvent un larmoiement.

eczéma

Votre médecin vient de vous dire que vous avez de l'eczéma. Cette maladie a une réputation de téna-cité qui vous inquiète. S'agit-il d'un eczéma allergi-que, dont vous espérez une amélioration rapide ? En réalité divers cas peuvent se présenter.

— *L'eczéma atopique* ou *constitutionnel* apparaît dès le plus jeune âge, chez le sujet prédisposé héréditairement à l'allergie. Caractérisé par des démangeaisons particulièrement pénibles, il s'étend sur tout le corps avec une nette prédilec-tion pour les plis de flexion. Son évolution est variable : il disparaît souvent entre quatre et sept ans, persiste parfois ou, plus rarement, s'estompe pour laisser place à de l'asthme. Les sujets atopi-ques sont plus souvent que d'autres prédisposés au rhume des foins.

— *L'eczéma dit de contact* touche fréquemment l'adulte. Cette étiologie vaut la peine d'être recher-chée car une évolution favorable peut être espérée par éviction de l'allergène. Cet eczéma peut résul-ter d'une sensibilisation à divers allergènes (vesti-mentaires, cosmétologiques, médicamenteux ou professionnels). Il se localise aux mains, au visage, à la face externe des cuisses. Son diagnostic doit être confirmé par des tests épicutanés : de petites doses des produits responsables de l'allergie sont appliquées sur la peau, sous pansement occlusif; deux ou trois jours après, leurs effets seront étudiés.

— *La participation d'un processus allergique* est également possible dans d'autres formes d'eczéma (sensibilisation à des antigènes bactériens, mycosi-ques ou autres). Il s'agit cependant de circons-tances moins fréquentes.

Le traitement de l'eczéma varie selon sa cause : l'évitement de l'allergène dans le cas d'un eczéma de contact est essentiel. En outre, un traitement local de la lésion cutanée elle-même est nécessaire. Il est toujours utile de prendre le conseil de votre médecin, car l'usage de pommade impose de

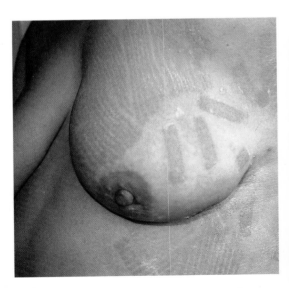

eczéma. *Un exemple d'eczéma de contact : l'allergie au sparadrap.*

respecter certaines règles élémentaires de prudence.

Quelques conseils à suivre :
— luttez contre la sécheresse de la peau en utilisant des savons doux, des huiles pour le bain, des produits graissants;
— supprimez les agents assouplissants;
— évitez le contact direct de la laine avec la peau, car cela entraîne des démangeaisons;
— lavez toujours les vêtements neufs avant leur première utilisation;
— préférez les sous-vêtements en coton blanc.

☞ ■ allergique (êtes-vous) ■ allergènes ■ désensibilisation

eczéma du mamelon

☞ mamelon et aréole

E.E.G.

☞ électro-encéphalogramme

électrocardiogramme

C'est la représentation graphique de l'influx électrique cheminant dans le muscle cardiaque. L'influx électrique est à l'origine de l'activité mécanique du muscle cardiaque et provoque ainsi contractions et relaxations successives.

L'électrocardiogramme (E.C.G.) se pratique en posant plusieurs électrodes métalliques sur le corps, en général à chaque poignet et à chaque cheville, le principe de l'examen étant qu'à partir de l'électricité enregistrée à la périphérie du corps, on peut extrapoler l'activité électrique du cœur; les électrodes sont également placées sur la paroi thoracique antérieure. Au préalable, toutes ces électrodes sont enduites de pâte afin d'améliorer le contact avec la peau et, donc, la transmission de l'électricité du corps.

L'électricité ainsi détectée par les électrodes est transmise à un appareil enregistreur, l'*électrocardiographe*, et enregistrée sur une bande de papier.

En utilisant deux électrodes seulement et en amplifiant l'activité qu'elles détectent, il est possible d'obtenir une *représentation diagrammatique* de l'activité cardiaque; ainsi, par exemple, l'utilisation des électrodes placées à la cheville gauche et au poignet droit détecte l'activité du cœur droit. L'utilisation successive des différentes électrodes, encore appelées *dérivations*, permet d'explorer l'activité de l'ensemble du cœur : l'E.C.G. standard de repos enregistre douze dérivations qui sont autant de « prises de vue » sous des angles différents de l'activité électrique du cœur.

Sur le tracé électrocardiographique normal, on

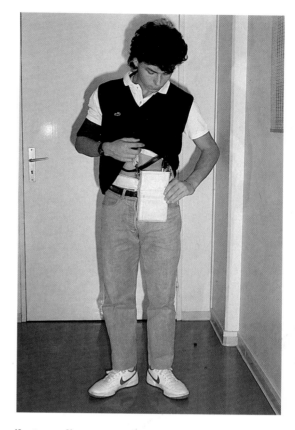

électrocardiogramme. *Ce simple boîtier porté en bandoulière permet l'enregistrement continu sur vingt-quatre heures de l'électrocardiogramme.*

enregistre d'abord l'activité de l'oreillette sous forme d'une onde arrondie de faible amplitude : c'est l'onde P. Puis, le tracé est constitué d'un segment horizontal — PQ — qui correspond au temps que prend l'influx à être conduit de l'oreillette au ventricule. Enfin, on enregistre le complexe QRS, ample, pointu, témoin de l'activité ventriculaire; il se poursuit par l'onde T, petite bosse arrondie, représentant la repolarisation ventriculaire, ou « repos » du ventricule avant le prochain influx. Cette séquence P-QRS-T se répète à intervalles réguliers (▷ schéma p. 382)

L'E.C.G. permet ainsi d'apprécier si le rythme cardiaque est normal, si chacune des activités auriculaire et ventriculaire est présente et normale.

L'E.C.G. de base

C'est un examen non sanglant, *sans risque pour le patient*. Il est très couramment pratiqué, souvent dans le cadre d'un bilan systématique, notamment après quarante ans. Devant des symptômes anormaux, tels que palpitations, douleurs thoraciques, essoufflement, etc., il complète généralement de façon très utile les données de l'examen clinique. Souvent il sert aussi à contrôler l'effet de certains médicaments, comme les digitaliques, les anti-arythmiques, etc.

Il faut toutefois savoir que l'E.C.G. peut quelquefois être normal alors que le cœur ne l'est pas. C'est, dans certains cas, ce contraste entre la forte suspicion clinique d'une pathologie cardiaque et un E.C.G. « paradoxalement » normal qui incite à compléter les investigations, et notamment à sensibiliser l'épreuve par un E.C.G. d'effort.

L'E.C.G. d'effort

Il est plusieurs façons de le réaliser : il peut s'agir d'un effort de marche sur un tapis roulant fixe, d'un effort de pédalage sur une bicyclette fixe... Dans tous les cas, l'effort est précisément mesuré; il est augmenté par paliers successifs après avoir vérifié que le patient le supporte bien, et l'E.C.G. est enregistré sans interruption pendant toute la durée de l'effort, et après son arrêt, lors de la phase dite de récupération.

L'E.C.G. d'effort est un test de provocation; normalement, il n'entraîne qu'une accélération du rythme cardiaque en rapport avec l'effort. Parfois il peut révéler la souffrance d'un cœur mal irrigué (insuffisance coronaire), ou d'un cœur trop facilement excitable (certains troubles du rythme). Si l'enregistrement d'un E.C.G. standard au repos ne nécessite pas la présence d'un médecin, à l'inverse, celui d'un E.C.G. d'effort justifie une telle présence afin de bien surveiller, pendant toute la durée du test, la bonne tolérance du patient et d'interrompre l'épreuve à temps dès l'apparition éventuelle des premiers signes anormaux.

L'enregistrement continu de l'E.C.G. selon la méthode de Holter

Alors que l'E.C.G. de base standard n'étudie l'activité électrique cardiaque d'un patient allongé que pendant quelques minutes, l'enregistrement continu de l'E.C.G. permet une surveillance prolongée, sur un sujet en activité, soumis aux conditions de sa vie quotidienne. Il s'agit d'un examen non sanglant, peu gênant, qui peut être répété.

— *L'enregistrement* comprend la mise en place de deux électrodes sur le thorax, reliées à un enregistreur à déroulement lent, porté en bandoulière et contenant une cassette magnétique. Il dure en général vingt-quatre heures, parfois quarante-huit heures. Un marqueur d'événements (tels que douleur, malaise, palpitations) peut être actionné par le patient.

— *La lecture* de l'enregistrement se fait à vitesse rapide, par le traitement informatique des données. Le défilement de la bande magnétique est interrompu en cas d'accélération (*tachycardie*), de ralentissement (*bradycardie*) ou d'irrégularité du rythme cardiaque. Un compteur d'extrasystoles peut être incorporé et permet d'étudier leur répartition dans la journée; certaines anomalies du tracé électrocardiographique évoquant une souffrance ischémique du myocarde peuvent être détectées.

Dans quels cas vous sera-t-il proposé un enregistrement E.C.G. selon la méthode de Holter ?

— *le diagnostic des troubles du rythme cardiaque* :
Des troubles neurologiques brefs (vertiges, malaises, syncopes) sont souvent dus à une arythmie cardiaque paroxystique. L'emploi du Holter peut permettre de saisir la survenue de ces anomalies, et de les incriminer si elles sont contemporaines des symptômes décrits. A l'inverse, la survenue de symptômes pendant l'épreuve sans anomalie de l'enregistrement électrique exclut, en principe, une cause cardiaque. Enfin, en l'absence de symptômes et d'anomalies électriques, aucune conclusion ne peut être portée.

La recherche d'extrasystoles, d'arythmies cardiaques peut être effectuée lors du bilan d'une cardiopathie, d'origine ischémique ou non, à visée thérapeutique.

La surveillance d'un stimulateur cardiaque peut être effectuée par le Holter.

— *La surveillance de l'efficacité et l'évaluation d'un traitement anti-arythmique* peut bénéficier de cette technique, en comparant le tracé sous traitement avec un enregistrement de référence.

— *L'enregistrement Holter est également indiqué lors de l'évaluation diagnostique et thérapeutique de la maladie coronaire.* Il peut mettre en évidence des anomalies de la repolarisation contemporaines de douleurs thoraciques et, ainsi, affirmer leur origine coronaire. Cet examen est également très précieux dans les suites d'un infarctus du myocarde pour détecter des arythmies ventriculaires justifiant un traitement propre.

électrocution

Qu'il s'agisse d'électrocution fatale (plus de 200 morts par an en France) ou de chocs électriques ou de brûlures, les accidents liés à l'électricité sont trop nombreux et devraient faire l'objet d'une meilleure prévention.

Les principales causes

— installation défectueuse : mauvaise prise de terre, fils dénudés, bricolage mal fait...;
— exposition de jeunes enfants aux risques électriques : prises électriques non obturées;
— oubli de coupure au disjoncteur en cas d'interventions (même mineures) sur un circuit électrique;
— absence de mise en basse tension des prises extérieures ou situées en environnement humide;
— manipulation d'accessoires électriques avec des mains mouillées.

Les lésions causées par l'électricité

Elles sont de deux sortes : liées au choc électrique ou à types de brûlures.

Le choc électrique peut respecter la respiration et l'activité cardiaque ou entraîner une projection de l'individu électrocuté, parfois sa chute, provoquant des traumatismes secondaires. La victime est hébétée, pâle, la respiration devient rapide, le pouls s'accélère. Un bilan médical s'impose.

Parfois, l'intensité du courant provoque un arrêt de la respiration par contraction permanente des muscles respiratoires. Le cœur continue à battre, mais l'asphyxie s'installe et conduit à l'arrêt circulatoire en cas de non-assistance respiratoire. Parfois, le courant provoque d'emblée un arrêt cardiaque.

Les brûlures peuvent être de types divers et multiples, mais sont toujours graves, de cicatrisation lente et difficile. Les dommages cutanés observés s'accompagnent souvent de lésions internes avec destruction musculaire qui aggravent le pronostic (risque pour la fonction rénale).

Quelles que soient les lésions observées, elles s'accompagnent d'un état de choc dans la plupart des cas. Les extrémités sont cyanosées (bleues), la peau marbrée, froide, couverte de sueurs. Le pouls est rapide, difficile à percevoir.

Que faire ?

Si le sujet n'est pas en contact avec la source de l'électrocution ou un conducteur, coupez le courant par prudence, vérifiez les fonctions vitales (pouls, conscience, respiration), donnez les premiers soins et alertez les secours.

Si le sujet est resté en contact avec le conducteur (attention à l'eau !), coupez impérativement le courant au compteur, éloignez la victime, puis faites le bilan et les premiers gestes.

Une vigilance particulière est nécessaire dans les cas des accidents électriques survenant à l'extérieur (par exemple ligne électrique).

☞ secours d'urgence

électro-encéphalogramme

L'électro-encéphalogramme est un enregistrement graphique de l'activité électrique du cerveau au moyen d'électrodes placées sur le cuir chevelu. Il permet de confirmer le diagnostic de l'épilepsie et d'en suivre l'évolution sous traitement. Il est aussi un examen de dépistage des lésions localisées du cerveau — tumeur, hématome, abcès... —, bien que le scanner ait pris une place prépondérante dans ce domaine.

électromyogramme

L'électromyogramme enregistre l'activité électrique des nerfs et des muscles lors du repos, de la contraction musculaire volontaire ou provoquée par une stimulation électrique. Il permet de :
— confirmer l'existence d'une neuropathie péri-

phérique, préciser son siège et fournir des renseignements sur les chances de récupération du déficit neurologique observé (▷ névrites);
— mettre en évidence une maladie musculaire (▷ myopathies, myasthénie).

La spasmophilie provoquerait des anomalies évocatrices du tracé électromyographique (▷ tétanie et spasmophilie).

emballement du cœur

☞ rythme et conduction cardiaques *(troubles du)*

embolie pulmonaire

L'embolie pulmonaire est une affection qui correspond à la présence, dans l'arbre artériel pulmonaire, d'un caillot obstructif, provenant le plus souvent d'une phlébite des membres inférieurs. Il s'agit d'une affection fréquente, trompeuse, pouvant mettre en jeu le pronostic vital et nécessitant un traitement urgent.

Vous devez être alerté par divers signes.
— soit thoraciques : essoufflement, point de côté douloureux, expectoration sanglante;
— soit plus trompeurs : fièvre, malaise, syncope, collapsus, douleur abdominale;
— soit aggravation brusque de l'état d'un insuffisant cardiaque ou respiratoire.

Vous serez d'autant plus attentif à ces signes, si vous avez des antécédents thrombo-emboliques, ou si vous êtes alité :
— période postopératoire (chirurgie abdominale, urologique, pelvienne, orthopédique...);
— après un accouchement ou un avortement;
— chez un insuffisant cardiaque, notamment en fibrillation auriculaire.

Le diagnostic d'embolie pulmonaire est difficile car l'auscultation et la radiographie des poumons sont le plus souvent normales. Une phlébite est évidemment évocatrice de l'embolie, mais sa découverte est inconstante.

Dans tous les cas, la seule suspicion d'une embolie pulmonaire impose l'hospitalisation en urgence. Là, le diagnostic sera indirectement évoqué par la scintigraphie* pulmonaire, lorsque l'image scintigraphique reflète la mauvaise distribution du sang dans les poumons. Une baisse de l'oxygène dans le sang artériel prélevé par ponction fémorale (gaz* du sang artériel) est également évocatrice mais non spécifique.

C'est l'artériographie* pulmonaire qui permet le diagnostic de certitude. Cet examen capital visualise le caillot, précise son siège, son importance et guide les indications thérapeutiques. Il est généralement complété par une phlébocavographie des membres inférieurs; celle-ci recherchera entre

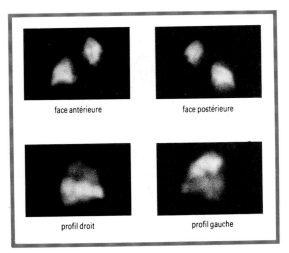

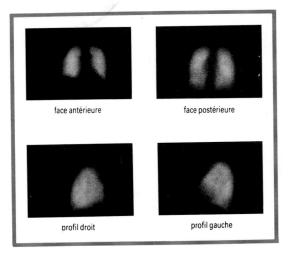

face antérieure   face postérieure   face antérieure   face postérieure

profil droit   profil gauche   profil droit   profil gauche

embolie pulmonaire. *L'image obtenue par scintigraphie des poumons permet de visualiser la circulation artérielle pulmonaire. Des défauts de vascularisation peuvent être décelés, comme ici (voir les zones sombres de la photo ci-dessus, à gauche).*
Le traitement par l'héparine (photo ci-dessus, à droite) a favorisé la « fonte » des caillots qui obstruaient les artères : l'image scintigraphique redevient homogène.

autres un caillot dans la veine cave inférieure et, par un cathétérisme cardiaque droit, précise le retentissement de l'embolie.

Le pronostic
Il dépend de la précocité du diagnostic et du traitement, du degré d'obstruction du lit vasculaire pulmonaire, et de l'état cardiaque et pulmonaire préexistant.

La méconnaissance du diagnostic expose au risque majeur de récidives et de mort subite; elle est surtout le fait des formes trompeuses; c'est souligner l'importance de l'artériographie pulmonaire qu'il faut savoir indiquer dès qu'existe une suspicion clinique.

Le traitement
Dans les formes usuelles, le traitement est fondé sur le repos au lit, sur l'oxygénothérapie nasale et, surtout, sur la médication anticoagulante à doses efficaces, par voie veineuse, qui permet la fonte du caillot, et sur la prévention des récidives. Le relais par anticoagulants oraux est nécessaire dans les semaines qui suivent.

Dans les formes plus sévères, une réanimation est nécessaire : correction de l'état de choc, ventilation assistée, tonicardiaques. Pour agir sur le caillot, on utilise l'héparine ou les fibrinolytiques. L'ablation chirurgicale du caillot est parfois nécessaire en cas d'évolution défavorable. L'interruption de la veine cave inférieure se discute dans les formes récidivantes.

Le traitement préventif
Il est essentiel et repose sur :
— la prévention des phlébites (lever précoce et mobilisation active des opérés et des accouchées);

— le traitement anticoagulant à faibles doses chez le patient à risque.

    phlébite

embryogenèse normale

La vie commence dans le tiers externe de la trompe par la conjonction d'un gamète femelle (*ovule*) et d'un gamète mâle (*spermatozoïde*). Un ovule porteur de 23 chromosomes (22 + X) est pénétré par un spermatozoïde lui-même porteur de 23 chromosomes (22 + X ou 22 + Y). L'œuf fécondé est alors équipé des 46 chromosomes indispensables et spécifiques à l'espèce humaine, soit 44 + 2X si c'est une fille, soit 44 + XY si c'est un garçon.

L'œuf reste quatre à cinq jours dans la trompe où il va commencer à se diviser et prendre l'aspect d'une petite mûre (*stade morula*). Le cinquième jour apparaît un phénomène capital : la différenciation du futur embryon et du futur placenta.

Les cellules internes vont constituer le « bouton embryonnaire » à partir duquel se développera le fœtus. Les cellules externes de la morula vont se multiplier et constituer une double assise cellulaire appelée *trophoblaste*.

Le trophoblaste
Le trophoblaste a pour caractéristique essentielle, à son début, d'être chargé d'enzymes corrosifs qui vont assurer la nidation, et dans un deuxième temps, grâce à de multiples prolonge-

ments appelés *villosités*, ouvrir les vaisseaux maternels et y puiser les éléments nécessaires au développement de l'œuf. Le trophoblaste, qui deviendra plus tard le *placenta*, constitue une barrière ininterrompue qui séparera toujours la circulation maternelle de la circulation fœtale. Mais cette barrière est perméable, et le trophoblaste apparaît comme l'intermédiaire actif d'échange de protéines, sucres, vitamines, anticorps, mais hélas aussi de germes et de virus (rubéole ou la toxoplasmose) entre la mère nourricière et l'enfant en croissance.

Deuxième fonction essentielle du trophoblaste : il participe activement, sans que son rôle soit encore parfaitement précisé, à la tolérance immunitaire de l'organisme maternel à l'égard du fœtus qui pour 50 % (chromosomes paternels) lui est « étranger ».

Troisième fonction non moins fondamentale, le trophoblaste assure la sécrétion hormonale indispensable au bon déroulement de la grossesse : la sécrétion d'*H.C.G. (hormone gonadotrophique chorionique)*, dont la détection en début de grossesse est à la base de tous les tests de grossesse utilisés couramment, puis à partir du troisième mois, la sécrétion, outre d'une hormone de croissance, de l'œstradiol et de la progestérone qui, à doses massives, vont imprégner tout l'organisme maternel. Leur dosage est un reflet fidèle d'une bonne (ou mauvaise) vitalité fœtale.

La circulation entre le placenta et le fœtus est assurée par deux veines et une artère ombilicale réunies dans le cordon du même nom.

A partir du troisième mois, le trophoblaste va se localiser pour devenir cette galette appelée placenta dont le poids atteindra 500 ou 600 g en fin de grossesse et dont l'expulsion ou « délivrance » constitue le dernier stade de l'accouchement.

Le bouton embryonnaire

Les cellules internes de la morula, entourées du trophoblaste, constituent le bouton embryonnaire.

Ses cellules vont se diviser rapidement pour constituer, aux environs de la troisième semaine, un disque aplati formé de trois couches cellulaires bien différenciées :
— l'*ectoblaste* d'où dérivera le système nerveux et la peau;
— le *mésoblaste* à partir duquel se développeront les muscles, les artères et les veines, les reins et le squelette;
— l'*endoblaste* à partir duquel se développeront l'intestin et les poumons.

Ces trois feuillets vont rapidement se transformer, s'incurver, former un tube qui a déjà figure d'embryon dans le même temps que la cavité amniotique s'agrandit et sépare l'embryon du trophoblaste. Nous sommes à la quatrième semaine. L'embryon mesure environ 0,5 cm. Alors commence la grande organogenèse qui va durer environ six semaines et qui va aboutir à l'ébauche quasi parfaite de ce que sera le futur bébé.

Dès la cinquième semaine (l'embryon mesure environ 1 cm) apparaît l'ébauche du cerveau et des membres supérieurs. A la sixième semaine (l'embryon mesure de 1,5 à 2 cm), les battements cardiaques sont perceptibles, l'ébauche de l'œil bien visible.

A la septième semaine, le visage prend « figure humaine » avec apparition de la langue, des paupières, la main commence à s'ébaucher en même temps que les muscles.

A la fin de la huitième semaine, l'embryon mesure 3 cm, tous ses organes sont en place, à l'état d'ébauche certes, mais parfaitement constitués, la main, organe le plus sophistiqué, est élaborée.

Le fœtus

La période embryonnaire est terminée, la vie fœtale commence. Elle est caractérisée par la croissance du fœtus qui à 3 mois atteint 7 cm et dont tous les organes seront, en réduction, parfaitement constitués.

La croissance est rapide, le fœtus atteint 15 cm à 4 mois, mais ce n'est qu'à partir de la trente-cinquième semaine, c'est-à-dire environ 7 mois et demi, qu'il atteindra sa maturité, sa pleine capacité à vivre : autonome, séparé de l'organisme maternel.

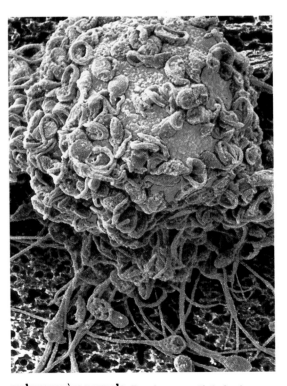

embryogenèse normale. *Un seul spermatozoïde (en brun) parviendra à pénétrer l'ovule (en rose) pour former l'œuf humain.*

Ce terme de trente-cinquième semaine est une échéance capitale, présente à l'esprit de tous les obstétriciens et de tous les pédiatres, et qu'il convient d'atteindre, sauf pathologie majeure, car il permet la naissance d'un enfant capable, sans risque, d'assurer sa vie autonome et un développement mental et physique satisfaisant.

 INDEX THÉMATIQUE *(OBSTÉTRIQUE)*

embryoscopie

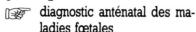 **diagnostic anténatal des maladies fœtales**

emphysème

 Vous avez plus de 50 ans, vous souffrez d'une toux, d'une expectoration chronique et surtout d'un essoufflement à l'effort. Devant des signes de distension du thorax, avec élargissement de ses diamètres, votre médecin soupçonne un emphysème.

L'emphysème est une affection caractérisée par une dilatation anormale de l'extrémité des bronches, associée à une destruction des parois alvéolaires. La confirmation du diagnostic est fournie par les examens complémentaires : la radiographie* des poumons, l'étude des gaz du sang (pression de l'oxygène et celle du gaz carbonique dans le sang artériel) et l'épreuve* fonctionnelle respiratoire.

L'*emphysème de type centro-lobulaire*, qui est de loin le plus fréquent, est très proche de la bronchite chronique à laquelle il est souvent associé, non sans raison puisqu'ils ont les *mêmes causes* (infection bronchique à répétition, pollution atmosphérique et surtout tabagisme), les *mêmes complications* (insuffisance respiratoire chronique avec retentissement cardiaque) et le *même traitement*.

L'*emphysème pan-lobulaire* est une forme de la maladie beaucoup plus rare qui touche l'adulte jeune, souvent maigre, et qui se manifeste avant tout par un essoufflement à l'effort sans toux ni expectoration. Il n'est pas la conséquence directe du tabagisme, mais ce dernier peut l'aggraver. Certaines de ses formes ont un caractère familial et sont souvent particulièrement sévères.

 Le traitement aura pour but essentiel d'empêcher l'aggravation des lésions pulmonaires :
– suppression complète et définitive du tabac;
– prévention des infections O.R.L. et respiratoires (bonne hygiène bucco-dentaire, vaccinations antigrippale et anti-microbienne);
– traitement précoce de toute infection bronchique par les antibiotiques adaptés;

– kinésithérapie respiratoire afin de lutter contre la distension thoracique;
– l'oxygénothérapie à domicile par sonde nasale si la forme est sévère.

 ■ **bronchite chronique** ■ **tabac** *(risques liés au)* ■ **oxygénothérapie à domicile**

encéphalite virale de l'enfant

Il s'agit d'une inflammation aiguë du cerveau, le plus souvent consécutive à une maladie infectieuse (rougeole, herpès...). Elle atteint des enfants de tout âge, sans antécédent particulier.

Le début est brutal; l'enfant est apparemment en pleine santé ou est affecté d'une maladie éruptive déclarée (rougeole). Rapidement, s'installent une fièvre élevée, des maux de tête, des vomissements, une altération de l'état général, des troubles de conscience pouvant aller rapidement jusqu'au coma. Les convulsions sont fréquentes.

L'hospitalisation en urgence permet de rassembler les éléments diagnostiques grâce à la ponction* lombaire, l'électro-encéphalogramme* et le scanner*, et de commencer le traitement, purement symptomatique, souvent en service de réanimation.

Le pronostic souvent grave est cependant variable d'un enfant à l'autre, d'un virus à l'autre.

C'est dire l'intérêt de vacciner les nourrissons notamment contre la rougeole.

encombrement bronchique
(kinésithérapie de l')

 ■ **bronchite chronique** ■ **dyspnée aiguë du nourrisson**

endocardite bactérienne

L'endocardite est l'infection des valves cardiaques; elle est le plus souvent d'origine bactérienne.

 Les symptômes en sont divers; ils varient selon la virulence de la bactérie et l'état – normal ou lésé – des valves cardiaques avant l'endocardite. Là, ils peuvent être très bruyants, avec une fièvre d'installation brutale, d'emblée très élevée, des frissons, un malaise général intense et des signes d'insuffisance cardiaque. Ailleurs, dans les cas moins aigus, les signes sont plus discrets : fièvre moins élevée mais traînante, prédominant le soir, fatigue inexpliquée, douleurs diffuses, courbatures, amaigrissement, perte de l'appétit, sueurs nocturnes, tous symptômes qui, s'ils peuvent effectivement orienter vers un processus infectieux, n'indiquent pas nécessairement la localisation cardiaque de cette infection. D'où la nécessité d'un examen médical rigoureux, notamment cardiaque.

L'endocardite survenant plus volontiers sur des valves antérieurement lésées (maladies des valves d'origine rhumatismale, dystrophique, ou autre), l'examen doit s'attacher à préciser la présence de modifications des signes cardiaques, et plus particulièrement du souffle, déjà existants. S'il n'y a pas d'examen cardiaque antérieur de référence, ou si l'endocardite survient sur des valves saines, c'est l'apparition d'un souffle cardiaque anormal qui est retenue. En effet, *l'association d'un souffle cardiaque et d'une fièvre* doit systématiquement faire suspecter la possibilité d'une endocardite bactérienne.

La certitude diagnostique est fournie par deux examens essentiels : les hémocultures* et l'échographie* cardiaque. Les *hémocultures* confirment tout d'abord qu'il s'agit bien d'une infection, en identifiant le germe responsable; puis, l'*échographie cardiaque* confirme que cette infection est localisée aux valves cardiaques. Cet examen révèle en effet la présence d'un véritable abcès sur la (ou les) valve(s) atteinte(s); c'est la classique végétation valvulaire; ailleurs, on peut voir les signes d'une rupture de valve.

Le traitement consiste principalement en une *antibiothérapie*, par voie intraveineuse, d'une durée d'environ six semaines. Le choix de l'antibiotique dépend du type du germe identifié; on lui associe le repos, la réhydratation, un régime alimentaire équilibré, et, le cas échéant, le traitement de l'insuffisance cardiaque.

Dans les cas de destruction valvulaire trop importante, et/ou d'inefficacité du traitement antibiotique, un traitement chirurgical peut s'avérer nécessaire avec remplacement de la valve infectée par une prothèse artificielle.

Il est aussi très important *de traiter le point de départ de l'infection* : il s'agit dans la très grande majorité des cas d'une *infection dentaire*; il peut s'agir également d'une infection urinaire, gynécologique ou cutanée.

En fait, le principal volet thérapeutique en matière d'endocardite est le *traitement préventif*. En effet, tout patient qui se sait atteint d'une cardiopathie, et plus particulièrement d'une valvulopathie – *a fortiori* si celle-ci a déjà justifié un traitement chirurgical et si le patient est déjà porteur d'une prothèse valvulaire –, doit subir un examen dentaire au moins deux fois par an à la recherche systématique d'un foyer infectieux. De même, tout soin dentaire, extraction et détartrage en particulier, *a fortiori* s'il est effectué chez un sujet atteint d'une cardiopathie, doit impérativement se faire sous couverture antibiotique.

 ■ **fièvre** ■ **souffle au cœur** ■ **cardiaque** *(hygiène de vie du)*

endomètre *(ou muqueuse utérine)*

 ■ **gynécologique** *(examen)* ■ **ovulation** ■ **utérus**

endométriose

L'endométriose est une maladie étrange dont la cause n'est pas encore parfaitement élucidée.

Elle est caractérisée par l'existence hors de l'utérus d'un tissu (endomètre ou muqueuse endométriale) exactement semblable à la muqueuse utérine; ce tissu est sensible aux hormones ovariennes, il connaît les mêmes variations en cours de cycle et saigne au moment des règles.

Ces îlots d'endomètre peuvent coloniser des organes lointains (intestin, plèvre, poumons), et posent alors un problème diagnostique d'autant plus difficile qu'il est plus rare. L'endométriose intéresse surtout les organes du petit bassin : le péritoine (enveloppe renfermant les viscères abdominaux), les trompes, dont elle peut altérer gravement la valeur fonctionnelle (stérilité), les ovaires, avec des kystes de volume variable.

Cette endométriose pelvienne est le fait de la femme jeune et se traduit essentiellement par une symptomatologie douloureuse, douleurs au moment des règles, de l'ovulation, des rapports; elle est souvent asymptomatique et découverte fortuitement à l'occasion d'une intervention abdominale ou d'un bilan de stérilité.

La présence du tissu endométrial dans le muscle utérin (adénomyose) survient chez les femmes de 40 ans et se traduit essentiellement par des ménorragies (règles abondantes) quelquefois impressionnantes.

Affirmer le diagnostic d'endométriose n'est pas facile et relève d'explorations spécialisées. L'hystérographie* n'est pas toujours probante; l'examen déterminant est la cœlioscopie* qui, en visualisant les îlots bleuâtres qui parsèment le petit bassin, affirme l'endométriose et en précise l'extension.

Comment traiter une endométriose

Les ménorragies de l'adénomyose ne sont pas toujours bien contrôlées par les traitements médicaux; elles relèvent alors d'un traitement chirurgical (ablation de l'utérus). En revanche, l'endométriose pelvienne et ses douleurs bénéficieront d'une thérapeutique médicale visant à la mise au repos prolongé et à l'atrophie du tissu endrométrial; progestatifs de synthèse, pilules « normodosées », danatrol seront prescrits à doses continues pendant plusieurs mois. Leur efficacité est indiscutable et compense leurs effets secondaires (prise de poids, aménorrhées [absence de règles]).

 ■ **pelviennes** *(douleurs)* ■ **règles** ou **menstruations** ■ **stérilité du couple**

endoscopie

L'endoscopie permet l'observation directe de différents conduits ou cavités du corps.

On utilise le plus souvent un appareil appelé fibroscope. Il s'agit d'un tube souple muni d'un système optique en fibre de verre et d'une source de lumière. A travers le tube, le médecin peut introduire divers instruments permettant de pratiquer un lavage, une aspiration, une biopsie*, mais aussi un acte thérapeutique : l'ablation de polype, l'arrêt de certaines hémorragies, une injection sclérosante de varices, la destruction électrique ou au laser de certaines tumeurs, la pose de prothèse, l'extraction d'un corps étranger...

L'endoscopie est un acte simple, généralement très bien toléré, nécessitant parfois une préparation particulière (par exemple obtenir la propreté du côlon avant l'examen). Une prémédication est parfois utile (anesthésique local, antalgique, sédatif, ou encore légère anesthésie).

Cette technique, du fait de sa fiabilité diagnostique et de son intérêt thérapeutique grandissant, est aujourd'hui un examen de routine utilisé dans de nombreuses spécialités : gastro-entérologie (fibroscopie œso-gastro-duodénale et colique), urologie (cystoscopie), pneumologie (bronchoscopie), gynécologie (cœlioscopie : ▷ ce terme), rhinoscopie, laryngoscopie (O.R.L.)...

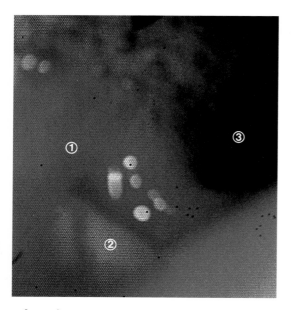

endoscopie. *Lors d'un vomissement de sang (hématémèse),
l'endoscopie de l'estomac faite en urgence
montre un caillot rouge ① recouvrant la fausse
membrane blanchâtre ② d'un ulcère du bulbe.
Lumière bulbaire ③.*

enfant bleu

  ■ cyanose du nouveau-né et du nourrisson ■ tétralogie de Fallot

engelure

L'engelure est une lésion de la peau provoquée par un froid humide et souvent modéré. Elle siège sur les doigts, les orteils, le nez, les oreilles ou les talons, dont la peau devient rouge et un peu gonflée, et s'accompagne de démangeaisons et de picotements lors du réchauffement. Les sujets atteints d'*acrocyanose* développent plus volontiers des engelures.

Le traitement des engelures consiste surtout en une prévention contre le froid et l'humidité : port de vêtements et de chaussures appropriés, massages et marche activant la circulation locale...
En cas d'engelure constituée, le réchauffement doit être progressif afin d'éviter une douleur cuisante. L'application de pommades renfermant de l'huile de foie de morue et de la vitamine D est utile.

enrouement

 voix *(troubles de la)*

entorse

 membres traumatisés *(entorse, luxation et fractures)*

entropion

L'entropion est un retournement de la paupière en dedans; il provoque un frottement douloureux des cils sur la cornée (d'origine spasmodique, cicatricielle). Une intervention chirurgicale est souvent nécessaire, mais l'ablation des cils est à proscrire.

énurésie

L'énurésie est une émission d'urine involontaire et inconsciente qui devient anormale après l'âge de 4 ans; elle survient le plus souvent la nuit. Témoignant de conflits psycho-affectifs inconscients, elle doit être distinguée de l'incontinence due à une affection urologique ou neurologique.

Le traitement sera discuté avec le médecin; il doit être préventif, en n'étant ni rigoureux ni trop précoce pour l'apprentissage de la propreté, qui doit se faire chez un enfant qui marche. Le réveil nocturne, l'auto-surveillance de la propreté, des médicaments, voire une psychothérapie sont proposés. La restriction hydrique est de peu d'intérêt.

L'énurésie disparaît souvent spontanément à l'adolescence.

envie fréquente d'uriner

☞ ■ infection urinaire ■ prolapsus ■ prostate

éosinophiles

☞ ■ hyper-éosinophilie ■ sang

épaule *(douleurs de l')*

☞ périarthrite scapulo - humérale

éphélides

Ce sont de petites taches cutanées brun clair dues à une surproduction de pigment. Elles apparaissent chez l'enfant après cinq ans et sont stimulées par l'exposition solaire. Elles sont différentes des grains de beauté car elles ne dégénèrent jamais. On peut prévenir leur apparition en appliquant, l'été, des crèmes antisolaires.

épicondylite

Vous souffrez d'une douleur de la partie externe du coude, irradiant vers l'avant-bras : il s'agit sûrement d'une épicondylite. Elle est souvent liée à un surmenage sportif (tennis), professionnel (travailleur manuel, musicien) ou survenant après un traumatisme parfois mineur (▷ tendinite).

Cette douleur est aggravée par certains mouvements (manipulation d'un tournevis, soulèvement de charges), vous réveille la nuit et peut entraîner une impotence fonctionnelle, avec parfois un déficit à l'extension du coude.

L'examen repère un point douloureux net, à l'insertion des tendons sur l'épicondyle; l'extension contrariée du poignet réveille la douleur du coude.

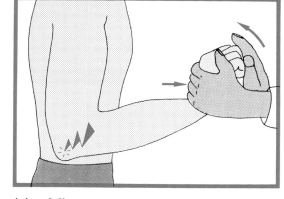

épicondylite. *L'extension contrariée du poignet réveille la douleur épicondylienne.*

La radiographie, le plus souvent normale, permet d'éliminer une autre cause.

L'évolution de cette épicondylite se fait toujours vers la guérison, mais peut durer plusieurs mois, alors que l'activité manuelle est poursuivie. Le repos et les infiltrations locales sont souvent efficaces. D'autres traitements — massages transversaux profonds et physiothérapie (ultrasons) — peuvent être proposés avec succès. Dans certains cas particulièrement rebelles ou récidivants, une opération chirurgicale mineure (désinsertion des tendons épicondyliens) est envisagée.

☞ infiltrations

épidydimite

☞ testicules

épiglottite

☞ dyspnée aiguë du nourrisson

épilepsie

L'épilepsie revêt des manifestations cliniques très variées : épilepsie généralisée, «petit mal», crises localisées motrices, sensitives ou sensorielles, crises psychomotrices de l'épilepsie temporale. Elle peut être le symptôme d'une lésion dont l'évolution conditionne le pronostic, ou constituer une véritable maladie appelée «épilepsie essentielle».

— Une personne de votre entourage perd soudain connaissance sans le moindre signe avant-coureur et tombe. Une hypertonie raidit tout le corps et s'accompagne d'un arrêt respiratoire et d'une forte salivation. Puis succède, pendant vingt ou trente secondes, une *période convulsive* : de violentes contractions musculaires saisissent les membres, avec souvent morsure de la langue et «mousse aux lèvres». La *phase résolutive* se traduit par une relâchement musculaire, une perte des urines, la reprise de la respiration. Progressivement, après quelques minutes ou quelques heures, la personne reprend conscience, sans toutefois pouvoir se souvenir d'aucun moment de la crise (*amnésie*). Il s'agit certainement d'une crise d'*épilepsie généralisée* ou «grand mal» que le médecin confirmera sur la simple description de cet incident.

— Chez un enfant, l'interruption brusque et passagère de son activité ou de sa conversation correspond sûrement à une *épilepsie de type «petit mal»*.

— Certaines crises partielles débutent par des contractions successives de la main qui gagnent l'avant-bras, le bras, puis la face et le membre inférieur; d'autres fois, elles débutent au pied. Elles se généralisent rarement en une perte de connaissance. Ce sont des crises localisées appelées *crises bravais-jacksoniennes*.

— Des crises dites *sensitives* peuvent avoir le même mode de déroulement que les crises bravais-jacksoniennes, mais les contractions sont remplacées par des picotements ou des fourmillements (*parasthésies*).

— D'autres crises sont dites *sensorielles*. Elles débutent et s'arrêtent toujours soudainement; elles se manifestent parfois par des hallucinations visuelles (lumière intense ou colorée dans un champ visuel), des hallucinations auditives (bruit, parole ou musique), des hallucinations olfactives (impression de mauvaises odeurs surtout).

— Enfin les crises *temporales* sont plus complexes. Avec, là aussi, un début et une fin brusques, une impression «d'état de rêve», de «déjà vu» ainsi qu'un sentiment d'étrangeté, elles sont souvent accompagnées de striction abdominale ou thoracique. Le plus souvent, elles entraînent la suspension de l'activité en cours.

Le plus souvent, la crise d'épilepsie reste isolée, mais parfois les crises se succèdent pour réaliser un état de mal épileptique (urgence thérapeutique).

 Votre médecin portera le diagnostic de crise d'épilepsie sur la description clinique de la crise. Il fera réaliser un électro-encéphalogramme* qui peut confirmer l'épilepsie en retrouvant les signes électriques caractéristiques.

La radiographie du crâne et surtout un scanner* seront toujours indispensables pour faire le bilan diagnostique d'une épilepsie, qui peut être le symptôme d'une tumeur cérébrale ou d'une malformation vasculaire cérébrale. Le plus souvent, il n'est retrouvé aucune cause à l'origine de l'épilepsie dite essentielle; au mieux celle-ci est-elle parfois favorisée par l'alcoolisme ou un traumatisme crânien.

Le traitement est celui de la cause, s'agissant de l'épilepsie symptomatique. Lorsque l'épilepsie est essentielle, on utilisera les anti-épileptiques — les barbituriques ou la dépakine; la dose sera relative au poids du sujet, donc augmentée en fonction de la croissance de l'enfant, et contrôlée par des dosages sanguins du médicament afin d'en adapter au mieux la posologie.

 Un patient épileptique doit prendre *régulièrement* son traitement sans interruption et doit éviter toute prise d'alcool qui favorise les crises.

épine calcanéenne

 Bien que l'aspect du pied soit normal, vous souffrez d'une douleur, à effet de clou pénétrant, siégeant à la face plantaire du talon; elle est exacerbée par la pression du pouce, sous le talon. La radiographie peut révéler parfois une épine osseuse du calcanéum. Dans tous les cas cette épine n'est pas la cause de la douleur mais témoigne de l'atteinte des insertions musculaires et tendineuses sous le calcanéum.

Une semelle orthopédique en mousse évidée, en regard de l'épine, peut faire disparaître la douleur. En cas d'insuccès, votre médecin prescrira des infiltrations.

 ■ semelles orthopédiques ■ infiltrations

épiphysiolyse

 boiterie de l'enfant et/ou douleurs de la hanche

épisiotomie

☞ ■ grossesse *(généralités et surveillance)* ■ accouchement *(généralités)*

épistaxis

 L'hémorragie nasale (ou épistaxis) est bien souvent plus spectaculaire que grave, en particulier chez l'enfant, après grattage du nez. La conduite à tenir est simple : placez l'enfant en position assise, demandez-lui de se moucher afin d'évacuer les caillots, pressez la narine qui saigne avec votre doigt sur la cloison pendant quelques minutes. Dans la grande majorité des cas, ces mesures simples sont suffisantes.

 Lorsque l'hémorragie persiste ou récidive trop souvent, un examen oto-rhino-laryngologique s'impose. Dans ce cas, le problème est triple :
— arrêter le saignement (cautérisation, méchage

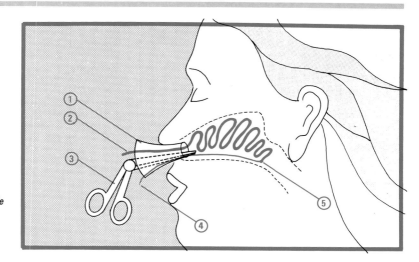

épistaxis. *Tamponnement antérieur : l'introduction d'une mèche de gaze de 2 ou 5 cm de largeur permet un méchage serré de la fosse nasale ; elle devra être placée en accordéon, en commençant par la profondeur afin de remplir la totalité de la cavité.*

serré de la fosse nasale après anesthésie locale) ;
— apprécier la gravité de l'hémorragie qui parfois fait courir un risque vital : existence d'une anémie ou impossibilité d'arrêter le saignement, terrain déficient (personne très âgée). Dans ces cas, l'hospitalisation est nécessaire, afin de pratiquer des interventions chirurgicales souvent complexes ;
— enfin découvrir la cause de l'hémorragie : maladie de la coagulation (hémophilie, purpura, traitement anticoagulant antérieur) ; poussée d'hypertension artérielle ; présence d'un fibrome nasopharyngien chez l'adolescent, ou d'une tumeur maligne des fosses nasales ou des sinus chez l'adulte, ou encore d'un angiome chez la femme enceinte ; maladie de Rendu-Osler, affection héréditaire caractérisée par la présence d'angiomes de la bouche et du nez qui entraînent des hémorragies nasales répétées.

L'hémorragie survenant à l'occasion d'une fracture du nez est facilement reliée à sa cause.

épreuves fonctionnelles respiratoires

Vous présentez une affection respiratoire pour laquelle vous consultez votre médecin. Ce dernier, alerté par un essoufflement anormal au repos ou à l'effort, vous a adressé au spécialiste pneumologue pour réaliser une épreuve fonctionnelle respiratoire. Cet examen, tout à fait indolore, permet à l'aide d'un appareillage simple (*spirographe*) de mesurer les volumes pulmonaires et les débits d'air dans les bronches (▷ appareil respiratoire).

Les volumes pulmonaires se répartissent en volume mobilisable et en volume non mobilisable :
— *le volume mobilisable* au cours d'un effort inspiratoire maximal suivi d'une expiration maximale s'appelle *capacité vitale* ;
— *le volume non mobilisable* représente la quantité d'air restant dans le poumon à la fin d'une expiration maximale et constitue le *volume résiduel*.
— *la somme* de la capacité vitale et du volume résiduel représente la *capacité pulmonaire totale*.

La facilité de circulation de l'air à l'intérieur des bronches est évaluée par la mesure du *volume expiratoire maximum par seconde* (V.E.M.S.). Grâce à cette méthode de calcul et à ses résultats, on peut distinguer deux catégories de troubles respiratoires :
— *les troubles restrictifs* : la capacité pulmonaire totale est diminuée (séquelles de traumatisme thoracique ou de pleurésie, ablation d'un lobe ou d'un poumon, fibrose pulmonaire) ;
— *les troubles obstructifs* : les volumes pulmonaires sont normaux mais la circulation de l'air dans les petites bronches est défectueuse (bronchite chronique, emphysème, asthme) ;
— bien souvent, ces deux types de perturbations sont associés chez un même patient : le déficit respiratoire est alors *mixte*.

Très fréquemment, le pneumologue complétera l'épreuve fonctionnelle respiratoire par une étude des gaz du sang artériel : il s'agit de mesurer la pression en oxygène et celle en gaz carbonique dans le sang artériel (ou capillaire), au repos et éventuellement après un effort. Cet examen permet d'évaluer les échanges gazeux au niveau des alvéoles pulmonaires, qui peuvent être perturbés sans que les volumes ou les débits bronchiques soient forcément modifiés, comme c'est le cas dans certaines maladies respiratoires dont les pneumopathies professionnelles ou toxiques, les sarcoïdoses ou les fibroses pulmonaires débutantes.

L'épreuve fonctionnelle respiratoire complétée de l'étude des gaz du sang artériel constituent donc deux examens importants pour quantifier un déficit respiratoire et orienter le médecin vers un diagnostic plus précis de la cause de ce déficit.

épurations extra-rénales

Quand la fonction rénale déficitaire ne peut plus assurer l'équilibre des entrées et des sorties d'eau, d'électrolytes..., il est nécessaire de recourir à l'épuration extra-rénale. Deux types de traitement sont proposés : l'*hémodialyse* (rein artificiel) et la *dialyse péritonéale*. Ces deux traitements utilisent la propriété qu'ont des substances, à des concentrations différentes de part et d'autre d'une membrane perméable, d'équilibrer leur concentration.

Dans *l'hémodialyse*, le sang du malade passe dans un filtre, situé à l'extérieur du corps. Ce filtre possède deux compartiments séparés par la membrane perméable : un compartiment sanguin et un compartiment où passe un liquide de composition voisine de celle du plasma normal. Les concentrations du sang et du liquide vont donc s'égaliser.

Dans la *dialyse péritonéale*, un tube placé dans l'abdomen du malade véhicule le liquide «épurateur» au contact du péritoine qui sert alors de membrane d'échange.

Quatorze mille personnes ont été traitées par épuration extra-rénale en France, en 1986. Le traitement comporte le plus souvent trois séances hebdomadaires de trois à dix heures en cas d'utilisation de l'hémodialyse. Quatre ou cinq échanges par jour sont réalisés au cours de la dialyse péritonéale.

érysipèle

C'est à la suite d'une blessure, parfois même minime, qu'est apparue brusquement une plaque rouge vif, chaude, douloureuse et gonflée, qui s'est étendue en tache d'huile. Vous avez de la fièvre, des frissons et un ganglion sensible dans le territoire de la lésion.

Vous devez rapidement consulter votre médecin car il s'agit d'un érysipèle, infection cutanée aiguë provoquée par le streptocoque.

L'érysipèle est favorisé par le diabète, l'obésité, la mauvaise circulation veineuse. Le plus souvent, un ulcère de jambe, une coupure entre les orteils causée par un champignon ou une fissure au niveau d'un talon sont à l'origine de la pénétration des microbes.

L'érysipèle nécessite la mise en route d'un traitement antibiotique par voie générale. Non traité, il expose à des complications extrêmement graves.

 streptocoque

érythème

L'érythème, ou rougeur, est la lésion dermatologique la plus courante qui accompagne la majorité des dermatoses. Il s'agit d'une rougeur congestive de la peau qui traduit une dilatation des capillaires du derme superficiel.

Rougeur généralisée

Accompagnée de fièvre éruptive, cette rougeur généralisée peut être :
— un *érythème scarlatiniforme*, caractérisé par de vastes nappes rouge vif sans espace de peau saine; il s'observe lors de la scarlatine (▷ scarlatine);
— un *érythème morbiliforme*, dont les petites taches rouges de quelques millimètres de diamètre peuvent confluer pour former des plaques séparées par des intervalles de peau saine; il s'observe au cours de la rougeole, rubéole, exanthème subit du nourrisson (▷ rougeole, rubéole, exanthème subit);
— un *érythème roséoliforme*, dont les taches sont roses.

Sans fièvre éruptive, la rougeur généralisée peut être :
— une *réaction médicamenteuse*, surtout si l'éruption s'accompagne de prurit; de nombreux médicaments sont responsables d'érythèmes scarlatiniforme, morbiliforme et roséoliforme : notamment les agents anti-infectieux — pénicilline, sulfamides surtout — (▷ allergie aux médicaments [comment reconnaître une]);
— une *érythrodermie* qui est un groupe particulier d'érythèmes généralisés caractérisés par une rougeur atteignant la totalité du corps souvent recouvert de squames (la peau se détache par lambeaux); c'est un syndrome grave qui traduit parfois la généralisation d'une dermatose pré-existante — psoriasis, eczéma, lichen plan — et qui nécessite une hospitalisation.

Rougeurs localisées

Les rougeurs localisées peuvent être d'origine mécanique (frottement), chimique ou physique :
— l'*érythème des plis* (intertrigo) est lié à la macération, à l'irritation mécanique due à la friction de surfaces cutanées en contact; il se surinfecte fréquemment (▷ champignons, érythème fessier du nourrisson);
— l'*érythème du visage* : couperose, rosacée, érythème solaire dû à des lésions des cellules épidermiques provoquées par les ultraviolets («coup de soleil»), lupus érythémateux (rougeur congestive souvent accompagnée de squames touchant les pommettes, le nez, respectant habituellement les zones périorbitaires et le menton).
Avec les manifestations articulaires, les manifestations dermatologiques sont souvent les signes d'appel de cette maladie (▷ maladies systémiques).
— *Rougeur des lèvres* (▷ chéilite, perlèche).
— *Rougeur des mains* (▷ acrocyanose).

— *Tache rouge recouverte de vésicules* (▷ eczéma, herpès, zona, varicelle, champignons).
— *Tache rouge recouverte de squames* (▷ psoriasis, champignons, dartres, eczéma).
— *Tache rouge dès la naissance* (▷ angiomes).
— *Rougeur du gland* (▷ gland [lésions du], maladies sexuellement transmissibles, balanites).

érythème fessier du nourrisson

Il s'agit d'une irritation fréquente de la peau des fesses du nourrisson dont la cause est soit :
— locale, par macération des urines et des selles, favorisée par les protections en plastique et certains détergents;
— générale, à l'occasion d'une diarrhée, d'une mycose digestive, d'une poussée dentaire, d'une maladie infectieuse.

Des mesures simples sont souvent suffisantes :
— supprimer les culottes en plastique, utiliser des couches en coton, soit jetables, soit lavables (elles seront alors lavées au savon de Marseille et soigneusement rincées);
— changer l'enfant très souvent, laver ses fesses à l'eau et au savon de Marseille, bien le rincer, bien le sécher, au besoin au sèche-cheveux (appliquer à chaque change une solution aqueuse d'éosine à 2 % ou de millian), laisser le plus possible les fesses du bébé à l'air.

Si l'érythème ne disparaît pas ou *a fortiori* s'étend en quelques jours, l'avis du médecin est nécessaire; il prescrira selon l'aspect des lésions, des soins antiseptiques ou une pommade cicatrisante, antibiotique ou antifongique.

Parfois, chez le petit nourrisson de moins de 3 mois, l'érythème fessier s'accompagne de lésions croûteuses du cuir chevelu et souvent d'une extension à tout le corps, réalisant la maladie de Leiner-Moussous. Les bases du traitement sont identiques mais la durée est souvent prolongée.

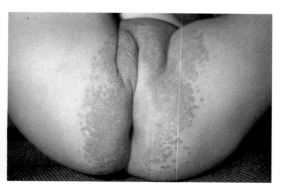

érythème fessier du nourrisson. *Laissez les fesses à l'air... dans la mesure du possible.*

escarres

Le processus de formation des escarres a pour origine la privation de certains tissus vivants de l'apport sanguin qui leur est nécessaire. Chez un patient couché, la peau sur laquelle repose le poids du corps (sacrum) ou des membres inférieurs (talon) est privée de sang. Le sujet valide change assez fréquemment de position et la zone menacée se déplace constamment, évitant ainsi l'escarre; mais un patient paralysé ou anesthésié est privé de cette défense, et le point d'appui qui ne varie pas devient rapidement blanchâtre, puis progressivement noir. Cette destruction se propage de la surface vers la profondeur, pouvant atteindre toute la masse musculaire.

Une escarre est totalement indolore puisqu'il s'agit d'un tissu mort. Le risque ultérieur est celui d'infection, d'abord localisée puis généralisée.

L'existence d'escarres sous plâtre est à noter; leur prévention dépend du médecin qui pose le plâtre et du patient qui signale en temps utile le point douloureux.

Le traitement des escarres est avant tout leur prévention. Tout patient alité doit être régulièrement mobilisé s'il ne peut bouger seul : toutes les deux heures, on le fera changer de côté sur le lit; on complétera cette prévention par le massage énergique des points d'appui qui améliore l'apport sanguin. Ces soins ne nécessitent pas de compétence particulière.

Si une escarre apparaît, le médecin sera tout de suite appelé afin de déterminer si les simples soins de prévention sont encore indiqués (au tout début), ou si l'excision chirurgicale doit être pratiquée afin d'éliminer les tissus détruits et ainsi favoriser la cicatrisation des tissus sains. Cette cicatrisation sera au mieux guidée par des panse-
de l'escarre reste la prévention.

☞ alitement prolongé

essoufflement

☞ dyspnée

essoufflement du nourrisson pendant la prise du biberon

La prise du biberon dure plus de vingt minutes et votre nourrisson respire vite et fort; il est souvent couvert de sueur. Fréquemment, il est obligé de se reprendre à deux ou trois fois pour essayer, parfois en vain, de terminer la ration prescrite par le médecin. Ces signes traduisent le plus souvent une défaillance cardiaque et il vous faut consulter rapidement.

Le médecin vérifie cette gêne à la prise des biberons, qui en général a déjà entraîné une stagnation du poids de l'enfant. Le plus souvent, il constate un essoufflement en mesurant la fréquence respiratoire au repos (qui doit être normalement inférieure à 40/mn), découvre un souffle, ce qui permet d'affirmer l'origine cardiaque de cet essoufflement. Il adressera alors l'enfant au cardio-pédiatre pour que soient pratiqués des examens complémentaires, en particulier une radiographie* des poumons, un électrocardiogramme* et surtout une échographie* cardiaque.

Dans la majorité des cas, si l'essoufflement est isolé et que l'enfant n'est pas cyanosé (bleu), il s'agit d'une communication interventriculaire. Parfois, le souffle n'est entendu que dans le dos, mais les pouls des membres inférieurs ne sont pas palpables et il y a une hypertension artérielle : il s'agit d'une coarctation de l'aorte (▷ communication interventriculaire, coarctation de l'aorte). D'autres fois encore, les lèvres sont bleutées : il s'agit en général d'une malformation plus complexe (▷ cyanose du nouveau-né et du nourrisson).

La plupart du temps, il n'y a pas urgence à pratiquer une intervention chirurgicale et il faut simplement mettre en route un traitement médical et surveiller son efficacité. Lorsque l'anomalie cardiaque ne se guérit pas d'elle-même (fermeture spontanée de la communication interventriculaire ou inter-auriculaire) et qu'elle reste assez importante, risquant de détériorer les poumons ou le cœur de l'enfant, l'intervention chirurgicale est indiquée en général entre le sixième et le douzième mois de la vie. Dans certains cas, où la malformation est plus complexe, le geste chirurgical sera fait d'emblée. Il sera alors palliatif : le chirurgien agira sur les vaisseaux et limitera ainsi les effets de la malformation cardiaque, en diminuant le calibre de l'artère pulmonaire par un cerclage ou en augmentant le débit de celle-ci par la mise en place d'une communication entre elle et l'aorte.

☞ ■ **cœur du fœtus** (malformations et troubles du rythme du) ■ **cœur du nouveau-né** (malformations congénitales du)

estomac (cancer de l')

Le cancer de l'estomac n'a pas de symptômes d'alerte spécifiques : des douleurs vagues, ou semblables à celles que provoque l'ulcère; une dyspepsie d'apparition récente, parfois une anémie, voire seulement un manque d'appétit accompagné d'un amaigrissement nécessitant la radiographie (transit* œso-gastro-duodénal) et surtout actuellement une endoscopie* avec biopsie*.

Le diagnostic du cancer de l'estomac doit être fait le plus tôt possible, afin d'obtenir de bons résultats thérapeutiques. Ceci n'est possible que si les patients acceptent l'endoscopie prescrite par le médecin. Notamment, les sujets dits « à risque élevé » doivent s'astreindre à une surveillance endoscopique régulière.

Une surveillance endoscopique s'impose lors d'affections à risque comme la gastrite atrophique (en particulier celle de la maladie de Biermer), le polype gastrique adénomateux, l'ulcère gastrique (et non pas duodénal). Les sujets ayant subi une gastrectomie partielle doivent également être surveillés.

☞ ■ **dyspepsie** ■ **ulcère gastrique et duodénal** ■ **gastrite**

estomac (douleurs de l')

L'analyse d'une douleur dite de l'estomac, c'est-à-dire du creux épigastrique, nécessite toujours un interrogatoire médical rigoureux et un examen clinique complet. Sachez cependant que si cela suffit souvent à établir un diagnostic précis dans les cas d'urgences chirurgicales, comme par exemple la péritonite par perforation d'ulcère, les douleurs moins aiguës nécessitent des examens complémentaires.

C'est ainsi que votre médecin prescrira une radiographie par transit œso-gastro-duodénal ou bien souvent une endoscopie* digestive.

☞ ■ **hernie hiatale** ■ **reflux gastro-œsophagien** ■ **gastrite** ■ **ulcère gastrique et duodénal** ■ **estomac** (cancer de l') ■ **lithiase biliaire** ■ **colique hépatique** ■ **pancréatite aiguë et chronique** ■ **occlusion intestinale** ■ **péritonite** ■ **hémorragie digestive haute** (œsophage, estomac et duodénum)

ethmoïdite

☞ sinusite

étranglement herniaire

☞ ■ **hernie** ■ **occlusion intestinale**

examen cytobactériologique des urines

☞ **urines** (examen cyto-bactériologique des)

exanthème subit

L'exanthème subit est une fièvre éruptive n'affectant que des enfants de moins de 3 ans. Le déroulement de cette maladie est caractéristique : trois jours de fièvre à 39°-40° isolée, inexpliquée puis, subitement, le quatrième jour la température redevient normale alors qu'une éruption cutanée faite de taches rosées apparaît.

Le seul traitement utile consiste à lutter contre la fièvre pendant les trois premiers jours. Les antibiotiques sont sans effet car l'infection est virale.

Tout l'art du médecin confronté à cet enfant fébrile consiste à savoir attendre ce fameux quatrième jour sans chercher à expliquer les trois jours de fièvre par des examens inutiles.

    fièvres éruptives de l'enfance

exhibitionnisme

L'exhibitionnisme est une perversion propre à l'homme, qui consiste à exhiber les organes génitaux, le plaisir étant lié à la réaction de répulsion de la victime. Mais il peut aussi s'agir d'une conduite témoignant d'un état démentiel ou schizophrénique.

    perversion

expectoration

L'expectoration est le rejet de sécrétions d'origine trachéo-bronchiques au cours d'un effort de toux. Elle est toujours un symptôme anormal; aussi faut-il, lors de la consultation, relater précisément ses caractères – sa date d'apparition, son volume, son aspect, sa couleur, sa périodicité, voire son odeur, autant d'indices permettant d'orienter le diagnostic.

Quand l'expectoration est-elle apparue ?

Elle est récente et succède à une période de toux sèche et douloureuse avec un peu de fièvre : c'est une *bronchite aiguë*. Elle dure plusieurs mois par an, depuis plusieurs années : c'est une *bronchite chronique*. Elle est influencée par les saisons et suggère une *origine allergique*. Elle survient uniquement en début de journée et suggère une *bronchite chronique débutante*. Elle est très abondante, continuelle, déclenchée par des efforts de toux minimes, parfois favorisée par certains mouvements et évoque alors une *dilatation des bronches*.

L'aspect de l'expectoration

On répugne parfois à la décrire à son médecin, mais pourtant elle a son importance :
– blanche et aérée, semblable à du blanc d'œuf cru, elle suggère une *bronchite chronique*; lorsqu'elle se colore en jaune ou en vert, il s'agit alors d'une *bronchite infectée*;
– l'expectoration purulente franchement abondante, verdâtre et nauséabonde, parfois apparue brutalement et accompagnée de fièvre, évoque un *abcès du poumon*.

Certaines expectorations ne proviennent ni des bronches, ni des poumons, mais du *rhino-pharynx*. Il s'agit de *sécrétions purulentes*, s'écoulant en arrière dans la gorge, que dans la journée on ramène en reniflant, mais qui pendant le sommeil se propagent directement dans la trachée et sont rejetées le matin au cours d'efforts de toux.

Une expectoration teintée de sang n'est *jamais* un symptôme négligeable; sa survenue doit toujours être signalée au médecin, qui ordonnera une radiographie* des poumons et, le plus souvent, proposera une endoscopie* bronchique.

L'analyse en laboratoire d'une expectoration a un intérêt essentiel : elle permet la recherche du bacille de Koch. La présence de ce bacille signe une tuberculose. Le médecin demandera donc facilement cet examen, surtout si la radiographie montre des signes évoquant cette maladie. En revanche, la recherche d'autres germes dans l'expectoration n'offre que rarement un réel intérêt : l'expectoration contient pratiquement toujours de nombreux microbes, dont la plupart viennent des voies aériennes supérieures (bouche, pharynx, larynx) et ne sont nullement des germes pathogènes. Parmi eux, il est impossible de reconnaître le germe réellement responsable d'une infection de l'appareil respiratoire.

L'expectoration est donc un symptôme dont l'analyse détaillée conduit le plus souvent à un diagnostic précis. C'est aussi un symptôme qu'il faut savoir accepter, voire favoriser, chez de nombreux patients, cracheurs et bronchitiques chroniques, qui autrement risqueraient de s'encombrer.

Enfin, quelle que soit la cause de cette expectoration, l'arrêt total et définitif du tabac est *toujours* souhaitable.

    ■ toux ■ bronchite chronique ■ dilatation des bronches ■ hémoptysie ■ bronchite aiguë

extra-systole

    rythme et conduction cardiaques *(troubles du)*

face

 crâne et face *(douleurs)*

farines

 ■ alimentation du nourrisson
■ diarrhée chronique du
nourrisson

fatigue

 Vous vous sentez anormalement fatigué et vous vous en inquiétez. Faites le point. Cette sensation de fatigue s'est-elle installée brutalement ? Êtes-vous totalement incapable d'accomplir un effort ou vous sentez-vous plutôt moins résistant qu'auparavant ? Votre fatigue est-elle uniquement physique ou s'accompagne-t-elle d'une fatigue intellectuelle, de difficultés sexuelles ? Est-elle associée à une diminution de votre appétit, à un amaigrissement ? Avez-vous des troubles du sommeil ? Avez-vous noté d'autres signes inhabituels, comme une pâleur inexpliquée, un essoufflement à l'effort ?

 Si cette sensation de fatigue vous paraît anormale, si elle s'accompagne d'autres signes, il est préférable que vous consultiez votre médecin. Il pourra parfois rapidement en trouver la cause :
— des *asthénies* sévères accompagnent certaines maladies infectieuses notamment les hépatites ;
— les *anémies* peuvent se révéler par une fatigabilité anormale, avec pâleur et essoufflement à l'effort ;
— de *nombreuses maladies chroniques* entraînent une altération de l'état général avec asthénie physique, psychique, sexuelle, perte d'appétit et amaigrissement ;
— la sensation de fatigue peut être aussi une manifestation de vos difficultés personnelles, familiales ou professionnelles, ou d'un surmenage. Une fatigue qui se prolonge, dont l'origine reste inconnue, nécessite au minimum un hémogramme* et une radiographie* des poumons, prescrits par votre médecin.

fausses couches spontanées du premier trimestre de la grossesse

Les fausses couches du premier trimestre de la grossesse intéressent deux cas sur trois. 50 % sont méconnues parce que, très précoces, elles coïncident avec les règles. 15 % interviennent entre la quatrième et la cinquième semaine de grossesse.

Vous êtes enceinte de cinq à six semaines, et voici qu'apparaissent des pertes de sang parfois abondantes. Elles peuvent s'accompagner de douleurs pareilles à des contractions utérines qui précèdent le plus souvent l'expulsion de l'œuf.

Ceci implique une consultation qui précisera le volume utérin et surtout l'état du col (ouvert ou fermé).

— Vous expulsez en quelques heures le contenu utérin sans hémorragie, ni température. L'échographie* confirme que l'utérus est vide, le curetage n'est pas indispensable. Il le deviendra au cas où persisteraient une hémorragie et des fragments placentaires dans l'utérus.

— Le col est fermé, l'hémorragie cède spontanément, l'échographie et les dosages hormonaux confirment la bonne vitalité du fœtus, l'évolution a toute chance d'être favorable.

Si les fausses couches spontanées peuvent être le fait d'une infection aiguë (grippe) ou subaiguë (listériose, toxoplasmose...), elles sont dues le plus souvent à des aberrations chromosomiques qui donneraient naissance à un enfant anormal. Il faut donc savoir surveiller, soulager, mais respecter cette hémorragie (rarement importante), ces douleurs utérines (rarement insupportables) qui précèdent l'expulsion de l'œuf. La fertilité future n'est absolument pas en péril.

Les fausses couches à répétition posent un tout autre problème : les causes en sont multiples, quelquefois associées. Il convient de rechercher :

— Une *anomalie de la cavité utérine* (malformation de l'utérus, accolement des parois ou synéchies, fibromes et polypes endo-cavitaires...) sera recherchée par une hystérographie. Le traitement est chirurgical.

— Une *anomalie du col* : la béance de l'isthme avec ses fausses couches en général plus tardives et son expulsion rapide et indolore d'un fœtus vivant relève d'un cerclage.

— Un *mécanisme hormonal* qui pose encore bien des questions : l'insuffisance en hormone gonadotrophique chorionique, œstradiol, progestérone est-elle la cause ou la conséquence d'une mauvaise grossesse ? Problème qui n'a pas encore trouvé de réponse satisfaisante. Quoi qu'il en soit, les traitements substitutifs, par la progestérone en particulier, sont couramment utilisés, leur efficacité n'est pas toujours probante.

— Une *anomalie de l'ovulation*, appelée d'un terme assez vague « dysovulation », sera précisée par une surveillance échographique et des dosages hormonaux et éventuellement traitée par des inducteurs de l'ovulation.

— Une *hypothyroïdie fruste* sera détectée par une scintigraphie* de la thyroïde à l'iode radioactif et un dosage des hormones thyroïdiennes.

— Une *infection urinaire chronique* qui, à toutes les époques de la grossesse, peut déclencher des contractions utérines et par conséquent l'expulsion de l'embryon ou du fœtus.

— Une *richesse excessive en spermatozoïdes* (spermogramme*) qui, sans qu'on en connaisse précisément le mécanisme, est cause de fausses couches répétées.

— Une *aberration chromosomique* : il est indispensable de pratiquer une étude des chromosomes ou caryotype chez les deux membres du couple.

— Les *causes immunitaires* sont certainement plus fréquentes qu'on ne le supposait. Leur mécanisme n'est pas encore parfaitement élucidé, pas plus que n'est parfaitement connue la tolérance surprenante de l'organisme maternel à l'égard d'un fœtus « corps étranger » puisque comportant 50 % de chromosomes paternels. Leur traitement reste, à l'heure actuelle, aléatoire.

Les progrès de la médecine sont rapides ; on a tout lieu d'espérer dans un avenir prévisible, un traitement efficace des causes hormonales, voire chromosomiques des fausses couches à répétition.

fauteuil roulant

☞ orthopédie *(traitement en)*

faux kyste du pancréas

☞ pancréatite aiguë

fécalome

Le fécalome est un amas dur de matières fécales formant « bouchon » siégeant habituellement dans le rectum. Il se manifeste par une constipation opiniâtre, ou au contraire par une fausse diarrhée, voire une pseudo-incontinence associée à une gêne rectale (on parle de ténesme). Le toucher rectal en fait facilement le diagnostic.

Le fécalome peut compliquer la constipation, notamment celle des sujets âgés et alités (paralysie, fracture...), mais on le rencontre parfois chez l'adulte jeune, sujet à une forme fréquente de constipation terminale appelée dyschésie.

La thérapeutique comprend l'évacuation au doigt et/ou l'administration de lavements ; le véritable traitement doit être préventif tout en évitant les laxatifs irritants.

☞ constipation

fécondation

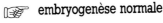 ☞ **embryogenèse normale**

fécondation *in vitro*
(ou bébé-éprouvette)

Si le xxe siècle a été celui de la contraception orale, il sera également celui du « bébé-éprouvette ». La vie commence dans le tiers externe de la trompe par la conjonction d'un ovule et d'un spermatozoïde; la trompe contribue à la survie de l'œuf, à ses premières divisions et à son transport vers la cavité utérine.

Il est évident que des altérations graves des trompes sont un facteur de stérilité définitive. Il appartient aux médecins britanniques Streptoe et Edwards d'avoir substitué une haute technologie à une trompe défaillante et d'avoir réalisé en laboratoire, séquence après séquence, les premières étapes du développement embryonnaire. Si Streptoe et Edwards restent les leaders incontestés de la fécondation *in vitro*, de multiples équipes dans le monde entier ont contribué par leurs travaux à en améliorer les résultats et la fiabilité.

Il apparut très vite que les chances de grossesse étaient optimales lorsqu'on replaçait dans l'utérus maternel, non pas un mais trois ou quatre ovules fécondés. De là l'hyperstimulation ovarienne qui précède toute fécondation *in vitro*: l'hormone hypophysaire associée ou non au chlomiphène aboutit à la maturation simultanée de trois, cinq, dix voire quinze ovules; cette maturation est contrôlée par des dosages hormonaux et des échographies* répétées.

Lorsque les ovocytes sont arrivés à maturité (appréciation encore difficile), ils sont recueillis sous anesthésie locale ou générale par ponction des follicules de De Graff (▷ ovulation); en fonction de la situation et de l'accessibilité de l'ovaire, l'aiguille d'aspiration est introduite par voie transabdominale, trans-vaginale ou trans-urétrale. Tout le matériel d'aspiration est immédiatement envoyé au laboratoire qui fait le compte des ovocytes recueillis, en apprécie le degré de maturité et les débarrasse des cellules parasites entraînées par l'aspiration; l'œuf restera en « éprouvette » dans un milieu de survie aux constantes physico-chimiques précises, ceci pendant toutes les phases suivantes de fécondation et de division.

Le sperme à l'état pur est impropre à la fécondation *in vitro*, il sera « lavé », les spermatozoïdes les plus mobiles sélectionnés puis, par 100 000 ou 200 000, placés dans l'éprouvette où survit l'ovocyte; après quelques heures à l'étuve et dans l'obscurité, 80 % des ovocytes seront fécondés.

L'œuf a-t-il conservé tout son potentiel évolutif ? Si oui, il commencera ses premières divisions (contrôlées sous microscope), et sera alors replacé à l'aide d'un fin cathéter dans l'utérus maternel où, dans les cas heureux, se poursuivra le développement embryonnaire.

Les œufs surnuméraires en voie de division seront congelés en azote liquide à − 196° et réutilisés éventuellement lors de cycles ultérieurs; ces « embryons congelés » permettent d'éviter à la patiente ponctions et anesthésies répétées. La congélation de l'œuf fécondé peut être pratiquée avant toute division (école française), après quelques divisions (école anglo-saxonne).

Cette succession de prouesses techniques, cette collaboration entre une équipe chirurgicale et un laboratoire de haut niveau offrent des perspectives de recherches des plus fructueuses; en outre, les résultats sont d'ores et déjà probants : trois bébés-éprouvettes naissent tous les jours dans le monde.

Cependant, les résultats varient d'une équipe à l'autre; on peut schématiquement les résumer ainsi : 15 à 20 % de grossesses menées à terme (le taux « naturel » de grossesse est de 35 %), 15 % d'avortements précoces, 10 % de grossesses gémellaires (le taux habituel est de 1 %), quelques grossesses triples (3 % environ) mais 4 à 5 % de grossesses extra-utérines, alors qu'elles ne dépassent pas 1 % dans la population générale.

Fait essentiel, le taux d'anomalies congénitales n'est pas supérieur à la moyenne. Des recherches sont en cours qui visent à améliorer les résultats et en particulier la maturation ovulaire dont la maîtrise et l'appréciation sont encore incertaines. Avortements précoces, grossesses extra-utérines devraient également diminuer.

Il est hors de doute que dans un proche avenir la biologie saura parfaitement « copier » les premières séquences de la vie; le bébé-éprouvette est appelé à remplacer une chirurgie tubaire trop souvent aléatoire.

Dès maintenant, nombre de femmes définitivement stériles peuvent prétendre à une grossesse jusqu'alors inespérée. D'aucuns espèrent déjà, par la sélection de « bons » ovules et de « bons » spermatozoïdes, dépasser les performances de la bonne nature, mais ceci concerne l'histoire biologique de demain.

fémur *(fracture du col du)*

La fracture du col du fémur est très fréquente chez les personnes âgées. Elle peut survenir après une chute anodine (tomber de sa hauteur). Elle entraîne une impossibilité de la marche, le membre inférieur fracturé paraît plus court et le pied a tendance à tourner en dehors.

Cette fracture pourtant fréquente est grave chez le vieillard et tout doit être fait pour le remettre sur pied le plus rapidement possible. Chez celui-ci, l'alitement prolongé entraîne des escarres, un risque d'infection urinaire, des problèmes pulmonaires. C'est pourquoi le chirurgie n'hésitera pas à proposer le remplacement de l'articulation fracturée par une prothèse, ce qui permettra de lever le patient dans les plus brefs délais.

Chez l'adulte plus jeune, cette fracture survient après un traumatisme violent. Le traitement reste chirurgical, mais on ne remplace pas l'articulation; on réduit la fracture et on la stabilise par du matériel d'ostéosynthèse (clou ou vis en général). La surveillance doit être prolongée car il existe un risque de dégradation secondaire (nécrose post-traumatique de la tête fémorale).

fentes labiales

Il s'agit d'une malformation congénitale de la face due à un défaut d'accolement des bourgeons embryonnaires maxillaires et frontal, constitutifs de la face. La malformation peut toucher tous les plans de la face : superficielle, elle n'atteint que la lèvre; profonde, elle s'étend au maxillaire, réalisant une fente osseuse; plus profonde encore, elle s'associe à une division du palais.

Le nez et en particulier le seuil narinaire et la cloison nasale sont pratiquement toujours touchés; la malformation peut être unie ou bilatérale.

La fente labiale fait partie des malformations congénitales les plus fréquentes; elle touche environ 1 nouveau-né sur 1500; et si l'on compte dans le même temps les divisions palatines (du palais) isolées, on arrive à un taux de 1 pour 700 naissances. Il existe une inégalité de sexe (2 garçons pour 1 fille) et une hérédité de type multifactorielle (20 % de formes familiales).

Le traitement doit être conduit par toute une équipe, associant chirurgiens, orthodontistes pour l'appareillage vers 7 ans, oto-rhino-laryngologistes qui surveillent les oreilles, orthophonistes car une rééducation est nécessaire dans environ 20 % des cas opérés de division palatine.

Le calendrier du traitement, longtemps stable, est actuellement en plein remaniement. Pour notre part, nous procédons ainsi :
— réparation de la lèvre et du nez à 5 mois,
— division palatine à 1 an,
— orthophonie si nécessaire à 5 ans,
— orthodontie sur les dents définitives vers 7 ans,
— greffe osseuse à 9 ans,
— rhino-plastie à 16 ans.
La scolarité de l'enfant est normale.

fer

Le fer joue un rôle essentiel dans la synthèse de l'hémoglobine*, véhicule de l'oxygène indispensable aux cellules et principal constituant des globules rouges (▷ sang). Le fer est apporté par l'alimentation. Les besoins quotidiens en sont de 1 à 2 mg chez l'homme, de 2 à 4 mg chez la femme; ils sont supérieurs chez l'enfant. Un régime équilibré apporte de 10 à 15 mg de fer par jour, nettement plus que les besoins. Les réserves sont donc importantes : de l'ordre de 3 à 5 g dont 70 % de fer hémoglobinique et 25 % de fer stocké dans des molécules comme la ferritine.

Une carence en fer n'apparaît qu'en cas de pertes importantes et prolongées, le plus souvent par saignements chroniques, digestifs ou gynécologiques; votre médecin peut doser le fer sanguin ainsi que la ferritine sanguine, qui lui donne un excellent reflet de l'état de vos réserves.

fétichisme

Le fétichisme est une perversion dans laquelle un objet matériel à valeur symbolique inconsciente est nécessaire à la réalisation du plaisir.

fibrillation auriculaire et ventriculaire

 rythme et conduction cardiaques (troubles du)

fibromes de l'utérus

Ce sont des tumeurs bénignes constituées de fibres conjonctives et de fibres musculaires « en tourbillon ». Ils apparaissent aux environs de la quarantaine pour disparaître spontanément et progressivement après la ménopause. Ils se présentent sous la forme de noyaux arrondis, de taille et de localisation variables.

Leur base d'implantation sur l'utérus est large — on les dit sessiles —, elle est quelquefois longue et étroite — on les dit pédiculés.

Leur fréquence est telle qu'ils peuvent affecter à des degrés divers 30 % d'entre vous; vous êtes dès lors en droit de vous poser quelques questions :

Suis-je « candidate » au fibrome ?
La réponse est oui :
— si votre mère a eu un fibrome;
— si vous n'avez pas eu d'enfant, volontairement ou non;
— si vos cycles ont été en général longs et irréguliers, témoins d'une anomalie de l'ovulation et d'une insuffisance en progestérone.

Y a-t-il des signes qui permettent d'évoquer l'existence d'un fibrome ?
— Oui, car peut apparaître le signe essentiel de ces

formations tumorales, les *ménorragies*, c'est-à-dire des règles d'une abondance excessive et souvent rapprochées.

— Non, car nombre de fibromes sont remarquablement latents et ne sont découverts que fortuitement à l'occasion d'un examen systématique.

Suis-je porteuse d'un fibrome ?

La réponse est facile : un toucher vaginal révèle de façon simple l'existence ou non d'un utérus augmenté de volume, bosselé, irrégulier.

Si oui, il convient de pratiquer quelques examens complémentaires et tout d'abord une échographie*, examen simple et indolore qui précisera de façon remarquable le nombre, la taille et la localisation des fibromes, éventuellement une hystérographie* qui, seule, permet de visualiser les fibromes de la cavité de l'utérus.

Au terme de ces examens se posera la question essentielle pour vous, quelle attitude adopter ?

Laissez le temps de la réflexion à votre médecin. La thérapeutique des fibromes en effet n'est pas univoque; trois possibilités s'offrent à lui : ne pas traiter, traiter médicalement, traiter chirurgicalement. Quelques notions simples vous aideront à mieux comprendre le traitement qui vous sera proposé.

— Les fibromes ne se cancérisent jamais. Toute chirurgie qui se veut préventive d'une dégénérescence cancéreuse est inopportune.

— Les « comprimés ou piqûres qui dessèchent les fibromes » n'existent que dans l'imagination populaire.

— L'évolution des fibromes est imprévisible, leur volume peut augmenter rapidement ou rester stable pendant de longues années.

— Les fibromes guérissent spontanément après la ménopause.

Ne seront pas traités les fibromes de petit volume (cette notion de petit volume est fort arbitraire), les fibromes isolés, sans conséquences sur les règles, ni inconfort, ni compression.

Seront traités médicalement les ménorragies; elles sont souvent bien contrôlées par un traitement médical simple, pilules mini dosées ou mieux, normo dosées, ou par des progestatifs de synthèse, produits fort actifs (mais prise de poids de 1 à 3 kg) qui vous assureront des cycles réguliers, des règles normales et... une excellente contraception; ceci pendant le temps qui vous sépare de la ménopause. Ce n'est qu'en cas d'échec ou d'intolérance à ces thérapeutiques que vous sera proposée une solution chirurgicale.

Seront traités chirurgicalement d'emblée :

— les fibromes de gros volume en général, et tout particulièrement ceux qui entraînent des troubles de compression. Les uretères ne sont pas loin; leur laminage par un fibrome à développement latéral peut altérer gravement la fonction rénale. L'urographie* intra-veineuse révèle une dilatation des cavités rénales : la chirurgie est impérative;

— la torsion d'un fibrome pédiculé, encore que fort rare, entraîne des douleurs extrêmement vives

et un état de choc, et exige une sanction chirurgicale qui ne se discute pas.

A signaler un cas particulier, celui de la jeune femme qui désire une grossesse et dont l'utérus est porteur d'un fibrome; d'une façon très générale l'utérus fibromateux tolère parfaitement une grossesse.

Cependant, en cas d'infertilité ou après une ou deux fausses couches spontanées, peut se discuter l'ablation du fibrome; en sachant bien que l'utérus cicatriciel est fragile et demandera en cours de grossesse une surveillance particulièrement attentive et, fréquemment, un accouchement par césarienne.

En résumé, les fibromes utérins sont fréquents à partir de 40 ans. Leur nature est toujours bénigne mais leur évolution souvent latente est imprévisible; c'est pourquoi les femmes porteuses d'un fibrome doivent se soumettre à un examen médical tous les ans.

 ■ **gynécologique** (examen) ■ **règles ou menstruations**

fibroscopie

 endoscopie

Fiessinger-Leroy-Reiter
(maladie de)

Le syndrome de Fiessinger-Leroy-Reiter est un rhumatisme inflammatoire touchant en priorité les articulations des membres inférieurs et, parmi celles-ci, le genou et la cheville. Les articulations atteintes sont gonflées, chaudes. L'état général est conservé, mais il existe souvent une petite fièvre. En association à ces arthrites, des douleurs rachidiennes et/ou des talalgies (douleurs du talon) de type inflammatoire sont fréquemment observées.

— Les conditions d'apparition sont très particulières; le syndrome survient soit après un épisode diarrhéique ou dysentérique, soit après un épisode d'urétrite d'origine vénérienne non gonoccocique, c'est-à-dire sans chaude-pisse.

— Les autres signes de la maladie sont l'atteinte cutanée et l'atteinte oculaire. L'examen clinique systématique de la peau et des muqueuses buccales et génitales a une grande importance. L'atteinte oculaire réalise le plus souvent une conjonctivite douloureuse.

Le bilan biologique confirme le syndrome inflammatoire (vitesse* de sédimentation élevée) et recherche la présence de H.L.A. B 27 (marqueur génétique). Des examens immunologiques plus spécifiques, à la recherche de certains anticorps, sont demandés. La radiographie est normale au début ou peut objectiver une atteinte articulaire semblable à celle de la pelvispondylite rhumatismale.

La poussée inflammatoire articulaire est souvent vite résolutive, mais des rechutes peuvent survenir, qu'il est impossible de prévoir en nombre et en fréquence. La survenue d'une pelvispondylite rhumatismale, après quelque temps d'évolution, est une complication de ce syndrome.

Le traitement repose essentiellement, lors des poussées, sur les médications anti-inflammatoires et sur les infiltrations de corticoïdes intra-articulaires.

 ■ **arthrite** ■ **rachis** (douleurs du) ■ **pseudo-polyarthrite rhizomélique** ■ **anti-inflammatoires cortisoniques et non cortisoniques** ■ **infiltrations**

fièvre de l'adulte

 Vous avez de la fièvre lorsque la température rectale dépasse 37° le matin au réveil ou 37°5 en fin d'après-midi après au moins une demi-heure de repos allongé. Il faut y rajouter 5/10 lorsque le thermomètre est placé sous le bras.

La fièvre correspond à un dérèglement du « thermostat » de notre corps par des substances pyrogènes provenant de tissus infectés ou de germes. Le « thermostat » est situé dans une région du cerveau appelée hypothalamus.

La fièvre n'est pas toujours due à une infection et, à l'inverse, certaines infections peuvent ne pas s'accompagner de fièvre. La fièvre ne doit pas être considérée comme une maladie mais comme un symptôme, un « clignotant » annonçant un état pathologique.

Les médicaments antipyrétiques (aspirine ou paracétamol) ne faussent pas les données des examens cliniques et de laboratoire; il n'a jamais été prouvé, de plus, que la fièvre permette de lutter efficacement contre les infections. Aussi pouvez-vous, avant la consultation médicale, améliorer votre confort grâce à ces médicaments. Mais ne négligez pas une fièvre isolée qui se prolonge plus de deux jours et surtout ne prenez aucun agent anti-infectieux avant de consulter votre médecin.

 Celui-ci est confronté à quatre situations bien différentes.

La fièvre n'est pas isolée

Il existe d'autres signes permettant de faire le diagnostic : une toux, une éruption, une diarrhée, des brûlures en urinant... Cette situation est la plus fréquente.

Le médecin prescrira des antibiotiques lorsqu'il diagnostique une infection bactérienne. Les antibiotiques n'ont pas d'action sur les infections virales (rougeole, grippe...). Des examens complé-

mentaires pratiqués avant la prise des antibiotiques sont parfois nécessaires pour confirmer le diagnostic ou isoler le germe responsable et tester sa sensibilité aux antibiotiques (examen cyto-bactériologique des urines par exemple).

Parfois, le médecin diagnostique une maladie infectieuse nécessitant l'hospitalisation : c'est le cas de la méningite, la cholécystite, etc.

La fièvre est isolée

Le malade ne se plaint de rien d'autre que d'éventuelles courbatures. L'examen du médecin ne décèle aucun trouble. Lorsque la fièvre est bien supportée, un nouvel examen clinique est nécessaire deux ou trois jours plus tard. Lors de cette nouvelle consultation, deux cas de figure sont possibles :

— il est apparu un signe qui permet le diagnostic; le médecin est ramené à la situation décrite plus haut;

— la fièvre reste isolée; le médecin dispose de plusieurs examens qui aideront au diagnostic : hémogramme (▷ sang), vitesse* de sédimentation, transaminases* hépatiques, hémoculture*, examen cyto-bactériologique des urines*, radiographie* des poumons...; puis en seconde intention : nouvelles hémocultures, coprocultures*, sérologies* de la brucellose et de la typhoïde, radiographie des sinus et des dents, éventuellement une échographie* abdominale. Il est rare alors de ne pas découvrir l'infection responsable de la fièvre.

Lorsque l'état du malade est inquiétant, ces examens seront pratiqués à l'hôpital.

Le patient est particulièrement exposé à certaines infections

S'il s'agit d'une femme enceinte : le médecin recherchera une rubéole, une toxoplasmose, une infection par le cytomégalovirus, une infection urinaire, une listériose, une phlébite.

Lorsque le patient revient d'un pays tropical : le médecin pensera à l'hépatite virale, au paludisme, à l'amibiase hépatique, à la typhoïde...

Le malade est un toxicomane : une infection cutanée aux points d'injection, une hépatite virale, une septicémie ou une endocardite, un SIDA seront recherchés.

Le malade est professionnellement exposé : selon le métier concerné, on s'orientera vers une leptospirose, une brucellose, une fièvre des ouvriers du zinc, des polymères, des dérivés du dinitrocresol.

La fièvre n'est pas due à une infection

Il peut s'agir d'une hyperthyroïdie, une phlébite, un cancer, une maladie inflammatoire (collagénose), une réaction à un médicament...

Ainsi, de très nombreuses maladies s'accompagnent de fièvre. Les problèmes diagnostiques soulevés sont souvent très faciles à résoudre. Lorsque le diagnostic est plus difficile, l'art du médecin est de savoir attendre — si l'état du malade le permet — l'éclosion des signes de la maladie, et de prescrire les examens complémentaires qui aideront au diagnostic, avant de proposer un traitement antibiotique efficace et bien adapté.

☞ infections

fièvre du nourrisson

Votre enfant, âgé de moins de 3 ans, a une fièvre supérieure à 38°. En attendant la visite du médecin :
— *ne lui donnez pas d'antibiotiques* : ils sont peut être inutiles et risquent de masquer des signes nécessaires au diagnostic;
— *faites baisser la température* afin d'améliorer son confort, d'éviter la déshydratation et la survenue de convulsions dues à la fièvre. Dévêtez-le, enlevez les couvertures. Éloignez les sources de chaleur, maintenez la pièce à 19°-20°. Donnez-lui des médicaments pour combattre la fièvre et un bain dans une eau chauffée à 2° de moins que la température rectale de l'enfant (à 37° lorsqu'il a 39°), ou enveloppez-le dans une serviette humide.

Les médicaments actifs contre la fièvre sont l'acide acétylsalicylique ou le paracétamol. Ils peuvent être utilisés seuls ou associés dès que la fièvre dépasse 38°. Les prises doivent être réparties dans la journée et la nuit car les réascensions thermiques sont fréquentes.

Attention : faites-vous bien expliquer le mode d'utilisation de ces médicaments. La posologie dépend du poids de l'enfant. Le surdosage en aspirine doit absolument être évité.
— *Vous éviterez la déshydratation* en proposant souvent à l'enfant de boire de l'eau fraîche ou des boissons sucrées. En revanche, ne vous inquiétez pas de son peu d'appétit; l'important est qu'il boive. Vous surveillerez son poids qui est le meilleur reflet de la déshydratation.
— Les anti-convulsifs d'effet immédiat sont parfois utilisés par voie orale afin d'éviter les convulsions provoquées par de fortes élévations de la température. En pratique, il est recommandé d'en donner à l'enfant lorsque sa température atteint ou dépasse 39°. La posologie doit être répartie en trois ou quatre prises égales.

Votre médecin est confronté à deux situations :
— *la fièvre de l'enfant n'est pas isolée.* L'examen retrouve des signes permettant de l'expliquer : une toux, une gorge rouge, un tympan congestif, une éruption cutanée... Il prescrit des antibiotiques lorsque l'infection est bactérienne et non virale. L'enfant souffre parfois d'une infection nécessitant l'hospitalisation : fièvre supérieure ou égale à 41°, méningite, purpura cutané, ostéomyélite...
— *la fièvre peut également être isolée.* L'examen du médecin ne décèle rien de particulier. Lorsque cette fièvre est bien supportée, un deuxième examen deux ou trois jours plus tard est nécessaire. Trois cas de figures sont alors possibles :

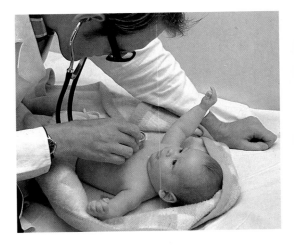

fièvre du nourrisson. *Toute fièvre du nourrisson justifie une consultation médicale; dans l'intervalle, il vous faut la surveiller et la faire baisser si elle dépasse 38°.*

— l'enfant n'a plus de fièvre; cette éventualité n'est pas rare; une infection virale est alors incriminée;
— un nouveau signe apparaît permettant de faire le diagnostic;
— la fièvre reste isolée; le médecin dispose alors d'examens qui aideront au diagnostic : hémogramme*, examen cyto-bactériologique des urines*, radiographie* pulmonaire... Lorsque l'enfant ne donne pas bonne impression, ces examens seront pratiqués à l'hôpital.

Il est alors bien rare de ne pas diagnostiquer l'infection responsable de la fièvre. Les principales causes de la fièvre de l'enfant sont les suivantes :
— les rhinopharyngites fébriles,
— les otites (la fièvre peut manquer), les angines,
— les poussées dentaires,
— les bronchites et les broncho-pneumonies,
— les diarrhées fébriles ne sont pas seulement dues à des infections intestinales (le plus souvent virales); elles peuvent également accompagner des infections de la gorge ou des oreilles, une poussée dentaire;
— les infections urinaires sont le plus souvent responsables d'une fièvre isolée;
— les fièvres éruptives.

☞ ■ déshydratation aiguë du nourrisson ■ convulsions fébriles du nourrisson

fièvre jaune

☞ ■ tropicales *(maladies)* ■ vaccins et sérums

fièvres éruptives de l'enfance

Les caractères de l'éruption, la nature des signes accompagnateurs, la notion d'une possible contamination et d'une vaccination antérieure vous permettront souvent, en attendant la visite de votre médecin, d'évoquer l'infection responsable de la fièvre éruptive.

Une éruption faite de vésicules prurigineuses et disséminées, pareilles à des gouttes de rosée, vous fera penser à une *varicelle*.

Lorque l'éruption est faite de taches rosées ou rouges, plusieurs diagnostics sont envisageables. La température de l'enfant vous permet de distinguer deux groupes d'infections :
— si l'enfant est très fébrile (39°-40°), il peut s'agir d'une *rougeole*, d'une *scarlatine*, d'un *exanthème subit*;
— s'il est peu ou pas fébrile, pensez plutôt à une *rubéole* ou à un *érythème infectieux*.

☞ ■ érythème ■ exanthème subit ■ fièvre du nourrisson ■ rougeole ■ rubéole ■ scarlatine ■ varicelle

Voir tableau et illustrations pages suivantes.

fissure anale

☞ anus *(pathologie de l')*

fluor

☞ carie dentaire *(prévention de la)*

flutter auriculaire

☞ rythme et conduction cardiaques *(troubles du)*

fœtoscopie

☞ diagnostic anténatal des maladies fœtales

fœtus

Bien d'autres articles de ce livre sont consacrés au fœtus, notamment : embryogenèse normale, grossesses à risque élevé pour le fœtus (dépistage des), accouchement prématuré (risque d'), diagnostic anténatal des maladies fœtales, et tous les articles sur les maladies contractées au cours de la grossesse et pouvant avoir des répercussions sur le fœtus, dont l'index thématique : (obstétrique) dresse la liste.

fœtus *(état de santé du)*

L'examen clinique de la mère et, dans certains cas, des examens complémentaires permettent d'apprécier l'état de santé du fœtus à partir de trois données essentielles : la vitalité du fœtus, sa croissance, sa maturité. (▷ INDEX THÉMATIQUE [*OBSTÉTRIQUE*])

Vitalité du fœtus

Les mouvements actifs du fœtus apparaissent vers 4 mois et demi. Leur diminution ou disparition est un signe qui doit vous alarmer. L'échographie* permet une étude qualitative et quantitative des mouvements actifs fœtaux.

Les bruits du cœur du fœtus sont perceptibles au stéthoscope vers 3 mois et demi mais aussi dès la dixième semaine grâce au doppler*. Parfois, l'enregistrement du rythme cardiaque fœtal imposé par la gravité du contexte permet d'apporter des renseignements décisifs sur la vitalité du fœtus.

Les dosages hormonaux répétés permettent aussi de déceler une souffrance fœtale.

L'amnioscopie* en fin de grossesse apprécie une modification de la couleur du liquide amniotique traduisant une souffrance fœtale.

Croissance du fœtus

Elle s'apprécie tout d'abord cliniquement par l'augmentation progressive du volume de l'utérus et donc de la hauteur utérine, mais également par l'augmentation des hormones (œstriol et hormone lactogène placentaire). Les dosages hormonaux urinaires et sanguins sont parfois complétés par des épreuves dynamiques (dosages hormonaux après injection à la mère); les échographies répétées enfin permettent de prendre les mensurations du fœtus et de dépister ainsi les retards de croissance intra-utérins.

Maturité fœtale

Après la trente-huitième semaine de gestation, à condition que le terme soit connu avec précision, l'évaluation de la maturité fœtale est inutile car elle est jugée suffisante pour permettre la survie hors du milieu maternel.

Lorsqu'un accouchement prématuré est envisagé, la survie hors du milieu naturel n'étant pas certaine (entre la trentième et la trente-septième semaine), il est possible de déterminer la maturité pulmonaire fœtale par l'amniocentèse* (dosage du rapport lécithine sur sphingomyéline), ce qui permettra de décider du moment de l'extraction de l'enfant.

Ainsi, lorsque la grossesse comporte un risque

Fièvres éruptives de l'enfant

Maladie	Rougeole	Varicelle	Scarlatine
Âge de l'enfant	plus de 6 mois	plus de 6 mois	plus de 2 ans (habituellement)
Incubation[1]	10 à 12 jours	14 jours	2 à 5 jours
Contagiosité	5 jours avant l'éruption 5 jours après l'éruption	tant que toutes les vésicules ne soit pas recouvertes de croûtes (8 à 10 jours)	3 jours avant l'éruption 5 jours après l'éruption
Signes accompagnateurs précédant l'éruption[2]	toux toujours présente signe de Köplik[3]	parfois pharyngite fébrile	angine, vomissements inconsistants, langue rougissant d'avant en arrière
Caractères de l'éruption	elle débute derrière les oreilles ; elle est faite de taches rouges séparées par des intervalles où la peau est normale	3 à 4 poussées éruptives : l'éruption est faite de vésicules qui se recouvrent de croûtes	elle est faite de plaques rouges granitées à l'intérieur desquelles on ne distingue pas de peau saine ; elle prédomine aux plis de flexions et sur le tronc

Maladie	Exanthème subit	Rubéole	Érythème infectieux ou 5e maladie
Âge de l'enfant	moins de 3 ans	—	surtout entre 4 et 12 ans
Incubation[1]	la notion de contamination est rarement retrouvée	15 à 21 jours	6 à 14 jours
Contagiosité		7 jours avant l'éruption 5 jours après l'éruption	—
Signes accompagnateurs précédents l'éruption[2]	3 jours de fièvre isolée	rhinopharyngite, nombreux ganglions dans la nuque	rhinopharyngite ou rien
Caractères de l'éruption	taches rosées fugaces sur le tronc	taches rose pâle l'éruption dure 2 jours	vive rougeur des joues (aspect d'enfant griffé), puis l'éruption s'étend sur les membres

1. L'incubation est la période séparant la contamination de l'apparition des premiers symptômes.
2. Poussée de boutons sur la peau.
3. Le signe Köplik se traduit par des semis de petites taches blanches punctiformes situées sur l'intérieur des joues.
   Le signe est inconstant mais typique.

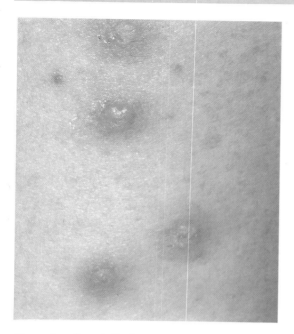

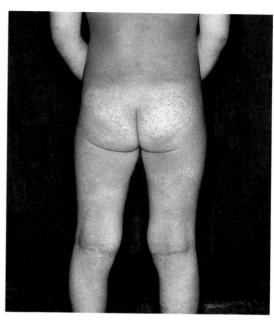

fièvres éruptives de l'enfance. *Sachez reconnaître les fièvres éruptives : les vésicules prurigineuses, entourées d'un halo rouge, de la* **varicelle** *(ci-dessus, à gauche); l'éruption confluente, et se renforçant aux plis de flexion et au bas du dos, de la* **scarlatine** *(ci-dessus, à droite); l'éruption faite d'éléments séparés de la* **rougeole** *(ci-dessous, à gauche) et de la* **rubéole** *(ci-dessous, à droite) [le rougeoleux est grognon, sa température est élevée, son nez coule, ses yeux pleurent, il tousse; la jeune fille atteinte de rubéole ne souffre de rien ou presque : parfois une légère fièvre, des ganglions douloureux dans le cou, quelques douleurs articulaires]. Rougeole et rubéole sont aujourd'hui efficacement prévenues par le vaccin associé à celui des oreillons.*

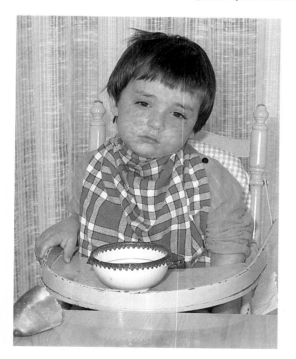

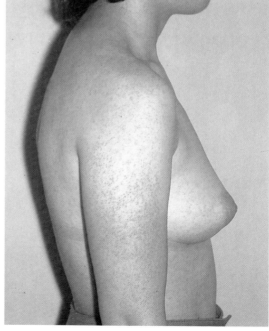

eleve pour le fœtus, lorsque des signes de souffrance fœtale apparaissent, la technologie médicale actuelle offre à l'obstétricien une batterie de tests qui lui permet de surveiller, avec une fiabilité qui va en augmentant chaque jour, la croissance harmonieuse du fœtus, sa vitalité et sa maturité.

Elle permet le dépistage précoce des affections ou infections maternelles et leur traitement, elle visualise la souffrance fœtale chronique ou aiguë, pose l'indication éventuelle d'une interruption de grossesse ou d'une extraction précoce hors de l'utérus maternel.

Elle informe le pédiatre, dès avant la naissance, des risques encourus par le nouveau-né, et permet une exacte adéquation de la réanimation et du traitement.

☞ ■ maturation du nouveau-né et croissance intra-utérine ■ nouveau-né (examens du)

follicule de De Graaf
☞ ovulation

fond d'œil

L'examen du fond de l'œil est systématiquement pratiqué au cours de tout examen ophtalmologique, à l'aide de l'ophtalmoscope ou du verre à trois

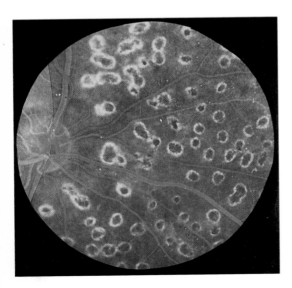

fond d'œil. *Un examen de fond d'œil mettant en évidence les points d'impact de photocoagulation au laser.*

miroirs. Il permet de vérifier l'état de la choroïde et de la rétine, d'avoir une vue directe sur les vaisseaux rétiniens qui renseigneront sur l'état des vaisseaux cérébraux, et d'apprécier l'état du nerf optique.

Les douleurs du crâne, l'hypertension artérielle, le diabète sont les principales indications non ophtalmologiques de cet examen.

fontanelle
☞ croissance staturo-pondérale

fourmillements

Les fourmillements des extrémités (les mains ou plus rarement les pieds), encore appelés *paresthésies*, représentent un des symptômes premiers de nombreuses affections neurologiques.

Ils seront parfois le signe d'une spasmophilie. Survenant la nuit, chez la femme de plus de cinquante ans, ils feront évoquer un syndrome du canal carpien. Ils peuvent être révélateurs d'une névralgie cervico-brachiale, d'une polynévrite, d'une sclérose en plaques, etc. Il faudra donc savoir tenir compte de ce symptôme, souvent banal, et en parler à votre médecin.

☞ ■ canal carpien (syndrome du) ■ cervicarthrose ■ tétanie et spasmophilie

fracture du col du fémur
☞ fémur (fracture du col du)

fractures
☞ membres traumatisés (entorse, luxation et fractures)

frigidité
☞ sexualité à l'âge adulte (troubles de la)

frottis du col de l'utérus
(ou frottis de dépistage)

Les frottis du col doivent être pratiqués tous les ans ou tous les deux ans de 18 à 65 ans. Ils permettent en effet le dépistage précoce des

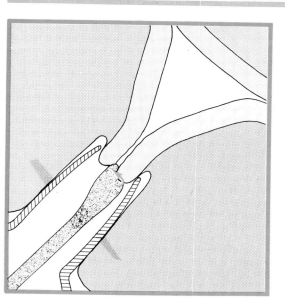

frottis du col de l'utérus. *Spatule en bois (ou spatule d'Ayre) par laquelle on « frotte » le col. L'analyse au microscope du frottis permet d'étudier la population cellulaire utérine.*

lésions pré-cancéreuses ou cancéreuses du col de l'utérus et, souvent, le dépistage du cancer du corps de l'utérus. Ils peuvent par ailleurs apprécier avec fidélité la sécrétion ovarienne et révéler le cas échéant une infection cervico-vaginale.

Leur technique est simple et indolore : après la mise en place du spéculum, on recueille, à l'aide d'une petite spatule en bois ou en plastique, les cellules de desquamation du fond du vagin. Ces cellules sont de trois types : basales, intermédiaires et superficielles. Un deuxième prélèvement intéresse l'orifice du col et le canal endo-cervical dans sa partie accessible (les cellules ici sont cylindriques). Ces prélèvements sont étalés sur une lame, fixés immédiatement et colorés.

L'examen au microscope s'appuie sur une classification simple (classe I à V), adoptée dans le monde entier.
— *Classe I* : frottis normaux;
— *Classe II* : frottis inflammatoires, dysplasie (anomalie architecturale) régulière, lésions virales (condylome);
— *Classe III* : terme peu utilisé car imprécis, il exprime surtout une incertitude; il faut contrôler;
— *Classe IV* : dysplasie irrégulière et cancer, exigent impérativement une biopsie* (petit prélèvement d'un fragment du col).
— *Classe V* : cancer avéré; il se confond avec la classe IV.

Dysplasie régulière et lésion condylomateuse constituent des lésions précancéreuses; des frottis

répétés permettent d'en suivre l'évolution, qui est imprévisible, soit vers la guérison, soit vers la cancérisation. L'évolution est-elle péjorative, un traitement chirurgical limité (conisation du col) assure à ce stade une guérison complète et définitive.

Les frottis donnent par ailleurs des informations intéressantes qui sont de deux ordres :
— ils révèlent des traînées épaisses de polynucléaires (pus) avec germes banals : il y a infection; les frottis ne permettent pas de préciser la nature du germe en cause (▷ prélèvement des pertes vaginales) sauf lorsqu'il s'agit d'un champignon (mycose) ou d'un trichomonas.
— La proportion de cellules intermédiaires et superficielles est directement liée à la sécrétion ovarienne de folliculine, et la « plicature » des cellules dépend de la sécrétion en progestérone; il est donc possible d'apprécier l'imprégnation hormonale et sa parfaite coïncidence avec la date du cycle.

Avant la puberté, il n'y a pas de sécrétion œstrogénique, les frottis ne montrent que des cellules basales, et la présence de cellules superficielles ou intermédiaires évoque une sécrétion hormonale pathologique.

Au cours de la ménopause, la diminution des cellules superficielles et intermédiaires témoigne d'une activité ovarienne déclinante; lors de la ménopause confirmée, les frottis ne montrent plus que des cellules basales, signant ainsi l'absence de toute sécrétion ovarienne.

fugue de l'enfant

☞ comportement de l'enfant
(troubles du)

furonculose

 Le staphylocoque doré a une cible favorite : la peau. Il y provoque des lésions variées et essentiellement pustuleuses, tels les abcès, le panaris, l'impétigo et le furoncle qui est une infection du follicule pileux.

En général, le furoncle reste isolé et guérit sans récidive mais, parfois, il devient chronique : c'est la furonculose, maladie invalidante qui persiste parfois des semaines, des mois, voire des années si certaines précautions ne sont pas prises. Les furoncles siègent sur les zones de frottement et de sudation, ainsi que sur la barbe et la nuque.

 Les questions qui se posent à votre médecin sont les suivantes :
— Le siège des furoncles est-il inquiétant ? Oui, s'il s'agit du nez ou de la lèvre supérieure. Dans ce cas, ne traumatisez pas la lésion et traitez-la rapidement, car des complications parfois graves peuvent survenir.

— Existe-t-il une cause favorisante à la répétition des furoncles? Le diabète, l'obésité sont parfois responsables de furonculoses. Si tel est le cas, leur traitement s'impose. Les gîtes hébergeant le staphylocoque doré seront recherchés et traités (désinfection locale). Habituellement, il s'agit des narines, de l'anus ou encore d'une dent cariée.

— Le traitement local (savon antiseptique pour la toilette, application d'antiseptique, protection par un pansement) est-il suffisant? Des antibiotiques doivent-ils être prescrits? Une furonculose du nez ou de la lèvre supérieure ou encore une furonculose étendue, même si elle épargne le visage, nécessite une antibiothérapie.

 Quel que soit l'aspect de la furonculose, les mesures d'hygiène restent indispensables : lavages fréquents des mains, brossages des ongles coupés court, serviettes et gants de toilette personnels changés quotidiennement, port de vêtements amples, de sous-vêtements en coton.

galactorrhée

 ■ mamelon et aréole ■ règles ou menstruations ■ prolactine

gale

 Vous vous grattez surtout le soir et la nuit principalement sous les bras, au niveau de la ceinture, le haut des fesses, les organes génitaux, la face interne des cuisses, les poignets, les espaces inter-digitaux, et les mamelons chez la femme. Il s'agit probablement de la gale, surtout si d'autres membres de votre famille se plaignent des mêmes symptômes.

La gale est une maladie fréquente. Sans être l'apanage des gens sales, elle est due à un acarien microscopique qui creuse un tunnel dans la couche cornée de l'épiderme et occasionne ainsi des démangeaisons. La contamination se fait le plus souvent la nuit par contact avec un sujet parasité; la transmission par la literie et les vêtements est également possible.

 Si elle n'est pas traitée, la gale se complique d'infection cutanée. Tous les membres de la famille doivent subir des soins en même temps, même s'ils ne se grattent pas. Le traitement de la gale consiste :

— en l'application sur tout le corps, à l'exception du visage et du cou, d'une solution de D.D.T (dichloro-diphényl-trichloroéthane); ce n'est qu'au bout de quarante-huit heures que vous pourrez prendre un bain; faites une nouvelle application pendant vingt-quatre heures;

— en une désinfection de la literie et des vêtements contaminés.

Si le traitement est bien effectué, vous serez guéri en trois jours. Les démangeaisons, quoique atténuées, peuvent persister quelques jours. Ne faites surtout pas de nouvelles applications de D.D.T. Celui-ci entraîne parfois une irritation de la peau.

Chez le nourrisson, des applications prolongées de solution D.D.T. peuvent être toxiques; elles seront remplacées par d'autres produits anti-acariens.

☞   prurit généralisé

gamma G.T.

☞ bilan sanguin hépatique

ganglions

Les ganglions lymphatiques jouent un rôle essentiel dans la défense de l'organisme. Ils sont disposés sur le trajet des *vaisseaux lymphatiques*. Ils fonctionnent comme des filtres capables d'épurer la *lymphe*, qui les traverse par un réseau de canaux : les *sinus*. Au cours de ce trajet, la lymphe est en contact étroit avec les *lymphocytes*, situés dans les mailles du réseau formé par les sinus.

Certains lymphocytes sont regroupés en amas : les *follicules*. Les lymphocytes peuvent être stimulés par les substances contenues dans la lymphe. Cette stimulation provoque une augmentation de la taille du ganglion, la multiplication de ses follicules où apparaissent des *centres clairs*.

Certains ganglions sont superficiels et faciles à explorer : ils sont situés au niveau du cou, du creux sus-claviculaire, du creux axillaire (aisselles), de l'aine. La plupart des ganglions sont thoraciques ou abdominaux. L'opacification, ou lymphographie*, et le scanner* permettent l'étude de ces ganglions profonds.

En général, vous ne prendrez conscience de la présence de vos ganglions que lorsqu'ils augmentent de volume; c'est ce que votre médecin appelle une *adénopathie*. Pour l'expliquer, il recherchera trois causes : une réaction du ganglion à une inflammation ou à une infection de voisinage, l'envahissement du ganglion par des cellules cancéreuses, une prolifération tumorale d'origine ganglionnaire, c'est-à-dire un lymphome malin. En vous interrogeant et en vous examinant, votre médecin pourra souvent faire le diagnostic rapidement. En l'absence de contexte évocateur, il devra s'aider de certains examens complémentaires, dont le plus simple est l'hémogramme*. Celui-ci peut

orienter le diagnostic vers une infection virale (mononucléose infectieuse, rubéole) ou vers une toxoplasmose*, maladie parasitaire fréquente et bénigne, sauf en cas de grossesse, en raison du risque de contamination du fœtus. Rarement, l'hémogramme révélera la présence de cellules leucémiques.

Si ces premiers examens n'apportent pas de renseignements suffisants, votre médecin vous demandera de subir une ponction* ganglionnaire. Grâce à cet examen simple, il pourra le plus souvent être rassuré sur le caractère réactionnel du ganglion. Le prélèvement chirurgical d'un ganglion pour analyse sera nécessaire dans deux circonstances : en cas de persistance prolongée d'un ganglion même apparemment banal, ou si la ponction évoque la possibilité d'un envahissement par des cellules cancéreuses ou par un lymphome malin.

gastrite

Vous souffrez de brûlures épigastriques (au-dessus du nombril); celles-ci surviennent tôt après les repas et sont volontiers provoquées par certains aliments : mets acides ou sucrés, épices, alcool. Cela évoque une gastrite, c'est-à-dire des altérations de nature inflammatoire de la muqueuse gastrique.

Une gastrite peut se traduire par d'autres symptômes : lenteur de digestion, nausées, et rarement, hémorragie digestive (celle-ci peut être favorisée chez certains sujets par la prise d'aspirine ou d'autres anti-inflammatoires).

Plusieurs examens complémentaires peuvent vous être proposés :

— un examen radiologique après absorption de baryte appelé transit* œso-gastro-duodénal dont le mérite essentiel est de concourir à éliminer un ulcère ou un cancer.

— Une endoscopie* de l'estomac permet de voir la muqueuse comme un dermatologue voit la peau de ses patients et on parle de gastrite érythémateuse (rouge), érosive ou ulcéreuse, à gros plis, varioliforme, etc. La pratique de biopsies* permet la confirmation et le classement histologique de votre gastrite : aiguë ou chronique, superficielle, interstitielle, atrophique, présence éventuelle d'une métaplasie intestinale... Si l'anatomo-pathologue indique l'existence d'une dysplasie moyenne ou sévère, une surveillance endoscopique sera proposée.

— Un tubage gastrique à l'histamine ou à la pentagastrine (qui stimulent après injection sous-cutanée ou intra-musculaire la production d'acide chlorhydrique par l'estomac) vous sera parfois proposé si vous êtes porteur d'une gastrite atrophique pour mettre en évidence une achlorhydrie (notamment dans une forme particulière appelée anémie de Biermer).

Les étiologies sont variées; le reflux duodéno-gastrique de bile et des mécanismes immunologiques sont souvent incriminés. D'autres causes sont classiques comme l'alcoolo-tabagisme, un mauvais état dentaire, ou la prise de certains médicaments potentiellement gastro-toxiques comme l'acide acétyl-salicylique, les corticoïdes et les anti-inflammatoires non corticoïdes.

La thérapeutique peut comporter des conseils d'hygiène et de diététique : manger lentement en mastiquant, soigner les foyers infectieux dentaires ou rhino-pharyngés, éviter les épices etc.; des pansements gastriques, des anti-acides.

 ■ dyspepsie ■ aspirine ■ anti-inflammatoires cortisoniques et non cortisoniques

gastro-entérite

 ■ déshydratation aiguë du nourrisson ■ diarrhées aiguës ■ vomissements

gastroscopie

 endoscopie

gaucher *(enfant)*

 psychomoteurs *(troubles)*

gaz du sang artériel

 épreuves fonctionnelles respiratoires

gaz intestinaux

 colite fonctionnelle

gencives et dents déchaussées

 Les gencives comme les dents nécessitent des soins quotidiens afin d'empêcher la formation de la *plaque dentaire* et du *tartre*. Ces soins consistent en un brossage et un massage des gencives au moyen de brosses souples, associés à l'utilisation de dentifrices ou de gels gingivaux. Le brossage doit être efficace, sans être forcené, et durer au moins trois minutes. La brosse choisie sera de préférence en nylon souple, pour ne pas léser les tissus fragiles qui forment la gencive.

Il existe des produits révélateurs de plaque dentaire qui sont des colorants sélectifs à utiliser après le brossage et qui mettent en évidence les secteurs où la plaque demeure. Ces soins consciencieux réclament une motivation personnelle que le chirurgien-dentiste doit induire et encourager par ses conseils. De plus, une consultation au moins annuelle permettra de pratiquer, si nécessaire, un détartrage complet. En effet, la plaque dentaire et le tartre sont des agents irritants pour la gencive et l'os alvéolaire qu'elle recouvre.

Le tartre est constitué d'aiguilles qui entraînent une réaction inflammatoire et un gonflement de la gencive; celle-ci saignera alors facilement et deviendra douloureuse. Il va s'ajouter à ces manifestations une attaque chimique et bactérienne des tissus gingivaux et de l'os sous-jacent.

En l'absence d'hygiène, l'os qui sertit chaque dent va fondre plus ou moins vite selon le terrain et ce phénomène, se développant sur une durée de plusieurs années, entraînera la mobilité des dents, leur « déchaussement », voire leur chute prématurée.

Le meilleur des traitements est donc une prévention quotidienne et des contrôles réguliers. Néanmoins, une fois la pathologie gingivale installée, il existe des moyens chirurgicaux variés qui permettent, sinon de recréer l'état originel, du moins de stopper ou de ralentir le déchaussement des dents; ces traitements, pour être efficaces, nécessitent une hygiène parfaite.

 dents *(soins des)*

genou *(arthrose du)*

 ■ gonarthrose

genoux varum ou valgum

 La déviation des genoux en varus ou en valgus est habituelle, pour ne pas dire physiologique, chez le petit enfant. En effet, jusqu'à l'âge de 18 mois, le genou varum est classique puis la déviation a tendance à s'inverser pour aboutir à un genou valgum transitoire entre 3 et 4 ans.

Cependant, si la déformation vous paraît trop importante, vous devez consulter votre médecin. Dans la majorité des cas, il vous confirmera le caractère transitoire et spontanément régressif de cette déformation. Il vérifiera au besoin par une radiographie qu'une autre cause n'est pas à l'origine de cette déformation : rachitisme, maladie osseuse constitutionnelle…, en cas de genou varum. Quant au genou valgum, il peut être la conséquence d'un excès de poids, d'une anteversion exagérée des cols fémoraux ou d'une maladie osseuse constitutionnelle. Dans ces cas, si la déformation est trop importante et a tendance à s'aggraver, un traitement peut être mis en route dont le type est fonction de l'importance et de

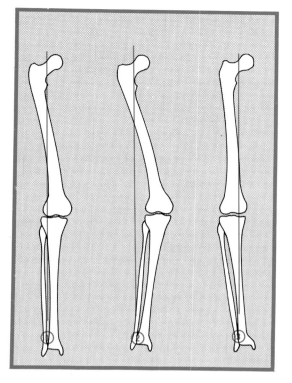

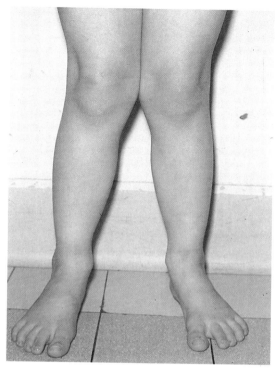

genoux varum ou valgum. *Le schéma, à gauche, montre le genou normal, sans déviation ①, un genou valgum ②, et un genou varum ③. Quand une déviation des genoux est décelée chez l'enfant ou l'adolescent, il est prescrit un grand cliché radiographique des membres inférieurs afin d'en mesurer la déviation angulaire et l'évolution. La photo, à droite, montre un genou valgum (l'enfant se cogne les genoux en courant). L'examen médical éliminera toute cause à l'origine de cette déviation et en confirmera le caractère bénin et temporaire.*

l'évolution de la déformation : chaussures compensées, attelles de nuit correctrices, correction chirurgicale pour les cas les plus graves.

Chez l'adolescent, la correction de la déformation n'est plus spontanée. Une consultation est donc nécessaire. Lorsque la déformation a tendance à s'aggraver, deux types d'intervention peuvent être proposés : soit une correction complète et définitive, mais il faut que l'enfant soit suffisamment mature (les cartilages de croissance ont alors pratiquement complètement disparu), soit un agrafage des cartilages de croissance interne ou externe suivant le type de la déformation. Cette intervention permet de ralentir la croissance latéralement et donc d'obtenir une correction progressive. Il faut pour cela que le potentiel de croissance soit suffisant.

Gilbert *(maladie de)*

☞ ■ ictère

glaire cervicale

☞ ■ contraception ■ gynécologique *(examen)* ■ stérilité du couple ■ utérus

glaire cervicale. *Celle-ci, prélevée à l'orifice externe du col de l'utérus au moment de l'ovulation, cristallise en « feuille de fougère ».*

gland *(lésions du)*

Toutes les lésions du gland ne sont pas des maladies sexuellement transmissibles; en effet, plusieurs maladies de peau ont une localisation génitale.

Un prélèvement effectué au laboratoire et une prise de sang seront parfois nécessaires pour confirmer le diagnostic; mais dans tous les cas, évitez l'auto-médication ainsi que les savonnages intempestifs ou l'application d'antiseptiques qui sont sources d'irritation de la peau du gland, souvent très fragile.

Des petites érosions sont apparues sur le gland

Généralement, il s'agit de lésions infectieuses. Elles s'accompagnent parfois d'une infection de l'urètre.

La contamination pouvant survenir après des rapports sexuels, votre partenaire devra se faire examiner et traiter en même temps que vous. Pendant la durée du traitement, il faudra s'abstenir de tout rapport sexuel afin d'éviter toute recontamination.

— *Les infections mycosiques* (dues aux champignons) entraînent l'apparition de petites érosions sur un fond rouge diffus recouvert de dépôts blanchâtres, l'ensemble démange ou s'accompagne de cuisson cutanée. L'infection survient parfois après un traitement antibiotique ou chez les diabétiques, mais aussi vingt-quatre à quarante-huit heures après un rapport sexuel infectant (▷ champignons).

— *Des érosions groupées en bouquet* sur une base rouge légèrement surélevée, douloureuses, sont caractéristiques de l'herpès génital. Souvent, l'éruption est précédée de sensation de brûlure à l'emplacement de la plaque (▷ herpès).

— *Des plaques rouges érosives* évoquent parfois une syphilis déjà évoluée : elles sont contagieuses et contemporaines de lésions identiques touchant le reste du corps, y compris les paumes et les plantes des pieds (▷ syphilis). Une érosion très superficielle, indolore, accompagnée de ganglions dans l'aine évoque un chancre syphilitique.

Une rougeur apparaît sur le gland

— La rougeur est diffuse et sèche, s'accompagne de démangeaisons ou de cuissons cutanées. Il s'agit sans doute d'infection mycosique, mais un eczéma ou une simple irritation provoquée et entretenue par un savon ou un antiseptique peut entraîner des lésions de ce genre. Un prélèvement mycologique est très utile en cas de diagnostic incertain.

— Des taches rouges arrondies, finement squameuses, tenaces, évoqueront plutôt un psoriasis, surtout si vous présentez d'autres lésions identiques sur le corps (▷ psoriasis).

— Chez le sujet âgé, la persistance d'une tache rouge indolore doit amener à consulter un spécialiste, qui pratiquera au besoin une biopsie* —

prélèvement de la lésion — après avoir effectué une anesthésie locale. Il peut en effet s'agir d'une lésion pré-cancéreuse dont l'ablation chirurgicale est impérative (▷ peau [cancer de la]).

Des petites lésions semblables à des verrues siègent sur le gland et parfois sur la verge ou la région anale : elles sont caractéristiques de végétations vénériennes ou « crêtes de coq ». Ces verrues génitales sont le plus souvent transmises lors des rapports sexuels et sont donc contagieuses (▷ végétations vénériennes).

  ■ **maladies sexuellement transmissibles** ■ **champignons** ■ **herpès** ■ **syphilis** ■ **végétations vénériennes** ■ **psoriasis** ■ **peau** *(cancer de la)*

glaucome de l'adulte

Lorsque, après trente-cinq ans, vous consultez votre ophtalmologue, quelle qu'en soit la raison, celui-ci mesurera votre tension oculaire, c'est-à-dire la pression interne des liquides de vos yeux (▷ œil, vue [dépistage des troubles de la]).

Si cette pression est supérieure à 20 mm de mercure, il suspectera un début de glaucome. Et pourtant, vous ne souffrez pas, votre vue est parfaitement normale. (Cette absence totale de symptômes a pendant longtemps fait la gravité de cette maladie diagnostiquée trop tard.)

Votre tension oculaire sera prise à nouveau, quelques jours plus tard. On examinera votre champ* visuel, votre fond* d'œil, et l'on pratiquera une gonioscopie avec un verre à trois miroirs afin d'évaluer l'atteinte de l'angle de la chambre antérieure et les risques de fermeture de cet angle formé par l'iris et la cornée. C'est à ce niveau que

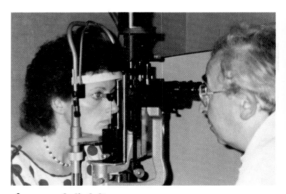

glaucome de l'adulte. *Le glaucome reste souvent longtemps asymptomatique. Si vous avez plus de 35 ans, votre ophtalmologue mesurera systématiquement votre tension oculaire.*

l'humeur aqueuse, sécrétée par le corps ciliaire, s'évacue.

La tension oculaire peut donc augmenter soit parce que le corps ciliaire secrète trop d'humeur aqueuse (glaucome chronique à angle ouvert), soit parce que l'angle s'est fermé et que l'humeur aqueuse n'est plus évacuée.

Le glaucome chronique à angle ouvert

C'est le plus fréquent; il ne provoque aucun trouble au début. A un stade plus évolué, apparaissent des altérations du champ visuel, des lésions du nerf optique puis une baisse de l'acuité* visuelle. Les deux yeux sont inégalement atteints. On retrouve souvent une hérédité glaucomateuse.

Le traitement médical permet en général de normaliser la pression; on utilisera les collyres cholinergiques qui resserent les pupilles (pilocarpine, acéclidine), les collyres sympathomimétiques (néosynéphrine, épinéphrine), les bêta-bloquants (maléate de timolol) ou, par voie générale, les inhibiteurs de l'anhydrase carbonique.

Si les traitements médicaux s'avèrent insuffisants, le laser ou la chirurgie seront employés pour favoriser l'évacuation régulière du liquide.

Le glaucome par fermeture de l'angle

Il a une symptomatologie beaucoup plus brutale : aiguë ou subaiguë avec douleurs violentes et profondes, troubles visuels provoqués par l'œdème (infiltration liquidienne) de la cornée, et des nausées ou des vomissements.

La tension oculaire est très élevée souvent supérieure à 50 mm de mercure. Le traitement doit être institué *rapidement* : perfusion intraveineuse par exemple d'un inhibiteur de l'anydrase carbonique; instillation fréquente de collyres myotiques doux et bêta-bloquants; certains médicaments administrés par voie orale ou intra-veineuse agissent en déshydratant le corps vitré et font ainsi baisser rapidement la tension oculaire. Quand la tension baisse, les symptômes régressent et il faut alors pratiquer soit une ouverture de l'iris au laser (iridotomie) indolore en ambulatoire, soit une iridectomie chirurgicale (sous anesthésie locale).

glaucome de l'enfant

Le glaucome chez l'enfant est heureusement rare.
— Le *glaucome congénital* ou *glaucome infantile* apparaît chez le bébé avant neuf mois : l'enfant a des yeux volumineux et durs (buphtalmie); il craint la lumière et ne suit pas les objets. Cette maladie est due à une malformation de l'angle déterminé par l'iris et la cornée, qui empêche l'évacuation de l'humeur aqueuse. Malgré le traitement, obligatoirement chirurgical, le pronostic fonctionnel est mauvais; l'acuité visuelle* reste très réduite.
— Le *glaucome secondaire chez l'enfant* ne touche souvent qu'un seul œil. Il survient après traumatisme, chirurgie (cataracte, décollement de la ré-

tine) ou utilisation prolongée de collyres à la cortisone ou mydriatiques.

globules blancs *(anomalie des)*

Le chiffre normal de globules blancs est compris entre 4 et 10 milliards de cellules par litre de sang. Il existe trois catégories de globules blancs : les *polynucléaires* (neutrophiles, éosinophiles et basophiles), les *lymphocytes* et les *monocytes*. Toutes ces cellules interviennent dans la défense de l'organisme contre l'infection (▷ sang).

Votre médecin s'attendra à une augmentation du taux des polynucléaires neutrophiles (*polynucléose*) si vous souffrez d'une infection bactérienne, de celui des polynucléaires éosinophiles (*hyper-éosinophilie*) si vous êtes atteint de certaines parasitoses, de celui des lymphocytes s'il s'agit d'une infection virale. Il ne s'étonnera pas non plus d'une polynucléose modérée si vous fumez, ou d'une hyper-éosinophilie si vous êtes un allergique connu. Une anomalie des globules blancs peut aussi révéler ou permettre d'affirmer une maladie. Ainsi, la présence de cellules anormales dans le sang, identifiées par le biologiste, peut orienter votre médecin vers diverses maladies hématologiques : leucémies aiguës, leucémie myéloïde chronique, lymphomes malins.

Une diminution des globules blancs (*leucopénie*) est le plus souvent due à une diminution des polynucléaires neutrophiles (*neutropénie*) ou à leur quasi-disparition (*agranulocytose*). Elle amènera votre médecin à rechercher une infection virale, une intoxication par certains médicaments; il découvrira parfois, à cette occasion, une aplasie ou un envahissement de la moelle osseuse par des cellules tumorales.

globules rouges

 ■ anémie ■ fer ■ hémoglobine ■ pâleur ■ polyglobulies ■ sang

glomérulonéphrite aiguë
(après une angine à streptocoque non soignée)

L'apparition de douleurs lombaires, d'œdèmes diffus et d'une oligurie (diminution du volume total des urines), une quinzaine de jours après une angine non traitée par les antibiotiques, évoque le diagnostic de glomérulonéphrite aiguë.

Le médecin confirme facilement le diagnostic en découvrant une hypertension artérielle modérée, une protéinurie* et une hématurie*, une sérologie* streptococcique positive. Un tel diagnostic impose une hospitalisation en milieu spécialisé.

Le repos, le régime sans sel et l'antibiothérapie permettent le plus souvent une évolution favorable. Le traitement par la pénicilline devra être poursuivi plusieurs années.

☞ ■ streptocoque ■ angine ■ œdèmes ■ hypertension artérielle

glucides

☞ alimentation normale

gluten *(intolérance au)*

☞ diarrhée chronique du nourrisson

glycémies à jeun et post-prandiale

☞ ■ diabète sucré ■ hypoglycémie

gonarthrose

Le genou est une localisation fréquente de l'arthrose dont l'expression clinique, différente selon les patients, va de la gêne modérée longtemps bien supportée à l'invalidité immobilisant le patient à son domicile.

Vous souffrez de douleurs du genou qui se manifestent progressivement lors de la marche, de la montée et/ou de la descente des escaliers et se calment au repos. Ces douleurs s'accompagnent parfois d'une hydarthrose (épanchement du genou), gênant la mobilisation de l'articulation; il s'agit vraisemblablement d'une gonarthrose.

Le diagnostic de gonarthrose repose sur l'examen clinique et l'examen radiographique :
— cliniquement, votre médecin apprécie l'état local du genou, quantifie l'amplitude des mouvements articulaires et recherche une anomalie anatomique perturbant l'axe mécanique du genou; il vérifie par principe l'articulation de la hanche;
— l'examen radiologique est indispensable; il comprend des clichés de face, debout, et de profil, ainsi qu'une étude du défilé rotulien pour apprécier les incidences axiales.

En cas de déviation du membre inférieur, une gonométrie (cliché visualisant la totalité des membres inférieurs de face en position debout) est demandée. Cette gonométrie permet de mesurer

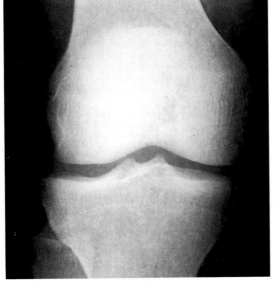
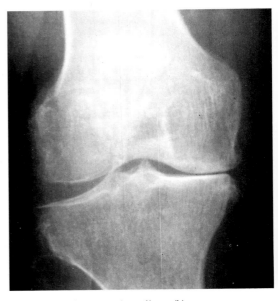

gonarthrose. *Aspect radiographique normal de l'articulation du genou (ci-dessus, à gauche). Les deux compartiments fémoro-tibiaux interne et externe ne sont pas altérés.*
Arthrose du genou : ici (ci-dessus, à droite), l'atteinte prédomine sur le compartiment fémoro-tibial interne avec amincissement très net de l'espace articulaire.

l'importance du défaut anatomique et, surtout, d'en suivre l'évolution radiologique.

Le diagnostic de gonarthrose est facilement affirmé; le problème de votre médecin est alors de préciser s'il s'agit d'une arthrose primitive ou secondaire : c'est-à-dire, existe-t-il une cause intra-articulaire ou extra-articulaire pouvant expliquer l'apparition de l'arthrose du genou. Si oui, la gonarthrose est dite secondaire. Généralement, dans les gonarthroses secondaires, le processus arthrosique touche, de façon privilégiée, une partie limitée de l'articulation soumise à un excès de pression. Cette distinction est importante car le traitement va en dépendre.

L'évolution de cette gonarthrose est variable. Les lésions cartilagineuses s'aggravent le plus souvent lentement et peuvent se stabiliser. Quelquefois, l'évolution peut être rapide. La surveillance clinique et radiologique par votre médecin est impérative. En cas de gonarthrose secondaire, l'intervention chirurgicale préventive s'avère efficace.

Le traitement de la gonarthrose dépend essentiellement de son caractère primitif ou secondaire et de la gêne fonctionnelle qu'elle entraîne.

Les arthroses fémoro-tibiales primitives

Le traitement médical suffit souvent à maintenir une activité acceptable pendant de longues années. Il repose d'une part sur les conseils diététiques en cas de surcharge pondérale et sur des conseils de modération dans les activités physiques (réduction de la marche), associés à des exercices de posture, le genou en extension pour éviter qu'il ne fléchisse. D'autre part, votre médecin vous prescrira des anti-inflammatoires et, dans les phases aiguës douloureuses, des infiltrations intra-articulaires de corticoïdes, en nombre limité.

Dans les formes invalidantes, entraînant une gêne fonctionnelle majeure, seule une indication opératoire de type prothétique, permet aux patients la reprise de la marche de façon convenable. Le type de la prothèse est fonction des dégâts articulaires et ligamentaires. Le risque majeur de cette chirurgie est dominé par l'infection; aussi, l'emploi d'un produit cortisoné intra-articulaire n'est pas souhaitable avant l'intervention.

Dans les gonarthroses fémoro-tibiales secondaires

L'ostéotomie de réaxation permet de corriger la désaxation anatomique. Proposée au bon moment, elle a un effet précoce et quasi constant sur la douleur. Elle freine considérablement l'évolution du processus arthrosique; cependant, la reprise de la marche ne pourra être envisagée que trois mois après l'opération et nécessite un séjour dans un centre de rééducation fonctionnelle.

 ■ arthrose ■ rotule (syndrome fémoro-rotulien) ■ anti-inflammatoires cortisoniques et non cortisoniques ■ infiltrations ■ orthopédie (traitement en)

gonocoque

 maladies sexuellement transmissibles

goutte

La présence de cristaux d'urate de sodium dans une articulation, du fait d'une concentration sanguine d'acide urique importante, entraîne une réaction inflammatoire locale aiguë typique : la crise de goutte.

 Le plus souvent au début, c'est la métatarso-phalangienne du gros orteil qui est atteinte (dans 20 % des cas cependant, la maladie goutteuse est inaugurée par une autre localisation articulaire).

Le début de la crise est explosif, nocturne; la douleur est très vive, avec sensation de brûlure, de broiement : il s'agit d'une arthrite aiguë. L'articulation est chaude, rouge et tuméfiée, le contact des draps insupportable; souvent il existe une petite fièvre.

Cette crise articulaire nécessite une consultation : une arthrite aiguë du gros orteil (précisément de la métatarso-phalangienne) est a priori une crise de goutte. Votre médecin recherchera l'existence de facteurs déclenchants (prise d'alcool

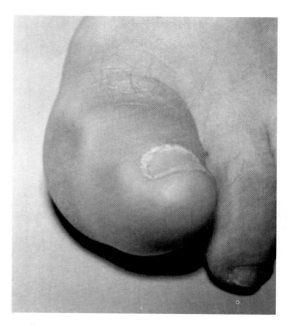

goutte. *Dans 80 % des cas, la goutte se révèle par une inflammation aiguë (arthrite) de l'articulation métatarso-phalangienne du gros orteil.*

ou médicament, traumatisme physique ou psychique). Le dosage de l'acide* urique trop élevé confirmera le diagnostic : il faudra alors encore rechercher une cause à cette hyperuricémie.

Le traitement est institué rapidement et obéit à deux impératifs majeurs.

— L'accès aigu de goutte impose la prescription de colchicine dont l'action est efficace et rapide. Les anti-inflammatoires sont également efficaces et peuvent être prescrits en remplacement de la colchicine. Les corticoïdes et l'aspirine sont contre-indiqués.

— Le traitement de fond a pour but de ramener l'uricémie à son taux normal et ceci de façon constante. Deux types de médications sont utilisées : les *inhibiteurs de la synthèse de l'acide urique* (allopurinol) et les *uricosuriques* qui augmentent l'élimination rénale d'acide urique mais risquent d'entraîner des coliques néphrétiques; aussi, ces derniers ne sont-ils utilisés qu'en cas d'uraturie peu élevée.

En pratique, l'allupurinol sera prescrit le plus souvent, car il est efficace à 100 % et n'expose pas le patient aux complications rénales. Une augmentation de l'uricémie sous traitement d'allopurinol est toujours liée à une mauvaise observance thérapeutique.

L'instauration du traitement hypo-uricémiant, qui permet la diminution du taux d'acide urique, se fait à distance de la crise aiguë, en association au début, avec de la colchicine à petite dose; il doit être poursuivi à vie.

Grâce à cette médication efficace, le passage à la forme chronique de la maladie goutteuse ne se voit plus et les descriptions de Tophus, d'arthropathies uratiques et les complications rénales ne feront plus partie de la réalité médicale : la goutte est une maladie vaincue; le classique régime anti-goutteux n'a qu'un rôle très limité.

 ■ arthrite ■ acide urique

grain de beauté

 ■ nævus ■ peau *(cancer de la)*

grattage

 ■ prurit généralisé

greffe de moelle osseuse

 La greffe de moelle osseuse est l'un des grands progrès récents réalisés dans le traitement de certaines maladies hématologiques. Son but est de reconstituer une moelle saine lorsque les cellules de la moelle osseuse sont incapables de remplir leurs fonctions normales. Elle est utilisée pour remplacer des cellules déficientes comme, par exemple, au cours des aplasies médullaires, mais surtout pour permettre à un malade atteint de cancer de supporter un traitement à doses élevées, indispensable pour le contrôle de la maladie, mais susceptible de détruire les cellules normales de la moelle osseuse particulièrement sensibles aux médicaments anti-cancéreux. A la fin du traitement, la moelle détruite est reconstituée grâce aux cellules greffées. C'est le cas pour les leucémies aiguës, certaines formes de leucémies myéloïdes chroniques, les lymphomes, la maladie de Hodgkin ou d'autres cancers.

Le plus souvent, un donneur sain est nécessaire pour réaliser la greffe. Ce donneur doit être « compatible », de façon à ce que les cellules étrangères injectées au malade soient tolérées le mieux possible. Une méthode plus simple est appliquée lorsque la moelle osseuse du malade à greffer n'est pas envahie par le cancer : dans ce cas, elle peut être prélevée avant le traitement anti-cancéreux, puis réinjectée à la fin de celui-ci.

L'efficacité de la greffe de moelle est bien démontrée. Dans certains cas, elle apporte un espoir de guérison là où les traitements classiques ont échoué. Elle n'est réalisée que dans des centres spécialisés. Tous les problèmes de tolérance de la greffe ne sont pas encore complètement résolus, mais de nouveaux progrès sont susceptibles d'intervenir à court ou à moyen terme.

 ■ aplasies médullaires ■ cancer

greffe du cœur

 De très grands progrès ont été réalisés dans ce domaine : prise de conscience de l'opinion aboutissant à une augmentation de dons d'organes, médicaments anti-rejet efficaces et dont l'administration prolongée est bien tolérée, et surtout qualité de la surveillance postopératoire. Celle-ci repose essentiellement sur la pratique de biopsies* intra-cardiaques répétées permettant de dépister une réaction de rejet du cœur greffé. C'est ainsi qu'un grand nombre de patients greffés ont pu d'ores et déjà reprendre une activité professionnelle normale.

greffe du rein

 L'altération définitive de la fonction rénale doit être traitée par l'épuration extra-rénale. Chez un sujet de moins de soixante ans, il est possible de pratiquer une transplantation rénale permettant, si elle réussit, de retrouver une vie pratiquement normale.

Pendant la période d'épuration extra-rénale, sont pratiqués des examens afin de préciser l'identité tissulaire du malade (les groupes tissulaires HLA découverts par Jean Dausset, prix Nobel de médecine). L'inscription sur une liste d'attente (2 600 personnes à la fin de 1985) suit. Un donneur est compatible s'il existe une ou plusieurs identités dans les groupes tissulaires HLA. Plus les identités sont en nombre élevé, plus les chances de réussite sont importantes.

Après la transplantation, le traitement est poursuivi à vie. Il comporte le plus souvent de la cortisone et un ou deux autres médicaments anti-rejet (cyclosporine et azathioprine).

griffes du chat (maladies des)

 Une quinzaine de jours après avoir été griffé par un chat, votre enfant présente un ou plusieurs ganglions, parfois volumineux, dans le territoire

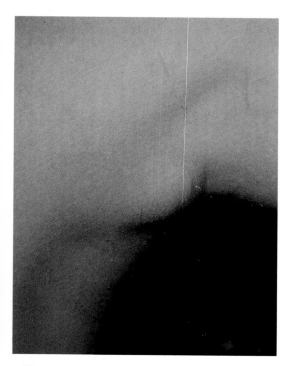

griffes du chat. La découverte d'une griffure sur le bras de ce patient a permis de rattacher ce volumineux ganglion de l'aisselle à une maladie des griffes du chat.

concerné par la griffure (le plus souvent l'aisselle et le pli de l'aine). Il n'a pas de fièvre. On ne retrouve pas toujours la griffure mais la seule présence d'un chat dans l'entourage de l'enfant est évocatrice.

 L'apparition de ganglions peut relever de maladies graves. Parfois, votre médecin confirmera son diagnostic par des examens complémentaires. Les antibiotiques (les tétracyclines) permettent la guérison de cette infection bénigne.

grippe

 La grippe est une infection virale respiratoire fréquente et contagieuse évoluant par épidémies hivernales, plus ou moins étendues. Elle peut survenir à tout âge.

— *Vous avez sans doute la grippe* si après une courte incubation de un à trois jours apparaît brutalement une fièvre. Elle s'élève à 39° pendant deux jours, chute brusquement pour reprendre, moins élevée, pendant quelques jours : c'est la courbe grippale classique, dite en V. Vous souffrez dès le début de courbatures, de maux de tête, de signes respiratoires souvent discrets : rhinite, discrète pharyngite, toux. Vous ne crachez pas ou peu, l'expectoration est claire. L'auscultation pulmonaire est normale.

— *Vous n'avez pas obligatoirement la grippe* si vos signes se résument à une fièvre élevée et des courbatures sans signes respiratoires. Ce tableau appelé *syndrome pseudo-grippal* peut se rencontrer dans beaucoup d'autres infections bénignes ou plus sévères (hépatite virale à son début, paludisme...).

 Le traitement de la grippe est symptomatique. Il comprend le repos, le traitement de la fièvre et de la douleur (aspirine, paracétamol). La vitamine C combat la fatigue toujours présente. L'infection étant virale, les antibiotiques ne sont pas nécessaires en dehors des surinfections bactériennes broncho-pulmonaires (bronchite, pneumonie) et de la sphère O.R.L. (otite, sinusite, laryngite).

La dernière épidémie de 1972 en France a coûté 8 264 vies humaines et plusieurs milliards de F.

Si la grippe guérit sans problème chez les sujets jeunes en bonne santé, elle risque de provoquer chez les personnes fragilisées par une pathologie annexe et les vieillards des complications parfois redoutables : surinfections bactériennes, pneumonies grippales, grippes malignes débutant brutalement par une détresse respiratoire aiguë avec cyanose et fièvre à 40° et justifiant l'hospitalisation en réanimation.

☞ ■ vaccins et sérums ■ bronchite aiguë

grossesse *(généralités et surveillance)*

Voici quelques mois que vous tentez d'entreprendre une grossesse. Vous avez quelques jours de retard, des nausées, une somnolence inhabituelle, une tension des seins. Ne vous précipitez pas chez votre médecin : il ne pourra qu'évoquer avec vous une présomption de grossesse et vous prescrira, si vous êtes pressée, une réaction immunologique.

Ce n'est en effet qu'après quatre ou cinq semaines de retard des règles que l'examen, en révélant un utérus augmenté de volume, mou, un col long et fermé, confirmera une grossesse normalement évolutive.

L'État se préoccupe à juste titre des générations futures et du dépistage précoce des grossesses à haut risque. Pour ce faire deux séries de mesures :
— le versement des allocations mensuelles au jeune enfant (773 F en 1987, du quatrième mois de grossesse au troisième mois de l'enfant) est subordonné à une surveillance élémentaire de la grossesse (déclaration, consultation obligatoire au cours des sixième et neuvième mois);
— le remboursement privilégié des actes médicaux et des examens de laboratoire.

Le premier examen obstétrical

Il ne diffère pas de l'examen gynécologique* : même interrogatoire minutieux, même recherche des antécédents personnels et familiaux, des affections en cours et leur traitement...; il s'y ajoute plus spécifiquement votre poids de départ, la prise de la tension artérielle — facteur très important si elle est élevée —, la recherche d'albumine et de sucre dans les urines, le dépistage systématique de la syphilis (un traitement simple et efficace prévient une contamination redoutable pour le bébé), le groupe sanguin, ainsi que la confirmation d'une immunité acquise à l'égard d'infections comme la rubéole (ce qui devrait être fait par la vaccination depuis bien des années) ou la toxoplasmose.

Une échographie* sera pratiquée qui n'est valablement interprétable qu'à partir de la dixième semaine d'aménorrhée; elle précisera, à deux ou trois jours près, le début de votre grossesse.

Au terme de ces examens sera rempli un petit carnet blanc appelé encore « Future Maman » que vous avez intérêt à vous procurer auprès de votre Caisse d'assurance sociale; consultations médicales et examens de laboratoire seront apposés sur les deux feuilles destinées à la Sécurité sociale; un troisième feuillet envoyé à la Caisse d'allocation familiale (ceci impérativement avant la fin du troisième mois de grossesse) vous permettra de toucher les allocations prénatales. Vous recevrez dans un délai assez bref votre carnet de maternité.

La surveillance de la grossesse

La réglementation oblige à une consultation au cours des sixième et huitième mois de votre grossesse faute de quoi tout ou partie des allocations prénatales seront supprimées.

Il est autorisé par ailleurs une consultation mensuelle à remboursement privilégié (sauf curieusement au septième mois). Cette consultation mensuelle est hautement souhaitable : elle permet de vérifier les paramètres essentiels d'une « bonne grossesse » et par conséquent de dépister et de traiter précocement une grossesse pathologique. La surveillance obstétricale porte avant tout sur :
— la prise de poids qui ne doit pas excéder 1 à 1,5 kg par mois;
— la tension artérielle, facteur essentiel;
— la croissance de l'utérus qui doit atteindre l'ombilic à quatre mois et demi — « milieu de l'abdomen, milieu de la grossesse » — et dont la hauteur doit être très proche des valeurs moyennes à savoir : 28 cm à sept mois, 30 cm à huit mois, 33 cm à terme;
— l'état du col, verrou inférieur de l'utérus, qui doit rester long et fermé;
— l'absence de sucre et d'albumine dans les urines à laquelle s'ajoutent, chez les femmes non immunisées, la recherche d'anticorps antitoxoplasmiques et chez les femmes rhésus négatif une recherche d'agglutinines irrégulières.

Généralement, deux échographies seront pratiquées, l'une aux environs de la vingtième semaine de grossesse, l'autre de la trente-deuxième à la trente-cinquième semaine, qui vérifient la croissance harmonieuse du fœtus et l'absence d'anomalies. Cet effort considérable au plan de la solidarité nationale donne aux femmes françaises des grossesses à « haute sécurité » et prévient dans une large mesure ce fléau redoutable qu'est la prématurité (environ 8 % des accouchements).

 INDEX THÉMATIQUE *(OBSTÉTRIQUE)*

grossesse chez une femme au rhésus négatif

 incompatibilité sanguine fœto-maternelle

grossesse et anomalie de développement de l'utérus

Votre médecin mesure la hauteur utérine à l'occasion de chaque consultation prénatale. Il s'agit d'un geste simple ne nécessitant qu'un mètre de couturière.

Lorsque le médecin constate une anomalie de développement de l'utérus, il lui faut tout d'abord écarter une éventuelle erreur de calcul du terme (date des dernières règles, échographies*...).

Si le calcul du terme est exact, deux situations peuvent se présenter : l'utérus est trop gros ou trop petit.

L'utérus est trop gros : l'échographie va permettre d'affirmer le diagnostic et précisera l'existence :

– d'une grossesse gemellaire ou multiple (▷ grossesse gemellaire),

– d'un excès de liquide amniotique dans lequel baigne le fœtus ou hydramnios (▷ ce mot),

– d'un gros enfant, ce qui impose de rechercher un diabète maternel (▷ grossesse et diabète), une incompatibilité sanguine fœto-maternelle (▷ ce mot), ou simplement une cause familiale : parents et frères et sœurs dont le poids de naissance dépasse 4 kg.

L'utérus est trop petit, il peut s'agir :

– là encore d'une cause familiale : petite taille des parents et des frères et sœurs;

– mais parfois d'une insuffisance de liquide amniotique ou oligo-amnios témoignant essentiellement d'une malformation du fœtus qui devra être dépistée et si possible traitée;

– la cause la plus fréquente est en fait le retard de croissance intra-utérin ou hypotrophie fœtale dont le diagnostic sera évoqué par les échographies répétées. De nombreuses causes d'hypotrophie fœtale sont envisagées dans ce livre : maladie génétique du fœtus comme la trisomie 21 ou mongolisme, infections de la mère comme la rubéole, maladies de la mère comme l'hypertension artérielle, tabagisme ou toxicomanie.

L'étude de la croissance, de la maturation et de la vitalité du fœtus permet d'apprécier son état de santé, l'effet des thérapeutiques proposées et le choix du meilleur moment de l'accouchement.

Il n'existe malheureusement pas de traitement dans de nombreux cas de maladies génétiques et l'interruption thérapeutique de la grossesse sera parfois envisagée; ailleurs, le repos au lit, l'arrêt du tabagisme, une alimentation riche, le traitement d'un diabète, d'une hypertension artérielle... permettront la naissance d'un enfant certes de petit poids, mais qui pourra bénéficier des récents progrès réalisés dans la réanimation et la nutrition des nouveau-nés de très faible poids (entre 1 et 1,5 kg).

☞ ■ **diagnostic anténatal des maladies fœtales** ■ **fœtus (état de santé du)** ■ **maturation du nouveau-né et croissance intra-utérine**

grossesse et diabète

Vous êtes enceinte, vous avez du sucre dans les urines :

– ce sucre est du lactose : il n'a aucune valeur pathologique;

– ce sucre est du glucose : il convient en ce cas de pratiquer un dosage de sucre sanguin et une épreuve d'hyperglycémie provoquée.

– Cette épreuve est normale, il s'agit d'un diabète dit rénal (par abaissement du seuil d'élimination du glucose); il n'a aucune incidence sur votre grossesse et ne mérite ni traitement ni régime.

– Le taux de sucre sanguin est élevé, l'épreuve d'hyperglycémie provoquée, perturbée, il s'agit d'un diabète vrai que vous connaissiez peut-être déjà.

Vous vous savez diabétique : il convient, avant d'entreprendre une grossesse, d'équilibrer aussi parfaitement que possible votre diabète, ceci afin d'éviter les malformations et les complications que provoquent gestation et diabète.

Vous devez savoir que la grossesse peut aggraver le diabète (lésions oculaires, rénales, coma) et qu'un diabète grave a une action péjorative sur la grossesse avec, à terme, l'expulsion difficile d'un enfant aussi gros que fragile, « colosse aux pieds d'argile », et quelquefois une mort *in utero*.

Cette complication redoutable impose une hospitalisation dès la trente-deuxième semaine de gestation à fin de « haute surveillance ». Ces complications sont heureusement rares et restent le fait d'un diabète sévère et instable.

Vous êtes une diabétique dite légère : le diabète est équilibré par un régime strict et éventuellement quelques unités d'insuline; des contrôles répétés vérifieront le taux normal de sucre dans le sang, et des échographies* la croissance harmonieuse du bébé et l'absence d'hydramnios (▷ ce mot).

Vous avez toutes chances de mener à bien et à terme votre grossesse dans la mesure où vous saurez observer scrupuleusement régime et traitement.

☞ **diabète sucré**

grossesse et hypertension artérielle

L'hypertension artérielle est définie en cours de grossesse par des chiffres tensionnels supérieurs à 9 pour la minimale et 13 pour la maximale. Cette hypertension peut coïncider avec la grossesse et disparaître avec elle : elle est dite gravidique.

Elle peut aussi aggraver une hypertension préexistante et persistera alors après la grossesse.

Dans tous les cas, hypertension et grossesse ne font pas bon ménage. En effet, l'hypertension artérielle est souvent le fait d'une insuffisance placentaire qu'elle aggrave : cercle vicieux qui met en péril la croissance fœtale par diminution de la circulation sanguine dans le cordon. Le débit sanguin dans le cordon peut être aujourd'hui étudié par le Doppler*.

Elle peut se compliquer en outre d'une insuffisance rénale maternelle, facteur de risque supplémentaire pour la mère et le bébé. Mais cette grossesse a de bonnes chances d'être menée à bien si vous acceptez certaines contraintes et une surveillance rigoureuse, à savoir :

— une vie calme et reposante, éventuellement un arrêt de travail;

— un régime strict sans aucun excès, normalement salé, qui vous assure une prise maximum de poids de 1,5 kg par mois;

— un traitement hypotenseur à ne jamais oublier et qui sera modifié en fonction de sa tolérance et de son efficacité;

— une surveillance répétée de votre tension artérielle, à raison d'une fois par semaine, quelquefois tous les jours et même plusieurs fois par jour;

— l'appréciation de votre fonction rénale dont le meilleur témoin reste la protéinurie* (albumine dans les urines) examen fort simple que l'on peut pratiquer quotidiennement, mais aussi des examens sanguins (taux d'acide* urique en particulier...);

— un fond* d'œil qui montre aisément l'état des artères et des veines;

— une surveillance rigoureuse de la croissance fœtale, tant par des examens au cabinet du médecin que par des échographies* répétées;

— vous devez envisager dans les derniers mois de la grossesse une hospitalisation éventuelle si l'évolution n'est pas absolument favorable.

En effet, l'évolution peut très schématiquement se résumer ainsi :

— dans les cas favorables, l'hypertension reste modérée, il n'y a ni albumine dans les urines, ni œdème : la croissance fœtale est normale. On peut atteindre et même dépasser le terme fatidique de 35 semaines de grossesse pour déclencher un accouchement prématuré, certes, mais qui a toutes les chances de mettre au monde un enfant en bonne santé et dont la croissance sera satisfaisante.

— L'évolution est défavorable : la tension est élevée ou va en augmentant, il y a de l'albumine dans les urines, des œdèmes, une prise de poids importante, l'acide urique augmente dans le sang, le taux d'estriol urinaire est inférieur à la normale. Se pose alors à votre accoucheur le dramatique problème de mettre fin très tôt à une grossesse dont l'évolution peut être catastrophique tant pour le fœtus que pour la mère. En effet, il y a pour le fœtus risque de mort *in utero* ou d'hématome rétro-placentaire, et pour la mère risque d'une crise d'éclampsie, accident dramatique qui met en péril sa vie et celle de son bébé. C'est donc « au moindre mal » que votre accoucheur décidera de déclencher l'accouchement, voire de faire une césarienne, en prenant le risque calculé de mettre au monde un fœtus de petit poids, immature, mais

dont les chances de survie seront meilleures dans un service de néonatologie que dans l'utérus maternel.

 ■ hypertension artérielle ■ fœtus (état de santé du) ■ hématome rétro-placentaire ■ éclampsie (crise d') ■ césarienne

grossesse et infections

Toutes les maladies infectieuses peuvent avoir un retentissement sur la grossesse avec des conséquences plus ou moins dommageables pour le fœtus; ceci par altération de l'état général maternel, par une température très élevée, par contamination trans-placentaire du bébé.

Certaines maladies, bénignes pour la mère, ont une action spécifiquement grave sur le fœtus; ce sont essentiellement :

La rubéole

Le virus rubéoleux traverse le placenta, contamine l'embryon et, au cours du premier trimestre de la grossesse, en perturbe gravement le développement (atteinte du système nerveux central, des systèmes auditif et visuel). Le risque est tel qu'une interruption thérapeutique de grossesse doit être envisagée.

Ce problème dramatique ne devrait plus exister : en effet, la vaccination (une seule injection sous-cutanée) donne une protection presque parfaite contre cette infection redoutable. Elle devrait être systématique, au même titre que les vaccins antitétanique, poliomyélite...

La toxoplasmose

Elle est due à un parasite que l'on trouve essentiellement dans la viande mal cuite (porc ou mouton) et dans les excréments de chat (contamination rare) : le toxoplasme, qui traverse directement la barrière placentaire, infecte le fœtus et peut entraîner des malformations graves du système nerveux central et des yeux. Les risques sont variables en fonction de l'âge de la grossesse : presque nuls au début, ils augmentent à la fin du troisième mois mais ne dépasseraient jamais 5 % des cas. C'est dire qu'un avortement thérapeutique est loin d'être toujours justifié. En cas de doute, une ponction du cordon (ceci demande un obstétricien particulièrement expérimenté) permet l'étude du sang fœtal et confirme sans ambiguïté l'existence ou non d'une contamination.

La toxoplasmose est dans 75 % des cas sans symptômes apparents. Un seul signe probant d'infection : l'apparition d'anticorps antitoxoplasmiques dans le sang (▷ sérologie des maladies infectieuses). Toute femme non immunisée doit, outre les règles d'hygiène qui s'imposent, se soumettre tous les mois à un examen de sang qui signera ou non l'infection.

Un traitement simple, immédiatement mis en œuvre (à base de Spiramycine) a toute chance de protéger le fœtus d'une contamination dommageable.

La listériose

Elle est due à une bactérie très répandue dans le règne animal (bœuf, volaille, mouton). Cette maladie est responsable d'avortements lors des deux premiers trimestres de la grossesse, d'infections graves au cours du troisième trimestre. Souvent méconnue, elle est plus fréquente qu'on ne le pense, et se confond volontiers avec une grippe banale.

C'est par hémoculture qu'on en fait le diagnostic, et par un long traitement à base de pénicilline qu'on en assure la guérison.

L'herpès

C'est une maladie à virus (sexuellement transmissible). La contamination de l'enfant est rare, mais grave; elle se fait essentiellement lors de l'accouchement au niveau des foyers herpétiques de la filière génitale. C'est pourquoi l'accouchement par voie basse ne sera autorisé que si trois prélèvements, au niveau du col, du vagin et de la vulve, se révèlent négatifs, ceci au cours du dernier mois de la grossesse.

Les hépatites virales

Elles n'ont que rarement une action grave sur la grossesse (avortement, retard de croissance). En revanche, les femmes HBS positives, peuvent contaminer leur enfant, lors de l'accouchement. Un traitement par immunoglobuline spécifique sera alors institué.

La syphilis

Elle est le fait d'un agent infectieux, le tréponème, sexuellement transmissible, qui ne franchit la barrière placentaire qu'après le quatrième mois; c'est dire que le dépistage précoce, maintenant systématique, et un traitement énergique par pénicilline, mettent le fœtus à l'abri d'une contamination extrêmement dommageable; ce qui fut un fléau au XIXe siècle, devient aujourd'hui une maladie historique.

Toutes les affections à virus (grippe, oreillons, rougeole) peuvent entraîner des atteintes fœtales, mais elles restent exceptionnelles.

Les infections urinaires maternelles n'ont aucune action directe sur le fœtus; elles peuvent entraîner, au cours du deuxième et plus encore au début du troisième trimestre de la grossesse, des contractions utérines. Elles constituent donc un risque d'accouchement prématuré et doivent être dépistées et traitées à temps.

☞ ■ rubéole ■ toxoplasmose acquise ■ listériose ■ herpès ■ hépatites virales *(A, B, non A-non B)* ■ syphilis ■ fœtus *(état de santé du)* ■ diagnostic anténatal des maladies fœtales

grossesse et petits maux

Les petits maux de la grossesse sont fréquents, et intéressent à des degrés divers deux à trois femmes enceintes sur quatre; ils sont désagréables, quelquefois douloureux et ne mettent jamais en péril, sauf exceptions rarissimes, la croissance harmonieuse de l'enfant.

— *Les douleurs pelviennes* inquiètent souvent à tort les jeunes femmes; en effet, ces pesanteurs pelviennes, ces « ovaires douloureux » témoignent davantage d'une grossesse normalement évolutive que d'une menace de fausse couche.

— *La somnolence* est si fréquente qu'elle présume hautement d'une grossesse. Il en est de même des *nausées* matinales, entraînant quelquefois une perte de poids (qui ne touche en rien la croissance du bébé), parfaitement désagréables, mais qui peuvent être soulagées par la prise de certains médicaments et par une alimentation fractionnée (cinq à six petits repas par jour). Elles disparaîtront spontanément aux environs du troisième mois de grossesse.

— *Les vomissements incoercibles de la grossesse* peuvent être graves, et obligent à une hospitalisation, quelquefois à une alimentation par voie intraveineuse, toujours à un soutien psychologique et à la recherche ultérieure d'une hernie hiatale.

— *L'hypersalivation* (ou *hypersialorrhée*), heureu-

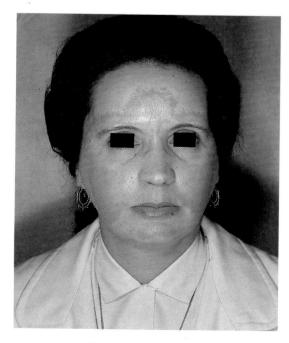

grossesse et petits maux. *Le masque de grossesse disparaîtra après l'accouchement.*

sement plus rare, entraîne un inconfort certain qu'il convient de soulager au mieux par un traitement atropinique.

— *Les régurgitations acides* (pyrosis) intéressent deux femmes enceintes sur trois. Elles exigent une alimentation saine et variée mais sans alcool, sans épices et sans café, et des pansements gastriques anti-acides.

— *La constipation* est fréquente chez les femmes en général et chez les femmes enceintes en particulier. Elle sera améliorée d'abord par un régime où seront largement admis les fruits, les salades et les légumes verts, puis par des médicaments simples à base d'huile de paraffine, de mucilage ou de son, par une discipline de rééducation (aller à la selle tous les jours à la même heure) afin de créer un réflexe quasiment automatique de défécation.

— *Les troubles cutanés* ou les taches brunes, symétriques, siègent sur le front et les joues et constituent le « masque de grossesse » ou *chloasma*. Ils ne relèvent d'aucun traitement si ce n'est d'une crème anti-solaire, et disparaîtront spontanément quelques mois après la fin de la grossesse.

— *Les vergetures* apparaissent au cours du deuxième trimestre de la première grossesse; elles sont indépendantes de la prise de poids et de la distension des tissus. Elles relèvent d'anomalies cellulaires dont l'origine est mal connue et dont le traitement ou plutôt les traitements restent malheureusement fort décevants.

— *Le prurit* du dernier trimestre de la grossesse est quelquefois extrêmement pénible; il peut être l'expression d'un ictère dit de cholestase et implique donc des recherches de laboratoire complémentaires. Son traitement n'est pas toujours efficace; sauf affections hépatiques graves mais exceptionnelles, il disparaîtra spontanément après l'accouchement.

— *Des varices* apparaissent en cours de grossesse chez 50 % des femmes. Elles seront d'autant plus importantes qu'elles préexistaient à la grossesse ou qu'il existe un antécédent familial (mère variqueuse). Elles s'aggravent en général de grossesse en grossesse. Elles siègent surtout aux membres inférieurs et quelquefois à la vulve. La prévention et le traitement des varices reposent avant tout sur des règles d'hygiène simples : marches fréquentes, gymnastique quotidienne, repos allongé avec les jambes surélevées (cales placées sous les pieds du lit) et éventuellement par le port de bas de contention, de qualité esthétique variable. De multiples médications dites phlébotoniques aideront à soulager les jambes douloureuses; il ne faut pas en attendre des miracles.

— *Les inflammations des veines superficielles* appelées abusivement phlébite, — il s'agit en fait des veinites dont la gravité n'est pas comparable avec celle des véritables phlébites (▷ ce mot), — se traduit par l'apparition d'une varice sous-cutanée rouge et douloureuse. Un traitement par anti-inflammatoires locaux et généraux, et une contention douce ont souvent une action bénéfique.

— *Les hémorroïdes*, qui sont en fait des varices des veines hémorroïdaires, sont d'autant plus douloureuses qu'elles se compliquent souvent d'une thrombose. La suppression des épices, du café et de l'alcool est importante et concourt largement au succès d'une thérapeutique qui comprend par ailleurs des antalgiques locaux et généraux (pommades) et des médicaments phlébotoniques.

— *Les crampes*, surtout nocturnes, entraînent parfois l'insomnie; elles seront traitées avec toute chance de succès par une médication à base de vitamine B ou par médicaments myo-relaxants.

— *Les douleurs lombaires et sciatiques*, quelquefois très invalidantes, relèvent de deux mécanismes : une hyperlaxité ligamentaire due à l'imprégnation hormonale de la grossesse, une modification de l'équilibre liée au poids du bébé avec accentuation de la courbure de la colonne lombaire et travail intensif des muscles latéro-vertébraux. Le repos allongé sur un *plan dur* est indispensable; il sera complété par des médications antalgiques, éventuellement par des massages, une gymnastique douce appropriée et une rééducation en piscine. La natation est de toute façon une excellente activité sportive pour les femmes enceintes.

grossesse et radiations ionisantes

Les radiations ionisantes sont considérées comme « le fléau d'où vient tout le mal »; les médias en soulignent (trop) complaisamment le caractère terrifiant.

Il est certain, et les survivants de Nagasaki et de Hiroshima et, bientôt peut-être, ceux de Tchernobyl, en sont le triste témoignage, que les radiations ionisantes ont une action des plus dommageables sur les cellules en voie de multiplication et sur l'embryon en particulier :
— dans les premiers jours de la vie : mort de l'œuf fécondé;
— du dixième au quarantième jour de la gestation, altération grave du développement embryonnaire avec malformations variables essentiellement neurologiques et mutation chromosomique au niveau des cellules de la reproduction;
— plus tard : atteinte fœtale au niveau du système nerveux central essentiellement;
— à terme plus éloigné : leucémie et cancer.

Cette pathologie, certes dramatique et toujours actuelle, reste exceptionnelle; elle est le fait d'explosions thermonucléaires, militaires ou accidentelles, avec irradiation majeure de la population.

Comparer un examen radiologique à une bombe atomique est une absurdité. Reste que la prudence s'impose. Des études multiples permettent d'affirmer maintenant qu'une dose de rayons inférieure à 0,10 gray ou gy (1 gray = 100 rads) pour les optimistes, 0,05 gy pour les pessimistes, n'a aucune action sur l'embryon, quelque soit la phase de son développement, même la plus vulnérable. Cette dose, 0,05 gy, n'est pratiquement jamais atteinte même lors d'examens radiologiques lourds tels que l'urographie* intra-veineuse ou le lavement* baryté et ceci d'autant plus que des écrans permettent maintenant de diviser par deux l'irradiation de la patiente.

Il faut en cette matière raison garder et savoir que nous sommes constamment soumis à des radiations cosmiques ionisantes. Ces radiations augmentent considérablement au-delà de 2 000 m d'altitude pour atteindre des doses qui ne sont pas négligeables, mais interdire à une femme enceinte un séjour en haute montagne ou un long voyage en avion est parfaitement absurde; il est non moins absurde de lui interdire un indispensable examen radiologique. Il est sage, toutefois, d'en limiter les doses et les indications.

 ■ radio-protection ■ diagnostic anténatal des maladies fœtales

grossesse extra-utérine

Il s'agit de l'implantation de l'œuf fécondé dans la trompe et non dans l'utérus comme au cours d'une grossesse normale. C'est au stade de début que le diagnostic doit être posé, avant la survenue de l'hémorragie interne grave provoquée par la rupture de la trompe.

 Parfois la grossesse extra-utérine est aisément diagnostiquée si, vous sachant enceinte, vous constatez des pertes peu abondantes brunâtres, accompagnées rapidement de petits malaises et d'une douleur à la partie basse de l'abdomen, de même nature qu'une torsion ou des coliques.

A l'inverse, parfois la grossesse n'est pas connue, toute jeune femme qui souffre du bas-ventre ou qui saigne doit penser à la grossesse extra-utérine, surtout s'il existe un facteur favorisant sa survenue: antécédent de salpingite, de chirurgie de la trompe pour stérilité, de grossesse extra-utérine, ou contraception par le stérilet.

Le toucher vaginal, qui est systématique, précise que la douleur est située d'un seul côté; il permet parfois de palper une masse unilatérale. En vue de confirmer le diagnostic, votre médecin a recours à des dosages hormonaux (B-HCG plasmatique) qui sont positifs très tôt au cours de la grossesse, et à une échographie* qui peut voir l'embryon implanté dans la trompe s'il est de taille suffisante, mais surtout constate la vacuité de l'utérus. En cas de doute, une cœlioscopie* s'impose.

A un stade précoce, une intervention conservatrice de la trompe est réalisable. Cette chirurgie a l'inconvénient d'exposer la patiente au risque de récidive. A un stade tardif, il est parfois difficile de faire le diagnostic devant une patiente en état de choc hémorragique et que l'on ne peut interroger.

Mais le diagnostic d'hémorragie interne conduit à une intervention en urgence qui fera déceler la grossesse extra-utérine et permettra son traitement. Dans ce cas, le plus souvent, le chirurgien devra pratiquer une résection de la trompe (*salpingectomie*).

 ■ pelviennes *(douleurs)* ■ hémorragies du premier trimestre de la grossesse ■ hémorragie interne

grossesse gémellaire

La grossesse gémellaire est caractérisée par le développement simultané de deux fœtus dans la cavité utérine. Elle intéresse environ 1,2 % des grossesses et connaîtrait une certaine prédisposition héréditaire. Il existe deux types de jumeaux.
— Les *faux jumeaux* : ils naissent de la fécondation de deux ovules par deux spermatozoïdes; ils sont à l'évidence différents, voire de sexe opposé.
— Les *vrais jumeaux* : ils naissent de la fécondation d'un seul ovule par un seul spermatozoïde; l'œuf

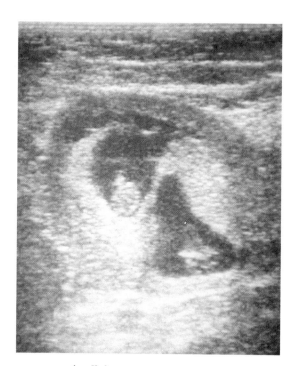

grossesse gémellaire. *L'échographie précise qu'il s'agit de faux jumeaux : en effet il existe deux sacs embryonnaires séparés par une cloison.*

fécondé se divise en cellules filles à partir desquelles deux grossesses indépendantes vont se développer; leur équipement chromosomique est identique, les deux enfants sont du même sexe.

Les grossesses gémellaires sont des grossesses à risque élevé parce que :
— la croissance de deux enfants dans la cavité utérine entraîne sa distension et sollicite fortement le col. Il s'y ajoute quelquefois un excès de liquide amniotique ou hydramnios, qui ajoute encore à cette distension et à ce risque d'accouchement prématuré.
— les jumeaux sont souvent des enfants de faible poids; par ailleurs dans 15 % des cas une hypertension avec parfois albuminurie et œdème viendra compromettre encore davantage la croissance fœtale.

Accouchement prématuré, développement insuffisant des enfants, tels sont les deux risques essentiels de la grossesse gémellaire. Le but sera d'atteindre et, si possible, de dépasser la trente-cinquième semaine de grossesse, terme qui assure aux enfants une maturité satisfaisante et une croissance sans complication majeure.

Le repos et impératif. Dès le quatrième ou le cinquième mois, vous devez vous imposer une vie calme, éviter les efforts inutiles, les longs voyages; ces précautions élémentaires et indispensables éviteront dans bien des cas une hospitalisation au début du troisième trimestre, hospitalisation qui s'est révélée plus dommageable que bénéfique. Vous devez vous astreindre à une surveillance obstétricale régulière qui appréciera la tension artérielle, l'albumine dans les urines, la croissance utérine et l'état du col (qui s'ouvre ou ne s'ouvre pas). Des échographies* répétées préciseront un développement fœtal harmonieux ou non et la quantité de liquide amniotique.

Vous dépassez la trente-cinquième semaine de grossesse, les enfants sont arrivés à maturité, vous pouvez accoucher... L'accouchement, souvent normal, n'est pas dénué de toute complication : les contractions ne sont pas toujours de bonne qualité (utérus distendu), la dilatation du col mal sollicité par une petite présentation est quelquefois longue et difficile. L'expulsion du premier jumeau doit souvent ou parfois être aidée par la pose d'un forceps ou par une large épisiotomie qui accélère et facilite l'accouchement.

L'extraction du deuxième jumeau, souvent en présentation du siège, doit être relativement rapide (30 mn d'intervalle maximum) avant la rétraction du col; elle peut être aidée par une petite ou grande extraction du siège qui demande un obstétricien expérimenté.

En cas de souffrance fœtale (liquide teinté, modification du rythme cardiaque échographique), l'indication d'une césarienne sera facile et rapide.

Dans la majorité des cas, pour laborieux qu'il soit, l'accouchement des jumeaux s'effectuera par les voies naturelles sans difficultés majeures.

Il appartiendra au pédiatre de surveiller ces enfants de petit poids quelquefois immatures mais dont la croissance ultérieure est, dans bon nombre de cas, heureuse et sans complication.

 ■ **grossesses à risque élevé pour le fœtus** *(dépistage des)* ■ **accouchement prématuré** *(risque d')* ■ **fœtus** *(état de santé du)* ■ **hydramnios** ■ **grossesse et hypertension artérielle**

grossesse prolongée

Une grossesse normale dure 270 jours après la fécondation, 41 semaines après le premier jour des dernières règles.

Si le terme est dépassé d'une semaine, il y a risque de souffrance, voire de mort fœtale *in utero* par vieillissement du placenta; c'est dire que le dépassement de terme pose un problème vital et qu'il convient d'en faire la preuve avant une échéance qui peut être dramatique.

Connaître la date exacte du terme, c'est connaître la date exacte du début de la grossesse. Elle est facile à déterminer quand les règles sont très régulières, quand la date des dernières règles est très précisément connue, mieux encore quand il existe une courbe* ménothermique avec un décalage franc, quand une échographie* précoce a confirmé le début de la grossesse à deux ou trois jours près.

Il y a dépassement de terme vrai

La conduite thérapeutique ne se discute pas. Après deux tentatives de déclenchement (perfusions intra-veineuses infructueuses), une césarienne sera décidée.

Le problème est extrêmement difficile quand les règles sont irrégulières, l'ovulation incertaine, quand la date des dernières règles n'est pas connue (ce qui est beaucoup plus fréquent qu'on ne peut le supposer), quand les échographies, si elles existent, ne sont pas convaincantes.

S'agit-il d'un vrai ou d'un faux dépassement de terme ?

Le problème est insoluble si l'on considère qu'il n'existe aucun signe formel de terme et, *a fortiori*, de dépassement de terme.

C'est donc sur un faisceau de présomptions et d'examens complémentaires que l'on définira l'attitude thérapeutique :
— confirmation de la maturité fœtale par radiographie (points d'ossification);
— surveillance attentive de la vitalité de l'enfant par amnioscopies* tous les deux jours et, très vite, tous les jours, par dosage d'estriol urinaire et échographies répétées.
— Il y a des signes de souffrance fœtale : le liquide amniotique jusqu'ici clair devient teinté, le taux d'estriol, jusqu'alors normal, stagne ou chute, le cœur fœtal montre quelques irrégularités. L'atti-

tude thérapeutique ne se discute pas, il faut extraire le bébé au plus vite, le plus souvent par césarienne.

— Il n'y a pas de souffrance fœtale : on peut attendre raisonnablement quelques jours.

Au moindre doute et en l'absence de critères absolument précis, il convient de provoquer l'accouchement en tentant d'abord la voie basse (vaginale) puis sans hésiter la voie chirurgicale; en sachant bien que quelques-unes de ces césariennes s'avéreront inutiles mais qu'il est préférable de mettre au monde un enfant à terme et normal plutôt qu'un « petit vieux », dont la croissance eût été difficile et la mort *in utero* impardonnable.

☞   **fœtus** *(état de santé du)*

grossesse

(saignement pendant la)

☞   ■ hémorragies du premier trimestre de la grossesse ■ hémorragies du troisième trimestre de la grossesse

grossesses à risque élevé pour le fœtus *(dépistage des)*

Il s'agit d'évaluer, dès la première consultation et à l'occasion de chaque consultation ultérieure, les facteurs risquant de perturber l'évolution de la grossesse.

Facteurs de risque identifiables dès la première consultation, découverts à l'interrogatoire ou à l'examen de la mère
— Âge : inférieur à 18 ans, ou supérieur à 40 ans.
— Taille : inférieure à 1,50 m.
— Poids : inférieur à 40 kg ou au contraire obésité.
— Tabagisme.
— Conditions sociales et économiques difficiles : travail fatigant, transports longs et pénibles, nombreux étages sans ascenseur, nombreux enfants.
— Mère porteuse d'une maladie génétique héréditaire (▷ diagnostic anténatal précoce des maladies fœtales).
— Stérilité ancienne (car il s'agit souvent du premier enfant d'une femme âgée).
— Antécédents médicaux : maladie cardiaque, hypertension artérielle (▷ grossesse et hypertension artérielle).
— Diabète (▷ grossesse et diabète).
— Antécédents obstétricaux : malformation connue de l'utérus, nombreuses interruptions volontaires de grossesse, nombreuses fausses couches spontanées (▷ fausses couches spontanées du pre-

mier trimestre de la grossesse), accouchements prématurés (▷ accouchement prématuré [risque d']), accouchements d'enfants hypotrophiques (▷ maturation du nouveau-né et croissance intra-utérine), antécédent d'enfant mort in *utero*.

Facteurs de risque survenant au cours même de la grossesse
— Jumeaux (▷ grossesse gémellaire).
— Infection (▷ grossesse et infection).
— Immunisation rhésus (▷ incompatibilité sanguine fœto-maternelle).
— Hémorragies (▷ hémorragies du 1er et du 3e trimestre de la grossesse; placenta prævia).
— Développement anormal de l'utérus (▷ grossesse et anomalie de développement de l'utérus).
— Radiations ionisantes (▷ grossesse et radiations ionisantes).

Ces grossesses à risques exigent une surveillance renforcée, des examens complémentaires (▷ fœtus [état de santé du]), un traitement préventif (cerclage du col, traitement d'une infection...), un accouchement sous haute surveillance.

C'est ainsi que sera prévenu le risque d'accouchement prématuré quelquefois des plus dommageables pour le nouveau-né (▷ accouchement prématuré [risque d']).

groupe sanguin

☞   ■ incompatibilité sanguine fœto-maternelle ■ transfusions

gynécologique *(examen)*

L'examen gynécologique manque pour le moins d'agrément et cependant il faut vous l'imposer une fois par an à partir de 20 ans environ, car :
— les cancers gynécologiques et mammaires apparaissent de plus en plus tôt, sont remarquablement discrets et ne se signalent par aucun symptôme;
— leur détection relève de la vue et du toucher, puis d'examens complémentaires simples et indolores;
— le traitement précoce des cancers du col de l'utérus et du sein donne un taux de guérison de 100 % pour le premier et de 90 % pour le second.

La consultation gynécologique n'est pas un acte passif, vous pouvez aider grandement à en améliorer la qualité :
— en exposant avec précision les motifs de la consultation (dépistage systématique, douleurs, hémorragies, cystites à répétition, stérilité, date d'apparition des symptômes...);
— en indiquant très précisément *la date du premier jour de vos dernières règles* (ce détail qui peut vous paraître insignifiant s'avère quelquefois capital dans la conduite de l'examen gynécologique).

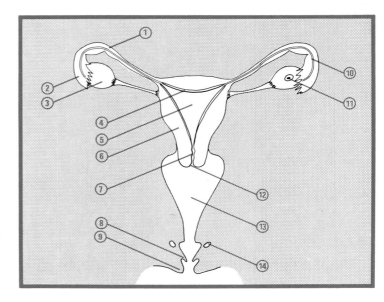

gynécologique *(anatomie de l'appareil).* ① *trompe,* ② *pavillon de la trompe,* ③ *ovaire,* ⑩ *pavillon,* ⑪ *ovule,* ④ *endomètre,* ⑤ *cavité utérine,* ⑥ *utérus (paroi),* ⑦ *col de l'utérus,* ⑫ *orifice cervical,* ⑬ *vagin,* ⑧ *petites lèvres,* ⑨ *grandes lèvres,* ⑭ *orifice des glandes de Bartholin.*

Il est souhaitable que vous puissiez exposer avec précision les antécédents de vos proches : fibrome, cancer du sein (de votre mère), diabète, hypertension artérielle, malformation, mongolisme, etc.

Vos antécédents personnels sont de grande importance. Il vous sera demandé la date de vos premières règles, leur rythme, leur abondance, leur durée, les signes d'accompagnement, à savoir douleurs mammaires, irritabilité, gonflement, pertes de sang entre les règles, pertes blanches s'accompagnant ou non de démangeaisons ou de douleurs.

Sur un plan plus général, vous indiquerez les maladies graves dont vous avez été atteinte pendant votre enfance ou adolescence, et celles bien sûr dont vous souffrez actuellement (cardiopathies, diabète, hypertension, cholestérol...).

Vos antécédents chirurgicaux retiendront l'attention; gardez précieusement les comptes rendus opératoires si toutefois votre chirurgien vous les a confiés.

Sont particulièrement importantes les interventions intéressant la cavité abdominale (appendicite, péritonite, occlusion intestinale,...) et sur le plan plus strictement gynécologique, fausses couches provoquées ou spontanées, perforation utérine, salpingite, cœlioscopie*, etc.

N'oubliez pas d'apporter avec vous les comptes rendus d'examens qui ont été faits antérieurement, échographies*, hystérographies*, dosages hormonaux, frottis* du col de l'utérus,... ils permettront une étude comparative quelquefois des plus éloquentes... Votre profil somatique est enfin détaillé.

Reste votre profil psychologique; vous direz ou ne direz pas vos difficultés de couple, vos soucis familiaux, vos impératifs professionnels... Sachez seulement que nombre de troubles gynécologiques sont directement en relation avec des difficultés psychologiques.

L'examen gynécologique proprement dit comporte une série de gestes simples et indolores. Il doit être pratiqué rectum et vessie vides aux environs du dixième jour du cycle.

L'examen de la vulve peut révéler diverses infections : un eczéma, une infection latente qui peut intéresser les glandes annexes (bartholinites) et qui oblige à un examen de laboratoire afin de rechercher le ou les germes en cause.

L'examen au spéculum permet une vision directe, du vagin d'abord, puis du col; on appréciera l'état de la glaire qui au dixième jour doit être filante et transparente, ce qui est un excellent signe de fertilité; opalescente, « sale », elle évoque une infection. De toute façon un frottis de dépistage du col et de l'endocol sera pratiqué.

Le toucher vaginal précisera le volume, la forme, la position de l'utérus, la présence ou l'absence de tuméfactions des trompes et des ovaires.

L'examen gynécologique le plus habituellement se limite à ces gestes simples, cependant en cas d'anomalie, seront pratiqués une série d'examens complémentaires, à savoir l'hystérométrie, la colposcopie, l'hystéroscopie, l'hystérographie*, la biopsie* de l'endomètre, voire la cœlioscopie.

L'examen gynécologique ne saurait être complet sans un examen mammaire (▷ bilan sénologique).

☞ INDEX THÉMATIQUE *(GYNÉCOLOGIE, OBSTÉTRIQUE, SÉNOLOGIE)*

gynécomastie

On appelle gynécomastie l'apparition, au moins à l'état d'ébauche, d'un tissu mammaire de type féminin chez l'homme.

Les glandes mammaires de l'homme restent normalement atrophiques à l'âge adulte, même si elles peuvent subir auparavant un très discret développement momentané à la période de l'adolescence. Mais elles gardent la possibilité de se développer, au moins partiellement, à n'importe quel âge si l'influence hormonale se modifie dans un sens plus féminin.

Une gynécomastie apparaît lorsque la concentration d'hormones mâles (tout particulièrement de dihydrotestostérone) au niveau même du tissu mammaire diminue tandis que celle d'hormones féminines (en particulier d'estradiol) augmente. Plus le déséquilibre hormonal sera intense, plus le développement mammaire sera rapide, éventuellement discrètement douloureux, et plus les mamelons vont s'élargir et se pigmenter.

Ainsi, la gynécomastie peut être provoquée chez un homme non seulement par l'administration directe des hormones féminines, mais aussi par certains produits qui n'ont a priori rien à voir avec les hormones, tels certains tranquillisants ou antidépresseurs, certains produits pour le cœur, la tension artérielle, l'estomac, mais qui peuvent perturber le fonctionnement des testicules ou la vitesse de destruction des hormones dans le tissu mammaire.

Dans d'autres cas, la gynécomastie apparaît spontanément, en dehors de toute prise de médicament, et correspond le plus souvent à un défaut de fonctionnement des testicules, lié soit au vieillissement, soit à une vraie maladie testiculaire nécessitant un diagnostic rapide.

 ■ puberté ■ testicules

hallucinations

L'hallucination est une illusion des sens dénuée de tout support réel. Elle entraîne, chez le sujet atteint, une entière conviction.

Les hallucinations sont de type divers : les voix malveillantes des psychotiques, les zoopsies et les hallucinations liliputiennes des alcooliques, les hallucinations cutanées des cocaïnomanes. Quand elles sont de survenue brutale il faut penser à une psychose aiguë, une absorption d'alcool, d'héroïne, plus rarement à une maladie infectieuse ou une affection neurologique : il faut toujours hospitaliser d'urgence.

 ■ délire ■ schizophrénie ■ alcoolisme

hallux valgus

 ■ orteils (déformation des)

hanche

 ■ arthrite ■ arthrose ■ boiterie de l'enfant et/ou douleurs de la hanche ■ coxarthrose (arthrose de la hanche) ■ fémur (fracture du col du) ■

luxation congénitale de la hanche ■ **marche** *(refus de la)* ■ **marche** *(troubles de la démarche de l'enfant)* ■ **orthopédie** *(traitement en)* ■ **ostéonécrose aseptique de la tête fémorale** ■ **pseudo-polyarthrite rhizomélique**

hauteur utérine

☞ ■ **fœtus** *(état de santé du)* ■ **grossesse** *(généralités et surveillance)* ■ **grossesse et anomalie du développement de l'utérus** ■ **hydramnios**

hématémèse

☞ **hémorragie digestive haute** *(œsophage, estomac et duodénum)*

hématome rétro-placentaire

Il s'agit d'un accident dramatique survenant dans les derniers mois de la grossesse, quelquefois inopiné, le plus souvent secondaire à un syndrome vasculo-rénal (▷ grossesse et hypertension artérielle); le placenta se décolle sur toute ou partie de sa surface.

— Le décollement intéresse la totalité du placenta : il s'agit d'un accident aigu avec mort immédiate du fœtus, douleurs utérines intenses, contractures de l'utérus (utérus de bois), état de choc maternel. Le tableau clinique est impressionnant et exige une hospitalisation urgente. Le travail se déclenche en général rapidement avec accouchement d'un enfant mort.

— Le décollement est localisé : les signes ne sont pas toujours évidents et peuvent se résumer, outre l'hypertension et l'albuminurie, à une petite hémorragie et à une souffrance fœtale inexpliquée. Le diagnostic est fait le plus souvent par l'échographie* qui montre un hématome de petit ou moyen volume, décollant partiellement le placenta. Là encore, l'hospitalisation d'urgence est impérative; une césarienne immédiate tentera de sauver un enfant de faible poids et prématuré, mais dont on peut espérer une croissance normale.

hématurie

La présence de globules rouges dans les urines ou hématurie est un symptôme qui nécessite toujours la recherche d'une lésion rénale ou des voies excrétrices urinaires responsables.

Le diagnostic est établi après confrontation des informations fournies par l'interrogatoire du patient et l'examen clinique, et les données des examens complémentaires et radiologiques :

— l'interrogatoire et l'examen clinique recherchent des troubles de l'émission urinaire, des douleurs lombaires, une fièvre, une hypertension artérielle et la présence de caillots dans les urines;

— les examens complémentaires urinaires confirment la présence de l'hématurie et recherchent une infection urinaire (examen cyto-bactériologique des urines*) et/ou une protéinurie* associée. Une prise de sang permet de détecter d'éventuels stigmates d'insuffisance rénale : élévation de l'urée et de la créatinine. L'échographie*, l'urographie* intra-veineuse et la cystoscopie* visualisent l'anomalie.

Après ce bilan, le diagnostic s'établit ainsi :

— l'association d'une hématurie, de brûlures en urinant et d'une éventuelle fièvre est le plus souvent révélatrice d'une *infection urinaire*; elle est confirmée par l'examen cyto-bactériologique des urines (infection bactérienne, plus rarement tuberculeuse ou parasitaire);

— des douleurs lombaires unilatérales très violentes font suspecter une *colique néphrétique* provoquée par une lithiase, visible à l'échographie ou à l'urographie, ou par des caillots émis par le rein lors d'une hématurie due à un cancer ou à une maladie kystique du rein;

— l'association d'une protéinurie, d'une hématurie et d'une hypertension artérielle évoque une *glomérulo-néphrite*;

— des troubles de l'émission urinaire sont en faveur d'une anomalie des voies excrétrices : *adénome*, *cancer de la prostate*, *tumeur de la vessie* bénigne ou maligne.

En cas d'hématurie macroscopique (urines teintées en rouge), il est recommandé de boire beaucoup, afin d'éviter le blocage d'un caillot dans les voies urinaires qui pourrait provoquer une colique néphrétique ou une rétention aiguë d'urine. Ce conseil ne s'applique cependant pas aux malades qui sont en train de souffrir d'une colique néphrétique. Ces malades doivent en effet restreindre les boissons pendant la douleur, puis les augmenter après.

hémiplégie

☞ ■ **accident vasculaire cérébral** ■ **paralysie** ■ **tumeurs cérébrales**

hémocultures

Il s'agit de prélèvements sanguins stériles immédiatement ensemencés sur des milieux de culture. Les hémocultures permettent l'isolement et l'analyse du germe responsable d'une septicémie, qui est un passage massif et répété de ce germe dans le sang à partir d'un foyer infectieux initial.

Les hémocultures seront pratiquées plusieurs fois avant tout traitement antibiotique, notamment au moment d'une élévation de la fièvre, puis pendant et après le traitement afin de vérifier la guérison de la septicémie. Un antibiogramme est systématiquement effectué afin de tester la sensibilité du germe responsable aux antibiotiques.

hémodialyse

 épurations extra-rénales

hémoglobine

L'hémoglobine est le constituant essentiel des globules rouges (▷ sang). Sa fonction principale est de transporter l'oxygène depuis les poumons jusqu'aux tissus. Sa structure est complexe : elle est constituée de deux parties : la *globine* et l'*hème*. L'hème contient un atome de fer capable de fixer une molécule d'oxygène; chaque molécule d'hémoglobine possède quatre hèmes et peut donc transporter quatre molécules d'oxygène.

Maladies de l'hémoglobine

Ce sont des maladies héréditaires rares en Europe, à l'exception du Bassin méditerranéen, mais très fréquentes en Afrique et en Asie. Elles se répartissent en deux groupes :

— les anomalies des mécanismes de synthèse de la globine : ce sont les *thalassémies*. Votre médecin y songera lorsqu'un enfant originaire d'une zone à risques présente une anémie évoquant une carence en fer bien que le taux d'hémoglobine soit normal. Des examens spécialisés permettant l'étude de l'hémoglobine affirmeront le diagnostic. Une enquête familiale est nécessaire;

— les anomalies de la structure de la globine : elles sont responsables des *hémoglobinopathies*. La *drépanocytose* est la plus fréquente : votre médecin y pensera lorsqu'un enfant africain ou antillais sera atteint d'anémie hémolytique évoluant par crises et d'obstructions vasculaires; la découverte de globules rouges anormaux, en forme de faux, en évoquera le diagnostic qui sera confirmé par des examens spécialisés. Le traitement est avant tout préventif : traitement des infections, précautions en cas d'opération. Des techniques de dépistage anténatal sont actuellement expérimentées.

 ■ pâleur ■ anémies

hémogramme normal

 sang

hémophilie

Si votre fils est souvent atteint d'hématomes « spontanés » ou si, à l'occasion d'une petite opération chirurgicale (végétations, appendice, amygdale), il a présenté un saignement important et difficile à contrôler, il est peut-être atteint d'hémophilie.

L'hémophilie correspond à un déficit de certains facteurs qui permettent la coagulation du sang. Pour votre médecin, l'hypothèse sera d'autant plus vraisemblable que des cas identiques existeront déjà dans votre famille. En effet, l'hémophilie est une maladie héréditaire qui ne s'exprime que chez les garçons mais qui est transmise par les femmes.

Pour confirmer le diagnostic, votre médecin prendra contact avec un centre spécialisé qui pratiquera les examens sanguins nécessaires. Ce centre prendra également en charge l'hémophile et sa famille. L'hémophile devra constamment porter sur lui une carte précisant le type de l'hémophilie et sa gravité, son groupe sanguin et certains renseignements indispensables pour le traitement. Par ailleurs, il faudra examiner le reste de la famille afin de dépister chez les frères des hémophiles légers qui risquent d'aggraver leur maladie à l'occasion d'une opération. Il faudra également déceler les sœurs « conductrices » grâce à l'existence d'anomalies biologiques; elles devront être suivies par un spécialiste en conseil génétique.

Le traitement des hémorragies consiste à pourvoir l'organisme en facteurs manquants, grâce à des fractions de sang de donneurs spécialement préparées. Votre médecin décidera du transport en centre spécialisé en cas de risque grave.

 ■ sang ■ coagulation ■ transfusion ■ diagnostic anténatal des maladies fœtales

hémoptysie

Au cours d'un effort de toux, vous avez expectoré un crachat sanglant ou même du sang pur : il s'agit d'une hémoptysie; ceci doit vous faire consulter votre médecin rapidement.

Face à un tel symptôme, les questions qui se posent à votre médecin sont en général de trois sortes.

S'agit-il d'une hémoptysie ?

En effet, il ne faut pas confondre ce symptôme — crachat sanglant après une *toux* — avec l'hématémèse qui est le rejet de sang au cours d'efforts de *vomissements*, parfois mêlé d'aliments et provenant le plus souvent de l'estomac. La confusion est également possible avec un saignement de nez s'écoulant en arrière, dans la gorge, provoquant la toux et le rejet de sang par la bouche.

Quelle est l'abondance de l'hémoptysie?

De faible abondance et isolée dans le temps, elle ne vous fait pas courir de risque immédiat. A l'opposé, d'abondance importante, elle peut s'associer à des troubles respiratoires et justifie alors l'hospitalisation en urgence.

Quelle est la cause de l'hémoptysie?

Chez l'adulte de plus de 40 ans, fumeur, la crainte est avant tout celle du cancer bronchique; c'est dire que la survenue d'une hémoptysie, si minime soit-elle, justifie une radiographie* des poumons et surtout une endoscopie* bronchique, seul examen capable de visualiser correctement la lésion à l'origine du saignement. Cet examen sera fait par le pneumologue à la demande de votre médecin traitant.

En dehors du cancer bronchique, de nombreuses autres causes sont possibles; citons en particulier la tuberculose pulmonaire, la bronchite chronique surtout s'il existe une surinfection bactérienne, la dilatation des bronches, l'inhalation d'un corps étranger, l'embolie pulmonaire et, plus rarement, une pneumonie virale ou bactérienne.

L'hémoptysie est un symptôme qu'il ne faut jamais négliger; elle est parfois révélatrice d'affections pulmonaires graves, dont les chances de guérison sont d'autant plus importantes que le traitement adapté est entrepris précocement.

 ■ **bronches** (cancer des) ■ **embolie pulmonaire** ■ **tuberculose pulmonaire** ■ **bronchite chronique**

 # hémorragie

 ■ **plaies** ■ **épistaxis** ■ **hématurie** ■ **hémoptysie** ■ **rectorragie** ■ **hémorragie digestive haute** (œsophage, estomac et duodénum) ■ **méléna** ■ **hémorragie méningée** ■ **œil rouge** ■ **hémorragie interne** ■ **hémorragie du premier trimestre de la grossesse** ■ **hémorragie du troisième trimestre de la grossesse** ■ **règles ou menstruations**

 # hémorragie digestive haute
(œsophage, estomac et duodénum)

 Vous avez vomi du sang (*hématémèse*) et/ou observé l'émission de selles noires comme du goudron, molles, nauséabondes, évoquant du sang digéré (*méléna*). Il s'agit d'une hémorragie dont l'origine est habituellement œsophagienne, gastrique ou duodénale (le méléna peut toutefois être aussi d'origine colique). Vous ne confondrez pas la couleur du méléna avec celle, foncée, mine de crayon, que donne un traitement oral par le fer.

Il faut appeler votre médecin en urgence quelle que soit l'abondance de l'hémorragie car, si l'évolution est souvent spontanément favorable, l'aggravation est possible sans que l'on puisse en préjuger.

Le rôle de votre médecin est de reconnaître qu'il s'agit bien d'une hémorragie digestive, d'apprécier la quantité de sang perdu et d'organiser rapidement le transfert à l'hôpital. Là sont effectués les premiers gestes:
— prise de sang pour groupe sanguin, numération globulaire, etc.;
— pose d'une perfusion veineuse;
— pose d'une sonde dans l'estomac (qui peut ramener du sang) et pratique d'un toucher rectal (à la recherche d'un méléna);
— une endoscopie* œso-gastro-duodénale qui peut, si besoin est, être réalisée au lit du malade, en réanimation par exemple, permettra de préciser le siège et la cause de l'hémorragie. La radiographie après absorption de baryte (transit œso-gastro-duodénal*) a moins d'intérêt, surtout en période hémorragique. L'artériographie* digestive est indiquée dans des cas très particuliers.

Les étiologies sont nombreuses. Il est commode de les envisager organe par organe.

— *Au niveau œsophagien*, les principales causes sont: une rupture de varice œsophagienne due en règle générale à une cirrhose (à la suite d'une augmentation de la pression dans les veines, drainées par le tronc porte, appelée hypertension portale), une ulcération par œsophagite, elle-même secondaire à un reflux gastro-œsophagien associé souvent à une hernie hiatale, une tumeur.

— *A l'étage gastrique*, on observe des ulcères (de stress, médicamenteux...), des tumeurs bénignes ou malignes, certaines formes rares de gastrite hémorragique.

— *Au niveau duodénal*, c'est l'ulcère du bulbe qui est de très loin l'affection la plus souvent rencontrée; le saignement est parfois favorisé par la prise d'aspirine.

Le traitement comprend deux volets:
— *symptomatique*: surveillance et réanimation en milieu spécialisé,

– *étiologique* : traitement anti-ulcéreux, pose d'une sonde à ballonnets pour « tamponner » des varices œsophagiennes, etc. L'arrêt du saignement (l'hémostase) doit parfois être obtenue par voie endoscopique (coagulation, laser, sclérose de varice) ou chirurgicale.

 ■ méléna ■ rectorragies ■ ulcère gastrique et duodénal ■ cirrhose du foie d'origine alcoolique ■ hernie hiatale ■ anti-inflammatoires cortisoniques et non cortisoniques ■ aspirine ■ stress

hémorragie interne

Un saignement non extériorisé, ou hémorragie interne, se traduit par des signes propres, indépendants de la cause.

L'hémorragie interne se caractérise par une altération souvent brutale de l'état du malade, parfois précédée par de petits malaises, des vertiges, des palpitations. A l'examen le malade est pâle, ses conjonctives décolorées et le pouls accéléré. La tension artérielle est basse : ceci témoigne d'un effondrement du volume de la circulation sanguine.

Le transport de la victime vers un centre chirurgical avec apport d'oxygène, perfusions et transfusions, permet d'opérer et d'arrêter l'hémorragie. Le pronostic d'une hémorragie interne dépend essentiellement du temps écoulé entre le début des signes et l'intervention chirurgicale.

Les traumatismes abdominaux, les hémorragies digestives, les grossesses extra-utérines rompues sont les causes les plus fréquentes d'hémorragie interne (▷ ces mots).

 secours d'urgence

hémorragie méningée

Un adulte jeune, à l'occasion d'un effort, d'un rapport sexuel, d'une exposition au soleil, ou parfois inopinément, souffre soudainement de maux de tête intenses – localisés au début, puis rapidement diffus à l'ensemble du crâne –, accompagnés de nausées et de vomissements. C'est probablement une hémorragie méningée.

Le médecin consulté retrouve les premiers signes du syndrome méningé accompagnant les maux de tête toujours très intenses : raideur douloureuse de la nuque, impossibilité de fléchir les membres inférieurs sur le bassin. Ces signes méningés peuvent être différés et manquer au début. La prise de température montre l'absence de fièvre. L'examen neurologique est le plus souvent normal.

L'hospitalisation d'urgence est nécessaire pour réaliser un scanner* cérébral qui, dans 90 % des cas, découvrira l'hémorragie méningée dans les premières vingt-quatre heures. Sinon, la ponction* lombaire s'impose ; elle confirmera l'hémorragie méningée en ramenant un liquide hémorragique.

La cause de l'hémorragie est très fréquemment une malformation vasculaire cérébrale et, en particulier, un anévrysme artériel ; seule l'artériographie* cérébrale le montrera et permettra d'orienter la thérapeutique.

Le traitement des anévrysmes artériels est neurochirurgical ; il est urgent et vise à éliminer la malformation, de façon à éviter une récidive hémorragique toujours très grave. Il semble qu'actuellement le meilleur moment pour opérer soit le plus tôt possible après l'hémorragie afin d'éviter le risque de spasme post-opératoire.

hémorragie nasale

 épistaxis

hémorragie sous-conjonctivale

☞ œil rouge

hémorragies génitales entre les règles

☞ règles ou menstruations

hémorragies du premier trimestre de la grossesse

Ces hémorragies posent une série de questions auxquelles un examen clinique minutieux et des examens complémentaires simples permettent le plus souvent d'apporter une réponse satisfaisante.

Première question : s'agit-il d'une hémorragie urinaire ou génitale ? La distinction n'est pas toujours évidente ; un examen de laboratoire infirmera ou confirmera la présence de sang dans les urines.

Deuxième question : l'hémorragie est d'origine génitale ; vient-elle du col ou de la grossesse ?
– Un examen au spéculum et un frottis permettront de vérifier l'intégrité du col ou la présence d'une lésion bénigne (polype, infection) ou maligne.
– L'hémorragie vient de l'utérus lui-même, c'est-à-dire de la grossesse : bien plus que des dosages hormonaux, l'examen majeur est l'échographie*.

Elle permet de visualiser :
— Une grossesse normale dont l'évolution sera satisfaisante (se méfier cependant d'une malformation fœtale qui impose une vérification échographique au quatrième mois de la grossesse).
— Une menace effective de fausse couche avec un retard de croissance important ou un œuf plissé dont l'expulsion est imminente.

Plus rarement, l'échographie peut montrer :
— un *œuf clair* avec son trophoblaste en couronne et l'absence d'embryon;
— un *utérus vide* : si les réactions immunologiques de grossesse sont positives, le diagnostic de grossesse extra-utérine est évident et impose une cœlioscopie* et, *a priori*, un traitement chirurgical;
— des « *flocons de neige* » sans fœtus visible : il s'agit d'une grossesse molaire qui impose une aspiration soigneuse et complète ainsi que des contrôles hormonaux (H.C.G.) répétés;
— une *grossesse gémellaire*, quelquefois, avec involution d'un des jumeaux mais croissance normale du deuxième;
— une *insertion basse du placenta* (ou placenta praevia) dont l'évolution et l'ascension doivent être surveillées mais qui, généralement, ne met pas en péril l'avenir de la grossesse.

Au total, les hémorrragies du premier trimestre de la grossesse relèvent d'un examen majeur : l'échographie qui en définit le plus généralement les causes et par voie de conséquence le traitement.

☞ ■ fausses couches spontanées du premier trimestre de la grossesse ■ grossesse extra-utérine ■ placenta praevia ■ fœtus *(état de santé du)*

quelques pertes de sang bientôt suivies de mucosités; il s'agit très probablement du bouchon muqueux, et l'accouchement, sans être imminent, ne saurait tarder.
— Vous devez considérer comme inquiétante cette hémorragie indolore, inopinée, même si elle est intermittente et d'importance variable et consulter rapidement dans un centre spécialisé : il s'agit, et c'est hautement probable, d'un placenta praevia. L'évolution est imprévisible : si le bébé n'est pas à terme, l'hémorragie minime, on peut différer l'accouchement jusqu'à une bonne maturité fœtale; si l'hémorragie est importante et met en péril la vie de la mère et celle de l'enfant, il convient d'extraire le bébé soit par rupture des membranes (qui, en principe, met fin à l'hémorragie), soit par césarienne.
— Plus inquiétante sera l'hémorragie, souvent minime, de sang noir qui s'accompagne d'une douleur globale ou localisée de l'utérus. Il s'agit d'un *hématome rétro-placentaire* qui interrompt en tout ou en partie la circulation fœto-maternelle et qui met donc en péril la vie de l'enfant : si l'hématome est total, la mort de l'enfant est immédiate et l'expulsion rapide; si l'hématome est partiel, son évolution sera contrôlée jour après jour par échographie*, en fonction de quoi sera définie l'attitude thérapeutique, à savoir, tenter de différer l'accouchement jusqu'à un terme acceptable ou accoucher par césarienne ou par voie basse un enfant en danger de mort.

☞ ■ accouchement *(généralités)* ■ placenta praevia ■ hématome rétro-placentaire ■ fœtus *(état de santé du)* ■ césarienne

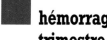

hémorragies du troisième trimestre de la grossesse

Les hémorragies du troisième trimestre de la grossesse demandent d'autant plus d'attention qu'elles sont relativement rares. Leur signification bénigne ou grave exige une démarche diagnostique précise pour déterminer leur cause : examen obstétrical et recherches complémentaires vont en préciser et le diagnostic et la thérapeutique.

Leur gravité est éminemment variable.
— Vous avez quelques pertes de sang, surtout après les rapports, qui s'accompagnent de pertes blanches; un examen au spéculum reconnaîtra facilement une infection du col de l'utérus (cervicite) en général due à un champignon et de traitement simple, quelquefois un polype du col et très exceptionnellement un cancer.
— Vous approchez du terme de votre grossesse, vous avez quelques contractions et vous présentez

hémorroïdes

Les hémorroïdes sont des dilatations des veines sous-muqueuses et sous-cutanées du plexus ano-rectal. Elles sont semblables à des varices et peuvent être externes et donc visibles et palpables à la marge anale, ou internes et alors seulement détectables par l'anuscopie (examen à l'aide d'un petit tube rigide de quelques centimètres de long et d'une source de lumière).

Vous vous plaignez d'une pesanteur ou d'une douleur anale, souvent à l'occasion d'un excès alimentaire ou d'une diarrhée. L'examen de l'anus révèle facilement la présence d'hémorroïdes externes. La poussée hémorroïdaire peut se résoudre spontanément en quelques jours. Si la poussée vous semble trop importante, il faut consulter votre médecin qui vérifiera l'absence de complications et vous proposera un traitement.

Des complications sont en effet possibles :
— la procidence hémorroïdaire, ou glissement qui s'extériorise sous la forme d'une « boule » qui peut

se réduire facilement ou plus difficilement, mais qui parfois est permanente;

— la thrombose hémorroïdaire peut être externe, très douloureuse, visible sous la forme d'une tuméfaction bleutée, indurée. Vous pouvez dans certains cas être immédiatement soulagé par une incision avec curetage du caillot.

— L'hémorragie hémorroïdaire se signale par des émissions de sang rouge par l'anus ou rectorragies (▷ ce mot) après ou même en dehors des selles, ou bien seulement sur le papier hygiénique.

Quel que soit le motif de la consultation, votre médecin pratiquera un examen de la marge anale, une anuscopie, un toucher rectal. En cas de rectorragie, l'endoscopie* est indispensable car il faut bien se garder d'attribuer sans preuve une rectorragie à des hémorroïdes. Les modalités thérapeutiques sont fort nombreuses et toutes ne sont pas nécessaires dans chaque cas. Il s'agit de :

— régularisation du transit, toujours utile ;

— pommades et suppositoires, plus parfois des « veino-toniques » ;

— injections sclérosantes faites à travers l'anuscope et surtout utiles en cas de rectorragies,

— traitement des procidences par ligature élastique de la base de l'hémorroïde (ce qui entraîne sa nécrose progressive puis sa chute) et/ou par cryothérapie ;

— la chirurgie enfin est nécessaire dans certains cas (sans parler ici de la simple incision d'une thrombose, vue plus haut).

hépatites virales (A, B ou non A-non B)

Vous vous sentez fatigué et fébrile, vous avez moins d'appétit, vous souffrez de troubles digestifs (nausées, vomissements, diarrhée), de douleurs articulaires et musculaires, parfois de maux de tête et d'urticaire. Il s'agit peut-être là de la phase pré-ictérique d'une hépatite virale. Cette phase dure de 3 à 9 jours. Lui succède le plus souvent une phase ictérique (jaunisse) caractérisée par : la couleur jaune des téguments et des conjonctives, la coloration brune des urines, la décoloration des selles.

Dès le stade pré-ictérique, votre médecin peut affirmer le diagnostic d'hépatite aiguë sur la constatation d'une élévation franche des transaminases. Afin d'aboutir au diagnostic d'hépatite virale aiguë, il s'aidera d'arguments tirés de votre interrogatoire et d'examens de laboratoire.

En faveur d'une hépatite A (incubation : 2 à 4 semaines) il retiendra :

— l'ingestion de fruits de mer,

— le contact intime avec un sujet porteur d'une hépatite A,

— la découverte dans le sang d'anticorps anti-virus A.

En faveur d'une hépatite B (incubation : 1 à 6 mois) :

— le contact sexuel avec un sujet porteur d'hépatite B,

— une piqûre accidentelle avec du matériel médical souillé par le sang d'un sujet porteur d'hépatite B, (les donneurs de sang font aujourd'hui systématiquement l'objet d'un dépistage de l'hépatite B),

— la découverte dans le sang du malade de l'antigène B ou d'anticorps anti-virus B.

En faveur d'une hépatite non A-non B :

— piqûre avec du matériel médical souillé ; transfusion de sang contaminé,

— négativité de la recherche biologique spécifique de l'hépatite A et de l'hépatite B.

Le diagnostic de la nature de l'hépatite virale étant fait, votre médecin doit encore vous proposer un traitement et surtout vous expliquer les mesures préventives.

Le traitement de l'hépatite virale ne comporte que des mesures symptomatiques (repos prolongé, anti-nauséeux) ainsi que l'arrêt de la consommation de boissons alcoolisées et de la contraception par la pilule œstro-progestative. Le patient peut s'alimenter normalement, mais ceci en fonction de sa tolérance digestive.

Les mesures préventives pour l'entourage peuvent être : lavage soigneux des mains, nettoyage de l'eau de Javel des toilettes après chaque selle, utilisation de couverts réservés au malade, parfois injection de gammaglobulines et/ou vaccination.

Nous disposons d'un vaccin contre l'hépatite B efficace et sans danger. Il est plus particulièrement destiné aux professionnels de la santé, aux patients poly-transfusés, aux dialysés chroniques, aux drogués, aux homosexuels masculins et leurs partenaires (3 injections à 1 mois d'intervalle, rappel un an plus tard, puis tous les 5 ans).

Nous avons déjà signalé l'intérêt du dépistage systématique de l'hépatite B chez les donneurs de sang et de l'utilisation de matériel médical à usage unique.

Il reste à votre médecin à établir un calendrier de surveillance.

— L'hépatite virale A est toujours bénigne. Elle ne nécessite que le contrôle du retour à la normale des transaminases.

— Les hépatites virales B et non A-non B sont elles aussi habituellement bénignes. Cependant un petit nombre d'entre elles deviennent chroniques : la persistance d'un taux élevé de transaminases à 6 mois d'évolution impose la biopsie* du foie. Cette biopsie permettra de distinguer l'hépatite chronique persistante qui n'entraîne pas de détérioration hépatique grave, de l'hépatite chronique active qui évolue parfois vers la cirrhose.

— Exceptionnellement l'hépatite virale (essentiellement B) est responsable d'une insuffisance hépatique suraiguë, pouvant parfois entraîner le décès du malade. Ces patients doivent être hospitalisés en unité de soins intensifs.

En conclusion, retenons que l'hépatite virale est une maladie bénigne dans la très grande majorité des cas. Si le plus souvent elle se signale par les signes décrits plus haut, il n'est pas rare de rencontrer un patient porteur-sain de l'antigène B n'ayant jamais souffert des symptômes de la maladie. Il sera exclu des donneurs de sang.

 grossesse et infections

hernie abdominale

La hernie est une extériorisation d'un organe abdominal à travers un orifice anormal de la paroi.

Hernies inguinales de l'enfant

C'est la persistance anormale d'un canal entre l'abdomen et la bourse, par lequel un segment intestinal peut passer. Ce canal se ferme avant la naissance, parfois dans le premier semestre de la vie.

Votre enfant a une boule dans l'aine, qui grossit au moment des efforts (toux et pleurs notamment).

Si le segment digestif sorti dans la hernie ne peut plus rentrer, on dit que la hernie est *étranglée*. Elle devient douloureuse puis apparaissent des vomissements. L'enfant doit alors être opéré d'urgence.

La plupart des hernies doivent être opérées, sauf les petites hernies chez les nourrissons de moins de 3 mois, qui peuvent guérir spontanément, éventuellement avec un bandage (▷ ombilic).

Hernies abdominales de l'adulte

La hernie fait issue à travers un orifice correspondant à une zone de faiblesse de la paroi abdominale. Elle entraîne une gêne souvent importante. Mais le risque principal est celui d'étranglement et d'occlusion intestinale. Les formes les plus fréquentes sont les hernies inguinales et les hernies crurales. Les hernies ombilicales sont les plus rares.

– *La hernie inguinale de l'adulte* s'infiltre le long du cordon testiculaire en soulevant le rebord des muscles abdominaux et peut atteindre les bourses. La hernie se révèle ainsi par l'apparition d'une boule molle, indolore, facilement réductible avec la main ou en position couchée. Dans le sac herniaire se trouve habituellement une anse intestinale, serrée au collet de la hernie, qui réalise un anneau non distensible. Si cette anse se bloque, devient dure, douloureuse et ne peut être réintégrée dans l'abdomen, il s'agit d'un étranglement qui oblige à une intervention chirurgicale urgente. Dès qu'une hernie inguinale est découverte, il est bon de l'opérer afin d'éviter cet accident d'étranglement et l'occlusion qui en résulte. L'intervention a pour

but de renforcer la paroi soit en resserrant les plans musculaires, soit, si nécessaire, en interposant une plaque synthétique. Tout patient porteur d'une hernie risque un accident d'étranglement.

– *Les hernies crurales* se rencontrent chez la femme âgée. Il s'agit d'une faiblesse de la paroi abdominale qui permet le passage d'une anse digestive sous l'arcade crurale située en haut de l'aine. L'étroitesse du passage sous l'arcade aboutit fréquemment à un étranglement, facilement libéré chirurgicalement par la section de l'arcade qui est réparée en fin d'intervention. Là aussi, l'intervention préventive est préférable à la chirurgie d'urgence.

– *La hernie ombilicale* chez l'adulte doit être opérée, car elle présente un risque d'étranglement.

– Parfois, la hernie siège un peu plus haut que l'ombilic : il s'agit d'une *hernie de la ligne blanche* dans laquelle on ne retrouve habituellement pas d'intestin. L'indication opératoire dans ce cas vient de la gêne ressentie par le patient.

– *L'éventration* est une hernie à travers une cicatrice opératoire dont la suture musculaire a lâché. La gêne occasionnée est souvent importante, et l'étranglement possible.

 occlusion intestinale

hernie discale

 ■ **disque inter-vertébral** ■ **lumbago aigu** ■ **sciatique par hernie discale**

hernie hiatale

 Vous avez une hernie hiatale lorsqu'il existe un passage permanent ou intermittent d'une partie de votre estomac à travers un orifice du diaphragme appelé hiatus œsophagien ; c'est par cet orifice que passe l'œsophage pour aller du thorax dans l'abdomen. Il existe deux grands types de hernie hiatale : par glissement (les plus fréquentes) et par roulement. Dans la première variété, le cardia (jonction de l'œsophage avec l'estomac) remonte dans le thorax, ce qui favorise le reflux gastro-œsophagien. Dans l'autre, c'est une partie de la grosse tubérosité (partie supérieure de l'estomac) qui remonte dans le thorax en passant à côté de l'œsophage ; cela explique la possiblitié de signes cardio-pulmonaires après les repas.

Vos symptômes sont en rapport avec le reflux gastro-œsophagien et sont volontiers favorisés par certaines positions : penché en avant, couché. Il s'agit de brûlures ascendantes derrière le sternum (pyrosis) et de régurgitations, plus rarement d'une toux spasmodique nocturne. L'apparition d'une

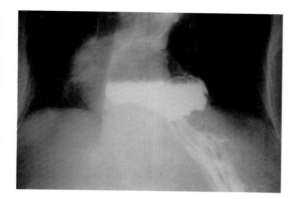

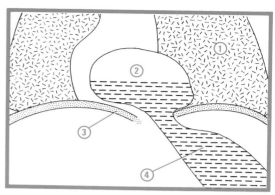

hernie hiatale. *Aspect d'une hernie hiatale sur une radiographie d'estomac (ci-dessus, à gauche). Le transit œso-gastro-duodénal montre une jonction œso-gastrique (cardia) ascensionnée, une poche herniaire et le collet de la hernie qui sépare celle-ci du reste de l'estomac. Ci-dessus, à droite : ① poumon, ② hernie, ③ diaphragme, ④ estomac.*

dysphagie (blocage du bol alimentaire) traduit souvent une complication : ulcère et/ou sténose de l'œsophage. D'autres complications sont possibles mais peu fréquentes : anémie, phlébite, ulcère du collet de la hernie.

Votre médecin vous proposera diverses explorations : un examen radiologique après ingestion de baryte ou transit* œso-gastro-duodénal. Une endoscopie* complétera ou remplacera parfois la radio ; elle confirme ou découvre la hernie et surtout permet de voir un éventuel retentissement sur l'œsophage ; elle permet aussi d'éliminer une lésion associée et de faire des biopsies*.

Le traitement médical cherche à limiter le reflux gastro-œsophagien et ses conséquences sur votre œsophage. Il comprend plusieurs volets :

Règles hygiéno-diététiques : maigrir en cas d'obésité, éviter les repas trop abondants (en particulier le soir), les boissons gazeuses et tout ce qui peut diminuer le tonus du sphincter inférieur de l'œsophage : les graisses, le chocolat, le café, l'alcool, le tabac... Il faut également éviter le port de vêtements ou gaines qui compriment l'abdomen et aussi la position allongée ou penchée après les repas.

Les médicaments qu'on peut vous prescrire sont de divers types :
— les uns sont des pansements, des anti-acides ou des anti-sécrétoires (ils diminuent la sécrétion gastrique acide),
— les autres renforcent le tonus du sphincter inférieur de l'œsophage et favorisent la vidange gastrique. Le traitement chirurgical est indiqué en cas d'échec du traitement médical et dans la plupart des hernies par roulement, pour éviter une complication particulière de ce type de hernie : l'étranglement.

☞ ■ reflux gastro-œsophagien ■ dysphagie

hernie hiatale du nourrisson

☞ vomissements du nourrisson

hernie ombilicale

☞ nouveau-né *(examens du)*

herpès

L'herpès est une maladie virale très fréquente et d'une extrême banalité, mais qui peut néanmoins devenir très gênante et invalidante selon sa localisation et la fréquence de ses poussées. Il peut être dangereux lorsqu'il survient chez la femme enceinte, car c'est une maladie contagieuse qui peut infecter le fœtus.

La primo-infection herpétique se manifeste chez un sujet non immunisé, qui n'a jamais été en contact avec le virus. Habituellement, la poussée est peu importante : elle se résume en un simple « bouton de fièvre » un peu douloureux ou à une plaque de peau rouge légèrement surélevée, couverte de petites « cloques » et accompagnée d'un ganglion sensible.

Parfois, la primo-infection herpétique se révèle chez le jeune enfant par une gingivo-stomatite aiguë : en quelques heures apparaît une forte fièvre ; l'enfant refuse de s'alimenter en raison de vives douleurs de la bouche, salive abondamment et son état général s'altère. Votre médecin découvre des gencives rouges, tuméfiées, saignantes au contact ; des vésicules et des bulles ont envahi la langue, la face interne des joues et des lèvres, le voile du palais, parfois le pourtour de la bouche et du nez. La maladie régresse spontanément en une

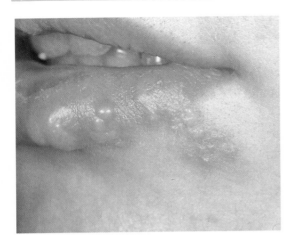

herpès. *Ces vésicules groupées en « bouquet » évoquent le diagnostic d'herpès.*

ou deux semaines. L'application d'antiseptiques et d'antalgiques locaux avant les repas calme les brûlures. Les premiers jours, lorsque le refus alimentaire est total, il est rare que l'on ait recours à des perfusions veineuses.

La primo-infection peut se localiser au niveau génital, car il existe deux virus de l'herpès : le *virus 1* qui contamine la partie haute du corps, et le *virus 2* qui contamine exclusivement la région génitale et fait de l'herpès une maladie sexuellement transmissible. Elle se traduit chez la femme par une inflammation très douloureuse de la vulve accompagnée de pertes blanches et de fièvre. Chez l'homme, la primo-infection est rarement aussi violente et se manifeste par une rougeur douloureuse couverte de petites élevures liquidiennes au niveau du gland ou de la verge.

En dehors de toute réinfection, il peut se produire des poussées d'herpès : c'est l'*herpès récurrent* dont le siège est généralement fixe chez un même individu. Il est souvent provoqué par un facteur déclenchant : fatigue, exposition au soleil, règles, stress. La poussée est annoncée vingt-quatre heures à l'avance par une sensation douloureuse de brûlure ou de picotement à l'emplacement de l'éruption ; puis une plaque rouge un peu surélevée apparaît et se couvre en quelques heures de petites élevures contenant un liquide clair, groupées en bouquet, qui vont se rompre et laisser de petites érosions recouvertes de croûtes. Tout rentrera dans l'ordre en dix jours environ.

Deux localisations sont préoccupantes : l'*herpès oculaire* et l'*herpès génital*, très inconfortable, qui peut durer deux à trois semaines et être transmis au partenaire. Chez la femme enceinte, l'herpès génital est une cause notable d'avortement et de prématurité. Dans certains cas, une césarienne sera

pratiquée pour éviter la contamination du nouveau-né lors de l'accouchement.

Les femmes enceintes qui présentent un herpès doivent se faire examiner régulièrement. Par ailleurs, il est démontré que le cancer du col de l'utérus est plus fréquent chez les femmes à antécédents d'herpès génital ; c'est pourquoi des frottis de dépistage annuels sont nécessaires afin de déceler toute transformation (▷ frottis du col de l'utérus [ou frottis de dépistage]).

 Le traitement de l'herpès est bien décevant :
— des pommades antivirales spécifiques peuvent avoir une action abortive en réduisant la poussée à trois ou quatre jours et en empêchant l'ulcération et la douleur, à condition d'être appliquées dès les premiers symptômes ;
— la protection par des écrans totaux s'avère utile en cas d'herpès solaire ;
— dans les formes chroniques graves ou les formes aiguës généralisées, un traitement par voie orale ou intra-veineuse permet la guérison rapide de la poussée mais ne protège pas contre les récidives.

 ■ **fœtus** *(état de santé du)* ■ **maladies sexuellement transmissibles** ■ **gland** *(lésions du)* ■ **vulve** *(maladies de la)* ■ **grossesse et infections**

Hirschsprung (maladie de)

 La maladie de Hirschsprung est due à une absence partielle ou totale des plexus nerveux qui commandent la motricité du côlon ; l'absence de ces plexus commence à l'anus et remonte plus ou moins haut selon l'étendue de la maladie. il s'ensuit une constipation importante avec une dilatation du côlon au-dessus de la zone dépourvue de motricité (d'où le terme de mégacôlon). Dans les formes étendues, il peut exister une occlusion intestinale à la naissance.

Le diagnostic est suspecté lorsqu'un enfant est constipé depuis la naissance. La constipation est plus importante avec du lait de vache qu'avec le lait maternel.

 Le diagnostic repose sur le lavement* baryté qui montre la dilatation ainsi qu'un changement de calibre situé plus ou moins près de l'anus ; il est confirmé par une biopsie* d'un fragment de paroi du rectum — par l'anus — qui montre l'absence de cellules nerveuses.

La plupart du temps, le diagnostic est fait dans les trois premiers mois de la vie. On réalise alors une colostomie, ou mise à la peau (provisoire) du côlon en zone saine, jusque vers l'âge de dix mois.

A ce moment, l'enfant est réopéré, et l'on abouche le côlon sain à l'anus en supprimant la zone malade.

hirsutisme

La répartition de la pilosité féminine est normalement, au premier coup d'œil, très nettement différente de la pilosité masculine. Pourtant dans certaines circonstances, la pilosité d'une femme peut se rapprocher de celle d'un homme : les poils sont nombreux sur les avant-bras, les cuisses, les jambes; ils peuvent remonter de la région pubienne vers le nombril, apparaître autour des mamelons, entre les seins, ou au niveau du visage (menton, « favoris », « moustache »).

Dans quelques rares cas, cette modification de la pilosité apparaît rapidement (parfois avant la puberté), de façon diffuse et intense, et s'accompagne d'une perturbation évidente des cycles menstruels. Elle correspond alors très souvent à une maladie des glandes surrénales ou des ovaires qui provoque la sécrétion de quantités anormales d'hormones mâles dans le sang − que l'on peut mesurer − et réclame rapidement un traitement spécifique.

Dans la majorité des cas, ces anomalies de pilosité apparaissent lentement et progressivement après la puberté, le plus souvent de façon hétérogène, et sans qu'il existe au même moment de perturbations évidentes du cycle ovarien. Il s'agit alors le plus souvent d'une sensibilité anormale de certains territoires cutanés à une stimulation hormonale qui, elle, est normale.

Cette sensibilité de la peau et des poils à une même dose d'hormone est très différente d'un sujet à l'autre pour des raisons le plus souvent génétiques, raciales par exemple. La pilosité statistiquement normale est par exemple très différente chez des Nordiques, des Méditerranéennes, des Asiatiques, des Africaines, etc.

Il est souvent possible de modifier cette situation pour les sujets qui sont particulièrement gênés, en utilisant des hormones anti-androgènes, inclues dans un traitement contraceptif par exemple.

 ■ hormones ■ puberté ■ surrénales
(glandes) ■ ovaire (tumeur de l')

Hodgkin (maladie de)

La maladie de Hodgkin est une tumeur maligne des organes lymphoïdes, définie par la présence de cellules tumorales caractéristiques, connues sous le nom de cellules de Sternberg.

Votre médecin pensera immédiatement à cette maladie s'il découvre une grosse rate et des ganglions chez un adulte qui se plaint d'une fatigue, d'un prurit, d'une fièvre traînante. Le diagnostic est souvent plus difficile. Dans tous les cas, l'examen microscopique d'un organe atteint, le plus souvent un ganglion prélevé chirurgicalement, est indispensable pour obtenir la certitude diagnostique.

Le traitement de la maladie de Hodgkin relève d'une équipe spécialisée. Il comprend plusieurs étapes :
− le bilan de l'extension de la maladie : la maladie de Hodgkin pouvant disséminer très rapidement dans tout l'organisme, il est nécessaire de vérifier l'état des ganglions superficiels et profonds, celui de la rate, de la moelle osseuse et de certains viscères comme le foie par l'examen clinique, divers examens radiographiques (lymphographie*, scanner*) et des biopsies*;
− le traitement initial : il associe radiothérapie et chimiothérapie selon les indications dépendant essentiellement du degré d'extension de la maladie;
− la surveillance : elle a pour but de dépister les rechutes et de vérifier la tolérance à long terme des traitements.

La maladie de Hodgkin peut être aujourd'hui contrôlée ou guérie dans un grand nombre de cas.

 ■ ganglions

hormones

Les différents organes d'un individu échangent en permanence, par des systèmes de coordination, des informations et des ordres, de manière à assurer la cohésion optimale de l'ensemble, la meilleure adaptation de l'individu à son environnement, mais aussi la meilleure protection de l'espèce, parfois en contradiction avec les intérêts immédiats de l'individu. L'un de ces systèmes par exemple, le système nerveux central, utilise un réseau de « câblage » de type électrique pour recevoir ses informations et distribuer ses ordres. Le système hormonal, lui, utilise des messages chimiques, des hormones, qui circulent dans le sang puis sont captés et interprétés par certains organes précis auxquels ils sont destinés et qu'on appelle organes « cibles ». Ces organes cibles comportent des capteurs chimiques particuliers − spécifiques à chaque type d'hormones − qu'on appelle récepteurs.

Production et circulation des hormones

Ainsi l'hormone est d'abord synthétisée à l'intérieur d'une glande, dite endocrine, grâce à une série d'activités enzymatiques. Le « taux de production » ou quantité d'hormones fabriquées chaque jour est très précisément régulé et théoriquement adapté, au mieux, aux besoins de l'individu. Cette hormone est ensuite déversée dans le sang. On la retrouve évidemment en concentration beaucoup plus élevée dans les vaisseaux sanguins qui sortent de la glande endocrine, mais, plus à distance, les concentrations de l'hormone sont identiques au même moment dans toute la circulation sanguine de la tête au pied.

L'hormone est souvent liée à des protéines dans le plasma sanguin et dans certains cas cette liaison est si forte que la majeure partie de l'hormone reste dans le sang et ne peut pénétrer dans les « tissus cibles ». Dans ces cas, particuliers à certaines hormones, il est alors préférable, pour évaluer l'importance du message hormonal, de ne pas se contenter de mesurer une concentration plasmatique globale de l'hormone, mais de différencier la fraction liée fortement à des protéines (et inutilisable pour les organes) de la fraction libre réellement efficace.

Réception des hormones

Le message hormonal n'est ensuite enregistré que par les « tissus cibles », c'est-à-dire ceux qui contiennent des récepteurs capables de capter et de retenir l'hormone soit sur la membrane extérieure des cellules, soit à l'intérieur de celles-ci, dans le noyau.

Le contact de l'hormone avec son récepteur cellulaire déclenche alors une série d'activités pour laquelle les cellules de l'organe cible ont été génétiquement programmées. A l'intérieur même de ces cellules, le message hormonal peut être amplifié ou diminué par toutes sortes de systèmes régulateurs y compris d'autres hormones : par exemple, une hormone sécrétée par l'ovaire, la *progestérone*, diminue l'action d'une hormone surrénalienne, l'*aldostérone*, en occupant les récepteurs de cette dernière sur les tubules rénaux; la progestérone détruit les récepteurs de l'*estradiol* qu'elle empêche ainsi d'agir dans ses tissus cibles comme l'endomètre utérin et le sein; elle occupe une enzyme, la 5α réductase, qui est nécessaire à l'effet des androgènes dont elle diminue ainsi l'activité dans la peau et les glandes sébacées.

On peut ainsi comprendre que, à concentration sanguine égale, une hormone puisse avoir des effets très différents sur un tissu ou un autre selon que celui-ci est équipé ou non de récepteurs spécifiques d'une part, et d'autre part selon que les autres messages hormonaux parvenant au même moment, au même tissu, contredisent ou amplifient le message initial. Chaque cellule cible comporte de surcroît la possibilité de détruire l'hormone à une certaine vitesse et donc d'interrompre le message au bout d'un certain temps. D'autre part, le sang est en permanence épuré des hormones qu'il contient, par le foie qui les capte puis les dénature, diminuant ainsi l'intensité et la durée du message hormonal. Enfin, la production hormonale est toujours régulée par un système le plus souvent assuré par une deuxième glande endocrine complémentaire qui la stimule si son activité est trop basse et qui la freine si elle est trop élevée : par exemple, si la concentration sanguine de *testostérone* s'élève au-dessus d'un certain niveau, la production d'une hormone hypophysaire, la *gonadotrophine LH*, qui stimule normalement les testicules, chute automatiquement, ce qui provoque, avec un retard de quelques heures, un ralentissement de la production hormonale testicu-

laire. A l'inverse, si la concentration sanguine de testostérone chute en dessous d'un certain seuil, l'hypophyse réagit en augmentant sa production de gonadotrophines LH qui stimule alors les testicules.

Les anomalies des messages hormonaux

Il existe des causes multiples et diverses d'anomalies des messages hormonaux.

— Le taux de production de l'hormone peut être anormalement bas parce que les cellules de la glande endocrine correspondante sont détruites par une maladie infectieuse ou immunitaire, par l'âge, par une tumeur, etc. ou parce que le système de stimulation de la glande ne fonctionne plus.

— La production hormonale peut être au contraire excessive à cause d'une prolifération cellulaire de la glande endocrine ou d'une mauvaise régulation par le système de contrôle hypophysaire par exemple.

— La production hormonale peut être aussi anormale parce que certains systèmes enzymatiques font congénitalement défaut dans la glande endocrine.

Presque toujours, ces anomalies qualitatives ou quantitatives de production de l'hormone dans sa glande endocrine peuvent être dépistées par des dosages sanguins. Dans d'autres cas, la production de l'hormone par la glande endocrine est normale, le système de régulation fonctionne, mais cette hormone a une activité excessive ou insuffisante à l'intérieur de ses tissus cibles parce que ceux-ci ont des récepteurs, ou des systèmes enzymatiques de protection ou de destruction de l'hormone, anormaux. Dans ces cas, les renseignements obtenus par des prises de sang sont insuffisants et il faut pouvoir prélever des échantillons de tissu cible pour mettre en évidence les causes de la maladie.

 INDEX THÉMATIQUE *(ENDOCRINOLOGIE)*

Horton *(maladie de)*

 pseudopolyarthrite rhizomélique

hydramnios

On parle d'hydramnios lorsqu'au cours de la grossesse, il existe une quantité excessive de liquide amniotique (liquide dans lequel baigne le fœtus). Il existe deux formes d'hydramnios :

L'*hydramnios aigu* qui survient en général au 5e mois de la grossesse et qui se traduit par une distension rapide, importante et douloureuse de l'utérus avec gêne respiratoire et altération de l'état général; la cause en est presque toujours une malformation fœtale majeure.

La rupture spontanée ou provoquée des membranes suivie d'un accouchement rapide mettra fin à une grossesse dont l'issue aurait été désastreuse.

L'*hydramnios chronique*, plus fréquent, se développe plus ou moins rapidement au cours des trois derniers mois de la grossesse; il se traduit par une augmentation anormale du volume utérin.

Ses causes doivent être recherchées avec soin par des examens échographiques*, sanguins (alpha-fœto-protéine), des ponctions* du liquide amniotique...

— Elles peuvent être maternelles : diabète, incompatibilité sanguine fœto-maternelle...

— Elles peuvent être fœtales : grossesse gémellaire, malformation fœtale plus ou moins grave (neurologique ou digestive).

Cependant, bon nombre d'hydramnios restent de cause inexpliquée. Quoi qu'il en soit, les risques d'accouchement prématuré et de malformations fœtales exigent une surveillance et un accouchement dans un centre obstétrical de haut niveau.

 ■ grossesse et diabète ■ incompatibilité sanguine fœto-maternelle ■ grossesse gémellaire ■ diagnostic anténatal des maladies fœtales ■ accouchement prématuré *(risque d')*

hydrocèle

 testicules

hydrocéphalie

Hydrocéphalie du nourrisson

 L'apparition chez un nourrisson, quelques semaines après la guérison d'une méningite ou, parfois, d'une hémorragie méningée (accouchement difficile), d'une augmentation anormalement rapide de son périmètre crânien évoque une hydrocéphalie; la fontanelle devient bombante, tendue; l'enfant est somnolent et vomit facilement : vous devez le montrer rapidement à un médecin.

Celui-ci confirme rapidement le diagnostic : le périmètre crânien est trop grand pour l'âge de l'enfant, la fontanelle est très tendue et les veines du cuir chevelu sont dilatées. L'hospitalisation s'impose.

Le scanner* découvre la dilatation des ventricules cérébraux qui renferment le liquide céphalorachidien, dont la cause est le plus souvent la méningite ou l'hémorragie méningée survenue quelques semaines auparavant. Il peut découvrir parfois — mais c'est rare — une tumeur à l'origine de la dilatation.

Le traitement est toujours chirurgical et doit

être rapide : le liquide céphalo-rachidien est dérivé par une valve ventriculo-péritonéale ou, plus rarement, cardiaque.

 Les signes d'un mauvais fonctionnement de la dérivation ventriculo-péritonéale — céphalées, somnolence, nausée ou vomissements — imposent une nouvelle hospitalisation d'urgence.

Hydrocéphalie de l'adulte

 Chez un sujet âgé, l'apparition d'un affaiblissement psychique d'allure démentielle (lenteur de l'idéation ou de l'activité, apathie, troubles de la mémoire, incapacité de fixer l'attention), de troubles de la marche avec déséquilibre et tendance à la chute, de troubles du contrôle des sphincters (surtout une incontinence urinaire) doit faire craindre une hydrocéphalie.

 Le médecin, devant ces signes récents, recherche dans les antécédents du malade une méningite, une hémorragie méningée ou un traumatisme crânien pouvant remonter à plusieurs années.

L'examen neurologique est normal en dehors des troubles de l'équilibre. Le scanner cérébral montre la dilatation des ventricules sans atrophie cérébrale qui signe l'hydrocéphalie.

Le traitement ne peut être que chirurgical; il permet une dérivation du liquide céphalo-rachidien par une valve ventriculo-péritonéale ou cardiaque, et provoque parfois une amélioration spectaculaire, évitant une évolution spontanée du patient vers un état démentiel.

hydrocution et noyade

 Ce qu'il faudra retenir de ce chapitre sur les accidents c'est avant tout les précautions qui permettent de les éviter. Elles doivent être expliquées aux enfants dès que possible. Les noyades représentent, après les accidents de la circulation, la deuxième cause mondiale de décès accidentels. La noyade frappe dans plus de 50 % des cas des jeunes de moins de 25 ans, et en particulier les enfants d'âge préscolaire.

La noyade est une asphyxie par inhalation d'eau douce ou salée dans les alvéoles pulmonaires. Elle peut survenir par insuffisance technique en natation, mais aussi par épuisement chez des nageurs confirmés. L'arrêt de l'alimentation en oxygène entraîne rapidement un arrêt cardiaque secondaire.

L'hydrocution est un phénomène initialement différent, puisqu'il s'agit d'une syncope avec perte de connaissance lors d'une baignade. Cette syncope est en fait une réaction « réflexe » résultant du choc thermique (l'eau froide) sur un organisme vulnérable (voir, page suivante, les causes favorisantes). Cette perte de connaissance entraîne, si elle survient en eau profonde, la submersion et une noyade secondaire.

Des conseils à connaître et à faire connaître

— Ne se baigner qu'en zone surveillée par un maître-nageur sauveteur (piscines, zones signalées par drapeau) de préférence.

— Ne jamais se baigner seul.

— Ne se baigner que dans des lieux où la sortie rapide est possible.

— Ne pas se baigner sans entraînement dans des eaux à température trop basse.

— Toujours entrer progressivement dans l'eau (attention au plongeon brutal après exposition au soleil).

— Ne pas se baigner trop longtemps sans entraînement.

Quels sont les facteurs favorisant la survenue d'une hydrocution ?

— Facteurs permanents individuels : tendance syncopale, allergie au froid, allergie à l'eau.

— Facteurs temporaires circonstantiels : exposition prolongée au soleil, période digestive d'un repas trop lourd ou alcoolisé, chocs émotifs, effort physique trop intense et prolongé.

Des signes à connaître

Ce sont des signes subjectifs mais qui sont les meilleurs « signaux d'alarme ». Ils peuvent survenir avant ou pendant la baignade : frissons, tremblements, sensation de fatigue intense, sensation d'angoisse très vive, crampes, troubles visuels; en fait toute sensation anormale doit faire interrompre la baignade.

Que faire en cas de noyade ?

— La victime est dans l'eau : le sauvetage est un acte délicat qui nécessite un entraînement particulier. Si vous n'êtes pas formé, et piètre nageur, mieux vaut se contenter de donner l'alerte tout de suite. (Pour connaître les lieux et dates de formations, adressez-vous à votre piscine municipale, ou à la Sécurité civile, ou à la Croix-Rouge française.)

— Une fois la victime sortie de l'eau, il faut immédiatement entreprendre la respiration artificielle. Il ne faut pas omettre d'assurer un rapide drainage de l'eau inhalée et veiller à désobstruer les voies aériennes.

Même en cas de reprise de connaissance, il faudra mettre la victime sous surveillance médicale. En effet, une aggravation secondaire est possible, mais aussi toute inhalation d'eau, salée ou non, peut entraîner des dégâts pulmonaires et souvent une surinfection secondaire.

 ■ secours d'urgence

hygroma

 L'hygroma est une inflammation des bourses liquidiennes situées à proximité des articulations du coude et du genou. Ces bourses liquidiennes sont des plans de glissement destinés à faciliter le mouvement des articulations. Leur inflammation résulte de traumatismes, soit minimes et répétés — travaux prolongés à genou —, soit uniques et importants — coup de coude contre un meuble ou un mur.

 Un hygroma peu volumineux peut se résorber spontanément, ou plus rapidement par l'application de compresses alcoolisées. Plus volumineux, il impose un geste chirurgical qui permet l'évacuation du liquide en excès et l'excision de la poche qui l'entoure. Un hygroma non traité peut s'infecter, d'autant plus facilement qu'il est souvent situé face à une petite plaie cutanée. Il peut se transformer en un abcès qui doit être évacué et drainé en urgence. La décision d'un traitement médical ou chirurgical de l'hygroma doit être prise par le médecin ou le chirurgien.

hyperchromie de la peau

L'hyperchromie cutanée peut être due à un excès de *mélanine*, pigment brunâtre présent dans les poils et la peau, ou à un *dépôt d'autres pigments*.

Les pigmentations mélaniques

Elles sont les plus nombreuses et peuvent être générales ou locales.

La pigmentation généralisée ou *mélanodermie* se rencontre au cours de certaines affections générales, essentiellement des dysfonctionnements endocriniens comme la *maladie d'Addison*.

La pigmentation localisée peut être de nature diverse :

— *le chloasma* apparaît en cours de grossesse, notamment chez les femmes à peau mate. C'est une pigmentation brunâtre en nappe sur le front, les joues, le nez, le menton. Le chloasma, dit aussi *masque de grossesse*, disparaît ou s'atténue dans les mois qui suivent l'accouchement, et la coloration de la pigmentation pâlit en hiver et se renforce au soleil. La grossesse n'est pas la seule responsable, la pilule contraceptive peut entraîner parfois le même désagrément. Le traitement du chloasma est peu efficace. Il consiste à protéger le visage du rayonnement solaire, en utilisant des filtres solaires « écran total ». L'application de préparations dépigmentantes n'a pas toujours un effet favorable.

— *L'application sur la peau de parfums ou d'eau de Cologne* suivie d'une exposition au soleil peut être responsable de traînées pigmentaires, brunes, en coulée. Ces produits contiennent des agents photosensibles qui entraînent, en cas d'exposition solaire, une formation accélérée de pigment.

— *L'érythème pigmenté fixe* est une toxidermie : c'est une intolérance médicamenteuse qui se traduit par l'apparition de taches arrondies brun sombre; celles-ci surviennent à chaque prise du médicament et se couvrent parfois de bulles. Elles

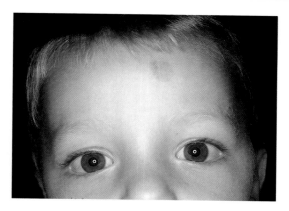

hyperchromie de la peau. *Cette tache pigmentée du front est consécutive à une blessure suivie d'une exposition prolongée au soleil : toute cicatrice récente doit être protégée du soleil par l'application de crème antisolaire.*

sont précédées par des sensations de brûlures. A l'arrêt du médicament, la tache s'estompe lentement jusqu'à la poussée suivante.

Les pigmentations non mélaniques

Elles peuvent être provoquées par des dépôts non mélaniques au niveau de la peau. C'est le cas de l'*argyrie* survenant après l'absorption prolongée de sels d'argent qui entraîne une pigmentation gris bleu de la peau.

La surcharge de fer dans l'organisme définit l'*hémochromatose* et conduit à une pigmentation gris bleu de la peau.

hyper-éosinophilie

Si vous êtes allergique, sujet à l'asthme, au rhume des foins ou à l'urticaire, votre médecin ne s'étonnera pas de découvrir sur votre hémogramme une hyper-éosiniphilie, c'est-à-dire une augmentation du nombre des polynucléaires éosinophiles (▷ sang).

Hors ces cas, l'explication d'une hyper-éosinophilie découverte incidemment peut être difficile à trouver. Votre médecin recherchera d'abord une cause parasitaire, notamment digestive – la plus courante –, puis des maladies plus rares et plus graves : certaines maladies hématologiques ou digestives, certaines maladies inflammatoires générales. Souvent, malgré tous les efforts, la cause de votre hyper-éosinophilie ne pourra être retrouvée : vous devrez vous en accommoder...

☞ ■ **allergique** *(êtes-vous)* ■ **tropicales** *(maladies)*

hypermétropie

L'hypermétrope peut voir de loin en faisant un effort d'accommodation, mais cet effort ne peut généralement pas lui permettre de voir de près (▷ œil, vue [dépistage des troubles de la], accommodation et convergence).

On confond souvent presbytie et hypermétropie : la presbytie est une diminution de la capacité de déformation du cristallin – donc de l'accommodation –, alors que l'œil hypermétrope est un œil dont l'axe antéro-postérieur est trop court, et son système optique pas assez puissant pour faire converger les images sur la rétine. Si l'hypermétropie est inférieure à trois dioptries, la puissance accommodative du cristallin permet de compenser le déficit et de voir net de loin.

Cet effort d'accommodation permanent provoque cependant, chez l'hypermétrope, des maux de tête et une sensation de fatigue oculaire, surtout en fin de journée. Il convient donc d'augmenter la puissance du système optique oculaire par des verres ou des lentilles de contact convergents.

Une hypermétropie forte gêne la vision de près et de loin. Une hypermétropie faible est souvent bien tolérée et ne se révèle qu'avec l'apparition de la presbytie vers trente-cinq, quarante ans.

hypertension artérielle

L'hypertension artérielle est une affection fréquente, latente, souvent méconnue. Facteur de risque majeur de l'artériosclérose, elle entraîne des lésions vasculaires multiples, qui peuvent être responsables de complications cardiaques, neurologiques et rénales. Son diagnostic impose l'appréciation du retentissement viscéral, la recherche d'une cause curable et la mise en route d'un traitement approprié.

Elle résulte d'une conjonction de mécanismes acquis et de mécanismes innés. Beaucoup d'arguments expérimentaux et cliniques plaident en faveur d'un facteur génétique dont la transmission serait héréditaire. On sait, par ailleurs, que la fréquence de l'hypertension artérielle augmente avec l'âge, la surcharge pondérale et surtout en cas de consommation trop importante de sel.

L'hypertension artérielle permanente est définie par la présence d'une pression artérielle systolique (maximum) supérieure à 160 mm Hg et/ou d'une pression artérielle diastolique (minimum) supérieure à 95 mm Hg, constatées à trois reprises. Ces chiffres limites sont plus bas chez l'enfant et la femme enceinte, plus élevés chez le sujet âgé.

La prise de la pression artérielle exige une grande rigueur technique étant donné, d'une part les implications pronostiques et thérapeutiques, d'autre part la variabilité des chiffres selon l'activité physique, psychique, du sujet normo-tendu ou hypertendu; le patient doit être couché, au repos depuis quinze minutes.

Le diagnostic d'hypertension artérielle impose la recherche d'un retentissement viscéral; plus la tension artérielle d'un patient est élevée, plus grand est le risque de *complications*:
— *Cardio-vasculaires*: insuffisance cardiaque, insuffisance coronaire (risque d'angine de poitrine, d'infarctus myocardique); artérite digestive ou des membres inférieurs; anévrysme aortique abdominal; dissection aortique. Électrocardiogramme*, radiographie* thoracique et échographie* cardiaque sont effectuées pour les dépister.
— *Neurologiques*: la présence de maux de tête, vertiges, vision trouble, doit faire pratiquer un examen du fond* de l'œil. Celui-ci analyse précisément l'état de sclérose des artères.
— *Rénales*: dosages sanguins et urinaires apprécient au mieux l'état de la fonction rénale; ionogramme sanguin, créatinine, urée* sanguine, recherche d'une albuminurie* sont effectués.

La recherche des autres facteurs de risque de l'artériosclérose est nécessaire: tabagisme, hypercholestérolémie, diabète, obésité, antécédents familiaux (▷ artériosclérose).

La recherche d'une cause est toujours entreprise; néanmoins, le bilan doit être orienté par l'interrogatoire et l'examen clinique. La pratique d'examens complémentaires spécialisés sera effectuée:
— en présence de signes d'orientation,
— si le sujet est jeune, si l'hypertension artérielle est sévère, évolutive et résiste au traitement médical.

Il faut rechercher, en premier lieu:
— une intoxication à la réglisse;
— la prise d'œstroprogestatifs qui induisent ou aggravent une hypertension artérielle;
— l'abus de vasoconstricteurs nasaux.

Les autres causes de l'hypertension artérielle sont la coarctation de l'aorte, l'étiologie endocrinienne (tumeurs qui sécrètent des hormones élevant le niveau de la pression artérielle; leur ablation chirurgicale peut guérir l'affection) et les causes rénales (la découverte d'un rétrécissement unilatéral d'une artère rénale a un intérêt thérapeutique certain). L'hypertension artérielle peut survenir au cours de la grossesse (▷ grossesse et hypertension artérielle).

Dans l'immense majorité des cas (90 %), on ne retrouve aucune cause: l'hypertension artérielle est dite essentielle.

● **Conseils à un hypertendu**

L'hypertension artérielle (H.T.A.) est une affection chronique, latente, et expose au risque de complications vasculaires.

Son traitement efficace n'est pas toujours ressenti de façon impérative par le patient; il vise pourtant à éviter la survenue des complications et ramène les chiffres de pression artérielle dans les limites de la normale.

Astreignez-vous à des bilans réguliers

Il est important de prévoir un contrôle:
— de la pression artérielle tous les trois mois;
— de l'état clinique: recherche d'une complication; détection d'éventuels effets secondaires des médicaments prescrits;
— des examens complémentaires une fois par an: électrocardiogramme, fond d'œil, radiographie thoracique, kaliémie, lipides, glycémie, fonction rénale, recherche d'une albuminurie.

Respectez les règles de diététique et d'hygiène de l'hypertendu

— *Régime peu salé* (▷ régime sans sel), en évitant l'absorption de réglisse ou de médicaments anti-inflammatoires qui induisent une rétention d'eau et de sel.
— *Régime hypocalorique*: il est capital de corriger une éventuelle surcharge pondérale afin de diminuer en partie les chiffres tensionnels.
— *Lutte contre les autres facteurs de risque*: l'arrêt du tabagisme est impératif; de même la correction d'un trouble lipidique doit être entreprise.
— *Activité physique*: les efforts violents doivent être interdits. En revanche, un exercice physique régulier, progressif est recommandé (marche, vélo), au besoin guidé par une épreuve d'effort.

N'interrompez pas le traitement médicamenteux

Une fois entrepris, le traitement doit être poursuivi de façon continue et à vie; son interruption brutale peut être dangereuse. La nécessité d'une adhésion du patient est fondamentale; le médecin l'avertit des risques de sa maladie et des objectifs du traitement: c'est pourquoi il prescrit, de préférence, des produits entraînant le minimum d'effets secondaires, actifs en une prise quotidienne, et peu coûteux.

Bien qu'il n'existe pas de traitement standard de l'hypertension artérielle, il est classique d'employer initialement une monothérapie, c'est-à-dire une seule classe de médicaments:
— les bêta-bloquants de préférence avant 50 ans.
— les diurétiques de préférence au-delà de 50 ans.

En cas de persistance de l'hypertension artérielle, le médecin s'assure généralement que le patient prend bien ses médicaments, que le régime sans sel est bien suivi. Puis, on inverse le choix initial (remplacement des bêta-bloquants par des diurétiques, et *vice versa*).

Si l'hypertension artérielle reste encore difficile à contrôler, on associe les deux classes médicamenteuses. En cas d'inefficacité de cette association, le médecin a alors recours à un troisième produit:
— soit un *vasodilatateur* artériel;
— soit un *inhibiteur* de l'enzyme de conversion, dont l'usage est fréquent à l'heure actuelle, seul ou associé aux diurétiques;

— soit un *anti-hypertenseur* qui agit sur le système nerveux central.

Apprenez à reconnaître la nécessité d'une consultation urgente

Un hypertendu, traité ou non, doit consulter en urgence en cas d'apparition de maux de tête pulsatiles, d'un essoufflement, d'un flou visuel, d'une soif inexpliquée, d'un amaigrissement récent.

Ces signes peuvent témoigner d'une aggravation brutale de l'hypertension artérielle et réclamer un traitement énergique.

hypertension intra-crânienne

Vous souffrez depuis peu de maux de tête le matin au réveil, accompagnés de nausées puis de vomissements faciles, en fusée, qui souvent soulagent la céphalée.

Il peut s'agir d'une hypertension intra-crânienne; vous devez consulter d'urgence votre médecin. Cette affection est due à une augmentation de la pression à l'intérieur de la boîte crânienne osseuse.

Votre médecin confirmera le diagnostic par un fond d'œil* (FO) qui montre un œdème papillaire (inconstant chez l'adulte et le sujet âgé). Il recherchera aussi, lors de l'examen neurologique, une diplopie (vision double) récente, une nuque raide (signe de gravité).

Chez l'enfant atteint, les signes digestifs — nausées et vomissements — très prononcés risquent d'évoquer une appendicite. Mais le fond d'œil, très rapidement anormal, confirmera le diagnostic d'hypertension intra-crânienne.

Votre médecin peut demander un électro-encéphalogramme* et des radiographies du crâne, mais cela risque de retarder l'hospitalisation en milieu neurochirurgical en cas de confirmation d'une hypertension intra-crânienne. Là sera effectué un scanner* pour déceler la cause de l'affection : tumeur cérébrale, hydrocéphalie...

Le traitement de l'hypertension intra-crânienne est souvent chirurgical. Toutefois en cas d'urgence, les anti-œdémateux cérébraux peuvent parfois sauver d'une situation désespérée.

☞ ■ **tumeurs cérébrales** ■ **hydrocéphalie**

hyphéma

L'hyphéma est un dépôt de sang dans la chambre antérieure de l'œil entre la cornée et l'iris, masquant parfois ce dernier. Généralement d'origine traumatique, il peut survenir spontanément dans certaines perturbations de la coagulation du sang.

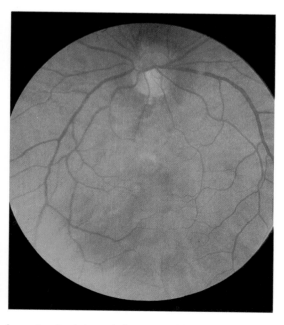

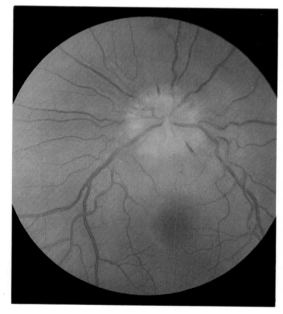

hypertension intra-crânienne. *Fond d'œil normal (photo ci-dessus, à gauche). Fond d'œil anormal (photo ci-dessus, à droite) montrant un œdème de la papille de type mécanique.*

hypnose

 psychiatrie et traitement

 hypocondrie

 L'hypocondrie est une préoccupation anxieuse et excessive où le patient s'inquiète du bon fonctionnement de son corps, ce qui le conduit au double état de malade imaginaire et de « pseudo-médecin ».

Ce symptôme non spécifique s'accompagne souvent de névrose, de psychose ou de dépression.

 hypoglycémie

Le taux de glucose sanguin (*glycémie*) est en général très précisément réglé aux alentours de 0,8 à 1 g par litre de sang. Dans l'heure qui suit un repas, la glycémie tend à augmenter, mais une hormone provenant du pancréas, l'*insuline*, intervient rapidement pour la maintenir inférieure à 1,30 g en faisant pénétrer l'excès de sucre dans les tissus, en particulier le tissu adipeux, provoquant même sa baisse, discrète, en dessous de son taux habituel deux heures plus tard environ. D'autre part, à distance des repas, la glycémie est maintenue à peu près constante grâce à la synthèse de glucose réalisée par l'organisme sous l'influence prédominante des hormones surrénaliennes.

Une chute brusque de la glycémie (*hypoglycémie*) aux alentours de 0,5 g/litre provoque chez la plupart des sujets au minimum des sensations désagréables, telles une fatigue intense, une difficulté à se tenir debout avec perte de l'équilibre, une pâleur avec sueurs intenses, un besoin de manger impérieux et des crampes d'estomac. Dans certains cas, les sujets peuvent avoir des troubles de la vision, de l'élocution, du comportement, et semblent dans un état d'ébriété. Une hypoglycémie intense s'accompagne parfois de perte de connaissance et de crises d'épilepsie. L'administration de sucre par la bouche si le sujet est conscient, par voie injectable si le sujet est dans le coma, fait disparaître les troubles en quelques minutes.

 Les crises hypoglycémiques correspondent le plus souvent à une réaction insulinique seulement un peu trop brutale : par exemple un petit déjeuner à trop forte teneur en sucre d'absorption rapide peut provoquer une réaction hypoglycémique deux ou trois heures plus tard. Dans d'autres cas, il s'agit de sujets diabétiques dont le traitement insulinique s'est déréglé ou, plus rarement, de sujets porteurs d'une tumeur pancréatique qui sécrète trop d'insuline. Plus rarement encore, c'est une insuffisance de fonctionnement des surrénales qui ne permet plus une synthèse de glucose adaptée pendant les périodes de jeûne.

 hypospadias

 verge de l'enfant *(anomalies de la)*

 hypotension artérielle

L'hypotension artérielle est une baisse de la pression artérielle (en dessous de 9 pour le chiffre maximum). Quel qu'en soit le mécanisme, vous pouvez être alerté par une sensation de fatigue intense ou des malaises liés au passage en position debout (hypotension orthostatique). C'est la mesure de la pression artérielle par votre médecin qui permet de l'affirmer. Cette chute de tension peut répondre :

— soit à un problème sérieux et urgent comme une hémorragie ou un infarctus du myocarde et, très souvent, une hospitalisation est nécessaire;

— soit à une situation beaucoup moins préoccupante dans l'immédiat. En général l'hypotension apparaît surtout lors du passage en position debout. Ceci peut être dû aux pertes d'eau et de sel comme dans les vomissements ou diarrhées profuses, à un état général de fatigue extrême, ou encore à certaines maladies ou traitements qui perturbent les capacités de régulation de l'organisme. Dans ces cas, un examen cardiologique complet doit s'assurer qu'il n'y a pas une maladie cardiaque sous-jacente. Le traitement comporte, outre celui de la cause, un apport suffisant en liquides et surtout en sel, et éventuellement des substances qui entraînent une contraction des vaisseaux permettant une remontée de la tension;

— soit, enfin, à un malaise momentané comme le malaise vagal, réaction de l'organisme par exemple à un gros repas ou à un réveil brutal d'un sommeil profond. Ceci se corrige très vite et récidive très rarement.

Votre médecin pourra faire la part des choses sur l'ensemble du contexte et de l'examen.

 ■ malaises ■ syncopes

 hystérie

Personnalité pathologique que l'on rencontre le plus souvent chez la femme, portée à l'allure théâtrale, la dramatisation voire la mythomanie. Un comportement de séduction, une coquetterie aguicheuse masquent une inhibition sexuelle très profonde, parfois une véritable frigidité. La dépendance affective s'accompagne de l'intolérance à la frustration, avec décharges émotionnelles spectaculaires. Les sentiments sont versatiles et factices.

Ces conflits psychiques s'expriment le plus sou-

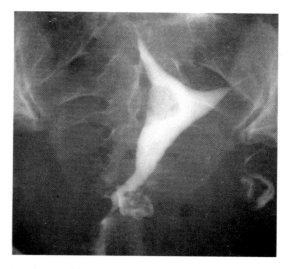

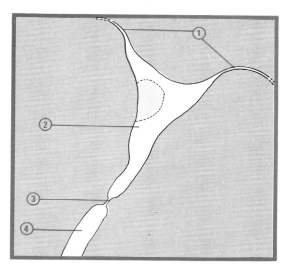

hystérographie. *Cette hystérographie révèle la présence d'un fibrome utérin (ci-dessus, à gauche). La trompe gauche normale est visible sous la forme d'un fin ruban . Ci-dessus, à droite : ① trompes, ② cavité utérine, ③ col, ④ canule d'injection.*

vent en céphalées, lombalgies, fatigue... Parfois des interventions chirurgicales multiples peu justifiées sont pratiquées.

☞ **névroses**

hystérographie

L'hystérographie est une radiographie de l'utérus et des trompes après injection, dans la cavité utérine, d'une substance iodée opaque aux rayons X. Pour les femmes, en période d'activité génitale, cet examen doit avoir lieu nécessairement lors de la première phase du cycle menstruel, avant l'ovulation, soit du 6e au 12e jour maximum lorsque le cycle est de 28 jours.

La radiographie est précédée de :
— *une recherche d'allergie* aux produits iodés. La patiente sera prémédiquée s'il y a le moindre risque;
— *un examen gynécologique* habituel : position gynécologique, pose d'un spéculum, nettoyage et aseptie du vagin et du col de l'utérus.

Après ces phases préliminaires, on peut introduire le dispositif d'injection de la substance iodée. Ce dispositif comprend :
— *une cupule* qui s'adapte au col de l'utérus par dépression d'air ou par des pinces, le but recherché étant une bonne adaptation à l'orifice cervical;
— *une seringue*, reliée à la cupule lors de l'injection;

— *la substance iodée* opaque aux rayons X, de consistance huileuse et très fluide, est contenue dans la seringue. Injectée, elle traverse la cupule pour pénétrer, par l'orifice cervical, dans la cavité utérine, puis dans les trompes; ensuite, elle se dissipe dans la cavité abdominale : chacune de ces phases fera l'objet de clichés.

Cet examen, mené avec douceur et patience, n'est pas douloureux, tout au plus est-il accompagné ou suivi de douleurs pelviennes qui rappellent les règles.

ichtyose vulgaire

L'ichtyose vulgaire est un trouble héréditaire de la peau qui devient sèche et écailleuse. Elle n'apparaît jamais à la naissance mais seulement dans les premières années de la vie. L'affection est surtout gênante l'hiver et s'accompagne fréquemment de démangeaisons et de plaques d'eczéma.

Le traitement consiste essentiellement en l'application de préparations émollientes qui assouplissent la peau. L'apparition d'une ichtyose chez un adulte doit faire rechercher un cancer profond.

ictère

L'ictère est une coloration jaune de la peau et des conjonctives due à une accumulation, dans le sang et les tissus, d'un pigment appelé bilirubine.

La bilirubine est un pigment physiologique de l'organisme. Elle provient pour une très grande part de la transformation par l'organisme (plus précisément le système réticulo-endothélial) de l'hémoglobine contenue dans les globules rouges vieillissants (hémolyse physiologique). La bilirubine ainsi produite, dite bilirubine non conjuguée, est transportée par le sang jusque dans les cellules du foie où aura lieu la transformation de la bilirubine non conjuguée (insoluble dans l'eau) en bilirubine conjuguée (soluble dans l'eau), grâce à une enzyme : la glycuronyl-transférase. La bilirubine conjuguée sera ensuite excrétée par le foie avec la bile, qui est stockée dans la vésicule biliaire et déversée dans le tube digestif par l'intermédiaire du canal cholédoque. Les bactéries présentes dans la lumière du tube digestif transforment la bilirubine en stercobiline qui colore les selles et est éliminée avec elles.

Ce cycle de transformation de la bilirubine permet de comprendre la démarche diagnostique du médecin devant une jaunisse. L'interrogatoire sur les circonstances d'apparition de la jaunisse, l'examen clinique, l'hémogramme*, le bilan sanguin hépatique* et l'échographie* sont les temps les plus importants de l'élaboration du diagnostic.

Or, le diagnostic est parfois difficile, car l'excès de bilirubine peut résulter d'un grand nombre de maladies : en voici quelques exemples.

– La destruction en excès des globules rouges réalisée au cours de l'anémie hémolytique (▷ anémies) libère l'hémoglobine contenue dans les globules rouges. Cette hémoglobine en excès sera transformée, comme cela est normalement le cas pour l'hémolyse physiologique, mais il s'ensuivra une surproduction de bilirubine non conjuguée qui entraînera la jaunisse et ne colorera pas les urines en brun car elle est insoluble dans l'eau.

– Le déficit en glycuronyl-transférase, enzyme hépatique responsable de la transformation de la bilirubine libre en bilirubine conjuguée entraînera également une augmentation du taux de bilirubine non encore conjuguée. Cette maladie appelée maladie de Gilbert est de transmission héréditaire, elle entraîne un ictère conjonctival chronique, touchant plusieurs personnes d'une même famille. Elle ne nécessite aucun traitement.

– La coloration brun foncé des urines au cours d'une jaunisse prouve qu'il s'agit, cette fois, d'une accumulation de bilirubine conjuguée, qui, seule soluble dans l'eau, est éliminée dans les urines. Ceci est réalisé lorsqu'il existe un blocage à l'élimination de la bile (▷ lithiase biliaire, pancréas [cancer du], pancréatite aiguë et chronique...) ou une destruction des cellules hépatiques qui libèrent dans le sang la bilirubine conjuguée (▷ hépatites virales [A, B ou non A-non B], cirrhose du foie d'origine alcoolique).

ictère du nouveau-né

L'ictère est fréquent chez le nouveau-né. Son risque majeur est le dépôt dans le cerveau (plus spécifiquement dans les noyaux gris centraux d'où le nom d'ictère nucléaire) de la bilirubine libre en excès dans le plasma. Ce risque est d'autant plus grand que le taux de bilirubine libre est élevé et qu'il existe une cause favorisant l'apparition de l'ictère nucléaire, notamment la prématurité.

Le plus souvent, l'enfant ne court aucun risque

car il ne s'agit que d'une exagération de l'ictère physiologique : il débute toujours après la 24ᵉ heure de vie ; il ne s'accompagne d'aucun autre signe. Le traitement dépend du taux de bilirubine. L'exagération de l'ictère physiologique est une très bonne indication de la photothérapie.

Parfois certains éléments fournis par l'interrogatoire ou l'examen clinique font penser qu'il s'agit d'un ictère pathologique : ictère apparu avant la 24ᵉ heure de vie ou se prolongeant après le 8ᵉ jour, notion d'infection de l'enfant avant ou pendant la naissance, présomption ou certitude d'incompatibilité sanguine fœto-maternelle, découverte d'un gros foie ou d'une grosse rate, de signes hémorragiques,...

Dans ce cas, le premier problème à résoudre pour le médecin est : s'agit-il d'une hémolyse (destruction des globules rouges) par l'incompatibilité sanguine fœto-maternelle ? Cette question est abordée dans l'article incompatibilité sanguine fœto-maternelle. S'il s'agit bien d'une hémolyse, la gravité immédiate tient à l'intensité de l'anémie et au taux élevé de bilirubine. L'ex-sanguino-transfusion a l'avantage de soustraire la bilirubine et donc d'éviter l'ictère nucléaire, ainsi que de corriger l'anémie.

Le deuxième problème est : s'agit-il d'une infection néo-natale ? Cette question fait l'objet de l'article infection bactérienne du nouveau-né.

Bien d'autres causes sont parfois retrouvées à l'origine de l'ictère néo-natal. Nous nous contenterons de citer les ictères dus à un obstacle sur les voies biliaires, à la sténose du pylore, à l'hypothyroïdie, à des maladies métaboliques comme la galactosémie, etc.

Un cas particulier est l'ictère de l'enfant nourri au sein avec présence d'une substance dans le lait de sa mère, responsable de l'ictère. Ceci impose d'arrêter l'allaitement.

ictus cérébral

 accident vasculaire cérébral par hémorragie

immunologie

La défense de notre organisme vis-à-vis des agressions du monde extérieur est assurée par un ensemble de mécanismes complexes rassemblés sous le nom de *phénomènes immunitaires* naturels ou acquis. Des cellules circulent dans le sang ou se disposent dans les tissus pour nous protéger ; ce sont en particulier :
– les *polynucléaires neutrophiles* (« microphages ») susceptibles d'absorber de petits corps étrangers, des micro-organismes en particulier, pour les digérer et les éliminer (phagocytose) ;

– les *monocytes* du sang et les *histiocytes* des tissus (« macrophages ») susceptibles d'absorber des corps étrangers plus importants ;
– les *cellules de Kupffer* de la paroi des vaisseaux ;
– enfin d'autres cellules, dites *cellules « tueuses »*.

Un grand nombre de protéines plasmatiques participent à l'immunité naturelle. Lors des processus de défense, le taux de certaines d'entre elles augmente tandis que d'autres sont activées au cours de réactions dites « en chaîne » entre divers composants d'un ensemble de produits biologiques. Le plus connu de ces ensembles est le « système complément » qui comprend un grand nombre de composés susceptibles de donner naissance à des substances très actives dans le domaine de la protection.

Ces processus de défense naturelle sont considérablement renforcés par d'autres processus immunitaires acquis, aussi bien sur le plan humoral que cellulaire.

L'immunité humorale acquise

Elle est caractérisée par la présence dans le plasma sanguin de protéines appelées immunoglobulines, ayant des propriétés « anti-corps ». L'organisme produit ces immunoglobulines pour neutraliser les substances étrangères (« *antigènes* ») susceptibles de lui causer des dommages. Les antigènes peuvent être des bactéries, des virus, des substances chimiques d'origine diverse, industrielle, alimentaire ou médicamenteuse.

On connaît chez l'homme cinq classes d'immunoglobulines appelées : IgG, IgA, IgM, IgD et IgE. Les IgG sont les plus importantes en quantité, environ 75 % de la totalité des immunoglobulines. Les IgA se trouvent essentiellement dans les sécrétions. Les IgM représentent 10 % des immunoglobulines ; elles caractérisent habituellement les infections récentes. Le rôle des IgD est actuellement mal connu. Les IgE correspondent aux anticorps allergiques autrefois désignés sous le nom de « réagines », ainsi qu'à certains anticorps antiparasitaires ; elles n'ont été découvertes qu'en 1966 en raison de leur très faible densité (environ 100 nanogrammes par ml), mais sont susceptibles d'entraîner des réactions très violentes (choc anaphylactique, allergies diverses). Les immunoglobulines sont sécrétées par les lymphocytes B et les plasmocytes.

L'immunité cellulaire acquise

L'immunité cellulaire acquise met en jeu un grand nombre de cellules – polynucléaires, monocytes ou macrophages – qui, grâce à la présence d'anticorps « opsonisants », détruisent certains agresseurs et donnent des informations aux lymphocytes T dont les fonctions sont multiples ; on connaît actuellement les lymphocytes T auxiliaires, les lymphocytes T suppresseurs, les lymphocytes T à mémoire, les lymphocytes T tueurs, etc. Leur rôle apparaît aujourd'hui comme essentiel dans la mise en mémoire et la régulation de l'immunité en général.

L'altération des mécanismes immunitaires entraîne toujours des conséquences graves. Elle peut être due à un défaut génétique ou survenir secondairement.

Les traitements anticancéreux (radiothérapie, chimiothérapie) lèsent fréquemment les cellules de l'immunité et rendent les malades, soumis à ces thérapeutiques, particulièrement fragiles vis-à-vis des infections.

Il en est de même pour les sujets infectés par le virus HIV, transmissible par voie sexuelle ou sanguine, responsable du syndrome immuno-déficitaire acquis (SIDA).

☞ ■ infection ■ vaccins et sérums ■ allergique *(êtes-vous)*

impétigo

L'égratignure que vous avez remarquée sur la joue de votre enfant s'est recouverte en une nuit de croûtes jaunâtres. Elle démange un peu et un petit ganglion sensible apparaît dans le territoire correspondant : il s'agit d'un impétigo, infection superficielle de la peau provoqué par le streptocoque ou, parfois, par le staphylocoque doré. Cette dermatose infectieuse est très contagieuse. Elle atteint essentiellement les enfants par petites épidémies scolaires ou familiales.

L'impétigo doit être traité rapidement afin d'éviter la dissémination des lésions et, éventualité heureusement rare, l'atteinte rénale par le streptocoque.

Le traitement consiste en l'application d'antiseptiques locaux. En cas de lésions disséminées, il est conseillé de prendre un bain au moins une fois par jour avec un savon liquide antiseptique. De plus, un traitement antibiotique par voie générale sera prescrit par votre médecin.

Les mesures d'hygiène sont utiles afin d'éviter la contamination de l'entourage :

— lavage fréquent des mains, brossage des ongles coupés ras,

— serviettes de toilette et gants personnels changés quotidiennement,

— évitez le contact avec les enfants,

— chaque lésion sera isolée par un pansement changé deux fois par jour.

☞ streptocoque

implant

 cataracte

impuissance

Il convient d'appeler impuissance chez un homme l'impossibilité, momentanée ou permanente, de réaliser des relations sexuelles complètes. En pratique, il s'agit le plus souvent de l'impossibilité d'obtenir une érection suffisante.

Pour que cette érection puisse se produire, il faut que plusieurs conditions — physiques, biochimiques et psychologiques — soient réunies au même moment : le pénis doit être normalement développé et recevoir une irrigation suffisante par les vaisseaux sanguins, et son innervation doit n'avoir subi aucun traumatisme ou maladie; il doit être imprégné d'une quantité suffisante d'hormones mâles (testostérone et dihydrotestostérone); il faut enfin des circonstances psychologiques favorables permettant une forte émotion érotique sans anxiété excessive. Défavorables, celles-ci sont la cause la plus fréquente des manifestations d'impuissance momentanée, soit parce que l'aspect ou le comportement de la partenaire est trop éloigné des fantasmes érotiques du sujet, soit parce que l'anxiété, en particulier la peur de ne pas réussir une performance suffisante, est trop importante.

En pratique, quand l'impuissance est d'origine psychologique, les érections sont nulles, diminuées ou trop brèves lors de tentatives de relations sexuelles, mais normales au cours de tentatives de masturbation, alors que les érections automatiques et involontaires, nocturnes ou matinales, demeurent (par exemple deux ou trois fois par semaine). L'appétit sexuel, c'est-à-dire l'envie d'avoir des rapports sexuels, et la perception d'une sensation agréable à la représentation mentale de fantasmes érotiques sont conservés.

Lorsque l'impuissance est de cause vasculaire (dans le cas d'une artériosclérose par exemple) ou neurologique (certains diabètes, certaines maladies des nerfs), les érections sont diminuées ou nulles, de façon à peu près constante dans toutes les circonstances. En revanche, l'appétit sexuel est le plus souvent conservé, au moins au début.

Enfin, lorsqu'il s'agit d'une baisse d'efficacité des hormones mâles — situation observée chez beaucoup d'hommes au cours du vieillissement ou, de façon transitoire, à tout âge dans des circonstances de stress psychologique ou physique, toutes les érections sont raréfiées; en particulier, les érections matinales ou nocturnes involontaires ne sont plus qu'exceptionnellement observées (moins d'une fois par semaine) alors que l'absence de rapports sexuels devraient les favoriser. L'appétit sexuel est diminué et les fantasmes sexuels perdent leur précision et leur attrait. La baisse d'efficacité des hormones mâles s'accompagne, souvent, d'une sensation de fatigue physique générale avec une discrète tendance dépressive.

☞ ■ testicules ■ artériosclérose ■ diabète sucré ■ hormones ■ prolactine

incompatibilité sanguine fœto-maternelle

Voici quelques notions fondamentales qui permettent de comprendre ce qu'est l'incompatibilité sanguine fœto-maternelle ou maladie hémolytique du nouveau-né. Un sujet est dit positif lorsque ses globules rouges sont porteurs d'un facteur dit rhésus. Ce facteur n'existe pas chez les sujets Rh−.

Lorsque des globules rouges Rh+ pénètrent dans un organisme Rh−, ils sont reconnus comme étrangers; il y a formation d'anticorps (ou agglutinines irrégulières) qui ont pour rôle de détruire les globules rouges. Ces anticorps persisteront toujours dans le sang où on peut les doser.

Lorsqu'une mère Rh− est enceinte d'un bébé Rh+, il peut y avoir pénétration des globules rouges du bébé dans l'organisme maternel, ceci lors de l'accouchement (surtout en cas de césarienne), en cas d'avortement spontané ou provoqué, ou en cas de grossesse extra-utérine. Il y a alors formation d'anticorps dans le sang maternel, anticorps qui peuvent augmenter à chaque gestation.

Au cours d'une grossesse ultérieure, ces anticorps vont, hélas, traverser le placenta et détruire les globules rouges du bébé avec des conséquences parfois dramatiques pour sa croissance et sa survie. Lorsque les globules rouges du bébé sont détruits par les anticorps maternels, il y a formation d'un produit de dégradation éminemment toxique, la bilirubine, que l'on va retrouver dans le liquide amniotique pendant la grossesse et dans le sang du bébé après l'accouchement.

Toutes ces notions vous permettent de mieux comprendre la surveillance particulière qui entoure la grossesse d'une femme Rh− mariée à un homme Rh+ ainsi que la nécessité d'un dosage régulier des anticorps anti-rhésus dans le sang et, éventuellement, d'une ou de plusieurs amniocentèses*.

Plusieurs cas de figures peuvent schématiquement se présenter : c'est votre première grossesse, il n'y a pas d'anticorps anti-rhésus dans votre sang et il n'y en aura pas lors des contrôles ultérieurs en cours de grossesse : c'est le cas le plus fréquent, il n'y a pas de danger pour le bébé.

Le taux des anticorps est faible : il sera dosé tous les mois pendant les deux premiers trimestres de la grossesse, tous les quinze jours au cours du troisième trimestre. Ce taux d'anticorps ne dépasse pas 250 unités CHP : vous avez de très bonnes chances de mener à bien cette grossesse et des échographies* répétées en vérifieront l'évolution harmonieuse.

Le taux d'anticorps est élevé, dépasse 250 unités CHP et va en augmentant, et le risque de souffrance fœtale est grand : s'impose alors aux environs de la trentième semaine de grossesse, et

quelquefois avant, une amniocentèse qui vérifiera le taux de bilirubine dans le liquide amniotique ainsi que le rapport lécithine/sphingomyéline, bon témoin de la maturité fœtale.

Ce taux de bilirubine est rapporté aux courbes de Liley, diagramme qui permet de présumer de l'atteinte nulle, moyenne ou grave du bébé.

En cas d'atteinte moyenne ou grave, des amniocentèses seront répétées tous les huit ou dix jours ainsi que des échographies afin de préciser l'évolution de la maladie, la croissance fœtale, l'apparition ou non d'un hydramnios (▷ ce mot). Le taux de bilirubine va en augmentant : il faut soustraire au plus vite le bébé à ce milieu éminemment toxique. On déclenchera donc un accouchement, même prématuré, afin de sauver l'enfant d'une mort quasi certaine.

Après l'accouchement, mais ceci est l'affaire du pédiatre, l'enfant sera soumis à une surveillance particulièrement attentive. En effet, un taux de bilirubine très élevé dans le sang fœtal peut entraîner des lésions cérébrales majeures, qui seront prévenues par une ex-sanguino transfusion. La fréquence de l'incompatibilité sanguine fœto-maternelle, actuellement de 5 pour 1000, devrait largement diminuer dans les années à venir. En effet existe maintenant un traitement préventif, le « vaccin anti D »; l'injection de ces gammaglobulines, aussitôt après tout accouchement ou avortement, a pour effet de détruire les hématies fœtales dans l'organisme maternel avant qu'elles n'aient induit la formation d'anticorps.

 ■ **fœtus** *(état de santé du)* ■ **ictère du nouveau-né**

incontinence urinaire

L'incontinence urinaire est une perte involontaire des urines. Elle ne doit pas être confondue avec les pertes urinaires provoquées par des mictions impérieuses qui accompagnent une cystite (▷ infection urinaire), ou avec l'énurésie nocturne des enfants qui correspond à une vraie miction inconsciente (▷ énurésie).

Les causes des incontinences urinaires sont différentes chez l'homme et chez la femme.

— *Chez l'homme*, un obstacle situé sur la vessie — adénome de la prostate par exemple, rétrécissement du canal de l'urètre congénital ou consécutif à des urétrites longtemps négligées —, lorsqu'il est complet, peut empêcher celle-ci de se vider. La vessie se remplit alors jusqu'à se distendre à son maximum, devenant palpable à la partie basse de l'abdomen (*globe vésical*). Le trop plein d'urine est ensuite constamment évacué sous la forme d'un écoulement permanent appelé miction par rengorgement. Le traitement de ces incontinences se confond avec celui de l'obstacle.

— *Chez la femme*, une « descente d'organe » ou

prolapsus peut provoquer une insuffisance de contrôle des sphincters urinaires, ainsi que leur étirement, lors d'un accouchement difficile. La patiente conserve alors des mictions normales; mais des efforts, même minimes; entraînent une émission involontaire d'urine: course, toux, rire... La kinésithérapie et/ou la chirurgie aideront à obtenir un parfait contrôle de la miction.

— *Dans les deux sexes*, le contrôle sphinctérien peut être paralysé par une affection neurologique (paraplégie traumatique par exemple). La vessie se vide alors par saccades brèves et faibles, pouvant être déclenchées par la pression manuelle sur la vessie.

Les personnes âgées sont plus souvent atteintes d'incontinence urinaire: le sphincter urinaire devient en effet plus faible avec l'âge. Elles ne doivent pas accuser la fatalité, mais consulter leur médecin qui recherchera toujours une cause curable. C'est seulement lorsqu'aucun traitement n'est possible que certaines solutions palliatives seront envisagées:

— garnitures pour la femme, plutôt qu'un change complet favorisant l'apparition de mycoses dans les plis;

— port d'un penilex pour l'homme pendant le jour; la nuit, il vaut mieux laisser la verge reposer dans un urinal en verre (moins allergisant que le plastique), placé entre les cuisses;

— l'utilisation d'une sonde urinaire en permanence doit être évitée chaque fois que cela est possible, car elle expose aux infections urinaires.

● **La kinésithérapie de l'incontinence urinaire d'effort**

La rééducation permet le contrôle et le renforcement du plancher musculaire de l'abdomen qui entoure les sphincters urinaires et le vagin. Les méthodes utilisées sont:

— les exercices de contrôle volontaire des sphincters;

— l'électrothérapie (le courant électrique est transmis par une sonde intravaginale);

— la technique de *biofeedback*;

— il est conseillé à la patiente d'interrompre le jet urinaire au début de chaque miction pour en renforcer le contrôle.

Le but de la kinésithérapie est d'obtenir le verrouillage inconscient et automatique des sphincters lors des efforts de la vie courante (rire, toux, course, éternuement...).

 ■ prostate ■ prolapsus

incontinence urinaire d'effort

 prolapsus

incubation

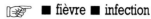 ■ fièvre ■ infection

inégalité de longueur des membres inférieurs

 malformation des membres et de la colonne vertébrale *(votre enfant naît avec une)*

infarctus du myocarde

 ■ cardiaque *(hygiène de vie du)* ■ insuffisance coronaire

infections

Agents microbiens et corps humain sont en relation d'affrontement permanent; le rapport de leurs forces définit l'état de notre organisme. Une rupture d'équilibre, due à une altération de nos moyens de défense et à une multiplication des microbes, provoque la maladie infectieuse.

Les moyens de défense de notre organisme

Ils se classent en deux groupes: non spécifiques et spécifiques au germe microbien.

Les moyens non spécifiques de défense

Ils sont présents en permanence dans notre corps, quel que soit le germe. Il s'agit des *barrières mécaniques de l'organisme* (la peau, les muqueuses respiratoire et digestive) et de *certains globules blancs* (les uns sont fixés dans les tissus: les *macrophages*; les autres circulent dans le sang: les *monocytes* et les *polynucléaires*). Ces globules blancs particuliers détruisent les microbes en les « ingurgitant et en les digérant », c'est le principe de la *phagocytose*.

Les moyens de défense spécifiques au germe

Lorsqu'un germe échappe aux barrières nommées plus haut, l'organisme utilise des défenses qui sont spécifiques à ce germe.

La présence récente d'un germe dans notre organisme provoque l'apparition de *lymphocytes T*, issus du thymus, et d'*anticorps élaborés par les lymphocytes B*, issus de la moelle osseuse. Ces lymphocytes T et ces anticorps spécifiques vont se fixer électivement sur le germe visé pour le détruire: les moyens de défense sont habituellement conservés en mémoire. Lors d'un deuxième contact avec ce germe, ils seront disponibles assez rapidement pour éviter une récidive de la maladie: le malade est immunisé.

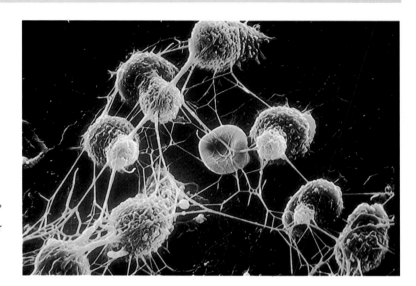

infections. *Les macrophages « en bleu » appartiennent au système immunitaire (▷ immunologie) et permettent de nettoyer l'organisme des bactéries et des virus; ils y parviennent en englobant et détruisant le corps étranger au cours d'un procédé que l'on appelle phagocytose.*

L'essor de la maladie infectieuse

Lorsque les moyens de défense sont inefficaces, le germe peut se multiplier. Après une période d'incubation silencieuse, variable selon le germe (trois semaines pour les oreillons, quatorze jours pour la varicelle...), les premiers signes de la maladie, dite *phase d'invasion*, apparaissent : la fièvre en est le signe le plus fréquent.

Au début, les signes de la maladie restent localisés à la porte d'entrée du germe : la peau pour un panaris, les amygdales pour une angine par exemple. La diffusion de l'infection est limitée par les ganglions voisins qui constituent souvent une barrière efficace contre les microbes.

L'infection peut également diffuser aux tissus de voisinage : une rhinopharyngite peut ainsi se compliquer d'une otite, d'une sinusite, d'une bronchite ou encore d'une broncho-pneumonie.

Lorsque l'infection bactérienne continue d'évoluer, les germes peuvent passer dans le sang, provoquant une septicémie. La circulation sanguine risque alors de mener ces germes à d'autres organes (localisations secondaires des septicémies).

Les signes de certaines maladies infectieuses (poliomyélite, tétanos, botulisme...) ne sont pas provoqués directement par les germes eux-mêmes, mais par des substances chimiques qu'ils fabriquent : les *toxines*.

Les agents microbiens et leur traitement

Il existe quatre groupes de germes : les *bactéries*, les *virus*, les *parasites*, les *champignons*. Un traitement différent correspond à chacun de ces groupes.

Bactéries et virus

Les *bactéries* sont détruites par les antibiotiques. On ne dispose pas encore de médicament efficace pour combattre les *virus*. Les vaccins nous permettent heureusement de prévenir l'apparition d'un bon nombre de maladies virales : la poliomyélite, la rougeole, la rubéole, les oreillons, l'hépatite B...

On peut également injecter au patient des anticorps d'origine humaine ou animale (gammaglobulines ou sérums antitétaniques, antidiphtériques par exemple) pour aider son organisme à prévenir ou à combattre une infection virale ou bactérienne. Les injections d'anticorps protègent passivement le patient pendant une courte période de l'ordre de trois semaines, alors que les vaccins confèrent une immunité durable (cinq à dix ans pour le vaccin antitétanique par exemple).

Les parasites

De nombreux agents anti-infectieux permettent de lutter contre les *parasitoses*. Le plus célèbre est sûrement la quinine qui prévient et traite le paludisme. La plupart de ces infections sévissent dans les pays tropicaux. Une bonne hygiène permet le plus souvent de les prévenir.

Les champignons

Les *mycoses* sont des infections provoquées par des champignons. Elles sont combattues par des applications locales d'agents anti-infectieux contenus dans des crèmes, des pulvérisateurs ou des ovules gynécologiques. Il est parfois nécessaire d'absorber ces agents anti-infectieux par la bouche, notamment lorsque la mycose est digestive ou gynécologique.

 ■ immunologie ■ vaccins et sérums ■ fièvre de l'adulte ■ fièvre du nourrisson ■ antibiotiques ■ INDEX THÉMATIQUE *(INFECTIOLOGIE)*

infections :
analyses de laboratoire

 ■ sang ■ globules blancs *(anomalie des)* ■ hyperéosinophilie ■ vitesse de sédimentation ■ urines *(examen cytobactériologique des)* ■ urines ■ hémocultures ■ prélèvement de gorge ■ prélèvement des pertes vaginales ■ coproculture et examen parasitologique des selles ■ sérologie des maladies infectieuses

infections bactériennes du nouveau-né

 Les infections néo-natales sont souvent graves. Elles nécessitent un traitement précoce. Le problème du médecin est donc de les suspecter devant le moindre signe anormal et surtout devant un enfant qui va mal. Il lui faudra parfois traiter ces infections sur des critères suffisants de probabilité même s'il n'a pas recueilli les critères de certitude.

Dans les 2 ou 3 premiers jours de la vie de votre enfant, les critères de probabilité d'infection anté- ou per-natale (contractée avant ou pendant l'accouchement) recueillis par le médecin sont les suivants :

Certains arguments concernent la grossesse et l'accouchement :

— fièvre maternelle supérieure ou égale à 38° au moment de l'accouchement ;

— infection maternelle récente, même si elle est traitée ;

— leucorrhées, pertes vaginales purulentes la dernière semaine, le col étant ouvert ;

— liquide amniotique (dans lequel baigne l'enfant) teinté ;

— rupture prématurée des membranes ;

— accouchement prématuré sans cause évidente ;

— abcès du placenta.

Les autres arguments sont recueillis par l'examen de l'enfant :

— mauvais état à la naissance alors que l'accouchement s'est déroulé normalement ;

— et surtout un enfant qui va mal dans les 2 ou 3 premiers jours de vie : parce qu'il boit mal, qu'il a des troubles digestifs, qu'il a de la fièvre ou que sa température est trop basse, qu'il est mou ou

irritable, qu'il est pâle, gris ou cyanosé. Des difficultés respiratoires ou des signes cutanés peuvent apparaître précocement : jaunisse, éruption, hémorragie,...

 Ainsi, lorsque le diagnostic d'infection bactérienne néo-natale est probable, le traitement antibiotique sera immédiatement entrepris après les prélèvements bactériologiques et sanguins et sans en attendre les résultats. Le traitement sera ensuite éventuellement adapté en fonction des résultats des prélèvements.

Lorsque le diagnostic est possible mais non probable, le médecin sursoiera au traitement antibiotique. La surveillance sera renforcée, et le traitement entrepris, à l'apparition secondaire d'un critère de probabilité ou si le résultat des prélèvements est positif.

La surveillance sera interrompue après le troisième jour si aucun signe n'est apparu et si tous les prélèvements sont négatifs.

infection urinaire

Infection urinaire du jeune enfant

 Ses signes d'alerte sont souvent atypiques : fièvre importante à 40°, douleurs abdominales, vomissements.

Devant une fièvre importante inexpliquée, des douleurs abdominales se traduisant par des pleurs, des vomissements, ou encore simplement parce que l'enfant manque d'appétit, ne prend pas de poids, une consultation s'impose.

 Le médecin ne détecte pas grand-chose et, en tout cas, il ne trouve pas une origine à ces symptômes ; la pose d'une poche stérile de recueil des urines est nécessaire afin de pratiquer leur examen cyto-bactériologique.

Quels que soient l'âge et le sexe de l'enfant, l'urographie* intra-veineuse, la cystographie rétrograde et l'échographie sont nécessaires dès la première infection urinaire ; mais s'il existe une cause locale évidente comme une infection vaginale ou une oxyurose, ces examens ne s'imposeront qu'après récidive.

Sinon, les radiographies permettront de trouver l'origine de cette infection : la cause la plus fréquente est le reflux des urines, c'est-à-dire leur remontée vers le rein, dans l'uretère, compte tenu d'un trajet anatomique trop court de celui-ci au niveau de sa terminaison dans la vessie. C'est l'urologue qui pourra décider si un traitement anti-infectieux seul, *prolongé pendant plusieurs mois*, suffit ou si une intervention chirurgicale dite anti-reflux s'avère indispensable.

Le terme de « colibacillose » est impropre pour désigner une infection urinaire, car si le colibacille en est souvent le microbe responsable, il n'est pas le seul.

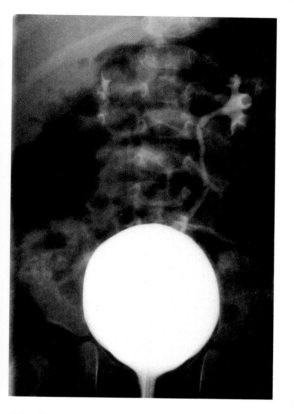
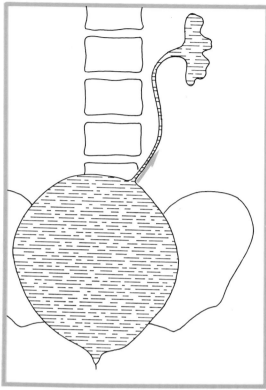

infection urinaire. *Cette cystographie rétrograde opacifie non seulement la vessie, mais aussi l'uretère gauche jusqu'au rein. Elle témoigne donc d'un important reflux vésico-uretéral gauche massif responsable de l'infection urinaire.*

Infection urinaire chez l'adulte

Certains signes évoquent immédiatement le diagnostic de cystite, c'est-à-dire une inflammation de la paroi vésicale : brûlures en urinant, émission d'urines troubles, parfois rouges en fin de miction, envies fréquentes d'uriner. La présence de fièvre et de frissons signe l'atteinte d'un parenchyme (pyélonéphrite aiguë ou prostatite aiguë). Parfois encore, l'infection urinaire est totalement asymptomatique, notamment chez le vieillard ou la femme enceinte ou chez le sujet porteur d'une sonde vésicale.

Quels que soient les symptômes qui amènent à consulter, sachez que le diagnostic d'infection urinaire demande toujours une confirmation bactériologique avant tout traitement (▷ urines [examen cyto-bactériologique des]).

Une infection urinaire ne doit jamais être négligée. Les problèmes qui se posent à votre médecin sont multiples :
— tout d'abord, savoir s'il s'agit d'une infection des urines vésicales (infection basse) ou si l'infection siège aussi au niveau des urines sus-vésicales, car le

traitement et le pronostic à long terme en sont différents; rappelons que la fièvre est le signe majeur des infections hautes;
— insister pour obtenir un examen cyto-bactériologique des urines (E.C.B.U.) avant tout traitement et, parfois, des hémocultures* s'il s'agit d'une infection fébrile;
— débuter le traitement approprié au siège de l'infection dès que le prélèvement d'urine est effectué, sans en attendre les résultats;
— interpréter les résultats de l'E.C.B.U. qui affirme le diagnostic si la bactériurie est supérieure à 10^5 germes par millilitre, et éventuellement corriger la prescription initiale en fonction des données de l'antibiogramme*;
— vérifier la disparition de l'infection par des contrôles bactériologiques des urines effectués pendant et après le traitement;
— rechercher les facteurs favorisant le développement de l'infection urinaire, notamment le diabète, l'infection vaginale chez la femme...;
— demander une urographie* intra-veineuse (U.I.V.) à la recherche d'une anomalie des voies

urinaires; ce bilan dépend essentiellement du contexte dans lequel survient l'infection :

chez l'homme, l'infection urinaire impose, dès la première infection, de rechercher une anomalie urologique (calcul, hypertrophie prostatique...);

chez la femme, la prescription d'une U.I.V. n'est nécessaire dès la première infection que s'il existe de la fièvre ou une crise de colique néphrétique; en cas de récidive, elle est également nécessaire, mais en seconde phase.

Le traitement curatif a pour but de stériliser les urines. Il utilise des antiseptiques urinaires ou des antibiotiques selon des schémas qui varient en fonction du germe responsable, du type d'infection urinaire et du contexte dans lequel celle-ci survient.

 Il est recommandé de boire abondamment, de lutter contre une éventuelle constipation et de respecter les règles d'hygiène corporelle en particulier génitale et péri-anale.

Le traitement préventif des infections urinaires récidivantes est parfois prescrit pour une période de trois à six mois. Il est réalisé le plus souvent par l'apport discontinu d'anti-bactériens de familles différentes.

 ■ colique néphrétique ■ lithiase urinaire ■ prostate

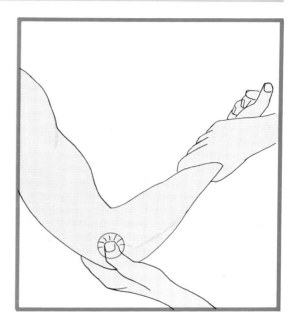

infiltrations. *Dans le cadre d'une épicondylite, le médecin recherche précisément le point douloureux; c'est à cet endroit que sera pratiquée l'infiltration.*

infiltrations

 L'injection d'un produit cortisoné dans une articulation ou dans une structure avoisinante est une thérapeutique efficace en rhumatologie. Cette technique n'est pas anodine; elle doit obéir à des règles précises.

Première règle : le médecin n'infiltre une articulation que lorsqu'il est sûr de son diagnostic. La radiographie est toujours demandée avant l'infiltration.

Deuxième règle : l'injection est faite dans des conditions d'asepsie draconienne (utilisation de matériel à usage unique, désinfection des téguments).

Troisième règle : les infiltrations sont contre-indiquées chez les patients sous anticoagulants ou présentant une infection cutanée locale. L'infiltration d'une articulation devant être opérée est interdite.

Quatrième règle : les infiltrations ne doivent pas être trop souvent répétées, leur nombre doit être limité (trois suffisent), afin d'éviter l'aggravation des lésions.

Les indications des infiltrations sont nombreuses :

— Les rhumatismes chroniques en poussée aiguë, dominés par l'arthrose (gonarthrose, rhizarthrose) et par les grands rhumatismes inflammatoires (polyarthrite rhumatoïde par exemple).

— Les rhumatismes abarticulaires : périarthrite scapulo-humérale, syndrome du canal carpien, tendinite, tenosynovite, sciatique.

Incidents-Accidents

Quelques heures après l'infiltration, peut apparaître une exacerbation du phénomène algique qui régressera rapidement et n'entraînera aucune conséquence. Le risque de cette technique est la survenue d'une arthrite septique causée par manque d'asepsie (inoculation d'un germe), débutant quelques jours après l'infiltration par de la fièvre et des signes inflammatoires locaux importants.

Les ruptures tendineuses et l'atrophie cutanée sont l'apanage des cortisoniques à action retard. La corticothérapie locale répétée entraîne parfois des complications inhérentes à la corticothérapie générale.

injections médicamenteuses

 Les injections médicamenteuses ou « piqûres » qui s'effectuent par les voies intra-musculaires, intra-veineuses, intra-dermiques ou sous-cutanées sont de pratique médicale courante. Celles par les voies intra-artérielles, intra-articulaires ou péri-articulaires (infiltrations) et intra-rachidiennes sont des

insomnie. *Quand le sommeil n'est plus un refuge, le médicament n'est pas toujours la panacée.*

techniques plus spécialisées. D'autres enfin sont exceptionnelles (sous-occipitales, intra-ventriculaires). Ce sont les modalités d'action du médicament qui président au choix de la voie de son injection.

— *La voie intra-musculaire* : le plus souvent l'injection est faite dans la fesse où la masse musculaire importante assure une bonne diffusion du produit. La zone doit être choisie dans le quadrant supéro-externe pour éviter de piquer le nerf sciatique.

— *La voie intra-veineuse* : une veine de l'avant-bras ou du pli du coude est le plus souvent facilement piquée après pose d'un garrot. Celui-ci est enlevé lors de l'injection du produit. La diffusion du médicament est alors instantanée.

— *La voie sous-cutanée* assure une meilleure efficacité au vaccin; elle permet l'administration de l'insuline ordinaire chez le diabétique. La diffusion du produit administré par voie sous-cutanée est très lente, contrairement à la voie veineuse.

— *La voie intra-articulaire ou péri-articulaire* est utilisée en règle générale pour le traitement d'une inflammation locale rhumatismale (▷ infiltrations).

— *La voie intra-rachidienne* n'est utile que dans le traitement d'une infection locale (méningite purulente) ou dans la pratique des anesthésies ou des analgésies loco-régionales.

— *La voie intra-artérielle*, par exemple dans l'artère fémorale, permet l'injection de vaso-dilatateurs.

Toutes les injections médicamenteuses imposent de piquer à travers une peau bien désinfectée, avec du matériel stérile.

insolation

 ■ **déshydratation aiguë du nourrisson** ■ **fièvre du nourrisson** ■ **soleil**

insomnie

 ■ **sommeil** *(troubles du)* ■ **sommeil chez l'enfant** *(troubles du)*

insuffisance cardiaque

On dit qu'il y a « insuffisance cardiaque » lorsque le cœur n'assure plus sa fonction de pompe, c'est-à-dire qu'*il n'est plus capable d'engendrer un débit sanguin suffisant pour irriguer correctement les organes périphériques* (rein, cerveau, etc.).

L'insuffisance cardiaque n'est pas, en soi, une maladie, mais plutôt un syndrome, ou, plus exactement, une condition qui complique l'évolution de diverses maladies cardiaques : maladies du muscle, telles que l'infarctus myocardique et les myocar-

diopathies, maladies des valves, telles que l'insuffisance mitrale et l'insuffisance aortique par exemple, anomalies anatomiques congénitales du cœur, comme la communication inter-auriculaire; l'insuffisance cardiaque peut encore résulter de troubles du rythme chroniques.

Avant que ne s'extériorisent de façon patente les signes d'insuffisance cardiaque, des mécanismes compensateurs se mettent en jeu afin de contre-carrer les effets nocifs des anomalies sus-citées et d'assurer une circulation sanguine correcte aux organes les plus importants. Ces mécanismes incluent :

— *une augmentation de la stimulation sympathique du cœur par le système nerveux sympathique*; il en résulte une augmentation de la force de contraction du muscle cardiaque et, surtout, une accélération du rythme cardiaque (ou *tachycardie*);

— *une augmentation de la masse musculaire cardiaque* (ou *hypertrophie*) pour améliorer, là encore, la force de contraction du cœur;

— *une augmentation du volume des cavités cardiaques* (ou *dilatation*) qui contribue, elle aussi, à majorer l'énergie de contraction du cœur.

Ces trois facteurs accroissent, certes, la fonction de « pompe » du cœur malade, mais ne peuvent la normaliser. De plus, la mise en jeu prolongée de ces trois mécanismes finit par entraîner, à long terme, une altération plus importante encore de la fonction cardiaque. Ainsi, par exemple, l'augmentation de la stimulation nerveuse sympathique provoque un rétrécissement des petites artères périphériques responsable d'une élévation de la pression artérielle, laquelle renforce la résistance contre laquelle le cœur doit lutter pour éjecter le sang en périphérie, et accroît ainsi de façon néfaste le travail du cœur.

C'est ainsi que s'installe un cercle vicieux, au sein duquel les mécanismes compensateurs, initialement bénéfiques, contribuent secondairement, par leurs effets, à aggraver la défaillance cardiaque.

 Les conséquences d'une telle défaillance sont nombreuses et variées. La réduction du volume de sang éjecté par le cœur entraîne, après chaque battement cardiaque, l'augmentation du volume de sang résiduel de chaque ventricule; celle-ci se répercute en amont de chacun des ventricules.

— *En amont du ventricule gauche*, on observe une congestion des poumons : cette augmentation du volume sanguin dans les poumons entrave la respiration et le transport de l'oxygène dans le système pulmonaire (d'où l'essoufflement très souvent ressenti par ces patients).

— *En amont du ventricule droit*, l'augmentation du volume sanguin et des pressions réalise une congestion des membres inférieurs et des organes abdominaux tels que le foie, avec, comme conséquence, la survenue d'œdèmes. Ces œdèmes s'aggravent par l'insuffisance rénale fonctionnelle liée à la baisse de l'irrigation sanguine du rein (elle-même secondaire à l'insuffisance cardiaque).

En aval des ventricules défaillants, en effet, la baisse de l'apport sanguin aux organes périphériques entraîne une réduction de leur fonctionnement normal.

Les symptômes de l'insuffisance cardiaque, encore appelée insuffisance cardiaque congestive, sont principalement :
— *l'essoufflement* (dû à la congestion pulmonaire); il apparaît d'abord à l'effort, puis, à un stade ultérieur, au repos, notamment lors de la position couché à plat; d'où la nécessité de recourir à plusieurs oreillers pour mieux dormir;
— *le gonflement* (ou *œdème*) des membres inférieurs; il ne concerne d'abord que les chevilles, puis remonte, touchant les deux membres inférieurs dans leur ensemble; la rétention de liquide dans la cavité abdominale entraîne une distension de l'abdomen et une augmentation de volume de certains organes comme le foie : c'est l'hépatomégalie; cette dernière est responsable de douleurs sous-costales droites, en particulier à la marche;
— *une fatigue anormale au moindre effort*; elle est liée à l'impossibilité du cœur à satisfaire l'augmentation des besoins musculaires en sang et oxygène lors de l'effort.

Au cours de l'examen clinique, le médecin retrouve dans la très grande majorité des cas une accélération du rythme cardiaque (*tachycardie*), un bruit cardiaque anormal, le galop (car ce bruit simule le galop d'un cheval), un souffle cardiaque. En dehors de ces anomalies découvertes lors de l'auscultation, il est noté la présence d'un gros foie et d'œdèmes déjà cités.

L'un des examens les plus utiles est alors l'échographie* cardiaque; en effet, en visualisant les différentes tuniques cardiaques, il permet de reconnaître la cause précise de l'insuffisance cardiaque : valvulaire, myocardique, etc.; les autres examens dépendent, le cas échéant, de l'origine de l'insuffisance cardiaque.

Le traitement de l'insuffisance cardiaque vise à lutter contre la congestion qui en résulte et à améliorer l'énergie de la contraction cardiaque.

Ce traitement comporte dans tous les cas des règles de diététique et d'hygiène. Ainsi, *le repos* permet de soulager le travail du cœur et *le régime sans sel* de réduire la surcharge en eau et en sel (avec suppression non seulement du sel comme assaisonnement, mais aussi des aliments à forte teneur en sel). N'hésitez pas à demander à votre médecin une feuille imprimée de régime sans sel, sur laquelle sont clairement indiqués les aliments permis et interdits : vous pourrez mieux, ainsi, éviter les écarts de régime, souvent néfastes.

En cas d'obésité, qui augmente le travail du cœur, un régime alimentaire de restriction pondérale est vivement conseillé.

Ces mesures hygiéno-diététiques sont associées à diverses médications :
— *les digitaliques*, médicaments très efficaces dans le traitement de l'insuffisance cardiaque conges-

tive; ils augmentent l'énergie de la contraction cardiaque et entraînent aussi généralement un ralentissement du rythme du cœur;
— *les diurétiques* agissent sur la congestion, c'est-à-dire qu'ils réduisent la surcharge en eau et sel. Ils soulagent généralement rapidement le patient. Toutefois, certains entraînent une perte urinaire de potassium qu'il importe de compenser (car la baisse du potassium sanguin peut favoriser la survenue ou l'aggravation de troubles du rythme).

Diurétique et digitalique sont généralement associés. Lorsque le cardiologue juge leur effet insuffisant, il peut alors recourir :
— *aux vaso-dilatateurs*, substances qui, comme leur nom l'indique, agissent sur la paroi des vaisseaux qu'ils dilatent : la dilatation des veines entraîne une diminution du volume sanguin retournant au cœur, et celle des artères permet au cœur de mieux se vider en aval et d'améliorer ainsi le débit cardiaque.
— *à l'inhibiteur de l'enzyme de conversion* qui est d'utilisation plus récente. Il réduit les résistances vasculaires. Il s'avère particulièrement efficace, mais nécessite des précautions d'emploi.

Chez certains patients, le traitement médical, pourtant bien suivi, s'avère peu efficace. Le cardiologue peut ainsi évaluer l'opportunité d'un *traitement chirurgical* : soit spécifique (remplacement valvulaire, pontage aorto-coronaire), soit « non spécifique » : c'est la greffe cardiaque, dont les résultats actuels sont très prometteurs et encourageants.

 ■ régime sans sel ■ diurétiques ■ digitaline *(traitement par la)*

insuffisance coronaire

Affection fréquente, surtout dans les pays développés, touchant plus souvent l'homme que la femme, l'insuffisance coronaire est liée à une atteinte des artères qui assurent l'irrigation du cœur.

Ces artères, appelées artères coronaires, sont généralement le siège de lésions d'artériosclérose (▷ ce mot), responsables d'un rétrécissement du calibre artériel, qui empêche une circulation sanguine correcte dans le muscle cardiaque, et donc une oxygénation satisfaisante.

Les signes qui en résultent sont variables et dépendent schématiquement de l'importance du rétrécissement artériel :
— si le rétrécissement est très important et s'il se complique d'une véritable obstruction artérielle, la zone de myocarde normalement irriguée par ce segment artériel cesse brutalement d'être vascularisée et se nécrose : c'est ainsi que se constitue un *infarctus myocardique*.

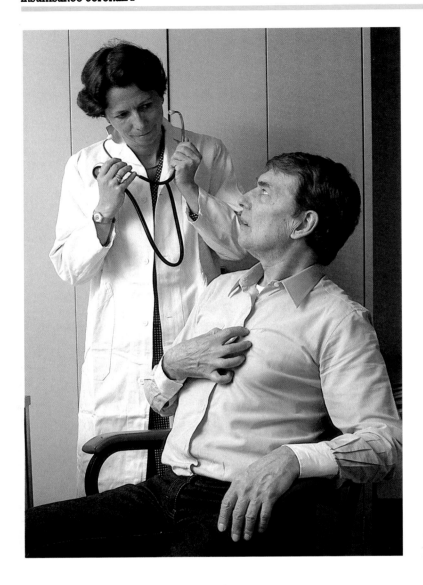

insuffisance coronaire. *La douleur de l'angine de poitrine siège en arrière du sternum (territoire désigné par la main sur la photo); elle est ressentie comme un serrement.*

— Si, malgré le rétrécissement, la circulation sanguine s'effectue encore dans le segment artériel rétréci, il en résulte une *angine de poitrine*, c'est-à-dire une douleur thoracique; celle-ci survient lorsqu'il y a un déséquilibre entre les besoins du cœur en sang oxygéné et la quantité de sang oxygéné apporté par les artères coronaires. Ainsi, par exemple, on peut, au repos, ne rien ressentir; tandis qu'à l'occasion d'un effort comme, par exemple, une marche rapide par temps froid, les besoins en oxygène augmentant du fait de l'effort, il survient une douleur thoracique : c'est l'angine de poitrine d'effort : en effet, du fait du rétrécissement artériel fixe, l'apport de sang, donc d'oxygène au myocarde, ne peut se majorer; le muscle manque d'oxygène : il s'ischémise en raison de ce déséquilibre entre ses besoins réels et les apports insuffisants. A l'arrêt de l'effort, la douleur régresse, puis disparaît, car les besoins en oxygène reviennent à un niveau moindre, basal.

L'on admet que sur 100 insuffisants coronariens, 50 entrent dans la maladie par un infarctus myocardique d'emblée, tandis que chez 30 malades sur 100, la maladie est inaugurée par une angine de poitrine. Beaucoup plus rarement, le premier symptôme est un trouble du rythme cardiaque, en particulier une tachycardie ventriculaire.

Le principal symptôme d'insuffisance coronaire est la douleur thoracique.

En cas d'angine de poitrine d'effort, la douleur survient à l'effort, quelquefois après un repas copieux. L'effort responsable de la douleur est variable : marche rapide, montée de côte, course ; le vent, le temps froid, l'humidité sont aussi des facteurs qui favorisent la survenue de la douleur. Elle ne dure que le temps de l'effort et cède quelques secondes après. Mais l'angine de poitrine peut aussi survenir en dehors de tout effort, au repos, avec, là encore, une douleur brève de moins de cinq minutes. *La survenue d'une douleur prolongée, de plus d'une quinzaine de minutes, doit faire suspecter la constitution d'un infarctus.* La douleur peut s'accompagner d'un essoufflement, de palpitations, d'un malaise avec sueurs.

La description de la douleur est généralement stéréotypée : médio-thoracique, elle siège en arrière du sternum ; elle irradie au cou, à la mâchoire, aux épaules, au bras gauche ; elle est souvent ressentie comme un serrement, pareil à l'étau qui se resserre. Bien que ce type de douleur soit effectivement le plus souvent décrit par les patients, d'autres douleurs, de caractère bien différent, témoignent aussi d'une insuffisance coronaire. Aussi, il est prudent de consulter son médecin à l'occasion de toute douleur thoracique.

La survenue d'une douleur thoracique évocatrice d'insuffisance coronaire impose d'effectuer un *électrocardiogramme**.

Cet examen révèle généralement des anomalies qui sont la conséquence d'un défaut d'oxygénation ou ischémie du myocarde. Toutefois, l'électrocardiogramme peut être normal, notamment lorsqu'il est pratiqué en dehors d'une période douloureuse ; c'est la raison pour laquelle le médecin peut recourir à l'*électrocardiogramme* d'effort* : l'effort favorise l'apparition de l'ischémie, et par conséquent des anomalies électrocardiographiques correspondantes. Lorsque la douleur ressentie a été le témoin d'un infarctus, celui-ci s'inscrit de façon généralement patente sur l'électrocardiogramme standard de repos par la classique onde Q dite de nécrose.

L'insuffisance coronaire ayant été diagnostiquée, il est nécessaire d'en rechercher les *facteurs de risque* et les traiter, le cas échéant. Il s'agit du tabagisme, de l'hypertension artérielle, de l'hypercholestérolémie, de l'hypertriglycéridémie, du diabète. Il importe aussi d'effectuer une enquête familiale à la recherche d'antécédents familiaux de maladies des coronaires.

Le recours à la *coronarographie** n'est pas systématique :
— Cet examen peut se pratiquer lorsque le diagnostic d'insuffisance coronaire n'est pas certain ; en visualisant les artères coronaires, la coronarographie permet de confirmer ou non la présence d'une maladie artérielle coronaire.
— Dans le cas où le diagnostic est cliniquement déjà posé, la coronarographie est quasi systématique chez le sujet de moins de 50 ans.

— Elle est encore indiquée en cas d'inefficacité du traitement médical : elle précise alors si un traitement chirurgical est possible, s'il est nécessaire, enfin si une dilatation des artères coronaires est effectivement indiquée.

● Traitement de l'angine de poitrine

Il vise à lutter contre l'artériosclérose coronaire, à soulager ou à prévenir les douleurs en corrigeant le déficit en oxygène du myocarde.

Lutte contre l'artériosclérose coronaire

L'artériosclérose coronaire est favorisée par la présence des facteurs de risque ; un traitement correct doit toujours viser à les supprimer ou à les corriger.
— *Le tabagisme* doit être impérativement inter-

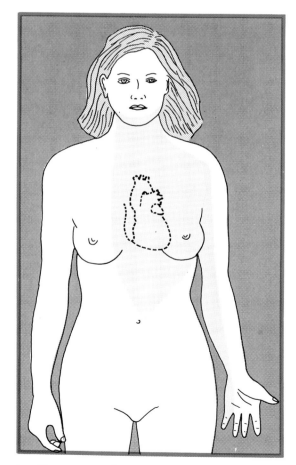

insuffisance coronaire. *Territoire le plus fréquent de la douleur thoracique lors de l'angine de poitrine.*

rompu; 30 à 40 % des décès survenant lors de cette affection lui sont imputables. Chez la femme, l'association du tabagisme et des contraceptifs oraux multiplie le risque par 10. En revanche, l'arrêt du tabagisme réduit considérablement le risque encouru (de 50 % après un an d'arrêt; risque identique à un non-fumeur après 10 ans).
— *Les anomalies lipidiques* doivent être corrigées. Une baisse de 1 % du taux de cholestérol diminue la fréquence de cette affection de 2 à 3 %. De même, le régime hypocalorique visant à réduire l'obésité est fondamental; des produits corrigeant le taux des lipides sanguins peuvent aussi lui être associés.
— *La correction d'une hypertension artérielle* est indispensable.
— *Les autres facteurs de risque* éventuels doivent être traités : traitement d'un diabète; réduction des situations de stress; enfin, il faut recommander un exercice physique prudent, régulier, contrôlé, dont la pratique à long terme cherchera à atteindre une « économie » des besoins en oxygène du myocarde.

Le traitement médicamenteux
Il vise à supprimer la douleur ou à prévenir son apparition.
— Pendant une crise d'angine de poitrine, il faut interrompre l'effort qui l'a éventuellement déclenchée et croquer un comprimé de dérivé nitré d'action immédiate, puis le laisser fondre sous la langue (l'utilisation d'un pulvérisateur contenant le dérivé nitré est aujourd'hui possible). Le médecin peut vous conseiller de prendre le dérivé nitré de façon préventive, avant un effort.
— Le traitement de fond repose sur les *bêta-bloquants*; ceux-ci ralentissent le rythme cardiaque, diminuent le travail du cœur et sa consommation en oxygène. Ce sont des médicaments essentiels, bien tolérés en général, devant toujours être utilisés en l'absence de contre-indications et sous contrôle médical strict et régulier.

Les *dérivés nitrés* d'action prolongée soulagent le travail du cœur et sont généralement très efficaces. Ils peuvent entraîner des maux de tête régressifs en cours de traitement ou des malaises au lever; dans ce cas, leurs doses seront alors réduites.

Les *inhibiteurs calciques* favorisent l'apport en oxygène au myocarde et en diminuent les besoins; ils peuvent être associés aux bêta-bloquants et/ou aux dérivés nitrés, et sont particulièrement utiles en cas de crise survenant au repos.

L'*amiodarone* peut être utilisée en cas d'angine de poitrine sévère ou de troubles du rythme cardiaque. Elle peut entraîner des anomalies de la glande thyroïdienne — qui contre-indiquent son utilisation —, des dépôts cornéens ou des éruptions cutanées favorisées par l'exposition solaire.

On utilise en général :
— les bêta-bloquants en association aux dérivés nitrés;
— si les bêta-bloquants sont contre-indiqués, on associe les dérivés nitrés aux inhibiteurs calciques.

L'intervention chirurgicale
En cas de résistance aux traitements médicamenteux, il faut s'assurer que le patient puisse subir une intervention chirurgicale. La décision est prise après que le cardiologue a pratiqué une coronarographie afin de visualiser les artères coronaires.

Le geste de revascularisation coronaire consiste :
— soit en un court-circuit (pontage coronaire) entre l'aorte et l'artère lésée en aval du rétrécissement artériel; ce geste est effectué au cours d'une intervention chirurgicale.
— soit en une dilatation du rétrécissement artériel par ballonnet gonflable, introduit dans l'artère coronaire (dilatation coronaire). Ce geste ne nécessite pas d'intervention chirurgicale.

La revascularisation coronaire sera donc envisagée quand l'angine de poitrine résiste au traitement médical ou s'aggrave, et quand le sujet est susceptible de subir une intervention chirurgicale.
— Elle vise à supprimer les douleurs angineuses, donc à améliorer la qualité et l'espérance de vie des patients.
— Elle permet de réduire le nombre de médicaments anti-angineux; néanmoins, un traitement anticoagulant ou à base d'aspirine doit être poursuivi pendant au moins un an.
— Elle ne freine cependant pas la progression de l'artériosclérose coronaire. La correction des facteurs de risque devra se poursuivre après la revascularisation.

Quand faut-il consulter en urgence ?
— Quand la fréquence des crises augmente;
— quand celles-ci sont prolongées (plus de quinze minutes);
— quand elles surviennent au repos, voire la nuit;
— quand elles s'accompagnent de malaise, de syncope et/ou d'essouflement.

 ■ **artériosclérose** ■ **bêta-bloquant** *(traitement)* ■ **anticoagulant** *(traitement* ■ **pontage coronaire** ■ **dilatation des coronaires** ■ **cardiaque** *(hygiène de vie du)*

insuffisance rénale chronique

On parle d'insuffisance rénale chronique (I.R.C.), ou *urémie*, lorsque le taux de l'urée dans le sang dépasse 0,60 g/litre ou 10 millimol/litre. Elle est mieux reflétée par le dosage de la créatinine dans le plasma sanguin (un taux normal ne doit pas dépasser 14 mg/litre ou 125 μmol/litre : voir plus loin **La créatinine**).

Le sujet qui est atteint d'une insuffisance rénale chronique ne présente souvent aucun symptôme (si ce n'est quelquefois la soif et l'augmentation du volume des urines), et ce pendant une longue durée. Ce n'est qu'à l'occasion d'un bilan sanguin, prescrit à titre systématique, qu'elle est souvent décelée. Parfois, c'est la survenue d'une complication qui vient la révéler : une hypertension artérielle, une fatigue inexpliquée, une anémie, une hypocalcémie, ou une élévation parfois dangereuse du potassium sanguin.

Lorsque l'I.R.C. continue d'évoluer, l'élévation progressive de la créatinine doit être surveillée. Elle provoque des troubles de la coagulation, des manifestations neurologiques à type de polynévrite, une inflammation de l'enveloppe cardiaque ou péricardite qui sont devenues rares grâce à l'hémodialyse.

La surveillance régulière de la créatinine des malades exposés à l'I.R.C. permet de dépister celle-ci précocement.

Toutes les maladies rénales peuvent provoquer une I.R.C. : les plus fréquentes sont l'hypertension artérielle, les maladies de l'appareil excréteur (infections avec pyélonéphrites chroniques, lithiases, malformations), les glumérulopathies, certaines maladies héréditaires, la prise de médicaments toxiques pour les reins (certains médicaments de la douleur surtout).

● **La créatinine**

La créatinine est une substance azotée provenant du catabolisme musculaire.

Le dosage de la créatinine dans le plasma sanguin, ou *créatininémie*, est un moyen fiable et pratique d'apprécier la fonction rénale. Une élévation de la créatininémie traduit une baisse de la filtration rénale et donc une insuffisance rénale.

La créatininémie normale de l'adulte est de 8 à 14 mg/l, soit 70 à 130 µmol/l. Elle doit être interprétée en fonction de la masse musculaire (une créatininémie de 15 mg/l chez une femme mince et petite est pathologique).

La créatininémie est relativement constante. Elle reflète plus fidèlement la fonction rénale que le dosage de l'urée sanguine. En effet, contrairement à celui-ci, elle ne varie pas avec l'état d'hydratation, l'alimentation et l'importance de l'effort musculaire.

☞ ■ **épurations extra-rénales** ■ **greffe du rein**

insuffisance valvulaire
(aortique et mitrale)

☞ **valves cardiaques** *(maladies des)*

intelligence *(troubles de l')*

La déficience intellectuelle touche l'enfant qui n'a jamais pu acquérir des capacités intellectuelles normales (débilité), et l'adulte ou le vieillard qui les a perdues (démence).

La *démence précoce* ou *schizophrénie* de l'adulte jeune, qui est une réduction des capacités intellectuelles entraînée par certaines formes de schizophrénie, et la *démence* présénile et sénile font l'objet d'articles dans ce livre (▷ schizophrénie, démence).

La déficience mentale de l'enfant

Le déficient intellectuel (DI) profond, dont le quotient intellectuel (QI) est inférieur à 30, possède une autonomie limitée, même pour les gestes de la vie quotidienne. Son langage est quasi inexistant. Des handicaps sensoriels ou neurologiques sont souvent associés.

Le DI moyen ne dépasse pas l'âge mental de 6 ans. Un encadrement protecteur stimulant et chaleureux permet la meilleure progression (QI<65).

Le DI léger (QI compris entre 70 et 85) est avant tout un inadapté scolaire. L'orientation vers les classes de perfectionnement, les instituts médico-pédagogiques (I.M.P.), les sections d'éducations spéciales (S.E.S.) de l'Éducation nationale permettent un apprentissage scolaire de base, plus rarement une véritable qualification professionnelle.

La débilité résulte parfois de causes externes — elle est alors dite exogène —, dont : les *déficits sensoriels graves*, surtout s'ils sont multiples, les *encéphalopathies*, qu'elles soient congénitales (trisomie, phénylcétonurie), néo-natales (traumatisme ou hypoxie de la naissance) ou acquises (traumatisme crânien, encéphalopathie infectieuse, etc.), et l'*infirmité motrice centrale* avec hypertonie musculaire et troubles moteurs plus ou moins marqués.

La déficience intellectuelle, même sévère, n'est plus considérée comme une maladie définitive, incapable d'évoluer. L'enfant, même déficient, est une personnalité en construction, sensible à l'affection des siens, à l'image de lui-même que lui renvoient les autres, et aux multiples stimulations intellectuelles ou non qui lui sont adressées. C'est pourquoi l'on s'oriente aujourd'hui vers une prise en charge très précoce, que le déficit soit d'origine *exogène* comme dans la trisomie 21, ou *endogène*, c'est-à-dire sans cause connue.

Parmi les déficients endogènes, certains sont considérés comme « harmonieux », représentant en plus lent, moins efficace et moins performant une variante de l'enfant normal. Mais la plupart sont « dysharmonieux » : les troubles intellectuels sont associés à des troubles de l'affectivité de l'ordre de la névrose ou de la psychose, à une maladresse gestuelle, à des troubles du langage...;

leurs performances ne régressent pas uniformément, et certaines capacités « brillantes » dans
certains domaines peuvent momentanément masquer le déficit global.

Le traitement des déficiences mentales

Il est variable selon la catégorie du déficit; la
précocité de sa mise en route est un facteur
pronostique essentiel :
— la psychothérapie est utile quand le déficit paraît
résulter ou être aggravé par une organisation
psychologique pathologique dont témoigne l'angoisse de l'enfant;
— les thérapeutiques spécialisées (orthophonie,
psychomotricité) doivent être mises en route, si
elles sont indiquées, le plus tôt possible (18 mois
chez le trisomique);
— des mesures pédagogiques particulières sont
proposées par les commissions d'éducation spécialisée locales : C.C.P.E. (Commission de circonscription pour l'enseignement pré-élémentaire et élémentaire), C.C.S.D. (Commission de circonscription
pour l'enseignement secondaire), ou départemen-
tales : C.D.E.S. (Commission départementale d'éducation spéciale);
— le placement en institution, en externat ou en
internat, dans certains cas difficiles est parfois
indiqué.

On conseille donc aux parents de consulter
rapidement, dès les premières années de vie, un
spécialiste en psychiatrie infantile (▷ tests mentaux, échec scolaire).

intercostales *(douleurs)*

☞ névralgie

internement

☞ certificats médicaux et législation

interruption volontaire
de la grossesse

Vous êtes enceinte (retard de règles, test de
grossesse positif...) et vous ne désirez pas poursuivre cette grossesse, que faire ?

D'abord et avant tout, bien connaître et respecter les dispositions de la loi Veil qui autorise en
France l'I.V.G. depuis janvier 1975.

Cette loi concerne toutes les femmes d'origine
française majeures dont la grossesse « mettrait en
péril la santé physique ou psychique », formule
suffisamment vague pour se prêter à toutes les
interprétations.

Cette loi concerne également les mineures,
pourvu qu'elles fournissent une autorisation écrite
de l'autorité parentale. Cette législation, très per-
missive dans le fond, subordonne la pratique de
l'I.V.G. à des impératifs bien précis souvent méconnus des intéressées.

En effet, l'I.V.G. doit être pratiquée avant la fin
de la dixième semaine d'aménorrhée (arrêt des
règles), terme qui prête à confusion en ce sens qu'il
fait référence non au début de la grossesse mais au
début des dernières règles, c'est-à-dire en pratique, que la loi fait obligation d'effectuer l'I.V.G.
avant la fin de la huitième semaine de grossesse.
En fait il est souhaitable de la pratiquer entre la
quatrième et la sixième semaine.

La première consultation médicale a pour but de
préciser la grossesse, son âge, votre état général,
vos antécédents... les contre-indications relatives
ou absolues à tel ou tel type d'anesthésie. Vous
serez en outre informée des dangers et complications de cette intervention, même pratiquée dans
les meilleures conditions techniques : elles sont
liées au geste chirurgical lui-même apparemment
simple, en fait profondément « antiphysiologi-
que » : la dilatation du col gravide, verrou de
l'utérus, risque d'en altérer l'élasticité et de créer
une béance, facteur d'accouchement prématuré
lors de grossesses ultérieures. A l'inverse, cette
même dilatation peut provoquer des lésions cicatricielles, la dilatation du col risque d'être longue,
difficile en cours d'accouchement. L'aspiration et/
ou le curetage d'un œuf solidement implanté peut
abraser, mettre à nu les parois utérines, en
provoquer l'accolement, ce sont les synéchies :
cette altération de la cavité utérine entraîne une
difficulté de la nidation (infertilité) ou du développement de la grossesse (fausse couche précoce).
Les synéchies relèvent d'un traitement chirurgical
parfois facile, quelquefois fort délicat. La complication la plus fréquente (2 % des cas) reste l'infection des trompes (ou salpingite); si elle cède
généralement à une antibiothérapie massive et
prolongée, elle peut être une cause de stérilité et
obliger à une chirurgie réparatrice des trompes.

C'est dûment informée que vous quitterez votre
médecin pour le revoir sept jours plus tard; c'est le
« délai de réflexion ». Au cours de cette deuxième
consultation vous confirmerez par écrit votre
décision d'I.V.G. et remettrez l'attestation d'entretien fournie par le Planning familial.

La loi vous oblige en effet à une entrevue avec
une conseillère familiale ou psychologue dans un
centre de Planning. Vous seront à nouveau précisés
les méfaits de l'I.V.G., ses conséquences éventuellement fâcheuses pour votre fertilité. Vous serez
informée en détail des droits et avantages auxquels
vous pouvez prétendre en tant que mère (peut-
être) célibataire, ainsi que des modalités d'un
éventuel abandon (anonymat, accouchement sous
anesthésie générale). Au terme de cet entretien,
vous sera remise une attestation indispensable à la
pratique de l'I.V.G. Votre décision est prise. Votre
médecin vous confiera à telle ou telle équipe
chirurgicale, soit en clinique privée soit dans un

centre hospitalier, s'il ne pratique lui-même cette intervention. Vous devez prendre rendez-vous en prenant bien garde à ce que le délai d'attente ne vous amène pas à dépasser le terme fatidique de 8 semaines de grossesse.

Vous devez entrer en clinique la veille de l'intervention aux fins d'examens pré-opératoires.

L'intervention elle-même dure environ 15 minutes; elle sera pratiquée sous anesthésie générale (souhaitable) ou sous anesthésie locale. C'est affaire d'école et de chirurgien. La durée de l'hospitalisation est de l'ordre de 48 heures. Les suites opératoires doivent être simples et ne comporter ni douleurs, ni hémorragies, ni fièvre, ni pertes malodorantes. De toutes façons, une consultation médicale est indispensable dans les quelques jours qui suivent l'intervention; elle permet de vérifier l'absence de toute complication, infectieuse en particulier, et de prescrire une pilule normo dosée qui facilite la cicatrisation de l'utérus et vous assure une excellente protection contre une nouvelle grossesse; la loi vous fait également obligation de mettre en œuvre une contraception efficace après I.V.G. qui, vous le savez maintenant, n'est pas un acte anodin et ne saurait être considérée comme un moyen de contraception.

Les chiffres officiels pour 1984 font état de 200 000 I.V.G. à l'issue desquelles 2 000 jeunes femmes environ resteront statistiquement stériles, alors que la contraception a fait de tels progrès et qu'elle permet un contrôle quasi parfait et sans complications de la fertilité. Une œuvre considérable d'information reste à faire. A noter que le prix de l'I.V.G. est fixé par circulaire ministérielle et remboursée à 70 %.

intervention chirurgicale

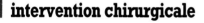

La quasi-totalité des interventions chirurgicales sont actuellement parfaitement au point quant à leurs différentes techniques. L'approche d'une intervention ne doit généralement pas poser de problème. Trois temps successifs sont envisagés : avant, pendant et après l'opération.
— *Le stade pré-opératoire* comporte un examen pré-anesthésique et un bilan pré-opératoire (▷ anesthésie).
— *L'intervention proprement dite* est pratiquée par le chirurgien qui a examiné le patient lors d'une consultation précédente.
— *La surveillance postopératoire* repose sur des principes généraux, parfois complétés par des mesures variant selon la gravité, le type de l'intervention et le terrain. Les premières étapes consistent à surveiller le réveil par un contrôle régulier du pouls, de la tension artérielle, et de la conscience. Durant cette phase qui peut durer quatre à huit heures selon le type d'anesthésie, il ne faut pas donner à boire ni à manger au patient, car il existe un risque de fausse route alimentaire pouvant entraîner la mort.

La cicatrice opératoire s'assèche en un jour et doit rester nette. Les fils et les agrafes seront enlevés entre le sixième et le quinzième jour selon l'intervention, ces dernières étant desserrées plus tôt. Parfois, il peut se former un hématome qui retarde un peu la cicatrisation ou un abcès qu'il convient d'évacuer par un petit geste local entre les fils, ou chirurgicalement selon son volume et sa localisation.

Après toute intervention, il importe de mobiliser le patient au plus tôt afin d'éviter les complications dues à l'alitement. Si l'intervention le permet, le patient pourra se lever dès le lendemain et s'asseoir dans un fauteuil; il devra marcher dès le surlendemain. S'il y a impossibilité du lever et de la marche (intervention sur un membre inférieur ou le bassin), il faudra masser régulièrement les points d'appui afin d'éviter l'apparition d'une escarre, ainsi que les mollets afin d'éviter une phlébite. Le risque de phlébite est augmenté en cas d'utilisation antérieure de contraceptifs oraux (pilule) et lors de la chirurgie pelvienne (organes génitaux féminins, prostate); dans tous les cas, il est prévenu chez l'adulte par un traitement anticoagulant.

Dans les suites opératoires moins immédiates, il importe d'assurer la réadaptation du patient à la vie active. Enfant ou sujet jeune, il ne se pose pas de problèmes. Mais plus âgé, il doit être rééduqué rapidement et rendu autonome sans délai. Vieux, il doit être stimulé afin de ne pas sombrer dans « l'hospitalisme » et perdre toute indépendance.

Voici quelques exemples d'interventions.

Opération de l'estomac
Les interventions stomacales les plus fréquentes sont la gastrectomie et la vagotomie (section des nerfs sécrétoires). Elles s'effectuent par une incision verticale à la partie supérieure de l'abdomen.

La gastrectomie consiste, après avoir lié les vaisseaux, à enlever la partie malade de l'estomac, puis à réunir (*anastomoser*) les parties saines situées de part et d'autre. La cicatrisation de l'estomac ne pose habituellement pas de problème et les suites sont sans complications. L'alimentation doit être reprise progressivement; il est souhaitable que la ration alimentaire journalière soit répartie en cinq ou six repas.

Opération de la vésicule (cholécystectomie)
La chirurgie de la vésicule est très souvent en rapport avec un calcul, infecté ou non. L'intervention peut se faire par une incision verticale sur la partie supérieure de l'abdomen ou par une incision sous-costale droite, oblique ou horizontale.

La vésicule malade peut être enlevée en totalité sans inconvénient, après avoir été décollée du foie et après ligature des vaisseaux et de la voie biliaire accessoire (canal cystique). Un contrôle radiologique de la voie biliaire principale est pratiqué en cours d'intervention afin de rechercher la présence de calculs ayant migré de la vésicule vers le canal cholédoque. Ces calculs devront être retirés.

Opération de l'intestin

L'intervention chirurgicale sur l'intestin la plus fréquente est la résection d'une partie malade de cet organe (diverticule infecté, tumeurs, anse étranglée dans une hernie). Elle se fait habituellement par une incision verticale à cheval sur l'ombilic. Après ligature des vaisseaux de l'intestin, ce dernier est sectionné en zone saine de part et d'autre de la lésion puis suturé bout à bout. La cicatrisation ne pose aucun problème si la reprise de l'alimentation est différée. Parfois, en terrain infecté, on aura recours à une dérivation provisoire (anus artificiel) en amont de la suture, pour protéger cette dernière. La chirurgie intestinale à froid nécessite une préparation — régime, antiseptiques, laxatifs — pour désinfecter l'organe et opérer sur un intestin vide de matières.

Opération de la prostate

La chirurgie de la prostate concerne essentiellement l'adénome. Les masses de petit volume peuvent être réséquées par les voies naturelles à l'aide d'un cystoscope équipé d'un résecteur. Lorsque l'adénome est volumineux, il est abordé par une courte incision au-dessus du pubis. La résection se fait au doigt, mais un saignement inévitable en résulte : il est évacué dans les urines les jours suivants. Une sonde urinaire laissée en place aide à arrêter progressivement ce saignement et permet des irrigations. L'intervention ne laisse en général pas de séquelle et le patient retrouve rapidement le contrôle de ses mictions.

L'infection urinaire peut persister quelques semaines et nécessitera des contrôles (examen cytobactériologique des urines*) et un traitement antiseptique.

 ■ **alitement prolongé** ■ **escarres** ■ **phlébite**

intolérance aux protéines du lait de vache

 C'est une allergie aux protéines du lait de vache, la bêta-lactoglubuline essentiellement.

Pour l'affirmer, des arguments cliniques et biologiques sont nécessaires :
— rarement l'intolérance se manifeste dès les premiers biberons par un accident anaphylactique : pâleur intense, cris, vomissements, état de choc, dont l'évolution peut être très grave, plus souvent la symptomatologie est moins grave ; quelques jours après l'introduction du lait de vache apparaissent des vomissements, de la diarrhée, une courbe de poids stationnaire, une anorexie. Des signes extra-digestifs d'allergie comme l'eczéma, l'urticaire ou les bronchites asthmatiformes, sont parfois associés ;

 — des examens biologiques peuvent être utiles au diagnostic : dosage des anticorps anti-lait (IgE spécifiques), T.T.L., éosinophilie sanguine et fécale ;

— mais bien souvent, le diagnostic n'est confirmé que par l'étude des effets de suppression et de réintroduction du lait de vache, sous surveillance en milieu hospitalier ;
— le traitement consiste en la suppression totale des protéines du lait de vache de l'alimentation (lait, laitages) jusqu'à l'âge de 1 à 2 ans, en donnant à l'enfant des aliments de substitution parfaitement équilibrés.

La réintroduction du lait se fera en milieu hospitalier par crainte d'un choc anaphylactique : goutte par goutte au début, puis augmentation progressive des doses sous surveillance clinique et biologique.

En l'absence de troubles, la guérison peut être affirmée et ceci de manière définitive.

 # intoxications

 Les conséquences de l'introduction d'une substance toxique dans l'organisme sont extrêmement variées ; elles sont fonction de la voie d'absorption du toxique, de son devenir dans l'organisme et des caractéristiques toxicologiques de la substance.

On peut distinguer la *toxicité directe au niveau local*, par exemple lors de l'ingestion accidentelle d'une substance caustique qui entraîne des lésions des voies digestives (œsophage, estomac), de la *toxicité liée à l'absorption du toxique*, par exemple lors d'une intoxication médicamenteuse.

En dehors des conséquences locales, la plupart des fonctions et organes peuvent être menacés par une intoxication : état de conscience, les fonctions respiratoire, circulatoire, hépatique et rénale. Les dommages entraînés par le toxique et les chances de survie seront conditionnés par la nature de la substance en cause, la quantité absorbée mais aussi par la capacité de l'organisme à éliminer directement ou après métabolisation cette substance.

Le rôle du médecin-réanimateur sera donc double : tenter de protéger les grandes fonctions vitales, diminuer le risque toxique en accélérant l'élimination de la substance ou en la neutralisant par un antidote, s'il existe. Les techniques de réanimation utilisées dans ce contexte sont identiques aux techniques de base d'assistance ventilatoire, de surveillance cardiaque, de maintien de l'équilibre hydrique et acido-basique. L'épuration extra-rénale est parfois mise en route pour faciliter l'élimination de certains toxiques.

Prévention des intoxications

 Elle est assurée par un certain nombre de mesures simples :
— ranger hors de la portée des enfants les médicaments mais aussi les produits ménagers ;
— jeter systématiquement les médicaments non utilisés ;
— ne pas utiliser des conditionnements usagés pour stocker des produits ménagers ;

– respecter les règles de stockage des produits industriels et agricoles;
– ne pas utiliser des médicaments de prescription médicale en dehors de la recommandation du médecin, ni pour une autre personne que celle à qui était destinée la prescription;
– ne pas consommer de plantes ou champignons qui n'ont pas été formellement identifiés.

Conduite à tenir face à une intoxication

On entend par intoxication l'introduction dans l'organisme d'une substance habituellement non absorbée ou son accumulation en quantités anormales. Qu'il s'agisse de substances naturelles, de produits industriels, de médicaments ou même d'aliments, les intoxications nécessitent la pratique rapide de comportements simples qui peuvent le plus souvent éviter l'apparition de complications et faciliter l'intervention du médecin si celle-ci est nécessaire.

Les intoxications peuvent être accidentelles ou volontaires, mais quelles qu'en soient les circonstances, vous devez en pratique observer la démarche suivante :
– préciser la nature et les circonstances de l'intoxication. On s'efforcera toujours d'identifier exactement la ou les substances toxiques responsables, la dose absorbée, l'heure d'absorption. Si la victime n'est pas capable de fournir ces informations, l'entourage peut apporter des précisions et l'examen du contenant vide (boîte, tube, bouteille...) sera susceptible de fournir des renseignements. La connaissance de ces éléments pourra faire gagner un temps précieux dans la mise en œuvre des moyens thérapeutiques et dans l'établissement du pronostic;
– donner l'alerte et pratiquer éventuellement les gestes d'urgence visant à protéger ou à maintenir les fonctions vitales (▷ secours d'urgence).

Les cas particuliers

Intoxications alimentaires

Ces intoxications sont fréquentes : elles sont dues à des germes qui sont contenus dans les aliments ingérés et se multiplient dans le tube digestif, ou parfois à des substances sécrétées par les germes, les toxines.

Les troubles les plus fréquemment observés sont : nausées ou vomissements, douleurs abdominales, diarrhée et parfois fièvre, malaise. Ces signes régressent en quelques jours après traitement de la diarrhée sous contrôle médical. Une réalimentation progressive et légère sera ensuite nécessaire.

Les germes les plus fréquemment en cause sont :
– les *staphylocoques* qui provoquent des troubles peu de temps après l'absorption (deux à quatre heures); ces intoxications sont fréquentes et surviennent même avec des aliments cuits, car c'est la toxine du staphylocoque qui est en cause et elle n'est pas détruite par la chaleur;

– les *salmonelles* sont moins fréquemment rencontrées mais provoquent des troubles qui surviennent dix à vingt-quatre heures après ingestion et s'accompagnent de fièvre; elles sont détruites par une cuisson correcte;
– les *clostridies*, en particulier le *Clostridium botulinum*, responsable du botulisme, maladie rare mais parfois grave (troubles digestifs, paralysies en particulier oculaires et respiratoires avec risque vital dans certains cas). Les troubles, correctement traités, sont réversibles. C'est une toxine qui les provoque; elle peut être détruite par la chaleur (ce qui n'est pas toujours le cas pour les conserves familiales). D'autres germes sont parfois retrouvés (*Listeria, Escherichia coli*).

Les règles d'or de la prévention
– Vérifier toujours la provenance des aliments, aussi bien les viandes que les légumes. Soyez attentif aux conditions de conservation ou de récolte. Attention aux crudités en pays tropicaux.
– Respecter l'hygiène de préparation des aliments : lavage de mains, propreté des lieux et ustensiles. Mais surtout soyez vigilant sur le mode de cuisson et sa durée.
– Savoir conserver les aliments : par la chaleur (stérilisation) ou par le froid (réfrigération, congélation).

Que faire en cas d'intoxication alimentaire ?
– *Troubles graves :* consulter votre médecin (attention aux diarrhées persistantes chez le jeune enfant).
– *Signes d'importance modérée :* mise au repos, boire pour compenser les pertes, prise éventuelle d'un médicament antidiarrhéique recommandé, reprise progressive de l'alimentation. Ne pas hésiter à consulter si les troubles persistent. Attention aux « diarrhées exotiques » lors de voyages à l'étranger; elles sont parfois le signe de parasitose.

Intoxications par produits ménagers

Avec les médicaments, les produits d'usage domestique sont une cause majeure d'intoxications chez l'enfant.

— L'*eau de Javel* : attention aux solutions concentrées, aux récipients non étiquetés. En cas d'ingestion, faire boire immédiatement, ne pas faire vomir. En cas de projection sur la peau ou les yeux, rincer abondamment à l'eau courante pendant dix minutes.

— Les *détergents, décapants, adoucisseurs* : en cas d'ingestion, ne pas faire boire ni vomir ; consulter d'urgence le médecin. En cas de projection cutanée, rincer à grande eau.

— Les *antirouilles*, particulièrement toxiques du fait de leur causticité, exigent en cas d'absorption un traitement médical urgent.

Intoxications par médicaments

Les produits les plus fréquemment responsables sont :

— les *antidépresseurs*, utilisés pour le traitement des états dépressifs, peuvent provoquer de très graves intoxications avec des troubles de la conscience et parfois des convulsions, mais surtout le risque de troubles cardiaques et circulatoires sévères ;

— les *barbituriques* sont la cause la plus fréquente d'intoxication volontaire ; ils entraînent surtout des troubles de la conscience avec apparition progressive d'un coma, d'une dépression respiratoire, d'une hypothermie et parfois des troubles circulatoires ;

— les *tranquillisants*, souvent en cause, seuls ou associés à d'autres substances, entraînent parfois coma et dépression circulatoire ;

— l'*aspirine et ses dérivés* sont une cause d'intoxication médicamenteuse parfois mortelle chez l'enfant (prise accidentelle ou erreur de dosage), rarement grave chez l'adulte ; l'intoxication se manifeste par une agitation, des troubles respiratoires puis une perte de connaissance et des troubles métaboliques.

Attention, un gramme d'aspirine peut tuer un nourrisson !

— la *digitaline*, utilisée comme traitement de l'insuffisance cardiaque, peut provoquer, le plus souvent chez le sujet âgé (accidentellement ou volontairement), une intoxication. Le surdosage provoque des troubles digestifs (vomissements), troubles sensoriels, troubles du rythme cardiaque.

Les principaux produits d'usage agricole toxiques

Les substances suivantes doivent faire l'objet des précautions usuelles de stockage, d'étiquetage et de manipulation : anhydride sulfureux, arsenic, carbonates, chloralose, coumarine, sels de cuivre, cyanures, dérivés de l'étain, formol, mercure, nicotine, nitrobenzène, organochlorés, organophosphorés, phosphore, pyrèthre, 2-4 D, sulfure de carbone, thallium, xylène.

Ces substances sont utilisées comme herbicides, fongicides, insecticides, pesticides. Les troubles provoqués sont variables. Il faut consulter le centre anti-poisons.

Chaque région dispose d'un centre téléphonique spécialisé dans la prise en charge des appels concernant les intoxications de tous ordres. Un médecin de garde dispose de toute la documentation nécessaire pour répondre à vos appels, qu'il s'agisse d'une demande de conseils ou d'un appel de détresse. Si vous appelez, gardez votre calme, soyez clair et précis ; n'oubliez pas de donner vos coordonnées.

Centres anti-poisons

Angers tél. : *41 48 21 21*
Bordeaux tél. : *56 96 40 80*
Clermont-Ferrand tél. : *73 27 33 33*
Grenoble tél. : *76 42 42 42*
Lille tél. : *20 54 55 56*
Lyon tél. : *78 54 14 14*
Marseille tél. : *91 75 25 25*
Montpellier tél. : *67 63 24 01*
Nancy tél. : *83 32 36 36*
Nantes tél. : *99 59 22 22*
Paris tél. : *42 05 63 29*
Reims tél. : *26 06 07 08*
Rennes tél. : *99 59 22 22*
Rouen tél. : *35 88 44 00*
Strasbourg tél. : *88 35 41 03*
Toulouse tél. : *61 49 33 33*
Tours tél. : *47 66 85 11*

Intoxications par les plantes

Chacun connaît la diversité des espèces rencontrées dans la nature et la variété de leurs usages. Nous renvoyons donc le lecteur à un ouvrage spécialisé pour l'identification des plantes toxiques. Cependant, un accident trop fréquent est l'ingestion, en particulier chez l'enfant, de baies toxiques confondues avec certains fruits sauvages. Citons : les baies bleu-noir (actée, belladone, lierre, sceau de Salomon, troène), les baies blanches (gui, symphorine) et les baies rouges (douce amère, chèvrefeuille, if, muguet).

L'intoxication la plus grave est celle provoquée par la belladone dont deux baies suffisent à menacer la vie d'un enfant, provoquant nausées, vomissements, dilatation des pupilles et sécheresse de la bouche.

Les intoxications les plus fréquentes sont causées par la digitale pourpre, la datura, la jusquiame, la ciguë, l'aconit, la colchique.

Citons également le risque que peuvent présenter certaines plantes d'appartement.

Intoxications par les champignons

Le point essentiel à retenir est la prévention de ces accidents. Quelques conseils :

— ne jamais se fier au premier aspect, l'examen attentif après cueillette est toujours nécessaire;
— ne jamais hésiter à demander conseil au pharmacien;
— agir rapidement en cas d'intoxication et tenter de récupérer des restes des champignons en cause en vue d'identification.

Trois espèces sont mortelles, même à faible dose : l'amanite phalloïde, l'amanite vireuse et l'amanite printanière. Trois caractéristiques leur sont communes : une vulve en sac à la base du pied, la présence d'un anneau, des spores et lamelles blancs.

Les signes d'intoxication apparaissent seulement dix à douze heures après le repas avec malaises, sueurs puis troubles digestifs et enfin soif, frissons, troubles visuels. Le transport à l'hôpital est urgent.

De nombreux autres champignons peuvent être responsables d'intoxication : par exemple l'amanite tue-mouches, la pleurote de l'olivier, le bolet satan, etc. Les premiers signes apparaissent plus tôt, quelques heures après l'ingestion, avec surtout des troubles digestifs et un malaise général. Le recours au médecin est indispensable.

invagination intestinale aiguë

Votre nourrisson, jusque-là bien portant, souffre de crises abdominales douloureuses, intermittentes. Le refus du biberon est le premier signe digestif, puis surviennent des vomissements. A un stade tardif, après douze à vingt-quatre heures d'évolution, il apparaît du sang dans les selles.

Tout nourrisson souffrant, par crises, de l'abdomen doit être suspect d'invagination intestinale aiguë.

C'est le télescopage de deux segments intestinaux, siégeant sur l'intestin grêle ou, plus fréquemment, à la jonction entre l'intestin grêle et le côlon. Plusieurs causes sont à l'origine de cette anomalie :
— une motricité anormale du tube digestif, sous l'influence de certains virus; cette cause concerne la majorité des invaginations du nourrisson, de 2 mois à 2 ans;
— une malformation de l'intestin grêle (diverticule de Meckel).

Le diagnostic est fait par le lavement* baryté qui montre le segment intestinal invaginé, et qui peut en même temps réduire l'invagination. Si celle-ci ne peut pas être réduite, il faut opérer l'enfant.

Par une incision iliaque (comme une appendicite), l'intestin est remis en place. Une malformation peut être corrigée. En l'absence de diagnostic, l'intestin peut se perforer et entraîner une péritonite.

La réalimentation peut se faire un jour ou deux après l'intervention, et la durée du séjour à l'hôpital varie entre cinq et huit jours.

iritis et iridocyclite

Ce sont des inflammations de l'iris seul (*iritis*) ou de l'iris et du corps ciliaire (*iridocyclite*), se manifestant par une rougeur, une douleur, une hypotonie (œil mou), un myosis (pupille étroite) et par le *phénomène de Tyndall* dans l'humeur aqueuse, visible seulement au biomicroscope. Les causes en sont multiples : *générales* (infections diverses, rhumatismes) ou *locales* (sinusiennes, dentaires).

Le phénomène de Tyndall est l'apparition de particules en suspension dans un milieu transparent éclairé par un faisceau lumineux (particules de poussières éclairées par le soleil).

I.V.G.

☞ interruption volontaire de la grossesse

ivresse

l'attitude du médecin amené à examiner en urgence un sujet en état d'ivresse dépend de l'interrogatoire de l'entourage et des données de l'examen clinique.

L'entourage confirme l'absorption importante d'alcool.
— Si l'état du patient n'est pas préoccupant, le maintien au domicile est possible, à la seule condition que la famille ou les proches assurent la surveillance;
— Une hospitalisation est en revanche nécessaire lorsqu'il existe des signes de gravité : des troubles importants du comportement à type de délire, agressivité, violence, fureur..., une hypoglycémie (▷ ce mot), voire un coma.

L'absorption massive d'alcool n'est pas certaine :
— l'hospitalisation est également nécessaire car certaines urgences neurologiques très trompeuses (hématome intracrânien surtout) sont responsables d'une symptomatologie similaire (▷ crâne [traumatismes du], hémorragie méningée, hypoglycémie).

L'ivresse et ses dangers (▷ accidents de la route) ne débutent pas seulement avec l'apparition des troubles du comportement. Ces troubles sont en effet précédés par une période caractérisée par une baisse des réflexes et des performances intellectuelles d'autant plus dangereuse qu'elle n'a pas éveillé l'attention de l'entourage.

☞ alcool

— d'une occlusion d'une artère surtout si vous sentez que votre pied est froid; peut-être vous avait-on déjà parlé d'artérite. Si le médecin porte ce diagnostic, une intervention urgente peut être nécessaire;

— d'une phlébite, surtout si votre jambe est violacée, chaude et œdématriée; si ce diagnostic est retenu par votre médecin, un traitement anti-coagulant d'urgence est nécessaire;

— d'une sciatique, surtout si la douleur descend de la fesse à la cuisse, au mollet, voire au pied, et que vous avez déjà fait des lumbagos; un simple traitement médical est en général suffisant si ce diagnostic est le bon.

Dans tous les cas, une seule jambe est en général atteinte.

Les douleurs chroniques
— La sensation de «jambes lourdes», parfois douloureuses, survenant de façon chronique, fait l'objet d'un article particulier (▷ jambes lourdes [et parfois douloureuses]).

— Les douleurs à la marche peuvent correspondre :
soit à une artérite, surtout si le mollet est douloureux et qu'un bref repos vous soulage; si votre médecin penche pour ce diagnostic, il fera pratiquer un bilan cardio-vasculaire complet;

soit à des douleurs mécaniques, surtout si les articulations font mal et que c'est la mise en route matinale qui pose problème; la radiographie permettra de le confirmer.

— Les douleurs nocturnes peuvent correspondre à une artérite évoluée, ou à une névrite, c'est l'examen médical complet qui permettra de faire la part des choses.

◼ jambes douloureuses

Vos jambes vous font souffrir et vous souhaitez être soulagé le plus rapidement possible. Il faut comprendre que chaque élément anatomique de vos jambes est susceptible de vous faire souffrir : hanches, genoux, chevilles, pieds, os, artères, veines, nerfs, muscles; vous devez donc décrire le mieux possible vos symptômes afin d'aider votre médecin à faire un diagnostic très sûr et à proposer un traitement adapté.

S'agit-il vraiment d'une douleur? N'est-ce pas une paralysie (faiblesse d'une ou des deux jambes), une fatigabilité simple, ou des impatiences bé-nignes des jambes? S'il s'agit d'une douleur, où siège-t-elle? Aux deux jambes ou sur une seule? Prend-elle toute la jambe ou a-t-elle un siège plus précis (hanche, genou, mollet, etc.)? Est-elle per-manente ou survient-elle dans certaines circons-tances précises? Si oui, lesquelles? Pour guider votre conduite pratique, il faut distinguer les douleurs aiguës des douleurs chroniques :

Les douleurs aiguës
Brutalement, votre jambe vous fait souffrir. Eliminez tout d'abord la simple crampe. Celle-ci survient le plus souvent au cours d'une activité sportive mais peut aussi se produire au repos et même la nuit. Pour cela, prenez avec vos mains l'extrémité du pied et allongez ensuite la jambe en étendant le genou. Si la douleur s'estompe rapide-ment, vous pouvez être rassuré.

Si la jambe douloureuse est plus ou moins paralysée et que vous ne sentez plus vos orteils, vous devez vous inquiéter. Si les choses ne s'arran-gent pas très vite, appelez immédiatement un médecin. Il peut s'agir :

◼ jambes en « x » ou jambes
en « o » *(votre enfant a les)*

 genoux varum ou valgum

◼ jambes lourdes
(et parfois douloureuses)

La survenue brutale d'une grosse jambe lourde et douloureuse évoque immédiatement une *phlébite*. Votre médecin en confirmera le diagnostic par l'examen clinique et le Doppler*, au besoin par une phlébographie*; il instituera en urgence un traite-ment anti-coagulant efficace.

La sensation de «jambes lourdes», parfois doulou-reuses, survenant de façon chronique, est liée à l'existence d'un œdème d'une ou des deux jambes. Vous pensez immédiatement, souvent avec raison, qu'un trouble veineux est à l'origine des symp-tômes.

En fait, comment s'établit le raisonnement médical ? Le premier souci du médecin est tout d'abord de vérifier que ce n'est pas une maladie générale (insuffisance cardiaque, syndrome néphrotique) qui est à l'origine des œdèmes; cela est en général facile, car le contexte oriente rapidement le diagnostic.

En pratique, la cause de loin la plus fréquente des « jambes lourdes » est la pathologie veineuse. En faveur de celle-ci, votre médecin retiendra :
— la présence de varices,
— ou, du moins, le fait que cette sensation de « jambes lourdes » survient le soir et s'accompagne d'un *œdème* en général *bilatéral*; ces signes disparaissent la nuit ou lorsque les jambes sont surélevées, et réapparaissent lors de la station debout prolongée.

Bien différent est le problème de l'*œdème unilatéral*, c'est-à-dire ne survenant que sur une seule jambe; sa cause peut être :
— une compression tumorale d'une veine, empêchant le retour du sang veineux d'un des deux membres inférieurs vers le cœur; l'examen clinique du petit bassin, de l'abdomen et l'échographie permettent de rattacher la jambe lourde unilatérale à sa cause (par exemple : volumineux fibrome de l'utérus); au besoin, on aura recours au scanner*;
— des antécédents de phlébite, de fracture, ou encore d'œdème survenu au décours d'un accouchement, qui évoquent la maladie postphlébitique, rarement bilatérale, associant varices, œdème souvent important et signes cutanés trophiques multiples;
— un lymphœdème; dans ce cas, l'œdème est blanc, indolore, peu influencé par les changements de position de la jambe, et l'examen clinique et le Doppler ne décèlent pas l'existence de varices. Son traitement, difficile, doit être confié à un spécialiste.

 ■ veines ■ varices ■ phlébite ■ œdèmes

jaunisse

 ■ ictère ■ hépatite virale

jumeaux

 grossesse gémellaire

kératite

 La kératite est une altération de la cornée; elle peut être *superficielle* (kératite ponctuée, kératite dendritique, kératite ulcéreuse), mise en évidence par les colorants (fluorescéine, rose bengale), ou *intersticielle* (kératite disciforme).

kinésithérapie

 La kinésithérapie est un complément efficace du traitement de nombreuses affections : traumatique, ostéo-articulaire, neurologique, pulmonaire, cardiaque... Elle réclame une relation étroite entre le médecin et le kinésithérapeute, et la motivation du malade, condition essentielle au succès de la rééducation.

C'est le médecin qui prescrit et délivre au malade une ordonnance précisant le nombre de séances, le type de rééducation souhaité et la mention « urgent » lorsqu'il désire que celle-ci débute sans attendre le délai de prise en charge qui est de dix jours. Il signale également au kinésithérapeute une éventuelle fragilité du patient (maladies cardio-vasculaires notamment).

Le kinésisthérapeute agit sur le symptôme (douleur lombaire, encombrement respiratoire...), mais également sur l'évolution de la maladie (prévention des récidives de lombalgie, augmentation de la capacité respiratoire d'un bronchitique chronique...). Il veille à ce qu'une récupération optimale permette au malade de s'adapter aux exigences de sa profession.

Lorsque la maladie est chronique, le kinésithérapeute apprend au patient comment poursuivre seul sa rééducation. De nouvelles séances sont épisodiquement nécessaires, afin de contrôler l'efficacité de l'auto-rééducation.

Les mains du kinésithérapeute sont son meilleur outil. Elles permettent les massages, les mobilisations passives et actives.

Les massages échauffent et stimulent la musculature. Ils permettent d'obtenir un relâchement musculaire et une amélioration des contractures. Ils favorisent également la nutrition des tissus musculaires et cutanés en augmentant la circulation artérielle (prévention des escarres chez un patient alité notamment). Ils réduisent aussi les œdèmes d'origine lymphatique comme celui d'un bras après l'ablation d'un sein.

Les mobilisations *passives* (le malade subit le mouvement entraîné par le kinésithérapeute) et *actives* (le malade effectue un mouvement volontaire parfois guidé et orienté; les mains du kinésithérapeute peuvent également opposer une résistance à ce mouvement) permettent d'entretenir ou de récupérer la souplesse articulaire et la force musculaire : rééducation après fracture ou des maladies articulaires par exemple.

Le kinésithérapeute possède également de nombreux appareils : haltères, bicyclette, systèmes de leviers et de contrepoids, poulies...
— *Un matériel d'électrothérapie* : le courant électrique permet d'obtenir la contraction de muscles trop faibles ou privés d'innervation. Les stimulations électriques sont indolores; elles sont parfois même utilisées pour lutter contre les douleurs provoquées par une entorse ou une tendinite.
— *Les ultrasons* transmettent des vibrations de haute fréquence. Ils sont souvent employés pour lutter contre les tendinites. Ils sont contre-indiqués pendant la grossesse (risque de surdité pour l'enfant) et lorsqu'il existe un matériel synthétique sous-jacent (une broche métallique mise en place pour une fracture par exemple).
— *La thermothérapie* utilise la chaleur (lampes à infrarouge, application de boue chaude ou parafangothérapie, bains en eau chaude) ou le froid (vessie de glace, sachet rempli d'un gel froid) pour soulager certaines douleurs musculaires et articulaires.
— *Le laser* est parfois employé en cas de tendinite.
— *Les appareils de biofeedback* sont sophistiqués : l'intensité des contractions musculaires est retranscrite en image sur un écran. Après quelques séances, le patient apprend à autocontrôler ses contractions. Cet appareil est de plus en plus utilisé pour améliorer le contrôle du sphincter urinaire des femmes souffrant d'une incontinence urinaire à l'effort.

☞　■ abdominaux ■ bronchite chronique
■ lumbago aigu ■ incontinence urinaire
■ cardiaque *(hygiène de vie du)*

Korsakoff *(syndrome de)*

☞　mémoire *(troubles de la)*

kyste du rein

Un kyste est une tumeur liquidienne bénigne pouvant se développer au sein de la plupart des organes. Le kyste est toujours bénin et entraîne rarement des complications par compression ou infection. L'urographie* intra-veineuse précise la localisation et l'échographie* la nature liquidienne du contenu. La certitude diagnostique permet d'éviter l'intervention chirurgicale.

kyste du sein

Le kyste du sein est une affection bénigne, fréquente notamment à l'approche de la quarantaine. Certaines femmes dont l'équilibre hormonal est perturbé y sont particulièrement exposées. Le kyste est une poche de liquide, plus ou moins tendue, développée à partir d'une cavité ou d'un canal appartenant à la glande mammaire. Son diamètre varie du millimètre au décimètre. Un kyste peut être solitaire, mais en général il en existe de nombreux siégeant dans les deux seins.

Le kyste peut passer inaperçu au toucher si son liquide n'est pas sous tension; mais dès l'instant où les sécrétions internes le mettent sous tension, il devient palpable et même douloureux.

L'attention est donc attirée par l'apparition brutale, généralement dans les dix jours qui précèdent les règles, d'une boule arrondie, mobile, de consistance élastique, douloureuse. Cela conduira nécessairement à consulter le médecin. En attendant, il faut veiller à supprimer ce qui pourrait accentuer la sécrétion et donc la tension du kyste : le café, le thé, les tranquillisants.

Au cours de l'examen, le médecin relèvera les caractères de la boule signalée, puis recherchera s'il n'en existe pas d'autres. Il veillera surtout à reconnaître les autres signes de dérèglement hormonal (douleurs du ventre et des seins avant les règles, cycles irréguliers), ainsi que les causes possibles de ce dérèglement (approche de la ménopause, pilule devenant inadaptée ou choisie récemment, consommation excessive de boissons caféinées, constipation). Dans tous les cas, il demandera un bilan* sénologique.

L'examen sénologique le plus déterminant de la maladie kystique est l'échographie. Cette technique

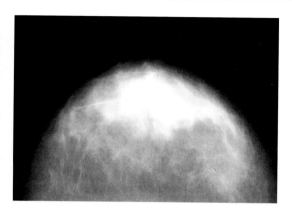

kyste du sein. *La mammographie (ci-dessus) montre un tissu glandulaire de forte opacité. Aucune image pathologique ne se distingue.*
L'échographie (ci-dessous) cependant révèle une lacune de 10 mm de diamètre (zone où les échos sont plus rares) apparaissant ici en sombre, repérée par deux croix.

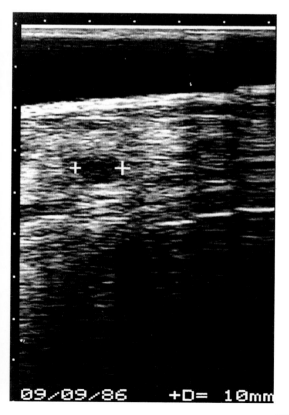

permet d'établir la présence d'une ou plusieurs collections de liquide.

L'examen sénologique permettra encore de rechercher une inflammation associée, une autre lésion accompagnant le kyste, cancéreuse ou non.

Un kyste doit-il être ponctionné ou opéré ?

Il est logique de ponctionner tout kyste palpable ou aisément repérable à l'échographie. Ce geste permet de soulager une douleur, puis d'injecter de l'air dans le kyste (insufflation), enfin de pratiquer une radiographie (kystographie) qui montre alors parfaitement la paroi intérieure du kyste et décèle d'éventuelles petites tumeurs de cette paroi (végétations). De plus, l'insufflation réduit le risque de récidive après ponction du kyste.

Si le bilan sénologique fait apparaître le moindre doute sur l'intégrité du tissu environnant le kyste ou si l'échographie et/ou la kystographie montrent des végétations de la paroi, il y a lieu d'opérer pour enlever le kyste et une petite portion du tissu mammaire avoisinant à fin d'analyse microscopique (exérèse-biopsie), car ce kyste pourrait cacher un cancer.

Y a-t-il un traitement médical du kyste ?

C'est encore une question d'appréciation. Un kyste solitaire survenant en tissu sain ne doit certainement pas entraîner de traitement par voie générale. En revanche, la maladie kystique traduit habituellement un déséquilibre hormonal qui doit, sauf contre-indications, être traité par des médicaments.

Dans tous les cas, le kyste du sein est une affection *bénigne* mais peut traduire une sensibilité accrue à la maladie cancéreuse et, à ce titre, justifie l'établissement d'une surveillance régulière.

kyste hydatique hépatique

L'homme est contaminé en ingérant des végétaux crus souillés par les selles de chiens infectés. Ces chiens ont, eux-mêmes, été infectés par des moutons ou des chèvres. La maladie est donc présente dans les régions d'élevage ovin, surtout au Maghreb. Elle est rare en France.

Le patient souffre d'un gros foie douloureux et de fièvre. L'échographie* ou le scanner* montre une ou plusieurs lacunes hépatiques. La positivité de la sérologie* de l'hydatidose permet de rattacher ces lacunes à des kystes hydatiques (et non à un abcès amibien ou microbien).

Le traitement consiste en l'ablation chirurgicale des kystes.

 En zone d'endémie, il ne faut pas consommer de végétaux crus; les chiens malades doivent être traités. Il faut lutter contre l'errance des chiens. Les éleveurs doivent rapidement détruire les viscères des animaux infectés (les foies de mouton notamment).

kyste sébacé

Le kyste sébacé est une tuméfaction de la peau. C'est une tumeur bénigne composée d'une coque à contenu pâteux, graisseux, blanc jaunâtre, siégeant préférentiellement au visage, dans le dos, sur le scrotum ou le cuir chevelu où elle prend le nom de *loupe*. Les kystes sébacés peuvent s'inflammer et s'infecter. Le traitement consiste en l'ablation chirurgicale de la coque sous anesthésie locale.

kyste synovial

☞ mains déformées

kyste thyréo-glosse

☞ boule dans le cou

lactation

☞ allaitement

laits pour nourrisson

☞ ■ alimentation du nourrisson
■ intolérance aux protéines du lait de vache

langage de l'enfant

☞ développement psychomoteur

langage de l'enfant *(troubles du)*

L'apprentissage du langage oral fait appel à des facultés diverses et complexes : compréhension et évocation du langage, son expression par la parole, le contexte relationnel et affectif au moment de l'apprentissage... Toutes notions qui devront être prises en considération dans l'étude du trouble du langage.

L'enfant qui parle mal

Il nécessite une consultation, autant pour rassurer la famille le plus souvent que pour mettre en place, dans certains cas, une thérapeutique : rééducation orthophonique, psychothérapie, relaxation.

On recherche toujours un déficit auditif (audiogramme, potentiels auditifs évoqués), une atteinte anatomique (division vélo-palatine) ou une lésion neurologique; un déficit intellectuel ou un trouble de la personnalité (psychose, dysharmonie évolutive) seront éliminés.

L'enfant articule mal

L'erreur est mécanique, un bruit faux remplace le bruit exact; le zézaiement (*ze* pour *je*), le chuintement (*che* pour *se*) en sont les variétés les plus fréquentes. Les conseils ou les corrections trop répétés auprès de l'enfant sont inutiles et risquent même de fixer le trouble. La rééducation orthophonique est conseillée vers l'âge de 5 ans ou 6 ans : les séances sont rapprochées; mais la durée totale de la cure n'excède pas une année. Parfois le contexte relationnel dans lequel survient le trouble articulatoire est un obstacle à la rééducation; il impose alors une psychothérapie, d'emblée ou après un échec de la rééducation.

Le retard de parole

Le parler « bébé » persiste au-delà de 5 ans ou 6 ans; par exemple, certaines consonnes n'apparaissent pas (*papo* pour *chapeau*, *pou* pour *fou*), l'enfant n'utilise pas les consonnes sonores (*pépé* pour *bébé*), ni constrictives (*pou* pour *fou*) : il omet les finales de mots (*pé* pour *pelle*), simplifie (*bague* pour *blague*) confond les voyelles proches (*u* et *ou*, *é* et *è*); contrairement au cas précédent, il n'y a pas de troubles articulatoires : les sons isolés sont correctement prononcés.

La conduite à tenir est peu différente, mais une participation psychologique à l'origine du trouble est bien plus fréquente : elle a valeur, en particulier, de demande affective régressive. L'association au retard du langage est banale.

Le retard du langage

L'atteinte porte sur la structure même de la phrase, et non sur les sons. La première phrase de deux mots n'apparaît qu'après trois ans (*maman bobo*), et les progrès ultérieurs sont lents : absence d'utilisation de pronoms, ordre des termes incorrect, verbes non conjugués...

L'évolution est variable : une prise en charge précoce est nécessaire, d'abord à l'école maternelle, puis, en cas d'absence d'amélioration notable, dans un groupe de langage avec une orthophoniste dès l'âge de 4 ans. L'évolution vers la dyslexie est possible, avec troubles de l'apprentissage de la lecture et de l'écriture. L'association à des troubles importants de la compréhension, à un langage nettement retardé et altéré, à un mauvais repérage et utilisation de l'espace, à la difficulté d'aborder la réalité autrement que par des données concrètes, rendent le pronostic moins favorable (dysphasie).

Dans tous les cas, l'intérêt d'une psychothérapie est à discuter avec le spécialiste.

Certains troubles du langage sont rares : les *audi-mutités* (enfant de plus de six ans, sans langage, mais sans déficience intellectuelle profonde, ni trouble grave de la personnalité) et l'*aphasie* nécessitent un avis très spécialisé d'un neuro-pédiatre ou d'un pédo-psychiatre; le *mutisme*, quand il est complet mais acquis, succède à

un choc affectif, sinon il témoigne d'un comportement névrotique et n'apparaît que dans des endroits électifs (école, famille...).

 bégaiements

 langeage en abduction

 luxation congénitale de la hanche

 langue

 Langue blanche

L'apparition d'une plaque blanche, saillante et chronique, sur la langue, les joues ou les lèvres, et qui résiste à un traitement mycosique, doit amener à consulter un médecin, car il s'agit d'une lésion précancéreuse qui doit être détruite.

Son apparition est favorisée par l'abus de tabac, d'alcool, un état dentaire et une hygiène buccale défectueux ou une mauvaise adaptation d'une prothèse, qui provoquent une irritation chronique.

La localisation buccale du *lichen plan* se caractérise par l'apparition de plaques blanches arrondies sur la langue, ou plus souvent, des stries blanchâtres sur les joues.

Le *muguet* peut se localiser sur la langue et entraîner des dépôts blancs crémeux.

 Langue noire

La langue noire correspond à une hypertrophie des papilles du dos de la langue. De multiples facteurs semblent impliqués : une surinfection par un champignon (*Candida albicans*) après un traitement antibiotique, mais aussi un état dentaire et une hygiène buccale défectueux. Si vous fumez, arrêtez le tabac, car ce dernier est souvent responsable de cette affection, ainsi que certains dentifrices ou médicaments.

 Langue rouge

Votre langue est rouge et douloureuse. Cette inflammation est le plus souvent provoquée par un mauvais état dentaire; le tabac, l'abus d'alcool ou d'épices, une intolérance à une prothèse dentaire, mais aussi une mycose peuvent être responsables d'une telle lésion (▷ muguet). Des carences en vitamine B12 ou en acide folique, responsables d'une anémie, provoquent aussi une rougeur de la langue.

Votre langue est parsemée de petites plaques rouges et lisses. Il peut s'agir de l'une des manifestations de la syphilis secondaire : ces plaques dites *fauchées* sont très contagieuses et doivent être traitées rapidement.

L'apparition de taches rouges à bords blanchâtres qui se réunissent pour former des contours géographiques, dont l'aspect change d'un jour à l'autre, est typique de la « *langue géographique* », affection bénigne non contagieuse, très bien tolérée et pour laquelle il n'existe pas de traitement.

Si votre médecin a diagnostiqué une *scarlatine*, votre langue va devenir rouge framboisée; cela commence à la pointe de la langue et la rougeur va s'étendre jusqu'à la base de la langue.

 ■ champignons ■ muguet ■ syphilis ■ scarlatine ■ lichen plan ■ tabac *(risques liés au)*

lapsus

 Le lapsus est une variété particulière d'acte manqué, liée à la parole ou à l'écrit (mot employé pour un autre). L'exemple célèbre de l'assassin qui, commandant un produit mortel à un laboratoire, fait état de ses « essais sur les hommes » au lieu de ses « essais sur les souris ».

larmes *(trop de larmes, pas assez de larmes)*

Les larmes sont sécrétées de façon *continue* par les glandes lacrymales situées sous la partie externe des paupières supérieures. Elles sont étalées sur le globe oculaire par le clignement des paupières qui participent à leur évacuation vers l'angle interne de l'œil. Elles s'écoulent ensuite dans le nez par les voies lacrymales (canalicules, sac lacrymal, canal lacrymo-nasal).

Il ne faut pas confondre cette sécrétion continue avec le pleur psychique qui survient par émotion, ou encore le larmoiement réflexe provoqué par l'éblouissement, par une irritation oculaire ou nasale. Vous pouvez très bien avoir un « œil sec » et pleurer abondamment si vous avez du chagrin. Les larmes ne sont pas de l'eau salée mais contiennent des protéines, des lipides et une protéine enzymatique antiseptique : le lysosime.

Il est donc aberrant de se laver systématiquement les yeux pour enlever les sécrétions lacrymales, sauf en cas de projection de produits toxiques où le lavage à grande eau est impératif.

Les larmes peuvent être altérées quantitativement et qualitativement.

Vos larmes sont trop abondantes
— soit parce que leur sécrétion est augmentée, car l'œil est irrité (kératite, iritis), la tension oculaire trop élevée (glaucome) ou les glandes lacrymales enflammées (dacryoadénite);
— soit parce que la paupière est retournée vers l'extérieur par la présence d'un ectropion, ce qui provoque un larmoiement incessant;
— soit parce que les voies lacrymales sont obs-

truées par une rhinite aiguë ou chronique (infectieuse ou allergique), ou par une dacryocystite (inflammation du sac lacrymal).

Un cas particulier est celui du nouveau-né dont les voies lacrymales ne se seraient pas ouvertes à la naissance : le larmoiement est alors fréquent; après désinfection par collyre, l'ophtalmologue passe en douceur une petite sonde à bout olivaire afin d'ouvrir le canal.

Vos larmes ne sont pas assez abondantes
Vous avez une sensation de sécheresse oculaire, mais parfois ce sont seulement des picotements, des démangeaisons, des brûlures ou sensations de grain de sable qui ne cèdent pas aux traitements habituels des conjonctivites.

L'ophtalmologue évaluera par des tests (Schirmer, B.U.T.) le déficit quantitatif et qualitatif des larmes. Il recherchera s'il y a une atteinte de la cornée (ulcération ou kératite filamenteuse), une sécheresse d'autres muqueuses (buccales, nasales, vaginales), des douleurs articulaires (syndrome de Gougerot-Sjögren), ou des lésions cutanées (syndrome de Stevens-Johnson ou de Lyell).

Il vous demandera enfin si, tout simplement, vous ne prenez pas régulièrement des médicaments tranquillisants. Il n'existe aucun traitement radical des sécheresses oculaires, si ce n'est, localement, les larmes artificielles et la méthylcellulose. Les traitements par voie générale sont d'efficacité variable. Parfois les lentilles souples ou les cornées pansements (cornée de lapin ou de veau inturgescibles) sont utilisées en association avec des collyres antiseptiques ou antibiotiques.

Certaines interventions peuvent être tentées : la *transplantation* du canal de Stenon de la bouche dans le cul de sac conjonctival, à condition, bien sûr, que les glandes parotides ne soient pas atteintes; et surtout, la simple *obturation* des points lacrymaux qui empêche l'évacuation du peu de larmes qui existent.

laryngite

Il s'agit de l'inflammation des cordes vocales. Celles-ci ont un double rôle :
— permettre le passage de l'air respiré; le trouble de cette fonction est responsable de l'étouffement (ou dyspnée);
— assurer la phonation; lorsque celle-ci est défectueuse, la voix est enrouée.

Modification de la voix et gêne respiratoire sont donc les principaux signes de laryngites.
— Les laryngites aiguës de l'enfant sont envisagées à l'article « dyspnées aiguës du nourrisson ».
— Les laryngites aiguës de l'adulte : l'extinction de voix ne s'accompagne pas de gêne respiratoire en raison de la largeur du larynx de l'adulte. Ces laryngites surviennent au cours d'une infection virale, mais aussi après un effort vocal (cris), et guérissent spontanément en quelques jours. La

guérison est favorisée par des séances d'aérosols contenant des produits anti-inflammatoires. Il est nécessaire d'observer pendant quelques jours un repos vocal et l'arrêt du tabac.

— Les laryngites chroniques : l'enrouement permanent est le témoin d'une lésion des cordes vocales. Certaines de ces lésions font courir un risque important de développement d'un cancer du larynx. Dans l'immense majorité des cas, ces laryngites chroniques sont liées à une intoxication tabagique qu'il faut s'efforcer de supprimer; les aérosols, les cures thermales permettent de diminuer la réaction inflammatoire. Un geste chirurgical est cependant souvent nécessaire (parfois pratiqué au laser). Il devra en général être complété par une rééducation de la voix et une surveillance attentive des cordes vocales.

lavage des mains

La technique de lavage des mains en vue d'un acte de soin est très précise et doit être soigneusement respectée lors de la réfection d'un pansement.

On utilisera un antiseptique médical ou à défaut un savon de Marseille... Après un réglage du robinet que l'on ne touchera plus, il convient de se mouiller les mains et les avant-bras jusqu'aux coudes. On appliquera ensuite l'antiseptique ou le savon sur la peau humide, puis à l'aide d'une petite brosse propre, il faut frotter doucement la peau et les ongles, à partir des doigts et en remontant progressivement vers les coudes. Une fois le brossage achevé, le rinçage se fera en laissant l'eau du robinet couler sur les mains et les avant-bras, sans frotter, en ayant soin de maintenir toujours les coudes plus bas que les mains.

Ne pas toucher le robinet ensuite et ne s'essuyer les mains que si l'on dispose de champs stériles.

lavement baryté

La technique du lavement baryté est un examen radiologique du côlon, après administration d'un lavement à base d'une solution de baryum opaque aux rayons X. Il nécessite une préparation minutieuse que l'on vous détaillera quand vous prendrez rendez-vous avec le radiologue.

Cette préparation vise à débarrasser l'intestin de ses matières :

— faire un régime sans résidu, pendant deux à trois jours avant l'examen;

— faire des lavements évacuateurs la veille et le matin même du jour de l'examen (une heure avant, afin d'éliminer les derniers résidus);

— prescrire éventuellement des anti-spasmodiques pour détendre le côlon.

Il n'est pas nécessaire d'être à jeun.

L'administration du lavement baryté opacifiera l'ensemble du gros intestin (côlon), de l'anus au caecum, et les toutes dernières anses de l'intestin grêle, légèrement au-delà de l'abouchement de celui-ci avec le côlon.

Comme les autres examens digestifs, le lavement baryté comporte un *temps radioscopique* et un *temps radiographique*; il peut être envisagé :

— *en contraste simple* pour un examen global du côlon, aussi bien dans sa forme que dans sa longueur (dolicho-côlon),

— *en double contraste* (air et baryte) pour rechercher des polypes ou toute autre anomalie des parois.

Le lavement baryté n'est ni douloureux, ni désagréable, car le produit opacifiant est administré en faible quantité et doucement. En revanche, sa préparation est méticuleuse : la précision de l'analyse radiologique et diagnostique en dépend.

laxatifs

Parmi les médicaments qui favorisent la défécation, certains sont irritants, notamment les purgatifs. Ils ne doivent donc pas être pris de façon continue. Le risque est la survenue d'une maladie grave, la maladie des laxatifs avec diarrhée, douleurs abdominales, déficit en potassium, asthénie...

Les laxatifs autorisés sont :

— les mucilages (algues, algine, carraghénine, gomme arabique, karaya, sterculia, graines de lin, de psyllium); ils agissent par hydrophilie (pouvoir de rétention de l'eau) augmentant ainsi le volume du bol fécal, ce qui facilite sa progression; ils sont contre-indiqués en cas de sténose (rétrécissement);

— le son pur ou inclus dans du pain, des biscuits, des paillettes, a un mécanisme d'action identique; la posologie doit être progressive afin d'éviter les flatulences et vous devez savoir qu'il faut plusieurs semaines pour que l'effet soit bénéfique;

— les huiles minérales (de paraffine) agissent par lubrification; certaines peuvent entraîner un suintement anal, surtout en cas de prise en dehors des repas; en cas de prise prolongée une diminution de l'absorption des vitamines liposolubles (A,D,E,K) semble possible;

— les agents tensio-actifs qui agissent par leurs propriétés hydratantes et mouillantes;

— les laxatifs sucrés comme le lactulose.

    constipation

légionnaires *(maladie des)*

C'est une maladie respiratoire d'origine infectieuse due à un agent microbien identifié assez récemment, appelé *légionella*. Il est responsable d'une pneumonie souvent étendue et bilatérale, d'évolution grave en l'absence de traitement adapté.

Les troubles respiratoires sont parfois précédés de troubles digestifs (*diarrhée*) et accompagnés de signes neurologiques sévères pouvant aller jusqu'au coma.

Cette affection frappe particulièrement, mais non exclusivement, des patients dont les défenses immunitaires sont déprimées par une autre maladie générale ou par un traitement médical (immunodépresseurs, chimiothérapie anticancéreuse).

Le traitement repose sur l'administration de l'érythromycine et parfois de la rifampicine.

L'évolution de la maladie est d'autant plus favorable que son diagnostic a été posé précocement, permettant une mise en route rapide du traitement.

législation

 certificats médicaux et législation

Leiner-Moussous *(maladie de)*

 érythème fessier du nourrisson

lentilles de contact

Votre ophtalmologue vous a prescrit des lentilles de contact plutôt que des lunettes, pour des raisons esthétiques et pour améliorer votre champ visuel. Il a le choix entre les lentilles dures, mais perméables à l'oxygène, ou des lentilles molles hydrophiles. Les premières permettent de corriger les astigmatismes, ce qui n'est pas le cas des secondes qui restent cependant généralement mieux tolérées.

Les lentilles doivent être entretenues régulièrement.

Les lentilles molles à forte hydratation peuvent être portées plusieurs jours, voire plusieurs semaines consécutives. En cas de douleurs ou d'inconfort subits, il est impératif de ne pas mettre ses lentilles et de consulter son ophtalmologue (risque de lésion de la cornée).

lèpre

Cette infection d'évolution lente associe, à des degrés divers, des troubles neurologiques (anesthésie cutanée, atrophie musculaire) et des at-

teintes de la peau (taches décolorées, nodules risquant de déformer le visage et les membres, ulcères traînants nécessitant parfois des amputations).

Le diagnostic est confirmé par l'aspect des lésions, par la recherche du bacille de Hansen dans le nez et par l'intra-dermoréaction à la lépromine.

Une antibiothérapie prolongée pendant plusieurs années est nécessaire pour assurer la guérison, cependant, le malade traité n'est plus contagieux très rapidement.

On ne dépiste plus de cas nouveaux dans nos pays en dehors des cas importés. La maladie est très répandue dans le Tiers monde (en Afrique noire et en Asie surtout). Ainsi, pour 15 millions de malades on dénombre 3 millions d'invalides.

Si vous voyagez en zone d'endémie, vous risquez très peu d'être contaminé. Il faut en effet un contact proche et prolongé avec des lépreux, dans de mauvaises conditions de vie, pour contracter la maladie.

leptospirose

L'homme est contaminé au contact de l'eau, la boue, la vase souillée par l'urine des rats contenant le germe responsable de la maladie.

Vous risquez d'être contaminé si :
— vous avez récemment pris un bain en rivière ou en étang,
— vous êtes pêcheur ou chasseur,
— vous êtes professionnellement exposé (égoutiers, travailleurs des mines, des carrières et de la voierie, employés des abattoirs, éleveurs de porcs, planteurs de riz dans certains pays, militaires en manœuvre).

La leptospirose est évoquée devant l'un ou plusieurs des tableaux suivants :
— un ictère (« la jaunisse ») survenant après quelques jours de fièvre, avec persistance de la fièvre lorsqu'apparaît l'ictère et un faible taux d'enzymes hépatiques, les transaminases*, — ce qui la différencie de l'hépatite virale —,
— une méningite avec fièvre, maux de tête et raideur de la nuque,
— un état grippal avec des signes respiratoires anormalement prolongés,
— des yeux injectés (la rougeur des yeux ne doit pas être mise sur le compte de la fièvre).

La maladie est affirmée par l'isolement du germe dans le sang (hémoculture*) et les urines du malade et par le sérodiagnostic de la leptospirose. Les examens recherchent une atteinte rénale biologique (protéinurie, élévation de l'urée sanguine). L'antibiothérapie permet une guérison rapide.

La maladie est recherchée auprès des proches. Le patient ne doit pas être isolé. Les toilettes seront nettoyées à l'eau de javel après chaque miction.

Ne fréquentez que les baignades autorisées,

surveillées bactériologiquement. Ne campez pas tout près du bord d'une rivière. Si vous êtes pêcheur, chaussez-vous de bottes aussi bien dans l'eau que sur la berge.

Ne vous baignez pas en cas de plaie cutanée. Si une fièvre se déclare moins de quinze jours après une baignade en eau interdite ou après une pêche en eau douce, consultez votre médecin.

Les égoutiers doivent porter des bottes et des gants. La vaccination est réservée aux professions exposées. La prévention générale repose sur la dératisation.

leucémies

Pour votre médecin, le terme de leucémie s'applique à des maladies très différentes qui n'ont en commun que l'envahissement du sang par des globules blancs anormaux. Son attitude ne sera pas la même s'il s'agit d'une *leucémie aiguë*, d'une *leucémie myéloïde chronique* ou d'une *leucémie lymphoïde chronique*.

Les leucémies aiguës

Votre médecin y pensera devant un malade pâle, fatigué, atteint d'une infection, d'hémorragies (purpura...). Tous ces signes traduisent la diminution de production des cellules sanguines par la moelle osseuse qui est envahie par des *blastes*, c'est-à-dire des cellules jeunes devenues incapables de se transformer en cellules normales.

Il demandera un hémogramme* en urgence pour confirmer son diagnostic : celui-ci montrera la présence de blastes dans le sang, alors que le nombre des cellules normales aura le plus souvent diminué. S'impose alors l'hospitalisation immédiate dans un service d'hématologie; là, le diagnostic sera confirmé grâce à l'examen de la moelle osseuse par une ponction* qui montrera un envahissement par des blastes. L'aspect de ces derniers permet de distinguer deux grands types de leucémies aiguës : les *leucémies aiguës lymphoblastiques*, développées aux dépens de précurseurs des lymphocytes, et les *leucémies aiguës myéloblastiques*, constituées de précurseurs des autres globules blancs.

Le traitement des leucémies aiguës est très spécialisé; son principe est de détruire les cellules cancéreuses par une chimiothérapie agressive combinant plusieurs médicaments. Ce traitement entraîne également la disparition de nombreuses cellules normales. Le malade est donc transitoirement incapable de fabriquer une quantité suffisante de cellules sanguines. Il est exposé à de nombreuses complications (anémie, infections, hémorragies), contre lesquelles la réanimation peut lutter grâce à des moyens de plus en plus efficaces. Au prix de ces risques, il est possible d'espérer une rémission, c'est-à-dire le retour à un sang et une moelle normaux (la rémission est plus facilement

obtenue dans les leucémies aiguës de l'enfant, de type lymphoblastique).

Il persiste cependant, même après une première rémission, un risque de rechute. C'est ce qui explique l'idée de remplacer la totalité de la moelle osseuse du malade par celle d'un donneur : c'est la greffe de moelle osseuse, de plus en plus utilisée actuellement mais dans des indications bien définies. Ces méthodes permettent d'obtenir des rémissions prolongées dans de nombreuses leucémies de l'enfant et dans certaines leucémies de l'adulte.

La leucémie myéloïde chronique

Dans ce cas, le sang est envahi non pas par des blastes, mais par les précurseurs d'un type de globules blancs : les *polynucléaires*, cellules qui, à l'état normal, ne quittent pas la moelle osseuse. De plus, votre médecin découvrira habituellement une grosse rate.

Le traitement sera décidé en collaboration avec un spécialiste, après confirmation du diagnostic grâce à l'examen de la moelle osseuse par biopsie* et, si possible, par démonstration d'une anomalie des chromosomes caractéristique de la maladie.

A l'aide d'un traitement médicamenteux, il est possible de contrôler pendant plusieurs années la prolifération des cellules tumorales. Pourtant, inévitablement, la maladie se transforme en une leucémie aiguë peu sensible au traitement. Les efforts actuels tendent à définir l'intérêt des greffes de moelle osseuse dans le traitement de cette affection.

La leucémie lymphoïde chronique

Votre médecin en fera le diagnostic lorsqu'un patient âgé présentera des ganglions anormaux, une grosse rate et que son hémogramme révélera un excès de lymphocytes. Un examen de la moelle osseuse, par ponction ou, mieux, par biopsie, confirmera l'envahissement de la moelle par une prolifération de lymphocytes. L'évolution de cette affection, à rapprocher des lymphomes malins, est lente. La prescription d'une thérapeutique continue n'est pas toujours nécessaire. Dans le cas où celle-ci s'avère indispensable, un traitement médicamenteux simple est suffisant pour contrôler la maladie.

 ■ sang ■ globules blancs *(anomalie des)* ■ ganglions ■ aplasies médullaires ■ greffe de moelle osseuse

leucorrhées

Toutes les femmes ont des pertes vaginales que les médecins appellent, improprement d'ailleurs, des leucorrhées. Si vous présentez des pertes, une question se pose : sont-elles physiologiques, c'est-à-dire normales ou pathologiques ?

Les leucorrhées abondantes, filantes, empesant

le linge et coïncidant avec l'ovulation, ne sont que les témoins d'une bonne glaire cervicale et donc d'une excellente fertilité. Très certainement physiologiques également, les pertes survenant avant les règles, vaguement jaunâtres, gênantes quelquefois par leur abondance, sont aggravées par la nervosité ou un conflit psychologique; elles ne sont, sauf exception, que le reflet d'une hypersécrétion des glandes vulvaires et d'une desquamation excessive de la muqueuse vaginale. Le prélèvement au laboratoire des pertes vaginales, s'il était demandé, révélerait la présence du bacille de Doederlein, excellent témoin d'une flore vaginale équilibrée.

En revanche, sont évidemment pathologiques :
— Des leucorrhées purulentes, survenant quelques jours après les rapports et s'accompagnant d'une inflammation (quelquefois discrète) de la vulve et de l'urètre; elles doivent faire l'objet, aussi précocement que possible, d'un examen de laboratoire qui mettra en évidence le gonocoque, germe responsable de la blennorragie. Le traitement doit être énergique afin de prévenir l'extension aux trompes d'une affection redoutable pour votre fertilité. Votre partenaire sera, bien sûr, conjointement traité.
— Vous présentez des pertes abondantes, grisâtres, malodorantes avec une sensation de brûlures vulvaires; il s'agit probablement d'un trichomonas, parasite flagellé, de contamination vénérienne. Un traitement « éclair » par nimorazole vous guérira, vous et votre partenaire.
— Les leucorrhées à Chlamydiae ne sont pas — et c'est dommage — caractéristiques et donc ne se distinguent pas des leucorrhées banales; ces microorganismes, même s'ils sont de mise en évidence difficile, doivent être systématiquement recherchés; ils sont en effet responsables d'infections salpingiennes d'autant plus redoutables qu'elles sont insidieuses. Un traitement prolongé du couple par antibiotique (cyclines) donne de bonnes chances de guérison.
— Vous présentez à la fin des règles ou après les rapports des pertes banales mais dont l'odeur est des plus incommodantes; il s'agit d'une infection sans gravité à Hémophilus ou bacille de Gardner; un traitement du couple par antibiotique ou tinidazole doit vous guérir en quelques jours.
— Les leucorrhées grumeleuses, inodores, ressemblant à du lait caillé, s'accompagnant d'un prurit quelquefois féroce, évoquent une mycose (infection par un champignon); le laboratoire révélera le plus souvent un Candida albicans. Ces infections sont hautement favorisées par la contraception orale, les antibiotiques, les tissus synthétiques et... les jeans trop serrés, c'est dire leur fréquence et leur chronicité. Le traitement dit antifongique est le plus souvent efficace mais doit être répété pour juguler une affection quelquefois récidivante.

Les leucorrhées de la petite fille :
Elles s'accompagnent ou non de prurit vulvaire; elles sont dues en général à des germes banals,

quelquefois au gonocoque (contamination familiale). Elles sont justifiables d'un traitement antibiotique (voire œstrogénique de courte durée) et d'un traitement local par petits ovules ou instillations au compte-gouttes d'une solution anti-infectieuse; elles peuvent être le fait de petits vers intestinaux, les oxyures, qui sont justiciables d'un traitement familial. Une infection rebelle doit faire évoquer un corps étranger intra-vaginal, en général un petit jouet, qui relève d'une extraction douce sous anesthésie générale.

Les leucorrhées post-ménopausiques :
Elles sont dues le plus souvent à des germes banals qui trouvent sur une muqueuse atrophique un milieu de développement particulièrement favorable. Elles cèdent à un traitement œstrogénique qui rend à la muqueuse vaginale sa trophicité, et à un traitement local par antibiotique.

 ■ ovulation ■ vulve *(maladies de la)* ■ maladies sexuellement transmissibles ■ champignons ■ oxyurose ■ ménopause

lèvres

 ■ chéilite ■ perlèche

lichen plan

 Le lichen plan est une dermatose bénigne, non contagieuse, touchant la peau et les muqueuses, caractérisée par l'éruption de petites élevures violines qui provoquent des démangeaisons.

Le lichen du cuir chevelu est responsable de chute de cheveux. Le lichen de la bouche entraîne l'apparition de plaques blanches. L'évolution en est imprévisible et dure en général plusieurs mois. Les élevures, lorsqu'elles disparaissent, laissent une pigmentation brune qui peut persister longtemps.

lifting

 rides *(chirurgie esthétique des)*

ligaments

 membres traumatisés *(entorse, luxation, et fractures)*

lipides

 cholestérol, triglycérides et lipides

lipo-aspiration *(chirurgie esthétique des îlots graisseux)*

Il s'agit d'une méthode chirurgicale récente qui consiste en une aspiration forte permettant d'enlever les îlots graisseux mobilisés par une canule métallique introduite par un petit orifice.

On peut aspirer ainsi de grandes quantités de graisse (1 kilogramme voir plus) sans dommage pour la peau dont l'élasticité lui permet ensuite par simple rétraction de venir s'adapter sur le nouveau relief moins saillant sans faire de plis.

Ceci suppose bien entendu, un bon état cutané. Cette chirurgie est donc déconseillée chez les gens âgés, dont la peau n'est plus suffisamment élastique pour se coapter correctement, elle risquerait alors de « pendre ».

De même l'aspiration n'est pas un traitement de l'obésité et vouloir réduire ainsi un gros ventre ou un tour de cuisse excessif expose à une cicatrisation formant des placards durs ou des aspects de « tôle ondulée ».

Par contre, les résultats sont excellents dans les excès localisés à certaines zones limitées, notamment « culotte de cheval », face interne des genoux.

Elle est également très précieuse pour la correction des double mentons et des bas-joues où elle représente un complément très utile au cours du lifting (▷ ce mot).

lipome

Le lipome est une tumeur bénigne, arrondie, de taille variable et de consistance molle, constituée de cellules graisseuses. Elle peut faire une saillie plus ou moins prononcée, mais parfois n'est révélée qu'à la palpation. Le traitement consiste en l'ablation chirurgicale qui ne sera envisagée que si le lipome devient gênant, douloureux ou inesthétique.

listériose

La symptomatologie de cette infection, habituellement retentissante avec septicémie et méningite, est souvent banale et discrète quand elle survient au cours de la grossesse : une fièvre isolée et fugace, un état « grippal » avec fièvre modérée, toux passagère, maux de tête et courbatures, une infection urinaire basse (*cystite*) ou haute (*pyélonéphrite*).

Le médecin sera alerté par ces signes aussi discrets car cette infection, confirmée par les hémocultures* et les examens cyto-bactériologi-

ques des urines*, est dangereuse (avortement dans les premiers mois de la grossesse, accouchement prématuré et septicémie du nouveau-né en fin de grossesse). Elle est heureusement très sensible aux antibiotiques qui seront prescrits au moindre doute. Répétons-le, tout épisode fébrile chez la femme enceinte doit faire évoquer la listériose.

 ■ **fièvre de l'adulte** ■ **septicémie** ■ **infection urinaire** ■ **grossesse et infections** ■ **fœtus** *(état de santé du)*

lithiase biliaire

La lithiase biliaire est la présence d'un ou plusieurs calculs dans les voies biliaires (vésicule et canal cholédoque). Il s'agit d'une affection très fréquente, notamment chez la femme.

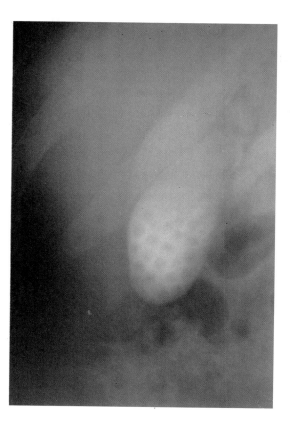

lithiase biliaire. *Sur cette radiographie de la vésicule biliaire, pratiquée au cours d'une cholécystographie orale, il existe de multiples taches noires qui traduisent l'existence de calculs (lithiases).*

Les calculs peuvent être constitués :
— de cholestérol (calcul transparent aux rayons X), auquel s'ajoute parfois du calcium (calcul opaque aux rayons X); leur formation est favorisée par l'obésité, par la prise de la pilule contraceptive et de certains médicaments hypolipipémiants;
— ou de bilirubine (pigment biliaire : ▷ ictère) et de calcium; l'augmentation du taux de bilirubine dans le sang entraîne sa concentration exagérée dans la bile et parfois sa concrétion sous forme de calcul; ceci se rencontre notamment au cours de l'anémie par hémolyse, ou de la cirrhose hépatique (▷ anémie).

Comment la lithiase bilaire se manifeste-t-elle?

Très fréquemment, la lithiase biliaire n'entraîne aucun symptôme et cela parfois pendant plusieurs années, voire toute la vie; elle n'est décelée qu'incidemment, lors d'une échographie ou d'une radiographie de l'abdomen. Mais quand elle se révèle, son symptôme le plus caractéristique est la crise de colique hépatique (▷ colique hépatique).

Certaines complications peuvent perturber l'évolution de la lithiase biliaire; elles en sont parfois la révélation :
— la cholecystite aiguë (ou inflammation aiguë de la vésicule biliaire) associe de la fièvre à des douleurs intenses de la région sous-costale droite; elle expose le patient au risque de péritonite, de septicémie, d'insuffisance rénale aiguë;
— la migration du calcul dans le canal cholédoque peut ne pas s'exprimer cliniquement, mais elle entraîne souvent, pendant vingt-quatre heures, une succession de douleurs, de fièvre et de jaunisse (angiocholite). Le calcul du cholédoque expose à la septicémie, à la pancréatite aiguë, à l'insuffisance rénale aiguë.

Le calcul biliaire n'explique pas la « crise de foie ». Leur association n'est que fortuite et le traitement chirurgical ou médical du calcul n'empêche pas la survenue de nouvelles crises (▷ crise de foie).

Comment faire la preuve du diagnostic?

L'échographie*, examen d'une totale inocuité, permet le diagnostic des lithiases biliaires de la vésicule. Elle permet aussi de reconnaître la dilatation du cholédoque et donc de suspecter un calcul qui obstrue sa partie basse. Cependant, dans ce cas, ou lorsque les signes cliniques évoquent un calcul cholédocien, l'échographie ne permet pas toujours de visualiser le calcul.

Il faut alors pratiquer une cholangiographie intra-veineuse qui consiste en l'injection intra-veineuse du produit de contraste qui sera capté par le foie puis éliminé en concentration suffisante dans les voies biliaires.

Certains cas particuliers imposent au médecin de pratiquer une opacification directe du cholédoque, soit lors d'une endoscopie*, soit par cholangiographie transpariétale qui consiste en l'injection à l'aiguille du produit opaque, à travers la peau, directement dans le foie.

Quel traitement proposer?

Nous avons vu que la lithiase biliaire pouvait n'entraîner aucun symptôme ou, au contraire, provoquer des accidents redoutables. Le traitement varie donc avec l'expression clinique de la maladie.
— L'intervention chirurgicale s'imposera quand la lithiase se manifeste par une colique hépatique, une cholécystite, une angiocholite, une pancréatite, ou quand elle siège dans le cholédoque, même si elle n'entraîne aucun symptôme. Lorsque le calcul siège dans la toute dernière portion, on peut tenter de le retirer au cours d'une endoscopie duodénale grâce à un petit bistouri introduit dans le fibroscope.
— Le traitement dissolvant les calculs sera proposé si le patient a plus de 50 ans (en effet, chez les sujets plus jeunes, le risque de récidive est trop important); chez le sujet très âgé, le risque d'une ablation chirurgicale de la vésicule n'est pas négligeable. Certains critères doivent toutefois être respectés : calculs transparents aux rayons X, car seul le cholestérol sera dissous par le traitement; petite taille des calculs; vésicule fonctionnelle, c'est-à-dire s'opacifiant correctement lors de la cholécystographie* orale, ce qui signifie que le médicament pénétrera bien dans la vésicule. Les patients seront prévenus de la durée du traitement (plusieurs mois) et du risque toujours possible d'échec et de récidive.

 ■ colique hépatique ■ ictère ■ pancréatite aiguë

lithiase urinaire

Un calcul urinaire a été découvert à l'occasion d'une colique néphrétique, d'une infection urinaire, d'une hématurie, ou encore à l'occasion d'une radiographie.

Formation de la lithiase urinaire

La formation de calculs dans les voies urinaires est relativement fréquente, avec des conséquences variables, parfois redoutables. Les points essentiels que votre médecin devra préciser sont la nature du calcul et sa cause, afin de vous proposer le traitement le plus adapté. Deux types de cause sont à considérer :
— une anomalie du métabolisme entraîne une élimination importante d'une substance donnée (acide urique, calcium) dans les urines. Cette substance en trop grande concentration dans les urines se précipite en particules solides qui s'agrègent et forment progressivement des blocs de plus en plus gros, allant parfois jusqu'à mouler une portion de l'arbre urinaire où ils se logent (calcul coraliforme). Les calculs de cause métabolique sont le plus souvent bilatéraux.

Devant un problème métabolique, les dosages

sanguins et urinaires des substances habituellement en cause et l'analyse du calcul permettent le plus souvent de déterminer la maladie causale et de la traiter médicalement, le plus souvent à l'aide d'un régime et de médicaments associés, parfois chirurgicalement lorsqu'une sécrétion hormonale anormale est en cause (hyperparathyroïdie).

— *une anomalie anatomique* peut provoquer une gêne à l'écoulement des urines et entraîner ainsi la formation de calculs calciques visibles sur les radiographies sans préparation. Elle sera mise en évidence par l'urographie* intra-veineuse (l'atteinte ne concerne le plus souvent qu'un seul côté). Le traitement consistera en une cure chirurgicale.

Devant l'apparition de calculs rénaux obstructifs, il importe de libérer sans délai les voies urinaires et ultérieurement de traiter la cause, car l'évolution de ces maladies peut aboutir à une insuffisance rénale.

Le traitement de la lithiase urinaire

Il est fonction de la nature du calcul urinaire.

Il comporte des consignes hygiéno-diététiques pour assurer une bonne diurèse et, en fonction de la nature du calcul, un régime spécifique sur lequel il n'est pas possible de s'étendre dans un tel ouvrage. Les traitements peuvent parfois permettre de dissoudre certains calculs, notamment les calculs d'*acide urique* non calcifiés.

Le traitement moderne de la lithiase prend une place de plus en plus importante par rapport à la chirurgie. Ces progrès sont dus à l'avènement de la *lithotriptie extra-corporelle par ondes de choc* (ultrasons) et au développement des *techniques endoscopiques en lumière froide*. Les calculs du rein continuent de bénéficier largement de la chirurgie (*pyélolithotomie*), notamment lorsqu'il s'agit de volumineux calculs coraliformes. En revanche, les calculs plus petits, caliciels, pyéliques, ou les résidus de calcul après intervention chirurgicale, bénéficient maintenant largement de la baignoire à ultrasons « lithotriptie » extra-corporelle par ondes de choc. Ces techniques donnent de bons résultats mais sont d'un prix de revient élevé.

Beaucoup moins coûteuse est la *néphrolithotomie* per-cutanée qui s'adresse notamment aux calculs de petite taille mais ne pouvant migrer. Elle consiste, après ponction, en la mise en place du lithotripteur ou de pinces directement au contact du calcul afin de le détruire ou de l'extraire.

Les *calculs uretéraux* sont des calculs qui sont en train de migrer dans l'uretère et qui s'arrêtent sur un obstacle. Leur traitement classique est la tentative d'ablation par montée de sonde. Actuellement, les uretéroscopes rigides permettent d'extraire le calcul sous contrôle visuel : soit grâce à une sonde de lithotriptie montée jusqu'au calcul et permettant son éclatement par ultrasons, soit, lorsque les calculs sont en bas de l'uretère, par une extraction directe par pince sous contrôle endoscopique; la cure chirurgicale reste réservée aux échecs de ces tentatives ou aux calculs trop volumineux.

L'ensemble de ces techniques ne peut être réalisé que dans des centres spécialisés multidisciplinaires avec des équipes très entraînées, qu'il s'agisse d'établissements publics ou privés.

 ■ **colique néphrétique** ■ **infection urinaire**

lithium

 psychose
maniaco-dépressive

lithotripsie

 lithiase urinaire

lombaires *(douleurs)*

 La douleur lombaire est le symptôme de maladies très variées. Voici un des schémas possibles du raisonnement médical pour diagnostiquer sa cause.

La douleur est médiane, en barre, majorée par les mouvements : il s'agit vraisemblablement d'une *affection touchant les vertèbres, les disques ou les muscles paravertébraux*.

La douleur est unilatérale :

— elle a débuté brutalement, évolué de façon paroxystique, et irradie vers les organes génitaux en tournant dans le flanc : c'est sans doute une *colique néphrétique*;

— elle s'accompagne de fièvre et parfois de brûlures mictionnelles : l'examen des urines permettra de préciser le diagnostic de *pyélonéphrite*;

— la douleur est à type de brûlures : le diagnostic de *zona* sera suspecté puis affirmé par l'apparition, souvent retardée de plusieurs jours, de lésions cutanées typiques de l'affection;

— parfois le diagnostic est difficile : votre médecin recherchera systématiquement une *appendicite rétro-cœcale* si la douleur siège à droite.

Certaines autres affections de l'abdomen ou du petit bassin se manifestent par une douleur lombaire. Leur diagnostic est difficile: votre médecin s'aidera, selon le contexte, d'une échographie*, d'une urographie* intra-veineuse, ou encore d'un lavement* baryté, de radiographies rachidiennes, etc.

 ■ **colique néphrétique** ■ **infection urinaire** ■ **rachis** *(douleurs du)* ■ **zona**

lordose

 dos de l'enfant
(déformation du)

lucite

☞ soleil

lumbago aigu

La survenue d'un épisode lombaire aigu doulou-reux, avec sensation de blocage du bas du dos, associé à une incapacité de se mouvoir, est assez caractéristique pour que le patient fasse lui-même le diagnostic de lombalgie aiguë ou lumbago (▷ disque intervertébral).

Habituellement, c'est après un faux mouvement ou un effort de soulèvement, que cette pathologie se manifeste : la douleur lombaire est vive, elle augmente à la mobilisation de la colonne verté-brale. La toux et l'éternuement l'accentuent. Le patient se sent « bloqué » et prend une attitude « tordue » qui soulage la douleur.

L'attitude thérapeutique à adopter est simple, mais son non-respect peut entraîner des évolutions désastreuses. Il est impératif de vous reposer si possible sur un plan dur, un oreiller sous les genoux ou en chien de fusil, pendant deux à trois jours. Cette règle simple permet déjà dans la majorité des cas, une rétrocession de la douleur. La prescription d'anti-inflammatoires associés à des myorelaxants est souvent nécessaire. A ce stade, toute mobilisation rachidienne est à éviter car l'évolution spontanée est le plus souvent favorable en quelques jours. De plus, une manipulation intempestive mal contrôlée peut aggraver la symp-tomatologie discale.

Une dizaine de jours suffisent habituellement pour que le patient puisse reprendre prudemment et progressivement son activité. Dans les profes-sions exposées (travailleurs du bâtiment), le repos doit être poursuivi une à deux semaines, afin d'éviter une rechute; la réadaptation à l'effort est surveillée par le médecin du travail.

En cas de lombalgie persistante ou fébrile, une étude radiologique et un bilan biologique (hemo-gramme*, vitesse* de sédimentation) sont indis-pensables.

L'épisode aigu du lumbago peut disparaître et ne pas récidiver. Parfois, il se complique d'une sciatique. Parfois, la répétition des lumbagos pré-cède l'installation d'une lombalgie chronique.

● Kinésithérapie du rachis lombaire

A l'occasion d'un lumbago ou d'une sciatique, votre médecin vous a prescrit des séances de kinésithé-rapie. Les premières séances servent surtout à soulager la douleur encore vive. Diverses techni-ques sont pratiquées : massages, thermothérapie, ultrasons.

lumbago aigu. *Ne soulevez jamais une charge, la plus légère soit-elle, sans fléchir les genoux.*

Lorsque la douleur a disparu, la rééducation proprement dite peut commencer. Elle vise à prévenir les récidives douloureuses : vous apprenez à bien positionner votre dos et à en développer la musculature et la souplesse, notamment de la région lombaire. Le kinésithérapeute vous apprendra également comment éviter de solliciter votre colonne lombaire (techniques de verrouillage lombaire) lors des gestes quotidiens tels que : ramasser un objet sur le sol, entrer ou sortir de son lit ou de sa voiture, maintenir une position debout prolongée (dans le bus ou le métro par exemple)...

 ■ sciatique par hernie discale ■ rachis *(douleurs du)*

lupus érythémateux disséminé

 maladies systémiques

luxation congénitale de la hanche

A la naissance et dans les jours qui vont suivre, votre enfant sera examiné à plusieurs reprises à la recherche notamment d'une anomalie de ses hanches. On peut y découvrir en effet une luxation ou une hanche luxable; cela signifie que la tête du fémur ne se situe pas dans la cavité articulaire du bassin (le cotyle), ou encore qu'elle sort du cotyle lors de certains mouvements de la hanche. En l'absence de traitement, le risque est d'aboutir soit à une luxation de la hanche, soit à une dégradation progressive de son articulation et à l'arthrose précoce.

Un traitement doit donc être entrepris, et plus il est précoce, plus il sera efficace. Son but est de rétablir une architecture normale de la hanche et de la rendre stable; ceci est obtenu en maintenant de façon prolongée la hanche en bonne position.
— Si la hanche est très instable, c'est-à-dire si elle se luxe très facilement, l'orthopédiste pourra être amené à faire un plâtre en position de grenouille qui maintient les hanches de façon permanente.
— Le plus souvent cependant, la hanche est suffisamment stable pour que l'on fasse appel à des systèmes de maintien moins contraignants. Ils sont de plusieurs types et ont en commun le fait de placer les hanches en position écartée; le choix de l'un de ces moyens dépend essentiellement de l'habitude du médecin : il utilisera soit un bandage en abduction, soit un maintien par coussin dit de Becker, soit un harnais de Pavlick; il vous en indiquera les modalités d'installation.
La durée du traitement est variable en fonction

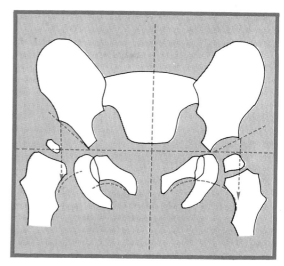

luxation congénitale de la hanche. *Schéma d'une radiographie du bassin : la partie gauche du schéma représente une subluxation de hanche ; le noyau fémoral (portion ossifiée de la tête fémorale) est ascensionné et excentré. L'interprétation d'une radiographie de hanche n'est pas toujours simple, notamment chez le tout petit, et nécessite toujours une confrontation avec les données de l'examen clinique. Des renseignements assez proches peuvent être fournis par l'échographie, ce qui permet de diminuer la dose d'irradiation des enfants.*

de l'importance de l'atteinte. Habituellement l'enfant est examiné à l'âge de 3 mois et une radiographie du bassin est effectuée. Si la hanche a un aspect normal, le traitement pourra être arrêté, sinon il sera poursuivi en modifiant la taille du moyen de maintien, et en adaptant parfois ses horaires.

Il est important de savoir que ce type de traitement ne retarde pas les acquisitions de votre enfant. S'il doit être poursuivi longtemps, bien souvent le maintien en abduction ne sera poursuivi que pendant la nuit et la sieste, laissant ainsi à l'enfant la possibilité de l'apprentissage de la station debout et de la marche.

luxation traumatique

 membres traumatisés *(entorse, luxation et fractures)*

lymphographie

La lymphographie est une technique radiologique destinée à visualiser le système lymphatique du corps humain, constitué de vaisseaux et de ganglions, où circule la lymphe qui est du sang débarrassé de globules rouges.

La visualisation s'opère grâce à l'injection de liquide iodé, opaque aux rayons X. Cette injection s'effectue en isolant un canal lymphatique, en général au niveau du premier espace inter-osseux du dos de pied, après l'avoir repéré en le colorant par injection locale d'un liquide bleu.

Dans ce canal lymphatique, on introduit une très fine aiguille reliée par un conduit plastique à une seringue ou, mieux, à une pompe automatique d'injection du liquide opaque. La progression lente – trois heures en général – du liquide est ressentie tout d'abord, par une sorte de tension, à l'endroit des mollets puis des cuisses.

Ensuite, la lymphe opacifiée s'infiltre dans le petit bassin jusque dans la région lombo-aortique, où les vaisseaux se rassemblent dans un confluent appelé la *citerne de Pecquet*. Puis, elle traverse la grande veine lymphatique du thorax pour venir rejoindre les vaisseaux veineux siégeant à la base du cou.

En cours d'injection peuvent être prises alors des radiographiés des jambes, des cuisses, du bassin, des lombes et du thorax, représentant les vaisseaux et les ganglions lymphatiques. On renouvelle les radiographies, le lendemain : la texture des ganglions lymphatiques peut être ainsi analysée (normaux en volume, nombre et morphologie, ou pathologiques).

lymphomes malins

 Le terme de lymphome malin s'applique aux tumeurs malignes du *système lymphoïde*. Celles-ci comprennent la maladie de Hodgkin et un ensemble hétérogène de tumeurs dérivant des diverses populations de lymphocytes, désignées collectivement sous le nom de *lymphomes malins non hodgkiniens*.

La plupart des lymphomes malins non hodgkiniens se révèlent par des ganglions dont le caractère diffus, la persistance, l'association à une grosse rate inquiéteront votre médecin. Leur prise en charge nécessite le recours à une équipe spécialisée. Le diagnostic de certitude est obtenu par l'examen de l'organe atteint : il permettra en outre de classer le lymphome selon son type.

Les lymphomes dits « à petites cellules » sont souvent disséminés d'emblée mais leur évolution est lente : ils peuvent être contrôlés par des traitements peu agressifs. En revanche, les lymphomes dits « à grandes cellules », souvent localisés initialement à un groupe de ganglions, ont une évolution rapide et doivent être traités pareillement que la maladie de Hodgkin.

 ■ **ganglions** ■ **Hodgkin** *(maladie de)*

mâchoire
(douleurs et craquements de la)

 Nombreuses sont les personnes qui ressentent épisodiquement de légers craquements ou claquements de la mâchoire en ouvrant la bouche, sans que leur vie quotidienne en soit perturbée.

Mais si ces signes se majorent et s'accompagnent de douleur, une consultation dentaire s'impose. Ces symptômes reflètent une souffrance de l'articulation de la mâchoire : l'articulation est déséquilibrée par un engrènement défectueux des dents inférieures et supérieures lors de la fermeture de la bouche. Parmi les causes de ce déséquilibre, on retrouve souvent un édentement ancien non traité ou un traumatisme de la face pouvant avoir eu lieu même dans la petite enfance.

 Le traitement de ces pathologies veillera tout d'abord à mettre au repos l'articulation temporo-mandibulaire et les muscles de la mâchoire.

Associée à un traitement médical de quelques jours, cette mise au repos est réalisée grâce à un plan de surélévation composé d'une mince plaque de résine en forme de U posée sur l'une des mâchoires. Cette plaque, portée plusieurs semaines, permettra de redonner une position confortable à la mâchoire inférieure. Une fois cet équilibre retrouvé, le chirurgien-dentiste peut déposer cette plaque et recréer un engrènement adapté, s'il le faut en réalisant des prothèses fixes ou amovibles.

Le grincement de dents ou les blocages de mâchoire sont associés aux douleurs et craquements de la mâchoire.

magnésium

 tétanie et spasmophilie

maigreur

Après la puberté, une personne en bonne santé, ayant un régime alimentaire et une activité physique relativement stables, a un poids constant sur plusieurs années, à 1 ou 2 kg près. Par rapport à la moyenne des individus de même taille et de même sexe, ce poids constant peut être en excès ou en défaut. Quand il est en défaut de 10 à 20 %, après s'être stabilisé depuis la fin de l'adolescence, il s'agit le plus souvent d'une maigreur dite constitutionnelle qui correspond à des caractéristiques familiales et ne comporte aucun inconvénient médical réel, y compris sur le plan de la force musculaire ou de la résistance aux efforts prolongés.

Pour des raisons esthétiques et psychologiques ou pour d'autres symptômes attribués à tort à la maigreur, comme une asthénie, certains sujets cherchent pourtant à modifier leur situation, mais il n'existe aucun médicament sans effets toxiques « guérissant » cette maigreur qui ne présente pas que des « inconvénients », notamment vis-à-vis du risque cardio-vasculaire. Les tentatives de suralimentation sont également inefficaces et ne peuvent que produire des troubles digestifs. Il n'est pas rare cependant que des modifications enzymatiques se produisent spontanément après 40 ans et élèvent sensiblement le poids du sujet.

Une maigreur stable doit être bien différenciée d'une perte de poids récente pour laquelle il faut au contraire toujours trouver rapidement une explication. De même un retard de croissance en poids et en taille coïncidant avec un retard pubertaire chez l'adolescent exige un avis médical.

maigreur de l'enfant

Docteur, mon enfant est trop maigre ! Que de fois ne sommes-nous pas confrontés à ce problème. De quoi s'agit-il ?

L'enfant a perdu du poids récemment

Ceci impose une consultation médicale :
— si votre enfant perd plusieurs kilos en quelques jours, s'il boit plus que d'habitude, il faut rapidement éliminer un diabète,
— les pertes de poids récentes imposent toujours de rechercher une infection, une anémie, une pathologie digestive, une maladie des reins...
— l'origine psychologique d'une perte de poids, si elle est parfois évoquée dès le premier examen par votre médecin, ne sera retenue qu'après élimination d'une origine organique.

L'enfant a toujours été maigre

La maigreur est isolée, l'enfant s'est développé dans de bonnes conditions : votre médecin pensera avant tout à une maigreur constitutionnelle, qui se retrouve d'ailleurs fréquemment chez d'autres membres de la famille.

Ceci ne doit pas vous inquiéter. La courbe de croissance est harmonieuse quoique trop basse.

 croissance staturo-pondérale

mains *(fourmillements des)*

 canal carpien *(syndrome du)*

mains déformées

L'apparition d'une déformation de la main, qu'elle soit globale ou touchant uniquement une phalange, pose toujours un problème d'ordre esthétique ou fonctionnel. Dans cet article, nous envisagerons uniquement les déformations des mains les plus fréquentes en pathologie rhumatologique.

L'arthrose des doigts

L'*arthrose des doigts* se manifeste de façon progressive, par l'apparition de tuméfactions dorsales interphalangiennes. La peau en regard est tendue, rouge, en phase inflammatoire. Ces tuméfactions sont appelées *nodosités d'Heberden* quand elles touchent les interphalangiennes distales et *nodosités de Bouchard* quand elles affectent les interphalangiennes proximales; les premières précèdent le plus souvent les secondes. Survenant plus volontiers chez une femme de 50 ans environ, elles entraînent un préjudice esthétique certain; la gêne fonctionnelle est souvent modérée ou nulle.

L'*arthrose du pouce* (rhizarthrose du pouce) est fréquente, souvent bilatérale. Cette atteinte articulaire se manifeste par une douleur à la mobilisation du pouce et une tuméfaction en regard de l'articulation, gênant les gestes de la vie quotidienne. Plus tardivement, une déformation en M du pouce peut apparaître. Il s'agit d'une affection gênante, évoluant par poussée. Elle doit être traitée médicalement au début par les anti-inflammatoires et les infiltrations en nombre limité, avec mise au repos de l'articulation. Une intervention chirurgicale pour les formes invalidantes peut être proposée (arthroplastie, arthrodèse).

Le kyste mucoïde des doigts

Le kyste mucoïde se présente comme une poche distendue de quelques millimètres de diamètre, le plus souvent inflammatoire, siégeant sur la face dorsale d'un doigt. La ponction de ce kyste ramène un liquide épais semblable à de la gelée. Cette affection est une traduction clinique de l'arthrose des doigts.

Le kyste synovial

Apanage de la jeune femme, le kyste synovial, volontiers fugace et récidivant, s'observe sur la face dorsale du poignet et entraîne le plus fréquemment une gêne douloureuse modérée. Il peut disparaître spontanément. Parfois, il nécessite un traitement par écrasement ou ponction, associé à une infiltration intra-kystique. Rarement, une chirurgie est proposée car il y a un risque de récidive.

La maladie de Dupuytren

Il s'agit d'une maladie qui débute, chez l'homme de 50 ans, par l'apparition progressive et permanente d'une flexion d'un ou de plusieurs doigts, évoluant par poussée. Cependant, cette affection peut se limiter souvent à des nodules palmaires sous-cutanés, sans rétraction digitale, siégeant plus volontiers en regard du quatrième doigt. A ce stade, seul le traitement médical est utilisé.

Parfois se constitue une rétraction digitale simple ou complexe, avec flexion d'une, deux ou trois phalanges. Ces rétractions une fois constituées vont s'aggraver. A l'apparition de ces déformations, votre médecin vous proposera de vous adresser à un chirurgien.

L'hippocratisme digital

L'hippocratisme digital est une déformation, bilatérale et symétrique, des doigts en baguettes de tambour, avec un bombement des ongles revêtant l'aspect du verre de montre. Votre médecin pratiquera un bilan cardio-pulmonaire, à la recherche des causes de cette déformation.

Le carpe bossu

C'est l'apparition d'une petite « bosse » située sur le dos de la main, juste en dessous du poignet, réalisant un aspect inesthétique mais sans conséquence fonctionnelle et ne justifiant aucun geste thérapeutique.

Une tuméfaction bénigne osseuse

Elle peut entraîner une modification morphologique d'un os de la main. Outre la maladie de Paget et les exostoses osseuses, votre médecin aura quelquefois la surprise de constater, sur les radiographies, la présence d'un chondrome. Cette tumeur bénigne peut augmenter de volume et justifie un traitement chirurgical.

Une maladie inflammatoire

Les déformations des mains sont quasi constantes dans la polyarthrite rhumatoïde. En revanche, les déformations liées à la maladie goutteuse chronique ne se voient plus du fait de la thérapeutique hypo-uricémiante efficace.

mains et pieds froids et violacés

☞ acrocyanose

mal (j'ai)

☞ douleur

maladie cœliaque

☞ diarrhée chronique du nourrisson

maladies sexuellement transmissibles

Les maladies sexuellement transmissibles sont des affections bénignes, à condition d'être diagnostiquées et traitées à temps. En conséquence, au moindre doute, n'hésitez pas à consulter votre médecin et suivez dès à présent ces quelques conseils :

— en cas d'incertitude sur la santé de votre partenaire, évitez les rapports non protégés : mise en place d'un préservatif chez l'homme dès le début du rapport, utilisation de produits spermicides chez la femme (tampons, ovules, crème) qui ont une activité antiseptique;
— urinez après le contact sexuel;
— évitez d'appliquer sur toute lésion génitale des crèmes, pommades ou lotions antibiotiques.

Votre médecin a diagnostiqué une maladie transmissible sexuellement : avant tout, prévenez immédiatement votre partenaire qui devra être examiné. Nous envisagerons dans cet article les maladies sexuellement transmissibles les plus fréquemment rencontrées. Le SIDA et l'hépatite B sont traités dans d'autres articles de ce livre.

Vous souffrez d'une urétrite

— Un écoulement urétral purulent accompagné de brûlures mictionnelles, qui surviennent quelques jours après un rapport contaminant, sont les

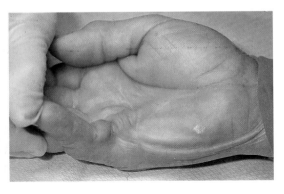

mains déformées. *La maladie de Dupuytren réalise une déformation caractéristique de la main (rétraction de l'aponévrose palmaire).*

Risques de M.S.T. encourus
en fonction des habitudes sexuelles

Cotation	3	2	1
Type de partenaires	Occasionnels Anonymes	Connus (téléphone) Prostitués connus	Habituels Connus
Nombre de partenaires/mois	> 4	3 - 4	< 2
Antécédents vénériens	> 3	1 - 3	0
Habitudes sexuelles	Homosexuelles Homo & hétérosexuelles	Hétérosexuelles Orogénitales	Hétérosexuelles Masturbation
Habitat Lieux de rencontre	Discothèque Dancing Sauna Maison de rendez-vous	Café Bar Auto-Stop	Domicile Maison de jeunes Sports
Habitat	Grande ville > 100 000 ha	Ville 1 000 à 100 000 ha	Petit village
Profession	Contacts avec la clientèle	Sédentaire Ville	Sédentaire Campagne
Voyages	Zones tropicales Pays lointains Club de vacances	Voyages moins de 10 jours	En famille
Drogue Alcool	+ + +	+ +	0

9 = risque faible = tests de contrôle 1 fois par an

9-18 = risque modéré = tests de contrôle tous les 3 à 6 mois

18-27 = risque important = tests de contrôle tous les 1 à 3 mois

Drs Siboulet et Coulon, *Maux d'amour*, diffusion institut Alfred-Fournier.

symptômes d'une *blennoragie gonococcique* ou « *chaude pisse* ». Consultez rapidement votre médecin. Celui-ci prescrira un traitement qui entraînera une guérison totale en quelques heures. Le traitement sera précédé par un prélèvement du pus urétral et par un examen sanguin pour déceler une éventuelle syphilis contractée en même temps que la gonoccocie. Il est conseillé de supprimer tout rapport sexuel même protégé. Celui-ci n'est autorisé que si le deuxième prélèvement urétral à huit jours d'intervalle est redevenu stérile. Changez de slip tous les jours. Evitez les exercices violents, le surmenage, l'absorption d'alcool. Lavez-vous les mains après chaque miction.
— Un écoulement peu abondant, translucide, parfois réduit à une simple goutte au lever du lit le

matin, s'accompagnant de picotements du méat urinaire, évoque sans doute une *infection à chlamydiae*, bactérie responsable de la majorité des urétrites, mais hélas aussi de nombreux cas de stérilité. Car, comme pour le gonocoque, si l'infection est mal ou pas du tout soignée, les germes colonisent les voies génitales hautes et entraînent une infection des trompes chez la femme (*salpingite*), responsable d'obstruction et de stérilité, une infection du canal conducteur du sperme chez l'homme, conduisant parfois à la disparition des spermatozoïdes. Un prélèvement urétral et une prise de sang confirmeront le diagnostic. Un traitement antibiotique des deux partenaires pendant trois semaines est nécessaire pour assurer la guérison de l'infection urétrale.

Le *gonocoque* et le *chlamydiae* ne sont pas les seuls agents responsables d'une urétrite : des parasites comme le *trichomonas vaginal*, des levures comme le *Candida albicans*, d'autres germes encore, provoquent une suppuration urétrale.

Vous découvrez une lésion de la verge ou du gland

— Rougeur, érosion, suintement ont habituellement les mêmes origines que les urétrites. Ces lésions nécessitent les mêmes mesures préventives et thérapeutiques (▷ gland [lésions du]).
— Toute érosion indolore est peut-être un chancre syphilitique. Un prélèvement local et une sérologie sont nécessaires avant tout traitement.
— L'apparition de petites vésicules groupées en bouquet, douloureuses, qui suintent, survenant sur une zone de peau rouge, précédées par des sensations de brûlures, est évocatrice d'un herpès génital (▷ herpès).
— Des petites excroissances rosées, comparables à des verrues, évoquent des végétations vénériennes. Ce sont de petites tumeurs virales qui doivent être détruites. (▷ végétations vénériennes).

Le pubis est le siège d'un prurit féroce

— Les morpions (variété de poux) entraînent des démangeaisons. Si l'on veut s'en débarrasser définitivement, il faut un traitement par application d'un produit insecticide et une désinfection des vêtements, de la literie.
— La gale est facilement contractée au cours des rapports sexuels ou lors du contact avec de la literie contaminée.

Chez la femme, ce sont les mêmes germes, parasites et levures qui sont responsables des maladies sexuellement transmissibles. Mais celles-ci se manifestent de façon bien différente : le plus souvent, l'infection évolue sans entraîner de symptômes ; les lésions muqueuses sont souvent invisibles car situées dans le vagin, sur le col de l'utérus ou dans un repli de la vulve. Rarement, il s'agit de brûlures en urinant ; parfois la malade se plaint de pertes vaginales ou de simples démangeaisons ou de brûlures vulvaires.

Nous avons déjà évoqué, chez la femme atteinte, les risques de stérilité qui sont d'autant plus grands que le diagnostic est tardif et l'infection non éradiquée.

On notera, pour conclure, que tout contact sexuel douteux, toute brûlure mictionnelle, toute perte vaginale, toute lésion cutanée ou de la muqueuse génitale doit inciter la patiente et son partenaire à consulter un médecin.

 ■ leucorrhées ■ vulve *(maladies de la)* ■ salpingites aiguës et chroniques ■ stérilité du couple ■ gland *(lésions du)* ■ balanites ■ syphilis ■ herpès ■ végétations vénériennes ■ champignons ■ hépatites virales ■ SIDA

maladies systémiques

Les maladies systémiques sont des maladies inflammatoires diffuses, d'origine inconnue ; elles ont pour nom la *sclérodermie*, la *périartérite noueuse*, la *polymyosite*, la *maladie lupique*... Nous limiterons cet article à l'étude de la maladie lupique, la plus fréquente des maladies de système.

Plus fréquente chez la femme jeune, la maladie lupique peut débuter de façon brutale ou progressive, après une grossesse, une exposition solaire ou une vaccination. Des signes généraux (fatigue, fièvre, perte de poids) sont associés à d'autres signes qui orientent le diagnostic de votre médecin, notamment :
— des signes cutanéo-muqueux à type de plaques rouges affectant les parties corporelles découvertes, soumises au rayonnement solaire, et tout particulièrement le visage où les lésions cutanées chevauchant l'arête du nez dessinent un « loup » (d'où le nom de *lupus*) ; d'autres signes cutanés sont parfois notés : perte de cheveux, syndrome de Raynaud, purpura ;
— des atteintes articulaires se manifestant par des arthralgies ou une polyarthrite aiguë de type inflammatoire sans déformation articulaire ;
— des signes d'atteinte viscérale, de type cardio-vasculaire (péricardite, myocardite, endocardite, thromboses), rénal ou neurologique (multinévrite). Une fois le diagnostic de la maladie lupique posé, il importe de rechercher une cause médicamenteuse pouvant induire ou révéler la maladie, et de compléter le bilan biologique, hématologique et rénal habituel, par des examens immunologiques plus spécifiques : les facteurs anti-nucléaires, les anticorps anti D.N.A. et le dosage du complément.

En cas d'atteinte rénale, une biopsie rénale est réalisée.

La maladie lupique est polymorphe, quelquefois inquiétante du fait de l'importance de l'insuffisance rénale ; elle est le plus souvent bien contrôlée par le traitement et peut connaître des rémissions prolongées, voire des guérisons.

En cas de maladie lupique induite par un médicament, l'arrêt du produit responsable entraîne la guérison.

 La surveillance médicale est fondamentale : elle repose sur les examens cliniques et biologiques. La patiente est prévenue des rechutes liées à l'exposition solaire et surtout le médecin insiste tout particulièrement sur le risque d'une grossesse. Un désir de maternité doit se discuter avec l'équipe médicale. Une grossesse nécessite toujours une prise en charge et une surveillance accrue.

Les médicaments seront prescrits en fonction de la forme clinique, allant de la prescription d'antipaludéens de synthèse aux corticoïdes. L'utilisation d'immuno-suppresseurs dans les formes compliquées est nécessaire. Il est impératif que l'observance thérapeutique soit strictement respectée, sous peine de rechutes et de complications.

 ■ arthrite ■ acrocyanose ■ purpura ■ péricardite ■ névrites

maladresses de l'enfant

☞ ■ psychomoteurs *(troubles)* ■ malaises

malaises

Un malaise est une sensation pénible de faiblesse générale avec impression que l'on va perdre connaissance de manière imminente. Cette perte de connaissance (ou syncope) peut d'ailleurs conclure le malaise qu'il faut différencier du vertige (▷ vertiges).

Le plus urgent, si vous en êtes victime, est de vous asseoir à même le sol ou de vous allonger afin d'éviter un traumatisme lors d'une chute éventuelle et, si possible, d'appeler quelqu'un qui puisse vous assister et alerter un médecin.

Si vous assistez à un malaise d'un de vos proches, il faut essayer de surélever ses jambes, ce qui peut faire cesser le malaise en 1 ou 2 minutes, et si la personne a des nausées, il faut la tourner sur un côté de manière à permettre des vomissements sans danger. Il ne faut pas essayer, tant que la conscience n'est pas normale, de faire boire, ou sucer un sucre, ou faire avaler toute autre chose.

Le malaise est grave s'il se prolonge et si la conscience est perturbée. Il faudra alors très vite faire appel à une aide médicale urgente (votre médecin ou le SAMU).

Parmi les malaises, on distingue :
— le malaise fonctionnel chez les grands anxieux, se traduisant par une respiration ample et rapide, sans vraie perte de connaissance et sans véritable gravité;
— le malaise à distance d'un repas composé essentiellement de sucres (petit déjeuner) s'accompagnant de sueurs et de fringale évoquant une hypoglycémie réactionnelle;
— les malaises dus en général à une chute de la tension artérielle, dont les plus fréquents sont :
le malaise par hypotension orthostatique ou chute de tension lorsque le sujet se lève brusquement ou reste trop longtemps debout immobile;
le malaise vagal provient d'une réaction nerveuse sur le cœur et les vaisseaux, lors d'un repas ou après avoir uriné; le patient est en état de malaise grandissant, il est pâle, nauséeux, se couvre de sueurs. Il faut qu'il se couche, qu'il ouvre son col, sa ceinture. Ceci dissipera le malaise, sinon une syncope peut survenir.
les malaises au cours d'une diarrhée ou de

vomissements abondants, ou, plus sérieux, au cours d'une hémorragie;
les malaises au cours des crises de palpitations.

Dans tous les cas, vous devez rapidement faire appel à votre médecin, même si le malaise est terminé.

☞ ■ syncopes ■ hypotension artérielle ■ hypoglycémie ■ hémorragies ■ palpitations ■ tétanie et spasmophilie

malformation des membres et de la colonne vertébrale
(votre enfant naît avec une)

Face à ce type de malformation, ne vous affolez pas. En dehors de l'avis de l'obstétricien et du pédiatre, demandez également l'avis d'un chirurgien orthopédiste pédiatre afin de préciser au mieux le type de l'affection, son pronostic fonctionnel à long terme, les possibilités thérapeutiques actuelles.

Souvent une thérapeutique peut et doit être entreprise sans retard. Un bilan complet de votre enfant sera nécessaire à la recherche d'une autre malformation, notamment cardiaque ou rénale, qu'il vaut mieux connaître pour la suite du traitement.

Les malformations de la colonne vertébrale
Beaucoup d'enfants présentent une lésion mineure qui n'aura pas de conséquences, et la découverte d'une *spina bifida* avec atteinte neurologique est de plus en plus rare du fait de son dépistage dans les premiers mois de grossesse.

Celle-ci est une malformation osseuse mais surtout neurologique, se situant le plus souvent à la partie basse de la colonne vertébrale. Son pronostic n'est pas bon et dépend essentiellement de l'importance de l'atteinte neurologique. Il faudra se méfier d'une hydrocéphalie, maintenir les membres inférieurs en bonne position et surveiller les problèmes urinaires. A long terme le pronostic dépendra de l'importance de l'atteinte paralytique des membres inférieurs, de l'existence ou non d'incontinence des urines ou des matières fécales et de l'éventuelle atteinte malformative cérébrale. Une association de parents est à même de vous conseiller.

La découverte d'une *scoliose* ou d'une *cyphose* par malformation vertébrale est parfois précoce : il suffit parfois d'une simple observation de la colonne de votre enfant de dos ou de profil; la radiographie permet d'analyser au mieux le type de la malformation. Le premier bilan permet de rechercher des malformations associées. Le plus souvent, une surveillance radiographique suffit dans les premières années. La déformation peut

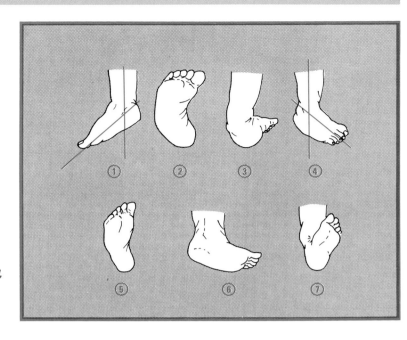

malformation des membres et de la colonne vertébrale *(votre*

enfant naît avec une). Les déviations des pieds : (1) *pied équin,* (2) *adduction de l'avant-pied,* (3) *varus de l'arrière-pied,* (4) *supination du pied,* (5) *metatarsus du pied,* (6) *pied convexe,* (7) *pied talus valgus;* (1) *+* (2) *+* (3) *: pied bot varus équin. (Source : J. LAUGIER et F. GOLD,* Abrégé de néonatologie, éd. Masson*).*

rester stable et aucun traitement n'est nécessaire. Si une aggravation progressive et importante est constatée, une intervention chirurgicale est en règle générale nécessaire afin de stopper l'évolution de façon définitive.

Les malformations des membres supérieurs

Certaines sont très importantes, tout ou partie du membre supérieur pouvant être absent. Dans ce cas on aura recours à une prothèse. Celle-ci doit être mise en place au cours du plus jeune âge, afin que l'enfant apprenne très tôt à s'en servir. Habituellement on utilise d'abord une prothèse dite esthétique, ce n'est que plus tard que l'on pourra selon les possibilités utiliser une prothèse dite fonctionnelle, c'est-à-dire ayant certains mouvements commandés par l'enfant.

D'autres malformations sont moins importantes, ne touchant que partiellement le membre supérieur : palmures entre les doigts ou *synactylie*, déviation de la main ou *main botte* souvent associée à une absence d'un ou plusieurs doigts, raccourcissement de l'avant-bras, *synostose* des deux os de l'avant-bras (l'enfant ne peut pas faire tourner son avant-bras)... Toutes ces malformations peuvent être isolées ou associées. Là encore, une consultation auprès d'un spécialiste est nécessaire rapidement. Dans la majorité des cas la chirurgie va permettre une amélioration esthétique et fonctionnelle. Il est donc nécessaire de savoir à quelle date l'intervention doit être pratiquée. De plus, une rééducation et parfois le port d'orthèse (petit appareillage maintenant en bonne position et aidant à la fonction) sont rapidement nécessaires.

Les malformations des membres inférieurs

Les très grands raccourcissements des membres inférieurs sont souvent irréversibles au-delà de toute possibilité d'allongement. Néanmoins, une rééducation et le port d'un appareillage doivent permettre un apprentissage de la station debout et de la marche à un âge pratiquement normal.

Les inégalités de longueur, moins importantes, s'associent en règle générale à des malformations de la hanche ou du pied. Ce type d'inégalité peut être corrigé par un traitement chirurgical permettant d'obtenir en fin de croissance des membres inférieurs de longueur égale. L'inégalité s'accentue habituellement au cours de la croissance, mais il est possible de connaître l'inégalité finale : aussi, le chirurgien peut faire un programme d'égalisation tenant compte des impératifs scolaires de l'enfant. Il est possible d'allonger un segment de membre, de façon progressive; cela nécessite suivant les cas une ou deux interventions. On peut également ralentir la croissance du membre inférieur opposé par une intervention appelée *épiphysiodèse*.

Les malformations du pied doivent être distinguées des simples malpositions. L'avis du médecin est indispensable, certaines déformations nécessitant une rééducation et la pose d'attelles dès le premier jour. Un bilan est habituellement effectué vers le troisième mois et peut déboucher alors sur une intervention chirurgicale. C'est en règle générale la précocité de la mise en route du traitement, le sérieux de la rééducation et du port des attelles qui permettront d'obtenir les meilleurs résultats (▷ pied bot varus équin). La chirurgie ne doit pas être considérée comme le témoin de l'échec du traitement initial mais comme un complément parfois nécessaire et dont l'efficacité dépend de la bonne conduite du traitement initial.

Toutes les malformations des membres inférieurs, même mineures, imposent de rechercher une luxation congénitale de la hanche qui y est souvent associée (▷ luxation congénitale de la hanche).

☞ diagnostic anténatal des maladies fœtales

mamelon et aréole

Le mamelon constitue le « bout du sein ». C'est là que s'extériorise la sécrétion du lait, par l'orifice des *canaux galactophores* qui sont au nombre d'une quinzaine. Le mamelon constitue habituellement un relief plus ou moins pigmenté. Il est entouré d'une zone de diamètre variable, de même coloration que lui : l'*aréole*. Celle-ci possède une musculature capable de faire saillir et durcir le mamelon. Les nerfs de cette région jouent un rôle important puisque l'excitation du mamelon par la succion du bébé est nécessaire à la poursuite de la sécrétion lactée.

Vous constatez une anomalie du mamelon

Le mamelon d'un côté ou des deux côtés peut être rentré (ombiliqué) de naissance. Cette petite anomalie est opérable. Il ne faut pas la confondre avec la rétraction du mamelon qui survient sous l'effet d'une lésion du sein et qui doit dans tous les cas conduire à consulter le médecin.

Le mamelon peut être le siège d'eczéma. Un tel eczéma bilatéral survenant chez une personne ayant des antécédents allergiques se reconnaît aisément. Il faut cependant être très prudent dans ce domaine, car il existe un faux eczéma du mamelon qui est dû à une forme de cancer : la *maladie de Paget du sein*. Il est important au moindre doute de consulter sans tarder, car ce cancer est au début très peu évolutif et curable.

Vous constatez un écoulement du mamelon

Écoulement laiteux (galactorrhée) intéressant plusieurs canaux des deux seins

Il traduit l'apparition inopportune de la fonction de sécrétion du sein. L'écoulement est épais, blanc, parfois teinté de jaune, de brun, de vert, mais la couleur n'a pas de signification. Fait important, la sécrétion apparaît au niveau de plusieurs canaux des deux seins.

Après une grossesse sans allaitement, ou après le sevrage, un tel écoulement peut se prolonger

pendant un an. A la fin du cycle, au moment des règles, peut s'apercevoir un petit écoulement de même nature mais plus discret : encore ne s'agit-il que d'une gouttelette et n'apparaissant qu'à la pression. Notons qu'il ne faut pas constamment essayer de faire apparaître le liquide, car cette manœuvre aurait pour effet de favoriser la sécrétion.

Lorsqu'un écoulement de ce type est abondant et prolongé, il justifie la consultation du médecin qui en recherchera la cause :
— le responsable est parfois un médicament pris de façon prolongée (certains tranquillisants, certains anti-hypertenseurs);
— la cause peut être une anomalie hormonale. La prolactine, hormone qui commande la sécrétion du lait, est produite par une petite glande située à la base du cerveau : l'hypophyse. Il y a lieu de rechercher, notamment par des dosages de la prolactine dans le sang et des radiographies du crâne, s'il y a fonctionnement anormal ou même une tumeur bénigne (*adénome*) de l'hypophyse.

Écoulement non laiteux n'intéressant qu'un ou deux canaux du même sein

Il n'intéresse qu'un canal ou deux du même sein et doit toujours conduire à consulter le médecin. La plus ou moins grande abondance du liquide, sa couleur — clair comme de l'eau, un peu jaune, brun foncé, rouge sang — ne peuvent aucunement laisser préjuger de la cause : celle-ci est le plus souvent bénigne — dilatation d'un canal (*ectasie galactophorique*), tumeur bénigne dans le canal (*adénome*) —, mais peut aussi être un cancer débutant.

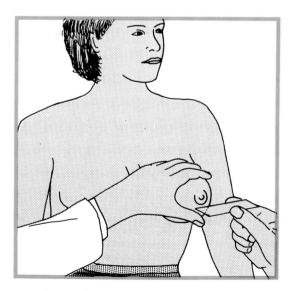

mamelon et aréole. *Prélèvement du liquide d'écoulement mamelonnaire sur une lame de verre en vue de l'examen au microscope.*

275

En présence de cet écoulement, le médecin demandera un bilan* sénologique au cours duquel sera pratiquée l'analyse microscopique du liquide (cytologie), afin de rechercher les cellules anormales éventuelles. Le bilan comportera également une galactographie : un liquide opaque aux rayons X est injecté par le canal concerné ; les radiographies pratiquées ensuite montrent bien le moulage du canal et permettent de voir s'il est dilaté ou s'il contient une petite tumeur ; l'injection peut être désagréable mais non douloureuse.

Parfois le bilan sénologique ne montre rien de préoccupant, ni de cause de l'écoulement. Le médecin pourra temporiser, sous surveillance régulière, car il est possible que l'écoulement se tarisse au bout de quelques semaines ou quelques mois.

S'il existe une lésion bénigne du canal, ce dernier doit être enlevé chirurgicalement. Pour se guider, avant l'intervention, le chirurgien pratique l'injection de bleu de méthylène dans le canal. Il pourra ainsi repérer, en bleu dans son champ opératoire, le trajet du canal et enlever tout le tissu anormal, en évitant une déformation du sein.

 ■ **prolactine** ■ **sein** *(cancer du)* ■ IN-DEX THÉMATIQUE *(GYNÉCOLOGIE - OBS-TÉTRIQUE)*

mammographie

 bilan sénologique

manie

 psychose maniaco - dépres-sive

marche *(aide à la)*

 orthopédie *(traitement en)*

marche *(refus de la)*

 Au réveil vous constatez que votre nourrisson refuse de poser le pied par terre, de marcher, ou que la gesticulation de l'un de ses membres inférieurs est nettement diminuée. Il s'agit là, chez un enfant qui ne peut encore s'exprimer clairement, de la manifestation d'une douleur dont il faudra préciser la cause.

 — L'enfant n'est pas fébrile, ne paraît pas « grognon » : il peut s'agir d'une fracture non déplacée, survenue à l'occasion d'un traumatisme minime passé inaperçu. Cette fracture souvent difficile à mettre en évidence sur les premières radiographies guérira simplement grâce à un plâtre.

— Si l'enfant est fébrile, « grognon » : il peut s'agir d'une infection osseuse *(ostéomyélite)*, articulaire *(arthrite septique)* ou vertébrale *(spondylodiscite)*. C'est une urgence à ne pas méconnaître en raison des conséquences graves qui peuvent survenir. La consultation auprès de votre médecin est donc essentielle.

L'*ostéomyélite* est une infection osseuse due le plus souvent au staphylocoque et touchant plus fréquemment l'extrémité inférieure du fémur ou l'extrémité supérieure du tibia. Le germe peut pénétrer dans l'organisme à l'occasion d'un panaris, d'une infection rhino-pharyngée, etc., il existe une douleur violente au niveau de la zone infectée. Le traitement institué d'urgence comprend des antibiotiques, une immobilisation par plâtre. Une hospitalisation est souvent nécessaire au moins pour la mise en route du traitement.

L'*arthrite septique* est une infection d'une articulation ; celle-ci devient excessivement douloureuse, parfois gonflée et « rouge ». La radiographie l'évoque. Il s'agit là encore d'une urgence ; le traitement est habituellement chirurgical, suivi d'une immobilisation plâtrée et d'un traitement antibiotique adapté.

La *spondylodiscite* ou infection d'un disque et des vertèbres adjacentes est plus difficile à diagnostiquer. L'enfant est souffreteux depuis plusieurs jours, un peu fébrile ; s'il marche, il le fait souvent en boitant. Il craint le passage de la position couchée à la position assise ; sa colonne vertébrale est enraidie. C'est la radiographie qui permettra d'en faire le diagnostic. Le traitement comporte une immobilisation par corset plâtré et des antibiotiques.

Ces trois affections ont en commun leur origine infectieuse, la nécessité d'un diagnostic précoce — qui est le seul garant d'une guérison sans séquelles — et la gravité des séquelles quand on les laisse évoluer sans traitement (séquelles sur la croissance et sur l'avenir de la mobilité de l'articulation atteinte).

 boiterie de l'enfant et/ou douleurs de la hanche

marche *(troubles de la démarche de l'enfant)*

 Les difficultés de la marche de l'enfant sont prévenues par le dépistage dès la naissance et le traitement immédiat de certaines malformations orthopédiques (▷ malformation des membres et de la colonne vertébrale [votre enfant naît avec une], luxation congénitale de la hanche).

Entre l'âge d'un an — date habituelle des premiers pas — et la troisième ou quatrième année, peuvent apparaître des troubles de la marche ; ces troubles, le plus souvent sans conséquences graves, sont des motifs fréquents de consultation : il en est ainsi des pieds plats ou creux, des pieds qui tournent en dedans, des jambes en X ou en O, mais l'origine est parfois une malformation de la hanche ou une maladie neurologique ou musculaire qu'il importe de reconnaître (▷ pieds plats, pieds creux, pieds qui tournent en dedans, genoux varum ou valgum).

La survenue d'une boiterie, de douleurs de la hanche, d'un refus de la marche doit entraîner une consultation rapide chez votre médecin, car un diagnostic et un traitement urgents sont souvent nécessaires (▷ boiterie de l'enfant et/ou douleurs de la hanche, marche [refus de la]).

marqueurs tumoraux

☞ cancer

masque de grossesse

☞ grossesse et petits maux

massage cardiaque externe

☞ secours d'urgence

mastite aiguë

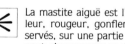

La mastite aiguë est l'inflammation du sein : douleur, rougeur, gonflement et chaleur y sont observés, sur une partie plus ou moins étendue. Elle peut s'accompagner d'un gonflement d'un ou de plusieurs ganglions du creux de l'aisselle (*adénopathie*).

Lorsque surviennent ces symptômes, il est possible d'obtenir un soulagement immédiat par l'application locale de compresses ou de pommade anti-inflammatoire et, sauf contre-indication, la prise d'aspirine.

Dans tous les cas, la consultation médicale est impérative afin d'établir le traitement en fonction de la cause de la mastite.

La mastite aiguë infectieuse

Elle est relativement fréquente en période d'allaitement dont elle impose l'interruption. Le traitement antibiotique entraînera le plus souvent une amélioration en quelques jours.

En dehors de la grossesse, la mastite infectieuse peut être occasionnée par une plaie même superficielle.

Parfois enfin, la cause est inapparente.

Après la disparition des symptômes, un bilan* sénologique complet confirmera la guérison et permettra de rechercher une anomalie associée.

L'échec du traitement peut se traduire de deux

manières : formation d'un abcès du sein ou passage à la mastite chronique.

La mastite d'involution

Elle se présente comme une mastite aiguë, mais les symptômes sont moins importants. Elle survient par poussées successives à l'approche de la ménopause.

Son diagnostic est établi par le bilan sénologique dont l'un des examens en particulier, la mammographie, montre des calcifications caractéristiques de l'affection. Celle-ci est sans gravité et son traitement vise essentiellement à soulager la douleur.

La mastite cancéreuse

La mastite cancéreuse ou cancer inflammatoire peut donner les mêmes symptômes que la mastite aiguë infectieuse. Cette éventualité est très rare mais grave ; elle pose parfois au médecin un très difficile problème de diagnostic : infection ou cancer.

L'efficacité rapide du traitement antibiotique est un bon signe en faveur de l'infection. Dans les cas les plus difficiles, on pourra être amené à effectuer une ponction dans le sein ou mieux dans un ganglion pour une analyse microscopique. La prudence imposera non seulement un bilan sénologique après la fin de l'inflammation, mais une surveillance étroite si un diagnostic formel n'a pu être établi.

☞ ■ abcès du sein ■ sein *(cancer du)* ■ ménopause

mastose

La mastose est un ensemble de modifications des tissus du sein associant la perte de l'élasticité de certains éléments (*fibrose*) et le développement excessif d'autres.

La mastose a elle seule n'entraîne pas de troubles. Cependant, sous l'effet d'un déséquilibre hormonal, elle s'accentue au point d'entraîner la formation d'anomalies véritables : tumeurs bénignes (*adénofibromes*), kystes, dilatation des canaux de la glande (*ectasie galactophorique*).

Le terme de mastose est entré dans le langage médical courant. Il recouvre en pratique des faits si variés que certains médecins le jugent imprécis et renoncent à l'employer. Cependant la mastose constitue un chapitre essentiel des recherches destinées à la compréhension des maladies du sein ; il est acquis notamment qu'elle peut constituer dans certains cas un facteur de risque élevé de cancer. Il ne s'agit que de projections sur l'avenir, car par définition la mastose est bénigne.

☞ ■ boule dans un sein ■ kyste du sein ■ sein *(cancer du)* ■ bilan sénologique

masturbation

☞ **sexualité à l'âge adulte** *(troubles de la)*

maturation du nouveau-né et croissance intra-utérine

Un ensemble d'arguments permet de déterminer l'âge gestationnel ou encore le terme : date des dernières règles, renseignements fournis par les échographies effectuées pendant la grossesse, critères morphologiques et neurologiques recueillis au cours de l'examen du nouveau-né en salle de travail (aspect de la peau, des oreilles, des mamelons, des organes génitaux externes, attitude de l'enfant, position de la tête...).

Ainsi, on dit que l'enfant est :
– à terme : lorsqu'il est né entre la trente-septième et la quarante-deuxième semaine de gestation,
– prématuré : lorsqu'il est né avant la trente-septième semaine,
– post-mature : lorsqu'il est né après la quarante-deuxième semaine.

Le calcul du terme est indispensable à l'appréciation de la croissance intra-utérine. Les mensurations de l'enfant sont comparées aux normes pour l'âge gestationnel. Aussi, le nouveau-né qu'il soit né à terme, avant le terme ou après le terme, sera dit :
– eutrophique si son poids est normal pour l'âge gestationnel,
– hypotrophique si son poids est inférieur aux normes : ce qui définit le retard de croissance intra-utérin,
– hypertrophique si son poids est supérieur aux normes pour le terme.

☞ ■ **grossesse et anomalie de développement de l'utérus** ■ **fœtus** *(état de santé du)* ■ **prématurité** ■ **croissance** *(retard de)*

méconium

☞ ■ **constipation du nouveau-né et du nourrisson** ■ **mucoviscidose** ■ **nouveau-né** *(examens du)*

médicaments

☞ INDEX THÉMATIQUE *(MÉDICAMENTS)*

mélancolie

☞ **psychose maniaco-dépressive**

mélanocytes

☞ ■ **nævus** ■ **peau**

mélanome

☞ **peau** *(cancer de la)*

méléna

Il s'agit de l'émission par l'anus de sang digéré, noirâtre. L'aspect évoque du goudron, l'odeur est nauséabonde. L'origine est souvent œsophagienne, gastrique ou duodénale, moins souvent colique (colite, cancer...), l'intestin grêle est rarement en cause (tumeur, maladie de Crohn, diverticule de Meckel...).

☞ **hémorragie digestive haute** *(œsophage, estomac et duodénum)*

membranes hyalines (maladie des)

☞ **détresse respiratoire du nouveau-né**

membre inférieur (votre enfant refuse de s'appuyer sur son)

☞ **marche** *(refus de la)*

membres *(votre enfant naît avec une malformation des)*

☞ **malformation des membres et de la colonne vertébrale**

membre supérieur *(votre enfant refuse de bouger son)*

L'absence de mobilisation spontanée du membre supérieur chez le petit enfant manifeste l'existence d'une lésion à ce niveau; elle est alors une réaction à la douleur que provoque cette lésion.

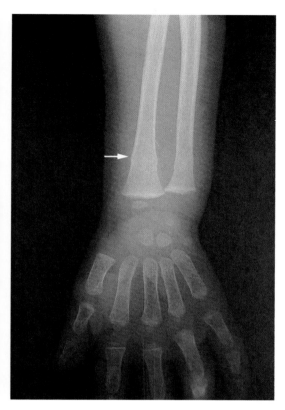

membre supérieur *(votre enfant refuse de bouger son).*
Votre enfant est tombé du lit. Depuis il ne se sert plus de son membre supérieur. La radiographie décèle une légère fracture du radius, qui nécessitera le port d'un plâtre.

vert ou en motte de beurre), suite à une chute passée inaperçue, soit il s'agit d'une *pronation douloureuse.* Cette dernière hypothèse est très fréquente : vous avez retenu votre enfant par le bras, et depuis il ne veut plus l'utiliser, gardant l'avant-bras souvent étendu main tournée vers l'arrière; c'est le résultat d'une subluxation de la tête du radius que le médecin corrige facilement en mobilisant le coude. Il revient au médecin de préciser la nature du traumatisme en s'aidant, au besoin, d'une radiographie. En cas de fracture minime, le membre sera immobilisé par un plâtre dont la durée variera selon l'âge de l'enfant et le type de fracture.

membres traumatisés
(entorse, luxation et fractures)

L'entorse

Une entorse correspond à une lésion ligamentaire.

Les ligaments participent à la stabilité d'une articulation, comme les haubans à celle d'un mât. Ils sont souvent lésés à la suite d'un traumatisme, mettant l'articulation en position forcée. Selon que le ligament est rompu ou simplement étiré, l'entorse sera grave ou bénigne et le traitement différent.

Les articulations les plus souvent touchées sont la cheville, le genou, et parfois le rachis cervical. Au niveau des membres, l'entorse se caractérise par une douleur, l'apparition d'un gonflement articulaire lié à la présence de sang dans l'articulation (*hémarthrose*) et une instabilité de celle-ci que le médecin appréciera par l'examen clinique aidé souvent par la radiographie. Il ne faut pas négliger

Si votre enfant a de la fièvre, s'il vous paraît grognon ou franchement fatigué, on peut soupçonner une *infection osseuse* ou *articulaire* : une consultation d'urgence est nécessaire. Votre médecin pratiquera des examens sanguins afin de confirmer l'infection et de préciser le germe en cause, puis mettra en route le traitement. Celui-ci comporte un traitement antibiotique et une immobilisation plâtrée en cas d'infection osseuse (*ostéomyélite*), parfois un geste chirurgical de drainage s'il s'agit d'une atteinte articulaire (*arthrite infectieuse*). Dans ces deux cas, la rapidité de la mise en route du traitement est essentielle, tout retard risquant d'aboutir à l'apparition de séquelles; aussi, impose-t-elle une hospitalisation de l'enfant atteint.

L'absence de mobilisation spontanée du membre supérieur peut être également la conséquence d'un *traumatisme* : soit il s'agit d'une *fracture minime,* le plus souvent du poignet (fracture dite en bois

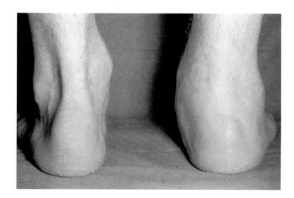

membres traumatisés *(entorse, luxation et fractures).*
Entorse de la cheville...

279

une entorse même si elle vous paraît bénigne, car de son traitement correct initial dépendent le bon résultat final et surtout l'absence de récidives survenant trop fréquemment après une entorse négligée.

Le traitement varie selon la gravité de l'entorse :
— s'il s'agit d'une entorse bénigne, le médecin proposera soit une immobilisation plâtrée, soit un simple bandage, puis une courte rééducation pour renforcer les muscles et redonner une bonne stabilité à l'articulation;
— s'il s'agit d'une entorse grave, une réparation chirurgicale du ou des ligaments lésés est parfois nécessaire : la décision en revient au chirurgien orthopédiste qui vous examinera; la durée de

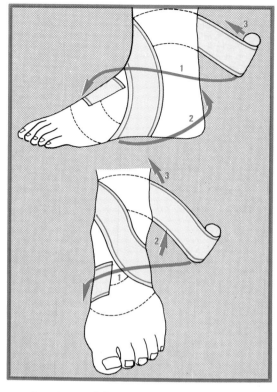

membres traumatisés *(entorse, luxation et fractures). Mode de mise en bandage en élastoplast. Il est préférable de recouvrir auparavant le pied d'une fine chaussette de Jersey.*

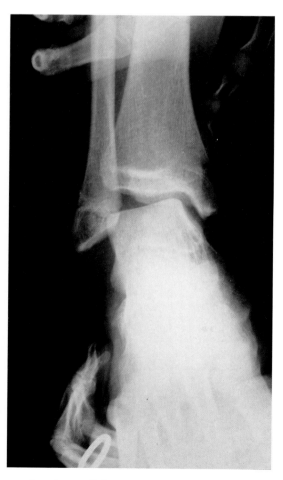

membres traumatisés *(entorse, luxation et fractures). ...*
L'instabilité de l'articulation, précisée par la radiographie (ci-dessus), signe l'entorse grave.

l'immobilisation plâtrée après l'acte chirurgical sera de trente-cinq jours environ.

Une entorse du rachis cervical survient souvent après un accident de voiture ou une roulade. Il est très important d'établir rapidement le diagnostic d'entorse grave, car alors le risque d'atteinte neurologique en l'absence de maintien est très important; seul un bon examen radiographique permet de le faire.

La luxation traumatique

Il y a luxation lorsque les deux parties d'une articulation n'ont plus de contact entre elles. Cette luxation traumatique s'accompagne toujours de dégâts ligamentaires importants, car pour qu'une articulation se luxe il faut d'abord faire céder ses moyens de stabilité : les ligaments.

Le diagnostic en est simple car la déformation clinique est évidente. Une radiographie est souvent nécessaire pour vérifier l'absence de lésion osseuse associée. Les localisations les plus fréquentes se situent à l'épaule, au coude et aux doigts.

Le médecin réduira la luxation avec ou sans anesthésie, vérifiera par une radiographie qu'il n'y a pas de problèmes supplémentaires et immobilisera l'articulation. Seule cette immobilisation permettra de laisser cicatriser en bonne position les ligaments rompus et évitera ainsi le risque de récidive pour des traumatismes de plus en plus minimes.

Les fractures

Une fracture est une rupture osseuse, consécutive le plus souvent à un traumatisme plus ou moins violent; elle peut interrompre la totalité de la continuité osseuse ou ne siéger que sur une partie.

Les fractures de l'adulte

On distingue divers types de fractures, plus ou moins complexes, plus ou moins graves.

— La *fracture est ouverte ou fermée* : les fractures ouvertes (il existe une plaie en regard de la fracture) sont de pronostic plus grave; leur consolidation est souvent plus longue, le risque d'infection important; leur traitement est pratiquement toujours chirurgical pour permettre au moins de nettoyer correctement la plaie.

— Le *siège de la fracture est variable* : soit la fracture siège sur la portion longue de l'os (*la diaphyse*), soit elle siège à l'une de ses extrémités (*l'épiphyse*) et c'est alors une fracture articulaire. Dans ce cas, le traitement comporte une réduction — devant être parfaite — de la fracture afin de préserver l'avenir de l'articulation. Il importe que les deux surfaces articulaires s'emboîtent parfaitement si l'on veut éviter une évolution rapide vers l'arthrose.

— *La fracture est déplacée ou non* : si le déplacement est important, une correction sera nécessaire; cette correction ou réduction se pratique sous anesthésie car elle est trop douloureuse.

— *La fracture est simple ou complexe* : la fracture est dite simple lorsqu'il n'existe qu'un seul trait de fracture; elle devient plus complexe lorsqu'il existe plusieurs traits de fracture rendant la réduction de plus en plus difficile. Une fracture comminutive est une fracture où il existe de multiples fragments.

— *Une fracture de fatigue* siège sur un os long et survient en l'absence de tout traumatisme important. Le siège de prédilection est le métatarse.

— *Une fracture pathologique* est une fracture qui survient sur un os qui présente au niveau de la zone fracturaire une lésion préexistante. Le traitement de la fracture comporte alors également le traitement de la cause préexistante.

Les délais de consolidation sont fonction, chez l'adulte, du siège de la fracture, de son type et du mode de traitement entrepris.

Les fractures de l'enfant

Nombre d'entre elles sont semblables à celles de l'adulte. Néanmoins, il existe certaines différences.

— Si le trait de fracture passe par le cartilage de croissance situé près des extrémités, il existe un risque de perturbation de la croissance. Heureusement, la majorité de ces fractures n'entraînent pas de conséquences fâcheuses. Seules certaines d'entre elles peuvent mettre la croissance ultérieure en danger, aboutissant à un raccourcissement ou à une déviation progressive; aussi est-il important de suivre l'enfant dans ce cas afin de juger l'existence d'un éventuel retentissement sur sa croissance ultérieure.

— En cas de fracture diaphysaire, notamment du fémur ou du tibia, il est fréquent de constater une poussée de croissance de l'os fracturé dans les mois qui suivent; le traitement initial devra en tenir compte dans la mesure du possible.

— Certaines fractures de l'enfant sont incomplètes : elles sont dites en bois vert si elles siègent au niveau d'une diaphyse, en motte de beurre si elles se situent sur la métaphyse (portion située entre la diaphyse et l'épiphyse) et correspondent à un simple tassement.

La durée de consolidation varie selon les caractéristiques de la fracture, comme chez l'adulte, mais aussi selon l'âge de l'enfant : elle est d'autant plus courte que l'enfant est plus jeune.

mémoire *(troubles de la)*

La mémoire est un processus actif comprenant trois phases : fixation de l'information, stockage et restitution. L'oubli est un mode normal et obligatoire du fonctionnement de la mémoire : il évite que la masse des « souvenirs » encombre la pensée et en permet la sélection. Trop important, il devient pathologique : c'est l'*amnésie*; le médecin en précise le mécanisme et en cherche la cause.

— La fixation comprend la mémoire immédiate explorée par la capacité à restituer, en quelques secondes, sept à neuf chiffres entendus une seule fois.

— L'« intégration » du souvenir est évaluée par la précision avec laquelle le sujet peut restituer quelques minutes ou quelques heures plus tard une histoire type.

— La restitution du souvenir est évaluée par de simples questions : président de la République ? 7 × 3 ?... ou plus précisément par des tests.

L'amnésie ou oubli pathologique

L'*oubli à mesure* constitue l'amnésie de fixation ou antérograde. Le sujet peut répondre à une question mais, en quelques minutes, il oublie totalement ce qu'on lui a demandé. Il est désorienté dans le temps et dans l'espace. Cette amnésie de fixation se rencontre dans le syndrome de Korsakoff, où le sujet fabule, prétend reconnaître des personnes qu'il n'a jamais vues alors que son intelligence et sa mémoire des faits anciens sont habituellement conservées. Elle est liée le plus

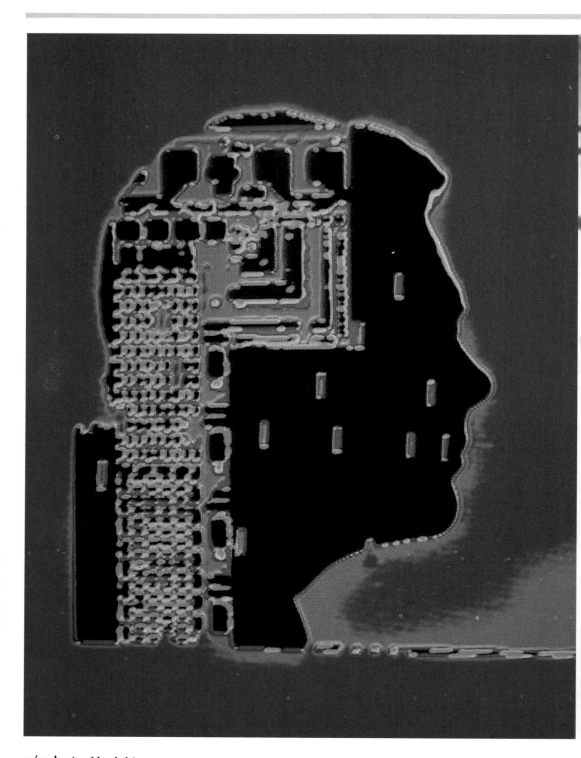

mémoire *(troubles de la). L'ordinateur, modèle simplifié de la mémoire humaine.*

souvent à un alcoolisme ancien et associée à une polynévrite. Le traitement est celui de la cause, c'est-à-dire l'arrêt de l'alcoolisme.

L'*amnésie de fixation* se rencontre aussi dans l'ictus amnésique. Il consiste en une perte brutale de mémoire avec oubli à mesure. Pendant quelques heures, le sujet, complètement désorienté, répète sans cesse les mêmes questions. Parfois, il se livre à une activité automatique complète : cuisine, voyage... C'est un accident sans lendemain qui ne laisse aucune séquelle, sinon l'oubli complet de ces quelques heures.

L'*oubli des faits anciens* constitue l'amnésie rétrograde. Quand elle est isolée, elle est le plus souvent reversible avec la cause : psychologique (refoulement banal ou névrotique, dépression...) ou organique (confusion mentale).

Les amnésies psychologiques sont très fréquentes.

Les *amnésies électives* touchant un nom, un fait, une situation ou une période donnée; ces amnésies lacunaires sont liées à un mécanisme de défense inconscient dont le but est d'évacuer un thème dont le contenu, directement ou par association, est intolérable au sujet. Elles sont particulièrement fréquentes chez l'hystérique et le psychasthénique.

Les *amnésies post-émotionnelles*, secondaires à un stress physique particulièrement violent (accidents de la route) ou psychique (deuil); le sujet, incapable de se remémorer les circonstances de l'accident, en revit la tonalité affective dans des cauchemars répétés et terrifiants.

La psychanalyse ainsi que l'hypnose permettent la levée de l'amnésie. Les troubles de la mémoire sont particulièrement fréquents dans les dépressions, résultant de l'inhibition psychomotrice. Il n'y a pas encore de traitement spécifique aux déficits de la mémoire, hormis le traitement des causes de ses troubles. Les hormones (vasopressine), des neuromédiateurs (acétylcholine) sont à l'étude.

Ménière *(vertige de)*

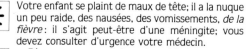 vertiges

méningite

 Votre enfant se plaint de maux de tête; il a la nuque un peu raide, des nausées, des vomissements, *de la fièvre* : il s'agit peut-être d'une méningite; vous devez consulter d'urgence votre médecin.

 Dès son examen clinique, le médecin portera le diagnostic de méningite car l'enfant se plaint de maux de tête intenses; la lumière le gêne ainsi que le bruit; il est parfois somnolent. La flexion de sa nuque sur le tronc est raide et douloureuse; il est impossible de lui fléchir les membres inférieurs tendus sur le bassin sans provoquer de douleurs de la nuque.

L'association de maux de tête, vomissements et raideur douloureuse de la nuque fait évoquer le *syndrome méningé*. Comme il existe de la fièvre, il s'agit sûrement d'une méningite. L'hospitalisation s'impose d'urgence pour pratiquer une ponction* lombaire. L'aspect et la composition chimico-bactériologique du liquide céphalo-rachidien seront examinés pour confirmation du diagnostic : le liquide peut être trouble (*méningite purulente*) ou clair (*méningite à liquide clair*).

Aucun traitement antibiotique ne sera entrepris avant ce prélèvement, afin de pouvoir isoler le germe en cause et de tester sa sensibilité aux antibiotiques à l'aide d'un antibiogramme*.

Le traitement dépend du germe de la méningite.
— Les *méningites purulentes* ou *bactériennes* (méningocoque ou pneumocoque, etc.) nécessitent un traitement antibiotique précoce et à forte dose, guidé par l'antibiogramme.
— Les *méningites à liquide clair* : certaines sont de simples réactions méningées d'une infection virale comme celle qui accompagne les oreillons, et ne nécessitent que du repos, des antalgiques et des antipyrétiques; d'autres peuvent être provoquées par des germes dangereux, tel le bacille de Koch (tuberculose), heureusement rare depuis la vaccination par le BCG, et nécessitent des traitements antibiotiques spécifiques et de très longue durée.

Dans tous les cas, la guérison sera contrôlée par des ponctions lombaires successives et le retour à la normale du liquide céphalo-rachidien.

 Un élève de la classe de votre enfant est atteint d'une méningite cérébro-spinale qui survient par petites épidémies; la chimioprophylaxie antibiotique est nécessaire. Dans la plupart des cas, votre enfant pourra suivre normalement ses cours.

ménisques du genou

Après une entorse du genou, ou suite à une rotation externe forcée du tibia ou à une extension après flexion forcée du genou, celui-ci est douloureux, gonflé le plus souvent; un blocage en limite l'extension sans atténuer sa flexion et peut persister plusieurs minutes. Une sensation de dérobement ou d'un élément se déplaçant dans l'articulation peut être ressentie.

L'examen clinique du médecin retrouve les signes de souffrance méniscale et précise l'état des autres éléments du genou qui ont pu être lésés au cours de l'accident (ligaments croisés et latéraux, rotule).

Les radiographies standard du genou sont normales. Pour affirmer la lésion méniscale, votre médecin demande une arthrographie* ou une arthroscopie* du genou.

Si une arthroscopie est envisagée, le traitement peut être envisagé simultanément (*ligature* ou *ablation méniscale*), avec un temps d'hospitalisation réduit. Sinon, une intervention chirurgicale

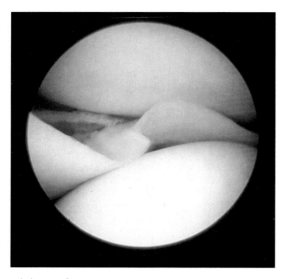
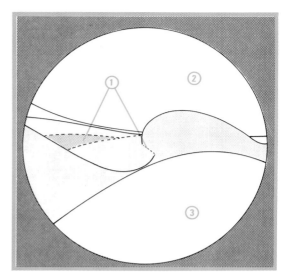

ménisques du genou. *Rupture complexe du ménisque interne droit.* ① *rupture du ménisque;* ② *condyle fémoral;* ③ *plateau tibial.*

(*méniscectomie*) est pratiquée. Les suites opératoires sont banales. Une rééducation du quadriceps est prescrite par le chirurgien.

ménopause

« Ménopause » signifie étymologiquement « arrêt des règles ». Ce terme désigne la date – vers 50 ans – à partir de laquelle une femme cesse d'avoir ses règles spontanément, c'est-à-dire en dehors de toute utilisation de traitements hormonaux. Cette disparition des règles est due à l'arrêt de production cyclique, par les ovaires, de deux hormones, la *progestérone* et *l'estradiol.* L'ovaire cesse d'être capable de sécréter ces hormones à cause du vieillissement rapide de son propre tissu qui s'atrophie partiellement d'une part, et de son système de contrôle situé dans l'hypophyse et l'hypothalamus d'autre part.

Dans un premier temps, quelques mois ou plus rarement quelques années avant la ménopause, la sécrétion de la progestérone diminue puis disparaît. Les cycles menstruels deviennent alors irréguliers et les menstruations sont annoncées une huitaine de jours à l'avance par des sensations désagréables de tension douloureuse dans les seins, de gonflement au niveau du visage, des mains, de la région pelvienne, d'irritabilité agressive. Dans un second temps, la sécrétion d'estradiol s'amenuise et les règles disparaissent complètement.

S'il est bien évident que c'est le vieillissement qui provoque la ménopause et non l'inverse, il reste

que le retentissement psychologique est certain et, dans plus de la moitié des cas, l'organisme féminin s'adapte mal à la privation d'hormones ovariennes. Beaucoup de femmes sont gênées par des bouffées de chaleur, des troubles du sommeil, une fatigue inhabituelle, une tendance dépressive. L'appétit sexuel s'amenuise ou disparaît, perturbant les relations conjugales. Les sécrétions vaginales peuvent se tarir, favorisant les infections à répétition.

Les troubles urinaires deviennent plus fréquents, se manifestant par des infections répétitives et des difficultés à contenir les urines. D'autre part, la circulation des graisses du sang, le poids et la tension artérielle se modifient dans un sens défavorable. Enfin, dès que la production d'estradiol par l'ovaire chute au-dessous d'un certain seuil, le squelette osseux se fragilise; l'évolution accélérée de cette ostéoporose provoque de graves conséquences (fractures des vertèbres, des poignets, du col du fémur) qui, du fait du très grand nombre de sujets atteints, ont une incidence préoccupante sur l'économie de la santé.

Actuellement, dans la majorité des pays économiquement développés, dans lesquels le vieillissement moyen de la population est spectaculaire, les experts médicaux recommandent un traitement compensateur d'estradiol et de progestérone; des améliorations récentes, comme l'administration d'estradiol par voie per-cutanée (application de gel sur la peau), permettent d'adapter ce traitement pratiquement aux besoins de chaque femme, y compris celles qui ont un risque vasculaire élevé. Le risque, longtemps brandi, d'augmenter la fréquence des cancers du sein ou de l'utérus avec les associations usuelles raisonnables d'estradiol et de progestérone est aussi mythique que celui dont on avait longtemps menacé les utilisatrices de pilules contraceptives.

 ■ hormones ■ ovaires *(fonctionnement des)* ■ règles ou menstruations ■ vulve *(maladie de la)* ■ corps de l'utérus *(cancer du)* ■ ostéoporose ■ artériosclérose

mensonge de l'enfant

 comportement de l'enfant *(troubles du)*

mensurations des enfants

 ■ croissance *(retard de)* ■ croissance staturo-pondérale

mensurations radiologiques

La radiologie permet de mesurer tous les organes, notamment le squelette. Les mesures faites le plus couramment sont :

— *chez le nourrisson*, l'étude du positionnement des têtes des fémurs par rapport au bassin, ce qui permet le dépistage très précoce et les soins des malformations luxantes des hanches *(coxométrie)*;

— *chez l'adolescent*, les anomalies d'angulation de la colonne vertébrale, dont les scolioses, par une *radiographie panoramique vertébrale*, les déformations angulaires des genoux *(gonométrie)*, des pieds *(podométrie)*; on mesure également les déformations et les défauts d'occlusions des arcades dentaires, les malpositions des dents *(orthodontie)*;

— *chez la femme enceinte*, les dimensions osseuses du bassin pour déterminer les conditions d'accouchement par les voies naturelles ou par césarienne si le bassin est trop étroit *(radiopelvimétrie)*...

métastases

Les métastases sont des tumeurs secondaires qui se développent à partir d'une tumeur primitive, suite à la migration de cellules cancéreuses par voie sanguine. Elles peuvent se localiser dans tous les organes : os (provoquant des fractures spontanées ou des douleurs), foie (jaunisse), poumon (troubles respiratoires), cerveau (troubles nerveux). Si les métastases sont uniques ou peu nombreuses, la guérison est parfois possible. Si elles sont diffuses, c'est le cancer généralisé. Ces métastases finissent

par épuiser l'organisme entraînant une grande maigreur.

La recherche des métastases fait partie de tout bilan de cancer (radiographie pulmonaire, échographie du foie, scanner, scintigraphie osseuse, marqueurs tumoraux).

Le traitement est avant tout chimiothérapique, par voie générale et complété par une action locale radiothérapique sur les métastases les plus douloureuses ou les plus gênantes. Un traitement hormonal est souvent associé, ainsi qu'un traitement de la douleur.

Les progrès thérapeutiques, de la chimiothérapie et de l'hormonothérapie en particulier, permettent parfois des rémissions de bonne qualité pendant plusieurs mois ou plusieurs années.

 ■ cancer ■ cancérologie ■ chimiothérapie des cancers ■ radiothérapie ■ douleur

metatarsus varus

 pieds qui tournent en dedans *(votre enfant a un ou les deux)*

migraine

Vous souffrez de crises de maux de tête, localisés généralement à une hémicrâne, s'accompagnant de photophobie (crainte de la lumière), de nausées ou de vomissements, parfois de signes neurologiques passagers. Il s'agit vraisemblablement d'une migraine, affection qui atteint fréquemment plusieurs membres d'une même famille, plus les femmes que les hommes. Elle débute souvent après la puberté, mais se rencontre parfois chez l'enfant; sa cause reste inconnue.

L'aspect de la migraine varie d'un malade à l'autre.

— *La migraine simple* est souvent annoncée par des signes prémonitoires : irritabilité, troubles digestifs, fatigue. Puis s'installe la *céphalée unilatérale*, souvent à prédominance sus-orbitaire, accompagnée de nausées, parfois de vomissements, et battant comme le pouls; elle est aggravée par le bruit et la lumière, améliorée par la pénombre et le calme. Elle dure de quelques heures à un ou deux jours, puis s'atténue progressivement, laissant place à une sensation de bien-être.

— *La migraine ophtalmique* présente des maux de tête précédés de troubles visuels; ceux-ci se prolongent de quelques minutes à une heure pour disparaître quand survient la céphalée unilatérale. Il s'agit souvent d'un scotome scintillant : zone floue devenant une tache dans le champ* visuel, s'entourant d'une ligne scintillante.

L'hémianopsie latérale homonyme peut succéder au scotome scintillant : la vision devient floue dans la moitié du champ visuel; rapidement l'hémianopsie est complète (hémichamp visuel aveugle).

Ces signes siègent généralement du côté opposé à la céphalée, alors que les « mouches volantes » ou les « flammèches scintillantes », fréquentes dans le champ visuel, sont volontiers bilatérales.
– *La migraine accompagnée* doit son nom aux signes neurologiques transitoires qui précèdent et accompagnent la céphalée unilatérale. Ceux-ci sont habituellement controlatéraux à la céphalée; ce sont des paresthésies (fourmillements, picotements), des parésies (paralysies partielles) d'un membre, ou d'un hémicorps, ou des troubles du langage (aphasie transitoire).

Devant l'une ou l'autre de ces manifestations, votre médecin porte le diagnostic de migraine car les céphalées unilatérales évoluent par crises généralement toujours de même type chez le même malade; toutefois, elles peuvent changer de côté. Toute migraine qui reste localisée du même côté justifie un fond* d'œil, un électro-encéphalogramme* et un scanner* cérébral, à la recherche d'une cause organique.

L'interrogatoire permet de juger l'allure évolutive : souvent les premiers accès de migraine sont apparus vers la puberté. Certaines migraines sont bénignes car les accès sont espacés et d'intensité modérée; d'autres sont graves par leur fréquence et leur intensité, responsables d'une gêne fonctionnelle considérable, voire d'un état dépressif.
L'interrogatoire permet également de rechercher certains facteurs qui favorisent les crises :
– *endocriniens*, notamment les migraines liées aux règles chez la femme;
– *hépato-digestifs*, lorsque les vomissements sont au premier plan;
– *allergiques*, sans que cela soit prouvé;
– *psychiques*; on parle alors d'« une personnalité migraineuse »; il est cependant difficile d'affirmer si le profil psychologique particulier retrouvé chez le migraineux est la cause ou la conséquence de la migraine.
Il n'y a pas d'examen complémentaire permettant de confirmer le diagnostic. L'électro-encéphalogramme ou le scanner ne seront donc réalisés que si l'on suspecte une cause organique. Il faut savoir que l'artériographie* est contre-indiquée chez le migraineux.

Le traitement de la migraine est double : *curatif* de la crise et *préventif* des récidives.

Le traitement curatif
Parfois des signes généraux, ophtalmologiques ou neurologiques, vous préviennent de l'imminence de la crise; certains médicaments que vous prescrira votre médecin peuvent empêcher la survenue de la crise s'ils sont utilisés à ce moment précis. Lorsque la douleur est installée, il faut s'isoler dans un lieu calme et sombre si cela est possible, et utiliser les antalgiques en sachant

éviter ceux dont l'emploi répété risque d'être toxique. La dihydroergotamine injectable peut parfois être utile.

Le traitement préventif
Il cherche à diminuer la fréquence et l'intensité des crises; il devra donc être prolongé pendant quelques mois. Son efficacité n'est pas constante mais il faut être patient car votre médecin aura la ressource de vous proposer, en cas d'échec d'un traitement, d'autres thérapeutiques dont il dispose : dihydroergotamine, bêta-bloquants, antihistaminiques, ainsi que l'acupuncture et la prise en charge par l'équipe pluridisciplinaire d'un centre de la douleur.

milium
☞ nouveau-né *(examens du)*

minéraux
☞ alimentation normale

minerve et collier
☞ ■ cervicarthrose ■ orthopédie *(traitement en)*

molluscum contagiosum

Le molluscum contagiosum est une petite tumeur bénigne de la peau, d'origine virale, très contagieuse, survenant essentiellement chez l'enfant et se multipliant par auto-inoculation. Il se manifeste par de petites élevures hémisphériques blanches ou rosées, avec une ombilication centrale, qu'il faut détruire à l'aide d'une petite curette ou par congélation à l'azote liquide.

mongolisme
☞ trisomie 21

monitoring cardiaque
☞ réanimation

mononucléose infectieuse

La mononucléose infectieuse est une angine virale bénigne qui touche surtout les adolescents. Elle entraîne parfois une fatigue prolongée. A l'angine s'associent presque toujours de nombreux ganglions dans la nuque. On retrouve plus rarement une grosse rate, un œdème des paupières, des petites tâches rouge sang sur le palais.

Le diagnostic est affirmé par la mise en évidence d'un nombre élevé de lymphocytes grands et bleutés dans le sang*, ainsi que par la positivité de la sérologie*.

La confirmation du diagnostic est nécessaire car la mononucléose infectieuse n'est pas une angine banale :
– il s'agit d'une angine virale et les antibiotiques ne sont donc pas nécessaires;
– sa transmission par les gouttelettes de salive renfermant le virus responsable l'a fait dénommée « la maladie du baiser »;
– ses complications, très rares, imposent parfois un traitement par les corticoïdes pour pallier la difficulté respiratoire due au gonflement des amygdales, la diminution du nombre des globules rouges, des globules blancs ou des plaquettes;
– enfin et surtout, une fois le diagnostic posé, le médecin pourra rassurer son patient sur la bénignité de la maladie; celle-ci guérit toujours complètement même si la fatigue et la fièvre risquent de prolonger la convalescence.

 ■ fatigue ■ fièvre de l'adulte ■ angine ■ ganglions

morpions

☞ maladies sexuellement transmissibles

morsure ou griffure d'animal domestique

 Toute morsure ou griffure d'animal domestique même minime doit être traitée :
– laver la plaie à l'eau savonneuse et la recouvrir d'une compresse stérile imbibée d'antiseptique;
– consulter le médecin. Si la plaie est bénigne, il ne la suturera pas; il pratiquera une désinfection soigneuse locale, prescrira systématiquement une antibiothérapie par voie générale, assurera la prophylaxie du tétanos et expliquera les mesures à prendre par le patient lui-même et vis-à-vis de l'animal en cas de suspicion de rage. Si la plaie est plus grave (avec atteinte artérielle, nerveuse, tendineuse ou articulaire; plaie du visage ou des plis de flexion; importante perte de substance...), il en confiera les soins à un service spécialisé.

☞ ■ tétanos ■ rage ■ griffes du chat *(maladie des)* ■ pasteurellose

mort subite inexpliquée du nourrisson

 Ce syndrome représente dans les pays industrialisés la principale cause de mortalité au cours de la première année de vie.

Un nourrisson, le plus souvent âgé de 2 à 4 mois jusque-là en bonne santé, meurt subitement. Rien ne permet d'expliquer la cause du décès. L'étude des antécédents, des circonstances du décès reste négative : le nourrisson est retrouvé mort dans son berceau alors qu'il était censé dormir.

Malgré le chagrin des parents, l'enquête diagnostique doit avoir lieu, les médecins doivent s'efforcer de recueillir le maximum de renseignements sur les causes du décès. Le corps de l'enfant est adressé à l'hôpital où seront réalisés les examens complémentaires et l'autopsie.

En effet, ce n'est qu'après l'autopsie qu'une réponse définitive pourra être donnée. La pause respiratoire prolongée inexpliquée (ou apnée idiopathique du sommeil) est actuellement considérée comme un des mécanismes possibles de la mort.

Le médecin traitant, outre son rôle scientifique, tentera d'atténuer le désarroi des parents : il expliquera, déculpabilisera, envisagera enfin l'avenir. Il sera aidé en cela par l'équipe médicale hospitalière. Une grossesse ultérieure doit réunir toutes les conditions médicales, sociales et psychologiques nécessaires à la bonne santé physique et morale du futur enfant.

Reconnaître formellement les nourrissons particulièrement exposés au risque de mort subite est actuellement impossible. La décision de l'installation d'un moniteur (appareil de surveillance de l'activité cardiaque) à domicile est discutée en commun par les parents, l'obstétricien, le médecin.

La mort subite « rattrapée »

Un nourrisson âgé le plus souvent de 2 à 4 mois est trouvé en arrêt respiratoire. L'état de l'enfant paraît si inquiétant que l'entourage a procédé à des manœuvres de réanimation vigoureuse (secousses énergiques, bouche à bouche, massage cardiaque externe,...). Ces premières mesures relayées par celles des secours d'urgence permettent de sauver l'enfant. Lorsqu'aucune cause n'est retrouvée à l'origine de ce « malaise », le diagnostic porté par élimination est celui de mort subite « rattrapée ». C'est dans ces cas que se discute l'indication d'un moniteur cardio-respiratoire à domicile donnant l'alarme à chaque pause trop longue.

mouvements actifs du fœtus

 ■ fœtus *(état de santé du)* ■ grossesse *(généralités et surveillance)*

M.S.T.

 ☞ maladies sexuellement transmissibles

mucoviscidose

La mucoviscidose est une maladie génétique au cours de laquelle les glandes sudoripares, bronchiques et pancréatiques, secrètent un mucus trop épais.

 Les signes, qui la caractérisent, varient en fonction du degré de gravité, de l'évolutivité et de l'âge de l'enfant.

- *chez le nouveau-né :*

La maladie est évoquée lors de la survenue d'une occlusion intestinale aiguë, par du meconium (toute première selle) trop visqueux dès le premier jour, ou lors d'un retard à l'élimination du méconium au-delà de la 24e heure de vie.

Aujourd'hui, la plupart des maternités disposent d'un test de dépistage de la mucoviscidose : le BM-test pratiqué sur le méconium.

- *chez le nourrisson et le jeune enfant :*

On l'évoque encore :

— soit devant une diarrhée qui se prolonge, faite de selles pâteuses, non moulées, graisseuses. L'enfant ne grossit pas, il est chétif, dénutri; le ventre est distendu, il se plaint de douleurs abdominales,

— soit dès les premiers mois de vie devant des bronchites répétées, une toux permanente, quinteuse, sécrétoire.

— L'association d'une diarrhée chronique et de bronchites trop fréquentes doit faire penser à la mucoviscidose.

 La preuve de la maladie sera apportée par un examen relativement simple : le « test de la sueur » qui recherche une concentration anormalement élevée de chlore et de sodium dans la sueur. La découverte d'une mucoviscidose chez l'enfant impose de la rechercher chez tous les membres de la famille. En cas de grossesse ultérieure, un dépistage anté-natal est aujourd'hui possible.

Le traitement est purement symptomatique et comprend au plan digestif : un régime particulier, hypercalorique, des extraits pancréatiques, un supplément vitaminique et calcique; au plan respiratoire, il vise à lutter contre l'obstruction bronchique : aérosols, drainages, kinésithérapie, antibiotiques dès la moindre infection, vaccination. Comme pour toute maladie chronique, il faut veiller à ce que l'enfant mène une vie familiale, scolaire, sportive la plus normale possible.

Le diagnostic anténatal de la mucoviscidose est aujourd'hui possible, il est légitime de le proposer aux mères dont l'enfant est atteint de la maladie.

 ☞ ■ diagnostic anténatal des maladies fœtales ■ bronchite chronique

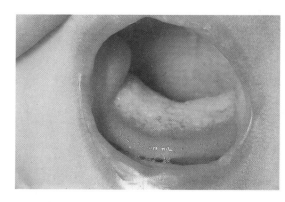

muguet. *Votre bébé refuse de s'alimenter, sa bouche est parsemée de petites taches blanchâtres crémeuses. C'est un muguet, infection provoquée par un champignon.*

muguet

 Le nourrisson refuse de boire; dès les premières gorgées de lait, l'alimentation semble pénible. La muqueuse de sa bouche est rouge, sèche, cuisante et douloureuse. Elle se parsème en quelques jours de petites taches blanchâtres, crémeuses, de quelques millimètres de diamètre, surtout sur la langue, le palais et la face interne des joues. Il s'agit d'une infection provoquée par un champignon (*Candida albicans*), appelée muguet, qui survient habituellement aux âges extrêmes de la vie (première enfance, vieillesse). Elle est favorisée par une antibiothérapie et, chez le sujet âgé, par un défaut d'hygiène buccale.

 Le muguet guérit rapidement avec un traitement antimycosique local et général. Celui-ci permet une désinfection du tube digestif souvent contaminé par le champignon. L'infection du tube digestif peut entraîner une infection du siège.

☞ ■ champignons ■ érythème fessier du nourrisson

mutisme

☞ langage de l'enfant *(troubles du)*

myasthénie

 Chez un sujet jeune, souvent une femme, apparaissent, après fatigue ou effort, une *diplopie* (vision double) ou un *ptosis* (chute de la paupière supérieure), un aspect inexpressif de la mimique, une chute en avant de la tête et, après une marche soutenue, une fatigue anormale de la racine des membres inférieurs. Après repos, ces troubles régressent, voire disparaissent. Cela évoque une myasthénie.

Le médecin affirmera le diagnostic en testant la fatigabilité à l'effort des muscles de la face, de la nuque ou des membres. En interrogeant le malade, il constatera des poussées évolutives de troubles parfois déclenchées par un surmenage, une maladie infectieuse, une intervention chirurgicale ou la prise de certains médicaments.

C'est au cours de ces poussées évolutives que peuvent survenir des accidents respiratoires par paralysie du diaphragme, des muscles intercostaux, et un encombrement trachéo-bronchique.

L'électromyogramme* et le test à la prostigmine confirment le diagnostic.

Le traitement symptomatique fait appel aux médicaments anticholinestérasiques. Le seul traitement à visée étiologique est la *thymectomie*; cette ablation chirurgicale du thymus est parfois proposée aux sujets jeunes.

Le patient myasthénique doit faire part de sa maladie à tout nouveau médecin qui le soigne et garder sur lui un certificat attestant qu'il est atteint d'une myasthénie.

mycose

 champignons

myélome

Le myélome est une tumeur maligne constituée de cellules spécialisées dans la production des anticorps ou immunoglobulines : les *plasmocytes*. Cette maladie touche les personnes âgées. Votre médecin sera amené à l'évoquer dans des circonstances variables : par exemple, devant des douleurs osseuses, des troubles rénaux, une vitesse de sédimentation accélérée, une anémie inexpliquée. Il affirmera le diagnostic en découvrant : une immunoglobuline anormale dans le sang et l'urine, des anomalies osseuses radiologiques, un envahissement de la moelle osseuse par des plasmocytes. Le traitement, prolongé, est essentiellement médicamenteux; la radiothérapie est efficace contre les douleurs dues aux lésions osseuses.

myélopathie cervicarthrosique

 cervicarthrose

myocarde *(maladies du)*

 ■ artériosclérose ■ cardiaque *(hygiène de vie du)* ■ insuffisance coronaire

myopathies

Maladies musculaires d'origine génétique, métabolique ou endocrinienne, dues à la dégénérescence progressive d'un nombre croissant de fibres musculaires, les myopathies se caractérisent par une diminution de la capacité fonctionnelle du muscle. On retrouve soit une *atrophie musculaire* lorsque les tissus interstitiels se sclérosent; soit une *hypertrophie musculaire* lorsqu'il y a une accumulation de tissus graisseux.

L'enfant atteint de myopathie présente une faiblesse de la racine des membres, qui entraîne une démarche dandinante, des difficultés pour lever les bras et un décollement des omoplates. Cependant, l'atteinte musculaire est toujours diffuse : les paupières se ferment mal, une hyperlordose et une scoliose traduisent l'affection des muscles rachidiens; quelquefois même l'atteinte du myocarde est responsable de troubles cardiaques.

Le médecin consulté est déjà prévenu car il s'agit souvent d'une maladie génétique avec d'autres cas connus dans la famille.

Des examens complémentaires seront nécessaires afin d'affirmer le type de myopathie. Il existe en effet de nombreuses variétés selon la topographie de l'atteinte musculaire ou, encore, selon l'âge de début et l'évolution (myopathie de Duchenne, myopathie de Landouzy-Déjérine, etc.).

Il n'existe pas de traitement efficace de ces affections dégénératives des muscles.

Dans les formes génétiques, il est parfois possible de connaître le risque pour la descendance d'être porteur de l'affection.

 diagnostic anténatal des maladies fœtales

myopie

La myopie est une amétropie qui se manifeste par un trouble de la vision de loin. Elle peut être isolée ou associée à un astigmatisme.

– La *myopie vraie* ou *myopie axile* est due à un allongement de l'axe antéro-postérieur de l'œil. Elle apparaît rarement avant cinq ans, peut augmenter pendant la croissance de l'enfant et de l'adolescent, et se stabilise en général vers vingt, vingt-cinq ans.

— La *myopie forte* peut provoquer des lésions dégénératives de la choroïde et de la rétine, surtout périphériques, visibles au verre à trois miroirs après dilatation pupillaire; elle nécessite parfois des photo-coagulations au laser afin d'éviter un décollement de la rétine.

— La *myopie d'indice* apparaît généralement chez le sujet âgé. Elle est due à une opacification des milieux transparents de l'œil et tout particulièrement du cristallin (cataracte au début).

Pour corriger la myopie, on diminue la puissance du système optique de l'œil en plaçant devant celui-ci un verre concave, divergent, ou une lentille de contact qui « recule » !'image sur la rétine.

Chez l'adulte jeune, la chirurgie peut être envisagée :
— la *kératotomie radiaire* permet de corriger la myopie jusqu'à six dioptries; elle consiste à modifier la puissance réfractive de la cornée par des incisions radiaires profondes qui épargnent la zone centrale;
— pour les myopies fortes supérieures à six dioptries, on peut pratiquer un *kératomileusis* : la partie superficielle de la cornée du patient est prélevée, congélée, amincie en son centre, replacée et suturée; on a ainsi diminué la puissance de réfraction de cette cornée.

Ces interventions nécessitent un matériel très sophistiqué. Elles ne corrigent pas nécessairement la totalité de la myopie.

☞ ■ astigmatisme ■ rétine *(décollement de la)* ■ cataracte

myxœdème

☞ thyroïde (glande)

 ## nævus

 Le nævus ou grain de beauté est une lésion cutanée parfois congénitale. Le plus souvent il apparaît au cours de l'enfance, de l'adolescence ou chez l'adulte jeune. Il est formé d'amas de cellules pigmentaires : les *mélanocytes*.

Certains grains de beauté sont plats, d'autres saillants. Ils peuvent comporter des poils. La plupart sont marron foncé, bruns ou noirs, mais quelques-uns sont très peu pigmentés, voire totalement incolores.

Chacun d'entre nous a, en moyenne, vingt grains de beauté. La puberté, la grossesse, les expositions au soleil favorisent leur éclosion. Sachez qu'il y a moins de danger à supprimer un grain de beauté que de le laisser : en effet, il risque d'évoluer (▷ peau [cancer de la]). Lorsqu'un grain de beauté vous inquiète, demandez conseil à votre médecin. Les nævus de grande taille existant à la naissance doivent être ôtés, car ils sont susceptibles de se transformer.

☞ ■ éphélides ■ soleil

neurinome de l'acoustique

☞ ■ surdité ■ vertiges

neuroleptique *(traitement)*

☞ psychiatrie et traitement

névralgie

La névralgie est la douleur provoquée par une lésion d'un nerf. La lésion peut être radiculaire (siégeant à la racine du nerf, c'est-à-dire à son émergence des centres nerveux : cerveau ou moelle épinière) ou tronculaire (siégeant sur le tronc nerveux). La névralgie est donc un symptôme de névrite (▷ ce mot). Ce terme ne doit pas être employé pour désigner une douleur due à une autre cause.

Cet abus de langage est particulièrement fréquent en cas de douleurs thoraciques. Le terme de « névralgie intercostale » est en effet trop souvent prononcé par les patients, pour désigner une douleur localisée en un point quelconque de la paroi thoracique, ou dessinant autour du thorax une demi-ceinture ou même une ceinture complète.

Le médecin ne pourra se satisfaire de ce diagnostic, sans avoir pris soin d'éliminer patiemment les très nombreuses maladies s'accompagnant d'une douleur thoracique (▷ thorax [douleurs du]).

névralgie cervico-brachiale

 ☞ cervicarthrose

névralgie faciale

Vous avez plus de 50 ans et vous ressentez de violentes douleurs d'un seul côté de la face, à type d'éclair douloureux, qui durent quelques secondes ou quelques minutes et se reproduisent par intervalles de une à deux minutes. Leur intensité est telle que vous interrompez toute activité et cherchez à vous soulager en vous figeant dans une grimace. Ces douleurs sont fréquemment spontanées, mais parfois aussi provoquées par le fait de parler, de manger, ou par le contact d'une zone cutanée de la face, toujours la même, la *zone gâchette*.

Ces douleurs discontinues surviennent par périodes critiques qui durent seulement quelques heures ou quelques jours ou persistent plusieurs semaines, voire plusieurs mois, avec des rémissions spontanées plus ou moins longues : il s'agit probablement d'une névralgie faciale.

 Votre médecin vous fait préciser le siège de ces douleurs : surviennent-elles dans le territoire d'un seul ou, parfois, de deux des branches du nerf trijumeau (maxillaire inférieur, maxillaire supérieur ou nerf ophtalmique) ?

L'examen neurologique s'avère dans la majorité des cas normal : il s'agit alors d'une *névralgie faciale essentielle*, sans cause.

Mais si la douleur est permanente, si elle évolue

sans période de rémission et, surtout, si votre médecin découvre des signes neurologiques — une diminution de la sensibilité de la face ou de la cornée, un déficit auditif —, il s'agit alors d'une *névralgie faciale symptomatique*, et la lésion en cause est souvent d'ordre tumoral. Votre médecin vous proposera de réaliser un scanner* du crâne pour éliminer une tumeur de la fosse postérieure, responsable d'environ 5 % de névralgies faciales.

Le traitement de la névralgie faciale varie selon que celle-ci est essentielle ou symptomatique.

— *La névralgie faciale essentielle* est traitée par le carbamazépine dont l'effet est souvent spectaculaire. Il doit être pris à dose progressive jusqu'à faire disparaître les crises et il ne faudra l'arrêter que très lentement. Lorsque ce médicament devient inefficace ou qu'il est responsable de vertiges, de somnolence ou de troubles de l'équilibre, on envisagera des solutions chirurgicales et, en particulier, la thermocoagulation du ganglion de Gasser : la douleur sera ainsi supprimée, mais la sensibilité de la face du côté douloureux sera légèrement atteinte. Réalisée même chez les personnes âgées, elle impose quarante-huit heures d'hospitalisation.

— La *névralgie faciale symptomatique* nécessite une intervention neurochirurgicale pour traiter la tumeur responsable.

névralgies intercostales

 ☞ névralgie

névrite optique

La névrite optique est une altération du nerf optique qui peut provoquer une baisse d'acuité visuelle* ou des déficits du champ visuel*. Elle est due le plus souvent à des intoxications (alcool, tabac, alcool méthylique, etc.) ou à des maladies virales.

névrites

Sous ce terme très général, les médecins distinguent les lésions du tronc du nerf (*mononévrites, multinévrites* et *polynévrites*), les lésions des racines et du tronc des nerfs (*polyradiculonévrites*) et les douleurs dues à une lésion des racines d'un nerf.

— Les *mononévrites* sont des atteintes isolées du tronc d'un seul nerf. Elles sont le plus souvent provoquées par un traumatisme ou une compression mécanique (▷ canal carpien [syndrome du]).

— Lors d'une *multinévrite*, plusieurs nerfs différents sont successivement touchés de façon asymétrique. La multinévrite est souvent provoquée par une maladie inflammatoire (▷ maladies systémiques).

— Les *polynévrites* et les *polyradiculonévrites* se distinguent par la bilatéralité et la symétrie de l'atteinte neurologique. Les polynévrites touchent presque exclusivement la partie distale des membres inférieurs (jambes et pieds); elles sont souvent consécutives à une intoxication alcoolique sévère et ancienne. L'atteinte nerveuse des polyradiculonévrites peut se propager à l'ensemble des nerfs en une vague ascendante (une assistance ventilatoire est nécessaire, lorsque les nerfs destinés aux muscles respiratoires sont touchés); elles régressent le plus souvent complètement en quelques semaines.

— Les *sciatiques* L_5 (lésion de la racine L_5 du nerf sciatique) ou S_1 (lésion de la racine S_1 du nerf sciatique) sont des exemples d'atteinte purement radiculaire (▷ sciatique par hernie discale).

La névralgie cervico-brachiale est un autre exemple d'atteinte radiculaire (▷ cervicarthrose).

névrome plantaire

Le névrome plantaire se caractérise par une violente douleur provoquée par le traumatisme répété d'un rameau du nerf plantaire situé entre deux têtes métatarsiennes.

Lorsque l'on pince, entre pouce et index, l'espace compris entre la 3e et la 4e tête métatarsienne, parfois entre la 2e et la 3e, ou lorsque l'on serre latéralement l'ensemble des têtes métatarsiennes, la douleur est vive, presque intolérable.

La douleur survenant lors de la marche cesse immédiatement lorsque l'on agite les orteils à l'intérieur ou hors de la chaussure.

Que faire pour éviter cette douleur ?

— Essayez tout d'abord de changer de chaussures, optez pour celles à talons moins hauts, à bouts moins pointus. Le port de semelles orthopédiques qui ouvrent l'espace intermétatarsien soulage totalement les névromes en phase de début.

— Si vous n'obtenez pas ainsi de résultats probants, le traitement chirurgical est parfois nécessaire.

névroses

Les névroses sont des maladies fréquentes de la personnalité. Elles se manifestent par des troubles trompeurs pour lesquels le patient consulte plus souvent un médecin généraliste qu'un psychiatre.

Des troubles du sommeil et des conduites alimentaires, des douleurs diverses, une angoisse

flottante ou paroxystique, une fatigue sont diversement associés à la névrose, ainsi qu'une dépression (▷ ce mot). Des troubles sexuels sont également constants, allant de la simple diminution du désir sexuel à l'impuissance ou la frigidité.

Les névroses associent une personnalité spécifique à un symptôme (phobie, conversion, obsession) dont le patient reconnaît son caractère anormal mais rarement son origine psychologique.

La névrose phobique

La phobie est la crainte angoissante et absurde déclenchée par un objet (animal, microbe, épingle...) ou par une situation (espace vide et vaste [agoraphobie], espace clos [claustrophobie]...). Le névrosé se défend en évitant l'objet ou la situation phobogène et se rassure par la présence d'une personne amie ou d'un objet contraphobique (porte-bonheur...). Le phobique est souvent hyperémotif et timide mais peut être également hyperentreprenant.

La névrose hystérique

La conversion hystérique consiste en l'expression symbolique d'un conflit au niveau du corps. Elle peut simuler toutes sortes d'affections : attaque pseudo-épileptique, paralysie, mouvements anormaux, douleurs diverses feignant parfois des urgences médico-chirurgicales, troubles visuels ou auditifs. Les troubles génitaux sont très fréquents chez la femme et induisent parfois des hystérectomies (ablation de l'utérus) inutiles. La personnalité hystérique est souvent particulière (▷ hystérie).

La névrose obsessionnelle

L'obsession est une pensée qui assiège l'esprit ; l'obsédé en reconnaît le caractère absurde, mais il ne peut s'en débarrasser. Cela peut être une obsession d'enfreindre une loi rigide (sacrilège), une peur de la souillure, de la maladie, une peur de commettre un acte absurde ou criminel ; l'obsédé s'en défend par des rites de vérification, de lavage, de classification et par la répétition de certaines formules ou calculs complexes.

La personnalité obsédée est le plus souvent psychasténique, impuissante à agir, velléitaire, en proie au doute et à l'hésitation, à l'intelligence souvent supérieure, mais entravée par les scrupules. A l'inverse, elle peut être également ordonnée, rigoureuse, ponctuelle, entêtée, rigide, avare tant de ses sentiments que de son argent.

Le traitement, quand il est possible, est avant tout psychothérapique.

nez

Les fonctions du nez sont multiples : respiratoire et sensorielle (odorat) essentiellement, mais également fonctions d'humidification, de réchauffement, et d'épuration de l'air inspiré.

De nombreux articles de ce livre sont consacrés à la pathologie nasale.

 ■ obstruction nasale ■ rhume de cerveau ■ rhinite spasmodique ■ rhinopharyngite ■ sinusite ■ épistaxis ■ odorat *(troubles de l')* ■ corps étrangers inhalés *(dans le larynx, la trachée ou les bronches)* ■ ronflement

nez

(chirurgie esthétique du)

 Le nez est constitué sur le plan esthétique de deux parties : la pointe du nez, et la partie supérieure. La chirurgie esthétique du nez devra donc prendre en considération ces deux éléments pratiquement indissociables.

En effet, le principe des rhinoplasties est d'effectuer par voie endo-nasale (sans incision cutanée) une réduction osseuse et cartilagineuse. A la partie supérieure du nez, la peau est toujours fine en regard de l'os, structure rigide que l'on peut modifier à la demande. L'élasticité de la peau lui permettra de se rétracter immédiatement sur la nouvelle charpente. En revanche, le cartilage de la pointe du nez est moins malléable, et surtout la peau qui le recouvre est parfois très épaisse. Elle se plaquera moins fidèlement sur son support cartilagineux. Les possibilités chirurgicales sont donc limitées. Par exemple, enlever une petite bosse chez une personne ayant une pointe très volumineuse expose à un résultat très décevant si l'on n'a pas la possibilité de réduire suffisamment la pointe.

Il faut donc savoir accepter les limites fixées par son anatomie, car le chirurgien refusera la demande d'un petit nez retroussé, alors que la pointe ne s'y prête pas.

Une intervention réussie est une intervention qui ne se remarque pas. Les causes d'insatisfaction sont le nez trop court ou trop creusé. Les

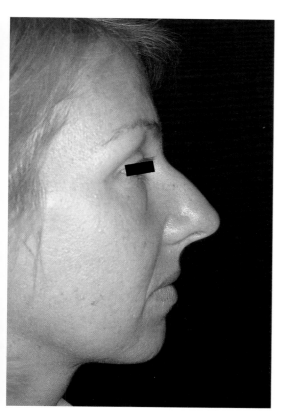
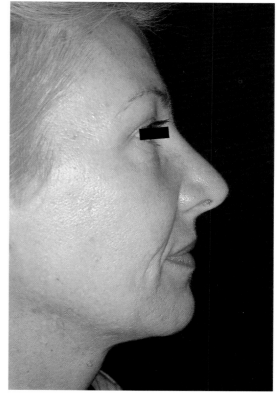

nez *(chirurgie esthétique du). La correction ne doit pas se remarquer : l'aspect naturel est favorisé dans cet exemple par l'augmentation du menton qui rééquilibre le visage.*

améliorations escomptées seront envisagées sur des photographies. L'intervention ne sera pratiquée que lorsque la correction est réellement possible et psychologiquement acceptable. Ces réserves faites, sachez que la rhinoplastie est une excellente intervention. Elle n'entraîne pas de gêne respiratoire, n'altère pas l'odorat, et donne un résultat définitif. L'allergie n'est pas une contre-indication absolue.

L'intervention, absolument indolore, se déroule le plus souvent sous anesthésie générale, et nécessite une hospitalisation de 48 heures. Un plâtre sera placé sur le nez pendant 8 jours; un méchage partiel est laissé pendant 24 heures.

Des ecchymoses autour des yeux apparaissent dès le lendemain et persistent entre 10 et 15 jours. Lorsqu'on enlève le plâtre, le nez est un peu gonflé, puis s'améliore nettement pendant six à huit semaines, et beaucoup plus lentement ensuite, pendant six à douze mois. Il faut éviter, les premiers temps, une exposition prolongée au soleil.

La notion classique de ne pas intervenir à 18 ans est inexacte, il importe surtout de ne pas intervenir avant la fin de la croissance nasale. Celle-ci est terminée 1 à 2 ans après la puberté et l'intervention est dès lors possible.

A l'inverse, la rhinoplastie est rarement pratiquée après 40 ou 45 ans, sauf si elle est secondaire à un accident, non pas tant en raison de l'état cutané, que pour les difficultés psychologiques prévisibles chez une personne depuis longtemps habituée à son visage et qui en dehors de toute considération esthétique, risque de ne pas « se reconnaître ».

nourrisson *(examens du)*

Jusqu'à 2 ans, votre bébé est soumis à de nombreux examens médicaux, recommandés par la législation. Tous les mois jusqu'à 6 mois, puis tous les trimestres jusqu'à 12 mois, puis tous les 4 mois jusqu'à 2 ans.

Les examens des 9e et 24e mois sont obligatoires pour percevoir les allocations familiales.

Il est bien évident que ce rythme peut être modifié selon l'état de l'enfant.

Le médecin se confectionne un cadre d'examen, toujours le même, dont le but est de surveiller :
— la croissance staturo-pondéral (poids, taille, périmètre crânien),
— le développement psychomoteur,
— les vaccinations,
— l'alimentation, la prise quotidienne de vitamine D, de fluor.

Ces éléments de surveillance font l'objet d'articles particuliers de ce livre. Pour les différents critères du développement normal, voir développement psychomoteur du nourisson.

nouveau-né *(examens du)*

Dès les premières minutes de la vie, un examen clinique est nécessaire afin de s'assurer du bon état de santé du nouveau-né et de rechercher les symptômes inquiétants imposant un traitement rapide. (La vie intra-utérine, de la fécondation à la naissance, est étudiée dans ce livre : ▷ fœtus).

Cet examen, réalisé en salle de travail, permet de rechercher également une malformation qui parfois n'apparaît pas immédiatement. Aussi, un second examen sera obligatoire avant le huitième jour de vie; en outre, il appréciera l'état neurologique de l'enfant.

Examen d'un nouveau-né, né à terme en bonne santé, réalisé en salle de travail

Il s'agit là d'un moment privilégié, l'un des plus heureux de l'exercice médical, lorsque l'examen se déroule en présence du père et de la mère.

L'état de l'enfant est bon : il crie et bouge immédiatement. Pendant la première minute de vie est pratiquée une aspiration des mucosités des bronches et du nez.

Puis le **score d'Apgar** est évalué à la première, cinquième et dixième minutes de vie. Le score d'Apgar cote cinq éléments de 0 à 2 points. Il est normal lorsqu'il est coté de 7 à 10 points.

Score d'Apgar

Examens du nouveau-né	0 point	1 point	2 points
Respiration	nulle	irrégulière (cri faible)	efficace (cri vigoureux)
Fréquence cardiaque	nulle	lente	rapide
Tonus	hypotonie	flexion des membres	mouvements actifs
Réactions aux stimulis	nulle	grimace	vive
Couleur	pâleur ou cyanose diffuse	rose, extrémités cyanosées	rose

Le score d'Apgar est normal entre 7 et 10 points

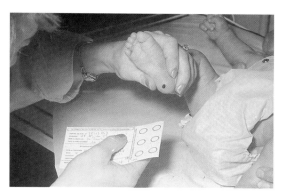

nouveau-né *(examens du). Le test de Guthrie (ci-dessus, à droite), pratiqué à la maternité avant le 5ᵉ jour de vie, permet le dépistage d'une maladie du métabolisme : la phénylcétonurie. Le nouveau-né marche de façon automatique (ci-dessus, à gauche)... Ce réflexe archaïque disparaîtra. Il lui faudra réapprendre à mettre un pied devant l'autre.*

Dans le même temps, il est pratiqué systématiquement :
— une instillation, dans chaque œil, de collyre antibiotique assurant la prévention des infections conjonctivales;
— une injection de vitamine K1 afin de prévenir la maladie hémorragique du nouveau-né.

Puis l'enfant est examiné complètement. Par souci de clarté, nous avons regroupé les éléments de l'examen du nouveau-né dans le paragraphe concernant l'examen avant le huitième jour.

L'alimentation est débutée tôt, avant la sixième heure de vie. Il est souhaitable, dans la mesure du possible, que tous les nouveau-nés soient allaités au lait de femme : le sein doit être proposé à l'enfant très tôt afin qu'il vide le colostrum (tout premier lait de l'accouchée), ce qui aura encore l'avantage de favoriser une bonne montée laiteuse.

Examen médical du nouveau-né avant le huitième jour

Cet examen est imposé par la législation. Il sera conduit en présence de la mère.

L'interrogatoire de la mère est le premier temps de cet examen. Il permet de recueillir les éléments ayant pu retentir sur le nouveau-né : antécédents familiaux, antécédents personnels de la mère, déroulement de la grossesse et de l'accouchement.

Puis l'enfant est examiné nu. Chaque praticien établit son propre schéma d'examen. Cependant, quel qu'en soit l'ordre, les quatre étapes principales sont : l'inspection du nouveau-né, l'examen clinique complet, la vérification que les tests systématiques de dépistage ont bien été réalisés, les conseils concernant l'alimentation, la toilette, etc.

L'attitude de repos de l'enfant est en flexion des quatre membres, les poings serrés. Il gesticule spontanément. Parfois les mains, les pieds, le menton sont agités de petits tremblements exagérés par les stimulations. Il ne s'agit pas là d'un phénomène inquiétant.

La respiration n'est pas gênée; elle est régulière et se fait par le nez.

Le cri est vigoureux, énergique : la qualité du cri atteste la bonne santé de l'enfant.

La peau de l'enfant est rose; les épaules, le dos sont recouverts d'un fin duvet. Il existe souvent de petites lésions sans gravité telles le milium (petits grains blancs de la taille d'une tête d'épingle sur le nez qui disparaîtront en quelques semaines) ou encore les angiomes du front, des paupières, de la nuque qui disparaîtront en un ou deux ans.

La tache mongolique siégeant dans la région lombaire s'observe plus particulièrement dans les populations originaires du pourtour méditerranéen.

Une jaunisse apparue après la vingt-quatrième heure de vie a toute chance d'être physiologique, surtout si elle ne s'accompagne d'aucun autre signe. Elle disparaîtra après la première semaine. Elle témoigne de l'immaturité des fonctions hépatiques.

L'examen s'assure de l'absence de *malformation visible* de la face, des oreilles, des membres, des mains et des pieds, de la colonne vertébrale.

La normalité de l'examen des hanches de l'enfant atteste l'absence de luxation congénitale, ce qui sera affirmé grâce à l'examen radiographique conseillé à l'âge de 4 mois.

Les muscles du cou sont palpés afin de s'assurer de l'absence d'hématome. Il faut s'assurer encore de l'absence de fracture de la clavicule, de paralysie des membres.

Le crâne est examiné et ausculté. La fontanelle antérieure, losangique, mesure 1 à 4 cm. La présence fréquente d'une bosse sous-cutanée molle — la *bosse séro-sanguine* — ne doit pas inquiéter : il s'agit d'un incident mécanique de l'accouchement qui disparaîtra en quelques jours.

Le céphalhématome, autre complication de l'accouchement, est un hématome siégeant dans l'os. Il disparaîtra en quelques semaines.

Le regard : le médecin vérifie qu'il est accrochable et s'oriente spontanément vers la lumière. Un strabisme, fréquent à cet âge, n'a pas de signification pathologique. Il n'y a pas de reflet dans la pupille, les yeux ne sont ni trop petits, ni trop ouverts. L'hémorragie conjonctivale, l'œdème des paupières ne nécessitent aucun traitement. Le larmoiement clair ou purulent est parfois le signe d'une obstruction des canaux lacrymaux qui nécessitera un sondage ultérieur.

Les lèvres, le palais sont examinés pour s'assurer qu'il n'y a pas de fentes labiales (ou bec de lièvre), de palais ogival, de division palatine. Lorsque le frein de la langue est trop court, il sera incisé ultérieurement.

Une paralysie faciale traumatique est parfois signalée à l'examen. Elle disparaîtra en quelques semaines.

L'examen du cœur note la fréquence, le rythme cardiaque, l'absence de souffle. Le médecin vérifie systématiquement la présence et l'amplitude des pouls fémoraux.

L'examen de l'abdomen note la taille du foie, s'assure de l'absence de ballonnements abdominaux. La constatation d'une petite hernie ombilicale est fréquente; elle disparaîtra habituellement avant 3 ans. La présence d'une hernie inguinale nécessite parfois un bandage ou même la chirurgie. Une hernie de l'ovaire doit être opérée.

Le cordon ombilical sèche rapidement et tombe à la fin de la première semaine. La cicatrice se rétracte en quelques jours. Si elle suinte, une désinfection suffit. S'il existe un bourgeon, l'application de nitrate d'argent le fait régresser.

Les organes génitaux externes de la fille sont œdématiés. Des sécrétions vaginales glaireuses, parfois hémorragiques, apparaissent quelquefois à la fin de la première semaine : c'est la « crise génitale »; elle ne nécessite aucun traitement. Dans les deux sexes, une mammite est possible. L'examen vérifie l'absence d'ambiguïté sexuelle.

Chez le garçon, le phimosis (impossibilité de décalotter le prépuce) est normal à la naissance. Le médecin s'assure de l'absence d'anomalie de la verge, vérifie que les deux testicules sont en place dans le scrotum. Celui-ci est parfois le siège d'une lame d'hydrocèle (lame de liquide entourant le testicule) qui régresse le plus souvent spontanément.

Il faut encore vérifier que l'anus est en situation normale, que le méconium (la première selle) et les premières urines ont été émis avant la vingt-quatrième heure, que les selles ne sont ni trop rares, ni trop fréquentes, et que la qualité du jet urinaire du garçon est satisfaisante.

La température rectale est systématiquement notée, elle varie de 36°5 à 37°5.

Les mensurations normales d'un nouveau-né à terme sont les suivantes :
— *poids* : 2,5 à 4 kg; l'enfant perd initialement 5 à

10 % du poids de naissance, puis le poids est regagné entre le huitième et le douzième jour;
— *taille* : 46 à 54 cm;
— *périmètre crânien* : 32 à 36 cm.

Ces mensurations notées sur le carnet de santé permettront d'apprécier la vitesse de croissance et de dépister précocement toute anomalie de celle-ci.

L'examen neurologique normal témoigne de l'intégrité du système nerveux.

— Le nouveau-né à terme présente physiologiquement une hypotonie de l'axe du corps (colonne vertébrale) et une hypertonie des quatre membres. Le tonus du nouveau-né est apprécié par un grand nombre d'attitudes, de manœuvre, ou de mesures. Nous nous contenterons d'illustrer l'hypertonie du nouveau-né par l'exemple déjà cité de l'attitude de repos des quatre membres en flexion : une fois étendus, les membres reviennent en position de flexion dès que le médecin les relâche.

— Le tonus actif est apprécié par le redressement de la tête et du tronc.

— Les réflexes archaïques — marche automatique, agrippement des doigts, réflexe de succion... — sont présents; la discordance des réponses aux stimulations impose de répéter l'examen les jours suivants.

— L'éveil du nouveau-né est apprécié au cours de l'examen par l'accrochage du regard, le réflexe d'éblouissement, la réaction aux bruits... L'acquisition de ces réponses dès les premiers jours de la vie atteste du bon état cérébral du nouveau-né.

Les dépistages de la phénylcétonurie (*test de Guthrie*), de l'hypothyroïdie (*dosage de la T.S.H.*) sont systématiquement pratiqués (prélèvement de sang au talon). Le dépistage de la mucoviscidose (*BM-test sur le méconium*) est de plus en plus fréquemment proposé.

Les examens en salle de travail et avant le huitième jour ont confirmé que votre enfant est en parfaite santé. Il vous faudra, avec l'aide de votre médecin, veiller à son *alimentation*, à sa *croissance staturo-pondérale*, à son *développement psycho-moteur*, à faire pratiquer les *vaccinations* (▷ ces mots).

noyade

☞ hydrocution et noyade

numération formule sanguine
(ou hémogramme normal)

☞ sang

obésité

L'excès de poids par rapport à la moyenne établie chez des individus de même taille, de même sexe et de même âge, présente divers inconvénients : esthétiques, affectifs et psychologiques. Il peut avoir une incidence :

— *ostéo-articulaire* en accélérant l'évolution de lésions des disques intervertébraux, des articulations des hanches et des genoux par exemple ;

— *cardio-vasculaire* en provoquant l'excès des tissus adipeux, un surcroît d'effort pour le muscle cardiaque (souvent associé à une hypertension artérielle), et des erreurs de circulation des graisses (souvent associées à une hypertriglycéridémie) et parfois des sucres (diabète) ; ce risque vasculaire lié à une obésité est plus grave pour l'homme que pour la femme, sans doute à cause de la répartition du tissu adipeux masculin.

On peut caractériser l'obésité tout d'abord par un écart par rapport à un poids moyen « normal » ou mieux « idéal », c'est-à-dire par rapport à un groupe de sujets en meilleure santé. Par exemple pour un homme, l'obésité commencerait quand le nombre de kg dépasse le nombre de cm au-dessus du mètre (par exemple un poids supérieur à 75 kg pour une taille de 1,75 m). Pour une femme, le poids idéal pourrait être calculé ainsi :

$$poids = taille\ au\text{-}dessus\ du\ mètre - \frac{(taille\ en\ cm - 150)}{2}.$$

Le poids est exprimé en kg et la taille en cm.
[Exemple pour une femme de 1,62 m, le poids

$$idéal\ serait : 62 - \frac{(162 - 150)}{2} = 56\ kg.]$$

En fait, le poids idéalement adapté à chaque individu est évidemment beaucoup plus variable que ne l'indique un simple calcul moyen. Il correspond d'une part à l'image à laquelle l'individu voudrait ressembler — ce qui peut parfois poser de graves problèmes psychologiques, en particulier pour la population féminine —, d'autre part à la masse osseuse et musculaire et, enfin et surtout, à la meilleure situation métabolique et vasculaire.

Ainsi certains individus ont spontanément une réserve adipeuse et un poids plus élevés que d'autres sans qu'aucune anomalie vasculaire ou métabolique ne soit dépistable. Il n'est pas évident qu'il faille s'acharner à faire maigrir des sujets dont la tension artérielle, le cholestérol, les triglycérides, les glycémies à jeun et après le repas sont normaux, surtout si ce poids est stable depuis des années et ne s'accompagne d'aucun inconvénient ostéo-articulaire évident. A l'inverse, il est certainement bénéfique de ramener son poids à celui dit de « forme », lorsqu'une hypertension artérielle ou des troubles lipidiques et glycémiques sont apparus. L'obésité est beaucoup plus fréquente dans certaines familles dans lesquelles les particularités biochimiques héréditaires semblent avoir encore plus d'importance que l'acquisition de mauvaises habitudes alimentaires.

En pratique, dans la très grande majorité des cas on ne sait pas modifier de façon subtile ces équilibres chimiques spontanés, du moins avec des médicaments qui ne comportent pas de toxicité inadmissible. Le seul recours reste toujours la modification du régime alimentaire (en quantité et surtout en qualité), accompagnée le plus souvent d'une augmentation de l'activité physique. Chez une minorité de sujets cependant, la normalisation du poids et la mobilisation des graisses stockées pendant des années ne peut être obtenue qu'avec des restrictions alimentaires extrêmement sévères, maintenues plusieurs mois, s'accompagnant d'une sensation de faim impérieuse permanente et de souffrances morales difficilement supportables. Les rechutes sont alors très fréquentes.

Il est très rare que l'obésité soit liée à une véritable maladie hormonale ou biochimique nécessitant un traitement particulier. Certaines maladies des glandes surrénales, ou la consommation de médicaments proches de la cortisone, peuvent par exemple créer des obésités particulières avec répartition du tissu adipeux au niveau du visage, du cou et des épaules, mais aussi avec amaigrissement des membres inférieurs. Certaines insuffisances thyroïdiennes peuvent également augmenter le poids, mais elles créent au même moment de nombreux autres symptômes, dont une infiltration particulière du tissu sous-cutané. Les pilules contraceptives individuellement mal adaptées peuvent augmenter brusquement le poids et doivent être interrompues rapidement. Enfin, aux alentours de la ménopause, des changements enzymatiques souvent irréversibles peuvent se créer au niveau du tissu adipeux féminin entraînant une obésité d'apparition rapide.

● Régimes hypocaloriques

Il existe de très nombreux régimes dits « hypocaloriques » dont le but est d'aider les sujets qui présentent une obésité à perdre du poids. Ces régimes, très variés, sont plus ou moins bien équilibrés sur le plan nutritionnel. Leur diversité ne doit pas faire oublier que l'individu n'échappe pas aux lois de la thermodynamique.

Pour perdre du poids, il est nécessaire de « provoquer un déficit du bilan énergétique », c'est-à-dire d'augmenter les dépenses (exercices physiques) et/ou de réduire les apports caloriques (régime) en mangeant moins mais pas obligatoirement peu : il s'agit d'entamer les réserves caloriques accumulées qui ont permis la constitution ou le maintien du surpoids.

Or les individus sont « inégaux » face à la nourriture; quotidiennement, si certains prennent du poids en mangeant 1 200 calories, d'autres ne grossissent qu'à partir de 3 000 calories : cette « inégalité » tient aux conditions de rendement énergétique spécifiques à chacun. Il en résulte que les régimes visant à faire perdre les kilogrammes superflus doivent tenir compte des caractéristiques nutritionnelles, pondérales et métaboliques de chacun. Aussi n'existe-t-il pas *une* obésité mais *des* obésités, et il n'est pas possible de définir *un* régime pour tous les sujets présentant un surpoids. En règle générale, on estime qu'une réduction de 30 % des apports caloriques par rapport à ceux de l'alimentation habituelle est une solution moyenne raisonnable (un individu consommant normalement 3 000 calories par jour perdra du poids à moins de 2 000 calories).

Les régimes trop restrictifs (600 calories ou diète totale) sont efficaces à court terme, mais ils comportent plusieurs inconvénients dont :
— le premier est d'entraîner des carences minérales et vitaminiques, une perte de protéines, un amaigrissement aux dépens des muscles et des cellules « nobles » de l'organisme, avec pour conséquence une fatigue, un risque de dépression psychologique et physique (infections);
— le second est d'aboutir inéluctablement à l'échec, à un phénomène de rebond au cours duquel l'individu, trop sévèrement restreint par un régime strict, suspend tout contrôle de suralimentation, présente une faim et un appétit exacerbés lui faisant reprendre le poids perdu, voire le dépasser.

La répétition des périodes de perte et de reprise de poids brutales sont nocives pour l'organisme. Ceci explique que les spécialistes conseillent désormais des régimes plus raisonnables permettant une perte de poids plus progressive mais plus sûre.

Il n'existe aucun argument scientifique pour penser que la composition des régimes « amaigrissants » doit être fondamentalement différente de celle recommandée pour la population générale; les apports en glucides, lipides et protides doivent être maintenus, même si la part des protides peut augmenter (de 15 à 25 %). Les régimes dissociés (excluant glucides ou lipides) ne permettent pas de perdre plus de poids que les régimes équilibrés (à apports caloriques égaux) et peuvent être responsables d'anomalies métaboliques (excès de cholestérol, dénutrition protéique, etc.). Il importe de choisir des protéines qui ne contiennent pas trop de lipides ou de préférer les poissons et les viandes maigres à la charcuterie. Le fromage blanc à 0 % de matière grasse a l'intérêt de fournir des protéines et du calcium, sans glucides, ni lipides.

Les graisses d'accompagnement (sauces, cuisson, assaisonnement) doivent être limitées, de même que les sucreries, les pâtisseriess et la confiserie.

Il est deux « conseils » — que l'on donne couramment et à tort — qu'il faut éviter de suivre : la suppression du sel et la restriction des boissons. L'eau et le sel ne font pas prendre du poids sous forme de graisse : supprimer le sel ne fait pas perdre de la graisse et réduire les apports en eau n'est pas sain pour l'organisme. Il est en revanche nécessaire de supprimer les boissons sucrées et alcoolisées.

 ■ alimentation normale ■ artériosclérose

---

obésité de l'enfant

C'est dès le plus jeune âge, que vous devez vous préoccuper du poids de votre enfant. Il est aujourd'hui reconnu qu'il ne faut pas suralimenter ou mal alimenter les nourrissons sous peine d'engager la santé du futur adulte (hypertension artérielle, athérosclérose, obésité, diabète).

Votre médecin est votre conseiller. Les visites obligatoires sont l'occasion de peser l'enfant, de dépister précocement l'excès pondéral et de rappeler les bonnes conduites alimentaires protégeant de l'obésité. Celles-ci méritent d'être rappelées :
– alimentation au sein,
– introduction des aliments solides après 5 mois,
– éviter la suralimentation en apprenant à reconnaître l'état de satiété du nourrisson : ne jamais forcer un nourrisson à s'alimenter ; un nourrisson bien nourri s'endort tranquillement ; des cris à la fin du biberon ne sont pas toujours dus à la faim, mais à un état d'inconfort du bébé...

Votre nourrisson est poupin, joufflu, son poids est excédentaire, vous devez modifier son régime alimentaire. Le but du régime à cet âge est de ralentir la vitesse de la prise de poids, tout en permettant à l'enfant de grandir normalement : il faut donc proposer à l'enfant un régime normocalorique, augmenter les légumes verts, diminuer ou supprimer les farineux, les biscuits, les boissons sucrées, la banane.

Un enfant est obèse quand son poids dépasse d'au moins 20 % le poids moyen normal d'un enfant de même taille. Sur les courbes de croissance, elle correspond à un poids supérieur à 2 déviations standard.

Les « dérèglements glandulaires » sont exceptionnels et le plus souvent le seul examen clinique suffit à éliminer ces causes qui ne relèvent évidemment pas de mesures diététiques.

Dans la plupart des cas, cet excès de poids est dû à une suralimentation ou une alimentation mal équilibrée avec excès de sucres et de graisses.

Bien souvent, un facteur psychologique favorise cette suralimentation, l'enfant trouvant une compensation dans l'absorption d'aliments (conflit familial, échec scolaire...).

La normalisation du poids ne peut se faire qu'à l'aide d'un régime hypocalorique (35 calories/kilo de poids idéal et par 24 heures) en restreignant essentiellement les glucides :
– interdire les bonbons et les boissons sucrées, les pâtisseries, le pain, les pâtes et les féculents,
– modérer l'apport des lipides. Exclure les graisses cuites, fritures, sauces,
– donner les protides en quantité normale,
– fractionner les prises alimentaires en 4 à 5 repas entre lesquelles l'enfant ne doit pas avoir faim,

Le régime sera noté sur un petit cahier que le médecin pourra contrôler en même temps que le poids, à chaque consultation, une fois par mois en moyenne.

Un soutien psychologique par une équipe spécialisée est parfois nécessaire.

Les médicaments ne seront jamais utilisés ; le régime sans sel est inutile. Dans tous les cas, la pratique régulière d'un sport est recommandée.

 ■ croissance staturo-pondérale ■ alimentation du nourrisson ■ obésité

obsessions

☞ névroses

obstruction nasale

L'obstruction nasale est habituellement unilatérale, soit fixée toujours du même côté, soit alternative, obstruant successivement chacune des deux narines selon le côté où l'on se couche, c'est la rhinite à bascule.

Cette obstruction a trois conséquences :
– locale : favorisant l'infection,
– régionale : retentissement sur les sinus, les oreilles et les bronches,
– générale enfin, par le handicap qu'elle apporte à la pratique du sport et de l'effort.

Dans ces cas, l'examen du spécialiste recherchera une anomalie osseuse ou cartilagineuse (déviation de cloisons) qu'un acte chirurgical pourra corriger, une modification de la muqueuse nasale : rhinite ou écoulement nasal, allergie naso-sinusienne, enfin, tumeur des fosses nasales : polype bénin tout à fait banal, ou rarement tumeur maligne, qui demandera un traitement adapté.

occlusion intestinale

L'occlusion intestinale est un arrêt douloureux du transit des matières et des gaz : elle est due soit à un *obstacle* sur le tube intestinal, soit à une *paralysie* de l'intestin, complication née d'une affection de voisinage.

Le premier signe qui en résulte est une douleur abdominale dont les caractéristiques varient selon la nature de l'occlusion.

Cette douleur s'accompagne rapidement d'une distension de l'abdomen due à la rétention des gaz : le patient a souvent l'impression qu'il serait soulagé s'il pouvait émettre des gaz ; la distension abdominale est d'autant plus grande que l'obstacle est situé plus bas sur le tube digestif.

L'apparition de vomissements est d'autant plus précoce que l'obstacle est situé plus haut (intestin grêle).

Le diagnostic d'occlusion évoqué nécessite d'être confirmé par une radiographie sans préparation de l'abdomen; puis le chirurgien précisera la nature de l'occlusion, car celle-ci conditionne le traitement.

Les occlusions par obstacle

Les brides cicatricielles, les hernies étranglées et les tumeurs abdominales obstructives imposent un traitement chirurgical, voire en extrême urgence pour les deux premières car elles sont des occlusions par strangulation.

En effet, toute intervention sur l'abdomen ouvrant le péritoine (membrane qui enveloppe les organes) peut créer des brides cicatricielles entre les organes et la paroi. Ces brides unissent anormalement différents points de l'abdomen et peuvent, parfois quelques jours après l'intervention, voire plusieurs dizaines d'années plus tard, emprisonner une anse digestive ou lui faire effectuer une rotation sur elle-même (*volvulus*). Cette occlusion est une urgence chirurgicale, car seule l'opération qui sectionne la bride permet la guérison; un retard à l'intervention peut aboutir à la nécrose (destruction par absence d'apport sanguin dans l'anse occluse entraînant sa perforation avec péritonite). Les occlusions par tumeur obstruant l'intérieur du canal intestinal doivent aussi être opérées mais de façon moins urgente, après correction des désordres sanguins créés par l'occlusion.

Les occlusions par paralysie

Leur traitement, le plus souvent médical, à la différence de celui des occlusions par obstacles, consiste à faire disparaître l'affection de voisinage responsable de l'occlusion « réflexe », afin de permettre la reprise du transit intestinal. L'affection de voisinage peut être par exemple une colique néphrétique très douloureuse, due à la présence d'un calcul urinaire.

On peut diviser les troubles de l'odorat en deux groupes :
— les anomalies quantitatives : soit l'anosmie, c'est-à-dire la perte totale de l'odorat, presque toujours associée à une perte du goût; soit les diminutions simples de la finesse de l'odorat. Les augmentations sont plus rares; elles s'observent parfois au cours de la grossesse;
— les anomalies qualitatives sont des perceptions olfactives anormales, soit perception d'odeur, alors qu'il n'y a aucune stimulation, véritable hallucination olfactive, il s'agit dans ce cas d'un trouble neurologique; soit perception généralement désagréable d'une odeur réelle, mais perçue par le sujet lui-même, et non pas par son entourage. L'examen O.R.L. en retrouve la cause et permet le traitement.

Principales causes des pertes d'odorat :
— une lésion des fosses nasales, une fracture du nez, ou une intervention chirurgicale entraînent parfois une anosmie;
— l'allergie naso-sinusienne s'accompagne généralement d'une diminution importante de l'odorat, très ancienne, à peine notée par les malades qui en sont atteints depuis longtemps. Les patients ont la surprise de retrouver leur odorat en quelques jours de traitement par la cortisone, mais malheureusement cet effet disparaît dès l'arrêt du traitement.
— Certaines affections virales sont susceptibles d'entraîner une perte de l'odorat; ce n'est pas exceptionnel au cours de la grippe dont le virus a une affinité particulière pour les terminaisons nerveuses; dans ce cas, l'atteinte est généralement totale et rarement réversible.
— Signalons la possibilité d'une atteinte toxique, notamment celle des vaso-constricteurs qui paralysent les cils vibratiles, entraînant une perte de l'odorat.
— Un état inflammatoire tel que le rhume ou la sinusite entraîne parfois une perte passagère de l'odorat.

odorat *(troubles de l')*

L'odorat est parfois considéré comme un sens mineur par comparaison avec le rôle souvent prépondérant qu'il a chez de nombreux animaux; il est en fait d'une extrême finesse et agit en effectuant une analyse chimique de l'air ambiant et surtout des aliments, complétant ainsi le sens du goût par des stimulations précises.

Pour stimuler la muqueuse olfactive, les molécules odorantes doivent passer en solution dans le mucus tapissant cette muqueuse. Le flairage qui augmente la vitesse et le débit du courant d'air inspiratoire peut être considéré comme le moteur physiologique de la stimulation olfactive.

L'identification de l'odeur sera faite ensuite par le cerveau à partir de près de 25 millions de récepteurs.

œdème aigu du poumon
(dû à une maladie cardiaque)

L'œdème aigu du poumon est une maladie de grande urgence médicale. Il provoque un essoufflement de survenue brutale, souvent nocturne, obligeant le patient à s'asseoir. L'essoufflement s'accompagne rapidement d'une toux qui permet l'expectoration d'un crachat mousseux et rosé.

Le médecin appelé en urgence au chevet du malade pose son diagnostic cliniquement par l'auscultation pulmonaire qui révèle la présence de râles dits crépitants caractéristiques de la maladie. Le traitement sera commencé immédiatement, sans attendre l'hospitalisation du patient, toujours nécessaire.

L'œdème aigu du poumon est la traduction d'une insuffisance cardiaque (gauche) aiguë. Cette complication est particulièrement redoutée au cours de l'insuffisance cardiaque (gauche) chronique, lorsque le patient a volontairement arrêté son traitement sans avis médical ou a fait des écarts de régime : excès de sel apporté par l'alimentation ou les boissons. Une poussée d'hypertension artérielle, un trouble du rythme peuvent également être responsables de la décompensation cardiaque.

Le patient insuffisant cardiaque doit donc apprendre à reconnaître et à traiter immédiatement la menace d'œdème pulmonaire; il saura ainsi recourir à son traitement (à base de dérivés nitrés par exemple), dès l'apparition des tout premiers signes : obligation d'ajouter un oreiller pour dormir, majoration de l'essoufflement, sensation de grésillement du larynx. L'observance du traitement de l'insuffisance cardiaque, le suivi du régime sans sel et l'apprentissage des mesures à adopter en cas d'urgence sont la meilleure prévention de l'œdème aigu du poumon.

L'insuffisance cardiaque gauche aiguë peut également survenir chez un individu ne souffrant pas d'insuffisance cardiaque chronique. Un infarctus du myocarde, un trouble majeur du rythme peuvent entraîner à eux seuls une poussée d'insuffisance cardiaque aiguë et donc un œdème aigu du poumon, inaugural de la maladie cardiaque.

☞ ■ insuffisance cardiaque ■ régime sans sel ■ insuffisance coronaire ■ diurétiques

œdème de Quincke

☞ urticaire
et œdème de Quincke

œdèmes

Un œdème est défini par sa localisation. On en distingue trois types : les *œdèmes diffus*, les *œdèmes localisés* et les *œdèmes d'organe*.

Les œdèmes diffus infiltrent d'eau et de sel divers tissus de l'organisme, en particulier le tissu conjonctif du revêtement cutané ou muqueux. Ils siègent souvent aux chevilles le soir, aux paupières et dans le dos le matin. Ils sont bilatéraux, grossièrement symétriques, et indolores.

Responsables d'un gain de poids, ils ne s'accompagnent généralement pas de fièvre et s'observent dans de nombreuses maladies :
— dans l'*insuffisance cardiaque* au cours de laquelle la diminution du débit sanguin rénal provoque une rétention d'eau et de sel (▷ insuffisance cardiaque);

— dans le *syndrome néphrotique*, l'albumine subit, par voie urinaire, une importante fuite induisant une diminution de son taux dans le sang et, quantitativement, de son pouvoir de rétention de l'eau et du sel qui passent alors des vaisseaux dans les tissus (▷ syndrome néphrotique);
— dans la *cirrhose du foie* ,le plus souvent d'origine alcoolique, la diminution de la fabrication hépatique d'albumine provoque des œdèmes par le même mécanisme que le syndrome néphrotique (▷ cirrhose du foie d'origine alcoolique);
— un traitement par des corticoïdes (*cortisone*) provoque des œdèmes (ou plutôt une infiltration) lorsque le malade suit mal son régime sans sel.

La surveillance du traitement de ces quatre types d'œdèmes s'exerce par la diminution du poids du malade (▷ régime sans sel, diurétiques).

Les modifications hormonales de la grossesse induisent une infiltration physiologique d'eau et de sel. Un gain de poids restant dans les limites de la normale est la meilleure prévention contre une infiltration excessive.

Parfois, des œdèmes associés à une albuminurie, une hypertension artérielle, sont le signe d'une toxémie gravidique (▷ grossesse et hypertension artérielle).

Les œdèmes dits « œdèmes cycliques, idiopathiques », coïncidant avec les règles, disparaissent avec celles-ci. Leur cause est inconnue, ce qui rend leur traitement difficile.

Les œdèmes localisés sont inflammatoires, c'est-à-dire douloureux, chauds, souvent rouges et accompagnés de fièvre. Il s'agit :
— des *traumatismes articulaires*, des *infections localisées* (panaris, érisypèle, furonculose...), des *piqûres d'insectes* et des *arthrites*;
— des *phlébites* provoquées par l'obstruction d'une veine par un caillot, dont le traitement associe une immobilisation du membre gonflé et des médicaments anticoagulants (▷ phlébite).

Les œdèmes non inflammatoires des membres inférieurs entraînant la sensation de «jambes lourdes » sont le plus souvent dus à une pathologie veineuse (▷ jambes lourdes [et parfois douloureuses]).

L'œdème de Quincke est un exemple d'œdème d'origine allergique (▷ urticaire et œdème de Quincke).

Les œdèmes dits « d'organe » sont de type divers :
— l'*œdème aigu du poumon* est une manifestation grave d'insuffisance cardiaque;
— l'*œdème cérébral* accompagne des maladies neurologiques (hémorragie, tumeur...).

Œdipe

☞ complexe d'Œdipe

œil

Anatomie de l'œil

L'œil est une sphère creuse d'environ 24 mm de diamètre. Il est formé d'une coque blanche, relativement dure, la *sclérotique*, tapissée à l'intérieur d'une couche contenant de nombreux vaisseaux (la *choroïde*) et d'un « film » sensible (la *rétine*). Ce dernier est formé de deux couches normalement adhérentes: l'*épithélium pigmentaire* et la *couche sensorielle*; la séparation pathologique de ces deux couches est appelée *décollement de la rétine*.

— A la partie antérieure de l'œil se trouve un hublot transparent: la *cornée*. Les lésions non traumatiques sont appelées kératites (▷ ce mot).
— A l'intérieur de l'œil, il y a deux liquides, parfaitement limpides: en avant, l'*humeur aqueuse*, très fluide; en arrière, le *corps vitré*, très visqueux. Ces deux liquides sont séparés par l'*iris*, diaphragme opaque dont la pigmentation détermine la couleur des yeux et dont le diamètre de l'ouverture centrale, la *pupille*, varie avec l'intensité lumineuse.
— Immédiatement derrière la pupille se trouve une lentille convexe, transparente: le *cristallin*. On appelle cataracte (▷ ce mot) l'opacification du cristallin. L'humeur acqueuse, sécrétée par le corps ciliaire, passe dans la chambre antérieure de l'œil: elle est évacuée au niveau de l'angle formé par la cornée et l'iris; l'augmentation de la sécrétion de l'humeur aqueuse ou la fermeture de l'angle sont les causes du glaucome (▷ ce mot).

L'œil forme donc un système optique qui comprend d'avant en arrière: la cornée, l'humeur aqueuse, le diaphragme irien, la lentille cristallinienne et le corps vitré. Les images des objets traversent ce système optique et viennent se former sur la rétine dont la partie située dans l'axe optique, la *fovéa* ou tache jaune, est très sensible. Ce système optique est de puissance constante.
— Si l'œil est trop grand, les images se forment en avant de la rétine: c'est la myopie (▷ ce mot); on fait reculer l'image sur le plan de la rétine en plaçant devant cet œil un verre concave.
— Si l'œil est trop petit, les images se forment en arrière de la rétine: c'est l'hypermétropie (▷ ce mot); on rapproche l'image en plaçant devant l'œil un verre convexe.
— La cornée a normalement la forme d'une calotte sphérique; si elle est déformée, c'est l'astigmatisme (▷ ce mot); on place devant cet œil un verre cylindrique.
— Enfin, en vision de près, l'œil accommode, c'est-à-dire qu'un petit muscle situé derrière l'iris, le muscle ciliaire, en se contractant modifie la courbure du cristallin en augmentant sa puissance pour que les images continuent à se former sur la rétine. Entre quarante et soixante ans, ce système de « focalisation automatique » cesse progressivement de fonctionner et doit être complété par des verres convergents: c'est la presbytie (▷ ce mot).

L'œil est un organe fragile heureusement bien protégé. Il est situé dans un écrin osseux, l'*orbite*, dans laquelle il repose sur un coussin graisseux, véritable amortisseur. En avant, la protection est assurée par les paupières. Toute agression provoque leur fermeture réflexe.

La partie visible de l'œil, sauf la cornée, est recouverte d'une membrane transparente, la *conjonctive*, qui recouvre aussi la face interne des paupières en contact avec l'œil. La conjonctivite (▷ ce mot) est une inflammation de la conjonctive.

La mobilité des yeux dans les orbites est assurée par six muscles pour chaque œil: quatre muscles

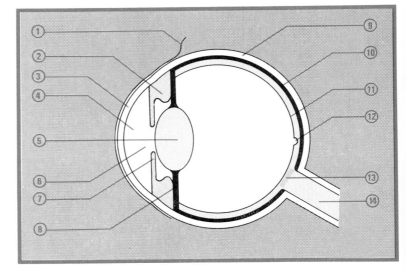

œil. *Coupe de l'œil:* ① *conjonctive,* ② *corps ciliaire,* ③ *cornée,* ④ *chambre antérieure (humeur aqueuse),* ⑤ *cristallin,* ⑥ *pupille,* ⑦ *iris,* ⑧ *zonule de Zinn (ligament suspenseur du cristallin),* ⑨ *sclérotique,* ⑩ *choroïde,* ⑪ *rétine,* ⑫ *fovéa,* ⑬ *papille (tache aveugle),* ⑭ *nerf optique.*

« droits » qui tirent l'œil en haut/en bas, à droite/à gauche, et deux muscles « obliques » qui ont une action complexe. L'incoordination des mouvements oculaires provoque le strabisme (▷ ce mot) : *convergent* quand les yeux tournent en dedans, *divergent* quand ils tournent en dehors, *vertical* si les deux yeux ne sont pas au même niveau.

Fonction sensorielle : la vision

La vision est une fonction sensorielle qui comprend : la *perception* des images par les yeux, leur *transmission* par les voies optiques et leur *interprétation* par le cortex cérébral occipital.

Nous avons vu plus haut qu'après réfraction à travers les milieux transparents de l'œil (cornée, humeur aqueuse, cristallin, corps vitré), les images se forment sur la rétine dans le cas d'un œil emmétrope, c'est-à-dire normal. Ces images sont ensuite transmises par les nerfs optiques, le *chiasma*, les *bandelettes optiques* et le *corps genouillé externe* au cortex cérébral occipital.

Au niveau du cortex se produit l'interprétation et la fusion des images venues de l'œil droit et de l'œil gauche.

La vision monoculaire est centrale et périphérique. La perception des images est très différente dans la partie centrale et dans la périphérie de la rétine. La périphérie rétinienne perçoit des images floues, mais explore l'espace environnant sur 160° : c'est le *champ visuel**. La partie centrale de la rétine dite maculaire, centrée par la fovea ou tache jaune, très différenciée, perçoit les détails. C'est elle qui donne l'*acuité visuelle**.

Dans la vie courante, les objets sont perçus par la périphérie rétinienne : cela déclenche un mouvement automatico-réflexe de la tête et des yeux, qui centre l'objet sur la fovea ; celui-ci est alors vu net.

La vision binoculaire : un système de régulation neuro-musculaire, complexe, synchronise les mouvements oculaires de telle sorte que les images d'un même objet se forment sur les deux foveae, mais sous un angle différent. Le cerveau fusionne ces images en donnant la sensation de relief.

La vision des couleurs : les cellules sensorielles de la rétine, surtout centrales, perçoivent les couleurs en raison de leur sensibilité aux différences de longueur d'ondes. On appelle dyschromatopsies (▷ ce mot) les troubles de la vision des couleurs ; le daltonisme en est un exemple.

La vision diurne et nocturne : les possibilités d'adaptation de la vision à l'obscurité sont dues à des phénomènes physiques et chimiques qui surviennent dans les cellules sensorielles de la rétine en présence de vitamine A.

œil *(brûlures accidentelles de l')*

Les brûlures oculaires, par les douleurs et les troubles visuels qu'elles provoquent, amènent en général le blessé à consulter très rapidement un médecin, si possible ophtalmologue. Il convient de conserver son calme et de prendre les mesures immédiates qui s'imposent, compte tenu de la nature de la brûlure ; on distingue en effet :

Les brûlures par agents physiques

— Les *liquides chauds*, les *flammes* provoquent, outre les brûlures de la peau des paupières, une desquamation de la surface de la cornée, très douloureuse mais peu dangereuse. Celle-ci guérit en quelques jours avec des collyres cicatrisants, antiseptiques, et éventuellement un pansement occlusif.

— Les « *coups d'arc électrique* », accidents de travail fréquents, sont dus à la non-utilisation, même très brève, du masque ou des lunettes de protection. A ce photo-traumatisme, on doit ajouter l'*ophtalmie des neiges*, par exposition au soleil sur la neige (ultraviolet) sans protection optique efficace ; là encore, il s'agit d'une brûlure superficielle de la cornée, très douloureuse, qui guérit en quelques jours.

— La projection de particules en fusion entraîne, en général, une brûlure superficielle ; cette particule doit être retirée par un ophtalmologue.

Les brûlures par agents chimiques

— Les *brûlures chimiques* impliquent, quelle que soit leur nature, un lavage immédiat de l'œil à grande eau en maintenant les paupières ouvertes. Cette manœuvre est essentielle et ne doit en aucune façon être retardée, même si l'eau est de propreté incertaine.

— Les *lésions provoquées par les acides forts* (sulfurique, nitrique, chlorhydrique, chromique) sont d'emblée totales et ne progressent plus. On peut donc en faire immédiatement le bilan.

— Les *bases* (ammoniaque, soude, potasse), d'agression plus grave, se combinent aux protéines des tissus et continuent à diffuser longtemps après la brûlure. Les lésions qui, au début, paraissaient bénignes, peuvent donc s'aggraver dans les heures ou les jours qui suivent.

Le pronostic conséquent à ces brûlures est très souvent fonction de la précocité et de l'intensité du lavage. L'ophtalmologue, consulté le plus rapidement possible :

— complétera le lavage avec une solution antiseptique ;

— fera éventuellement une injection sous-conjonctivale de vaso-dilatateur et d'antibiotique, une ponction de la chambre antérieure de l'œil ;

— prescrira des collyres antiseptiques, anti-inflammatoires et cicatrisants avec ou sans pansement sur l'œil ;

— pourra, si la brûlure est importante, être amené à faire une greffe de conjonctive ou de muqueuse buccale.

Surtout n'oubliez pas que la plupart de ces brûlures peuvent être évitées par le port de lunettes de protection.

☞   **vue** *(prévention des troubles de la)*

œil *(contusions de l')*

Les lésions provoquées par un traumatisme de l'œil (coup de poing, balle, bouchon de champagne, etc.) dépendent bien entendu de la violence du choc mais surtout de la taille du projectile.

L'œil est protégé par l'orbite osseuse. Il repose sur la graisse orbitaire qui joue le rôle d'amortisseur. Les objets volumineux feront donc en principe beaucoup moins de dégâts que les objets petits et lourds; la balle de golf, petite, massive, et arrivant à grande vitesse peut littéralement faire éclater un œil. La balle de tennis, beaucoup plus grosse, moins lourde, provoque des lésions réversibles : des hémorragies intra-oculaires, un œdème rétinien, parfois des érosions de la cornée, plus rarement une augmentation de la pression oculaire ou une luxation du cristallin.

Après un choc violent sur l'œil, il faut consulter, sans délai, l'ophtalmologue. Celui-ci fera immédiatement un bilan des lésions dont dépendra l'attitude thérapeutique.

œil larmoyant ou sec

☞ **larmes** *(trop de larmes, pas assez de larmes)*

œil rouge

La rougeur de l'œil est fréquente. Elle inquiète; mais tant qu'elle ne s'accompagne pas de trouble visuel, elle est rarement grave. Cette rougeur peut présenter un aspect homogène (rouge intense) ou hétérogène, irrégulier (plus rosé que rouge). Sa localisation peut recouvrir l'ensemble de l'œil, ou seulement une partie : autour de la cornée, ou bien à distance de la cornée et sur la face interne des paupières, ou encore sur une petite surface du « blanc » de l'œil.

La rougeur de l'œil peut être *isolée*, ou *accompagnée* de douleurs plus ou moins importantes ou de démangeaisons, ou *associée* à un trouble visuel plus ou moins important.
– *La rougeur isolée*, indolore, homogène, sans trouble visuel, parfois impressionnante par son étendue et son apparition soudaine, est une hémorragie sous-conjonctivale, simple hématome sans aucune gravité qui guérit spontanément. Les causes en sont : un traumatisme, une hypertension artérielle, une hypocoagulation sanguine; parfois aucune cause n'est trouvée.
– *La rougeur plus ou moins diffuse*, qui s'accompagne d'une sensation de « grains de sable » ou de démangeaisons, est en général une conjonctivite.

Celle-ci guérit en quelques jours, après l'instillation, quatre à cinq fois par jour, d'un collyre antiseptique ou antibiotique.
– Si *la douleur est intense* ou *lancinante* avec larmoiement et, à plus forte raison, trouble visuel, un examen ophtalmologique d'urgence s'impose. Il peut s'agir : d'une kérato-conjonctivite, d'un corps étranger dans la cornée, d'un ulcère de cornée, d'un herpès cornéen, d'une iridocyclite ou même d'un glaucome subaigu. Dans ces cas, la rougeur est souvent intense mais limitée au pourtour de la cornée.
– Une *rougeur hétérogène*, peu douloureuse et n'intéressant qu'une petite surface du « blanc » de l'œil, est souvent une sclérite ou une épisclérite qui guérit avec un traitement simple, mais nécessite la recherche de son origine.

Précautions à prendre : consulter immédiatement si l'œil est rouge, larmoyant, douloureux, et si il y a un trouble visuel.

☞ **vue** *(dépistage des troubles de la)*

œsophage *(cancer de l')*

Les facteurs favorisant la survenue d'un cancer de l'œsophage sont essentiellement l'alcool et le tabac, et surtout leur association. Il est admis que certaines lésions œsophagiennes bénignes dégénèrent parfois : œsophagite secondaire à l'absorption de caustiques, mégaœsophage. Le signe d'alerte majeur, quoique non spécifique, est la sensation d'arrêt, de blocage du bol alimentaire lors de sa descente dans l'œsophage, ou dysphagie.

Les examens utiles sont la radiographie de l'œsophage par transit* œso-gastro-duodénal ou surtout l'endoscopie* qui permet la prise de biopsies* indispensables au diagnostic.
Les moyens thérapeutiques comprennent : chirurgie, radiothérapie, chimiothérapie, traitements sous contrôle fibroscopique (laser, dilatations, pose de prothèse).

☞ **dysphagie**

œsophagoscopie

☞ **endoscopie**

œstrogènes

☞ ■ **hormones** ■ **ménopause**

oligo-éléments et minéraux

☞ **alimentation normale**

ombilic du nouveau-né

(anomalie de l')

La hernie ombilicale

Très fréquente chez les enfants de race noire, elle est due à la mauvaise fermeture de l'anneau ombilical. Souvent, elle disparaît avec la croissance, en particulier lorsque l'enfant s'asseoit et marche, ce qui muscle sa paroi abdominale.

On peut proposer des bandages, avec une petite pelote ou une pièce de monnaie maintenant la hernie rentrée; mais ces bandages sont astreignants et rarement très efficaces. Si la hernie n'a pas disparu après 3 ans et si elle est volumineuse, il est nécessaire de l'opérer.

L'omphalocèle

L'omphalocèle correspond a un défaut de fermeture de la paroi abdominale au niveau de l'ombilic. Selon son volume, elle peut contenir l'intestin grêle et même parfois le foie. Cette anomalie peut être détectée par l'échographie* maternelle.

Le traitement chirurgical, souvent difficile, a lieu dès la naissance, notamment si l'omphalocèle est grosse. Dans certains cas, si le diagnostic est fait en début de grossesse, une interruption volontaire de grossesse (I.V.G.) est proposée.

oncogènes *(facteurs)*

☞ cancer

ongle incarné

Il existe deux sortes d'incarnation de l'ongle : l'une provoquée par une *convexité exagérée* de sa plaque, l'autre par *insuffisance de convexité*. Dans les deux cas, la pénétration de l'ongle s'effectue

par effraction dans la peau, réalisant ainsi une porte ouverte à l'infection. C'est avant l'apparition de la rougeur, du gonflement et de la suppuration qu'il faut consulter. Le pédicure podologue extraira la partie incarnée, traitera l'inflammation et guidera la repousse de l'ongle. Si le phénomène se reproduit régulièrement, une intervention chirurgicale sur la matrice unguéale peut s'avérer nécessaire.

A titre préventif, lavez et brossez régulièrement vos ongles, coupez-les parallèlement à la matrice en prenant soin d'arrondir les ongles à la lime; ne coupez jamais dans les coins.

ongles

En préambule, retenez les quelques remarques suivantes :
— toute tache ou bande noire située sous un ongle doit être montrée sans délai à votre médecin;
— les agressions chimiques (détergents, produits capillaires, vernis, durcisseurs d'ongle...), ainsi que les traumatismes minimes mais répétés, peuvent entraîner des lésions unguéales;
— de nombreuses maladies cutanées s'accompagnent de lésion des ongles; leur diagnostic est difficile si la maladie reste limitée aux ongles.

Vos ongles sont fragiles

Le bord libre de l'ongle est dentelé, dédoublé comme une ardoise.
— Cessez pendant quelques semaines les soins de manucurie, l'application de vernis à ongle et l'utilisation de dissolvant.
— Portez des gants pour tous les travaux ménagers et lors de la manipulation de produits chimiques.
— Vous êtes fatigué : le manque de fer responsable d'anémie peut fragiliser les ongles.

Vos ongles se décollent

Cessez l'application de durcisseurs d'ongle, de vernis; les produits de traitement capillaire peuvent aussi être responsables de telles lésions. Portez des gants pour tous les travaux ménagers.

Cependant, il peut s'agir aussi d'un psoriasis ou d'une atteinte unguéale par des champignons. Un prélèvement mycologique effectué au laboratoire d'analyses médicales est alors nécessaire pour confirmer le diagnostic.

Si le décollement est douloureux et survient après la prise d'antibiotiques et l'exposition au soleil, il s'agit d'une allergie au médicament provoquée par l'ensoleillement.

Vos ongles s'épaississent

Plus particulièrement, les ongles des gros orteils s'épaississent : c'est sûrement une infection due à un champignon; le diagnostic sera confirmé par un prélèvement mycologique.

Si vous êtes atteint de psoriasis, il peut s'agir d'une localisation de cette maladie.

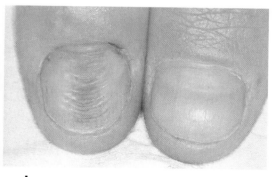

ongles. *Des traumatismes minimes mais répétés peuvent conduire à la déformation des ongles.*

Vos ongles se colorent

— Si la coloration est *jaune*, il s'agit le plus souvent d'une mycose; mais il peut s'agir aussi d'une pigmentation apparue après l'application de vernis à ongle, qui disparaît avec l'arrêt de celui-ci.

— Si l'ongle *brunit*, à la suite d'un traumatisme, il s'agit d'un hématome qui disparaîtra spontanément.

— Si une bande *brunâtre* parcourt l'ongle sur toute sa longueur, il s'agit d'un grain de beauté dont l'ablation est nécessaire, car cela peut être parfois une tumeur maligne débutante; certains champignons peuvent colorer les ongles en brun.

— Micro-traumatismes et mycoses sont parfois responsables des taches blanches des ongles.

☞   ■ anémies ■ champignons

opération

☞   intervention chirurgicale

orchite
(ou orchi-épididymite)

☞   testicules

oreille
(douleurs de l')

☞   otite

---

oreilles

Anatomie
Sur le plan anatomique, l'oreille est composée de trois parties :

— l'oreille externe comprend le pavillon de l'oreille et le conduit auditif externe (ou «conduit de l'oreille»);

— l'oreille moyenne est un ensemble de cavités creusées dans l'os temporal. Elle est séparée de l'oreille externe par le tympan. La caisse du tympan contient les osselets : marteau, enclume, et étrier. La caisse du tympan communique avec le rhino-pharynx par la trompe d'Eustache;

— l'oreille interne est l'organe sensoriel de l'audition. Elle comprend la cochlée, qui est l'organe proprement dit de l'audition, et le labyrinthe, qui est celui de l'équilibre. Ces deux organes très sophistiqués baignent dans un liquide. Les fibres nerveuses issues de ces deux organes se rejoignent pour former les nerfs cochléaire et vestibulaire. Ceux-ci rejoignent ensuite les centres auditifs situés dans le cerveau.

Fonction
L'oreille est l'organe de l'audition et de l'équilibre.

Un son est une onde vibratoire atteignant l'oreille interne par deux circuits différents :

— la conduction aérienne : le son amplifié par le pavillon de l'oreille traverse le conduit auditif externe et fait vibrer le tympan. Celui-ci transmet les vibrations à la chaîne des trois osselets qui traverse la caisse du tympan (le marteau, l'enclume

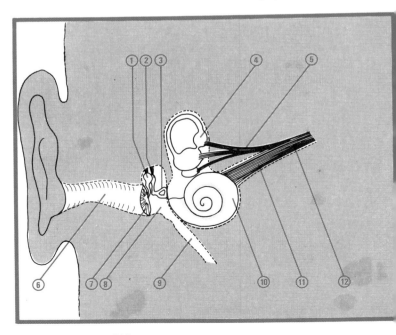

oreilles. *Coupe de l'oreille :*
⑥ conduit auditif externe,
⑦ tympan, chaîne des osselets
(① marteau, ② enclume, ③ étrier),
⑧ fenêtre ovale, ⑨ trompe
d'Eustache, ④ canal semi-circulaire,
⑤ nerf vestibulaire, ⑩ cochlée,
⑪ nerf cochléaire, ⑫ nerf auditif.

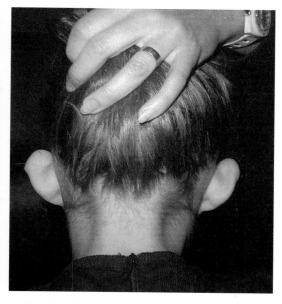
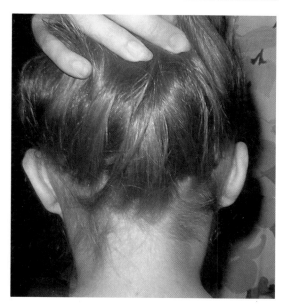

oreilles décollées *(chirurgie esthétique des).* L'intervention chirurgicale ne « recolle » pas mais plicature le cartilage respectant le sillon derrière l'oreille. Le port des lunettes n'entraînera aucune gêne.

puis l'étrier). Ces vibrations atteignent ensuite la cochlée située dans l'oreille interne.

— La conduction osseuse propage directement les vibrations sonores jusqu'à l'oreille interne sans passer par le chemin précédent. Elle n'est pas arrêtée par un obstacle sur l'oreille externe ou moyenne.

Les cellules sensorielles de la cochlée transforment ces vibrations en influx nerveux transmis au cerveau par le nerf auditif. Un obstacle à la propagation des sons du pavillon de l'oreille jusqu'au cerveau provoque une diminution de l'audition.

Le labyrinthe est la partie de l'oreille interne permettant l'équilibre. Il contient des cellules sensorielles sensibles aux variations de changement de position de la tête dans les trois dimensions de l'espace. Les informations sont véhiculées par le nerf vestibulaire jusqu'aux centres cérébraux de l'équilibre. Une lésion du labyrinthe, du nerf vestibulaire ou de ces centres cérébraux provoque un vertige.

Examen

L'examen de l'oreille débute par l'inspection du pavillon. L'ORL examine ensuite le conduit auditif externe et le tympan grâce à un otoscope (petit appareil optique muni d'une source de lumière). L'examen du tympan au microscope est parfois nécessaire pour obtenir plus de précisions. L'ORL examine ensuite le nez et la gorge qui communiquent tous deux avec les oreilles. La présence d'un nystagmus (secousses oculaires de direction variable), d'oscillations du sujet placé au garde-à-vous les yeux fermés, d'une déviation des bras tendus en avant est en faveur d'une lésion des centres de l'équilibre.

L'audiogramme* et l'étude de la conduction osseuse par un vibrateur posé sur le crâne sont pratiqués en cas de surdité.

Certains examens sophistiqués (potentiels évoqués, electronystagmographie, radio, tomographies de l'oreille, scanner*) sont parfois nécessaires pour préciser la cause et le siège d'une maladie de l'oreille.

Les maladies de l'oreille sont étudiées dans de nombreux articles de ce livre; l'index thématique en dresse la liste.

oreilles décollées
(chirurgie esthétique des)

Il n'y a pas de belles oreilles, ou du moins on n'en parle pas car cela va de soi. Lorsqu'on les remarque, c'est qu'il y a un défaut, le plus courant étant l'oreille dite décollée, qui est également perçue comme une oreille trop grande, alors qu'il s'agit de la même déformation.

Le « décollement » de l'oreille n'est pas dû à un excès de peau mais à une absence de plicatures du cartilage de l'oreille dont la partie la plus visible reste plane alors qu'elle doit présenter des reliefs qui la rabattent en arrière. Cette déformation est congénitale. Elle n'est pas due à une mauvaise position de l'oreille au cours de la petite enfance. Souvent, les parents se reprochent de ne pas avoir maintenu les oreilles et pensent que la déformation est due à la plicature de l'oreille qui vient se rabattre sur la joue. En réalité, ce phénomène se produit parce que le cartilage n'est pas rabattu en arrière.

Ceci explique que le fait de réparer la peau est tout à fait accessoire; et ne sert qu'à maintenir la correction qui doit intéresser le cartilage.

L'abord de ce cartilage se fait dans le sillon rétro-auriculaire par une incision qui sera dissimulée; le cartilage sera sectionné selon différentes techniques, de façon à recréer le pli naturel sans qu'il soit pour autant besoin de procéder à son ablation. Celle-ci entraîne en effet des stigmates cutanés visibles à la face externe de l'oreille.

 L'intervention se déroule habituellement sous anesthésie locale. Le consentement de l'enfant est indispensable pour obtenir une coopération et un bon résultat. L'intervention est généralement pratiquée après l'âge de 8 ans, lorsque le pavillon de l'oreille a terminé sa croissance. Il faudra éviter les sports pendant 4 à 6 semaines, les bains de mer pendant 4 semaines.

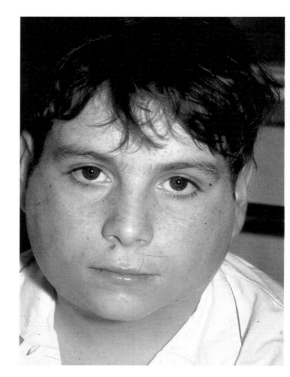

oreillons. *Le gonflement bilatéral des glandes parotides permet de reconnaître facilement les oreillons. Une telle situation doit être aujourd'hui évitée grâce à la vaccination.*

oreillons

 Les oreillons sont facilement reconnus lorsque:
— le gonflement de la région parotidienne est bilatéral ou le devient en un ou deux jours; il apparaît dix-huit jours après la contamination, sous l'oreille et en arrière de la portion verticale de la mâchoire,
— la fièvre est peu élevée,
— le malade n'a jamais eu les oreillons et n'a jamais été vacciné.

Ces caractères permettent de ne pas confondre les oreillons avec de gros ganglions cervicaux. Dans les cas moins typiques, le diagnostic est affirmé par une prise de sang constatant l'augmentation du taux des enzymes salivaires (les *amylases*) et la positivité de la sérologie* spécifique de la maladie.

Les oreillons guérissent spontanément en quelques jours. Les antibiotiques ne sont pas nécessaires car l'infection est virale. L'aspirine permet de lutter contre la douleur et la fièvre.

 Le vaccin est sans danger. Il n'est pas obligatoire mais conseillé, et peut être associé à celui de la rougeole et de la rubéole. Un injection sans rappel suffit à protéger efficacement contre la maladie et ses complications:
— les *méningites* sont relativement fréquentes, 5 % des cas d'oreillons; elles guérissent d'elles-mêmes mais nécessitent une hospitalisation;
— l'*orchite*, due aux oreillons, est une inflammation d'un testicule, qui devient gros et douloureux, et ne survient qu'après la puberté; elle n'est jamais responsable de baisse de performances sexuelles et

rarement de stérilité car un seul testicule est touché, mais peut en revanche provoquer une atrophie de la glande, parfois préjudiciable sur le plan psychologique; son traitement associe un repos strict au lit, la mise en place d'un suspensoir testiculaire et la prise d'anti-inflammatoires;
— les *pancréatites* guérissent d'elles-mêmes;
— une *surdité* peut, dans de rares cas, se déclarer.

Pensez donc à faire vacciner votre enfant contre les oreillons.

 ■ vaccins et sérums ■ méningite ■ testicules ■ pancréatites aiguë et chronique ■ surdité

orgelet

 Il s'agit d'un furoncle rouge et douloureux de la racine d'un cil à différencier du chalazion (▷ ce mot). Le traitement initial fait appel aux antiseptiques et antibiotiques locaux. En cas d'échec, l'incision chirurgicale sous anesthésie locale est nécessaire.

O.R.L. *(cancers)*

Ce sont des cancers fréquents puisqu'ils représentent 15 % de l'ensemble des cancers de l'homme. Ils sont d'ailleurs beaucoup plus fréquents chez l'homme que chez la femme.

Le langage courant fait habituellement un amalgame entre tous ces cancers sous l'appellation de cancers de la gorge. En réalité, il s'agit de nombreuses affections, extrêmement différentes, qui certes sur le plan de l'histologie (c'est-à-dire de l'aspect des cellules examinées au microscope), représentent des formes voisines. En revanche, la localisation de ces cancers change complètement leur avenir : la gravité du pronostic, le caractère mutilant ou non du traitement sont en effet fonction de leur localisation.

Les facteurs favorisant des cancers O.R.L. sont dominés par l'alcool et le tabac, et l'on peut considérer comme tout à fait exceptionnelle la survenue de tels cancers chez des personnes qui ne fument pas et ne boivent pas d'alcool en quantité importante.

Les sujets alcooliques et tabagiques sont malheureusement bien souvent négligents sur le plan de leur santé; ils ne consultent le plus souvent que lorsque la lésion est déjà importante, ce qui entraîne un diagnostic et un traitement souvent trop tardifs.

Trois ordres de signes peuvent attirer l'attention : l'enrouement, la gêne à l'alimentation, l'apparition d'un ganglion du cou.

— L'*enrouement* (dysphonie) est le signe le plus précoce, car l'émission d'une voix claire nécessite un affrontement parfait des cordes vocales. Toute irrégularité entraînera aussitôt une modification de la voix. Une petite lésion de la corde vocale entraînera ainsi un examen spécialisé et un diagnostic précoce. Lorsque la lésion est un cancer débutant de la corde vocale, le traitement sera efficace et surtout non mutilant car précocement institué.

— *La gêne à l'alimentation* (dysphagie) se manifeste tout d'abord lors de la déglutition de la salive, avant d'entraîner une véritable gêne lors des repas. Elle est déclenchée par le passage des aliments si ceux-ci se trouvent en contact avec la tumeur (cavité buccale, pharynx) ou si les mouvements de déglutition mobilisent la région intéressée par la tumeur.

— *Apparition d'un ganglion cervical* : dans de nombreux cas, c'est le seul signe amenant les patients à consulter. La recherche d'une cause permettra la découverte du cancer primitif.

Les cancers O.R.L. ont comme particularité d'évoluer localement par extension vers les régions avoisinantes. La généralisation du cancer avec l'apparition de métastases est exceptionnelle.

Ceci ne fait que souligner l'importance du diagnostic précoce car la guérison d'une tumeur localisée permet une guérison définitive. C'est ainsi que le cancer limité à la corde vocale guérit dans 90 % des cas.

Le traitement de ce cancer utilise trois méthodes qui seront selon les cas, utilisées isolément ou diversement associées :

— *la chimiothérapie*, lorsqu'elle est justifiée, sera utilisée en début de traitement; il est exceptionnel qu'elle soit utilisée seule;

— *la chirurgie* préserve la fonction vocale, si on peut conserver une ou les deux cordes vocales tout en enlevant la tumeur; mais cela n'est pas toujours possible et il faut parfois sacrifier la fonction vocale pour permettre la guérison;

— *la radiothérapie* est parfois utilisée seule dans certaines localisations. Elle est le plus souvent un traitement complémentaire de la chimiothérapie ou de la chirurgie.

Quel est l'avenir des laryngectomisés ? La rééducation vocale est essentielle, elle conditionne les possibilités de réinsertion sociale. L'utilisation de la voix œsophagienne, parfaitement audible, permet de se faire comprendre tout à fait de façon distincte.

Il est fondamental de supprimer l'alcool et le tabac; l'appartenance à des associations comme celle de la Fédération des laryngectomisés, facilite beaucoup les règles d'hygiène et de rééducation nécessaires, par le soutien et la stimulation qu'entraîne le côtoiement d'autres malades ayant subi le même genre de traitement.

Dans l'ensemble, le pronostic reste favorable et s'améliore régulièrement.

Très souvent, après une laryngectomie totale, l'ensemble des conditions de l'existence, même si elles ne permettent pas toujours la reprise du travail, est mieux accepté qu'au temps de la maladie et des conditions de vie dominées par l'intoxication alcoolique et tabagique.

orteils *(déformation des)*

La déviation du gros orteil vers la droite quand il s'agit du pied droit, ou vers la gauche quand il s'agit du pied gauche, s'appelle *hallux valgus*.

Lorsque la gêne fonctionnelle est mineure, seul le port de chaussures larges est indiqué. Cependant, le frottement de la chaussure à l'endroit de la déformation peut, à la longue, entraîner une inflammation ou même une infection. Les douleurs qui en résultent imposent parfois une intervention chirurgicale de réorientation du gros orteil.

La déformation des quatre derniers orteils en *marteau* ou en *maillet* ne cause souvent aucun trouble. Elle entraîne parfois la formation d'un cor

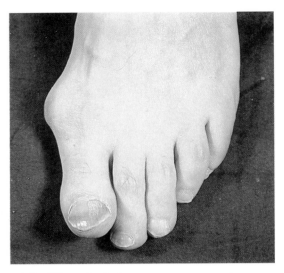

orteils *(déformation des). Respectez la forme de vos pieds; ne prenez pas de chaussures trop étroites ni trop pointues.*

douloureux pour lequel les soins de pédicurie suffisent le plus souvent.

Dans quelques cas, la chirurgie visant à supprimer la déformation est nécessaire.

orthopédie *(traitement en)*

Les traitements orthopédiques sont multiples. Quelle que soit la diversité de leurs caractéristiques (matière, encombrement, coût, etc.), on peut les regrouper selon quatre fonctions :
— le *maintien* du membre ou immobilisation afin de permettre la consolidation de la lésion articulaire ou osseuse,
— la *réduction* en position correcte d'une articulation luxée ou d'une fracture déplacée,
— l'*ostéosynthèse* pour maintenir la réduction obtenue, grâce à un moyen interne,
— le *remplacement prothétique* d'une articulation défaillante.

Le maintien
Le maintien d'un membre immobilisé peut s'obtenir par divers moyens; tout dépendra de la qualité de maintien que l'on veut avoir.
— Un *simple bandage en élastoplast* au niveau d'une articulation diminuera les phénomènes douloureux et sera suffisant pour la cicatrisation d'un étirement ligamentaire.
— Les *attelles* peuvent être de fortune, faites de plaquettes de bois ou de carton dur et maintenues par une bande velpeau, ou en plâtre : elles sont

temporaires et permettent d'immobiliser un segment de membre fracturé en bonne position. Certaines d'entre elles ont pour but d'éviter une malposition qui a tendance à récidiver : elles sont alors en plastique ou en résine, souvent utilisées la nuit, mais aussi sur des périodes beaucoup plus prolongées. D'autres enfin portent une articulation, afin d'assurer une certaine mobilité tout en empêchant un mouvement anormal.
— Au niveau de la colonne vertébrale, le maintien est possible grâce à un *plâtre* ou à un *corset* qui est moulé et adapté. Pour le rachis cervical, en fonction de l'importance du maintien que l'on veut obtenir, on utilise soit une *minerve* tenant la tête, le rachis cervical et le tronc, soit un simple *collier*.

La réduction
La réduction est une manœuvre de remise en position correcte d'une articulation luxée ou d'une fracture déplacée.
— Certaines luxations peuvent être immédiatement réduites par de simples manipulations externes sans anesthésie.
— Dans la majorité des cas les manipulations sont trop douloureuses pour être effectuées sans anesthésie. Celle-ci sera locale ou générale. La réduction est dite orthopédique lorsqu'elle s'effectue par de simples manœuvres externes; elle est dite chirurgicale quand elle ne peut être assurée qu'en opérant.
— La traction peut être considérée dans certains cas comme un moyen de réduction, mais c'est également un moyen de maintien. Le membre atteint, le plus souvent le membre inférieur, est mis en traction par l'intermédiaire de bandes collées ou d'une broche reliées à des poids.

L'ostéosynthèse
Les moyens d'ostéosynthèse permettent de maintenir la réduction d'une fracture par une fixation interne; ils sont donc placés par voie chirurgicale. Très divers, ils sont utilisés selon le type de maintien que l'on souhaite obtenir, le siège de la fracture et des habitudes de chaque chirurgien.
— Les *vis*, de tailles et de formes variées, fixent de petits fragments osseux.
— Les *agrafes* peuvent avoir une utilisation identique à celle des vis; elles s'emploient également pour fixer à l'os des ligaments désinsérés.
— Les *plaques vissées* fixent et maintiennent l'os fracturé; elles sont habituellement retirées lorsque la consolidation osseuse est jugée suffisante.
— Les *clous* assurent la réduction et le maintien d'une fracture diaphysaire (de la portion longue d'un os).
— Les *broches* sont utilisées pour maintenir des fractures se situant près des articulations, où il serait impossible de placer une plaque; c'est une fixation peu importante qui nécessite souvent une immobilisation complémentaire (plâtre).
— Les *fixateurs externes* comportent de grosses broches fixées dans l'os à travers les plans cutanés et musculaires; elles sont reliées et solidarisées entre elles par une ou plusieurs pièces de métal

appelées cornières. On réserve le plus souvent ce mode de fixation aux fractures ouvertes où le risque infectieux est important.

De la solidité du montage obtenu dépend bien sûr la date de remise en charge. Celle-ci pourra être précoce avec certains types d'ostéosynthèse; elle devra être différée avec d'autres jusqu'à ce que la consolidation soit obtenue.

La prothèse

La prothèse est un matériel mécanique qui permet de remplacer tout ou partie d'une articulation défaillante, le plus souvent celle de la hanche ou du genou. Ses modalités opératoires varient selon la pathologie responsable, son utilisation ultérieure et les habitudes de chaque chirurgien.

On distingue néanmoins la *prothèse cimentée* où la fixation des pièces prothétiques à l'os est assurée par une sorte de colle, et la *prothèse non cimentée* où la fixation est confiée à la réhabilitation osseuse des surfaces prothétiques qui sont volontairement irrégulières.

La date de remise en charge dépend là encore du type de prothèse posée (le délai est habituellement court). La durée de vie de ces prothèses est de plus en plus longue, et il est pratiquement toujours possible de les remplacer.

Aide à la marche

Un patient handicapé au niveau des ses membres inférieurs peut disposer de divers moyens pour se déplacer.
— La canne anglaise permet de marcher sans prendre appui sur le membre inférieur atteint, sollicitant celui de la main et de l'avant-bras.
— Les béquilles ont un appui axillaire (sous l'épaule); elles ne sont indiquées que lorsque l'appui au niveau de l'avant-bras est défaillant.
— Le fauteuil roulant n'est nécessaire que si la déambulation avec béquilles est impossible, soit parce que les deux membres inférieurs sont touchés, soit parce qu'il existe une lésion au niveau des membres supérieurs rendant toute utilisation des béquilles illusoire. Pour les grands handicapés, il existe des fauteuils roulants électriques à commande manuelle qui permettent une certaine autonomie.

Ce type d'aide à la marche peut être prescrit par votre médecin; il est souhaitable qu'un kinésithérapeute vous aide au début pour l'apprentissage de la marche avec béquilles et notamment pour monter et descendre les escaliers.

Chez les personnes handicapées, il existe plusieurs moyens de suppléer à la déficience musculaire ou à l'incoordination. Les appareillages sont multiples, depuis le simple releveur destiné à soulever le pied en cas de paralysie des muscles releveurs, jusqu'au grand appareillage englobant le tronc et les membres inférieurs, les articulations étant bloquées, et ne permettant la déambulation qu'avec l'aide de deux cannes-béquilles. Un déambulateur (sorte de cadre poussé devant soi) peut constituer une aide efficace pour certaines personnes âgées ou pour certains enfants dont l'équi-

libre est insuffisant. Pour ces types d'appareillages, la consultation d'un médecin spécialisé est nécessaire.

orthophonie

☞ ■ langage de l'enfant *(troubles du)* ■ voix *(troubles de la)*

orthoptique

Du grec *orthos* (droit) et *optike* (vision), l'orthoptique est une branche de l'ophtalmologie dont le but est de « mettre les yeux droits ». Ce travail est en général confié à des auxiliaires médicaux très spécialisés – les orthoptistes – qui rééduquent les strabismes, les hétérophories, c'est-à-dire les déviations latentes, et souvent les amblyopies : il ne s'agit pas seulement d'obtenir une rectitude anatomique des yeux, mais surtout d'établir ou d'améliorer la vision binoculaire. Les orthoptistes travaillent de plus en plus en collaboration étroite avec les ophtalmologues.

☞ strabisme et amblyopie

os *(tumeurs des)*

Nous regroupons sous ce terme l'ensemble des tumeurs bénignes et malignes des os.

Les tumeurs malignes se révèlent par l'apparition d'une douleur discrète ou d'une tuméfaction. Quelquefois, c'est à l'occasion d'une fracture provoquée par un traumatisme minime, que la radiographie vient révéler une image osseuse tumorale.

L'aspect clinique, radiologique et biologique permet, dans certains cas, d'affirmer le caractère bénin de la tumeur. Si le diagnostic est hésitant, le bilan est complété par des tomographies*, une scintigraphie* osseuse, un scanner* qui permettent d'analyser plus finement l'activité et les caractères anatomiques de la tumeur. Le plus souvent cependant, seule une biopsie* à l'aiguille ou chirurgicale affirme le type histologique de la tumeur. L'examen anatomopathologique est donc fondamental, il détermine avec précision le caractère bénin ou malin de cette lésion osseuse et permet le choix d'une stratégie thérapeutique offrant au patient les meilleures chances de guérison.

Aussi, au terme du bilan, le choix se fait entre :
— une surveillance clinico-radiologique dans le cas d'une tumeur bénigne non évolutive;
— une intervention de consolidation, lorsque la tumeur bénigne fragilise l'os et entraîne un risque important de fracture;

— un traitement carcinologique multidisciplinaire (chirurgie, radiothérapie, chimiothérapie...), dans le cas d'une tumeur maligne. Le pronostic des lésions malignes est fonction du type histologique et de l'importance de la dissémination tumorale.

Cancers secondaires des os (métastases osseuses)

La métastase osseuse est une complication du cancer du sein, de la prostate, du rein ou de la thyroïde... Parfois, la métastase osseuse révèle un cancer primitif jusqu'alors inconnu; parfois le cancer primitif est décelé, la métastase osseuse survient malgré le traitement anticancéreux.

Aussi, toute douleur osseuse qui persiste, s'aggrave et parfois prive la patient de sommeil, impose des examens complémentaires biologiques, radiologiques et scintigraphiques. Ceux-ci affirmeront le diagnostic de métastase osseuse et découvriront le cancer primitif, si celui-ci n'est pas encore décelé. Le traitement des métastases osseuses est en effet fonction du cancer primitif.

ostéochondrite de la hanche

 boiterie de l'enfant et/ou douleurs de la hanche

ostéomyélite

 ■ marche *(refus de la)* ■ membre supérieur *(votre enfant refuse de bouger son)*

ostéonécrose aseptique de la tête fémorale

L'ostéonécrose aseptique de la tête fémorale (O.N.A.F.) est une maladie fréquente, touchant plus volontiers l'homme; elle est la conséquence d'un arrêt de la vascularisation de la tête fémorale, entraînant une nécrose osseuse.

Le diagnostic précoce d'une telle affection est fondamental, car il impose des mesures thérapeutiques immédiates. Tout retard assombrit le pronostic fonctionnel de l'articulation atteinte.

C'est devant une douleur de la hanche que l'O.N.A.F. est évoquée par votre médecin.

— Douleur d'apparition brutale ou progressive de la région crurale, inguinale, fessière ou encore douleur localisée au genou. S'y associent une limitation douloureuse des mouvements de la hanche et une boiterie de degré variable.
— La reconnaissance d'un terrain prédisposant peut être une aide au diagnostic (troubles lipidi-

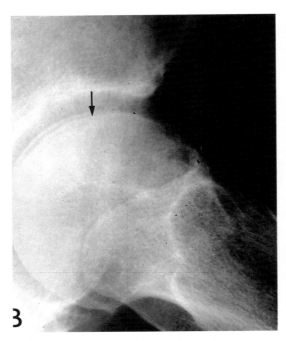

3

ostéonécrose aseptique de la tête fémorale. *L'ostéonécrose de la tête fémorale impose toujours un diagnostic précoce et la recherche de son étiologie. Vous en remarquerez ici l'aspect caractéristique en « coquille d'œuf ».*

ques, intoxication éthylique, prise de cortisone, radiothérapie locale, traumatisme ou encore antécédents de maladie lupique, de drépanocytose). Cependant le plus souvent, il n'est pas reconnu de cause à l'origine d'une O.N.A.F., en dehors des troubles lipidiques et de l'intoxication éthylique.

L'examen radiologique est capital.

Deux situations sont possibles :
— soit les lésions observées en radiologie sont déjà constituées et évidentes;
— soit l'image radiologique n'est pas significative (les signes radiologiques sont souvent en retard sur les signes cliniques). Il est essentiel alors de confirmer le diagnostic par une scintigraphie* osseuse qui objective une hyperfixation osseuse de la tête fémorale. A ce stade précoce de la maladie, une biopsie* par forage sous anesthésie générale fera la preuve histologique de l'affection et permettra simultanément un geste thérapeutique peu agressif, capable d'enrayer l'évolution.

Lorsque le forage n'est pas possible du fait de l'importance des lésions, la décharge de la hanche est impérative (canne-béquille), pendant 6 à 18 mois. Après cette période, la moitié environ des O.N.A.F. sont bien tolérées. Si la douleur persiste ou si d'emblée l'atteinte anatomique est majeure, une solution chirurgicale sera envisagée (ostéotomie, arthroplastie à cupules, prothèse totale).

Les patients seront surveillés régulièrement, car le risque d'une arthrose de la hanche sur ostéonécrose est fréquent et l'atteinte de l'autre hanche est possible.

☞ ■ **coxarthrose** ■ **orthopédie** *(traitement en)*

ostéoporose

L'ostéoporose est une affection métabolique de l'os, caractérisée par une diminution du volume osseux total.

L'ostéoporose est fréquente dans la population du troisième âge, plus particulièrement chez la femme après la ménopause. Elle entraîne une moindre résistance mécanique de l'os et expose les patients aux fractures, à l'occasion d'un traumatisme quelquefois minime. Le diagnostic d'ostéoporose est évoqué par votre médecin lorsqu'il constate une décalcification osseuse sur les radiographies, prescrites soit au titre d'un bilan effectué pour une tout autre cause, soit à l'occasion de douleurs rachidiennes, soit encore devant une fracture osseuse. Sachez que l'ostéoporose ne fait souffrir qu'en cas de fracture (vertébrale, costale, du col fémoral...).

Toute décalcification osseuse n'est pas une ostéoporose commune et face à une décalcification osseuse radiologique : le problème essentiel de votre médecin est d'affirmer le diagnostic d'ostéoporose et d'éliminer les autres maladies également responsables d'une décalcification.

— Le recueil des antécédents médicaux (maladie endocrinienne, hémopathie, tumeur), ainsi que la notion de prise médicamenteuse (cortisone), est essentiel. L'interrogatoire est suivi d'un examen clinique complet.

— Le bilan biologique comprend l'étude du calcium, du phosphore, de l'hémogramme*, de la vitesse* de sédimentation, des phosphatases alcalines, de l'électrophorèse des protides.

D'autres examens plus spécifiques sont demandés en fonction des données de l'interrogatoire et de l'examen clinique.

— Une étude anatomique (biopsie* osseuse) est parfois nécessaire.

Dans le cadre de l'ostéoporose commune, le bilan biologique est normal ; il est parfois un peu perturbé dans les jours suivant une fracture, mais se rétablit par la suite.

C'est donc au terme d'un bilan général que votre médecin reliera cette décalcification à une ostéoporose commune.

Comment prévenir et traiter l'ostéoporose ?

A titre préventif

— L'exercice physique pratiqué régulièrement freine la perte osseuse. L'immobilisation ou l'alitement devra être réduit autant que faire se peut.

— L'apport de calcium alimentaire (1,5 g/jour) ralentit l'ostéoporose, le risque fracturaire est moins important chez les patients ayant une alimentation calcique. Pendant l'hiver, une prescription de vitamine D_2, sous surveillance médicale, est souhaitable.

— L'œstrogénothérapie est une médication préventive efficace chez la femme ménopausée. Elle nécessite une surveillance très attentive.

A titre curatif

Lorsqu'il existe une fracture costale ou vertébrale, les antalgiques sont proposés en association avec du fluorure de sodium. Celui-ci permet l'augmentation de la masse osseuse et empêche la survenue de nouveaux tassements vertébraux. Le traitement par la calcitonine, bien que très fréquemment prescrit et parfois apprécié des patients, n'a pas encore fait la preuve de sa réelle efficacité.

☞ ■ **rachis** *(douleurs du)* ■ **membres traumatisés** *(entorse, luxation et fractures)* ■ **fémur** *(fracture du col du)* ■ **alitement**

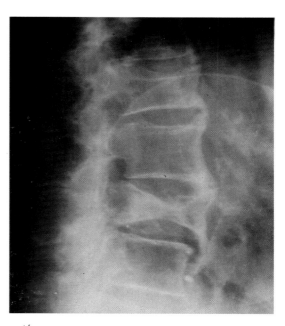

ostéoporose. *Vous remarquerez sur ce cliché radiographique la transparence excessive des vertèbres décalcifiées et la fracture-tassement d'une vertèbre lombaire.*

ostéosynthèse

 orthopédie (traitement en)

otite

L'otite est une infection de l'oreille concernant :
— soit l'oreille externe : pavillon, conduit auditif externe ; il s'agit alors d'infections aiguës ;
— soit l'oreille moyenne : tympan, osselets ; il s'agit dans ce cas d'otites aiguës ou chroniques ;
— il n'y a pratiquement jamais d'infections de l'oreille interne (▷ oreille).

L'oreille externe

Le furoncle

C'est une infection cutanée limitée à une petite zone du conduit auditif, due à un staphylocoque. Les douleurs sont intenses, lancinantes ; le furoncle nécessite la prise d'antibiotiques, d'antalgiques ; l'application d'une bouillotte permet une augmentation de la chaleur locale qui calme la douleur.

L'eczéma

Il est cause de démangeaisons importantes nécessitant le grattage, responsable de surinfections aboutissant souvent à l'otite externe diffuse. L'eczéma cède très rapidement à l'usage local de corticoïdes. Malheureusement, les récidives sont fréquentes.

L'otite externe diffuse

Toute la peau du conduit est inflammatoire ; il faut soulager la douleur par de l'aspirine ou du paracétamol, nettoyer et acidifier le conduit ; enfin, instiller des gouttes associant des antibiotiques et de la cortisone.

L'oreille moyenne

L'otite moyenne aiguë

Elle est fréquente surtout chez l'enfant au cours d'un rhume. Tout d'abord congestive (tympan rouge), l'otite devient purulente ; c'est un véritable abcès de l'oreille moyenne. Celle-ci s'infecte par l'intermédiaire de la trompe d'Eustache, canal reliant le nez à l'oreille et chargé d'en assurer l'aération. La douleur très vive de l'oreille, la fièvre, orientent le diagnostic.

Parfois, c'est l'examen systématique des tympans du nourrisson examiné pour une tout autre cause (diarrhée aiguë par exemple) qui affirmera le diagnostic.

Le traitement associe une désinfection nasale, la prise de sédatifs et d'antalgiques, le repos au lit et au chaud, ainsi que les antibiotiques par voie orale.
— Au stade congestif, les antibiotiques par voie générale permettent la guérison dans l'immense majorité des cas.
— Au stade purulent, la paracentèse est nécessaire : c'est une intervention chirurgicale permettant l'ouverture du tympan et l'évacuation des sécrétions. Il est préférable de réaliser ce geste sous anesthésie, sauf chez le tout petit. Toute otite suppurée doit être paracentésée, car l'antibiothérapie seule est insuffisante, et est responsable de la fréquence des otites séreuses.

L'association de cette paracentèse et de l'antibiothérapie a permis de supprimer les complications des otites aiguës autrefois très fréquentes.

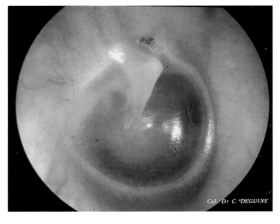
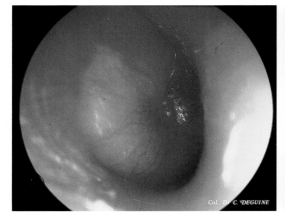

otite. *Tympan normal (ci-dessus, à gauche) : la membrane est brillante, plate, translucide ; le relief du marteau y est bien centré. Tympan où siège une otite aiguë (ci-dessus, à droite) : la membrane devient rouge, turgescente ; elle bombe, repoussée par le pus qui remplit l'oreille et qu'il faut évacuer (paracentèse).*

L'otite séreuse

C'est la plus fréquente des otites subaiguës ou chroniques.

Elle est due à une insuffisance de perméabilité de la trompe d'Eustache. Elle évolue, surtout chez le petit enfant, par poussées nettement accentuées par les rhumes. Les otites se répètent tout l'hiver, et parfois même dès la fin du traitement antibiotique, ou après la paracentèse. Celle-ci n'améliore pas le cours de la maladie et ne laisse s'écouler qu'un liquide séreux, non purulent.

Chez l'enfant plus grand, les épisodes douloureux et inflammatoires sont souvent absents; en revanche, il existe un déficit auditif permanent. L'otite séreuse est la cause la plus fréquente d'hypoacousie à l'âge scolaire.

L'objectif du traitement de l'otite séreuse est donc d'améliorer l'audition, de prévenir l'apparition de cholestéatome (▷ ce mot), et surtout d'empêcher les récidives.

Ces trois objectifs sont attteints par l'aération de l'oreille moyenne. L'aération est assurée par la mise en place d'un drain à travers le tympan, appelé drain trans-tympanique, ou yoyo (▷ ce mot), ou encore diabolo. Le drain laissé en place permet ainsi de remédier à l'insuffisance de perméabilité de la trompe d'Eustache.

L'otite suppurée chronique

Il s'agit de la perforation permanente du tympan. Par cette perforation, l'oreille s'infecte, notamment lors de l'introduction d'eau (piscine, shampooing), puis, grâce aux soins, l'écoulement puis la douleur cessent pour se reproduire à la prochaine occasion. Dans les formes de cholestéatome (▷ ce mot) rencontrées chez l'enfant comme chez l'adulte, l'infection est permanente, responsable d'une odeur fétide, et peut donner lieu à des complications graves (méningite, paralysie faciale, vertiges), d'installation très insidieuse d'où l'importance d'un traitement radical :
— soit médical : c'est l'aspiration régulière sous microscope;
— soit chirurgical : c'est l'ablation du cholestéatome, qui nécessite un évidement partiel ou total de l'oreille, selon l'étendue des lésions. Cet évidement sera parfois suivi d'une greffe tympanique, mais de toute façon une surveillance médicale régulière prolongée pendant plusieurs années est nécessaire, en raison du risque de récidives qui est considérable.

La tympanoplastie est un traitement particulier de l'otite chronique. Il s'agit d'une technique de micro-chirurgie visant à refaire la membrane tympanique perforée, mais également à reconstruire la chaîne ossiculaire lorsqu'elle est interrompue, afin de rétablir la fonction auditive.

Les perforations spontanées du tympan, ou celles créées par paracentèse, de même que les petites perforations traumatiques accidentelles se referment souvent seules en quelques semaines. A l'inverse, les perforations plus importantes nécessitent une greffe simple ou extrêmement difficile,

selon l'importance de l'atteinte des osselets. Plusieurs temps opératoires sont parfois nécessaires.

Le matériel le plus utilisé est l'aponévrose temporale du sujet : la greffe cicatrise très bien, mais le gain auditif est beaucoup moins constant, et dépend des possibilités de préservation des structures osseuses.

 ■ rhinopharingite ■ otorrhée *(ou écoulement d'oreille)* ■ amygdales et végétations ■ yoyo ■ surdité

otorrhée
(ou écoulement d'oreille)

 La présence de pus dans l'oreille affirme l'existence d'une otite. Il provient d'une infection du conduit de l'oreille, ou d'une infection de l'oreille moyenne.

Seul l'examen médical permet de préciser laquelle de ces origines est en cause.

Un écoulement de sang ou de liquide céphalorachidien clair et fluide comme de l'eau peut être observé au cours d'un traumatisme crânien.

Le conduit de l'oreille

— L'écoulement peut être dû à un eczéma : les démangeaisons importantes entraînent un grattage irrésistible qui rapidement va s'accompagner d'un suintement de l'oreille. La rougeur du conduit peut s'étendre jusqu'au niveau du pavillon. L'application locale de cortisone sous forme de solution liquide entraîne une guérison rapide, mais très souvent la récidive se produit, un facteur allergique étant fréquemment incriminé.

— L'otite externe (furoncle du conduit, ou inflammation diffuse du conduit) succède parfois à cet eczéma, dont elle constitue la surinfection. Elle peut parfois survenir sans eczéma préalable et s'accompagne malgré tout d'un écoulement.

L'oreille moyenne

— Au cours d'une otite aiguë, des douleurs importantes peuvent précéder l'ouverture spontanée du tympan. L'ouverture tympanique soulage la douleur et laisse sourdre un liquide séreux ou purulent.

— La paracentèse est l'acte médical consistant en l'ouverture du tympan, et permettant l'écoulement du liquide contenu dans l'oreille moyenne. L'écoulement peut persister pendant quelques jours malgré le traitement.

— L'écoulement d'oreille peut survenir sur une perforation tympanique ancienne, suppuration au cours de rhumes, de bains... Après chaque épisode, l'oreille reste sèche. Parfois, au contraire, la suppuration est permanente : il s'agit d'une infection chronique de l'oreille moyenne, qui nécessitera un traitement chirurgical.

 otite

otospongiose

L'ankylose de l'étrier, un des trois osselets de l'oreille moyenne, entraîne une surdité de transmission s'aggravant progressivement, ainsi que des bourdonnements d'oreille parfois plus gênants que la surdité.

L'otospongiose est une affection héréditaire plus fréquemment rencontrée chez les femmes, et aggravée par les épisodes de la vie génitale : puberté, grossesse, ménopause.

Souvent bilatérale, elle relève d'un traitement chirurgical : ablation de l'étrier bloqué, et remplacement par une prothèse en téflon. L'opération donne de bons résultats, mais l'aggravation ultérieure avec déficit auditif important irrécupérable est possible. Ceci explique que l'on n'opère pas les personnes n'ayant qu'une seule oreille récupérable, de crainte d'une aggravtion, certes rare, d'un déficit auditif, mais qui serait alors dramatique s'il ne restait même plus de possibilité d'appareillage. On proposera dans ces cas un appareillage auditif.

ovaire *(tumeurs de l')*

L'ovaire contient des tissus extrêmement variés ; les tumeurs qui en dérivent seront elles-mêmes d'une extrême variété.

Il est simple et suffisant de distinguer les tumeurs liquides ou solides, hormono-sécrétantes ou non, bénignes ou malignes. Ce cadre permet d'évoquer les tumeurs les plus fréquemment rencontrées.

Les tumeurs liquidiennes

Pendant la période qui précède l'ovulation, les cellules qui entourent l'ovule se multiplient activement pour consituer le follicule de De Graaf (▷ ovulation), véritable kyste entourant l'ovule et dont le diamètre peut atteindre 20 à 30 mm ; l'exagération de ce phénomène aboutit à des kystes de taille quelquefois importante, jusqu'à 70 mm mais qu'un traitement médical bien conduit fera disparaître en quelques semaines. Ils sont dit kystes fonctionnels.

Le symptôme le plus important des kystes ovariens est de n'en pas produire. Il est rare en effet que des pesanteurs pelviennes, des brûlures mictionnelles minimes, quelquefois des métrorragies (saignement entre les règles) attirent l'attention ; c'est le plus souvent à l'occasion d'un examen systématique que sera découvert à côté de votre utérus une tuméfaction de la taille d'une prune, voire d'une orange.

Un examen fondamental, l'échographie* , va en préciser la taille et la nature : cette tuméfaction est strictement liquidienne (en terme échographique : anéchogène). Elle disparaît spontanément après les règles ou après un traitement de trois mois par pilule normo-dosée ou mieux par norstéroïde. Il s'agit d'un kyste fonctionnel qui ne mérite aucun traitement mais une simple surveillance.

En revanche, la persistance d'un kyste, fût-il purement liquidien, oblige à son ablation chirurgicale.

Les tumeurs bénignes et solides

L'échographie révèle une tumeur solide, dont là encore la découverte a été fortuite lors d'un examen systématique ; il s'agit le plus souvent chez la jeune femme d'un kyste dermoïde (contenant des dents et des poils), de nature bénigne mais dont l'ablation est indispensable. S'agit-il d'une tumeur dite solido-liquidienne, de nature histologique complexe, là encore, pas d'hésitation, le traitement est chirurgical.

Les tumeurs hormono-sécrétantes

Voici qu'apparaissent des signes de virilisation chez une femme jusque-là parfaitement féminine : raucité de la voix, apparition d'une pilosité anormale (▷ hirsutisme), dans le même temps que les règles s'espacent ou disparaissent. Ce tableau exige à l'évidence une consultation médicale et des examens complémentaires, lesquels révéleront un taux élevé de testostérone. L'échographie met en évidence une tumeur de l'ovaire dont l'ablation chirurgicale assurera une guérison définitive ; cette tumeur est bénigne.

D'autres tumeurs beaucoup plus rares se signaleront essentiellement par des hémorragies ; des examens hormonaux montreront soit un taux très élevé de folliculine — il s'agira en général d'une tumeur dite de la granulosa dont l'exérèse assure la guérison — soit, dans des cas tout à fait exceptionnels, une inondation par une hormone appelée H.C.G., témoin, elle, d'une tumeur cancéreuse de l'ovaire (ci-après).

Les tumeurs malignes

Les cancers de l'ovaire sont remarquablement latents et ne sont malheureusement découverts qu'à un stade déjà très avancé. Des douleurs pelviennes, des cystites à répétition, des métrorragies..., incitent à un examen médical qui n'est pas toujours probant. C'est encore une fois l'échographie qui va révéler une tumeur d'un ou des deux ovaires, tumeur dont les végétations exo- et endokystiques ont déjà une valeur pronostique grave. Dans les cas douteux, une cœlioscopie* confirmera le diagnostic.

La chirurgie quelquefois difficile devra s'attacher à retirer le maximum de la masse tumorale, après quoi, en fonction de la nature de la tumeur, sera instituée une radiothérapie et pratiquement dans tous les cas une chimiothérapie qui amène chaque jour davantage de guérisons inespérées.

En cas de cancer de l'ovaire, un seul mot d'ordre : espérer et espérer toujours, poursuivre avec persévérance et opiniâtreté toutes les séquences, même pénibles, de chimiothérapie qui vous seront proposées. L'espoir de survie augmente d'année en année.

ovaires *(fonctionnement des)*

L'ovaire a une double fonction :
— *exocrine* : c'est la ponte ovulaire; environ quatre cents ovules seront « pondus » de la puberté à la ménopause;
— *endocrine* : l'ovulation s'accompagne d'une sécrétion hormonale (œstrogène et progestérone).

Le fonctionnement ovarien est variable avec l'âge.

Avant la puberté

Vos ovaires sont au repos; il n'y a aucune sécrétion hormonale.

A la puberté

Les règles apparaissent mais au tout début il n'y a pas ovulation, il n'y a donc pas de sécrétion de progestérone; de là des cycles qui peuvent être longs et des règles hémorragiques. Logiquement sera prescrit un traitement par progestérone.

Vous avez 17 ans et les règles n'apparaissent pas, vous devez commencer à vous en préoccuper. Des examens (frottis* du col de l'utérus, dosages hormonaux, radiographie du crâne [afin de visualiser la selle turcique] et radiographie de la main...) permettront de découvrir la cause de ce qui n'est bien souvent qu'un simple retard pubertaire.

En période d'activité génitale

Vos cycles sont réguliers à deux ou trois jours près; vos règles sont de durée (quatre à cinq jours) et d'abondance normale (trois ou quatre garnitures périodiques par jour); vos ovaires fonctionnent *a priori* normalement, il y a ovulation, c'est-à-dire expulsion d'un ovule hors de l'ovaire, tous les vingt-huit jours environ, avec sécrétion de folliculine avant l'ovulation, de folliculine et de progestérone après l'ovulation.

Vos ovaires fonctionnent correctement : la courbe* ménothermique montre un décalage franc, quatorze jours avant les règles, les dosages hormonaux éventuellement prescrits le vingt-deuxième jour du cycle sont normaux. La mise en route d'une grossesse après un an de rapports environ, en sera la confirmation éclatante.

La ménopause

Aux environs de la cinquantaine apparaissent les premiers signes de la *péri-ménopause*, marquée par des irrégularités menstruelles. La péri-ménopause est caractérisée par une sécrétion de folliculine persistante mais aussi par une absence d'ovulation, donc de progestérone.

Dans un deuxième temps, il n'y a plus de folliculine (le capital ovarien est épuisé), donc ni progestérone, ni folliculine. C'est la ménopause confirmée avec son aménorrhée (absence de règles) et son éventuel cortège de bouffées de chaleur, atrophie muqueuse...

La pilule met vos ovaires en repos, elle se substitue à eux pour agir sur la muqueuse endo-utérine et lors de la semaine d'arrêt provoque des pseudo règles. A la ménopause, les œstrogènes et progestatifs qui pourront vous être prescrits se substituent là encore à la sécrétion ovarienne; vous aurez des règles normales ou presque; ce type de traitement a une action remarquable sur les bouffées de chaleur et l'atrophie muqueuse, il connaît la même surveillance et les mêmes contre-indications que la pilule. Il pose par ailleurs un autre problème, à ce jour non résolu : à quel âge doit-on l'arrêter ?

 ■ **gynécologique** *(examen)* ■ **puberté** ■ **règles ou menstruations** ■ **ovulation** ■ **hormones** ■ **syndrome prémenstruel** ■ **ménopause** ■ **contraception** ■ **stérilité du couple**

ovulation

L'ovulation est un phénomène cyclique qui survient tous les 28 jours environ et qui rythme toute la vie génitale féminine, les règles en particulier. Quatre cents ovules seront pondus de la puberté à la ménopause.

L'ovulation s'accompagne d'une sécrétion hormonale qui a pour but de préparer l'utérus à une éventuelle grossesse : pendant la période qui précède l'ovulation, les cellules qui entourent l'ovule, dites folliculaires, se multiplient activement pour constituer un petit kyste de 15 à 25 mm de diamètre (le follicule de De Graaf). Elles sécrètent une hormone appelée folliculine (ou œstrogène). Cette hormone agit d'une part sur le col de l'utérus où apparaît une glaire limpide, filante, très favorable au passage des spermatozoïdes, d'autre part sur le tissu qui tapisse la cavité utérine (appelée muqueuse utérine ou encore endomètre) dont l'épaisseur passe de un à cinq millimètres.

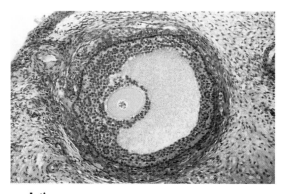

ovulation. *Ovule à l'intérieur d'un follicule.*

Immédiatement avant l'ovulation, le taux de folliculine atteint un niveau « signal » qui induit la décharge d'hormones hypophysaires (F.S.H. un peu, L.H. beaucoup) qui déclenchent l'ovulation.

L'ovule est expulsé de l'ovaire et recueilli par la trompe où il survit deux jours; il sera ou non fécondé par un spermatozoïde. Après l'ovulation, les cellules de follicule vont se transformer en « corps jaune » et sécréter deux hormones : la folliculine et la progestérone; ces deux hormones vont agir sur l'utérus : la glaire disparaît, la muqueuse utérine se transforme en « dentelle« et se charge de mucus et de glycogène (sucre). L'utérus est prêt à assurer la survie et le développement d'une éventuelle grossesse.

Il n'y a pas grossesse : la sécrétion de folliculine et de progestérone, biologiquement programmée, chute 14 jours après l'ovulation. Privée d'hormones, la « dentelle endométriale« s'effondre, ce sont les règles... Un autre cycle va commencer.

 ■ **ovaires** (fonctionnement des) ■ **hormones** ■ **courbe ménothermique** ■ **grossesse** (généralités et surveillance) ■ **contraception** ■ **stérilité du couple**

 ## ovules

 ■ **embryogenèse normale** ■ **fécondation** in vitro (ou bébé éprouvette) ■ **ovaires** (fonctionnement des)

oxygénothérapie à domicile

 Vous souffrez d'une bronchite chronique sévère ou d'un emphysème déjà évolué. Devant l'aggravation progressive de l'essoufflement à l'effort ou même au repos, votre médecin vous a adressé à un pneumologue. Ce dernier a mesuré la pression en oxygène et en gaz carbonique dans le sang artériel.

Les anomalies observées ont justifié une prescription d'oxygénothérapie à domicile : il s'agit de corriger le déficit du sang artériel en oxygène et d'améliorer ainsi le fonctionnement respiratoire, cardiaque et l'oxygénation des tissus.

L'oxygène est le plus souvent délivré au patient par voie nasale grâce à une petite sonde en plastique. Il est fourni soit par de volumineuses bouteilles sous pression, renouvelées périodiquement, soit, de plus en plus souvent, par un appareil dit extracteur qui le concentre à partir de l'air ambiant. Ce matériel coûteux est installé et surveillé grâce à des associations agréées d'aide aux insuffisants respiratoires après accord de la Sécurité sociale.

Pour être utile aux patients, l'oxygénothérapie doit être prescrite avec un débit et, surtout, une durée suffisants pour la journée : 1 litre à 3 litres par minute pendant 10 à 12 heures (les 8 heures de sommeil nocturne incluses), durée minimale pour espérer une réelle amélioration des conditions respiratoires et cardiaques.

La surveillance de ce traitement est assurée par le médecin traitant, en liaison avec le pneumologue qui mesurera régulièrement la pression des gaz dans le sang artériel afin de contrôler l'efficacité de l'oxygénothérapie.

 ■ **bronchite chronique** ■ **emphysème**

oxyurose

 Votre enfant se plaint le soir ou la nuit de vives démangeaisons anales. Pensez à l'oxyurose, parasitose banale, souvent familiale. Dans de rares cas, les oxyures provoquent des douleurs abdominales; chez la fillette, les vers peuvent migrer jusqu'à la vulve occasionnant une inflammation prurigineuse.

La confirmation du diagnostic est apportée par le scotch test : on fixe un cellophane adhésif sur la marge anale, le matin avant la défécation et la toilette, afin de recueillir les œufs d'oxyures pondus la nuit par le ver femelle.

Le traitement anti-parasitaire est simple — une seule prise suffit — et sans danger; tous les membres de la famille seront traités conjointement. Une seconde cure est nécessaire quinze jours après la première prise.

Les démangeaisons sont provoquées par la ponte nocturne des œufs à hauteur de l'anus. L'auto-infestation et la transmission aux autres membres de la famille se fait par les mains sales. La prévention de l'oxyurose repose donc sur le lavage des mains et le brossage des ongles coupés court.

 ■ **abdomen** (douleurs de l') ■ **leucorrhées** ■ **vulve** (maladies de la)

pacemaker

Le pacemaker est une pile de petite taille (qui a, schématiquement, la forme d'un paquet de cigarettes), qui prend le relais des voies de conduction de l'influx cardiaque quand celles-ci sont malades ou bloquées, et assure alors un rythme cardiaque proche de la normale (▷ rythme et conduction cardiaques [troubles du], cœur et circulation sanguine).

Il importe, pour comprendre les indications et le fonctionnement d'un pacemaker, de rappeler brièvement le fonctionnement normal du cœur et les conséquences d'un bloc cardiaque. Normalement, les formations de tissu spécialisé appelées *nœud sino-auriculaire*, *nœud auriculo-ventriculaire* et *faisceau de His* représentent le *système de conduction intra-cardiaque* : l'influx qui part du nœud sino-auriculaire est transmis aux ventricules. C'est cet influx, ce « courant électrique », qui commande la contraction cardiaque, laquelle assure une circulation sanguine normale. Dans certaines conditions pathologiques, l'influx est bloqué à différents niveaux du système de conduction selon les cas; par conséquent, les ventricules ne peuvent se contracter normalement, *le rythme cardiaque est plus lent que la normale* : il y a un *bloc cardiaque* qui peut être responsable de malaise, de syncope, d'essoufflement, de fatigue excessive. Le pacemaker court-circuite la zone de bloc et entraîne directement les ventricules à un rythme proche de la normale.

Le pacemaker est implanté chirurgicalement; mais c'est une intervention brève, ne comportant qu'une simple incision sous-claviculaire ou épigastrique. La pile elle-même (ou *boîtier*), qui produit le courant électrique, est placée sous la peau de la région sous-claviculaire ou épigastrique; le courant est transmis par un fil électrique, connecté au cœur par une électrode : celle-ci est placée soit à la surface du cœur, soit à l'intérieur du ventricule droit après passage dans les gros troncs veineux du cou.

Le rythme du pacemaker est fixe, autour de 70 battements par minute. Le type de pacemaker le plus couramment utilisé est le *pacemaker sentinelle* : la pile ne se déclenche pas en permanence, mais seulement lorsque le rythme cardiaque spontané devient inférieur au rythme de la pile. Le rythme, c'est-à-dire la fréquence des battements du pacemaker, ne varie pas, et, notamment n'augmente pas à l'effort, comme le ferait le cœur.

L'indication d'implantation d'un pacemaker est variable selon les cas; toutefois, chez la majorité des patients (quel que soit leur âge, mais plus volontiers chez le sujet âgé), c'est la survenue de pertes de connaissance totales et brèves d'origine cardiaque qui représente l'indication essentielle. Dans d'autres cas, il peut s'agir de malaises liés à un bloc cardiaque pour lesquels on craint la survenue de syncopes gênantes, voire parfois mortelles.

Le port d'un pacemaker n'est pas gênant et n'entrave pas les gestes de la vie courante. Un patient ainsi appareillé doit posséder une carte indiquant la fréquence des battements engendrés par la pile, et le type de pile utilisée. Il doit régulièrement consulter son cardiologue et subir un contrôle spécialisé du pacemaker au moins une fois par an. Comme toutes les piles, le boîtier s'use et doit donc être changé. La durée de vie de la pile, donc la fréquence de changement du boîtier, est variable selon le type de pile implantée : 4 ans, 7 ans, 12 ans ou plus, selon l'énergie utilisée.

Les premiers pacemakers implantables datent du début des années 1960. Il y a actuellement, en France, plusieurs milliers de patients porteurs de telles piles. Cette invention a rendu d'innombrables services : elle permet en particulier aux sujets atteints de bloc cardiaque sévère, auparavant très handicapés et condamnés à une vie très ralentie, avec une mort certaine à brève échéance, de mener une vie normale.

Paget *(maladie de)*

Affection osseuse fréquente, de cause non encore connue, la maladie de Paget touche le sujet d'âge mûr. Elle se caractérise par une hypertrophie de l'os qui est fragile et hypervascularisé. Cette dystrophie se localise à un ou plusieurs os.

Dans l'immense majorité des cas, c'est lors d'un examen radiologique banal, que la maladie de Paget sera découverte, elle est donc le plus souvent asymptomatique, indolore. Elle ne nécessite pas, dans ces formes, de traitement particulier.

Parfois, ce sont certains signes cliniques qui feront évoquer la maladie (modification du faciès, augmentation du volume crânien, déformation d'un membre, rarement des douleurs).

Le diagnostic est radiographique. Le bilan biologique (augmentation des phosphatases alcalines), apprécie l'évolutivité de la maladie. Si le plus souvent, l'évolution de la maladie ne pose aucun problème, certaines complications sont néanmoins observées; elles sont les conséquences directes de la fragilité de l'os d'une part (fissures, fractures), et de l'hypertrophie osseuse d'autre part, qui comprime les éléments anatomiques voisins (compression médullaire par la vertèbre pagétique).

La seule complication, très rare (0,5 %) mais de sombre pronostic, est la dégénerescence maligne (ostéosarcome), dont le diagnostic est quelquefois difficile sur un os remanié.

Seules les formes douloureuses et biologiquement évolutives seront traitées médicalement (par calcitonine, diphosphonate). Le dosage des phosphatases alcalines permet de suivre la réponse au traitement. La chirurgie sera proposée en cas de fracture et de compression médullaire.

pâleur

Vous vous trouvez pâle : pas de la pâleur cireuse des grands malades, mais suffisamment pour vous en inquiéter. Avant de consulter votre médecin, posez-vous quelques questions que lui-même ne manquera pas sans doute de vous poser. Vous sentez-vous anormalement fatigué ? Souffrez-vous d'essoufflement lorsque vous marchez ou lorsque vous montez des escaliers ? Vos conjonctives, votre langue sont-elles également décolorées ? Avez-vous noté d'autres signes inhabituels récents ? Même si votre pâleur est le seul signe dont vous vous plaigniez, sa persistance doit vous amener à consulter votre médecin. Celui-ci vous prescrira un hémogramme, afin de déterminer si vous êtes ou non anémié : l'anémie est en effet l'explication habituelle d'une pâleur anormale.

☞ ■ sang ■ anémies

palpitations

Vous avez ressenti quelques irrégularités de vos battements cardiaques, avec une impression désagréable mais non douloureuse. Si ce signe est isolé et ne se répète pas, il est sans signification pathologique et il n'est même pas nécessaire d'appeler le médecin ou de pratiquer un électrocardiogramme*.

Si, en revanche, ces manifestations sont très fréquentes, avec une sorte d'irrégularité du cœur,

ou bien si vous avez senti votre cœur se décrocher battre très vite, et ceci pendant quelques minutes et parfois plusieurs heures, il importe de consulter rapidement le médecin, puis un spécialiste, pour préciser l'anomalie rythmique.

Il en est de même si :
— les palpitations sont suivies d'un malaise ou, surtout, d'une perte de connaissance ou syncope;
— les palpitations sont accompagnées d'une gêne respiratoire marquée ou d'une douleur prolongée au centre de la poitrine.

Grâce à l'électrocardiogramme, le cardiologue peut analyser le rythme du cœur et ses anomalies, si, par chance, celles-ci surviennent au cours de l'examen. Sinon, il importera parfois d'enregistrer en continu, pendant vingt-quatre ou quarante-huit heures, l'électrocardiogramme (enregistrement de Holter) sur un petit magnétophone portatif.

Il est également parfois utile d'enregistrer le rythme cardiaque au cours d'une épreuve d'effort. Très exceptionnellement, on aura recours à un cathétérisme cardiaque — petite sonde montée par une veine jusque dans les cavités du cœur; on enregistrera le rythme et la conduction à l'intérieur même du cœur; éventuellement, on pourra déclencher volontairement des troubles du rythme pour en voir le déroulement et les meilleurs moyens d'y parer au moment des crises.

Les causes les plus fréquentes de palpitations :
— la tachycardie émotionnelle,
— les extrasystoles ou battements anormaux uniques,
— la tachycardie paroxystique ou *maladie de Bouveret*, très régulière et de début et fin brutaux,
— l'arythmie complète où le cœur a perdu toute régularité.

Il est rare que les anomalies du rythme cardiaque soient dangereuses et nécessitent un traitement médical ou chirurgical. Dans la majorité des cas, le traitement se justifie par la gêne et l'inconfort que ces palpitations procurent. Il faut alors peser les inconvénients de la gêne causée par les palpitations et celle causée par un traitement médical de longue haleine utilisant des drogues qui, en général, ne sont pas anodines. En ce domaine, tout est fonction de cas individuel.

☞ ■ rythme et conduction cardiaques
   (troubles du)

paludisme

Toute fièvre survenant au retour d'un séjour en pays d'endémie palustre doit évoquer le paludisme au même titre qu'une hépatite virale ou une typhoïde. Vous pensez ne courir aucun risque et pourtant, même si votre séjour a été de courte durée, une simple escale suffit pour que vous soyez piqué par l'anophèle, le moustique vecteur de la maladie. Même si vous avez suivi votre traitement préventif, il existe malheureusement des *plasmodium*, parasites responsables du paludisme, résistant à la quinine (médicament antipaludéen).

L'allure de cette fièvre est variable. Le paludisme évolue en effet en deux phases distinctes :
— une première phase de primo-invasion débute une à trois semaines après la contamination; elle est marquée par une fièvre progressive irrégulière accompagnée de maux de tête, de courbatures, de nausées et vomissements et parfois d'une diarrhée;
— après cette période inaugurale, vont apparaître des accès fébriles, intermittents, dont la périodicité et la gravité dépendent de la variété du paludisme en cause.

Lors du *paludisme à plasmodium falciparum*, les accès fébriles se répètent quotidiennement ou tous les trois jours; cette forme de paludisme est la seule responsable du redoutable accès pernicieux qui peut mettre en danger la vie du patient. La fièvre est très élevée, accompagnée de signes d'origine méningée (maux de tête, douleur de la nuque) et de troubles de la conscience pouvant aller jusqu'au coma. L'examen décèle une grosse rate, une anémie et un ictère.

Les autres formes de paludisme sont bien moins dangereuses : frissons, chaleur puis sueurs; les accès durent quelques heures et se répètent tous les trois jours pour les *plasmodium vivax* et *ovale*, tous les quatre jours pour les *plasmodium malariae*.

Au moindre doute devant une fièvre au retour d'un voyage en pays d'endémie, votre médecin pourra, dans l'heure qui suit, confirmer le diagnostic de paludisme par un simple examen du sang (frottis, goutte épaisse).

Le traitement de l'accès pernicieux repose sur l'administration continue de la quinine par voie intra-veineuse, celui des autres paludismes sur de la chloroquine par voie orale.

La prévention des paludismes repose sur l'emploi de moustiquaires ainsi que sur la prise régulière de chloroquine (antipaludéen) durant tout le séjour en pays d'endémie et il faudra continuer le traitement deux mois après le retour.

☞   ■ **fièvre de l'adulte** ■ **tropicales** *(maladies)*

panaris

Le panaris est une infection localisée à l'extrémité d'un doigt. Sa gravité ne réside pas en règle générale dans la nature de l'infection — le plus souvent il s'agit d'un staphylocoque doré —, mais dans sa localisation. La proximité des tendons, des os et des articulations peut transformer un banal panaris débutant en une destruction partielle, voire totale, du doigt atteint, et ce dans des délais rapides.

Le diagnostic de cette infection est simple dès l'examen de la lésion. Très régulièrement, la notion de plaie est retrouvée dans les jours précédents (piqûre d'épingle, ongle rongé profondément, soins de manucure mal faits). Les premiers signes sont une douleur qui empêche l'utilisation du doigt et modifie la perception de ce que l'on touche. En même temps, apparaît une rougeur, puis rapidement la partie malade devient chaude et l'intensité de la douleur augmente jusqu'à gêner le sommeil.

Le médecin consulté dès les premiers signes prescrira des soins locaux (bains d'antiseptiques) et un traitement antibiotique très court, car dès que le panaris devient mou en son centre (fluctuant), le traitement chirurgical (excision et curetage) devient urgent. S'il est trop tardif, l'infection gagne en profondeur l'os ou l'articulation, rendant la chirurgie plus difficile et le résultat incertain même si le traitement est bien conduit. L'atteinte osseuse visible à la radiographie peut conduire à une amputation plus ou moins importante du doigt ou à des séquelles considérables. L'atteinte des gaines tendineuses impose une chirurgie lourde pour empêcher la destruction des extenseurs ou fléchisseurs de la main (ténosynovite, phlegmon des gaines).

☞   **phlegmon**

pancréas *(cancer du)*

Le cancer du pancréas est peu fréquent mais de pronostic sévère, car les signes en sont tardifs et le diagnostic souvent fait à un stade évolué.
— L'atteinte caudale (*queue du pancréas*) est peu parlante et le diagnostic est souvent fait devant une tumeur déjà volumineuse avec des douleurs épigastriques et un amaigrissement.
— A l'inverse, l'atteinte céphalique (*tête du pancréas*) entraîne rapidement des signes de compression biliaire (ictère), puis digestive (vomissements). Le diagnostic peut être fait par échographie*, scanner* ou opacification des voies biliaires lorsqu'elle est possible. La cure chirurgicale est souvent difficile du fait de l'atteinte des organes de voisinage, le plus souvent très précoce. Seule une chirurgie palliative est possible; celle-ci permet de dériver les voies biliaires, faisant ainsi disparaître l'ictère particulièrement pénible pour le malade.

Dans certains cas on peut introduire sans opérer (par voie endoscopique ou transcutanée), une prothèse dans la voie biliaire pour permettre l'écoulement de la bile et la disparition du prurit.

pancréatite aiguë

Vous avez des douleurs abdominales très violentes, irradiant en arrière vers le dos et à gauche vers l'omoplate; vous vous couchez en chien de fusil sur le côté gauche pour essayer d'atténuer la douleur; la crise dure de plusieurs heures à deux ou trois jours. Il peut s'agir d'une pancréatite aiguë.

Une pancréatite aiguë est provoquée par un œdème et/ou une nécrose (c'est alors une forme grave) de la glande pancréatique. La cause de la pancréatite aiguë est souvent la lithiase biliaire (calculs) ou l'alcoolisme. Les autres causes sont beaucoup plus rares : postopératoires, métaboliques (hyperlipémie), endocriniennes (hypercalcémie), infectieuses (oreillons). Les examens complémentaires, souvent effectués en milieu hospitalier, comprendront une radiographie de l'abdomen sans préparation (ASP), des dosages biologiques dont ceux des enzymes pancréatiques (amylasémie, lipasémie), une échographie* et/ou un scanner*, etc.

Les bases du traitement sont l'aspiration digestive, la réhydratation et l'alimentation par voie veineuse; une intervention chirurgicale est parfois nécessaire. Le traitement est la réanimation dans les formes œdémateuses, les moins graves, où le pronostic est bon. Il est parfois chirurgical, notamment en cas de complications. L'intervention se limite le plus souvent à enlever les tissus détruits qui entretiennent la maladie, à nettoyer très soigneusement la cavité abdominale et à contrôler les voies biliaires à la recherche de calculs.

L'évolution de la maladie, lorsqu'elle est favorable, peut se faire vers la guérison totale ou avec une insuffisance enzymatique séquellaire responsable de troubles de la digestion. Enfin, parfois, on voit la formation d'un faux kyste du pancréas, qui se manifeste par une récidive des douleurs abdominales, une élévation de l'amylasémie et un aspect caractéristique à l'échographie* : cela conduira à une intervention. L'opération est destinée à drainer la poche ainsi constituée. Parfois l'ablation d'une partie du pancréas pourra être nécessaire. Bien que le pancréas sécrète l'insuline, les pancréatites aiguës entraînent rarement un diabète durable. S'il s'agit d'une pancréatite secondaire à une lithiase biliaire, le traitement de la lithiase évitera toute rechute. S'il s'agit d'une pancréatite éthylique, le pronostic dépendra surtout du sevrage des boissons alcoolisées.

☞ ■ lithiase biliaire ■ alcoolisme ■ diabète sucré

pancréatite chronique

Vous avez un ou plusieurs des symptômes suivants : douleurs abdominales avec irradiation au dos et/ou à l'épaule gauche, un amaigrissement, une diarrhée faite de selles décolorées, luisantes, graisseuses, un diabète d'apparition récente... Cela évoque une pathologie pancréatique et notamment une pancréatite chronique.

Les pancréatites chroniques sont pour la plupart calcifiantes. En effet des calcifications pan-

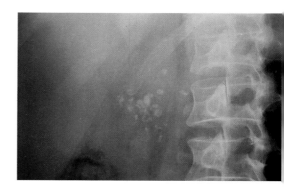

pancréatite chronique. *On voit sur cette radiographie d'abdomen sans préparation (ci-dessus) un amas de calcifications très évocateur d'une pancréatite chronique calcifiante. Ci-dessous : ① côtes, ② calcifications, ③ vertèbres.*

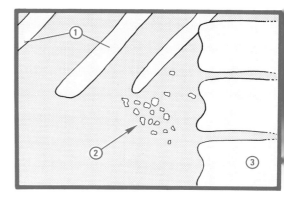

créatiques apparaissent successivement au scanner et à l'échographie puis sont visibles lors de la radiographie de l'abdomen sans préparation. La pancréatite chronique est dans la plupart des cas due à l'éthylisme. Elle évolue généralement vers la fibrose du pancréas. C'est dire l'intérêt pour le patient de supprimer totalement et définitivement les boissons alcoolisées.

☞ alcoolisme

pansement d'une plaie

Le pansement d'une plaie est soumis à des règles précises. Selon la plaie, le médecin détermine le pansement le mieux adapté.

— Un pansement de gaze sèche stérile est habituellement placé sur les sutures chirurgicales en fin d'intervention ou sur les plaies dont la cicatrisation est suffisamment avancée. Ces pansements secs réalisent essentiellement une protection contre les frottements, les poussières ou les chocs, mais ils n'influencent pas la cicatrisation. Ils ne sont pas conservés longtemps.

— Un pansement à base de gaze grasse stérile est placé sur les plaies dont la cicatrisation s'annonce difficile, avec un recouvrement cutané insuffisant (plaie délabrée) ou sur une greffe cutanée. Les différentes substances grasses, dont certaines contiennent des antibiotiques, aident la cicatrisation et le médecin appréciera l'indication pour chacune d'entre elles. Un pansement à base de gaze grasse stérile avec corticoïdes est indiqué pour les plaies dont la cicatrisation est bourgeonnante.

— Il faut mettre à part les pansements alcoolisés à 60° qui ne s'appliquent jamais sur une plaie mais sur une peau saine en regard d'une inflammation ou d'un traumatisme.

Un pansement doit être suffisamment épais et absorbant pour éviter que le suintement éventuel de la plaie ne le traverse. Il sera modérément serré sauf s'il doit être compressif afin d'arrêter un saignement. Compressif, il ne doit être conservé que le temps prescrit.

L'application d'un pansement doit être effectuée par un médecin ou une infirmière. Parfois, le médecin laissera une personne de l'entourage du patient le refaire.

☞ ■ brûlures ■ ulcère de jambe

papules

☞ peau

paracentèse

☞ otite

paralysie

La paralysie est la disparition du mouvement volontaire. De cause très diverse, elle est un symptôme neurologique fréquent. Elle doit être distinguée de l'anesthésie qui est une perte de sensibilité. Celle-ci peut accompagner une paralysie.

La paralysie peut toucher un muscle ou un groupe de muscles comme dans les paralysies provoquées par une lésion d'un nerf ou d'une racine nerveuse : par exemple, une *sciatique paralysante* avec déficit moteur des releveurs du pied. Elle peut aussi toucher les deux membres inférieurs (*paraplégie*) ou les quatre membres (*quadriplégie*) dans le cas de lésions de la moelle épinière (compression médullaire), toute une moitié du corps (*hémiplégie*) lors de lésions cérébrales (accident vasculaire cérébral).

Une paralysie peut survenir brusquement en cas d'accidents vasculaires cérébraux ou de traumatismes (fractures du rachis), ou n'apparaître que progressivement et s'aggraver en quelques semaines quand on a affaire à des tumeurs cérébrales ou des polynévrites.

La paralysie est un symptôme grave qui nécessite une consultation d'urgence.

paralysie faciale non traumatique

Vous avez constaté une asymétrie de votre visage : le côté droit ou gauche de votre visage est paralysé. Il se trouve attiré de ce fait vers le côté non paralysé. Il s'agit d'une paralysie faciale.

Lorsque la paralysie faciale s'est installée brutalement, sans autre signe qu'une douleur inconstante de l'oreille, il s'agit d'une paralysie faciale dite « a frigore », ainsi appelée parce que parfois provoquée par l'exposition au froid d'un côté du visage (fenêtre de voiture par exemple). En fait, la cause est incertaine.

— Dans 85 % des cas, ces paralysies faciales récupèrent spontanément et complètement en 10 jours à quelques semaines. Il n'est pas certain que la cortisone et les vaso-dilatateurs qui sont habituellement prescrits aient une efficacité dans cette guérison. En revanche, le risque oculaire dû à la fermeture incomplète des paupières du côté atteint sera systématiquement prévenu. La rééducation musculaire et les massages ont également un rôle bénéfique.

— Dans 15 % des cas, la récupération ne se fait pas ou reste incomplète, entraînant un préjudice esthétique et un risque oculaire. Ceci peut conduire à :

une intervention chirurgicale afin de décomprimer le nerf facial dans son trajet à l'intérieur de l'oreille;

ou encore à certaines interventions de chirurgie réparatrices visant à pallier les effets de la paralysie, et notamment l'absence de fermeture de l'œil ou la chute de la joue et de la bouche.

Rarement, la paralysie faciale révèle ou complique une affection connue. C'est le cas de l'otite aiguë mais surtout chronique, ou encore d'une tumeur de la parotide (glande salivaire). L'intervention est dans ce cas nécessaire.

Parfois le médecin diagnostiquera une paralysie faciale dite centrale. Souvent beaucoup plus discrète que la paralysie faciale « afrigorée », cette affection doit conduire à une consultation de neurologie, car elle a la même signification qu'une hémiplégie.

☞ ■ accident vasculaire cérébral ■ tumeurs cérébrales

paranoïa

Le paranoïaque est susceptible, méfiant, toujours en état d'alerte, ne faisant confiance à personne. Orgueilleux rigide, il considère à tort sa pensée infaillible mais son jugement est faux; il recherche alors de façon acharnée des arguments pour le confirmer: motifs cachés et significations insolites attribués à des faits sans importance. Ayant une haute opinion de lui-même, il est autoritaire et intolérant envers les autres. Froid, sans humour ni tendresse, il est tyrannique, agressif et jaloux envers sa famille et ses subordonnés.

Ses troubles sont souvent compatibles avec une excellente intégration sociale, la paranoïa n'étant découverte qu'à l'occasion d'une décompensation délirante ou de violences injustifiées. Le traitement est décevant.

☞ ■ psychoses ■ délire

paraplégie

☞ ■ compression médullaire
■ paralysie

parasitologie des selles

☞ coproculture et examen parasitologique des selles

Parkinson *(maladie de)*

La maladie de Parkinson touche près de 1 % de la population; elle débute généralement entre cinquante et soixante ans, plus souvent chez l'homme que chez la femme.

Son début est très lent et progressif; vous présentez un tremblement qui apparaît lors des émotions; votre écriture s'est modifiée, elle devient plus petite; vous vous plaignez d'une sensation de raideur, d'une certaine lenteur pour vous habiller ou pour manger.

Vous devez consulter votre médecin dès l'apparition de ces premiers signes car en quelques mois, parfois en quelques années, la maladie s'aggrave.
— *Le tremblement régulier*, uni- ou bilatéral, intéresse surtout le membre supérieur; à la main, il réalise des mouvements de flexion et d'extension des doigts, comme si l'on émiettait du pain. Il s'agit d'un tremblement de repos. Cependant, il disparaît lors du sommeil; il est important lors du maintien d'une attitude et s'intensifie lors d'émotions ou de concentration intellectuelle.

Le tremblement peut s'atténuer ou disparaître quelques instants lors d'un effort de volonté pour réapparaître ensuite.
— *L'hypertonie* est une raideur qui intéresse l'ensemble des muscles et tend à fixer un membre ou un segment de membre dans la position où on le place. Lors de la mobilisation d'un membre, elle cède par à-coups successifs, réalisant le phénomène de la « roue dentée ».
— L'*akinésie* ou *bradykinésie* (rareté et difficulté de tous les mouvements, de tous les gestes) n'est pas en rapport direct avec l'hypertonie. Il s'agit du symptôme le plus pénible et le plus invalidant de la maladie parkinsonienne.

En l'absence de traitement, la maladie continue d'évoluer: le patient ne peut s'habiller ni manger seul; il lui est impossible de se lever sans aide et, une fois debout, il piétine sur place puis avance en traînant les pieds, genoux demi-fléchis. La voix est faible avec, quelquefois, répétition des derniers mots d'une phrase (*palilalie*). Des troubles psychiques — à type de dépression, de trouble de l'humeur —, une détérioration intellectuelle apparaissent progressivement ainsi que des troubles végétatifs (*hypersudation* ou *hypersalivation*). Le diagnostic n'est porté que sur les signes cliniques évolutifs; aucun examen complémentaire ne sera nécessaire.

Depuis 1970, l'avènement de la *L Dopa* a soulagé et transformé la vie des patients atteints de la maladie de Parkinson, cependant il n'a pas permis de guérir cette affection qui continue à évoluer en quelques dizaines d'années.

Le traitement par la *L Dopa* permet fréquemment, au début, de faire disparaître tremblements, hypertonie et akinésie. Mais, quelques incidents consécutifs au traitement — troubles digestifs, hypotension en position debout ou mouvements anormaux involontaires — gêneront plus ou moins le malade; ils peuvent être néanmoins contrôlés par le fractionnement des doses.

parole *(troubles de la)*

☞ langage de l'enfant *(troubles du)*

parotide

☞ ■ boule dans le cou ■ oreillons

pasteurellose

Quelques jours après avoir été griffé ou mordu par un chat ou un autre animal (le plus souvent sur la main), ou encore piqué par une esquille osseuse ou une épine végétale, apparaît une douleur de la plaie dont l'intensité, très vive, est sans relation avec l'importance de la blessure. Puis, alors que celle-ci se cicatrise, apparaissent des ganglions dans le territoire satellite (l'aisselle et surtout le coude) ainsi que des douleurs dans les articulations contiguës. Ces douleurs ont parfois une évolution chronique.

Le diagnostic est affirmé par la positivité de l'intra-dermoréaction à l'antigène pasteurellien. Le traitement repose sur la pénicilline; des injections intra-dermiques d'antigène pasteurellien ont souvent un effet favorable sur les douleurs chroniques.

paupières
(chirurgie esthétique des)

Les poches et les rides des paupières supérieures et inférieures peuvent être corrigées par la chirurgie esthétique.

Les poches sont dues à l'excès de la graisse orbitaire qui vient saillir sous la peau. Or, il s'agit

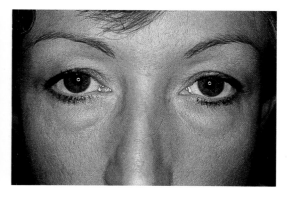

paupières *(chirurgie esthétique des). C'est la graisse gorgée d'eau qui gonfle les paupières. Il est inutile d'enlever de la peau.*

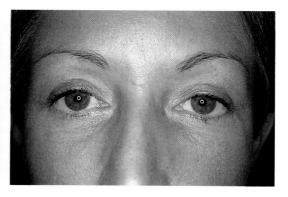

d'une graisse particulièrement hydrophile, se gorgeant d'eau lorsque le sujet est en position déclive, tête basse, ce qui explique le gonflement plus important le matin au réveil et lors de la fatigue. Un caractère familial est souvent noté. Les poches s'observent chez les sujets jeunes; elles augmentent certes avec l'âge, mais elles ne sont absolument pas un signe de vieillissement.

Le traitement de la poche sera fait par l'ablation de l'excès de graisse se trouvant sous le muscle situé immédiatement sous la peau palpébrale. L'incision est dissimulée dans un pli, ou immédiatement sous les cils de la paupière inférieure. Les résultats de cette intervention sont excellents.

Les rides sont dues à un excédent de peau; elles réalisent une flétrissure cutanée différente de celle du reste du visage, car la peau des paupières est extrêmement fine. Les rides les plus importantes siègent à la partie externe de l'œil, où elles réalisent la patte d'oie.

La résection de l'excédent cutané de la paupière inférieure doit être extrêmement prudente. En effet, il n'existe pas de pli naturel, et une ablation trop importante de la peau peut entraîner un retournement vers le bas de la paupière, appelé ectropion, qui diminuera immédiatement après l'intervention, mais qui peut nécessiter une greffe cutanée. Un chirurgien esthétique expérimenté obtiendra néanmoins de très bons résultats, qui se maintiendront plusieurs années.

La qualité des cicatrices est toujours excellente. L'intervention se déroule sous anesthésie locale et demande de 12 à 24 heures d'hospitalisation.

peau *(cancer de la)*

L'exposition solaire favorise le développement de certains cancers cutanés particulièrement chez les personnes âgées, les individus à peau très claire, les adeptes du bronzage intensif, les sujets travaillant à l'extérieur comme les agriculteurs, les maçons, les marins...

La survenue d'un cancer cutané complique parfois l'évolution de lésions chroniques de la peau: ulcère de jambe, importantes cicatrices de brûlures, lésions cutanées d'irradiation. A l'inverse, certaines affections cutanées dégénèrent de façon fréquente (albinisme par exemple) en cancer.

Les cancers cutanés peuvent apparaître sur une peau saine ou, parfois, sur une lésion pré-cancéreuse qui a souvent l'aspect d'une petite plaque de peau sèche, rugueuse et brunâtre et qui ne guérit pas. Consultez alors un spécialiste, car le traitement en est fort simple à ce stade. Si vous attendez, la lésion va dégénérer, se creuser ou bien bourgeonner; il faut demander l'avis d'un dermatologue qui pratiquera l'ablation de la lésion ainsi que son examen anatomopathologique (▷ peau).

Le plus fréquent des cancers cutanés s'appelle *épithélioma basocellulaire*. Il apparaît le plus sou-

peau *(cancer de la) : mélanome malin. Toute lésion noire de la peau ou des ongles doit inciter à consulter un médecin car il peut s'agir d'un mélanome malin. Son exérèse au stade initial est impérative et permet la guérison.*

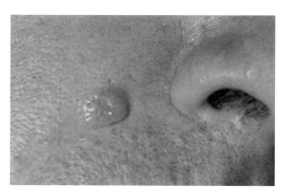

peau *(cancer de la) : épithélioma baso-cellulaire. Cette lésion nodulaire, rosée, à surface lisse et brillante, parfois parcourue de fins vaisseaux, qui grossit de façon insidieuse depuis plusieurs années, est une tumeur maligne qui doit être traitée.*

vent chez des sujets âgés de plus de 50 ans, évolue lentement et siège surtout sur le visage et sur le dos des mains. Il possède une malignité stricte-ment locale et prend fréquemment l'aspect d'une petite plaie qui ne guérit pas, ou d'une petite élevure translucide, ou encore d'une plaque cicatri-cielle bordée d'un fin ourlet. L'ablation complète de la tumeur en profondeur évite tout risque de récidive.

Une autre variété de cancers cutanés est repré-sentée par l'*épithélioma spinocellulaire* qui survient surtout chez les sujets âgés et le plus souvent sur une lésion chronique de la peau, mais aussi sur une zone exposée au soleil. Il peut donner des métas-tases ; sa reconnaissance et son ablation doivent être pratiquées le plus rapidement possible. Il peut siéger sur les lèvres, la langue, les muqueuses génitales.

Un nævus ou grain de beauté, différent des autres, attire votre attention :
— sa surface s'est agrandie ;
— sa couleur n'est pas uniforme et présente des reflets bleutés ;
— ses bords sont irréguliers, encochés ;
— son épaisseur change par endroit ;
— il devient douloureux ou parfois démange ;
— il peut saigner ou suinter.

C'est un grain de beauté cancéreux ou *méla-nome malin*. C'est une tumeur maligne très grave, surtout lorsque l'ablation chirurgicale n'est pas pratiquée suffisamment tôt ; mais, heureusement, ce type de cancer cutané est rare, bien que sa fréquence augmente d'année en année et soit en relation étroite avec l'exposition solaire. Le méla-nome malin peut apparaître aussi subitement, sans résulter de la transformation maligne d'un grain de beauté préexistant.

Toute modification récente d'un grain de beauté en couleur, en surface ou en volume doit inciter à demander rapidement l'avis d'un spécialiste qui pratiquera l'ablation de la lésion s'il le juge néces-saire. Identifié tôt, ce cancer est curable ; diagnosti-qué tardivement, son évolution est très grave car il donne des métastases. Si vous présentez de nom-breux grains de beauté, vous devez régulièrement les montrer à un dermatologue et vous devez éviter de vous exposer trop longtemps au soleil.

 ■ **gland** *(lésions du)* ■ **balanites** ■ **nævus** ■ **cancer** ■ **soleil**

peau
(consultation dermatologique)

 La consultation motivée par une maladie de la peau se déroule généralement selon un ordre précis.

Votre médecin notera tout d'abord les caracté-ristiques de l'éruption :
— la lésion dermatologique la plus courante est l'*érythème* qui est une rougeur congestive de la peau ;
— les *papules* sont des petites lésions saillantes palpables qui peuvent réaliser des plaques par confluence ;
— les *vésicules* sont des petites « cloques » conte-nant de la sérosité ;
— les *bulles* sont également des cloques, de diamè-tre plus important ;
— les *pustules* sont dues à une collection de pus en relief ;
— le *purpura* est une tache hémorragique due à la présence de globules rouges hors des vaisseaux sanguins ;
— les *télangiectasies* correspondent à une dilata-

tion permanente des vaisseaux dont le trajet devient visible à l'œil nu;
— les *pigmentations* sont des taches foncées dues à la présence de pigment dans la peau.

Une fois la lésion élémentaire reconnue, le médecin vous demandera de préciser les circonstances de survenue de l'éruption; il notera le siège des éléments, leur forme, leur nombre, et les signes fonctionnels (démangeaison, brûlure...) ou généraux (fièvre...) qui accompagnent l'éruption.

L'examen complet du patient est souvent nécessaire car certaines maladies surviennent sur des terrains particuliers ou peuvent révéler un caractère organique. Parfois, votre médecin souhaitera obtenir des renseignements fournis par des examens complémentaires.

La biopsie cutanée

C'est un examen simple, parfois indispensable pour le diagnostic de certaines affections dermatologiques ou pour analyser la nature cellulaire d'une tumeur. Après anesthésie locale, le dermatologue prélève un petit morceau de peau, à l'aide d'un bistouri à lame ou circulaire. La taille des prélèvements, surtout de ceux effectués sur des régions découvertes, est bien sûr influencée par des considérations esthétiques. La biopsie est suivie d'une suture, et les fils sont enlevés entre le 7e et le 15e jour après l'intervention, selon sa localisation, laissant une petite cicatrice linéaire. Trempé dans un liquide fixateur, le fragment prélevé est confié à l'anatomopathologue qui, après l'avoir débité en tranches extrêmement fines, l'examinera au microscope.

On prescrit parfois une biopsie cutanée afin d'établir un examen immunologique de la peau : par cette technique, on visualise les anticorps particuliers dans la peau et l'on diagnostique certaines maladies immunologiques.

Les prélèvements à la recherche d'agents pathogènes

L'examen bactériologique doit être effectué avant tout traitement antiseptique ou antibiotique, local ou général. Sachez qu'il existe une flore microbienne cutanée normale qui colonise habituellement la peau. L'abus d'antiseptiques, en détruisant la flore saprophyte, rend la peau vulnérable à l'invasion d'agents pathogènes. Divers échantillons prélevés sont examinés au microscope après coloration, puis placés sur des milieux de culture. On pourra pratiquer, si cela semble nécessaire, un antibiogramme afin de choisir l'antibiotique auquel le germe est le plus sensible.

L'examen mycologique est nécessaire lorsque une lésion cutanée ou muqueuse évoque une infection dont les agents pathogènes sont des champignons. Le prélèvement se fait sur des lésions non traitées depuis plusieurs jours, et le matériel recueilli est ensuite placé sur des milieux de culture appropriés. Pour certains champignons, comme les dermatophytes, le délai de développement est long (trois semaines); pour les levures comme *Candida albicans*, il est de quelques jours.

L'examen virologique, peu usité, est effectué le plus souvent par des laboratoires spécialisés.

Les examens sérologiques

Des prélèvements de sérum sont parfois nécessaires à l'élaboration du diagnostic en dermatologie. Ils consistent à doser l'augmentation des anticorps produits par l'organisme en réponse à certaines agressions microbiennes, virales ou au cours de maladies d'origine immunologiques. Un délai de deux semaines est nécessaire entre les deux prélèvements.

Les examens généraux

Variables selon la maladie, ils peuvent recouvrir l'ensemble de la médecine.

☞   INDEX THÉMATIQUE *(DERMATOLOGIE)*

pelade

☞ cheveux

pellicules

☞ cheveux

pelviennes *(douleurs)*

Vous souffrez de douleurs aiguës du bassin, vous consultez un médecin en urgence. Un problème diagnostique et thérapeutique va se poser, que l'examen clinique ne permet pas toujours de résoudre. S'agit-il d'une appendicite, d'une occlusion, d'une lithiase urinaire, etc. ? Nous ne traiterons ici que des problèmes gynécologiques.

Vous pouvez aider grandement à la démarche du médecin en gardant précisément en tête la date de vos dernières règles, leur abondance, leur rythme habituel, en évoquant les symptômes qui ont peut-être précédé cette crise douloureuse (cystite, constipation, leucorrhées ou pertes blanches), et en prenant votre température. Vous vous efforcerez de décrire aussi exactement que possible les opérations chirurgicales que vous avez subies, leur date et leur nature, d'en retrouver les comptes rendus que vous n'avez que trop rarement en votre possession; conservez les échographies*, hystérographies*... qui ont peut-être été faites. Sachez que des réponses précises à un interrogatoire minutieux, des documents même anciens, ont une excellente valeur d'orientation.

Ainsi ce retard de règles ou ces dernières règles très faibles, ces petites pertes de sang, évoqueront-elles une grossesse extra-utérine... Ainsi ce kyste de l'ovaire sans signification particulière que l'on a autrefois trouvé sur une échographie peut-il évoquer maintenant une torsion qui implique un traitement chirurgical immédiat.

En revanche, ces trompes dilatées bien visibles sur une ancienne hystérographie et maintenant ces pertes purulentes, cette cystite, évoquent davantage une infection aiguë (salpingite) dont le traitement est d'abord médical.

Ces quelques exemples parmi d'autres illustrent l'inappréciable intérêt d'une collaboration active de votre part à un diagnostic ou à une thérapeutique dont vous serez la première bénéficiaire. Cette collaboration s'avère encore plus précieuse lorsqu'il s'agit de *douleurs pelviennes chroniques*.

— Il importe d'en bien préciser la nature, « pesanteurs, douleurs fulgurantes, contractions utérines », leur variation au cours du cycle menstruel, leur exacerbation avant, pendant ou après les règles, au moment de l'ovulation, avant ou après les rapports. Ces douleurs s'accompagnent-elles de pertes purulentes, d'une température même peu élevée ? Sont-elles consécutives à un accouchement, à un avortement, à des rapports épisodiques ? S'accompagnent-elles d'un gonflement abdominal, d'une constipation, d'une crise de cystite ou de métrorragies (saignement entre les règles) ? Sont-elles liées à la fatigue, à la tension nerveuse, aux soucis... ?

— Les douleurs pelviennes chroniques ne sont qu'un symptôme, et leurs causes sont multiples; ce n'est que par la confrontation des renseignements que vous lui fournirez et des données de l'examen clinique, que votre médecin pourra poser un diagnostic, établir une thérapeutique et éventuellement demander des recherches complémentaires.

Voici quelques exemples qui illustrent bien ce propos :

— Ces douleurs prémenstruelles (qui font souvent partie du syndrome prémenstruel) vous les avez toujours connues, elles sont banales chez les jeunes filles ou les jeunes femmes, elles évoquent rarement une pathologie grave et cèdent en général à un traitement bien codifié (contraception orale, anti-inflammatoires, antalgiques banals, ou mieux encore à un accouchement) :

— Surviennent-elles au cours des rapports, pendant les règles, au moment de l'ovulation, elles évoquent une endométriose qu'il conviendra de confirmer par une cœlioscopie.

— Surviennent-elles après un accouchement, quelquefois laborieux : on peut penser à une déchirure du ligament large, c'est le syndrome de Masters et Allen qui relève d'un traitement chirurgical...

— Les douleurs s'accompagnent-elles de pertes de sang (métrorragies), de pertes purulentes, de cystites, on doit penser à une infection (maladies sexuellement transmissibles) et en rechercher le germe responsable.

 ■ **leucorrhées** ■ **infection urinaire** ■ **grossesse extra-utérine** ■ **ovaire** *(tumeurs de l')* ■ **syndrome prémenstruel** ■ **endométriose** ■ **salpingites aiguës et chroniques** ■ **maladies sexuellement transmissibles**

pelvispondylite rhumatismale

La pelvispondylite rhumatismale (P.S.R.) est une maladie inflammatoire de l'homme jeune, évoluant par poussées. Cette affection est associée dans 90 % des cas à la présence d'un facteur génétique : le H.L.A. B 27 (*Human Leucocyt Antigen*).

Trois types de symptômes font évoquer ce diagnostic :

— Il peut s'agir de rachialgies inflammatoires (dorsales, lombaires), ou de lombosciatalgie réveillant le patient la nuit; elles prédominent au petit matin. Ces douleurs ont la particularité de n'être pas soulagées par le repos.

— Dans d'autres cas, c'est l'atteinte inflammatoire d'une articulation périphérique (arthrite) ou une talalgie bilatérale (douleurs des talons) très évocatrice de P.S.R. qui attire l'attention.

— C'est un ophtalmologue ou un cardiologue qui, sur la constatation de troubles oculaires ou cardiaques, demande une consultation rhumatologique. En effet, la P.S.R. peut débuter par des lésions autres que strictement rhumatologiques. Le problème de votre médecin est de relier ces manifestations à la maladie rhumatismale.

L'examen clinique, après un interrogatoire portant sur l'hérédité familiale et les antécédents médicaux, recherche un signe important : la raideur rachidienne (diminution de la flexion antérieure du rachis lombaire), mesurée par la distance mains-sol. Cette raideur est discrète lors de la phase initiale de la maladie.

Toute symptomatologie évoquant une P.S.R. clinique nécessite :

— Un bilan biologique comprenant un hémogramme* et une vitesse* de sédimentation au minimum, ainsi que la recherche de la présence du H.L.A. B 27 grâce au marqueur génétique.

— Un examen radiologique visualisant le rachis dorso-lombaire et le bassin.

Un syndrome inflammatoire avec une augmentation de la vitesse de sédimentation, la présence du H.L.A. B 27 et une image radiologique nette objectivant une arthrite sacro-iliaque bilatérale, confirment le diagnostic.

Si le marqueur génétique a un rôle important, sa présence seule n'est pas suffisante pour affirmer la P.S.R. Son absence ne doit pas faire réfuter le diagnostic devant des signes cliniques et radiologiques évidents.

Quelle est l'évolution de cette maladie ?

Elle évolue par une succession de poussées inflammatoires, séparées par des rémissions plus ou moins longues, l'enraidissement s'aggravant après chaque poussée. Cette évolution peut durer plusieurs années, mais parfois cesse spontanément, sans aucune raison connue.

En pratique, le patient, parfois gêné, poursuit dans la grande majorité des cas une activité professionnelle satisfaisante.

Parallèlement à cette évolution clinique, l'atteinte radiologique se complète avec fusion des articulations sacro-iliaques et ankylose vertébrale. L'image radiologique de la P.S.R. très évoluée est en réalité peu fréquente.

Le diagnostic confirmé, votre médecin doit encore :
— Rechercher une maladie parfois associée à cette P.S.R. (rectocolite hémorragique, maladie de Behçet).
— Entreprendre un traitement faisant appel aux anti-inflammatoires non stéroïdiens dont notamment la phénylbutazone (P.B.Z.). Les effets secondaires de ce médicament sont connus, mais il garde dans cette maladie une indication majeure : le traitement par P.B.Z. est un véritable test diagnostic. Entre les poussées, les anti-inflammatoires non stéroïdiens ne sont pas utiles.
— Prescrire une rééducation fonctionnelle afin de lutter contre l'ankylose et certaines déformations rachidiennes.
— Enfin et surtout, le patient fait l'objet d'une surveillance clinique régulière afin que le médecin puisse adapter au mieux la thérapeutique et éviter les complications dues aux médicaments.

 ■ arthrite ■ rachis *(douleurs du)* ■ anti-inflammatoires cortisoniques et non cortisoniques

périarthrite scapulo-humérale

La périarthrite de l'épaule se manifeste de façon fort variée. La radiographie de l'épaule sous plusieurs incidences est indispensable, celle-ci même normale, n'élimine pas le diagnostic de périarthrite scapulo-humérale. Parfois, elle objective la présence d'une calcification ou une rupture de la coiffe des tendons rotateurs de l'épaule (▷ tendinite).

L'épaule hyperalgique calcifiante
La douleur survient de façon brutale. Elle est intolérable, insomniante. La mobilisation de l'articulation est très douloureuse. Cette douleur est liée à la présence d'une calcification et requiert un traitement antalgique rapide.
Elle impose le repos et la prescription d'anti-inflammatoires à forte dose et souvent l'injection de dérivés corticoïdes qui pourra être précédée d'un essai d'aspiration de la calcification. Ces calcifications nécessitent parfois une ablation chirurgicale (douleurs permanentes).

L'épaule douloureuse simple
La douleur est modérée, reproduite par certains mouvements que le patient connaît bien. Il n'existe pas habituellement dans ces formes de limitation de la mobilité articulaire. Il s'agit d'une tendinite non compliquée.

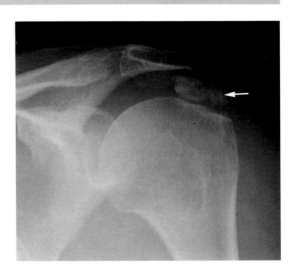

périarthrite scapulo-humérale. *Calcification importante traduisant une périarthrite de l'épaule (le plus souvent hyperalgique).*

Les traitements proposés sont multiples, les uns associant repos et anti-inflammatoires pendant 3 semaines, les autres utilisant les massages transversaux profonds avec l'appoint de physiothérapie (ultrasons, ionisations). En fait, le recours aux infiltrations est souvent nécessaire en cas d'échec des autres thérapeutiques ou devant une symptomatologie invalidante. Le résultat dans la majorité des cas est satisfaisant.

L'épaule bloquée ou gelée
Le diagnostic est facile : le patient ne peut pas bouger l'articulation et toute mobilisation de la part du médecin est impossible. La capsule articulaire enflammée s'est rétractée. Le traitement est basé sur la rééducation quotidienne de l'épaule, selon un schéma progressif. La récupération est le plus souvent totale. La pratique de quelques infiltrations est un appoint utile.

L'épaule pseudo-paralytique
Il s'agit d'une rupture tendineuse plus ou moins importante, se traduisant par l'incapacité pour le patient de faire certains mouvements, mais en revanche, la mobilité passive est conservée.
L'attitude thérapeutique devant une rupture tendineuse est différente selon l'âge, le contexte professionnel, le caractère traumatique ou dégénératif et la gêne occasionnée. Dans certains cas, une chirurgie réparatrice est nécessaire après un bilan lésionnel, apprécié par une radiographie de l'épaule après opacification (arthrographie).
Les récupérations par suppléance d'autres groupes musculaires sont possibles.

 ■ infiltrations ■ anti-inflammatoires cortisoniques et non cortisoniques

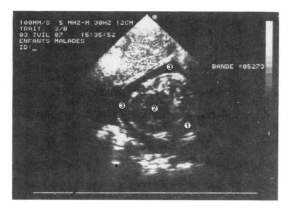

péricardite. *Échographie par voie sous xyphoïde (bas du sternum). Entourant le cœur avec les ventricules droit ① et gauche ② en coupe transverse, on distingue entre les 2 feuillets (viscéral et pariétal) du péricarde un épanchement liquidien circonférentiel ③ d'environ 1 cm d'épaisseur.*

péricardite

La péricardite est l'inflammation de l'enveloppe fibreuse du cœur (ou péricarde). L'origine en est le plus souvent *virale*; elle peut aussi être tuberculeuse; mais cette cause est devenue plus rare depuis la pratique systématique du B.C.G. La péricardite est couramment observée chez les patients atteints d'insuffisance rénale chronique, au décours d'un infarctus ou après chirurgie cardiaque.

Elle se traduit par la survenue brutale d'une douleur thoracique. Celle-ci est généralement de siège antérieur et médian, rétrosternal; elle peut irradier au cou, à la mâchoire, aux épaules, aux bras. Les principaux caractères de cette douleur sont sa majoration à l'inspiration, mais aussi ses modifications suivant la position du corps : ainsi, est-elle soulagée quand celui-ci est penché en avant. La douleur s'accompagne souvent de fièvre et de courbatures.

Devant une telle symptomatologie, il est nécessaire de consulter sans délai son médecin. Celui-ci pourra éventuellement, dès l'examen clinique, poser le diagnostic de péricardite, notamment s'il entend, à l'auscultation, un signe spécifique appelé frottement péricardique. De toutes façons, le diagnostic est confirmé par l'échographie* cardiaque : celle-ci révèle la présence, anormale, de liquide dans le sac péricardique; elle en précise l'abondance et indique également si le cœur tolère bien la présence d'un tel épanchement.

En cas d'épanchement peu abondant, et bien toléré, les deux principales armes thérapeutiques sont le repos et le traitement anti-inflammatoire par aspirine ou anti-inflammatoire non stéroïdien, si ceux-ci ne sont pas par ailleurs contre-indiqués. Si l'épanchement est mal toléré, l'évacuation (à l'aiguille ou chirurgicale) est nécessaire. Le traitement peut être complété par celui, plus spécifique, de la cause de la péricardite.

péridurale

☞ ■ accouchement *(généralités)*
■ anesthésie

périmètre crânien

☞ croissance staturo-pondérale

péritonite

La péritonite ou inflammation du péritoine se caractérise par une douleur abdominale importante et diffuse. Celle-ci débute, plus ou moins rapidement selon la cause de la péritonite, à un endroit précis, puis elle s'étend à tout l'abdomen; s'y associent une fièvre qui s'élève rapidement et une perturbation du transit (arrêt des selles ou diarrhée).

Lors de l'examen, le médecin découvre une contracture abdominale : il s'agit d'un durcissement, permanent et invincible, des muscles de la paroi abdominale. A ce ventre dur est associée une douleur intense confirmée par le toucher rectal. Cette infection généralisée du péritoine impose une intervention chirurgicale en extrême urgence quelle que soit la cause de la péritonite.

Les causes les plus fréquentes de péritonite sont : l'appendicite aiguë non opérée, la cholécystite aiguë (infection de la vésicule), la sigmoïdite diverticulaire perforée (infection du côlon sigmoïde), les perforations des ulcères gastriques ou duodénaux et les infections de l'appareil génital (pelvi-péritonite).

Certains symptômes peuvent orienter avant l'intervention :

— une douleur de la fosse iliaque droite (dans le flanc droit), avec vomissements et fièvre modérée dans les jours précédents, évoque une appendicite aiguë;

— une douleur épigastrique (à la partie supérieure de l'abdomen), précédée de douleurs moins violentes pareilles à des brûlures, calmées par les repas, évoquent un ulcère gastrique ou duodénal dont la perforation a causé la péritonite; l'apparition de la fièvre suit la douleur;

— une douleur sous-costale droite, avec fièvre et parfois ictère (jaunisse) dans les jours précédents, fera évoquer une infection des voies biliaires;

— une douleur de la fosse iliaque gauche avec

fièvre chez un patient constipé depuis plusieurs jours fera suspecter une sigmoïdite, surtout chez un sujet âgé.

Nous mettons à part les péritonites par plaie abdominale pénétrante dont la cause est évidente.

Le traitement de la péritonite est chirurgical. Il impose une incision médiane de l'abdomen (transversale parfois chez le très jeune enfant) qui permettra de traiter simultanément la péritonite et sa cause. Dans le cas d'une appendicite, d'une cholécystite, l'organe malade sera enlevé. Dans le cas d'un ulcère perforé, celui-ci sera suturé ou la partie malade de l'estomac enlevée (gastrectomie). Enfin, dans le cas d'une perforation du grêle (plaie) ou du sigmoïde (sigmoïdite), le transit digestif sera temporairement dérivé par un anus artificiel.

Un lavage soigneux de toute la cavité abdominale permettra d'éliminer l'essentiel des germes et un traitement antibiotique complémentaire sera instauré. Le pronostic de la péritonite, encore dramatique il y a quelques années, est actuellement bon lorsque le patient est opéré rapidement, grâce aux progrès de la réanimation moderne.

☞ ■ appendicite ■ ulcère gastrique et duodénal ■ diverticules ■ lithiase biliaire

perlèche

C'est une inflammation des commissures des lèvres qui provoque une rougeur souvent accompagnée d'une fissure douloureuse et parfois recouverte d'une croûte. La cause majeure de perlèche est une infection mycosique par le *Candida albicans*. Le streptocoque est parfois responsable de perlèche, surtout chez l'enfant; c'est pourquoi un prélèvement myco-bactériologique peut être nécessaire.

☞ ■ champignons ■ streptocoque

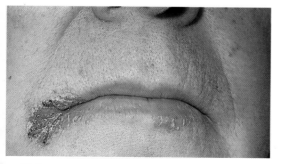

perlèche. *Ces fissures rouges croûteuses des commissures labiales sont le plus souvent liées à une infection mycosique ou bactérienne.*

personnalité *(troubles de la)*

☞ ■ psychose ■ tests mentaux

perte de connaissance

☞ ■ épilepsie ■ syncope

pertes blanches

☞ leucorrhées

perversion

La perversion est un comportement sexuel aberrant pouvant poser de graves problèmes médico-légaux. Elle est considérée comme un reliquat brut de la sexualité infantile à l'âge adulte. Le pervers, sauf lorsqu'il s'agit d'un névrotique ou d'un psychotique, ne ressent aucune culpabilité de son acte. Le plaisir est obtenu avec un objet sexuel anormal (certaines formes d'homosexualité, pédo- ou gérontophilie, nécrophilie, fétichisme, zoophilie). Le comportement sexuel peut être lui-même perverti : exhibitionnisme, sadisme, voyeurisme, masochisme...

peste

Transmise par des puces parasitant des rongeurs sauvages ou encore par l'expectoration des sujets atteints, la peste mérite d'être décrite car de petits foyers infectieux persistent en Asie du Sud-Est, en Iran, en Afrique noire du Sud et de l'Est et même en Amérique du Nord (versant est des Rocheuses).

Les malades sont fatigués et très fébriles. On retrouve dans l'aine une tuméfaction douloureuse : le *bubon*. Parfois des signes respiratoires (toux, expectoration, essoufflement) sont au premier plan.

Le diagnostic est affirmé par l'isolement du germe dans le liquide de ponction du bubon ou dans l'expectoration. Les malades doivent être isolés et traités par les antibiotiques. La population risquant d'être contaminée est également traitée.

La peste, heureusement exceptionnelle, n'a pu être totalement éliminée car la lutte contre les rongeurs infectants, le plus souvent sauvages, est difficile.

petit mal épileptique

☞ épilepsie

phagocytose

☞ infection

pharmacie familiale

☞ secours d'urgence

phéochromocytome

☞ surrénales (glandes)

phimosis

☞ ■ nouveau-né (examens du)
■ verge de l'enfant (anomalies de la)

phlébite

La phlébite est caractérisée par la formation d'un caillot sanguin dans une veine, entraînant un blocage du retour sanguin vers le cœur. Elle touche le plus souvent les veines des jambes.

 Vous devez y penser et consulter rapidement votre médecin en cas de gonflement douloureux de la jambe, surtout du mollet. On distingue :
— la phlébite des veines superficielles où la veine obstruée, facilement palpée, est dure et douloureuse; un simple traitement local suffit, mais méfiez-vous, une phlébite profonde peut y être associée.

— la phlébite des veines profondes, beaucoup plus préoccupante.

 Le diagnostic de phlébite est souvent difficile, même après un examen très soigneux. Lorsque votre médecin est sûr de son diagnostic, il commence très rapidement le traitement anticoagulant injectable; une hospitalisation est parfois nécessaire. Mais s'il a un doute, il devra vite l'éclaircir par un examen Doppler* veineux, ou par une phlébographie*; en effet le diagnostic est urgent, car on peut craindre :
— l'embolie pulmonaire par migration d'un caillot des veines vers le poumon; cette embolie, si elle est importante ou si elle se répète, risque d'obstruer gravement la circulation du sang, entraînant parfois un risque vital.
— des séquelles, moins graves mais très gênantes (œdèmes, varices, ulcères, dermite ocre), si la phlébite est traitée avec retard.
Pendant la phase aiguë, outre le repos strict au lit, sera prescrit un traitement anticoagulant (héparine) injectable par voie sous-cutanée ou, mieux, par voie veineuse. Ultérieurement, un traitement anticoagulant oral sera administré pendant au moins six mois à un an.

 La prévention des phlébites est justifiée chez les sujets à risque : alités, opérés récents, sujets porteurs d'un plâtre ne permettant pas d'appui, insuffisants cardiaques ou respiratoires graves. Elle comporte, outre la mobilisation précoce, un traitement par injection de petites doses d'héparine.

☞ ■ alitement ■ intervention chirurgicale ■ jambes douloureuses ■ embolie pulmonaire

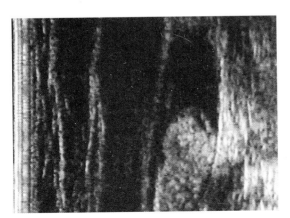

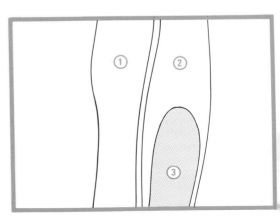

phlébite. Image échotomographique d'un thrombus récent de la veine fémorale commune. ① artère fémorale, ② veine fémorale, ③ thrombus.

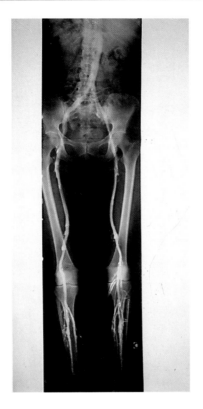
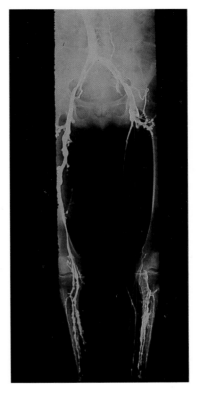

phlébographie. *Ci-contre, à gauche :*
injection normale des veines des membres
inférieurs et des veines abdominales
(jambes : péronières *et* tibiales; *cuisses :*
fémorales; *bassin :* veines iliaques; *abdomen :*
veine cave inférieure*).*
Ci-contre, à droite : cette phlébographie
confirme le diagnostic de phlébite du
membre inférieur gauche. Elle montre
l'obturation des veines profondes et
l'injection des veines supérieures.

phlébographie

La phlébographie est un examen radiologique qui permet la visualisation des vaisseaux veineux, après injection d'un produit soluble, opaque aux rayon X. L'injection s'effectue à l'aide d'une aiguille ou d'un cathéter. Indolore, elle entraîne quelques bouffées de chaleur.

La visualisation des veines des membres est appelée une *phlébographie périphérique*, celle des gros troncs internes une *cavographie supérieure* ou *inférieure*, et celle du système veineux digestif, dit système porte, une *portographie*.

Le rythme de prise de clichés est plus ou moins accéléré selon les besoins, afin d'explorer la progression du produit injecté.

phlegmon

Le phlegmon est une infection souvent fébrile du tissu sous-cutané. Il s'agit d'une infection plus grave qu'un simple abcès : la diffusion de l'infection est rapide par extension dans le tissu sous-cutané avec douleur, rougeur et chaleur mais sans forma-tion d'une boule comme dans l'abcès. Il peut s'y associer une lymphangite (inflammation du tissu lymphatique), de la fièvre et des ganglions. Dès l'apparition de la fluctuation (ramollissement), l'incision chirurgicale s'impose.

Nous avons choisi de décrire le phlegmon de la main dont le risque principal est la diffusion de l'infection en profondeur jusqu'aux gaines tendineuses. La lésion initiale est d'ordinaire une plaie minime siégeant soit à l'extrémité d'un doigt où elle formera un panaris, soit sur la main.

Le phlegmon de la main atteint paume et face dorsale : la main est chaude, douloureuse et très tuméfiée, sa mobilité limitée. La diffusion du phlegmon aux gaines atteint l'enveloppe des tendons, le plus souvent au niveau de l'appareil fléchisseur de la main.

Dans tous les cas, le traitement d'urgence associe antibiotiques et anti-inflammatoires, avec mise au repos de la main qui sera surélevée. Dans le cas de phlegmon des gaines, ce traitement sera précédé d'une évacuation chirurgicale du pus avec lavage des gaines et drainage.

Un phlegmon mal traité aboutit à une main définitivement enraidie. L'avis du chirurgien doit être pris précocement.

☞ ■ panaris ■ furonculose ■ abcès

phobie

☞ névroses

phosphatases alcalines

☞ bilan sanguin hépatique

photophobie

C'est une intolérance à la lumière peu intense. La photophobie est fréquente chez les sujets aux yeux clairs, ou chez les personnes atteintes de kératite et de cataracte (▷ ces mots), ainsi que chez les albinos.

Pick *(maladie de)*

☞ démence

pied d'athlète

☞ champignons

pied bot varus équin

A la naissance, l'un des pieds de votre enfant peut être le siège d'une anomalie de position. Lorsque le pied est dévié en dedans, c'est-à-dire lorsque sa plante regarde en dedans, on dit qu'il s'agit d'un pied varus équin. On en distingue deux types, très différents dans leur pronostic : l'*attitude en varus équin* et le *pied bot varus équin congénital*.

L'attitude en varus équin

Il s'agit d'une malposition fréquente de bon pronostic. Elle peut se corriger facilement dans les premiers mois de la vie de l'enfant par manipulations, par excitations du bord externe du pied à l'aide d'une brosse à dents, par le port de petites attelles.

Le pied bot varus équin congénital

Il se caractérise par sa raideur à la naissance. Son pronostic est plus grave et nécessite toujours un traitement prolongé et contraignant si l'on veut obtenir un résultat satisfaisant.

Le médecin appréciera l'importance de la raideur, élément essentiel du pronostic, et fera un examen complet de l'enfant atteint, à la recherche d'une éventuelle autre malformation : anomalie de l'autre pied, raideur d'autres articulations, anomalie de la hanche ou du rachis.

On considère que le traitement doit être entrepris en urgence dans les tous premiers jours de la vie. Il s'agit toujours, en premier lieu, d'un traite-

ment orthopédique qui comporte une *rééducation quotidienne* par le kinésithérapeute et un *maintien du pied* par de petites attelles, voire par un plâtre changé toutes les semaines. Ce traitement sera poursuivi de façon très rigoureuse jusqu'au troisième mois. A cette date, le médecin fera un nouveau bilan clinique et radiographique qui décidera de la suite à donner au traitement. Si la correction lui paraît suffisante, le même traitement sera poursuivi. Si des déformations qu'il juge trop importantes persistent, une intervention chirurgicale est à prévoir. Cette intervention sera suivie par une immobilisation plâtrée de deux fois un mois. Puis le traitement par kinésithérapie et attelles sera repris.

Le traitement du pied bot varus équin congénital demande ténacité et patience. Il ne doit jamais être abandonné avant l'âge de cinq ou six ans pour espérer un résultat satisfaisant. Poursuivi avec rigueur, il permettra à l'enfant d'entrer à l'école primaire enfin débarrassé de ses chaussures antivarus. Toutefois l'enfant sera surveillé jusqu'à la fin de sa croissance, car il n'est pas rare qu'avant cette date un geste chirurgical de correction complémentaire soit nécessaire.

pieds *(douleurs des)*

Les maladies à l'origine des douleurs des pieds font l'objet de nombreux articles dans ce livre. Il n'est question ici que de mesures préventives.

Les enfants

— *A l'âge de la marche* : port de chaussures montantes en cuir à tiges souples. N'obligez pas le nourrisson à se tenir debout trop tôt.

— *Dès la quatrième année* : examen des axes des jambes et des talons (genu valgum, genu varum, valgus calcanéen...) ; ne faites pas porter aux frères et sœurs les chaussures des aînés ; ressemelez les chaussures en cas de biseautage des talons.

Les adolescents

— Évitez le port prolongé de chaussures de sport.

— Séchez les espaces interdigitaux après la douche.

— Changez de chaussettes tous les jours (éviter si possible celles en fibres synthétiques qui favorisent la macération).

— En cas d'induration localisée sous l'assise plantaire, consultez : il peut s'agir d'un cor plantaire ou d'une verrue.

Les adultes

— Port de chaussures adaptées à la forme du pied, en cuir souple, sans coutures, à talons raisonnables (4 à 6 cm).

— Toute déformation du pied (pied plat, creux, orteils en marteau...) nécessite la consultation d'un podologue ou d'un médecin avant la survenue des douleurs.

— Toute lésion de la peau (cor, durillon, œil-de-perdrix, crevasses, ongle incarné...) doit être surveillée : n'y touchez pas et consultez un pédicure podologue.

— Lavez, brossez journellement les ongles, coupez-les « au carré » et limez-en les angles.

Les personnes âgés

— Les règles d'hygiène doivent être particulièrement respectées en cas de diabète et d'artérite; toute lésion de la peau ou des ongles doit être examinée par un médecin.

— Confiez régulièrement à un pédicure podologue les soins des pieds (cor, durillons, soins des ongles, crevasses...).

— Évitez l'usage de corricide.

☞ ■ ongles ■ orteils (déformation des) ■ cor ■ durillon et œil-de-perdrix ■ névrome plantaire ■ épine calcanéenne ■ pieds plats ■ pieds creux ■ jambes en X ou jambes en O (votre enfant a les) ■ semelles orthopédiques ■ goutte ■ arthrite

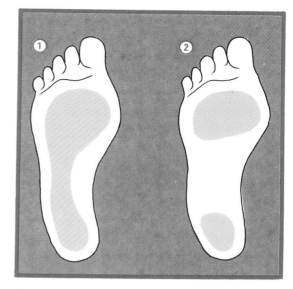

pieds creux. *Un pied creux ② se caractérise par un appui au sol limité : il est trop cambré, l'appui ne se fait qu'en avant au niveau des têtes des métatarsiens et en arrière sur le talon. Pied normal ①.*

pieds creux

La dégradation rapide des chaussures de votre enfant, l'existence d'une gêne à la marche, de douleurs au niveau de l'appui antérieur des pieds ont attiré votre attention sur la déformation des pieds de votre enfant. Ceux-ci paraissent en effet trop cambrés, ont un aspect court et les orteils ont tendance à se mettre en griffe. Il s'agit de pieds creux et vous devez consultez votre médecin.

Celui-ci fera pratiquer une radiographie qui confirmera le diagnostic. Surtout, il fera un examen neurologique et demandera parfois des examens complémentaires (électromyogramme*, notamment). En effet, certains pieds creux surviennent chez des enfants atteints d'une maladie neurologique qu'il est important de reconnaître : la conduite du traitement en dépendra.

Le traitement est fonction de l'importance de la déformation, de son origine et de l'âge du patient. Chez le jeune enfant, une rééducation visant essentiellement à assouplir le pied est parfois initialement suffisante; on peut y adjoindre le port de semelles orthopédiques.

Plus tard, si la déformation devient plus marquée, la chirurgie peut être prescrite; le choix de l'indication opératoire dépend là aussi de l'importance de la déformation et surtout de la cause. En cas d'atteinte neurologique, le chirurgien aura tendance à faire une intervention plus importante encore mais dont le résultat sera stable. La reconnaissance de certaines maladies neurologiques est également essentielle afin que les précautions nécessaires en cas d'intervention soient prises.

pieds froids et violacés

☞ acrocyanose

pieds plats

Le pied plat est une déformation très fréquente qui se caractérise par un appui plantaire élargi : la voûte plantaire est mal dessinée et paraît effondrée. Cette déformation est le plus souvent banale. Elle se corrige en règle générale spontanément.

A l'examen, on constate que le pied plat se corrige lorsque l'enfant se met sur la pointe des pieds ou lorsque le pied n'est plus en appui. Ce type de pied plat, familial, racial, ou bien secondaire à une déformation des genoux, se corrigera spontanément ou lors de la correction de la déformation sus-jacente. Seuls les pieds très déformés mais réductibles peuvent nécessiter le port temporaire de semelles orthopédiques.

Si les pieds plats sont le plus souvent la traduction d'un état physiologique, votre médecin aura cependant toujours pris soin d'éliminer des causes beaucoup plus rares : les pieds plats dits congénitaux, par exemple, qui nécessitent alors une intervention chirurgicale. Un examen neurologique est toujours effectué pour éliminer une cause neurologique. Une radiographie permettra

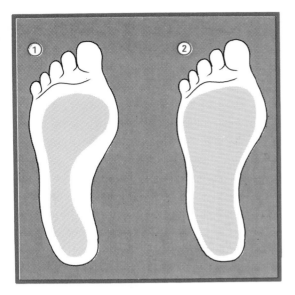

pieds plats. *Par rapport à l'empreinte du pied normal ①, le pied plat ②
se caractérise par une empreinte plus large.
C'est la portion interne de la plante qui prend
appui au sol de façon anormale.*

parfois de mettre en évidence une malformation
osseuse localisée du pied qui explique l'aspect de
pied plat et l'apparition progressive de douleurs ou
d'entorses à répétition. Ces causes sont rares mais
méritent d'être recherchées car une intervention
chirurgicale est souvent nécessaire et permet
d'obtenir une nette amélioration des troubles.

pieds qui tournent en dedans
(votre enfant a un ou les deux)

Lorsque votre enfant marche les pieds en dedans, il
faut distinguer si le trouble provient de la position
des pieds eux-mêmes ou si c'est l'ensemble du
membre inférieur qui tourne en dedans.

Chez un petit enfant, on constate souvent que
l'avant-pied est dévié en dedans : il s'agit d'un
metatarsus varus; ce n'est pas une déformation
grave. Habituellement elle se corrige sans difficulté. En fonction de l'importance de la déformation et de sa raideur, le traitement variera :
rééducation, chaussures anti-metatarsus varus,

voire plâtres pour les cas les plus raides. Lorsque
l'enfant marchera pieds nus, il aura jusqu'à l'âge de
2 ans environ une tendance à récidiver sa déformation, mais la correction complète est en règle
générale toujours obtenue.

Chez un enfant plus grand, la marche se fait
parfois les pieds très en dedans; l'enfant trébuche,
court en jetant les jambes en dehors, et s'assied en
grenouille : il s'agit là d'une *antéversion exagérée
des cols fémoraux* (c'est l'orientation des cols
fémoraux qui est légèrement anormale par rapport au plan frontal). Cette petite anomalie fréquente est responsable d'une démarche pieds en
dedans et, quelquefois, d'un genou valgum (jambes
en X) et de pieds plats banals. Une simple surveillance annuelle est nécessaire, la correction se
faisant le plus souvent spontanément au cours de
la croissance. Le trouble se situant au niveau des
hanches, le port de chaussures particulières n'est
absolument pas justifié. Dans des cas très rares,
une intervention peut être proposée seulement si
la déformation est très importante et si l'on
n'assiste à aucune correction spontanée au cours
de la croissance.

pigmentation
de la peau
(troubles de la)

 ■ hyperchromie de la peau
■ dépigmentation de la peau
■ albinisme

pilosité excessive
 hirsutisme

pilule contraceptive
 contraception

pityriasis rosé
de Gibert

Le pityriasis rosé de Gibert est une maladie
éruptive non contagieuse, sans doute causée par
un virus. Il se caractérise par l'éruption de taches
recouvertes de fines squames qui siègent sur le
tronc, la racine des membres et parfois le cou. Il ne
s'accompagne ni de fièvre ni de démangeaisons.
Les éléments disparaissent spontanément en quatre à six semaines sans laisser de trace et ne
récidivent pas.

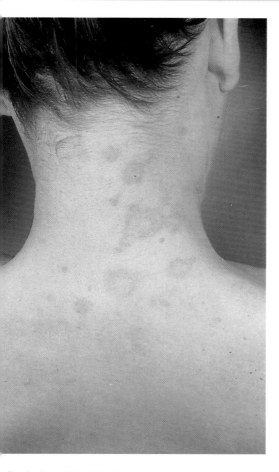

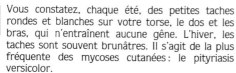

pityriasis rosé de Gibert. *Les taches cutanées du pityriasis rosé de Gibert disparaissent spontanément en quatre à six semaines.*

pityriasis versicolor

Vous constatez, chaque été, des petites taches rondes et blanches sur votre torse, le dos et les bras, qui n'entraînent aucune gêne. L'hiver, les taches sont souvent brunâtres. Il s'agit de la plus fréquente des mycoses cutanées : le pityriasis versicolor.

La contamination se fait par les vêtements, les serviettes de bain à la plage ou, plus rarement, par contact direct avec une personne contaminée.

Malgré un traitement efficace, cette mycose a tendance à récidiver. Elle nécessite l'application fréquente d'une lotion antifongique, notamment au cours des mois qui précèdent les vacances, ainsi qu'une désinfection des vêtements portés à même la peau. Une fois le traitement fini, les taches blanches persistent et se repigmenteront après exposition solaire.

placebo

Le placebo est un médicament ne contenant pas de substance pharmacologiquement active. Ainsi, pour connaître la véritable efficacité d'un médicament, faut-il la comparer avec celle d'un placebo. Ce type d'expérimentation est indispensable avant l'introduction d'un médicament sur le marché. Dans certains cas, le placebo peut soulager des symptômes peu graves : c'est ce que l'on appelle l'effet placebo.

placement volontaire et placement d'office

 certificats médicaux et législation

placenta

 ■ accouchement *(généralités)* ■ embryogenèse normale ■ grossesse *(généralités et surveillance)* ■ suites de couches

placenta praevia

Le placenta praevia est caractérisé sur le plan anatomique par l'insertion du placenta sur la partie basse de l'utérus, il est dit marginal ; recouvrant le col en tout ou en partie, il est dit recouvrant total ou partiel. L'insertion anormale du placenta facilite son décollement. Sur le plan fonctionnel, le placenta est le siège d'une intense circulation sanguine qui assure les échanges fœto-maternels (30 à 60 litres de sang par heure) ; il est dès lors évident qu'un décollement même limité du placenta peut entraîner une hémorragie grave qui met en péril et la vie de l'enfant et celle de la mère.

Si le placenta marginal et recouvrant partiel permet quelquefois la poursuite de la grossesse jusqu'à un terme acceptable et un accouchement par voie basse après rupture des membranes (laquelle met en principe fin à l'hémorragie), le placenta recouvrant total constitue un obstacle infranchissable et impose une césarienne. De toute

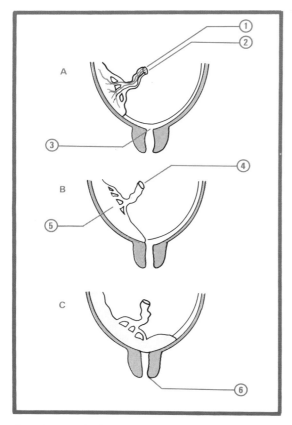

placenta praevia. *Diverses insertions du placenta.*
A. Insertion latérale – normale –, plus ou moins éloignée du col : ① veine, ② artères, ③ orifice interne du col.
B. Insertion marginale atteignant l'orifice du col : ④ cordon ombilical, ⑤ placenta.
C. Insertion recouvrante : ⑥ col de l'utérus.

façon, il s'agit ici d'une complication grave qui oblige, au cours du dernier trimestre de la grossesse et dans trois cas sur quatre, à une extraction difficile par césarienne.

plaies

Nous considérons ici les plaies par objets tranchants. Les brûlures et les morsures ou griffures d'animaux domestiques font l'objet de deux articles particuliers de ce livre.

Il s'agit d'une coupure simple, linéaire, peu profonde, n'entraînant pas de lésion d'un tendon,

d'une artère ou d'un nerf : il vous faut nettoyer la plaie à l'aide d'un antiseptique ou d'une eau savonneuse ; la protéger d'une compresse stérile imbibée d'antiseptique, ou à défaut d'un linge propre. Votre médecin assurera la prophylaxie du tétanos et suturera la plaie, ou en affrontera les bords avec des bandelettes adhésives. La suture nécessite rarement une anesthésie locale ; l'ablation des fils ou des bandelettes adhésives se fera vers le 7e jour.

Il s'agit d'une plaie complexe ou d'une plaie grave. Le transfert d'urgence du blessé vers un service de chirurgie est nécessaire car :
— la perte de substance est importante ; ou les bords de la plaie sont déchiquetés ; il existe une fracture osseuse, une lésion d'un tendon, d'un nerf, une amputation d'un doigt...,
— une artère est lésée : l'hémorragie doit être arrêtée sur place, soit à l'aide d'un pansement compressif fait de compresses tassées sur la plaie, maintenues par un bandage, soit, si nécessaire, en comprimant l'artère (voir schéma ci-contre),
— certaines plaies bien qu'apparemment bénignes présentent un risque par leur localisation et devront parfois conduire à une exploration chirurgicale.

Les plaies de la main sont fréquentes et redoutables chez le travailleur manuel par les séquelles qui peuvent en résulter. Il faut se méfier avant tout des sections tendineuses, même devant une plaie en apparence minime ou superficielle. Les tendons extérieurs et fléchisseurs doivent être réparés d'urgence. L'absence de déficit à la flexion et à l'extension n'élimine pas une plaie partielle avec risque de rupture secondaire. Toute plaie sur le trajet d'un tendon doit être explorée chirurgicalement. Les plaies nerveuses des membres donnent des déficits de sensibilité ou de mobilité. Elles justifient aussi des explorations chirurgicales ; la suture du nerf sectionné pourra être faite sous microscope, mais la récupération est habituellement incomplète.

Une plaie de l'abdomen peut mettre en danger la vie du patient. Elle doit être vue par le chirurgien de toute urgence car lui seul peut affirmer qu'elle est superficielle. Toute plaie qui atteint le plan musculaire doit être explorée par le chirurgien, et, si elle franchit le péritoine (fine enveloppe qui entoure le contenu de l'abdomen), elle peut être responsable de l'ouverture d'un viscère. Une laparotomie s'impose (exploration de toute la cavité abdominale après une incision de la paroi).

Le risque essentiel des *plaies du thorax* est le pneumothorax (air dans la plèvre) qui gêne la respiration et nécessite un drainage d'urgence car il peut aboutir à une asphyxie très rapide.

☞ ■ pansement ■ secours d'urgence ■ tétanos ■ doigts sectionnés et réimplantation digitale

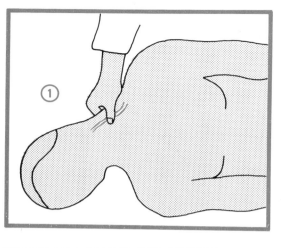

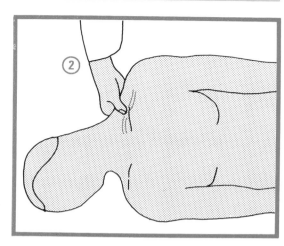

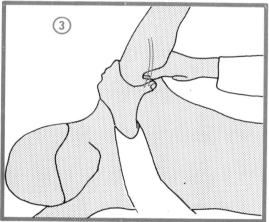

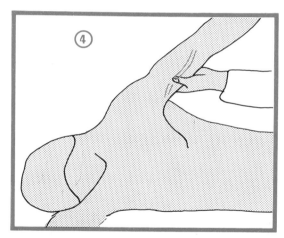

plaies. *Les plaies peuvent s'accompagner d'hémorragies graves nécessitant la pratique d'une compression artérielle. Points de compression :*
① du cou (artère carotide) ; ② de la clavicule (artère sous-clavière) ; ③ de l'aisselle (artère axillaire) ; ④ du bras (artère humérale) ;
⑤ à l'aine (artère fémorale) ; ⑥ de la cuisse (artère fémorale).

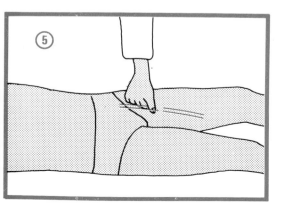

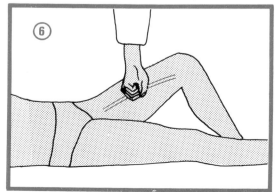

plaque dentaire

☞ ■ carie dentaire *(prévention de la)* ■ dents *(soins des)* ■ gencives et dents déchaussées

plaquettes

☞ ■ coagulation ■ sang

plâtre

☞ ■ orthopédie *(traitement en)*

pleurésie

Vous avez ressenti un point de côté thoracique douloureux, souvent associé à une toux sèche, à un essoufflement ou à de la fièvre. Parfois, vous vous êtes simplement senti anormalement fatigué sans qu'aucun signe thoracique ne vous ait alerté. En vous examinant, votre médecin constate une matité anormale d'un côté de la poitrine et, à l'auscultation, une abolition, au même endroit, des bruits respiratoires normaux : il évoque une pleurésie et demande une radiographie* des poumons qui confirme le diagnostic. Il vous fera alors très certainement hospitaliser.

La pleurésie se définit par l'existence de liquide dans la cavité pleurale entre les deux feuillets de la plèvre. Dans de rares cas, l'épanchement pleural est suffisamment abondant pour entraîner une gêne respiratoire importante, et, *a fortiori*, une hospitalisation en urgence.

L'étiologie d'une pleurésie nécessite divers examens.

En premier lieu, une ponction pleurale – geste peu douloureux sous anesthésie locale – permet de recueillir le liquide, tout en l'évacuant en partie. Le simple aspect de ce liquide permet parfois le diagnostic :

— s'il est trouble, il s'agit d'une *pleurésie purulente*; il doit être alors évacué en totalité, en général avec un drain pleural, et l'on complétera le traitement par des antibiotiques; ce type de pleurésie est souvent le fait de patients en mauvais état général, alcooliques, et dont l'hygiène bucco-dentaire n'est pas satisfaisante;

— s'il est clair, citrin, il peut évoquer une *pleurésie d'origine cardiaque* ou *bactérienne*; l'analyse chimique, bactériologique et cytologique apporte parfois des orientations diagnostiques précises, sinon il faudra pratiquer des biopsies*.

Une biopsie pleurale à l'aiguille permet un diagnostic précis dans 60 % des cas environ. En cas d'incertitude diagnostique persistante sera effectuée une biopsie pleurale par thoracoscopie (introduction d'un trocart muni d'une optique dans le thorax pour réaliser des prélèvements sous contrôle visuel).

La pleurésie a des causes nombreuses et diverses; quand elle est à liquide clair, ou parfois

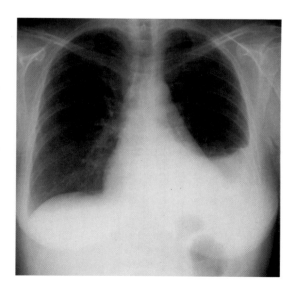
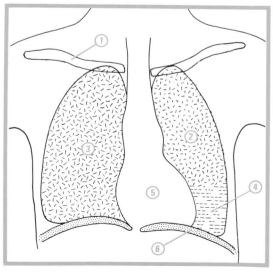

pleurésie. *Douleur thoracique gauche, essoufflement, toux sèche (ci-dessus, à gauche) : la radiographie pulmonaire confirme qu'il s'agit d'une pleurésie. Ci-dessus, à droite :* ① *clavicule,* ② *poumon gauche,* ③ *poumon droit,* ④ *pleurésie,* ⑤ *cœur,* ⑥ *diaphragme.*

hémorragique, elle est due fréquemment à une tuberculose, ou à une tumeur pleurale primitive (*mésothéliome*) ou secondaire d'autres tumeurs (*pleurésie métastatique*).

Le traitement des pleurésies est d'abord celui de la cause qu'il importe pour le médecin de déterminer avec précision. C'est aussi l'évacuation du liquide par ponction ou drainage, suivie souvent de séances de kinésithérapie respiratoire afin de limiter les séquelles pulmonaires et pleurales de la maladie.

plèvre

 appareil respiratoire

plicature gastrique

 vomissements du nourrisson

plongée sous-marine

Si la pratique de la plongée en apnée avec palmes, masque et tuba peut être effectuée sans formation particulière, en revanche, la plongée avec bouteilles nécessite une formation théorique et pratique structurée, pour s'adonner à ce sport en toute sécurité. Nous nous contenterons de rappeler ici quelques précautions à prendre :

Êtes-vous apte à la plongée sous-marine ?
L'examen médical obligatoire répondra à cette question.

Êtes-vous bon nageur et en bonne condition physique ?
— Certaines maladies ne sont pas compatibles avec ce sport : affections cardiaques, asthme, crises convulsives.
— Un examen oto-rhino-laryngologique est utile; il permet de vérifier l'état des tympans qui sont mis à l'épreuve à chaque plongée.
— Ne jamais plonger seul, que ce soit avec tuba ou avec bouteilles.
— Espacer les plongées et prévoir les temps de récupération.
— En plongée avec bouteilles (scaphandre autonome) bien connaître et respecter les paliers de décompression pour la remontée.
— Toujours pour la plongée avec bouteilles, se souvenir qu'il est interdit de pratiquer la chasse sous-marine.

pneumoconiose

 risques respiratoires professionnels

pneumonie

Frissons, fièvre, toux et expectoration, parfois accompagnés d'un point de côté thoracique ou d'un essoufflement, ont motivé une consultation médicale. Votre médecin a diagnostiqué une pneumonie : le poumon est le siège d'une atteinte infectieuse qui s'élargit parfois aux petites bronches (*broncho-pneumonie*).

Deux questions doivent être résolues par votre médecin afin qu'il vous prescrive le traitement le plus efficace.

S'agit-il d'une pneumopathie virale ou bactérienne ?
Les frissons, le malaise, les courbatures et la fièvre, auxquels vont succéder bientôt la toux, la rhinopharyngite, évoquent en premier lieu une *pneumopathie virale* (une simple grippe). Si cette infection s'inscrit dans un contexte épidémique, le diagnostic en sera encore facilité et l'évolution est en général favorable en huit à dix jours.

En cas de *pneumopathie bactérienne*, l'affection débute soudainement, avec une fièvre élevée, un point de côté douloureux, une grande fatigue et parfois un essoufflement; il s'y associe souvent, ou secondairement, une expectoration purulente et une altération importante de l'état général. Pour confirmer le diagnostic, votre médecin n'hésitera pas à demander une radiographie* des poumons, éventuellement un hémogramme*.

La pneumonie a-t-elle un retentissement important sur votre état respiratoire ?
La plupart du temps, ce n'est pas le cas, et le médecin pourra entreprendre le traitement à domicile sous surveillance régulière.

Parfois le terrain de survenue de cette pneumonie rend le médecin particulièrement vigilant. Il n'hésitera pas à demander l'hospitalisation du patient si celui-ci est âgé ou présente de surcroît l'une de ces maladies : une affection respiratoire préexistante — telle la bronchite chronique ou l'emphysème —, le diabète, l'alcoolisme, le tabagisme; en effet, dans tous ces cas, le risque d'insuffisance respiratoire aiguë, ou d'affections bactériennes résistant aux antibiotiques habituels, est accru.

Les conséquences thérapeutiques
Le traitement de la pneumopathie bactérienne repose sur la prescription d'antibiotiques adaptés à l'agent suspecté.

En cas de pneumopathie virale (grippe), l'antibiothérapie n'est pas toujours nécessaire, mais elle est souvent prescrite car il est difficile d'affirmer le caractère viral et non bactérien de l'affection.

La survenue de complications (septicémie, abcès, insuffisance respiratoire) est souvent la conséquence d'un traitement antibiotique trop bref, trop tardif ou mal adapté. Le choix se portera en général sur une pénicilline ou l'un de ses dérivés, ou sur l'érythromycine.

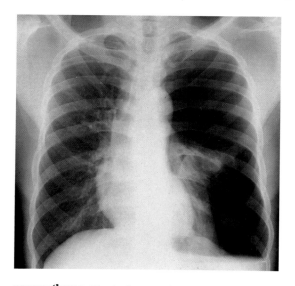
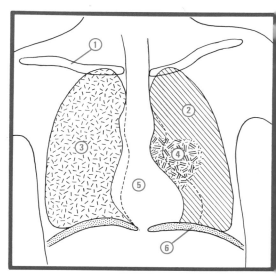

pneumothorax. *A la suite d'un pneumothorax, le poumon gauche s'est rétracté (ci-dessus, à gauche), entraînant un essoufflement important et une douleur thoracique gauche ; le retour du poumon à la paroi thoracique nécessitera la pose d'un drain pleural. Ci-dessus, à droite : ① clavicule, ② pneumothorax, ③ poumon droit normal, ④ poumon gauche rétracté à cause du pneumothorax, ⑤ cœur, ⑥ diaphragme.*

La prévention des accidents pneumoniques repose sur :
— la vaccination anti-grippale chez les sujets à risque (personnes âgées, bronchitiques chroniques ou emphysémateux);
— une hygiène bucco-dentaire impeccable; la bouche constitue un point de départ extrêmement fréquent pour les affections pulmonaires;
— l'arrêt du tabagisme; le tabac, outre son risque cancérigène, affaiblit les défenses immunitaires normales des bronches et du poumon.

Si la pneumonie est survenue sur un terrain tabagique, le médecin demandera systématiquement au pneumologue de pratiquer une endoscopie* bronchique après guérison : le risque est grand de voir apparaître un cancer bronchique.

☞ ■ **vaccins et sérums** ■ **tabac** *(risques liés au)*

pneumothorax

Vous avez ressenti brutalement une douleur au thorax — sur un seul côté —, irradiant à l'épaule, qui vous empêche de respirer profondément et s'accompagne d'un essoufflement plus ou moins important; une toux se déclenche à l'effort ou lors des changements de position : tout ceci a pu survenir spontanément ou conséquemment à un effort physique particulièrement intense.

En vous examinant, votre médecin constate du côté douloureux une augmentation de la sonorité thoracique à la percussion et une diminution au même endroit des bruits respiratoires normaux à l'auscultation. Il s'agit très probablement d'un pneumothorax et la radiographie* des poumons demandée le confirmera rapidement.

Le pneumothorax se définit par l'existence anormale d'air entre les deux feuillets de la plèvre : entre le feuillet viscéral qui adhère aux poumons et le feuillet pariétal qui adhère à la paroi thoracique et au diaphragme.

A la suite du pneumothorax, le poumon se décolle de la paroi thoracique et se rétracte de façon plus ou moins importante : ceci est le plus souvent la conséquence de la rupture de petites « bulles » intra-pulmonaires situées sous la plèvre viscérale.

Votre médecin appréciera ensuite le retentissement de ce pneumothorax sur votre état respiratoire :
— souvent, les troubles respiratoires sont peu intenses et la radiographie confirme l'existence d'un décollement pulmonaire minime; dans ce cas, aucun traitement n'est nécessaire : un simple repos à domicile ramènera le poumon à sa place initiale en quelques jours (une radiographie vérifiera le retour à la normale);
— parfois le décollement pulmonaire est plus important et entraîne des troubles respiratoires plus sévères; il se peut également que le pneumothorax vienne compliquer une affection respiratoire préexistante (emphysème) : votre médecin

décidera alors une hospitalisation devant le risque accru d'insuffisance respiratoire aiguë.

A l'hôpital sera pratiquée une aspiration à l'aiguille dans la cavité pleurale. Si la gêne respiratoire ou le décollement pulmonaire sont trop importants, un drain pleural sera posé sous anesthésie locale pour aspirer l'air totalement et ramener le poumon à la paroi thoracique en quelques jours.

Une intervention chirurgicale peut être décidée dans les cas suivants :
— échec de l'aspiration par drain pleural;
— pneumothorax récidivant, à plus de trois reprises, du même côté ou pneumothorax survenant successivement des deux côtés.

Cette intervention permet de « coller » les deux feuillets de la plèvre et éventuellement de réséquer les bulles intra-pulmonaires responsables de la maladie. Il n'y a pratiquement aucune récidive possible après cette opération.

car les paralysies peuvent toucher tous les muscles des membres mais aussi les muscles respiratoires (risque vital). Ces paralysies ne sont malheureusement que partiellement régressives. Les muscles qui ne se récupèrent pas s'atrophient rapidement, et des rétractions tendineuses vont survenir précocement, laissant des séquelles souvent sévères.

Lorsque la maladie se déclare chez un enfant non ou mal vacciné, le traitement ne pourra qu'en atténuer les effets, empêcher les complications respiratoires ou les rétractions tendineuses : il n'existe pas de traitement efficace contre le virus en dehors de la vaccination préventive.

 On ne verrait plus de personnes atteintes de poliomyélite si la vaccination était pratiquée assidûment chez tous les nourrissons, c'est-à-dire trois injections (ou trois prises orales) à 1 mois d'intervalle et un rappel à 1 an, puis tous les 5 ans.

    vaccins et sérums

poche des eaux *(rupture de la)*

   ■ accouchement *(généralités)*
■ accouchement prématuré *(risques d')*

poids de l'enfant

   ■ croissance staturo-pondérale ■ maturation du nouveau-né et croissance intra-utérine.

points de compression artérielle

   secours d'urgence

poliomyélite antérieure aiguë

 Votre enfant n'a pas été vacciné contre la poliomyélite et présente un syndrome infectieux avec de la fièvre à 38° ou 39°C, des maux de tête, des vomissements, quelques troubles digestifs; puis les signes méningés se confirment avec une raideur de la nuque précédant de trois à quatre jours l'apparition de paralysies.

 En présence de ces paralysies flasques, qui surviennent brutalement avec une répartition irrégulière, asymétrique sur le corps et s'accompagnent d'une abolition des réflexes dans les territoires atteints, votre médecin porte le diagnostic de poliomyélite. Cela nécessite l'hospitalisation d'urgence dans un service de maladies infectieuses,

pollen de graminées *(allergie au)*

   ■ allergènes ■ allergique *(êtes-vous)* ■ rhume des foins

polyarthrite rhumatoïde

La polyarthrite rhumatoïde est une maladie inflammatoire fréquente, touchant la femme trois fois sur quatre. D'étiologie encore non précisée, elle va retentir de façon importante sur la vie du malade.

 Comment cette maladie se manifeste-t-elle au tout début de son évolution et dans sa phase d'état ?

De façon progressive, d'un seul tenant ou par poussées successives, l'atteinte articulaire va prédominer aux mains, touchant les articulations métacarpo-phalangiennes et interphalangiennes proximales des doigts (entre la 1re et la 2e phalange). La constatation du caractère bilatéral et symétrique de l'atteinte articulaire oriente vers le diagnostic de polyarthrite rhumatoïde.

Ces arthrites sont d'intensité variable. Elles d'accompagnent souvent d'une raideur matinale des articulations atteintes; les articulations sont tuméfiées. Les articulations interphalangiennes proximales ont un aspect fusiforme. La mobilisation des articulations est douloureuse.

 La vitesse de sédimentation est accélérée. Le diagnostic de certitude de cette maladie peut être difficile à affirmer au début, du fait de la négativité fréquente de l'examen radiologique et des réactions immunologiques (latex et Waaler-Rose) à cette phase initiale. Mais l'évolution viendra confirmer le diagnostic en quelques mois.

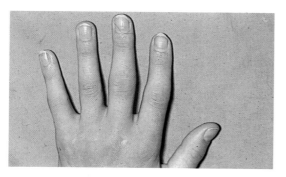

polyarthrite rhumatoïde. *Cette jeune femme souffre de polyarthrite rhumatoïde. L'inflammation des articulations proximales des doigts réalise un aspect en « fuseau ».*

En effet, à la phase d'état, cette maladie est caractérisée par la positivité des réactions immunologiques, de la réaction au latex et de la réaction de Waaler-Rose; ces deux réactions sont positives dans 85 % des cas de polyarthrite rhumatoïde évoluant depuis un an. Sachez cependant, que si 15 % des cas de cette affection ont des réactions sérologiques négatives, d'autres maladies entraînent la positivité de ces mêmes réactions.

Comment évolue la polyarthrite rhumatoïde ?

Une fois installée, la maladie évolue pendant toute la vie de la patiente. Elle n'a pas de tendance spontanée à la guérison, mais certaines formes peuvent néanmoins s'éteindre. En pratique, nul ne peut prévoir l'évolution de cette affection rhumatismale ni les complications qu'elle peut engendrer.

En conséquence, son diagnostic implique toujours un pronostic grave pour le patient et l'instauration d'un traitement non anodin à long terme compte tenu des effets secondaires des médicaments.

Le traitement

Le traitement de la polyarthrite rhumatoïde est difficile et complexe. Il nécessite une stratégie thérapeutique à court et à long terme. Chaque cas est un cas particulier.

En règle générale, on associe un traitement symptomatique (anti-inflammatoires et aspirine) à un traitement de fond de la maladie (antipaludéens, sels d'or, D pénicillamine, immuno-dépresseurs). Chaque traitement de fond nécessite une surveillance médicale rigoureuse, car les effets secondaires sont quelquefois importants. Ainsi, un traitement antipaludéen nécessite une surveillance rétinienne. Les sels d'or et la D penicillamine impliquent une surveillance régulière, clinique et biologique (hémogramme, plaquettes, protéinurie).

L'efficacité des traitements de fond n'est pas immédiate, les effets n'apparaissant qu'au bout de quelques mois.

La corticothérapie, prescrite à petite dose, améliore le confort de la malade de façon appréciable sans pour cela occasionner d'effets secondaires préjudiciables.

Tout au long de l'évolution, d'autres thérapeutiques pourront être nécessaires : kinésithérapie, infiltrations, synoviorthèse, actes chirurgicaux préventifs ou curatifs en fonction de l'état clinique observé.

« La polyarthrite rhumatoïde est une mégère que l'on doit apprivoiser » (Pr M.-F. Kahn). Pour apprivoiser la maladie, la compréhension de la patiente est indispensable et la relation médecin-malade doit être réelle. Cela permettra à ces patients, déjà durement éprouvés par cette maladie, d'éviter le recours aux « solutions miracles » souvent proposées et trop fréquemment préjudiciables à leur santé physique et psychologique.

 ■ arthrite ■ aspirine ■ anti-inflammatoires cortisoniques et non cortisoniques

polyglobulie

 Si vous vous plaignez de maux de tête, de vertiges, de troubles visuels, de démangeaisons, si votre visage est devenu congestionné, vous souffrez peut-être de polyglobulie, c'est-à-dire d'un excès de globules rouges (▷ sang). Votre médecin vous prescrira un hémogramme* : la polyglobulie est affirmée lorsque le taux de globules rouges est supérieur à six millions d'unités par microlitre et celui d'hémoglobine* supérieur à 16 g/dl chez la femme, et à 17 g/dl chez l'homme. Pour confirmer le diagnostic, il vous demandera de subir des prises de sang qui permettent de mesurer le volume total des globules rouges.

Votre médecin devra distinguer entre polyglobulies dites *secondaires*, dues à un excès de l'hormone stimulant la production de globules rouges (l'*érythropoïétine*) , et polyglobulies dites *primitives*, provoquées par une prolifération anormale des précurseurs des globules rouges. Il vous examinera, recherchera des anomalies associées des plaquettes et des globules blancs.

Le plus souvent, il diagnostiquera une polyglobulie secondaire dont la cause peut être une insuffisance respiratoire ou cardiaque, plus rarement une tumeur, en particulier du rein. Parfois, il conclura à une polyglobulie primitive, ou *maladie de Vaquez*. Dans ce cas, après avis d'un spécialiste, vous subirez des saignées régulières et vous entreprendrez éventuellement un traitement médicamenteux visant à contrôler la production des globules rouges par la moelle.

L'intoxication tabagique est parfois responsable d'une polyglobulie modérée, souvent associée à une augmentation du nombre des globules blancs. L'arrêt de l'intoxication permettra une normalisation de ces chiffres.

polykystose rénale

La polykystose rénale est une malformation familiale d'origine congénitale touchant les deux reins de façon diffuse. Elle est caractérisée par l'existence de nombreuses formations kystiques dont le développement aboutit à l'insuffisance rénale chronique. Le plus souvent il s'y associe la présence de kystes cérébraux et hépatiques.

L'évolution de la polykystose est émaillée de complications dont les plus fréquentes sont la surinfection, les hémorragies intrakystiques et l'hypertension artérielle. Cette affection est héréditaire, transmissible selon le mode dominant. Il existe des formes de gravité variable, depuis la redoutable maladie polykystique néo-natale, fatale en quelques semaines, jusqu'aux formes latentes de l'adulte, découvertes lors de l'enquête épidémiologique familiale et ne se décompensant qu'après l'âge de 50 ans.

polypes de l'utérus

Les polypes de l'utérus sont de petites formations tumorales allongées qui apparaissent à l'orifice du col et qu'un examen au spéculum révèle aisément.

Ils se traduisent en général par des métrorragies (pertes de sang entre les règles), ce symptôme justifiant bien sûr un examen gynécologique.

Il existe essentiellement deux types de polypes :
— Les polypes qui naissent dans la partie interne du col de l'utérus, appelés encore polypes endocervicaux; leur base d'implantation est accessible, leur ablation facile et indolore, par torsion ou coagulation de la base d'implantation. Elle peut se faire au cabinet du médecin. L'examen microscopi-

que révèle qu'ils sont recouverts de cellules glandulaires, sécrétant du mucus, ce sont des polypes muqueux.

— Un deuxième type de polypes prend naissance dans la cavité utérine elle-même, ce sont des fibromes de forme allongée qui progressent dans le col de l'utérus pour apparaître au fond du vagin en « battant de cloche ». Eux aussi se signalent par des métrorragies et quelquefois des douleurs expulsives. Leur base d'implantation est très profonde, inaccessible, leur exérèse (ablation) nécessite un curetage. L'examen histologique révèle qu'ils sont constitués essentiellement de fibres conjonctives, ce sont les polypes fibreux.

Polypes muqueux ou polypes fibreux ne se cancérisent quasiment jamais.

Après la ménopause, un polype du col, appelé dans ce cas « polype sentinelle » peut être le signe d'un cancer de l'utérus; il implique son exérèse.

Ainsi, les polypes de l'utérus sont des formations tumorales bénignes dans la très grande majorité des cas, mais qu'il convient d'ôter et de faire analyser; il faut bien savoir que ces tumeurs sont récidivantes et demandent des contrôles réguliers.

polypes du côlon et du rectum

Vous avez des rectorragies (émission de sang rouge par l'anus) ou des glaires ou vous avez des parents du premier degré (parents, frères et sœurs, enfants) ayant eu un polype ou un cancer du côlon (ou du rectum) ou vous avez personnellement été atteint de ces affections ou encore d'un cancer génital, du sein, de la vessie, voilà autant de circonstances qui doivent vous faire consulter pour que l'on recherche un polype.

On appelle ainsi des formations arrondies en relief sur la muqueuse; elles peuvent être sessiles

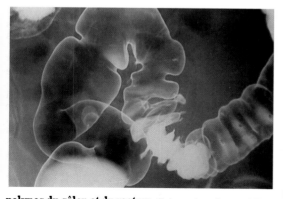

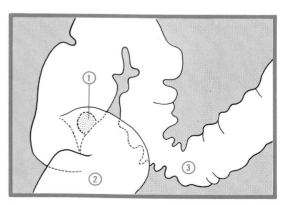

polypes du côlon et du rectum. *Ci-dessus, à gauche : on voit bien sur ce lavement baryté en double contraste (baryte + air) la petite saillie grossièrement arrondie d'un polype du côlon qui sera retiré lors de l'endoscopie (polypectomie à l'anse diathermique). Ci-dessus, à droite :* ① *polype,* ② *rectum,* ③ *sigmoïde.*

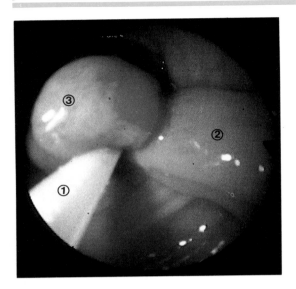

polypes du côlon et du rectum. *L'anse ① diathermique qui permet la section du pédicule ②, ou pied du polype, est insérée sur celui-ci à peu de distance de la tête ③ du polype.*

(sans pied) ou pédiculées (reliées à la surface colique par un pied, comme celui d'un champignon). Le terme de polype est imprécis, car il désigne un ensemble de tumeurs bénignes dont les potentialités évolutives sont en fait très variables. Certains polypes se cancérisent rarement, d'autres au contraire ont un risque de cancérisation élevé. Seule l'étude histologique de la totalité du polype sur pièce de résection endoscopique ou chirurgicale permet un diagnostic histologique suffisamment précis. Ceci justifie l'ablation de tous les polypes découverts et une généralisation plus grande des méthodes de dépistage.

Les méthodes de dépistage sont d'efficacité variable. Les méthodes chimiques de recherche de sang dans les selles comportent d'assez nombreux faux positifs et, ce qui est plus grave, des faux négatifs. Les examens endoscopiques* sont par ordre d'efficacité, et peut être aussi d'inconfort, croissant : la rectoscopie, la sigmoïdoscopie, la coloscopie totale (c'est-à-dire explorant tout le côlon jusqu'au cæcum). Un lavement* baryté en double contraste (instillation rectale de baryte et d'air) pourrait, si la préparation colique et la technique radiologique sont parfaites, avoir un pouvoir de détection des polypes proche de la coloscopie totale. Contrairement à celle-ci, il ne permet pas leur ablation.

L'ablation des polypes est, selon leur taille, endoscopique ou chirurgicale. Non traités, les polyadénomes dédifférenciés et les tumeurs villeuses risquent de se cancériser plus tard. Une fois enlevés, une surveillance, en règle annuelle puis plus espacée, reste nécessaire, afin de pouvoir

traiter une éventuelle récidive suffisamment tôt par la simple ablation à l'anse diathermique par voie endoscopique.

Il existe des formes particulières : polyposes (au-dessus de huit polypes) et surtout des formes familiales rares mais graves (polypose recto-colique familiale) où les adénomes se cancérisent tôt (avant 40 ans) et dont le traitement prophylactique doit être une chirurgie précoce.

☞ ■ **rectorragie** ■ **côlon** *(cancer du)* ■ **rectum** *(cancer du)*

ponction-lavage du péritoine

☞ **abdomen** *(traumatisme fermé de l')*

ponctions

On appelle ponction tout prélèvement d'un liquide de l'organisme à l'aide d'une aiguille. Une ponction peut avoir un intérêt diagnostique ou un intérêt thérapeutique, parfois les deux simultanément. Elle ne nécessite pas d'anesthésie préalable de la peau.

— *Les ponctions veineuses* (prises de sang) sont de loin les plus fréquentes. Elles permettent de prélever un échantillon de sang veineux en ponctionnant une veine au membre supérieur. A partir du sang ainsi prélevé, un grand nombre d'examens peuvent être faits, explorant le sang lui-même ou les fonctions des organes principaux (foie, reins, pancréas) ou recherchant un état inflammatoire ou infectieux. De même un bilan de dépistage peut être ainsi réalisé (▷ sang).

— *Les ponctions artérielles* prélèvent du sang dans l'artère radiale (poignet) ou fémorale (aine). La différence essentielle du sang artériel avec le sang veineux est sa teneur en oxygène et en oxyde de carbone. Le dosage de ces éléments (gaz du sang) permet d'apprécier les fonctions métaboliques (poumons, reins...).

— *La ponction lombaire* est destinée à prélever un petit volume de liquide rachidien au moyen d'une aiguille fine introduite entre deux vertèbres lombaires (bas du dos). Exceptionnellement, ce liquide peut être prélevé dans la région occipitale (en haut du cou). L'analyse de ce liquide permet le diagnostic de certaines maladies infectieuses (méningite) avec le typage exact du germe, ou de certaines maladies neurologiques (hémorragie méningée...). Après la ponction, un repos de quelques heures en position allongée prévient l'apparition d'éventuels maux de tête parfois pénibles mais fugaces.

— *Les ponctions articulaires* permettent de prélever un liquide articulaire dont le volume sera variable, parfois important s'il existe un épanchement (synoviale du genou) ou une hémorragie (hémarthrose post-traumatique). Leur intérêt est à la fois thérapeutique, car ils soulagent la douleur, et diagnostique car ils précisent la cause de l'épanchement par analyse du liquide.

— *Les ponctions médullaires* prélèvent un échantillon de moelle osseuse (sternum, bassin) pour les diagnostics hématologiques (maladies du sang). Elles s'effectuent à l'aide de trocarts, sorte d'aiguilles épaisses (▷ biopsie).

— *La ponction d'un abdomen dilaté* fait évacuer un liquide péritonéal parfois abondant (ascite) dont l'analyse permet le plus souvent d'en déterminer la cause.

— *La ponction pleurale* permet l'évacuation du liquide accumulé entre les feuillets de la plèvre au moyen d'une aiguille introduite entre deux côtes, améliorant ainsi la respiration. Le liquide recueilli sera analysé afin de préciser la cause de l'épanchement.

Toutes les ponctions doivent être pratiquées avec la plus grande asepsie.

pontage coronaire

Le pontage coronaire est une intervention chirurgicale qui est envisagée lorsque la coronarographie* a montré un rétrécissement important du calibre des artères coronaires (▷ insuffisance coronaire).

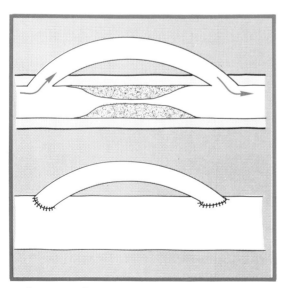

pontage coronaire. *Le pontage coronaire utilise un greffon prélevé sur le patient (veine saphène ou artère mammaire interne). Ce greffon réalise un court-circuit permettant l'apport d'un flux sanguin suffisant en aval de la zone rétrécie par la plaque athéromateuse.*

L'intervention comporte deux temps :
— le prélèvement d'une veine de la jambe,
— l'ouverture du sternum et la mise en place de la circulation extra-corporelle du sang, ce qui permet d'arrêter le cœur ; la veine déjà prélevée est ensuite anastomosée (reliée) d'une part à l'artère coronaire au-delà de l'obstruction, et d'autre part à l'aorte : ainsi, la portion d'artère rétrécie est court-circuitée, et le myocarde correspondant reçoit une meilleure oxygénation.

Le pontage coronaire a actuellement un risque opératoire vital faible, inférieur à 2 % ; mais il doit être envisagé après discussion entre le cardiologue, le chirurgien et le patient. Par ailleurs, les artères ne seront pas pour autant redevenues normales et, bien que l'angine de poitrine disparaisse dans la grande majorité des cas, une surveillance cardiologique régulière est indispensable, ainsi que la poursuite de la correction des facteurs de risque de l'artériosclérose.

position latérale de sécurité

☞ secours d'urgence

post-maturité

☞ maturation du nouveau-né et croissance intra-utérine

pouls

Le pouls est le battement des artères sous l'effet de l'onde sanguine. Il est rythmé par la contraction du cœur qui propulse le sang dans les artères pour le distribuer aux tissus de l'organisme. Il peut être facilement palpé au niveau des artères fémorales, au pli de l'aine (à la racine des cuisses), ou de l'artère radiale (au poignet).

Le pouls peut être palpé à bien d'autres endroits (carotides, poplités, etc.) par votre médecin, pour juger de la perméabilité des artères. Il est facile d'en préciser la *fréquence* et la *régularité* et, avec un peu plus d'habitude, l'*intensité*.

La fréquence
Mesurée par minute, elle est comprise entre 60 et 80 pulsations chez l'adulte normal, supérieure chez l'enfant d'autant que celui-ci est jeune. Elle varie d'un individu à l'autre et d'un moment à l'autre : par exemple, chez les sportifs régulièrement entraînés, elle est plus lente, pouvant baisser à moins de 50 pulsations/minute au repos ; au cours de l'effort, le pouls s'accélère, pouvant atteindre 180 pulsations/minute, voire plus ; à l'arrêt de l'effort, le rythme retourne à son état de base dans la minute qui suit. L'émotion est susceptible d'entraîner également une accélération du pouls.

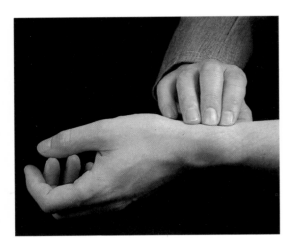

pouls. *Prise de pouls radial par palpitation de l'artère dans la gouttière radiale, sans utiliser le pouce.*

La fréquence du pouls doit vous alerter si :
— elle se maintient au-dessus de 90 pulsations/minute, alors que vous êtes au calme et au repos;
— elle est inférieure à 50 pulsations/minute, sans que vous soyez un athlète de compétition.

Demandez à votre médecin de vérifier vos constatations.

La régularité

Le pouls est normalement très régulier, mais peut être troublé, sans conséquence, par des variations cycliques et progressives de cadences, notamment celles liées à la respiration.

L'anomalie rythmique du pouls la plus fréquente est le manque d'un battement, en rapport généralement avec une « extrasystole » ou battement prématuré, et donc inefficace, du cœur; elle est banale, même chez des sujets normaux à condition qu'elle ne se reproduise que rarement dans la journée; dans le cas contraire, consultez votre médecin, de même si vous notez des salves de battements inattendus ou une perte totale de régularité (arythmie complète).

L'intensité

L'appréciation de l'intensité du pouls nécessite une certaine habitude. Elle est majorée lors de certains états émotionnels ou pathologiques (insuffisance aortique par exemple).

On dit que le pouls est faible ou filant lorsque la pression artérielle diminue franchement, comme au cours d'hémorragies, et, dans ces cas, de nombreux et divers symptômes qui lui sont concomitants sont autrement significatifs.

☞ ■ **palpitations** ■ **rythme et conduction cardiaques** *(troubles du)*

poumon de fermier

☞ risques respiratoires professionnels

poumons

☞ appareil respiratoire

poussière

☞ ■ allergènes ■ allergie à la maison *(comment prévenir l')* ■ allergique *(êtes-vous)* ■ rhinite spasmodique

poux

☞ cheveux

prélèvement de gorge

Il s'agit d'un geste très simple consistant à gratter les amygdales à l'aide d'un porte-coton, avant tout traitement antibiotique. Le prélèvement est aussitôt examiné et ensemencé sur des milieux de culture. L'examen permet d'isoler le germe responsable (streptocoque, bacille de la diphtérie...) et d'établir un antibiogramme afin de tester sa sensibilité aux antibiotiques.

prélèvement des pertes vaginales

Après mise en place du spéculum, le prélèvement est effectué à l'aide d'une spatule ou d'un porte-coton, dans le cul-de-sac postérieur du vagin, parfois dans l'endocol et au niveau de l'urètre.

La recherche des champignons, du trichomonas, peut être entreprise très rapidement par l'examen microscopique du prélèvement. Parfois un ensemencement immédiat sur des milieux de cultures sera nécessaire (gonocoques...). Un antibiogramme permettant de tester la sensibilité du germe isolé aux antibiotiques sera pratiqué.

Le prélèvement vaginal permet encore d'étudier la glaire cervicale et de pratiquer un test de Huhner (▷ stérilité du couple).

☞ **frottis du col de l'utérus** *(ou frottis de dépistage)*

prélèvement mycologique

 ■ peau ■ prélèvement des pertes vaginales

prématurité

La prématurité représente 5 à 10 % des naissances. Sa prévention repose sur le dépistage des facteurs de risque d'accouchement prématuré. Les efforts en ce sens doivent être poursuivis même si les progrès scientifiques accomplis ces dernières années dans les soins apportés aux prématurés ont été immenses.

— Le prématuré né avant la 37e semaine de gestation est un enfant de petit poids parce que né avant terme. Il s'agit d'un enfant fragile, caractérisé par l'immaturité des organes et des grandes fonctions, son absence de réserves énergétiques. Une surveillance très attentive dès les premières heures est donc nécessaire. Elle sera au mieux effectuée dans les centres de prématurés.

— Certaines des maladies auxquelles est exposé le prématuré sont décrites dans ce livre : nous vous y renvoyons afin que vous puissiez mieux comprendre ce qui arrive à votre enfant. Il s'agit notamment de la détresse respiratoire, de l'ictère (jaunisse), de l'infection bactérienne...

— Nous voudrions ici insister sur l'importance de la relation parents-enfant : n'hésitez pas à demander aux médecins toutes les informations nécessaires à la compréhension de la situation. Votre participation aux soins, à l'alimentation, à la toilette est nécessaire à l'épanouissement de votre enfant et à l'harmonie ultérieure de la famille. Le lait de femme est le meilleur aliment du prématuré. Si la mère ne peut pas donner son lait, l'enfant sera nourri avec le lait provenant de banques de lait ou lactarium.

— Après la sortie du centre des prématurés, des consultations régulières sont nécessaires. Elles ont pour but de vérifier le rattrapage, habituel avant la quatrième année, du retard staturo-pondéral de l'enfant, de dépister très tôt un déficit visuel ou auditif et de permettre de lutter efficacement contre les éventuelles séquelles orthopédiques de la prématurité.

 ■ accouchement prématuré *(risque d')* ■ fœtus *(état de santé du)* ■ maturation du nouveau-né et croissance intra-utérine

prénuptial *(certificat)*

 certificats médicaux et législation

prépuce

 verge de l'enfant *(anomalies de la)*

presbytie

Vous avez toujours eu une excellente vue de loin et de près, et pourtant, vers quarante ans, vous êtes obligé d'éloigner votre livre pour lire confortablement (▷ œil, vue [dépistage des troubles de la]). C'est le début de la presbytie. Si vous êtes hypermétrope, elle débutera plus tôt. Si vous êtes myope, vous retirerez vos lunettes pour la lecture.

Cette presbytie est due à une diminution de l'accommodation : faculté qu'a le cristallin de se déformer pour modifier sa puissance (▷ accommodation et convergence). Vous porterez donc des lunettes munies :

— *soit de verres à simple foyer* destinés uniquement à la vision de près;

— *soit de verres à double foyer* permettant de voir de loin et de près, mais avec une zone de vision floue intermédiaire (on peut y remédier en ajoutant un troisième foyer);

— *soit de verres à focale progressive* qui donnent une vision nette à toutes les distances mais déforment légèrement les images dans le regard latéral; on pallie cet inconvénient en prenant l'habitude de tourner la tête.

préservatifs

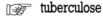 ■ contraception ■ maladies sexuellement transmissibles

primo-infection herpétique

 herpès

primo-infection tuberculeuse

tuberculose

progestérone

■ hormones ■ ménopause

prolactine

La prolactine est une hormone sécrétée par l'hypophyse qui permet de préparer les glandes mammaires à la lactation. Son taux augmente régulièrement pendant toute la durée de la grossesse, mais son effet sur les glandes mammaires reste bloqué

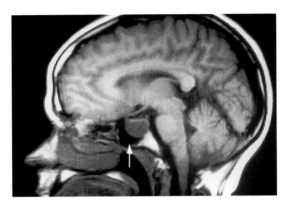

prolactine. *Une tumeur bénigne de l'hypophyse secrétant de la prolactine, et située à la base du crâne dans la « selle turcique » (indiquée par la flèche), peut atteindre un volume suffisant pour comprimer les nerfs optiques et perturber le champ visuel.*

tant que les taux d'estradiol et de progestérone demeurent très élevés. Dès que, après l'accouchement, le placenta est évacué, ces taux d'estradiol et de progestérone s'effondrent et la prolactine peut agir, provoquant la montée laiteuse. Ensuite la succion du mamelon par le nouveau-né entretient, par un mécanisme réflexe, la sécrétion de la prolactine et permet la poursuite de l'allaitement. En retour, le maintien d'une production importante de prolactine bloque le fonctionnement de l'ovaire et induit momentanément l'équivalent d'une ménopause.

Dans certains cas, de petites tumeurs de l'hypophyse (*adénome à prolactine*) peuvent sécréter des quantités importantes de prolactine en dehors de la grossesse. Elles aboutissent à bloquer chez la femme le cycle menstruel (les règles disparaissent) et chez l'homme l'activité testiculaire (impuissance, disparition de l'appétit sexuel). On dépiste ces tumeurs en mesurant la concentration de prolactine dans le sang; on cerne ensuite leur localisation et leur volume par des radiographies du crâne, centrées sur la région hypophysaire (*selle turcique*) et l'on vérifie qu'elles ne compriment pas les nerfs optiques en contrôlant le champ* visuel. Dans la plupart des cas, ces tumeurs sont de très petite taille et se traitent simplement avec des médicaments anti-prolactiniques.

D'autre part, de nombreux médicaments, dont certains neuroleptiques, peuvent à fortes doses augmenter anormalement la sécrétion de prolactine et provoquer ainsi indirectement une perturbation ou même un blocage complet du cycle ovarien.

 ■ hormones ■ règles ou menstruations ■ mamelon et aréole ■ impuissance ■ psychiatrie et traitement

prolapsus

C'est la survenue avec l'âge, chez la femme, d'une extériorisation progressive, jusqu'à la vulve, d'une partie du vagin, de l'utérus et de la vessie. Le problème du prolapsus ne réside pas dans l'extériorisation elle-même, mais dans les troubles fonctionnels qui s'y associent. Ce sont eux qui vous amènent à consulter.

Vous vous plaignez d'une impression de pesanteur pelvienne et d'une sensation de descente des organes, surtout en position debout. Vous avez constaté l'apparition à la vulve d'une tuméfaction blanchâtre (*cystocèle*), indolore. Puis survient rapidement une incontinence urinaire à l'effort, lors d'une marche prolongée ou du port d'une charge.

Ces signes s'aggravent progressivement – des efforts de plus en plus faibles suffisent à entraîner la perte des urines –, mais cessent au repos et surtout en position allongée.

Le traitement de l'incontinence et du prolapsus est chirurgical. Diverses techniques sont possibles.

Un prolapsus modéré présentant peu de signes sera traité, chez une femme âgée, par une intervention limitée. L'existence de signes gênants fera préférer, surtout chez une femme encore jeune, une intervention abdominale qui tend à restaurer l'anatomie normale par fixation de l'utérus; le résultat est habituellement durable.

Quelle que soit l'intervention, si l'incontinence existe depuis de longues années, les lésions constituées ne se corrigeront que progressivement et partiellement, par la récupération des muscles responsables de la continence (essentiellement la sangle des releveurs).

☞ incontinence urinaire

pronation douloureuse

☞ membre supérieur (*votre enfant refuse de bouger son*)

propreté du nourrisson

☞ développement psychomoteur

prostate

La prostate est un organe masculin, unique et médian, situé autour de l'urètre et au-dessous de la vessie. Elle est constituée de trois lobes, deux symétriques situés de part et d'autre de la face postérieure de l'urètre, et le troisième médian placé entre les précédents.

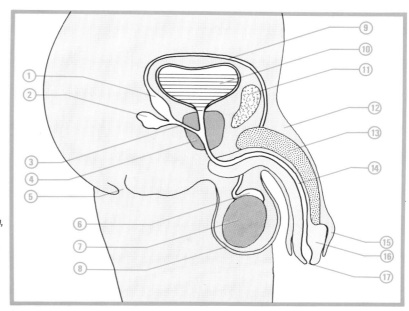

prostate. *Coupe sagittale de l'appareil génital masculin : ⑧ scrotum, ⑦ testicule, ⑥ épididyme, ⑨ canal déférent, ① ampoules déférentielles, ② vésicule séminale, ③ canal éjaculateur, ④ prostate, ⑩ vessie, ⑪ pubis, ⑫ pénis, ⑬ corps caverneux, ⑭ urètre, ⑮ prépuce, ⑯ gland, ⑰ méat urétral, ⑤ anus.*

Il s'agit d'une glande à sécrétion exocrine dont le produit a la propriété d'assurer la survie des spermatozoïdes. Ceux-ci se forment dans les testicules d'où ils migrent vers les vésicules séminales avec la sécrétion prostatique. Les vésicules se vident par les canaux éjaculateurs qui sont inclus dans la prostate et s'abouchent en arrière de l'urètre au niveau du relief prostatique appelé *veru montanum*.

Par sa localisation profonde, la prostate est d'examen radiologique difficile; néanmoins, celui-ci peut être • obtenu de façon indirecte lors d'une urographie* intraveineuse ou de façon directe par échographie* ou scanner*. En revanche, par sa proximité du rectum, elle est d'examen clinique facile par le toucher rectal, et aisément accessible à une biopsie* à visée histologique (examen cellulaire au microscope). L'endoscopie* à lumière froide par le canal urétral permet une vue directe.

La pathologie prostatique n'apparaît qu'après la puberté et est variable selon l'âge du patient. Il n'existe aucune pathologie prostatique chez l'enfant.

Prostatite

Chez l'homme jeune, l'atteinte la plus fréquente est la prostatite. Il s'agit d'une infection de la glande elle-même, appelée *infection ascendante* car l'origine est urinaire et le germe en cause remonte de l'urètre dans les canaux prostatiques ainsi que dans les canaux éjaculateurs. Le premier signe en rapport avec l'atteinte urétrale est une brûlure au niveau de la verge, aggravée par les mictions. La prostatite se manifeste par une sensation de brûlure périnéale qui perturbe la miction.

Le diagnostic est habituellement acquis sans examen complémentaire, mais l'identification du germe nécessite un examen cyto-bactériologique des urines* afin d'instaurer une antibiothérapie générale adaptée. Une opacification rétrograde de l'urètre pourrait montrer un reflux du produit de contraste dans les canaux prostatiques, mais cet examen tend à aggraver l'infection et il est réservé aux cas difficiles où il existe un doute diagnostique, ou au stade de la chronicité. L'infection ascendante négligée peut aboutir à une orchite (infection du testicule).

Cancer de la prostate

Chez le sujet ayant atteint une quarantaine d'années, la pathologie de la prostate la plus importante est le cancer. Il s'agit d'une localisation toutefois peu fréquente de la maladie. Les signes de début sont une gêne à la miction (*dysurie*) avec parfois une sensation de plénitude pelvienne.

Le diagnostic est suspecté lorsque le toucher rectal perçoit une masse dure dans un lobe par ailleurs normal. Une biopsie à l'aiguille permet le diagnostic. Le pronostic est de gravité variable, selon le degré d'extension des métastases essentiellement osseuses parfois très précoces.

Le traitement est le plus souvent indirect pour bloquer la sécrétion d'androgène, soit médicalement par les œstrogènes, soit chirurgicalement par une ablation des deux testicules (*pulpectomie bilatérale*). La sécrétion des androgènes stimule en effet la croissance des tumeurs prostatiques.

Outre la radiothérapie, on peut disposer de la chimiothérapie; quant à la chirurgie, elle est le plus

351

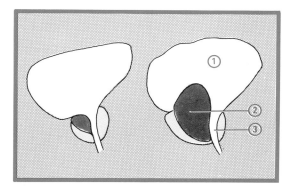

prostate. *Le développement de l'adénome prostatique :*
① vessie, ② adénome, ③ urètre.

souvent partielle, permettant par voie endoscopique de « raboter » la tumeur.

Adénome de la prostate

Le sujet âgé est exposé essentiellement à l'adénome de la prostate qui est une hypertrophie bénigne de la glande. Le premier signe d'appel est une envie fréquente d'uriner avec émission de très faible volume : il s'agit de la *pollakiurie* qui est diurne et nocturne. Le patient est amené à se lever plusieurs fois au cours de la nuit pour uriner. Très progressivement cette pollakiurie est complétée par un retard à la miction et une diminution de la force du jet. Ceci conduit le médecin à pratiquer un toucher rectal : il existe une masse ferme mais non dure, plus ou moins volumineuse ; l'échographie* pelvienne transvésicale, parfois complétée par une échographie par sonde rectale, permet de visualiser au mieux la prostate et d'apprécier le volume de l'adénome.

Lorsque l'adénome est assez important pour soulever la vessie, il peut être visualisé indirectement par l'urographie intraveineuse. L'intervention est nécessaire lorsque la gêne fonctionnelle est importante et avant que n'apparaissent les complications urinaires (rétention d'urine, insuffisance rénale).

Une intervention par les voies naturelles (endoscopie) permet de pratiquer une résection partielle de l'adénome mais peut se révéler parfois insuffisante. L'adénomectomie transvésicale est un geste chirurgical plus important mais qui permet d'effectuer l'ablation totale de la masse. Le risque d'incontinence urinaire, suite à cette intervention, est faible et les résultats sont en général excellents.

prostatite

 prostate

protéinurie

 Des bandelettes de papier réactif trempées dans le prélèvement de vos urines ont permis d'y détecter, le plus souvent à l'occasion d'un examen systématique, la présence de *protéines*. Pour confirmer et interpréter cette protéinurie, votre médecin doit recourir à l'analyse du dosage des protéines, notamment l'*albumine*, émises en vingt-quatre heures dans vos urines. L'albumine est une protéine du sang. Son émission quotidienne, ou albuminurie, dans les urines s'effectue en petites quantités : inférieure à 150 mg, elle est dite physiologique et donc non pathologique.

Les protéinuries intermittentes :
— la protéinurie qui accompagne une affection fébrile et disparaît en même temps que la fièvre ;
— la protéinurie qui accompagne une infection urinaire et disparaît avec sa guérison ;
— la protéinurie provoquée par des efforts ;
— la protéinurie qui n'apparaît qu'en position debout (en revanche, elle est absente de l'urine recueillie après une nuit de repos allongé).

Les deux derniers cas nécessitent une surveillance régulière afin de dépister un passage éventuel à la protéinurie permanente.

Les protéinuries permanentes :
— la glomérulonéphrite : la protéinurie, inférieure à 3 g/jour, est accompagnée d'une hématurie et d'une hypertension artérielle ;
— le syndrome néphrotique : la protéinurie, supérieure à 3 g/jour, est composée presque exclusivement d'albumine et accompagnée d'œdèmes.

De très nombreuses maladies entraînent une protéinurie ; citons : le diabète, le myélome...

Au cours de la grossesse, une albuminurie associée à une hypertension artérielle et des œdèmes évoque une toxémie gravidique (▷ grossesse et hypertension artérielle).

prothèse orthopédique

 ■ coxarthrose ■ fémur *(fracture du col du)* ■ gonarthrose ■ orthopédie *(traitement en)*

protides

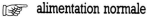 alimentation normale

prurigo strophulus

 Il s'agit d'une éruption de petites élevures rouges, surmontées de vésicules, qui démangent. Elles siègent sur les parties découvertes ou sur les zones de striction des vêtements (ceinture, haut des chaussettes). Elles surviennent chaque été, surtout chez les jeunes enfants : les lésions correspondent à des piqûres de larves d'acariens, appelés encore aoûtats, qui parasitent habituellement les oiseaux, la paille, diverses céréales ou le matériel d'ameublement (lames de parquet, revêtement de canapés, de chaises, etc.). La répétition des piqûres entraîne une désensibilisation progressive de l'enfant qui, vers l'âge de sept ans, ne réagira plus à la piqûre.

Le prurigo strophulus ressemble parfois à la varicelle et ne doit donc pas être confondu avec elle.

 Le traitement consiste en l'application d'antiseptiques locaux et de crèmes insecticides ainsi qu'en la prise orale de médicaments antihistaminiques (anti-allergiques) qui calment les démangeaisons. Il faut encore désinfecter la literie, le plancher, les animaux domestiques, à l'aide de produits insecticides. Les promenades dans les prés, bras et jambes nus, seront évitées.

☞ aoûtats

prurit anal

☞ anus *(pathologie de l')*

prurit généralisé

 Il s'agit d'un symptôme fréquent qui accompagne un grand nombre de maladies de la peau, ou qui révèle d'une maladie générale.

Votre peau semble indemne de toute lésion
— *Vous devez consulter votre médecin.* Celui-ci prescrira un bilan sanguin car un taux d'urée trop élevé, un diabète, une obstruction des voies biliaires s'accompagnent parfois de démangeaisons. Il en est de même pour certaines affections malignes qui sont parfois révélées par des démangeaisons; c'est le cas de la maladie de Hodgkin. Votre médecin accusera parfois un médicament — les antibiotiques, les sulfamides, les barbituriques, les antidépresseurs — qui peut entretenir un prurit, rebelle parfois, seule manifestation de l'intolérance médicamenteuse. Ceci impose bien entendu l'arrêt immédiat de la médication.
— *La sécheresse cutanée aggrave les sensations prurigineuses.* Cela s'observe fréquemment chez les sujets âgés et les sujets atteints d'eczéma atopique. Des savons, des détersifs, certains vêtements, la laine portée à même la peau peuvent être responsables de prurit généralisé. L'éviction de la cause associée à une bonne hydratation du tégument fera disparaître les démangeaisons.

Des lésions sont visibles sur votre peau
— Les démangeaisons surviennent surtout la nuit; d'autres membres de la famille se grattent : c'est une *gale.*
— Les lésions cutanées ressemblent à des piqûres d'orties et confluent en placard; leur aspect change d'une heure à l'autre : c'est une *urticaire.*
— L'*eczéma* de contact vestimentaire (teinture, apprêt, agents assouplissants, agents anti-graisses, lessives...) ou cosmétique (savon, laits corporels, bains moussants...) entraîne l'apparition de plaques rouges et grenues, recouvertes de petites élevures cutanées contenant de la sérosité : le prurit est féroce.

Vous êtes enceinte
Les démangeaisons sont fréquentes durant la grossesse avec, en particulier, l'apparition pendant les derniers mois de petites élevures cutanées très prurigineuses qui disparaîtront spontanément après l'accouchement.

Quelle que soit la cause du prurit, retenez ces quelques conseils :
 — n'appliquez pas de pommade contenant des anesthésiques ou des antihistaminiques;
— ne portez pas de laine à même la peau;
— ne prenez pas de bains trop chauds;
— utilisez pour la toilette un savon doux;
— évitez l'emploi trop fréquent de bains moussants.

☞ ■ urticaire et œdème de Quincke ■ eczéma ■ gale ■ insuffisance rénale chronique ■ diabète sucré

pseudo-polyarthrite rhizomélique

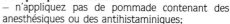 La pseudo-polyarthrite rhizomélique est un rhumatisme inflammatoire très particulier, touchant habituellement de façon progressive le sujet âgé dès 60 ans. Elle associe un syndrome articulaire inflammatoire (arthrites localisées aux racines des membres) et un syndrome général se traduisant par une altération de l'état général (amaigrissement, asthénie, fièvre). Ces symptômes imposent de :
— *confirmer* l'atteinte inflammatoire par des examens biologiques (la vitesse* de sédimentation est très supérieure à 75); les autres tests de l'inflammation sont positifs;
— *rechercher* une maladie de Horton (artérite temporale ou à cellules géantes), fréquemment associée à la pseudo-polyarthrite rhizomélique. Cette maladie se manifeste par des céphalées temporales et/ou des troubles de la vision; son existence aggrave le pronostic et modifie le traitement. La biopsie* de l'artère temporale, examen

simple, permet de rechercher les signes histologiques de cette maladie;
– *traiter et surveiller.*

La corticothérapie par voie générale est utilisée. Sa dose est fonction de l'association ou non de la pseudo-polyarthrite rhizomélique à une artérite temporale. Son action est spectaculaire immédiatement sur l'ensemble de la symptomatologie clinique et des paramètres biologiques; elle protège des éventuelles complications de l'artérite (perte de la vision d'un œil).

Ce traitement est maintenu plusieurs mois sous surveillance régulière; puis il est diminué progressivement afin d'obtenir la rémission avec la dose la plus faible possible de cortisone, avant d'envisager le sevrage total. Des rechutes à l'arrêt du traitement sont toujours possibles.

Ainsi, cette maladie, de prime abord inquiétante, est bénigne si elle est correctement traitée. Elle doit être systématiquement évoquée chez toute personne âgée dont la vitesse de sédimentation est très augmentée.

 ■ arthrite ■ anti-inflammatoires cortisoniques et non cortisoniques

psoriasis

L'apparition de plaques cutanées rouges, couvertes d'écailles blanc argenté, siégeant le plus souvent aux coudes, aux genoux ou dans le bas du dos, est évocatrice de psoriasis. Il s'agit d'une maladie parfois familiale, souvent chronique et d'évolution capricieuse, observée à tous les âges. Elle n'est ni grave ni contagieuse. Elle s'accompagne parfois d'une maladie inflammatoire : le rhumatisme psoriasique.

Les poussées de psoriasis sont souvent déclenchées par un choc affectif, un accident, une intervention chirurgicale. Elles peuvent survenir sur n'importe quelle partie du corps : sur les ongles, où l'affection est souvent confondue avec une mycose, sur le cuir chevelu, en provoquant la formation de pellicules parfois très épaisses sans entraîner une chute des cheveux...

Un traitement local permet de traiter les lésions peu étendues. Le psoriasis s'améliore pendant les vacances grâce à l'action combinée du soleil et de la mer.

On utilise volontiers des préparations à base de goudron ou de cortisone afin de provoquer la chute des écailles blanchâtres de la peau.

Pour les psoriasis généralisés, on fait appel à la puvathérapie qui utilise une substance photosensibilisante absorbée deux heures avant l'exposition aux rayons ultraviolets artificiels. Dans les formes graves, on peut utiliser un dérivé aromatique de la vitamine A.

Des cures dans certaines stations thermales sont parfois bénéfiques.

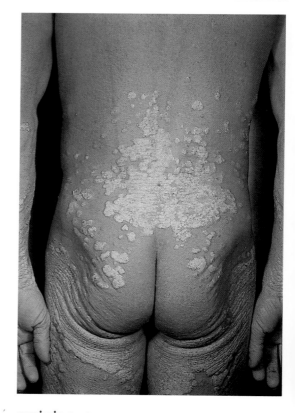

psoriasis. *Ces plaques rouges recouvertes d'écailles de peau blanche sont caractéristiques du psoriasis.*

psychanalyse

 psychiatrie et traitement

psychiatrie et traitement

Traitement médicamenteux et psychothérapie ont chacun leur part dans le traitement des maladies mentales. L'un ne se conçoit pas sans l'autre, à de rares exceptions près.

Le traitement médicamenteux

Les psychoses

Les délires aigus ou chroniques sont traités par les neuroleptiques. Ceux-ci possèdent deux propriétés essentielles : antipsychotiques et sédatifs.
– Les *antipsychotiques* : sont les seuls médicaments capables d'agir sur les hallucinations, de réduire ou d'éteindre le délire.

— les *neuroleptiques sédatifs* : calment l'angoisse, l'excitation, l'agitation.

Les effets indésirables varient avec le type de neuroleptique et sont parfois prévenus par d'autres médicaments associés. Les sédatifs sont souvent à l'origine de vertiges et de palpitations, parfois de somnolence. Les antipsychotiques peuvent entraîner une symptomatologie de type parkinsonienne.

Les névroses

Les névroses hystériques, phobiques, obsessionnelles, quand elles entravent singulièrement la vie du patient, relèvent surtout de la psychothérapie. Ailleurs, le traitement est symptomatique, visant à soulager l'angoisse, l'asthénie, l'élément dépressif associé; mais ces symptômes peuvent avoir d'autres causes et n'ont pas toujours à être traités : seul le médecin peut en décider.

L'angoisse et l'anxiété

Les *benzodiazépines* sont les plus prescrits des psychotropes. Ils diminuent l'anxiété, détendent les muscles, induisent le sommeil, empêchent les convulsions, mais peuvent entraîner la somnolence (surtout quand le sujet est alcoolique), aggraver une insuffisance respiratoire, une myasthénie. Pris trop longtemps et à trop fortes doses, ils dérèglent le sommeil et entretiennent l'insomnie.

L'insomnie

Les *barbituriques* ne sont plus guère prescrits contre l'insomnie. Ils induisent un sommeil artificiel (diminuant la part du sommeil de rêve), entraînent accoutumance, dépendance psycho-physiologique avec un syndrome de sevrage à l'arrêt. Ils entraînent aussi parfois somnolence, céphalées, tête lourde, excitation paradoxale chez l'enfant, troubles de l'équilibre chez le vieillard.

Les *benzodiazépines* sont moins toxiques que les barbituriques, mais peuvent entraîner les mêmes troubles, surtout s'ils sont pris à doses importantes et de façon chronique. Les troubles de la mémoire sont fréquents : des épisodes de confusion surtout en cas d'absorption d'alcool sont possibles en particulier chez le vieillard.

La dépression

Les *antidépresseurs* sont des médicaments de l'humeur douloureuse. Ils sont prescrits tant dans les dépressions avérées que pour des symptômes que le médecin saura rattacher à la dépression : insomnie, asthénie, anorexie, douleurs chroniques sans support organique... Ils dissipent l'inhibition, améliorent l'humeur et calment l'angoisse.

Les contre-indications essentielles sont les troubles de la conduction cardiaque, le glaucome à angle fermé et l'hypertrophie de la prostate. Les effets secondaires, très fréquents, s'atténuent ou disparaissent en cours de traitement : bouche sèche, constipation, tachycardie, tremblement des mains, vertiges, sueurs... Le risque suicidaire est à mettre à part : il apparaît lorsque la levée de l'inhibition précède la disparition de l'angoisse ou de l'humeur triste.

Le traitement est pratiqué à doses lentement croissantes, débute en milieu hospitalier dans les formes graves. L'efficacité est lente à apparaître : une à trois semaines. Le traitement doit être prolongé dans les dépressions certaines pour éviter les rechutes. Si l'angoisse est au premier plan, le médecin prescrira un antidépresseur sédatif, et, si l'inhibition prédomine, un antidépresseur stimulant.

Les techniques psychothérapiques

La psychothérapie est un traitement au cours duquel une personne, professionnellement entraînée, établit une relation avec un patient dans le but d'écarter, de modifier ou d'empêcher les symptômes que manifestent les troubles du comportement, et de promouvoir un développement positif de la personnalité. Les psychothérapies sont nombreuses et diverses; nous n'en mentionnerons ici que les principales.

La psychanalyse

Fondée sur la théorie du fonctionnement psychique de l'homme, telle que Freud l'a établie et développée, la psychanalyse a pour objectif d'affranchir le patient des exigences inconscientes qui ont entravé son développement affectif. Elle n'est pas une méthode palliative ou restauratrice, puisqu'elle ne s'adresse pas aux symptômes en particulier, mais à la personnalité dans son ensemble, dont on rétablit la dynamique « bloquée » à un stade infantile de l'évolution affective, et non intellectuelle.

Cette méthode de traitement est limitée à certains sujets ayant une personnalité suffisante pour surmonter la véritable épreuve que constitue la cure analytique — suffisamment jeunes (moins de 50 ans), intelligents et « solides » —, ainsi qu'à certaines pathologies, les meilleures indications étant les caractères névrotiques légers et la névrose phobique. Le psychanalyste, après des entretiens préalables, en décide l'indication.

La technique en est rigoureuse : la règle fondamentale exige du patient qu'il livre sans réserve toute idée ou sensation lui venant à l'esprit selon la loi des associations libres. Les autres règles concernent la durée — 30 à 45 minutes —, la régularité des séances — deux à quatre fois par semaine — et la position allongée du patient, l'analyste devant garder durant la séance une attitude de neutralité bienveillante ainsi qu'une disponibilité affective, et refuser d'établir des relations personnelles avec son patient en dehors des séances.

La cure analytique se fonde sur le transfert, c'est-à-dire sur les sentiments irrationnels que le patient projette sur le psychanalyste. Ces sentiments représentent généralement la projection de sentiments refoulés et inconscients qu'il a éprouvés au cours de situations conflictuelles avec ses parents pendant la petite enfance. Le patient résiste à l'apparition et au développement du transfert en raison de l'anxiété qu'il provoque : il banalise son discours, reste silencieux ou ne vient pas aux séances. L'analyse de ses résistances et leur interprétation représentent un temps essentiel de la cure. C'est la situation vécue dans le transfert qui permet au sujet d'appréhender son mode de relation aux autres, bien plus que la compréhension intellectuelle des symptômes, sans bénéfice majeur pour le patient. La résolution de ce transfert, véritable névrose artificielle, constitue la phase terminale du traitement : prise d'autonomie par rapport au psychanalyste, assouplissement des interdits parentaux et maturation de l'affectivité.

Les psychothérapies d'inspiration analytique

D'indication beaucoup plus large que la cure-type thérapeutique d'exception, plus souples dans leurs règles, elles se font en face à face patient-thérapeute. En limitant le transfert, elles permettent de borner la régression chez les sujets au « moi » trop faible ou trop rigide.

Les techniques analytiques non freudiennes

La technique inspirée de Jung utilise de façon essentielle l'analyse du rêve, développe la notion d'inconscient collectif et d'archétypes universels. La psychothérapie selon Adler s'attache, en un face à face psychothérapeute-patient, à étudier les sentiments d'infériorité de ce dernier et à éduquer son comportement social.

L'hypnose

Technique très utilisée aux États-Unis, elle consiste à provoquer par des procédés d'induction généralement verbaux un état de « transe » qui peut être utilisé comme méthode de suggestion directe pour lever certains symptômes. C'est aussi une méthode de détente émotionnelle et d'analyse, indiquée surtout dans les névroses traumatiques et certaines affections psychosomatiques.

La relaxation

Le training autogène de Schultz est une véritable psychothérapie passant par le vécu corporel, où le sujet est entraîné à modifier volontairement son tonus musculaire, prendre conscience de certaines sensations internes et maîtriser des rythmes végétatifs (respiratoires et cardiaques). Il est indiqué dans les troubles psychomoteurs et psychosomatiques ainsi que dans certaines névroses.

Les thérapies comportementales

Le symptôme est considéré comme une mauvaise habitude à réformer : en se débarrassant du symptôme, on supprimerait du même coup la névrose. Véritables thérapeutiques de « déconditionnement », elles visent à l'extinction du comportement pathologique acquis, et à son remplacement par un comportement plus adapté. Les indications en sont larges, plus particulièrement les symptômes névrotiques isolés et certains troubles psychomoteurs.

Les psychothérapies de groupe

Le *psychodrame* permet au sujet de retrouver une spontanéité habituellement réprimée et, à travers le jeu de rôle, d'aborder des aspects mal connus de sa personnalité.

Les *thérapies familiales* sont nées de la constatation qu'un réseau relationnel perturbé au sein de la famille peut engendrer et surtout perpétuer une pathologie chez l'un de ses membres. Elles s'attachent à modifier la dynamique familiale.

psychomoteurs
(les troubles de l'enfant)

La maladresse du geste, de l'écriture tient souvent à une mauvaise latéralisation de l'enfant qui n'a pas établi de façon harmonieuse une prédominance droite ou gauche de l'utilisation de son corps (« gaucherie »).

L'enfant mal latéralisé doit être laissé libre de choisir sa main préférée pour les activités courantes. L'apprentissage de l'écriture ne doit pas dans ce cas débuter avant 6 ans (classe de cours préparatoire). Si l'enfant est franchement gaucher, de simples conseils techniques suffisent. En cas de doute, il faut alors lui faire utiliser la main droite.

En cas d'atteinte neurologique, il faut toujours privilégier l'apprentissage du côté sain. La consultation est nécessaire chez le psychiatre qui rassurera la famille, prescrira dans les cas un peu difficiles une rééducation psychomotrice, parfois une psychothérapie car des difficultés psychologiques sont fréquemment à l'origine de cette maladresse.

D'autres fois, le tableau est plus grave : la maladresse associée à des troubles du tonus musculaire et des mouvements anormaux (syncinésies) constitue la débilité motrice; associée à une méconnaissance du schéma corporel et de la représentation de l'espace, elle constitue une dyspraxie. Ces formes graves nécessitent un bilan psychiatrique; il n'y a le plus souvent aucun déficit neurologique.

        développement psychomoteur

psychomotricité

Éducation, rééducation, et thérapie psychomotrices tendent à développer, débloquer et harmoniser, au moyen de jeux, d'expressions verbales, corporelles, plastiques ou musicales, de relaxations, etc., toutes les fonctions d'un individu : biologique, neurophysiologique, psychologique et relationnelle.

Elles peuvent s'adresser à un enfant normal ou handicapé physique, neurologique ou mental, à un adulte stressé, handicapé ou traumatisé, à un adulte sénescent.

psychiatrie et traitement. *Le divan de Freud.*

psychose maniaco-dépressive

La psychose maniaco-dépressive est une maladie de l'humeur, caractérisée par la survenue, plus ou moins cyclique, d'accès dépressifs « mélancoliques » et d'accès euphoriques « maniaques ». Des intervalles libres de toute manifestation pathologique séparent ces accès. La mélancolie est une forme grave de la dépression, s'accompagnant parfois de délire ou d'agitation ou, à l'inverse, de mutisme, d'immobilisme et d'anorexie grave. Culpabilité, douleur morale et désir de mort sont intenses; le risque suicidaire est au premier plan.

L'exaltation euphorique de l'humeur caractérise le sujet atteint d'un accès maniaque : patient jovial, excité, débraillé, ne pouvant tenir en place, parlant sans cesse, sautant du coq à l'âne, élaborant des projets grandioses, faisant des jeux de mots à tout propos. L'excitation érotique, l'activité orale, la perte de la censure morale, détonnent avec l'habituelle réserve du sujet; l'insomnie précoce et constante lui permet de reconnaître lui-même un accès débutant.

Le traitement débute le plus précocement possible chez un malade hospitalisé : électrochocs et/ou antidépresseurs, associés à des neuroleptiques dans le cas de la mélancolie; neuroleptiques sédatifs dans le cas de la manie. Le traitement préventif par le lithium permet de supprimer, ou du moins d'atténuer ou d'écourter les accès; il nécessite une surveillance biologique régulière.

Cette affection, en partie héréditaire, a une évolution prolongée. Les formes limitées à des accès dépressifs isolés sont plus fréquentes. Les accès débutent souvent vers l'âge de 30 ans; ils se répètent environ tous les deux ans.

psychoses

Sous le terme générique de psychose, on entend un ensemble de troubles graves de la personnalité, marqués par la perte de contact avec la réalité.

Chez l'enfant

Le diagnostic doit être porté le plus tôt possible pour permettre la meilleure évolution.

– *Chez le nourrisson* : devant une insomnie sévère, une anorexie rebelle ou des vomissements répétés sans cause organique, s'il ne répond pas au sourire après le deuxième mois, si, après le quatrième mois, l'enfant ne bouge jamais les bras devant une personne qui veut le prendre ou se laisse porter sans réagir, s'il n'a aucune crainte devant l'étranger au 8e ou 9e mois, la consultation chez le pédiatre ou le pédo-psychiatre pour avis est nécessaire.

– *Chez le petit enfant de moins de 5 ans*, on distingue :

la psychose autistique où l'enfant s'isole hors du monde, refuse tout contact, ne supporte pas la moindre modification de son environnement matériel, présente des gestes stéréotypés caractéristiques, le langage étant absent ou ayant perdu valeur de communication;

la psychose symbiotique qui apparaît plus tardivement, chez un enfant vivant toute séparation maternelle dans une angoisse extrême; les traits psychotiques apparaissent secondairement;

enfin, les psychoses associées à un déficit intellectuel.

Chez l'adulte

On y inclut les syndromes délirants chroniques :
– la schizophrénie;
– la psychose hallucinatoire chronique qui survient chez un sujet souvent célibataire, aux alentours de la quarantaine, avec des hallucinations multiples de l'ouïe ou du toucher; le délire n'apparaît que lors de rares transgressions et permet donc parfois une vie sociale prolongée;
– la paraphrénie ou délire d'imagination;
– les délires paranoïaques qui sont des délires d'interprétation, qu'ils soient passionnels comme l'érotomanie (ou l'illusion délirante d'être aimé), de jalousie, de revendication ou de persécution.

Les psychoses aiguës s'apparentent aux délires aigus.

　■ hallucinations ■ délire ■ schizophrénie ■ paranoïa ■ psychose maniaco-dépressive

psychosomatiques *(maladies)*

Un trouble, ou une affection, est dit psychosomatique lorsqu'une des conditions essentielles à sa survenue, ou à son maintien, est d'ordre psychologique. En sont exclus l'hystérie, l'hypocondrie, les troubles somatiques qui accompagnent la dépression, les manifestations aiguës de l'angoisse et du stress en général, ainsi que certains états particuliers consécutifs à des maladies graves, telle l'euphorie du dément ou l'angoisse du cancéreux.

L'origine des troubles psychosomatiques est discutée : l'émotion intervient directement sur le métabolisme du système nerveux central et induit ainsi des réactions glandulaires (endocriniennes) et nerveuses (système nerveux autonome) pouvant susciter par exemple une sécrétion anormale d'acide chlorhydrique chez l'ulcéreux ou une contraction des vaisseaux chez l'hypertendu.

Quelques maladies au cours desquelles le psychisme influe notablement sur le soma seront abordées, ainsi que la personnalité des sujets atteints et le traitement psychologique, inséparable du traitement médical.

Angine de poitrine et infarctus du myocarde

Quand la maladie survient avant 50 ans, le sujet

atteint a une personnalité spécifique. Anxieux de réussir, harcelé par le temps qui lui semble insuffisant, travaillant sans relâche, exigeant de tout vérifier, de tout contrôler, il présente une apparence de calme et de lucidité qui éclate en accès de rage incontrôlé; son avidité orale se dévoile par le tabagisme ou l'obésité. Hyperadapté aux exigences de sa profession, il reste enlisé dans le concret et l'actuel, reléguant au second plan les plaisirs pouvant lui faire perdre son contrôle : sommeil, sexualité, alcool.

L'infarctus est souvent précédé d'un syndrome dépressif, parfois d'un stress ayant entraîné une perte d'estime de soi. La prévention est difficile : la relaxation est utile au stade de l'angine de poitrine, mais souvent refusée; la psychothérapie est rarement possible car les capacités d'introspection sont limitées et la vie fantasmatique est pauvre.

Ulcères

Généralement, l'ulcéreux est un sujet qui s'impose une contrainte interne excessive lui interdisant de demander à son entourage la satisfaction de ses désirs de dépendance passive : être choyé, cajolé, recevoir des marques d'affection.

Toute prise en compte de ses difficultés psychologiques, qu'elle se fasse au sein du couple, dans une structure thérapeutique ou autre, améliore l'état de l'ulcéreux.

Recto-colite ulcéro-hémorragique et maladie de Crohn

Ce sont de graves maladies psychosomatiques; elles atteignent un sujet fonctionnant sur le mode obsessionnel, exprimant peu ses sentiments malgré son hyperémotivité. La relation de dépendance conflictuelle avec la mère est très souvent retrouvée.

Des psychothérapies longues et soutenues peuvent améliorer le patient.

Hypertension artérielle

Relaxation ou parfois psychothérapie sont efficaces chez les sujets jeunes, lorsque l'hypertension est récente.

Asthme

Fréquemment, l'avidité affective insatiable entraîne soit l'agressivité, contre laquelle le sujet lutte, soit un sentiment d'échec, rarement une dépression véritable. Le mari, la femme, le patron ou le médecin incapables de satisfaire cette demande peuvent devenir l'objet d'un sentiment de haine ou, à l'inverse, de mépris. L'enfance de ces asthmatiques est souvent caractérisée par la domination maternelle et l'absence ou le retrait du père.

Une bonne distance dans la relation médecin-malade, la relaxation, la psychothérapie parfois, contribuent à améliorer l'état du patient.

psychothérapie

 psychiatrie et traitement

ptose rénale

La ptose est l'abaissement d'un organe en dessous de son emplacement normal, l'implantation des vaisseaux se faisant en place habituelle. La localisation la plus fréquente d'un rein ptosé est la fosse iliaque. La ptose n'est pas pathologique par sa nature, mais elle peut être source de complications (reflux) par les rapports anatomiques modifiés qu'elle entraîne.

ptosis

Le ptosis est un abaissement de la paupière supérieure par non-fonctionnement du muscle releveur. Il peut être congénital, traumatique ou pathologique (▷ myasthénie). Le ptosis est inesthétique parfois, mais peut être gênant pour la vue s'il est important; l'opération s'avère alors nécessaire.

puberté

La puberté est l'ensemble des modifications physiques qui, en plusieurs années, transforment l'enfant en un être capable de se reproduire.

L'âge de début de la puberté se situe, en moyenne, entre 11 et 12 ans chez la fille, 12 et 13 ans chez le garçon, mais il est très variable d'un enfant à l'autre, de 9 à 15 ans chez la fille, de 10 à 16 ans chez le garçon.

— *Chez la fille*, le premier signe pubertaire est le développement de l'aréole, puis du sein lui-même. Simultanément, apparaît la pilosité pubienne qui se développe peu à peu, la pilosité axillaire précédant de peu l'apparition des règles. Celles-ci surviennent, en moyenne, 2 ans après le début de la puberté. Les premiers cycles sont le plus souvent anovulatoires (sans ovulation), irréguliers et se régularisent en un an. Les seins atteignent leur volume définitif après les premières règles.

— *Chez le garçon*, l'augmentation du volume des testicules est le premier signe. Elle est suivie peu après d'une augmentation du volume de la verge. Le développement définitif des organes génitaux est atteint quatre ans et demi en moyenne après le premier signe. La pilosité pubienne se développe simultanément, la pilosité axillaire, de la face, du tronc et des membres, de même que la mue de la voix, apparaissent deux ans après le début de la puberté. La puberté se termine chez le garçon avec la spermatogenèse.

Chez un tiers des garçons environ, on peut observer, au milieu de la période pubertaire, une hypertrophie d'un ou des deux seins, appelée

puberté. *Sachons écouter nos enfants : la puberté est une période de grands bouleversements...*

gynécomastie. Cette anomalie disparaît le plus souvent spontanément.

Chez les deux sexes, les modifications corporelles s'accompagnent d'une accélération de la croissance et de modifications caractérielles.

L'installation de la puberté pose un problème :
— C'est une période d'opposition pendant laquelle l'enfant affirme sa personnalité. Elle va de pair avec certaines attitudes, agressives ou au contraire passives qui, poussées à l'extrême, expliquent la pathologie de cet âge.
— C'est le moment d'une forte accélération de la croissance où les déformations vertébrales risquent de s'aggraver très rapidement. L'examen régulier de la colonne vertébrale est primordial.
— Les dates de survenue de la puberté ne correspondent pas aux normes. La puberté est *précoce* quand elle survient avant 9 ans chez la fille, avant 10 ans chez le garçon.

Votre médecin s'assure tout d'abord qu'il s'agit bien d'une vraie puberté précoce. En effet, chez certains enfants, un seul signe pubertaire, développement des seins ou de la pilosité, peut devancer les autres de plusieurs années, mais la puberté se fera à un âge normal.

En revanche, si les signes pubertaires apparaissent simultanément avant l'âge normal, il s'agit d'une vraie puberté précoce. Après avoir éliminé une cause qu'il ne faut pas méconnaître, car le traitement en dépend (tumeur cérébrale, ovarienne ou testiculaire), le diagnostic de puberté précoce idiopathique, c'est-à-dire sans cause, sera le plus souvent posé. Sa conséquence essentielle est une taille adulte souvent très inférieure à la normale. Le traitement de la vraie puberté précoce est hautement spécialisé.

La puberté est *retardée* quand aucun signe pubertaire n'est apparu à 15 ans chez la fille et à 16 ans chez le garçon.

La détermination de l'âge osseux par une radiographie du poignet permet d'évaluer le degré de maturation du squelette. Il peut être égal, inférieur ou supérieur à l'âge réel de l'enfant.

Dans le cas d'une puberté retardée :
— si l'âge osseux est en retard par rapport à l'âge de l'enfant, la puberté n'est que *différée*, s'inscrivant dans le cadre d'un retard global de la maturation et ne nécessitant aucun traitement;
— s'il est égal ou supérieur à 11 ans chez la fille, 13 ans chez le garçon, il s'agit d'un vrai retard pubertaire dont la cause reste à déterminer (insuffisance hypophysaire, déficits testiculaires ou ovariens).

☞ ■ **croissance** *(retard de)* ■ **dos de l'enfant** *(déformation du)* ■ **règles ou menstruations** ■ **comportement alimentaire** *(troubles non organiques du)* ■ **toxicomanie**

purpura

Le purpura est aisément reconnaissable. Il s'agit d'une « éruption » cutanée faite de minuscules taches rouges ne s'effaçant pas à la pression, les *pétéchies*, souvent accompagnées d'ecchymoses spontanées, plus rarement de saignements de nez ou de gencives.

Votre médecin recherchera des signes de gravité : en effet, le purpura traduit la sortie du sang hors des petits vaisseaux cutanés; or, le même phénomène peut se produire dans d'autres organes et notamment le cerveau, provoquant des hémorragies graves. Aussi, il devra rapidement déterminer le mécanisme du purpura : s'agit-il d'une diminution du nombre des plaquettes dans le sang, c'est-à-dire d'une thrombopénie, ou d'une fragilité excessive de la paroi vasculaire ? Il demandera donc en urgence un hémogramme* qui comptabilisera le nombre des plaquettes.

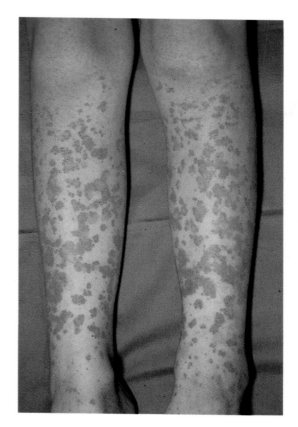

purpura. *Cette « éruption » cutanée est constituée de plaques hémorragiques : c'est l'aspect caractéristique d'un purpura.*

Tout purpura avec thrombopénie impose l'hospitalisation. Pour compléter le diagnostic, vous y subirez un examen de la moelle osseuse par ponction*.

— On peut ainsi déceler la disparition des précurseurs des plaquettes et sa cause : aplasie, envahissement médullaire (leucémies), carence vitaminique ; dans tous ces cas, il s'agit d'un défaut de production de plaquettes.

— Souvent, la moelle osseuse apparaît normale : la thrombopénie est alors due à une destruction excessive des plaquettes dans le sang, dont il faudra chercher la cause.

— Dans de nombreux cas, aucune cause ne pourra être affirmée : on parlera alors de « *purpura thrombopénique idiopathique* », sans cause. Un traitement par corticoïdes est souvent suffisant pour provoquer la remontée du nombre des plaquettes.

☞ coagulation

pustules

☞ peau

pyélonéphrite

☞ infection urinaire

quotient intellectuel

☞ tests mentaux

rachis *(douleurs du)*

 Vous souffrez du dos (rachialgies). A l'exclusion de celles ayant une cause traumatique (choc, chute...), les douleurs du dos peuvent être d'origine mécanique ou inflammatoire, répondant alors à des pathologies différentes.

— Les *douleurs mécaniques* sont provoquées ou aggravées par les efforts et sont calmées par le repos. Elles peuvent être aiguës (lumbago, torticolis) ou chroniques (détérioration du disque intervertébral, arthrose vertébrale).

L'amélioration de l'hygiène de vie est la première étape obligatoire du traitement de ces douleurs (perdre du poids, éviter les ports de charges, se reposer...).

— Les *douleurs inflammatoires* ne sont pas en revanche calmées par le repos. Parfois même, elles ne surviennent que la nuit. Elles imposent de consulter rapidement votre médecin surtout si elles sont d'intensité croissante.

 Quel que soit le type de la douleur, l'examen clinique, la biologie (vitesse* de sédimentation), les radiographies du rachis sont toujours indispensables à l'établissement du diagnostic précis.

Parfois ces examens ne révèlent aucune anomalie et bien qu'il soit toujours difficile de rejeter totalement la nature organique des douleurs, il est des cas où votre médecin retiendra le diagnostic de *rachialgies psychosomatiques* pour lesquelles des facteurs psychiques ont une responsabilité parfois importante.

☞ ■ arthrose ■ disque intervertébral ■ lumbago aigu ■ sciatique par hernie discale ■ ostéoporose

rachis lombaire

(kinésithérapie du)

☞ lumbago aigu

rachitisme

☞ vitamines du nourrisson

radiographie des poumons

La radiographie pulmonaire est l'un des examens radiologiques les plus simples. Il en est également l'un des moins coûteux et des moins polluants en irradiation. Il constitue le premier examen complémentaire que demandera votre médecin traitant devant un symptôme bronchique ou pulmonaire anormal.

Les radiographies de dépistage sont encore obligatoires à diverses étapes de la vie (médecine scolaire, médecine du travail...). Longtemps la tuberculose, par sa fréquence et son extension, justifia l'examen radiologique systématique; celui-ci a permis d'en dépister les formes précoces et de diminuer ainsi les risques de sa contagion.

Actuellement les radiographies de dépistage systématique sont surtout utiles dans les populations à haut risque de maladies respiratoires infectieuses et de tuberculose (travailleurs immigrés, habitants de cités de transit, de maisons de retraite, personnes âgées). La radiographie pulmo-

naire systématique annuelle ne constitue pas, malheureusement, un moyen efficace de dépistage précoce du cancer bronchique chez les fumeurs : en effet, bien souvent celui-ci n'apparaît sur une radiographie qu'à un stade déjà évolué, et s'arrêter de fumer reste actuellement la seule prévention réellement efficace.

radiologie

La radiologie peut se définir schématiquement comme une science utilisant les propriétés des radiations ionisantes et en particulier les rayons X.

Découverts en 1895 par Konrad Roentgen, les rayons X sont produits par l'afflux continu d'électrons sur un métal. L'ébranlement subi par les atomes de ce métal libère une énergie qui est proportionnelle à l'importance et à la vitesse de cet afflux d'électrons sur la matière. Ce rayonnement électro-magnétique, de même nature que celui de la lumière, mais de beaucoup plus petite longueur d'onde, a été appelé rayonnement X.

La *radiologie médicale* est la science clinique utilisant les propriétés de ces radiations soit pour le diagnostic *(radio-diagnostic)*, soit pour le traitement des malades *(radiothérapie)*.

Le radio-diagnostic utilise deux moyens :
— La *radioscopie* est fondée sur la visualisation et l'analyse d'une image produite sur un écran fluorescent par un corps placé entre cet écran et une source de rayons X. Cette méthode utilisée dès la découverte des rayons X a l'inconvénient d'avoir un temps d'investigation relativement long et une visibilité variable, proportionnels à la source de

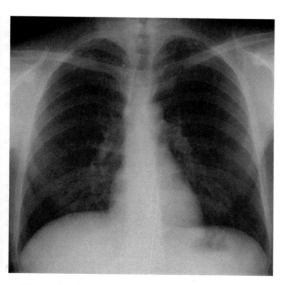

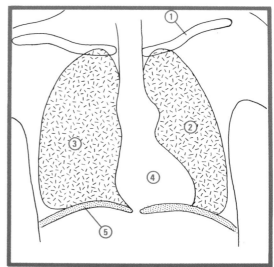

radiographie des poumons. *Examen simple, peu coûteux, sans danger, la radiographie pulmonaire (ci-dessus, à gauche) est une aide précieuse au diagnostic de votre médecin. Ci-dessus, à droite :* ① *clavicule,* ② *poumon gauche,* ③ *poumon droit,* ④ *cœur,* ⑤ *diaphragme.*

rayons X : d'où une irradiation plus longue du malade et de l'examinateur. Par ailleurs, elle ne laisse aucun document. Elle a été remplacée par la radioscopie télévisée. Celle-ci utilise un amplificateur de brillance, appareil qui augmente de façon très importante la luminosité, par un procédé physique, et qui ne demande qu'une faible intensité de la source de rayons X : d'où une irradiation moindre et une meilleure visibilité.

— *La radiographie* utilise la propriété physique qu'ont les rayons X de traverser la matière et d'impressionner une plaque photographique. Les appareils modernes, puissants, permettent une irradiation minimale dans un temps court. La qualité des images est d'ailleurs considérablement améliorée par la sensibilité des films et de leurs écrans renforçateurs qui, comme leur nom l'évoque, renforcent l'irradiation initiale mais sans modifier celle-ci et donc sans irradier le patient.

La radiographie standard a l'inconvénient de projeter tous les points d'un volume sur un même plan. Si l'on souhaite analyser plus particulièrement un de ces points dans un plan précis, on a recours à la *tomographie* (radiographie en coupes).

Apparue entre 1922 et 1931, la tomographie utilise les propriétés optiques des rayons X. Elle consiste à déplacer simultanément pendant la prise d'un cliché le tube émetteur et le film. Le volume à examiner reste fixe : les images situées dans le foyer optique resteront nettes quel que soit le déplacement, et celles situées en dehors, en dessus ou en dessous, seront effacées. En faisant varier le foyer optique, on obtient ainsi une série de coupes ne mettant en évidence que l'organe choisi.

Le radio-cinéma est identique au principe du cinéma habituel, mais utilise une source de rayons X, un amplificateur de brillance pour diminuer l'irradiation, et un film qui défile à vitesse variable : c'est une excellente méthode pour une étude cinétique des organes.

radiopelvimétrie

 mensurations radiologiques

radio-protection

 Pour se protéger contre les radiations ionisantes, il est utile, tout d'abord, d'en connaître le danger. Celui-ci dépend :

— *de la longueur d'ondes des radiations reçues* (des rayonnements « mous », de grandes longueurs d'ondes, n'auront que des effets superficiels, sur la peau par exemple ; de longueurs d'ondes plus courtes, ils seront à l'origine de lésions plus profondes) ;

— *de l'importance de la dose reçue et de sa répétition*, l'effet étant cumulatif ;

— *des organes irradiés* ; par ordre de sensibilité, on signalera : les cellules en voie de développement (cellules des organes génitaux, cellules germinatives de l'embryon) sur lesquelles les effets peuvent entraîner les mutations, c'est-à-dire des malformations de caractère acquis, appelé le « risque génétique » des radiations ionisantes (étudié lors des bombardements atomiques d'Hiroshima et de Nagasaki) ; ensuite seront touchés les cellules sanguines, les organes hématopoïétiques (formateurs du sang), l'œil et, enfin, la peau relativement résistante et protectrice, mais immédiatement menacée.

En dehors des radiations ionisantes utilisées dans un but médical, nous recevons inévitablement, dans la vie courante :

— *les radiations naturelles* du sol, en particulier des sols volcaniques, de l'air, de la haute atmosphère, voire de la stratosphère ;

— *les radiations artificielles* dues aux appareils que nous côtoyons chaque jour (cadrans lumineux, télévision...) ;

— *les retombées d'explosions atomiques* dont la radioactivité peut se poursuivre par l'eau, par les animaux comestibles ayant pu être irradiés.

Les conditions de protection

Il convient d'abord d'envisager et de classer les différentes catégories de population en contact avec les radiations ionisantes :

— *les professionnels*,

— *les personnes qui risquent occasionnellement d'être au contact avec des zones d'irradiation*, aussi bien celles qui vivent à proximité d'usines atomiques, que celles recevant des radiations ionisantes (les radiations à usage médical),

— *enfin l'ensemble de la population*.

Des normes de protection ont été établies, quantifiées, et la loi définit les doses tolérables à ne pas dépasser ; cette réglementation doit être connue de toute personne utilisant des rayons X.

Comment va se réaliser cette protection ?

— *Les personnes professionnellement exposées* sont soumises à une surveillance médicale régulière, avec un fichier relatant les doses reçues, au port d'un dosimètre individuel, enfin à des protections par tabliers de plomb ou paravents plombés lors des manipulations.

— *Les personnes occasionnellement exposées*, et en particulier les malades — en ce qui concerne la radiologie médicale —, seront soumises bien sûr à une irradiation limitée à l'organe exploré, à la protection, également par des caches plombés, des organes particulièrement radiosensibles. Enfin, une législation particulière concerne les femmes enceintes aussi bien dans leur cadre professionnel que dans leur suivi médical où la fréquence des examens radiologiques sera limitée.

Le matériel est soumis également à des impératifs de protection très stricts : limitation des faisceaux (faisceaux utiles), emploi de grilles antidiffusantes pour canaliser ces faisceaux et en éliminer les rayonnements parasites.

Les salles sont protégées par des parois plombées, en particulier portes et fenêtres, et une distance minimale du voisinage est exigée.

Des contrôles réguliers, à la fois du matériel, de l'étanchéité des salles, sont pratiqués par un organisme d'État qui peut, en cas de non conformité, refuser l'homologation du matériel.

Par ailleurs, il existe une réglementation très rigoureuse de l'installation et de l'utilisation des appareils générateurs de radiations ionisantes, qui sont soumises à autorisation, en particulier pour le matériel dit lourd : scanner, imagerie par résonance magnétique nucléaire, radiothérapie et, pour l'utilisation des produits radioactifs (radio-isotopes).

— *Enfin, pour la population en général*, il existe une surveillance systématique et permanente de la radioactivité atmosphérique, aquatique, terrestre et marine, ainsi que de la végétation, et, en cas de contamination, des équipes spécialisées sont chargées de la décontamination.

En ce qui concerne l'utilisation médicale des radiations ionisantes, il faut savoir qu'actuellement la protection est très efficace, et que les doses reçues ont des conséquences négligeables par rapport aux services rendus.

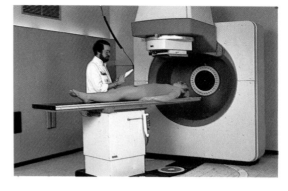

radiothérapie. *La source de cobalt radioactif émet des rayons très pénétrants : les rayons gamma. Ceux-ci sortent de la « bombe » par un collimateur qui les dirige avec précision sur la tumeur.*

radiothérapie

La radiothérapie est une application thérapeutique de l'effet des rayons ionisants.

Mode d'action des radiations

Les radiations ionisantes détruisent les cellules en division active. De nombreuses tumeurs ont une radiosensibilité plus grande que celle des tissus sains ; en les irradiant à une dose que les tissus sains de voisinage peuvent supporter, on peut ainsi les détruire. Pour mieux aider les tissus sains de voisinage à supporter et à réparer leurs lésions, on étale la radiothérapie sur plusieurs semaines par séances quotidiennes ou tri-hebdomadaires.

Sources de rayons ionisants

— Les *rayons X* sont une vibration électromagnétique (comme la lumière, mais avec une longueur d'onde plus petite). Ils sont produits dans les tubes à rayons X.

— Les *rayons gamma* sont aussi des rayons électromagnétiques produits par la désintégration des atomes radioactifs. Les plus utilisés sont ceux du cobalt 60 d'où le nom *cobaltthérapie* ou *télécobaltthérapie*. La source de cobalt radioactif est enfermée dans une sphère (« bombe ») de tungstène d'où le rayonnement ne peut sortir que par un orifice appelé collimateur.

— Les *accélérateurs linéaires* sont des appareils où des électrons sont accélérés dans une série de champs magnétiques jusqu'à acquérir une grande vitesse. Ils sont alors projetés sur la tumeur : c'est l'*électronthérapie*. Ces électrons peuvent aussi être

projetés sur une cible métallique : ils produisent alors une vibration semblable à celle des rayons X mais de très grande énergie ; ce sont les *photons X* ou *rayons X* de très haute énergie. Il existe aussi des *accélérateurs circulaires* ou *bétatrons*.

Mode d'utilisation des radiations

L'irradiation externe est la plus utilisée. Parfois les sources radioactives de rayonnement sont introduites dans l'organisme : c'est la curiethérapie autrefois pratiquée avec le radium, actuellement remplacé par des sources de césium 137 (col de l'utérus) ou des fils d'iridium 192 (implantés temporairement dans les cancers de la peau ou du sein).

Dose de rayons

La dose de rayonnement absorbée par les tissus est exprimée en rads, remplacés par le gray (Gy), soit 1 gray = 100 rads.

Choix du rayonnement et mise en place du traitement

Les tumeurs superficielles sont traitées par rayons X (radiothérapie de contact) ou par électronthérapie, les tumeurs peu profondes par cobaltthérapie, les tumeurs profondes par rayons X de haute énergie des accélérateurs. Avant tout traitement, des repérages radiologiques sont pratiqués au moyen d'un simulateur.

Surveillance du traitement

L'état de la peau est préservé grâce à des soins d'hygiène et à l'application de crèmes. Des numérations globulaires vérifient qu'il n'y a pas de chute des globules du sang. On surveille les organes de voisinage (muqueuse, intestin, poumon). On observe en général une phase de réaction inflammatoire : rougeur de la peau, inflammation de la muqueuse donnant selon le cas une gêne pour avaler ou de la diarrhée. Les complications tardives (radiodermite, rétrécissement, fibrose) sont devenues rares grâce aux rayons de haute énergie, au calcul de la dose par ordinateur, à l'utilisation de rayonnements plus adaptés et à une dose modérée.

Indications de la radiothérapie

La radiothérapie est un traitement local, appliqué soit sur la tumeur soit sur les ganglions de voisinage. Ses indications sont :
— employée seule (sur une petite tumeur de la peau ou du larynx, par exemple) ; à la fin de l'irradiation, la tumeur doit disparaître, sinon il faudra compléter par une intervention ou une curiethérapie ;
— en préopératoire, pour réduire une tumeur et la rendre opérable ;
— en postopératoire, pour compléter une intervention limitée ;
— sur une métastase pour soulager la douleur, supprimer une compression.

La radiothérapie peut être utilisée à petites doses pour soulager des maladies inflammatoires bénignes : furoncle, zona, cicatrices chéloïdes, rhumatismes, hémorroïdes.

rage

De nombreux animaux peuvent transmettre la rage, notamment le renard, le chien, le chat et les animaux de la ferme.

Vous avez été mordu par un animal : votre médecin devra s'assurer que celui-ci n'est pas transmetteur de la rage ; il désinfectera la plaie à l'eau et au savon sans la suturer, vous prescrira des antibiotiques si celle-ci est sale et vous protégera, au besoin, contre le tétanos.

Si l'animal responsable est sauvage ou errant, ou présente des signes de la rage, il doit être sacrifié afin qu'une autopsie recherche la maladie. S'il est domestique, en apparence sain, il doit être gardé quatorze jours sous surveillance vétérinaire (les animaux vaccinés ne devraient pas faire exception à la règle) : s'il reste sain, la rage est exclue ; sinon une autopsie confirmera la maladie.

Conduite à tenir vis-à-vis du blessé

Le contact avec l'animal a été anodin sans contact avec la salive (une caresse par exemple) : aucun traitement n'est nécessaire.

Vous avez été mordu ou léché sur une plaie préexistante :
— si l'animal est enragé ou en fuite, vous devez être traité dans le centre antirabique le plus proche : le traitement associe des vaccins et des injections de sérum antirabique.
— Il s'agit d'un animal domestique, apparemment sain et gardé sous surveillance : vous ne serez traité que s'il apparaît des signes de la rage chez l'animal. Le temps d'incubation chez l'homme est supérieur à quatorze jours.
— Dans les cas douteux, le traitement est entrepris. Il sera interrompu si l'animal ne présente pas

de signes de la rage pendant les quatorze jours de surveillance.

Le vaccin antirabique est efficace et bien toléré. Il faut le réserver aux animaux domestiques, au bétail et aux professions exposées : gardes-chasse, vétérinaires, personnels de laboratoires, taxidermistes, équarrisseurs et éventuellement les chasseurs dans les régions très exposées.

Méfiez-vous des animaux ayant un comportement « bizarre » : les animaux domestiques habituellement affectueux deviennent indifférents ou agressifs vis-à-vis de leurs maîtres. Les animaux sauvages perdent au contraire toute prudence, pénétrant dans les villages pour attaquer les animaux domestiques et les hommes. Les bovins enragés ont un beuglement incessant. Les animaux qui ne bavent pas et n'ont pas d'hydrophobie (frayeur dès la vue de l'eau) peuvent néanmoins être enragés.

Ne touchez pas les animaux trouvés morts, ni la gueule des animaux malades qui ont du mal à déglutir. Ne soignez pas, les mains nues, un chat ou un chien s'étant battu avec un animal sauvage, car son poil ou ses blessures peuvent être souillés par la salive d'un animal déjà infecté.

La prévention contre la rage est difficile car, si aucun cas de rage humaine n'est recensé depuis 1924, la rage animale ne cesse de progresser.

Raynaud *(syndrome de)*

 acrocyanose

réactions cutanées à la tuberculine

La réaction cutanée à la tuberculine est un test : on injecte un extrait purifié de bacille tuberculeux sous la peau, puis, deux ou trois jours après, on mesure la réaction cutanée. Cette injection ne confère aucune protection vaccinale au contraire du B.C.G. (bacille de Calmette et Guérin). Elle est absolument sans danger. Les techniques utilisées sont au nombre de trois :
— le timbre tuberculinique ; c'est une méthode peu précise que l'on réserve uniquement aux très jeunes enfants ;
— la bague tuberculinique ;
— l'intra-dermoréaction à 10 unités de tuberculine (injection intra-dermique) ; cette technique est de loin la plus précise.

Votre médecin peut être amené à pratiquer un test tuberculinique dans deux situations bien distinctes.

Vous avez été vacciné par le B.C.G.

Il s'agit alors de vérifier si la vaccination a été efficace ou si, en cas de B.C.G. ancien, vous êtes

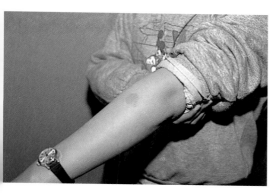

réactions cutanées à la tuberculine. *Réaction positive.*

toujours sous la protection du vaccin. Normalement les réactions cutanées à la tuberculine doivent être positives (induration au point d'injection supérieure à 4 mm). Si le test cutané est négatif, il peut s'agir soit d'une diminution transitoire des réactions allergiques en rapport avec une affection virale ou bactérienne ou une autre affection, soit d'une extinction de la protection conférée par le vaccin. Dans ce dernier cas, votre médecin prescrira alors éventuellement une nouvelle vaccination par le B.C.G.

Vous n'avez pas été vacciné par le B.C.G.

Si votre réaction cutanée à la tuberculine est négative, votre médecin vous proposera éventuellement une vaccination par le B.C.G.

Si votre réaction cutanée est positive (induration supérieure à 7 mm) alors qu'un test antérieur, pratiqué dans les mêmes conditions, s'est révélé négatif, vous avez fait entre-temps une primo-infection tuberculeuse. Votre médecin, après vous avoir examiné, complétera les examens par une radiographie* des poumons et des examens de l'expectoration.

 ■ tuberculose pulmonaire ■ vaccins et sérums

réanimation

Un membre de votre famille ou un ami vient d'être hospitalisé au service de réanimation. Cette hospitalisation va permettre pendant la phase aiguë de sa maladie :
— de surveiller 24 heures sur 24 ses fonctions vitales;
— de disposer d'un matériel lourd de traitement en cas de complication nécessitant des gestes d'urgence de l'équipe médicale et paramédicale présente en permanence;

— de disposer d'équipes d'infirmières assez nombreuses pour distribuer des soins fréquents et l'aider à sa toilette et ses besoins afin de lui éviter tout effort;
— de surveiller très étroitement sa convalescence précoce, premier lever en particulier.

Vous ne devez pas être effrayé par l'environnement très technique et par l'agitation qui règne parfois. Le personnel est très motivé et expérimenté.

Qu'est-ce que la réanimation ? On entend par réanimation l'ensemble des actes visant à rétablir les fonctions vitales de l'organisme temporairement ou définitivement perturbées.

Les gestes de base de réanimation

L'intubation endotrachéale, sous contrôle laryngoscopique, consiste à introduire dans la trachée par voie nasale ou buccale un tube de plastique souple doté d'un ballon. La mise en place de ce tube permet d'assurer la protection des voies respiratoires et éventuellement l'assistance respiratoire. C'est un geste de routine en anesthésie.

La trachéotomie, réalisée lorsque l'intubation est impossible ou si la durée de l'assistance respiratoire doit être longue, est en fait un geste chirurgical qui peut être pratiqué sous anesthésie générale ou locale. Elle consiste à pratiquer une incision à la partie basse de la trachée au-dessus du V claviculaire. Une sonde de trachéotomie est ensuite mise en place et assure le libre écoulement de l'air.

La pose d'une voie veineuse consiste à établir un accès permanent au système circulatoire d'un patient, maintenu par une perfusion. La voie veineuse permet de compenser rapidement les déséquilibres liquidiens (sang, plasma et dérivés du sang, solutés dits de « remplissage », sérum glucosé, sérum physiologique) ou électrolytiques (sodium, potassium, bicarbonates), d'injecter des médicaments, et parfois d'assurer l'alimentation par voie veineuse qui vise à remplacer les apports alimentaires chez un sujet comateux : protides, lipides et vitamines.

Les techniques de monitoring (surveillance) dans leur ensemble font également partie des gestes de base. Il s'agit de l'ensemble des techniques qui permettent la surveillance continue ou intermittente des paramètres principaux du sujet. Par exemple :
— *Monitoring cardiaque* : grâce à des capteurs externes adhésifs, on peut surveiller l'activité cardiaque (électrocardiogramme) et son rythme.
— *Surveillance tensionnelle* : elle peut être réalisée par voie externe (tensiomètre automatisé) ou par voie artérielle à l'aide d'un cathéter intra-artériel qui permet une surveillance continue des régimes de pression artérielle.
— *Surveillance du compartiment à basse pression* : le secteur veineux peut être surveillé par la prise de pression veineuse centrale, obtenue grâce à un cathéter qui remonte dans la veine cave...

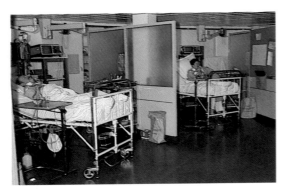

réanimation. *La réanimation fait appel à une concentration de moyens techniques qui permettent de passer une période critique.*

Grandes techniques de réanimation

Réanimation cardio-circulatoire

— **défibrillation cardiaque :** c'est la délivrance d'un choc électrique thoracique ayant pour but de faire repartir un cœur en arrêt circulatoire. Elle nécessite un appareil appelé défibrillateur. Elle est pratiquée le plus souvent par voie externe (électrodes sur la peau) ou parfois directement sur le cœur ;

— **entraînement électrosystolique :** c'est la mise en place d'une électrode myocardique qui délivre un courant rythmé entraînant la contraction du cœur. L'entraînement électrique permanent est réalisé par le pacemaker ;

— **assistance circulatoire :** plusieurs systèmes existent :

contrepulsion diastolique : c'est la mise en place d'un ballon gonflable intra-aortique qui supplée un niveau d'activité cardiaque insuffisant ;

assistance circulatoire externe : c'est la dérivation du sang veineux vers une pompe externe associée à un oxygénateur qui propulse le sang, avec la pression nécessaire, vers une canule aortique ;

cœur artificiel : c'est un système chirurgical qui remplace le cœur dans la cage thoracique : l'implant prothétique est alimenté en énergie et régulé par l'extérieur.

A ces techniques s'ajoutent bien sûr l'administration de substances cardiotoniques, cardiorégulatrices par voie veineuse. Depuis peu, on fait appel dans certains cas d'infarctus à des enzymes (urokinase, streptokinase) susceptibles de désobstruer une artère coronaire bouchée par un caillot.

Réanimation respiratoire

Depuis le simple enrichissement en oxygène de l'air inspiré (sonde à oxygène, tente à oxygène) jusqu'aux techniques d'assistance ventilatoire mécanique modernes, la réanimation respiratoire a beaucoup évolué. Marquée dans les années 50 par l'ère des poumons d'acier (assistance mécanique externe), la réanimation respiratoire permet aujourd'hui la prise en charge prolongée des détresses respiratoires. Grâce à l'intubation (ou à la trachéotomie), le patient peut être connecté à un appareil d'assistance (respiration artificielle) qui peut délivrer de l'air ambiant filtré, enrichi ou non en oxygène. Plusieurs types d'appareil existent : appareils autodéclenchés par le patient, appareils à volume et fréquence programmés et non variables, appareils avec assistance expiratoire, etc. La technologie permet de plus en plus de simuler la fonction ventilatoire de façon exacte et d'étendre les possibilités thérapeutiques.

recto-colite hémorragique

L'émission de glaires sanglantes, avec ou en dehors des selles, parfois accompagnées de diarrhée, ont motivé une consultation médicale. Parmi les examens qui vous seront proposés, l'endoscopie* (rectoscopie, coloscopie) est indispensable. Elle montre une muqueuse rouge, fragile, parfois ulcérée et recouverte de pus ; les biopsies* sont systématiques et aideront au diagnostic de recto-colite hémorragique.

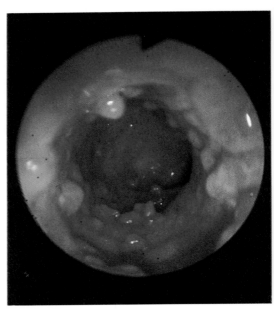

recto-colite hémorragique. *L'endoscopie du côlon montre la paroi colique très congestive et « boursouflée ». Cet aspect est typique d'une recto-colite hémorragique.*

La recto-colite hémorragique est une maladie inflammatoire prédominant sur la muqueuse du rectum et parfois aussi d'une plus ou moins grande partie du côlon. Elle évolue par poussées, celles-ci peuvent être déclenchées par un choc affectif. Parfois, après une ou deux poussées, la maladie régresse sans laisser de séquelles.

Le traitement médical a deux versants :

— symtomatique au moment des poussées : anti-diarrhéiques, avec modération; anti-spasmodiques; régime...

— à visée anti-inflammatoire : salazosulfapyridine, corticoïdes en lavement, par voie orale ou par injection selon la gravité de la poussée. Le traitement chirurgical, colectomie avec ou sans conservation du rectum selon l'état de celui-ci et les souhaits du malade, est indiqué dans certaines formes compliquées et en cas de résistance au traitement médical. Après une dizaine d'années d'évolution, surtout dans les formes touchant la totalité du côlon, une surveillance endoscopique annuelle, avec biopsies systématiques, est recommandée.

 ■ colites ■ rectorragie

rectorragie

 C'est l'émission de sang rouge par l'anus. L'origine du saignement est le plus souvent ano-rectale ou colique.

Ce sont le plus souvent des hémorroïdes qui sont en cause, mais vous devez savoir que cela peut être le signe révélateur d'une tumeur bénigne ou maligne (polype, cancer) qu'il est important de détecter tôt. Le toucher rectal et surtout l'endoscopie* (rectoscopie, sigmoïdoscopie et coloscopie) permettent ce dépistage.

Il existe d'autres causes plus rares de rectorragies :

— colites (amibiase, recto-colite hémorragique, maladie de Crohn...), mais elles sont alors accompagnées de coliques, de diarrhée;

— la diverticulose colique, mais elle se manifeste rarement par des saignements;

— certains angiomes ou angiodysplasies (vaisseaux dilatés) de diagnostic difficile (coloscopie totale; artériographie);

— un autre diagnostic souvent délicat, mais cette fois-ci plutôt chez l'enfant ou l'adulte jeune est celui d'un diverticule de Meckel (▷ diverticule);

— enfin il ne faut pas oublier une étiologie bien française : l'ulcération thermométrique, favorisée par la prise de température sans vaseline ou debout. Elle peut saigner de façon impressionnante.

 ■ hémorroïdes ■ polypes du côlon et du rectum ■ côlon (cancer du) ■ colites ■ diverticules

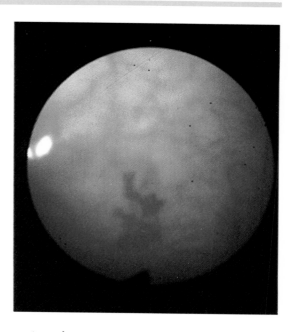

rectorragie. *A l'occasion d'une endoscopie colique pratiquée pour des rectorragies, le gastro-entérologue a découvert une tache vasculaire appelée* angiodysplasie. *Celle-ci sera coagulée sous contrôle endoscopique.*

rectoscopie

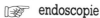 endoscopie

rectum (cancer du)

 Certaines affections prédisposantes sont connues : polype, tumeur villeuse, recto-colite hémorragique. Les deux signes d'appel majeurs sont les rectorragies (qu'il ne faut pas attribuer avec facilité à des hémorroïdes) et les faux besoins ou envie d'aller à la selle n'aboutissant qu'à l'expulsion d'une glaire plus ou moins sanguinolente.

Les bases du diagnostic sont le toucher rectal et l'endoscopie* (rectoscopie, sigmoïdoscopie ou coloscopie) avec prise de biopsies*. Mais bien d'autres examens peuvent s'avérer nécessaires pour choisir le traitement adapté à chaque cas (échographie*, scanner*...). Les méthodes thérapeutiques comprennent la chirurgie avec parfois un anus artificiel, la radiothérapie, la chimiothérapie, le laser sous contrôle endoscopique.

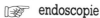 ■ rectorragie ■ polypes du côlon et du rectum

réflexes archaïques

 nouveau-né *(examens du)*

reflux gastro-œsophagien

Vous avez un reflux gastro-œsophagien lorsque le contenu de votre estomac remonte dans l'œsophage. Ce contenu est habituellement acide mais peut aussi parfois comprendre des sécrétions bilio-pancréatiques alcalines.

 Vous vous plaignez de brûlures rétro-sternales (derrière le sternum) à trajet ascendant; il s'agit d'un symptôme appelé pyrosis; il est volontiers déclenché par certains aliments ou encore par certaines positions, dont la position penchée en avant et la position allongée. Il s'accompagne parfois de régurgitations, de toux spasmodique en position couchée. Ce reflux vous expose à la survenue d'une œsophagite, dite peptique, qui peut elle-même se compliquer d'ulcère et/ou de sténose (rétrécissement) de l'œsophage; la cancérisation est possible mais rare.

 L'endoscopie* appréciera mieux que les radiographies l'état de votre muqueuse œsophagienne; elle permet la pratique de biopsies. D'autres investigations vous seront parfois proposées comme la pH-métrie ou la manométrie œsophagienne. Il s'agit de l'introduction de fins tuyaux dans l'œsophage qui permettent la mesure de l'acidité, des pressions et de la motricité.

Le reflux est dû à une défaillance de la continence gastro-œsophagienne; cette défaillance peut être favorisée par l'existence d'une hernie hiatale, par une malposition cardio-tubérositaire. Elle peut être également le résultat d'une incompétence isolée du sphincter inférieur de l'œsophage, parfois en rapport avec une maladie générale comme la sclérodermie avec atteinte viscérale.

☞ hernie hiatale

reflux gastro-œsophagien du nourrisson

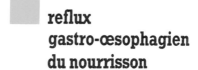 ☞ vomissements du nourrisson

refoulement

Le refoulement est un mécanisme par lequel des représentations, images, pensées ou souvenirs sont maintenus en dehors de la conscience; leur évocation ne saurait se faire sans un sentiment de déplaisir insupportable. Le refoulement se manifeste à travers le rêve, l'acte manqué, le symptôme névrotique.

Le refoulement des pulsions sexuelles permet à l'enfant le développement de la pulsion épistémologique, c'est-à-dire des intérêts cognitifs et des acquisitions éducatives.

régime du diabétique

☞ diabète sucré

régime hypocholestérolémiant

☞ cholestérol, triglycérides et lipides

régime normal équilibré

☞ alimentation normale

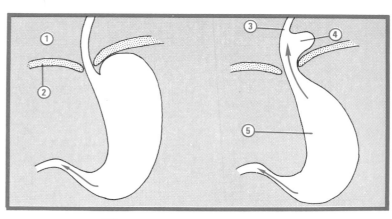

reflux gastro-œsophagien.
① thorax, ② diaphragme,
③ sphincter inférieur de l'œsophage,
④ hernie hiatale, ⑤ estomac.
Le reflux gastro-œsophagien est favorisé, dans ce cas, par la présence d'une hernie hiatale (à droite), avec glissement de la partie haute de l'estomac et du sphincter inférieur de l'œsophage dans le thorax.

régime. *Les individus subissent de façon très inégale l'influence de la nourriture. Savoir choisir quotidiennement les aliments les mieux adaptés à son propre organisme peut devenir une nécessité vitale en cas d'obésité, de diabète, d'hypertension, de risque vasculaire.*

régime sans sel

Un régime pauvre en sel peut être indiqué dans une série d'affections, en particulier en cas d'insuffisance cardiaque, de troubles rénaux ou hépatiques.

Dans la population générale, la consommation quotidienne de sel (sodium, Na) est de l'ordre de 6 à 10 g. La plus grande partie du sodium ingéré provient du sel que l'on ajoute à la nourriture et de celui contenu dans le pain (100 g de pain fournissent environ 1 g de sel); le reste est contenu dans la charcuterie, les conserves (légumes, poissons), les fromages, les pâtisseries, certaines viandes et certaines eaux minérales. Les aliments pauvres en sodium sont le sucre, le riz, la farine de blé, les fruits frais, le beurre.

Un régime sans sel strict (500 mg/jour) est difficile à réaliser et peu agréable, car le sel est important pour la saveur d'un plat. Un tel régime comporte l'exclusion du sel dans la cuisine et des aliments préparés salés (charcuterie, pain, fromages, gâteaux secs, potages en sachet, conserves ordinaires, les eaux minérales riches en sodium telles que l'eau de Vichy), ainsi que des médicaments contenant du sel.

Il existe des situations où une diminution des apports sodés est justifiée sans être nécessairement aussi rigoureuse, d'autant que l'utilisation des médicaments diurétiques peut aider à éliminer du sodium dans les urines: c'est le cas dans certaines hypertensions artérielles où l'on peut conseiller de seulement diminuer la consommation de sel, en supprimant par exemple le sel rajouté aux aliments à table. La consommation quotidienne de sel baisse alors de quelques grammes, de 2 à 6 g, sans trop de contraintes. Il est indispensable de préciser avec le médecin prescripteur l'importance de la restriction sodée nécessaire.

régimes hypocaloriques

 obésité

règles ou menstruations

On appelle règles une hémorragie cyclique (régulière), en provenance de l'utérus, qui survient tout au long de la période d'activité génitale de la femme, c'est-à-dire de la puberté à la ménopause.

Les anomalies des règles connaissent d'innombrables origines qu'il convient toujours de préciser en sachant bien que les causes psychologiques (stress, deuil, changement de climat...) sont fréquentes mais ne doivent être retenues qu'après avoir éliminé une cause organique.

Votre fille a moins de 10 ans; les premières règles sont apparues : il peut s'agir d'une puberté précoce. Votre fille a plus de 17 ans et ses règles ne sont toujours pas apparues : il peut s'agir d'un retard pubertaire (▷ puberté).

Vous approchez de la cinquantaine, vos règles deviennent irrégulières, des bouffées de chaleur apparaissent. Vous abordez la ménopause (▷ ce mot). Sachez qu'une perte de sang un an ou plus après les dernières règles doit faire rechercher une cause tumorale (▷ corps de l'utérus [cancer du]).

Vous êtes en période d'activité génitale et apparaît une anomalie des règles. Afin de simplifier l'exposé, nous avons schématiquement différencié les anomalies selon trois situations.

Vous êtes enceinte :

— L'absence de règles en est le signe capital et tout arrêt des règles doit évoquer au premier chef un début de grossesse (▷ grossesse [généralités et surveillance]). Vous êtes enceinte et surviennent des pertes de sang. Il ne s'agit pas de règles, cela doit toujours vous conduire à consulter votre médecin (▷ hémorragies génitales du premier et du troisième trimestre de la grossesse).

— Vous avez accouché et vous n'allaitez pas, le retour de couches ou retour de règles survient en général de 6 à 8 semaines après l'accouchement. L'absence du retour de règles 4 mois après l'accouchement impose de rechercher une nouvelle grossesse, une anomalie hormonale (▷ prolactine), pour finalement ne retenir bien souvent qu'un simple retard physiologique dont le traitement hormonal est toujours efficace (▷ suites de couches).

Vous n'êtes pas enceinte.

Nous vous proposons un des schémas possibles de raisonnement médical :

— Vos règles sont trop abondantes (ménorragies) : le toucher vaginal, l'échographie* et l'hystérographie* vont très probablement mettre en évidence un *fibrome* de l'utérus, moins souvent une *endométriose* ou une *tumeur de l'ovaire* (▷ ces mots).

— Vos règles sont de plus en plus espacées : il convient de rechercher une anomalie hormonale (ménopause précoce) ou une maladie de l'ovaire : le syndrome de Stein-Leventhal qui entraîne une prise de poids, une stérilité et une pilosité excessive (▷ stérilité du couple, hirsutisme).

— Vous avez des pertes de sang entre les règles (métrorragies) (▷ salpingites aiguës et chroniques, polypes de l'utérus, col de l'utérus [cancer du], corps de l'utérus [cancer du], endométriose).

— Vous souffrez avant les règles et/ou pendant les règles. Avant les règles, il s'agit du banal syndrome prémenstruel (▷ ce mot) que vous connaissez depuis toujours. Vous commencez à souffrir pendant les règles aux abords de la quarantaine, il peut s'agir d'une endométriose (▷ ce mot).

— Vous n'êtes pas enceinte et vous n'avez plus vos règles, il s'agit d'une aménorrhée. Les causes en sont multiples, nous n'en évoquerons que les principales :

La cause psychologique grave : l'anorexie mentale (▷ ce mot).

Les causes hormonales : hyper- ou hypofonctionnement des glandes surrénales ou de la glande thyroïde (▷ surrénales [glandes], thyroïde [glande]), hyperfonctionnement de l'hypophyse (▷ acromégalie, prolactine).

Les causes générales : anémies, insuffisance cardiaque, cirrhose du foie... (▷ ces mots).

Les causes médicamenteuses : de nombreux médicaments anti-dépresseurs et anxiolytiques sont responsables d'une aménorrhée et parfois d'un écoulement de lait (▷ prolactine).

Les causes tumorales : tumeur de l'ovaire (▷ ce mot), plus rarement tumeur cérébrale...

Les causes utérines : accolements des parois utérines (synéchies) après chirurgie ou au cours d'une tuberculose génitale.

Cette longue liste ne doit pas faire oublier que les causes psychologiques restent fréquentes, mais qu'elles ne dispensent pas de rechercher les maladies ci-dessus énumérées.

Vous utilisez une méthode contraceptive.

— Vous êtes porteuse d'un stérilet, il est fréquent que vos règles soient plus longues et plus abondantes que d'habitude. En revanche, toute autre anomalie impose la même démarche diagnostique que celle habituellement suivie.

— Vous utilisez la pilule contraceptive; vos règles ont toutes chances d'être parfaitement régulières et peu abondantes. Toute anomalie du cycle menstruel doit faire l'objet des investigations habituelles, même si les pilules mini-dosées sont quelquefois cause d'aménorrhée ou de métrorragie (▷ contraception).

régurgitations

 ■ alimentation du nourrisson
■ vomissements du nourrisson

réimplantation digitale

 doigts sectionnés et réimplantation digitale

rein *(cancer du)*

 Le cancer du rein est le plus souvent découvert à l'occasion d'une hématurie (▷ ce mot). Plus rarement, c'est une douleur lombaire ou une fièvre persistante, une polyglobulie, une varicocèle qui en imposent la recherche (▷ ces mots). L'échographie*, les examens radiologiques (urographie* intra-veineuse, artériographie*), le scanner* permettront de rattacher ces signes à un cancer du rein.

Le traitement est chirurgical. Une radiothérapie ou une embolisation (qui bloque la circulation artérielle du rein malade afin de diminuer le volume de la tumeur) facilitent l'ablation chirurgicale du cancer.

rein artificiel

 épurations extra-rénales

relaxation

 psychiatrie et traitement

résonance magnétique nucléaire

 Selon les conventions internationales récentes, le terme de résonance magnétique nucléaire (R.M.N.) est abandonné au profit de imagerie en résonance magnétique (I.R.M.), le terme nucléaire étant mal admis.

Découverte en 1945 par deux Américains, Purcell et Bloch, l'I.R.M. a d'abord été utilisée pour étudier la structure des tissus, puis s'est étendue à l'étude de l'ensemble des tissus du corps humain.

Cette technique permet *l'étude de la constitution et des propriétés du noyau atomique*, en particulier le plus simple : *l'hydrogène* présent en quantité dans le corps humain puisqu'il entre dans la composition de l'eau qui représente 70 % du poids du corps.

La *mise en résonance magnétique* consiste à orienter les noyaux d'hydrogène du corps humain dans un champ magnétique et, ensuite, à leur imprimer un mouvement rotatif autour d'un axe jusqu'à leur entrée en résonance, ceci grâce à des impulsions électriques de haute fréquence.

On fait cesser le mouvement et l'on étudie alors le temps de retour à l'état d'équilibre initial des noyaux d'hydrogène. Ce temps est analysé, transformé par des ordinateurs et retransmis en signaux qui varient selon les noyaux atomiques étudiés et les perturbations qu'ils peuvent avoir subies.

L'I.R.M. est une technique nouvelle, très fine, dont on peut extrapoler l'étude à d'autres noyaux atomiques que l'hydrogène. Mais elle est d'installation extrêmement coûteuse et, pour le moment, peu répandue.

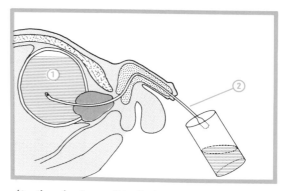

rétention aiguë complète d'urines. ① *vessie,* ② *sonde.*
Sondage pour rétention d'urine.

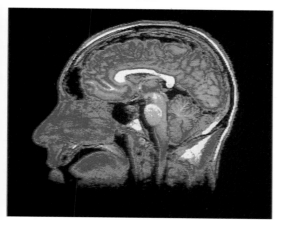

résonance magnétique nucléaire.

Ci-dessus : appareil de résonance magnétique nucléaire, avec le plateau de table entrant dans l'aimant, la table et l'écran de lecture.

Ci-dessous : grâce à la résonance magnétique nucléaire, les structures cérébrales et le liquide céphalo-rachidien sont décrits comme dans un livre d'anatomie.

rétention aiguë complète d'urines

Depuis quelques heures, vous ne pouvez pas uriner malgré des envies impérieuses et des douleurs du bas-ventre. Il faut consulter rapidement votre médecin car il s'agit vraisemblablement d'une rétention des urines dans la vessie.

Le médecin découvre, lors de son examen, le globe douloureux que forme la vessie en réplétion. La palpation majore la douleur et l'envie d'uriner. La rétention complète impose le drainage des urines vésicales soit par ponction vésicale suspubienne, soit par sondage urétral. Il sera alors temps d'identifier et de traiter la cause de la rétention. Certaines de ces causes font l'objet d'articles particuliers de ce livre.

☞ ■ lithiase urinaire ■ prostate ■ hématurie

rétine *(décollement de la)*

Il est important de savoir qu'*avant de se décoller, la rétine commence par se déchirer.* La partie la plus fragile de la rétine se trouve à la « périphérie », c'est-à-dire loin de l'axe optique de l'œil. C'est donc là que se produiront la plupart des déchirures qui se signaleront à votre attention par des points noirs ou des éclairs brillants, mais jamais par des douleurs. A ce stade, il n'y a pas ou peu d'altération de l'acuité visuelle sauf si un vaisseau a été rompu (▷ œil, vue [dépistage des troubles de la]).

Consultez rapidement votre ophtalmologue, en lui indiquant les symptômes que vous avez constatés. Après avoir dilaté les pupilles et mis un anesthésique de contact, il posera sur l'œil un

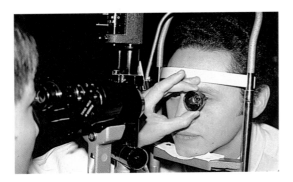

rétine *(décollement de la). Le décollement est décelé grâce au « verre à trois miroirs » – posé sur l'œil après instillation d'une goutte d'anesthésique local –, qui permet d'examiner la périphérie de la rétine.*

« verre à trois miroirs », seul moyen d'examiner la *totalité* du fond* d'œil et de repérer l'aspect et la position de la ou des déchirures.

A ce stade, le traitement au laser, après instillations de gouttes anesthésiques, est encore possible. Si vous ne faites rien, un voile noir va apparaître, s'étendre et altérer considérablement la vue. Le décollement est confirmé. Le *traitement par le laser seul est alors inopérant* et doit être impérativement précédé d'un *traitement chirurgical urgent.*

Sous anesthésie générale ou locale, on « rapproche » la sclère et la choroïde de la rétine décollée, par *indentation*, avec de petites éponges synthétiques; ou inversement, la rétine de la choroïde en injectant dans l'œil des produits visqueux ou gazeux.

Des *cryocoagulations*, des *photocoagulations* au laser seront ensuite pratiquées afin d'obturer la brèche. Le traitement chirurgical du décollement de la rétine ne donne que 75 % de bons résultats fonctionnels.

 C'est dire l'importance du traitement préventif. Aussi, quand vous voyez des points noirs, des « corps flottants », ou si vous êtes myope, bref, si vous êtes susceptible de déchirer votre rétine, l'ophtalmologue pratiquera préventivement une photocoagulation au laser au cas où il découvre une lésion à haut risque de déchirure; il vous mettra ainsi à l'abri d'ennuis graves. Les applications de laser ne nécessitent pas d'hospitalisation.

 myopie

rétinite *(causes de la)*

 La rétinite est une altération de la rétine. Les causes en sont multiples : *héréditaires* (rétinite pigmentaire, certaines tumeurs), *traumatiques* –

direct (coup de poing), lumineux (soleil, laser), ou indirect (thoracique) –, *toxiques* (antipaludéens de synthèse), *infectieuses* (microbiennes, syphilis, tuberculose, toxoplasmose, SIDA), *secondaires à des maladies des vaisseaux* (hypertension artérielle, artériosclérose), *diabétiques*.

rétrécissement aortique congénital

 Cette malformation congénitale consiste en une anomalie de la valve — séparant le ventricule cardiaque gauche de l'aorte — qui ne s'ouvre pas complètement. Le ventricule est alors obligé d'effectuer un travail supplémentaire afin d'éjecter le sang dans l'aorte, permettant ainsi une tension artérielle suffisante à l'irrigation correcte de tous les tissus de l'organisme (▷ cœur du fœtus [malformations et troubles du rythme du]). Mais il est difficile au ventricule d'assurer longtemps ce surcroît de travail de façon satisfaisante; il risque d'en accuser le contre-coup.

Cette malformation expose en fait à deux accidents graves : le premier est l'angine de poitrine lorsque le ventricule n'est pas assez oxygéné; le second est la syncope lorsque le cerveau n'est pas assez oxygéné.

Le rétrécissement aortique congénital peut ne survenir chez le fœtus qu'en fin de grossesse et sa cause est encore inconnue.

La valve aortique, lorsqu'elle est très anormale, peut gêner le nouveau-né dès les premières heures de vie. Le plus souvent toutefois, ce n'est qu'après quelques mois ou quelques années que le ventricule, très épais, commence à donner des signes de faiblesse. L'indication opératoire est particulièrement délicate à poser; elle doit être envisagée dans un service très spécialisé.

rétrécissement aortique et mitral

 valves cardiaques *(maladies des)*

rêves

 Survenant de façon prépondérante mais non constante en phase de sommeil paradoxal, les rêves sont conçus comme un moyen d'expression psychique traduisant un désir profond et généralement refoulé. « Voie royale d'accès à l'inconscient », ils permettent de relier leur contenu manifeste à leur contenu latent (souvent inconscient) dont ils sont la forme déguisée.

☞ **sommeil** (troubles du)

rhésus (facteur)

☞ incompatibilité sanguine fœto-maternelle ■ transfusion

rhinite aiguë infectieuse

☞ rhume de cerveau

rhinite spasmodique

 Chaque matin, au réveil, vous êtes soumis à une salve d'éternuements incoercibles, associés à un larmoiement précédant un écoulement nasal clair. A l'issue de cette crise, une sensation de fatigue vous envahit. Le phénomène se reproduit et s'accentue le jour où vous respirez de la poussière, notamment en manipulant de la literie. Ces symptômes sont ceux d'une *rhinite spasmodique*, affection souvent confondue avec le banal rhume de cerveau, ou coryza épidémique, dû à une infection virale particulièrement contagieuse à la saison froide.

La rhinite spasmodique a des origines diverses.
— Conséquente à une allergie à la poussière, elle débute chez le jeune sujet, s'accentue progressivement et évolue parfois vers l'*asthme*; bien qu'elle dure toute l'année, elle présente un maximum saisonnier en septembre et octobre, époque de la mise en route des chauffages et de la multiplication des acariens, et disparaît lors de séjour en altitude où ces parasites ne peuvent survivre.
— Des éternuements et un œdème du visage peuvent se produire lorsque le sujet allergique caresse un chat ou un chien. Les poils d'animaux — chat, chien, hamster, cobaye — sont en effet fréquemment cause de rhinite, de même que les moisissures atmosphériques, diverses substances naturelles ou synthétiques d'origine domestique ou professionnelle.
— Une autre étiologie fréquente de rhinite saisonnière est la sensibilisation aux pollens des arbres au début du printemps, des graminées à la fin du printemps et en été, d'herbacées en été. Cette rhinite saisonnière est désignée communément sous le terme de *rhume des foins*.

☞ ■ **allergique** (êtes-vous) ■ **rhume des foins** ■ **allergie à la maison** (comment prévenir l') ■ **désensibilisation**

rhinopharyngite

 La rhinopharyngite est la plus fréquente des maladies de la petite enfance. C'est en effet à cette période de la vie que nous nous immunisons contre les virus que nous rencontrons. Les mécanismes de défense contre les infections se mettent progressivement en place, de telle sorte qu'après l'âge de cinq ans, les rhinopharyngites surviennent beaucoup plus rarement.

Les signes de la maladie vous sont bien connus : votre enfant a le nez qui coule, il tousse, ses yeux pleurent, il est parfois grognon. Il ne s'agit vraisemblablement que d'une rhinopharyngite banale, dont le caractère récidivant vous inquiète souvent.

Le problème qui se pose à votre médecin est double :

Faut-il traiter la rhinopharyngite par les antibiotiques ?

Les rhinopharyngites simples ne justifient pas la prise orale d'antibiotiques, car elles sont d'origine virale. Le traitement ne vise qu'à améliorer le confort de l'enfant : lavages efficaces et répétés des narines avec du sérum physiologique, aspiration des mucosités, instillation nasale d'antibiotiques, lutte contre la fièvre.

Le traitement antibiotique se justifie, en revanche, lorsqu'il existe une surinfection bactérienne.

La présence d'une angine chez l'enfant de plus de deux ou trois ans, d'une sinusite, d'une otite, ou la simple persistance d'un écoulement nasal purulent chez un enfant fébrile nécessitent le recours à une antibiothérapie orale.

Comment prévenir la répétition des rhinopharyngites ?

En allaitant votre enfant, car le lait maternel contient des substances assurant une excellente défense contre les infections.

En essayant, chaque fois que cela est possible, de garder le nourrisson à la maison ou chez une nourrice; en effet, la vie en collectivité, à la crèche, favorise la contamination.

En respectant des règles d'hygiène simples mais efficaces : aérez la maison, évitez de surchauffer la chambre de l'enfant; maintenez un degré d'humidité suffisant dans la chambre.

En pratiquant une ablation des végétations, si les rhinopharyngites se complètent souvent d'otites, et/ou si leur volume est trop important.

En luttant enfin contre l'allergie respiratoire, favorisée par le contact avec la poussière, la laine, la plume, et parfois en proposant une désensibilisation.

L'administration prolongée de soufre protège la muqueuse nasale; la vaccinothérapie, à l'aide de suspension de microbes tués ou de virulence atténuée, stimule les défenses de l'organisme; les gamma-globulines, l'homéopathie, peuvent également être essayées.

Rappelons toutefois, en conclusion, que si ces méthodes préventives sont parfois peu efficaces ou d'application difficile, on assiste dans la grande majorité des cas à une nette raréfaction des rhinopharyngites vers l'âge de 4 ans.

● Le nettoyage du nez

— On doit apprendre à l'enfant à se moucher : fermer successivement chaque narine pendant le mouchage, l'autre narine restant ouverte sans tentative de compression, de façon à ne pas augmenter la pression dans la trompe d'Eustache, ce qui risquerait de contaminer l'oreille.

— L'aspiration par de petits appareils – soit une poire, soit un branchement sur une arrivée d'eau, par exemple – permet de soulager une obstruction particulièrement gênante chez les bébés. Les pulvérisations d'antibiotiques non allergisants sont sans risque. En revanche, les pulvérisations de vasoconstricteurs sont dangereuses : réservées à la prescription médicale, elles entraînent une paralysie des cils vibratiles, et donc un déficit de la fonction d'épuration du nez. L'application de pommade permet de traiter des infections de l'orifice cutané nasal et de ramollir les croûtes.

— Les inhalations font partie de la pharmacopée familiale : on peut employer l'eucalyptus, le menthol. En cas de sinusite, il est plus commode d'utiliser un inhalateur, appareil électrique assurant le maintien à bonne température de l'eau de l'inhalation.

☞ ■ angine ■ otite ■ sinusite ■ amygdales et végétations ■ allergique *(êtes-vous)*

rhizarthrose du pouce

☞ mains déformées

rhumatisme articulaire aigu

Le rhumatisme articulaire aigu et ses séquelles cardiaques sont très rares depuis que les angines sont traitées par les antibiotiques. C'est pourquoi vous devez consulter votre médecin sans tarder lorsque votre enfant a de la fièvre et mal à la gorge.

Une fois l'angine confirmée, votre médecin a le choix entre deux attitudes : prescrire d'emblée des antibiotiques ou demander un prélèvement* de gorge, puis prescrire des antibiotiques si un streptocoque β hémolytique du groupe A est isolé.

Le rhumatisme articulaire aigu est une polyarthrite aiguë fébrile survenant deux semaines après une angine non traitée par les antibiotiques actifs

sur le streptocoque ; il touche surtout les enfants de 5 à 15 ans. En effet, seule l'*angine* à streptocoque β hémolytique du groupe A risque de se compliquer de rhumatisme articulaire aigu. La responsabilité de ce germe peut être affirmée par son isolement dans le prélèvement* de gorge (s'il en reste !) et par la sérologie* qui met en évidence une élévation franche du taux des anticorps antistreptococciques.

La *polyarthrite* affecte les grosses articulations : chevilles, genoux, poignets, coudes. Elle est fugace et migratrice, touchant une articulation puis une autre. Elle est inflammatoire et non infectieuse (on ne retrouve pas de germe dans le liquide articulaire). Elle est responsable d'une forte augmentation de la vitesse* de sédimentation sanguine.

Le tableau peut être complété d'une *atteinte cardiaque* laissant parfois des séquelles qui font la gravité de la maladie : altération des valvules cardiaques dépistée à partir de la présence d'un souffle et confirmée par l'échographie* cardiaque ; troubles du rythme cardiaque sur l'électrocardiogramme* ; insuffisance cardiaque.

Les antibiotiques (pénicilline pendant deux semaines) et les anti-inflammatoires (aspirine ou corticoïdes pendant plusieurs semaines) permettent une guérison rapide.

Les antibiotiques à doses faibles sont prescrits ensuite pendant plusieurs années pour éviter les rechutes. Les soins dentaires, les infections respiratoires, les angines et les otites nécessitent une prescription d'antibiotiques aux doses habituelles.

☞ ■ streptocoque ■ angine ■ scarlatine ■ arthrite ■ valves cardiaques *(maladie des)*

rhume de cerveau

Dit aussi rhinite aiguë infectieuse, le « rhume de cerveau » est d'origine virale. Il se manifeste par des picotements du nez, des éternuements, et l'écoulement d'un liquide clair très abondant. La rhinite peut être isolée, ou n'être qu'un des symptômes de la grippe.

À ce stade initial, la rhinite aiguë guérit spontanément en une semaine. Les vasoconstricteurs par voie orale, les antihistaminiques, certains traitements homéopathiques ont leurs adeptes ; le meilleur traitement reste le repos au chaud et les inhalations pratiquées à l'aide d'un inhalateur.

Les vasoconstricteurs locaux ne sont plus délivrés que sur prescription médicale ; ils assèchent la muqueuse nasale, mais leur efficacité n'est que temporaire et entraîne très souvent une réaction de dépendance à leur égard, car l'obstruction et l'écoulement reprennent de façon plus importante quelques heures après leur utilisation, obligeant à une répétition des instillations. Les antibiotiques

rhume du cerveau. *Éternuements, picotements, le nez coule abondamment. Utilisez de préférence des mouchoirs en papier.*

 sont inefficaces et ne seront prescrits qu'en présence des complications habituelles de la rhinite aiguë que sont les sinusites, les bronchites et les otites.

Une tentative de traitement a été faite avec un procédé appelé Rhinotherm, développant une température de 43° au niveau du nez, supposée capable de stopper le développement des virus. En fait, l'expérience pratique n'a pas entraîné de résultats concluants.

Les traitements préventifs sont beaucoup plus intéressants; ils associent différents vaccins composés de microbes tués, mais ayant conservé leur pouvoir antigénique; ils peuvent être associés au vaccin anti-grippal. Certaines causes favorisent la survenue des rhumes : la fatigue, les carences vitaminiques, une alimentation trop riche en sucre; la correction de ces désordres est également une bonne mesure préventive.

Insistons enfin sur la nécessité d'utiliser des mouchoirs en papier jetables, et de ne pas conserver les réservoirs de pullulation microbienne que représentent les mouchoirs traditionnels. Enfin, l'eau de piscine est un facteur d'irritation souvent responsable des rhinites aiguës chez l'enfant.

Cas particulier à l'enfant : l'écoulement nasal purulent unilatéral, secondaire à la présence d'un corps étranger dans les fosses nasales (▷ corps étranger dans le nez).

rhume de hanche

 ☞ boiterie de l'enfant et/ou douleurs de la hanche

rhume des foins

 Chaque année, dès les premiers jours ensoleillés de mai et jusqu'à la mi-juillet, vous êtes pris d'éternuements, votre nez coule, vos yeux sont irrités et pleurent, le palais vous démange. A certains moments, après une quinte de toux, vous éprouvez une gêne respiratoire. Selon toute vraisemblance, vous êtes atteint d'allergie aux pollens, c'est-à-dire de *rhume des foins*. Les grains de pollens agresseurs sont le plus souvent ceux qui proviennent des graminées, notamment de l'herbe des pelouses et des prés : par beau temps, le soleil et le vent les dispersent en grande quantité, alors que la pluie, les fixant au sol, apporte une accalmie aux malades.

D'autres pollens peuvent intervenir : l'allergologue consulté en précisera la nature par des tests cutanés et, éventuellement, par des dosages sanguins. La pollinisation des arbres, le bouleau en particulier, est plus précoce que celle des graminées, des herbacées (armoise, plantain).

 Que faire face à ces symptômes qui vous gâchent les meilleurs jours de l'année? De nombreux médicaments sont susceptibles de vous venir en aide : des antihistaminiques, des anti-allergiques en administration locale et, surtout, des corticoïdes. Bien qu'efficaces, ces traitements ne sont pas dépourvus d'effets secondaires (en particulier dans le cas des corticoïdes) et, en outre, ne sont que suspensifs : les symptômes réapparaîtront l'année suivante.

La désensibilisation spécifique, entreprise de novembre à mai, trouve dans le rhume des foins une de ses meilleures indications; elle est efficace chez de très nombreux sujets.

 ☞ ■ allergique *(êtes-vous)* ■ allergènes ■ rhinite spasmodique ■ désensibilisation

rides *(chirurgie esthétique des)*

 Le vieillissement entraîne une perte de l'élasticité de la peau et l'apparition de rides.
— Les rides superficielles sont traitées par une dermabrasion qui consiste à enlever la couche superficielle de la peau à l'aide d'une fraise animée par un moteur, ou par un « peeling » chimique; il s'en suit une régénération de la couche superficielle de la peau, réalisant un revêtement cutané beaucoup plus lisse.
— Les rides profondes, notamment des lèvres, ne peuvent être améliorées que par l'injection de

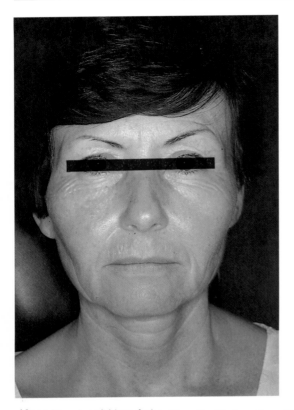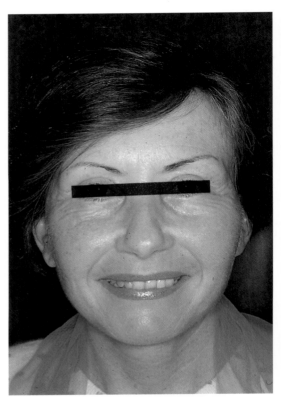

rides *(chirurgie esthétique des)*. *Le lifting raffermit le visage et le cou, bien que les plis du nez (sillons naso-geniens) restent inchangés.*

collagène de veau, qui a la propriété, en soulevant la peau, de combler la ride. Son résultat n'est pas définitif. Ce produit très bien toléré se résorbe en quelques mois, et oblige à une nouvelle injection.
— Enfin, il est d'autres rides dues à l'empreinte des muscles sur la peau. Ce sont les rides d'expression, qui apparaissent principalement sur le front, autour des yeux, ou sur la ligne joignant le nez et les commissures labiales. On comprend que remettre la peau en place dans une nouvelle position ne donne qu'un sursis; très vite, la mimique va remettre son empreinte musculaire sur la peau, et les mêmes rides d'expression réapparaîtront rapidement.

Le *lifting* consiste, à partir d'incisions dissimulées dans les cheveux, dans le conduit auditif et derrière l'oreille, à décoller la peau du visage sur une surface suffisante pour pouvoir l'avancer dans une nouvelle position, et enlever ainsi l'excédent cutané produit par le décollement. Depuis quelques années, on associe presque systématiquement à ce décollement cutané, un temps musculaire ou aponévrotique, réalisant ce que l'on appelle le double

lifting. Celui-ci permet d'exercer une traction et un déplacement sur les plans sous-cutanés, de façon à soulager la traction infligée à la peau, ce qui permet d'obtenir des résultats beaucoup plus durables. Très souvent, la correction d'un lifting nécessite également celle de bas-joues proéminentes, qui sont dues à un excès de graisse, de même que le double menton. Cette graisse doit être enlevée au cours de l'intervention, soit par un abord direct, soit à l'aide de la lipo-aspiration qui permet une ablation très satisfaisante.

L'intervention a lieu sous anesthésie locale ou générale, après un bilan préopératoire complet, car il s'agit d'une intervention importante. Elle est pratiquée à partir de la cinquantaine, rarement avant. Elle peut être répétée une ou deux fois. Les suites de l'intervention sont marquées par un gonflement variable, des ecchymoses, et parfois une diminution de la sensibilité de la région de l'oreille, qui disparaît progressivement. Les cicatrices sont pratiquement invisibles. La perte de cheveux dans certaines zones est une complication qui a contribué à la mauvaise réputation de cette intervention, et qui est due à une traction exagérée sur la peau. Cet inconvénient disparaît pratiquement avec le double lifting, où la traction s'exerce beaucoup plus sur le plan musculaire que sur le plan cutané. Le lifting doit être pratiqué pour la propre satisfaction personnelle, et non pour plaire à autrui. Ses résultats sont spectaculaires. Le vieillissement cutané n'est certes pas arrêté, mais quelques années auront été rattrapées.

risques respiratoires professionnels

De très nombreuses professions sont exposées à des risques de maladies respiratoires aiguës ou chroniques. Les agents responsables d'atteinte pulmonaire sont extrêmement nombreux mais peuvent être regroupés en deux grandes catégories.

Les contaminants gazeux
Ils sont le plus souvent responsables d'accidents respiratoires aigus : œdème pulmonaire, pneumopathie, crises d'asthme.

Il peut s'agir de vapeurs irritantes : vapeurs nitreuses produites par le décapage des métaux, vapeurs soufrées (galvanisation ou décapage métallique), ammoniaque, dérivés chlorés, ou thiocyanate (industrie du plastique).

Il peut s'agir aussi de vapeurs métalliques : aluminium, manganèse, cadmium, tungstène, béryllium et de nombreux autres métaux, également responsables parfois de maladies chroniques telles que les fibroses pulmonaires.

Les contaminants particulaires
Ils sont à l'origine des pneumoconioses qui sont des maladies dues à l'inhalation et au dépôt dans les alvéoles pulmonaires de poussières minérales. Certaines pneumoconioses évoluent vers une fibrose pulmonaire.

La *silicose* est la plus répandue des pneumoconioses; elle est due à l'inhalation de poussière de dioxyde de silicium. Les professions exposées sont nombreuses : extraction de minerais, taille et polissage de roche, travail de fonderie, fabrication de verre et de porcelaine... Son diagnostic repose sur la notion de professions exposées et sur la radiographie* des poumons, qui montre le plus souvent des images évocatrices.

La silicose n'implique aucun traitement spécifique. Classée maladie professionnelle, elle donne droit à une indemnisation en fonction du déficit respiratoire, qui est susceptible de s'aggraver même si l'exposition professionnelle a cessé.

L'*asbestose*, autre pneumoconiose, est due à l'amiante (▷ ce mot).

La contamination particulaire peut être également le fait de poussières organiques non minérales : c'est le cas de la maladie appelée « poumon

de fermier », due à l'inhalation d'un micro-organisme contenu dans le foin moisi. Cette maladie se caractérise par des accidents respiratoires aigus avec fièvre, toux, essoufflement quelques heures après l'inhalation de ces micro-organismes. Ces accidents se répètent après chaque contact et, en l'absence de diagnostic, peuvent conduire à la fibrose pulmonaire.

ronflement

Le ronflement est désespérément tenace. Fréquemment le médecin découvre une déviation de la cloison, des polypes, mais le traitement de ces affections est généralement sans effet sur le ronflement.

Les espoirs reposent sur une intervention chirurgicale, pratiquée depuis quelques années et qui entraîne dans certains cas de bons résultats. Elle sacrifie la luette et une partie du voile du palais.

rosacée

La rosacée survient plus particulièrement chez les femmes entre quarante et cinquante ans. Il s'agit de poussée de papules et de pustules sur un fond de rougeur qui apparaissent sur le nez, le front et parfois le menton. Les poussées sont favorisées par des repas trop copieux, trop rapides, des aliments trop épicés ou alcoolisés, des changements brusques de température, des troubles digestifs et nerveux. Le traitement vise à éliminer les facteurs déclenchants et associe une antisepsie locale et une antibiothérapie générale.

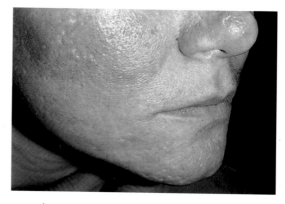

rosacée. *La rosacée se manifeste aux alentours de quarante ans surtout chez les femmes. Il est impératif alors de ne pas s'exposer au soleil.*

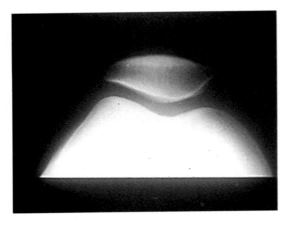
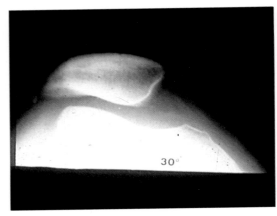

rotule (*syndrome fémoro-rotulien*). *Ci-dessus, à gauche : rotule normale. Aspect radiographique normal des facettes de la rotule. Ci-dessus, à droite : le cliché des défilés rotuliens fait partie du bilan radiologique standard des genoux. Ici on note une subluxation externe de la rotule avec atteinte du cartilage.*

rotule
(syndrome fémoro-rotulien)

Les lésions de la face postérieure de la rotule sont fréquentes; elles traduisent une surcharge fonctionnelle de l'appareil extenseur du genou. Le diagnostic de syndrome rotulien est important à poser; sa méconnaissance entraîne trop souvent des interventions méniscales abusives.

Comment le malade ressent-il la douleur fémoro-rotulienne ? Soit spontanément, soit après un traumatisme mineur, une douleur apparaît à la face antérieure du genou, irradiant souvent vers sa partie interne. Cette douleur survient à la montée ou à la descente des escaliers, à l'accroupissement ou après des positions assises prolongées. La douleur est minime ou inexistante lors de la marche en terrain plat. Il n'y a pas en règle générale de douleur nocturne. Parfois s'associent des phénomènes d'accrochages, de ressauts, très brefs, ou d'instabilité avec dérobement du genou; quelquefois il existe un gonflement de l'articulation.

L'examen du médecin confirme que c'est l'articulation fémoro-rotulienne qui est atteinte et non l'articulation fémoro-tibiale. Les radiographies de face et de profil du genou et en incidences fémoro-rotuliennes à 30°/60° retrouvent les signes d'arthrose et, parfois, la malposition et la malformation de la rotule à l'origine de l'arthrose. Dans certains cas, une arthrographie* est nécessaire.

L'ordonnance du médecin se résume à une rééducation isométrique fonctionnelle simple du quadriceps, sans travail de flexion-extension, ni pédalage, qui est à poursuivre pendant plusieurs mois. C'est seulement en cas d'échec de la kinési-thérapie, qu'une intervention chirurgicale peut être proposée. L'indication opératoire varie en fonction de la cause et de l'importance des lésions rotuliennes.

 ■ arthrose ■ gonarthrose

rougeole

Votre enfant âgé de plus de 6 mois a la rougeole : les anticorps maternels transmis pendant la grossesse ne le protègent que pendant le premier semestre de la vie (▷ fièvres éruptives de l'enfance).

L'éruption a été précédée d'une période de quatre jours pendant laquelle il a été très fébrile (39°-40°), fatigué, « grincheux » et a beaucoup toussé (cette toux est toujours présente dans la rougeole). Avant l'éruption, on peut déjà diagnostiquer avec certitude la maladie si l'on retrouve le signe de Köplik (semis de petites taches blanches punctiformes sur la face interne des joues, en regard des molaires).

L'éruption débute derrière les oreilles, s'étend ensuite au visage puis au reste du corps : elle se manifeste par des taches rouge vif séparées par des intervalles de peau normale. L'enfant ne se gratte pas. L'éruption disparaît en six jours sans laisser de traces.

Le traitement est symptomatique (médicaments contre la fièvre et la toux). La rougeole est une maladie virale : les antibiotiques ne sont pas nécessaires en dehors des surinfections bactériennes qui en compliquent parfois l'évolution (angines, otites, bronchites, laryngites).

L'enfant est contagieux pendant une période de dix jours comprise entre le cinquième jour précédant l'éruption et le cinquième jour la suivant. La maladie débute dix à douze jours après la contamination.

Il est conseillé d'injecter des gammaglobulines aux enfants de moins de 3 ans non immunisés (ceux qui n'ont pas eu la rougeole et n'ont pas été vaccinés).

La vaccination, bien que non obligatoire, est vivement conseillée (▷ vaccins et sérums, encéphalites virales de l'enfant).

rougeurs

☞ érythème

rubéole

La rubéole survient deux à trois semaines après la contamination, sous la forme d'une éruption faite d'éléments rose pâle qui dure trois jours. La température est normale ou discrètement élevée; la présence de ganglions dans le cou est évocatrice (▷ fièvres éruptives de l'enfance).

Elle n'est dangereuse que chez les femmes enceintes non immunisées car elle risque de provoquer des malformations fœtales cardiaques et oculaires, un retard de croissance intra-utérin, une infection du foie et du cœur du nouveau-né. Il est donc très important d'être immunisée avant une grossesse. Vous pouvez faire vacciner vos filles dès le quatorzième mois (en association possible avec le vaccin de la rougeole et des oreillons) ou vers 12 ans.

Si vous êtes en âge d'avoir des enfants, une sérologie* de la rubéole vous permet de savoir si vous êtes immunisée. Si cette sérologie est *positive*, vous avez déjà eu la rubéole : le vaccin est inutile. Si elle est *négative*, faites-vous vacciner. Sachez que le vaccin contre la rubéole est formellement contre-indiqué pendant la grossesse : votre contraception doit être efficace un mois avant le vaccin et deux mois après. Puis contrôlez l'efficacité du vaccin par une sérologie : si le résultat est négatif, un rappel s'impose.

Vous êtes enceinte et la première sérologie de la rubéole demandée systématiquement dès le début de la grossesse est négative : vous n'êtes pas immunisée. Il faut alors refaire une sérologie tous les mois ou dès qu'apparaît une éruption évocatrice ou une notion de contact avec un malade porteur de la rubéole qui est contagieuse sept jours avant l'éruption et cinq jours après.

Lorsque le taux des anticorps augmente avec apparition d'IgM (ce sont les anticorps présents au début des infections), il s'agit alors d'une rubéole récente. Une rubéole contractée au cours du premier trimestre de la grossesse risque d'entraî-

ner une malformation fœtale. Il n'y a pas alors de traitement réellement efficace car la maladie est virale. En effet, l'injection de gammaglobulines ne prévient pas le risque de malformations fœtales. L'avortement thérapeutique est malheureusement la seule mesure que l'on puisse proposer.

La vaccination des fillettes et des femmes adultes non immunisées sous contraception efficace pendant un minimum de trois mois est un moyen simple de prévenir la survenue d'une rubéole pendant la grossesse. Il faut continuer de la promouvoir.

 ■ grossesse et infections ■ diagnostic anténatal précoce des maladies fœtales ■ fœtus *(état de santé du)*

rythme et conduction cardiaques *(troubles du)*

L'action mécanique du cœur, c'est-à-dire la succession de ses contractions et relaxations qui lui permet d'exercer sa fonction de pompe, se fait selon un rythme régulier. La fréquence des battements cardiaques, ou rythme cardiaque, est déterminée par les besoins physiologiques du corps en oxygène et par l'action du système nerveux autonome (▷ cœur et circulation sanguine).

Ainsi, au repos ou lorsque les besoins en oxygène et autres substances énergétiques sont faibles, le rythme cardiaque est d'environ 60 à 90 battements/minute; lorsque ces besoins sont plus importants, notamment lors de l'effort physique ou en cas d'émotion, le rythme s'accélère jusque vers 150 battements/minute.

C'est le *nœud sino-auriculaire*, petite formation de tissu spécifique localisée dans l'oreillette droite du cœur, qui contrôle la fréquence cardiaque : il produit spontanément des impulsions électriques régulières; celles-ci sont diffusées de façon harmonieuse à l'ensemble des deux oreillettes, puis transmises au muscle des deux ventricules grâce à des formations cardiaques spécialisées – le *nœud d'Ashoff-Tawara*, puis le *faisceau de His*. Le nœud sino-auriculaire est le « *pacemaker* » du cœur, c'est-à-dire qu'il contrôle et assure la régulation des battements cardiaques ou du rythme normal, dit *sinusal*.

Le dysfonctionnement du nœud sino-auriculaire, ou l'atteinte du tissu conducteur spécialisé qui transmet les impulsions à l'ensemble du cœur, entraîne un trouble du rythme ou de la conduction cardiaques : une fréquence supérieure à 100 battements/minute signe une tachycardie, inférieure à 50 battements/minute une bradycardie.

Les extra-systoles

Une extra-systole est un battement cardiaque *prématuré*. Elle est perçue comme une impression

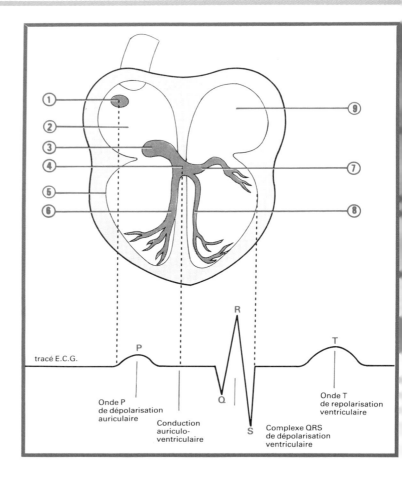

rythme et conduction

cardiaques *(troubles des). Schéma des voies de conduction intra-cardiaques : ① nœud sinusal, de Keith et Flack, situé dans ② l'oreillette droite, ③ nœud auriculo-ventriculaire ou d'Ashoff-Tawara, ④ tronc du faisceau de His, ⑤ paroi ventriculaire droite, ⑥ branche droite du faisceau de His, ⑦ et ⑧ les 2 hémi-branches gauches du faisceau de His, ⑨ oreillette gauche. Les pointillés indiquent la corrélation entre le tissu nodal et le tracé électrique obtenu.*

tracé E.C.G.

Onde P
de dépolarisation
auriculaire

Conduction
auriculo-
ventriculaire

Complexe QRS
de dépolarisation
ventriculaire

Onde T
de repolarisation
ventriculaire

de « raté » dans la poitrine ou comme un batte-ment surnuméraire. Elle peut toutefois ne pas être ressentie, notamment chez les sujets musclés ou obèses. Elle peut être d'origine auriculaire ou ventriculaire : seul l'électrocardiogramme* permet de le préciser.

Lorsque les extra-systoles sont rares, non res-senties ou peu gênantes, surtout si elles sont d'origine auriculaire, elles ne justifient pas néces-sairement de traitement; ailleurs, les indications thérapeutiques sont orientées par la gêne qu'elles entraînent, leur origine, notamment ventriculaire.

Les tachycardies

Les tachycardies peuvent être *auriculaires*, ou encore *supra-ventriculaires*, ou *ventriculaires*, ré-gulières ou irrégulières. Elles sont ressenties comme un emballement du cœur dont il faut préciser :
— *le début* : brutal, souvent décrit comme un déclic, ou progressif;
— *le caractère* : régulier ou irrégulier;

— *la façon dont elles s'arrêtent* : spontanément ou non, brutalement ou progressivement;
— *les signes accompagnateurs* éventuels, comme, par exemple, dans certains types de tachycardie, un désir impérieux d'uriner ou des vomissements.

Les tachycardies auriculaires

Parmi les tachycardies auriculaires, on décrit la *fibrillation auriculaire* : dans ce cas, le pacemaker sino-auriculaire est littéralement débordé par la survenue d'une véritable anarchie des oreillettes; l'influx ne naît plus du sinus pour être harmonieu-sement propagé au reste du tissu auriculaire, mais il naît simultanément en plusieurs points des oreillettes. Cette fibrillation est souvent perçue comme des palpitations irrégulières et rapides. L'électrocardiogramme reconnaît aisément ce type de tachycardie.

C'est un trouble du rythme fréquent au-delà de la cinquantaine et chez le sujet atteint d'une valvulopathie mitrale. Il peut également révéler un hyperfonctionnement de la glande thyroïde. Le traitement médical anti-arythmique peut suffire à rétablir le rythme sinusal normal. Dans certains cas rares et limités, le cardiologue peut poser l'indication d'un choc électrique externe qui resynchronise les fibres auriculaires et rétablit le rythme sinusal. Il importe également de rechercher parallèlement une cause, cardiaque ou extra-cardiaque, expliquant la survenue de cette arythmie par fibrillation auriculaire.

On distingue trois autres types de tachycardies auriculaires : la *tachycardie paroxystique supraventriculaire*, la *tachysystolie* et le *flutter auriculaires*.

Il s'agit de tachycardies rapides mais régulières et organisées, habituellement ressenties comme un emballement régulier et rapide du cœur; leur diagnostic précis est électrocardiographique. Elles peuvent survenir sur un cœur sain ou compliquer une cardiopathie, quel qu'en soit le type. La survenue de telles tachycardies justifie donc la pratique d'un bilan cardiaque.

Certains patients qui ont des accès fréquents de tachycardie supra-ventriculaire paroxystique, également appelée communément maladie de Bouveret, ont souvent appris à les réduire eux-mêmes par des manœuvres dites vagales (provoquant un réflexe qui stoppe brutalement la tachycardie) telles que les efforts de vomissement, la compression des globes oculaires, l'ingestion très rapide d'un verre d'eau très glacée, etc. Si de telles manœuvres échouent ou si le patient répugne à les effectuer tout seul, il est possible, lorsque le diagnostic de tachycardie supra-ventriculaire paroxystique a été effectivement confirmé, de réduire celle-ci en injectant rapidement par voie intra-veineuse une ampoule d'un produit qui a le même effet dit vagal. Après réduction de l'accès, il faut prévenir les rechutes par un traitement antiarythmique d'entretien.

Ces trois types de tachycardies, mais plus particulièrement le flutter et la tachycardie supraventriculaire paroxystique, peuvent être traités, dans certains centres hospitaliers, par stimulation endocavitaire. Cette opération consiste à monter, par voie veineuse fémorale, dans les cavités cardiaques droites, une sonde délivrant plusieurs impulsions électriques qui finissent par inhiber la tachycardie. Là encore, la réduction du trouble du rythme doit être consolidée par un traitement d'entretien.

La tachycardie ventriculaire

Elle est également le plus souvent ressentie comme un emballement rapide et régulier du cœur, et ne survient qu'exceptionnellement sur un cœur sain. Elle nécessite un traitement urgent en raison du risque d'évolution vers une fibrillation ventriculaire avec inefficacité cardiaque et risque d'arrêt cardiaque.

Ainsi, *en pratique*, en cas de tachycardie qui se prolonge et/ou qui récidive, il est nécessaire de consulter un cardiologue afin notamment d'effectuer, *si possible pendant l'accès tachycardique*, un électrocardiogramme*. Ce tracé électrocardiographique permet de préciser le type exact de la tachycardie, de mieux orienter la thérapeutique et éventuellement de décider, notamment s'il s'agit d'une tachycardie ventriculaire, le transfert en milieu hospitalier; ultérieurement, le médecin pourra au mieux envisager de compléter le bilan par la recherche d'une cause cardiaque ou extracardiaque à cette tachycardie.

Les bradycardies

Les bradycardies sont, elles, le plus souvent, en rapport avec un *bloc cardiaque*, c'est-à-dire une interruption de la transmission des impulsions électriques à partir du nœud sino-auriculaire. Le bloc peut être haut situé, auriculaire : il s'agit d'un *bloc sino-auriculaire*; quant au *bloc* dit *auriculoventriculaire*, il survient lorsque les structures auriculo-ventriculaires (nœud d'Ashoff-Tawara) ou ventriculaires (tronc du faisceau de His, branches du faisceau de His) sont atteintes. Dans tous les cas, le bloc peut être complet ou incomplet.

Il peut être asymptomatique, fortuitement découvert par le patient ou le médecin devant une lenteur du pouls ou des battements cardiaques à l'auscultation. Ailleurs, il est responsable de simples malaises brefs ou de véritables pertes de connaissance brutales.

Éventuellement favorisé par un traitement de longue durée qui ralentit la fréquence cardiaque, un bloc, quel qu'en soit le siège, survient généralement chez un sujet porteur d'une cardiopathie. Le diagnostic précis du bloc est électrocardiographique. Dans certains cas, l'électrocardiogramme, à distance d'un malaise ou d'une perte de connaissance, peut être normal; on peut alors s'assurer de l'origine de ces malaises par d'autres examens, en particulier l'enregistrement Holter (▷ électrocardiogramme) et l'exploration endocavitaire des voies de conduction (qui réalise un enregistrement intra-cardiaque de l'électrocardiogramme).

C'est sur l'évaluation du retentissement clinique du bloc et des résultats des examens complémentaires que le cardiologue peut décider si un traitement médical suffit ou s'il est nécessaire de recourir à l'implantation d'un pacemaker.

 ■ cœur et circulation sanguine ■ pouls ■ palpitations ■ malaises ■ syncopes ■ pacemaker

sado-masochisme

Le sadisme est la subordination de la jouissance sexuelle à la souffrance infligée à autrui; le masochisme est une formation perverse en miroir, où le plaisir sexuel est contingent de la souffrance infligée par l'autre.

Ces perversions exigent pour leur accomplissement un rituel sophistiqué et secret, souvent avec des partenaires rétribués, ou bien dans leur association de couple sado-masochiste. Certains sadiques sont des meurtriers : leur crime s'accompagne de jouissance sexuelle (pervers meurtriers, large fraction des commandos nazis). L'interprétation psychanalytique fait intervenir des fixations de la libido à un stade infantile précoce : le stade anal, centré sur la problématique des excréments.

salivaires *(glandes)*

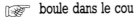 boule dans le cou

salpingites aiguës et chroniques

On entend par salpingite une infection aiguë ou chronique des trompes.

La **salpingite aiguë** entraînant des douleurs pelviennes très vives, une température élevée, conduit à une consultation urgente. Des leucorrhées (pertes « blanches ») purulentes associées parfois à une cystite voire à une bartholinite (infection d'une glande de la vulve appelée glande de Bartholin) évoquent déjà une infection probablement gonococcique. L'examen est le plus souvent très démonstratif : il existe une tuméfaction douloureuse de chaque côté de l'utérus. Votre médecin vous imposera une hospitalisation d'urgence. En effet, après une recherche en laboratoire du germe responsable (qui est en général un gonocoque, dans cette forme aiguë), doit être institué aussi précocement que possible un traitement associant en règle générale trois agents anti-infectieux et particulièrement des perfusions intra-veineuses à doses massives d'antibiotiques. C'est à ce prix et au prix d'un traitement prolongé (5 à 6 semaines) que sera jugulée l'infection et préservée la valeur fonctionnelle des trompes. On sera à tout moment en droit de pratiquer une cœlioscopie* afin de préciser l'extension des lésions et l'efficacité du traitement.

L'évolution est favorable : la température et les douleurs disparaissent, l'hémogramme* et la vitesse* de sédimentation redeviennent normaux. Une grossesse ultérieure sera la manifestation éclatante de la guérison.

L'évolution est moins favorable : un abcès se forme, soit dans la trompe, soit dans l'ovaire, et quelquefois même dans la cavité péritonéale (renfermant les organes abdominaux); un traitement chirurgical s'avère alors indispensable.

Parfois la guérison n'est qu'apparente, se pose alors le problème des **salpingites chroniques**, que celles-ci aient été précédées ou non d'un épisode aigu. Ce type d'infection, qui évolue en n'entraînant que des symptômes discrets, pose un problème diagnostique et pronostique difficile et important puisqu'il met en jeu votre fertilité future.

Quand doit-on penser à une salpingite chronique ?

D'abord, en présence de facteurs de risque maintenant bien connus et qui sont :
— une vie sexuelle quelque peu désordonnée;
— une fausse couche spontanée ou provoquée, dans les semaines ou mois qui précèdent;
— la pose, même ancienne, d'un stérilet;
— une hystérographie* (radiographie de l'utérus) ou encore
— une appendicite franche dans les mois qui précèdent.

L'affection est latente, les signes peu caractéristiques, cependant l'association de plusieurs symptômes doit vous inciter à consulter votre médecin.

Ces symptômes quels sont-ils ?
— Des douleurs pelviennes peu intenses, vagues, intermittentes (elles manquent dans la moitié des cas).
— Des leucorrhées vaguement purulentes avec inflammation plus ou moins importante de la vulve et troubles urinaires (brûlures).
— Des métrorragies (pertes de sang entre les

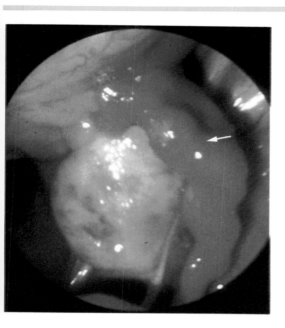

salpingites aiguës et chroniques. *La cœlioscopie affirme la salpingite : aspect très inflammatoire de la trompe.*

règles) qui, de toute façon, doivent vous amener à consulter.

Il appartient à votre médecin de poser un diagnostic d'autant plus difficile que l'examen gynécologique n'est pas toujours probant et les examens de laboratoire pas toujours convaincants (hémogramme et vitesse de sédimentation normaux). Seuls des examens complémentaires vont permettre de confirmer le diagnostic de salpingite chronique : l'hystérographie, pratiquée sous une antibiothérapie de couverture, visualise une infection des trompes qui se traduit essentiellement par un simple ou double hydrosalpinx (trompe bouchée et dilatée par un liquide séreux). Le produit de contraste peut révéler dans la cavité péritonéale des poches adhérentielles. Alors s'impose, dans un deuxième temps, une cœlioscopie* qui permettra un bilan exact de la nature et de l'extension des lésions.

Selon les cas il sera proposé, après antibiothérapie, une chirurgie réparatrice visant à libérer les adhérences et à reconstituer la perméabilité des trompes. En sachant bien que le pourcentage de succès, tous cas confondus, ne dépasse pas 50 %. En effet aucun geste chirurgical ne saurait rendre à la muqueuse des trompes les qualités fonctionnelles indispensables à la survie et au transfert de l'œuf dans la cavité utérine.

L'infertilité d'origine tubaire constitue l'indication majeure de la fécondation *in vitro*; ses résultats sont à ce point prometteurs qu'elle viendra souvent remplacer dans un proche avenir une chirurgie coûteuse et aléatoire.

☞ ■ **pelviennes** *(douleurs)* ■ **leucorrhées** ■ **règles ou menstruations**

SAMU

☞ **secours d'urgence**

sang

Le sang est le véhicule principal des échanges entre les différents organes du corps. Il est formé de cellules en suspension dans un liquide complexe, le *plasma*. Les cellules sanguines ont un aspect et des fonctions très différents. Elles appartiennent à trois catégories : les globules rouges (ou *hématies*), les globules blancs (ou *leucocytes*) et les plaquettes (ou *thrombocytes*).

— Les *globules rouges*, en forme de disque, sont déformables, ce qui leur permet de pénétrer dans les plus petits vaisseaux. Leur fonction principale est le transport de l'oxygène depuis les poumons jusqu'aux tissus, grâce à leur constituant principal : l'*hémoglobine*.

— Les *globules blancs* comprennent les *polynucléaires*, les *monocytes* et les *lymphocytes*. Les polynucléaires doivent leur nom à leur noyau divisé en plusieurs lobes; ils contiennent des granulations dont les propriétés permettent de les distinguer en *neutrophiles*, les plus nombreux, *éosinophiles* et *basophiles*. Polynucléaires, monocytes et lymphocytes ne font que transiter par le sang : leur fonction s'exerce dans les tissus. Ils interviennent dans la défense de l'organisme contre les infections : polynucléaires et monocytes sont capables d'absorber et de détruire de nombreux germes; les lymphocytes peuvent donner naissance à des cellules productrices d'anticorps.

— Les *plaquettes*, troisième variété de cellules sanguines, sont de très petits éléments, capables en s'agglutinant d'obturer les brèches vasculaires, contribuant ainsi à l'arrêt des hémorragies.

Toutes les cellules sanguines proviennent de la moelle osseuse. La moelle osseuse n'est pas un organe isolé : c'est un tissu contenu dans les cavités des os. Chez l'enfant, elle existe dans presque tous les os. Chez l'adulte, elle ne persiste plus qu'au niveau du sternum, des vertèbres, du bassin et du crâne. Malgré leurs différences, les cellules sanguines dérivent toutes d'une même cellule primordiale. Celle-ci donne naissance à plusieurs lignées : la *lignée érythroblastique* donne naissance aux globules rouges, la *lignée granulomonocytaire* aux polynucléaires et aux monocytes et la *lignée mégacaryocytaire* aux plaquettes. La production des lymphocytes est plus complexe. Seule une

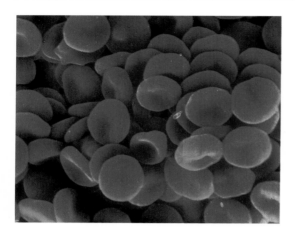

sang. *Les globules rouges, ou hématies, ont une forme en disque caractéristique.*

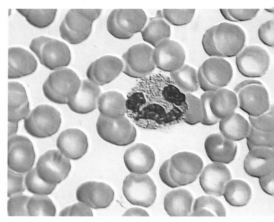

sang. *Sur ce frottis de sang, un polynucléaire est facilement identifiable à son noyau formé de plusieurs lobes.*

Hémogramme normal

Cellules sanguines	Femme	Homme
Les globules rouges	4 000 000 à 5 200 000/mm³	4 500 000 à 6 000 000/mm³
• réticulocytes	20 000 à 100 000/mm³	20 000 à 100 000/mm³
• taux d'hémoglobine	12 à 16 g/100 ml	13 à 17 g/100 ml
• hématocrite	38 à 47 %	40 à 53 %
• volume globulaire moyen	82 à 95 μ^3	
• teneur corpusculaire moyenne en hémoglobine	27 à 34 pico g	
• concentration corpusculaire moyenne en hémoglobine	31 à 36 g/100 ml	
Les globules blancs	4 à 10 000/mm³	
• polynucléaires neutrophiles	50 à 75 % soit 2 000 à 7 000/mm³	
• polynucélaires basophiles	moins de 1 % soit 10 à 50/mm³	
• polynucléaires éosinophiles	1 à 3 % soit 50 à 700/mm³	
• lymphocytes	20 à 40 % soit 1 500 à 4 000/mm³	
Les plaquettes	150 000 à 400 000/mm³	

Âge	Hémoglobine	Globules blancs
Naissance	14 à 19 g/100 ml	10 000 à 25 000/mm³
3 mois	10 à 13 g/100 ml	8 000 à 15 000/mm³
1 an	11 à 13 g/100 ml	6 000 à 15 000/mm³
12 ans	11,5 à 14,8 g/100 ml	4 500 à 13 000/mm³

Le nombre absolu de lymphocytes est également plus élevé chez l'enfant.

Dr P. GODEAU, *Traité de médecine*, Éditions Flammarion.

partie d'entre eux évolue sur place, les autres quittent très rapidement la moelle osseuse pour terminer leur évolution dans le thymus avant de passer dans le sang et de rejoindre les organes lymphoïdes; ces lymphocytes sont spécialisés dans le contrôle de l'ensemble des défenses immunitaires.

Votre médecin dispose de plusieurs examens pour étudier les cellules sanguines et leurs précurseurs. L'*hémogramme* (ou numération-formule sanguine) explore le sang : la numération donne le chiffre des globules rouges, des globules blancs et des plaquettes. Elle est complétée par la *formule leucocytaire*, qui donne le pourcentage des différents types de globules blancs. La moelle osseuse peut être étudiée par *ponction* : un peu de tissu est aspiré grâce à une aiguille spéciale au niveau du sternum ou du bassin. C'est un examen rapide, bien qu'un peu douloureux. Des renseignements complémentaires sont apportés par la biopsie* médullaire qui consiste à prélever un petit fragment d'os du bassin, sous anesthésie locale, pour permettre l'étude de la moelle osseuse qu'il contient.

☞ INDEX THÉMATIQUE *(HÉMATOLOGIE)*

scanner

La tomodensitométrie ou scannographie, encore trop méconnue, est un examen complémentaire très utile au diagnostic, notamment lors d'urgences qui concernent le crâne. Utilisée dans le domaine de la neuroradiologie depuis une dizaine d'années, elle offre actuellement un champ très large d'applications qui intéresse pratiquement toutes les spécialités médicales.

Elle occupe un poste-clef dans les bilans d'extensions cancérologiques de tous ordres et la recherche de hernies discales. Enfin, elle permet parfois d'éviter une intervention grâce à la possibilité de faire des ponctions dirigées ou des drainages.

Son mécanisme, complexe, fait appel à l'image obtenue par la radiologie classique (rayons X), transformée par l'ordinateur pour obtenir une coupe, ou une tranche, du corps humain très semblable à une coupe anatomique et dont l'épaisseur peut être minime, jusqu'à un millimètre dans certaines indications (oreilles, selle turcique...).

La durée de l'examen varie de dix à quinze minutes. La préparation est simple : le malade est à jeun six heures auparavant. Une injection intraveineuse ou la prise orale de produit de contraste, un lavement plus rarement, sont nécessaires dans la majorité des examens de l'abdomen et du petit bassin.

Cette méthode représente actuellement, avec l'I.R.M. (imagerie par résonance magnétique), les techniques de pointe de la radiologie moderne. Elle est peu irradiante et offre un grand confort pour le malade. Elle reste malheureusement réservée à une pathologie trop sélective en raison de la faible quantité d'appareils distribués en France et de son coût élevé.

scarlatine

Il n'est pas toujours facile de reconnaître la scarlatine (▷ fièvres éruptives de l'enfance). Sa symptomatologie s'est, en effet, atténuée depuis quelques années pour des raisons qui demeurent obscures. On peut la confondre avec une allergie médicamenteuse responsable parfois d'une éruption en tout point similaire.

Il existe toutefois des critères évocateurs :
— elle débute deux à cinq jours après la contamination (l'enfant est contagieux trois jours avant et cinq jours après l'apparition de l'éruption) par une angine fébrile souvent accompagnée de vomissements;
— l'éruption apparaît deux jours plus tard. Elle est faite de plaques rouges à l'intérieur desquelles on ne distingue pas de peau saine. Elle prédomine aux plis de flexion et sur le tronc et donne, au toucher, une sensation de peau grenue. Elle disparaît au bout de quelques jours. Vers le dixième jour, la peau des doigts se desquame par petits lambeaux;
— *l'aspect de la langue* est le signe le plus caractéristique : elle rougit d'avant en arrière pour devenir entièrement rouge framboisé;
— la présence d'un streptocoque hémolytique du groupe A dans le prélèvement* de gorge et la sérologie*, mettant en évidence une augmentation du taux des anticorps antistreptococciques, a une

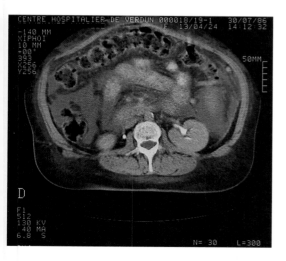

scanner *abdominal.*

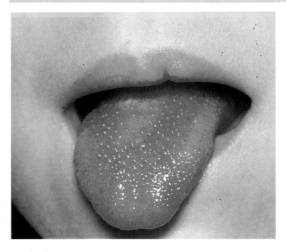

scarlatine. *L'aspect rouge framboise de la langue est caractéristique de la scarlatine.*

importante valeur diagnostique dans les cas douteux.

 La pénicilline prescrite pendant dix jours au malade et à son entourage permet de raccourcir la durée de l'infection et surtout d'éviter la survenue d'une affection retardée parfois sévère : rhumatisme articulaire aigu, glomérulo-néphrite aigu, érythème noueux.

 ■ streptocoque ■ angine ■ érythème ■ rhumatisme articulaire aigu

Scheuermann *(maladie de)*

 dos de l'enfant *(déformation du)*

schizophrénie

 Le morcellement et la désagrégation de l'unicité de l'affectivité, de la pensée, de l'intelligence et des sensations corporelles caractérisent la schizophrénie. Le schizophrène se présente comme maniéré, bizarre, déconcertant dans ses actes et ses pensées, impénétrable et détaché. La dépersonnalisation ou perte du sentiment de l'identité s'accompagne d'une angoisse intolérable et, parfois, de multiples vérifications devant le miroir de la cohésion de son propre corps. La pensée est elle-même entravée dans son cours ralenti ou accéléré, parasitée ou infiltrée par des idées « imposées ». Le langage est altéré dans son débit, sa syntaxe, son vocabulaire avec création fréquente de néologismes. L'ambivalence des sentiments – mélange

non modulé de haine et d'amour, de volonté de destruction et de désir de fusion – complète la discordance dans la sphère affective. Le geste indécis, immotivé, stéréotypé ajoute à l'étrangeté de la personnalité schizophrène. Un syndrome délirant est constamment associé.

Cette affection fréquente – près de 1 % de la population – débute chez l'adolescent ou l'adulte jeune. Son évolution a été radicalement transformée par les neuroleptiques. Si certaines formes évoluent encore vers l'appauvrissement intellectuel (ancienne « démence précoce »), d'autres se stabilisent dans un délire chronique plus ou moins évolutif, avec parfois de longues périodes de rémission permettant une insertion sociale normale.

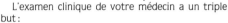 ■ délire ■ hallucinations ■ psychoses

sciatique par hernie discale

La sciatique par hernie discale est l'expression clinique d'un conflit résultant de la compression d'une racine nerveuse L_5 ou S_1, par une hernie discale (▷ disque intervertébral).

 Vous souffrez d'une douleur lombaire irradiant dans un membre inférieur. Cette douleur, typiquement mécanique, est survenue à la suite d'un effort ; les mouvements et la toux majorent la symptomatologie, le repos la soulage : il s'agit vraisemblablement d'une sciatique.

L'examen clinique de votre médecin a un triple but :
– *Confirmer ce diagnostic de sciatique*, par un examen clinique standardisé ; l'interrogatoire minutieux précise le trajet exact de la douleur, l'éventuelle association à des signes neurologiques sensitifs (fourmillements). L'examen clinique met en évidence une raideur rachidienne associée à une position antalgique ; il objective des signes de tension radiculaire (*signe de Lasègue*) et recherche des signes neurologiques associés (diminution de la sensibilité, diminution ou abolition d'un réflexe, déficit musculaire). Au terme de cet examen, votre médecin affirme la sciatique et en précise la localisation L_5 ou S_1.
– *Affirmer l'origine discale de cette sciatique* : à partir des antécédents, de l'examen clinique et de la radiographie, votre médecin, dans l'immense majorité des cas, pourra affirmer l'origine discale de cette sciatique. En cas de doute diagnostique ou d'intrication de plusieurs pathologies, des examens complémentaires, essentiellement le scanner* et/ ou la myélographie, sont demandés.
– *Éliminer d'emblée une complication nécessitant un recours chirurgical rapide* : l'existence d'un déficit musculaire important, ou l'apparition de signes sphinctériens, ne souffre aucune attente. Le scanner*, demandé en urgence, permet de guider l'acte chirurgical.

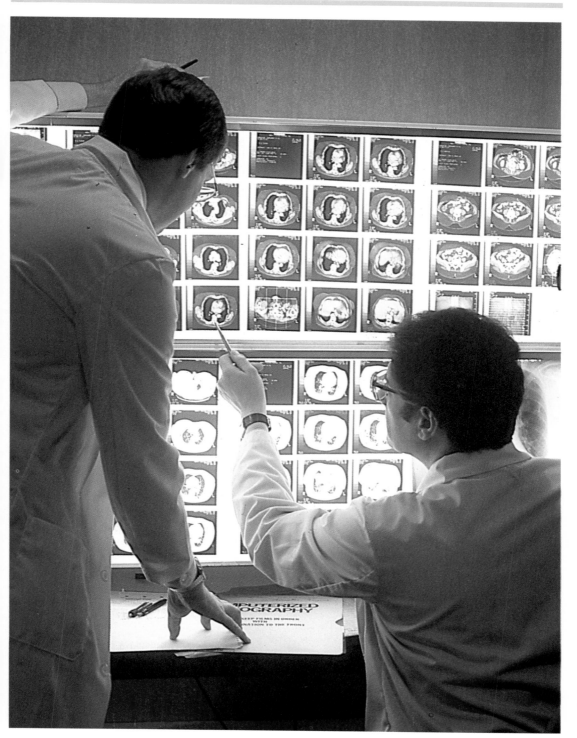

scanner. *Lecture d'un scanner.*

Ainsi le plus souvent, au terme de ce bilan, le diagnostic de sciatique L_5 ou S_1, d'origine discale non compliquée, est fait : c'est la plus fréquente des sciatiques.

Votre médecin doit encore instaurer le traitement et surveiller cette sciatique très régulièrement.

En cas de sciatique par hernie discale non compliquée

Le repos allongé sur un plan dur doit être impérativement respecté pendant plusieurs jours. La prise d'anti-inflammatoires, d'antalgiques et de myo-relaxants est nécessaire.

Si la douleur ne cède pas, votre médecin vous adressera à un rhumatologue, afin que soient pratiquées deux ou trois infiltrations épidurales (injection de corticoïdes dans le canal rachidien). Si nécessaire, le rhumatologue complétera le traitement par la confection d'un lombostat à porter pendant six semaines.

C'est seulement en cas d'échec de ce traitement médical bien conduit, que l'on parlera de sciatique rebelle. Dès lors, un bilan plus approfondi s'impose. Un scanner visualise la topographie et l'importance de la hernie discale et précise l'anatomie du canal rachidien.

En cas de discordance entre l'examen clinique et le scanner, le médecin complétera l'investigation par une myélographie lombaire. Les informations recueillies vont permettre à l'équipe médico-chirurgicale de poser soit une indication de chimionucléolyse (destruction enzymatique du disque), soit d'opter pour une solution chirurgicale classique.

Après la chimionucléolyse ou la chirurgie, la reprise des activités sera prudente. Pour les professions exposées, un aménagement du poste de travail doit être proposé, en étroite collaboration avec le médecin du travail.

 ■ rachis *(douleurs du)* ■ lumbago aigu ■ anti-inflammatoires cortisoniques et non cortisoniques ■ infiltrations

 ## scintigraphie

 La scintigraphie est une technique qui permet d'obtenir une image, photographique ou cinématographique, d'un organe après injection intra-veineuse, ou parfois ingestion, de *molécules radioactives* spécifiquement choisies pour aller se fixer dans l'organe considéré.

Ces éléments radioactifs, appelés *radio-isotopes*, peuvent être naturels ou artificiels : le phosphore pour le tissu osseux, l'iode pour le tissu thyroïdien, par exemple. Ils vont se répartir sur leur organe

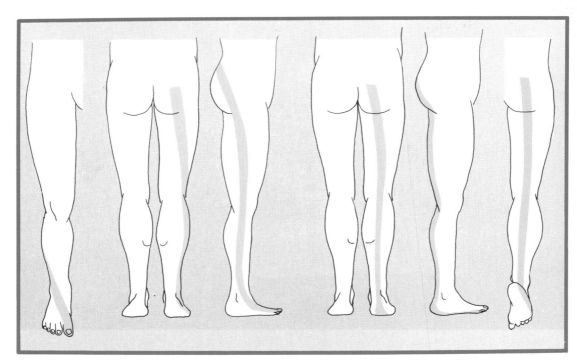

sciatique par hernie discale. *Topographie de la douleur dans le membre inférieur : sciatique de type L_5 (à gauche); sciatique de type S_1 (à droite).*

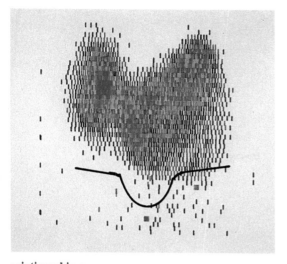

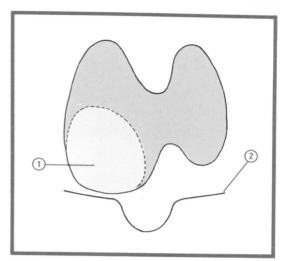

scintigraphie. *La scintigraphie (ci-dessus, à gauche) est une excellente technique permettant l'étude du volume et de la fonction de la glande thyroïde. Ci-dessus, à droite :* ① *nodule « froid » ne fixant pas le corps radioactif injecté ;* ② *sternum, clavicules.*

cible. Une caméra spéciale va enregistrer le rayonnement émis par l'organe qui a absorbé et métabolisé ces éléments. L'image qui en résulte fournit des informations sur la morphologie et le fonctionnement de l'organe cible.

On cherche à utiliser des éléments à radioactivité très courte afin de diminuer l'irradiation, mais de longueur d'onde suffisante pour impressionner une plaque ou un film.

sclérose en plaques

Un jeune adulte se plaint d'une baisse de la vision d'un œil et de picotements ou fourmillements des bras pendant quelques jours, puis tout redevient normal. Quelques mois plus tard, c'est une diplopie (vision double) passagère et des troubles de l'équilibre qui vont régresser en quelques semaines.

Ces troubles neurologiques transitoires et régressifs doivent faire évoquer une sclérose en plaques, maladie dont la cause reste encore inconnue (peut-être virale ou immunologique ?).

Le médecin consulté retrouve, dans la relation que lui fait le patient, les poussées antérieures de la maladie qui remontent parfois à quelques années auparavant, notamment les troubles oculaires (diplopie et baisse de la vision d'un œil transitoires).

A l'examen neurologique, il existe presque toujours des réflexes vifs, un signe de Babinski, ainsi que des troubles de la coordination des mouvements ou de l'équilibre.

L'évolution se fait par poussées de moins en moins régressives, parfois à l'occasion d'une maladie infectieuse, d'un traumatisme, d'une grossesse, le plus souvent sans cause précise. Au bout de quelques épisodes, les signes neurologiques déficitaires vont persister avec une paraparésie (paralysie partielle des jambes), des troubles cérébelleux (troubles de l'équilibre) et des troubles sphinctériens (incontinence urinaire).

Ainsi, la sclérose en plaques est une maladie grave qui évolue le plus souvent vers un état grabataire en quelques dizaines d'années. Quelquefois cependant, le cours de la maladie s'interrompt pendant de nombreuses années : les poussées sont rares et entraînent peu de séquelles.

Lors de l'hospitalisation en neurologie, l'examen qui oriente le diagnostic est la ponction* lombaire : l'étude du liquide céphalo-rachidien notera l'augmentation des protéines et surtout l'augmentation des gamma-globulines, qui évoquent la maladie. Mais, c'est l'évolution par poussées partiellement régressives qui confirmera le diagnostic.

De très nombreuses thérapeutiques ont été utilisées. En fait, seuls les corticoïdes et les immuno-suppresseurs seraient capables de ralentir les poussées. Il faut se méfier de l'impression d'efficacité de certaines thérapeutiques lorsque l'on sait le caractère spontanément régressif des poussées, surtout au début de la maladie. Il faut, au contraire, rester à l'écoute du progrès scientifique qui, nous l'espérons, permettra de vaincre cette maladie.

scoliose

 dos de l'enfant *(déformation du)*

séborrhée

Vous avez la peau grasse, luisante, le teint terreux, les pores dilatés principalement au milieu du visage, sur le front, le nez et le menton : la raison en est une sécrétion grasse, la séborrhée, produite par les glandes sébacées qui sont annexées à chaque poil et à chaque cheveu.

La séborrhée débute à la puberté, chez la majorité des jeunes gens; elle se manifeste par une hyperproduction de sécrétion grasse qui favorise la survenue de l'acné.

La séborrhée du cuir chevelu colle les cheveux par paquets, les rend lourds et luisants; elle peut s'accompagner, à plus ou moins long terme, d'une chute diffuse des cheveux qui conduit à la calvitie chez l'homme, à un aspect nettement dégarni chez la femme.

Le traitement de la séborrhée est difficile. Sachez que, pour la toilette, l'utilisation de produits agressifs trop détergents qui dégraissent brutalement la peau ou le cuir chevelu, conduit à l'apparition d'une séborrhée réactionnelle. L'utilisation de produits de maquillage trop gras est déconseillée.

Lorsque la séborrhée est intense, les soins locaux ne peuvent prétendre vous en débarrasser totalement. Une pilule fortement dosée en œstrogène est parfois proposée pour lutter contre la séborrhée féminine.

 ■ cosmétologie ■ acné juvénile ■ cheveux

secours d'urgence

Ce chapitre est destiné à vous enseigner les quelques règles simples qui vous permettront de faire face aux problèmes médicaux urgents, qu'ils soient bénins ou graves.

Il se compose de trois parties :
- Organisation de la pharmacie familiale.
- Comment donner l'alerte.
- Les gestes qui sauvent.

● Pharmacie familiale

Cette pharmacie doit disposer de produits vous permettant de faire face efficacement aux troubles et incidents mineurs, et contenir les médicaments utilisés au cours de traitements.

Attention : il est très important que l'armoire soit située hors de portée des enfants, et qu'elle soit fermée à clé. Les médicaments pour enfants et ceux pour adultes doivent être séparés. Ils doivent être conservés dans leurs emballages d'origine. Vérifiez régulièrement votre pharmacie afin d'éliminer les médicaments périmés, et de les renouveler s'ils sont utiles.

Le matériel de soins
- thermomètre médical;
- paire de ciseaux à bouts ronds;
- pince à échardes;
- épingles de sûreté;
- boîtes de pansements adhésifs de différentes tailles;
- ruban adhésif non allergisant;
- compresses stériles en sachets individuels;
- bandages;
- coton hydrophile.

Les produits
- alcool à 90°;
- antiseptique cutané non alcoolisé et non coloré;
- tulle gras;
- aspirine pour adultes et pour enfants;
- paracétamol pour adultes et pour enfants;
- sérum physiologique;
- antiallergique pour adultes et pour enfants;
- antinauséeux;
- antispasmodique;
- laxatif dénué de toxicité.

Donner l'alerte

Confectionnez pour vous et vos enfants une liste de numéros de téléphone qui devra également être conservée dans l'agenda familial :
- médecin de famille;
- centres anti-poisons (liste et numéros de téléphone détaillés à l'article intoxications);
- SOS-Mairie, centre des brûlés;
- ambulance privée;
- le 17 est le numéro du commissariat de police;
- le 18 celui des pompiers;
- le 15 est le numéro du centre de tri des appels médicaux urgents.

En effet, depuis quelques années, le 15, numéro d'appel médical unique, a la charge, au reçu des appels, de mettre en œuvre le moyen de secours approprié. Pour lui permettre de remplir correctement ce rôle, il est essentiel que les informations données lors de l'appel soient à la fois utiles et précises. Selon les cas, le schéma de secours est le suivant :
- Il s'agit d'un appel de détresse médicale à domicile : l'appel est transmis au service médical de garde, éventuellement relayé, si un transport est nécessaire, à une ambulance ou un camion de réanimation.
- Il s'agit d'un accident, que ce soit à domicile ou sur la voie publique : dans tous les cas les secours publics (police, gendarmerie ou pompiers) sont dépêchés sur place. Selon la disponibilité des véhicules, des équipes secouristes (Croix-Rouge, Sécurité civile) peuvent également intervenir. Selon le premier bilan, un véhicule du Service mobile d'urgence et de réanimation (S.M.U.R.) avec un médecin à bord peut être envoyé sur place et peut pratiquer sur les lieux les techniques de réanimation nécessaires au maintien des fonctions vitales.

Le SAMU est le Service d'aide médicale urgente. C'est une structure administrative qui a pour mission d'organiser l'ensemble des moyens médicaux de secours et d'intervention mobile. Le SAMU national coordonne les activités des SAMU régionaux, dotés de moyens logistiques propres (ambulances lourdes, véhicules légers d'intervention, parfois hélicoptères). En plus de leur mission de coordination-régulation et de formation, les SAMU peuvent intervenir dans les secours primaires (sur les lieux de l'accident) mais aussi dans des transports « secondaires » (transport d'un malade hospitalisé vers un lieu d'hospitalisation plus adapté lorsque le malade a besoin des soins intensifs de réanimation en permanence). C'est d'ailleurs le SAMU régional qui centralise les informations concernant les lits de réanimation disponibles. Des antennes spécialisées existent pour les nouveaux-nés et les prématurés.

Les gestes qui sauvent

Nous conseillons d'apprendre les gestes qui sauvent dans un cours de secourisme. C'est la garantie de la pratique correcte de ces gestes.

Le bilan des fonctions vitales doit toujours être la première préoccupation. Les trois grandes fonctions doivent être vérifiées en quelques secondes : conscience, circulation, respiration. Ce sont elles qui conditionnent le transport de l'oxygène vers les organes; si cette chaîne fonctionnelle est interrompue, la vie est menacée.

Bilan de la circulation

Il faut tout d'abord s'assurer de l'absence d'hémorragie externe puis vérifier la présence d'un pouls, témoignage de l'activité cardio-vasculaire. Prenez le pouls avec trois doigts posés à plat sur le trajet artériel, le poignet (à la base du pouce, face palmaire), le cou (le long de la trachée), l'aine (au milieu du pli de flexion). Attention : ne pas utiliser le pouce, ne pas appuyer trop fort.

La perception des battements du pouls est la preuve de l'activité circulatoire. On peut de plus apprécier sa régularité, sa force et sa fréquence (nombre de battements par minute).

Bilan de la respiration

La méthode la plus simple et la plus efficace pour vérifier la présence de mouvements respiratoires consiste à poser la main sur la partie inférieure du thorax. Celui-ci se soulève normalement 15 à 20 fois par minute (fréquence normale de l'adulte). Fait important, la respiration est normalement presque silencieuse : tout bruit (ronflement) signe l'existence d'un obstacle sur les voies aériennes. Aussi vérifiera-t-on toujours et systématiquement la liberté des voies aériennes.

Bilan de la conscience

L'absence de réponses aux questions simples en est le signe le plus sûr. Il est inutile de pincer ou de stimuler agressivement une victime.

Les gestes d'urgence

Arrêter une hémorragie externe

L'écoulement de sang frais d'une artère ou d'une veine par une brèche dans le revêtement cutané est une hémorragie externe. Il faut allonger la victime et comprimer localement la zone hémorragique avec un mouchoir ou un linge propres. Si la compression est efficace, le saignement est immédiatement contrôlé. La compression doit être maintenue pendant 10 minutes au moins.

Ensuite il faut pratiquer un pansement légèrement compressif et consulter un médecin.

Les cas particuliers : bien que la compression locale suffise dans la majorité des cas, certaines situations graves peuvent nécessiter d'autres gestes; il s'agit essentiellement des saignements par section d'une artère, des saignements importants avec grande surface de lésion, des saignements incontrôlables par la compression locale. Dans ces cas, il faut comprimer l'artère qui va vers l'hémorragie sur un plan osseux, entre le cœur et le point de saignement (par exemple au bras pour un saignement de l'avant-bras). C'est ce qu'on appelle un point de compression, à réaliser avec la main ou le poing fermé.

Ces points sont au nombre de 10 (▷ plaies [schéma]). On peut s'entraîner à les pratiquer en notant la disparition du pouls lorsque le point de compression est efficace.

Si la pratique d'un point de compression a été nécessaire, il faut le maintenir jusqu'à ce qu'un geste médical ait assuré l'interruption de l'hémorragie.

Et le garrot? Le garrot est certainement trop célèbre puisque 99 % des situations peuvent être contrôlées sans lui. On le réserve aux sections complètes de membres, aux écrasements de membres. Dans tous les cas, le garrot interrompt totalement la circulation et provoque l'accumulation de toxines; il ne devra donc être enlevé qu'en milieu médical.

Prendre en charge une personne sans connaissance

Bien que pouls et respiration soient présents, la victime ne répond plus aux ordres simples, il court alors un danger majeur d'asphyxie par obstruction des voies aériennes. Cette obstruction peut être purement mécanique, passive, le relâchement musculaire entraînant l'affaissement de la partie postérieure de la langue qui vient gêner le passage de l'air vers les poumons. L'obstruction peut également être due à la régurgitation du contenu gastrique qui vient inonder l'arbre respiratoire (c'est aussi pour cela qu'il ne faut pas donner à boire à un blessé).

Ce qu'il faut faire
— Vérifier l'absence d'obstacle dans la cavité buccale et la nettoyer sommairement.
— Basculer légèrement la tête en arrière.
— Libérer le cou et la ceinture.
— Effectuer la mise en position latérale de sécurité : pour cela placer le bras situé de votre côté de façon perpendiculaire à la victime, saisir le pli du coude du bras opposé et le genou opposé, tirer lentement vers vous jusqu'à ce que le corps bascule

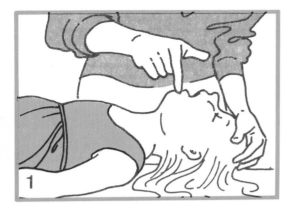

secours d'urgence. *Parmi les gestes qui sauvent, le bouche à bouche est le plus connu; pour être efficace, il faut : ① d'abord libérer les voies aériennes en nettoyant rapidement la cavité buccale; ② puis basculer la tête de la victime vers l'arrière; ③ enfin insuffler de l'air dans la bouche en pinçant le nez de la victime.*

sur le côté, dégager le bras inférieur pour éviter qu'il ne soit comprimé.

— Vérifier à nouveau pouls et respiration.

Cette position (position latérale de sécurité) permet l'attente des secours en protégeant les voies aériennes. Elle est d'ailleurs utilisée pour la phase de réveil des sujets après anesthésie.

Réagir à un arrêt de la respiration

La poitrine ne se soulève plus, la respiration n'est plus perceptible mais le pouls est encore présent. Si le relais de respiration n'est pas assuré par une respiration artificielle, l'arrêt de l'oxygénation entraînera en quelques minutes l'arrêt circulatoire. Il faut donc relayer la respiration absente par votre propre respiration, c'est le bouche à bouche. Le bouche à bouche est la meilleure méthode de respiration artificielle, la plus sûre, la plus efficace.

Comment pratiquer le bouche à bouche ?

— D'abord installer la victime sur le dos et libérer les voies aériennes. Installez-vous à genoux.

— Glisser une main sous la nuque et poser l'autre sur le front; la tête bascule en arrière.

— A l'aide de la main posée sur le front, pincer le nez de façon à empêcher le passage de l'air par les narines.

— Remplir vos poumons d'air et appliquer de façon hermétique votre bouche sur la bouche de la victime.

— Souffler doucement de façon à constater l'élévation du thorax de la victime.

— Redresser votre buste et inspirer de l'air frais pendant que la victime expire passivement.

— Répéter environ 20 fois par minute tant que la respiration spontanée ne réapparaît pas.

Le bouche à nez

C'est le même principe mais en maintenant la bouche de la victime fermée. On le pratique en cas de blessure de la bouche.

Chez l'enfant

La technique est identique mais il ne faut pas insuffler tout votre air thoracique (seulement la quantité qui soulèvera la poitrine de l'enfant) et vous devez adopter une cadence plus rapide.

Un arrêt de la circulation

On ne perçoit plus aucun pouls. Il n'y a plus ni respiration ni conscience. Agissez vite, car en quelques minutes des dégâts cérébraux s'installent.

Il faut entreprendre une réanimation cardiorespiratoire, c'est-à-dire l'alternance d'un bouche à bouche et d'un massage cardiaque externe.

Découvert seulement en 1960, le *massage cardiaque externe* est une technique qui permet sans aucun matériel d'assurer le maintien d'une circulation, et, associée à la respiration artificielle, de poursuivre l'alimentation en oxygène, donc d'attendre des secours médicaux spécialisés.

Le principe en est simple : compression intermittente par voie externe de la pompe cardiaque entre la paroi thoracique antérieure (sternum) et la paroi postérieure (vertèbres dorsales) reposant sur un plan dur.

Comment le pratiquer ?
– Installer la victime à plat dos sur un sol dur.
– Vérifier à nouveau l'absence de pouls et de ventilation.
– Se placer à genoux à hauteur de la partie supérieure du thorax, repérer le sternum et sa moitié inférieure, poser le talon d'une main sur la zone repérée puis la seconde main par dessus, garder les bras tendus, se placer à la verticale.
– Appuyer par coups secs et brefs, bras tendus, en utilisant le poids du corps.
– Alterner une insufflation pour 5 massages en tentant de maintenir un rythme d'émission de 60 massages par minute.

Qui doit pratiquer le bouche à bouche ?
Une deuxième personne, ou vous-même si vous êtes entraîné à la technique.
Est-ce dangereux ? Le massage cardiaque comporte deux grands risques :
– l'inefficacité : c'est pour cela qu'un entraînement en cours pratique de secourisme est utile. Le massage cardiaque est efficace si chaque pression provoque une onde perceptible au pouls carotidien. Ceci peut être vérifié par une autre personne présente ;
– les traumatismes : en cas de pression excessive ou exercée à côté du sternum (risque de fracture de côtes); là aussi, l'entraînement est utile !

Les gestes qui peuvent sauver
Une plaie qui saigne : faire une compression locale. Un arrêt de la respiration : pratiquer le bouche à bouche. Un arrêt de la circulation et de la respiration : pratiquer massage cardiaque externe et bouche à bouche. Une perte de connaissance avec présence du pouls et de la respiration : mettre en position latérale de sécurité.

secret médical

L'activité du médecin est guidée par le code de déontologie médicale. C'est un recueil de règles, répondant à une « morale » médicale, dont la finalité est de préserver l'intégrité physique et psychique du malade et de son environnement. Droits et devoirs du médecin face à son patient y sont décrits. Ils sont particuliers à la pratique médicale de chaque pays. Le malade est libre du choix de son médecin, et doit consentir librement au traitement qui lui est proposé. Le médecin est personnellement responsable de ses décisions, mais il en est libre. Son rôle est celui d'un acteur au service de la santé publique, qui a la charge du diagnostic, de la thérapeutique, mais aussi de la prévention et de l'application rationnelle des lois de protection sociale.

Dans ce cadre, la règle du secret professionnel est l'une des traditions les plus anciennes et les plus universelles de la pratique médicale.

Le secret médical est la garantie du respect de l'individu malade. Il est décrit dans le code de déontologie (articles 11, 12 et 13) :
– il s'impose à tout médecin et couvre tout ce dont le médecin a pris connaissance dans son exercice médical,
– il concerne également les collaborateurs du médecin, que ce dernier doit instruire de leurs obligations,
– le médecin doit veiller à la confidentialité des dossiers et documents concernant les patients. Ces données peuvent être utilisées dans le cadre de travaux scientifiques si elles respectent l'anonymat du patient.

Le Code pénal (article 378) confirme ces devoirs et prévoit des sanctions pour les médecins qui les enfreindraient.

Certaines situations par contre relèvent le médecin de son devoir de secret. C'est le cas par exemple des sévices subis par les enfants, de la déclaration des maladies contagieuses et autres déclarations obligatoires (décès, naissances). Cependant, dans tous les cas, la levée du secret médical ne peut concerner que la description du fait à déclarer.

En somme, on attend du médecin une discrétion totale, qui doit être respectée en toutes circonstances. Le malade ne peut relever le médecin du secret, mais peut et doit être informé de sa maladie.

Entre médecins, le secret doit être conservé, à l'exception des cas qui nécessitent une collaboration à la prise en charge du malade.

Cette pratique du secret s'applique impérativement par rapport à l'employeur, aux compagnies d'assurances, ou à une comparution comme témoin en justice.

Le secret médical s'inscrit dans le processus de soins comme une garantie essentielle de la qualité de la relation médecin-malade, dont la confiance est un élément clé.

sein

Les seins constituent l'organe de la lactation. Ils font partie des caractères secondaires féminins, c'est-à-dire qu'ils ne se développent que chez la femme, au moment de la puberté, sous l'influence des hormones que les ovaires commencent alors à sécréter.

Les hormones sexuelles sécrétées par les ovaires commandent le développement des seins à la puberté, mais aussi leur constante modification au cours de la vie de la femme.

Les seins peuvent en effet connaître trois états : la préparation à l'allaitement, l'allaitement et le repos.
– *La préparation à l'allaitement* s'effectue au cours de chaque cycle menstruel. Elle commence après l'ovulation pour s'interrompre en l'absence

de grossesse aux règles suivantes. Cette préparation comporte le développement de la glande mammaire et l'apport d'eau dans les tissus du sein qui se trouve alors progressivement gonflé et tendu.

— *La sécrétion lactée* fait suite à l'accouchement. Durant toute la grossesse s'est poursuivie la préparation à l'allaitement. La glande a atteint son état de développement maximum. Le sein est gonflé, tendu, parcouru de veines dilatées. Quand survient l'accouchement, la sécrétion lactée peut commencer. Sa durée est variable. Elle est entretenue par la succion du mamelon.

— *L'état de repos* s'observe après les règles, après la fin de l'allaitement, après la ménopause. En l'absence d'action hormonale, la glande mammaire régresse, le sein dans son ensemble devient moins gonflé, moins tendu, moins sensible.

Les anomalies des seins

Forme et consistance

La forme et la consistance des seins sont très variables d'une femme à l'autre, et chez une même femme d'une période à l'autre; il est même habituel d'observer chez une femme une différence d'un côté à l'autre. Il ne faut donc pas considérer comme anormaux les seins dont l'aspect est différent de la moyenne ou d'une norme esthétique subjective. L'anomalie n'est que dans les extrêmes :

— absence de développement du sein par insuffisance hormonale, absence de mamelon;
— seins très volumineux et pesants constituant une véritable gêne dans la vie courante;
— seins tombant de façon excessive (*ptose*) en général par suite d'une importante diminution de volume;
— importante différence d'un côté à l'autre;
— mamelon rentré (ombiliqué).

Cependant, sans être anormaux au sens médical, des seins peuvent poser des problèmes esthétiques et/ou psychologiques conduisant à envisager la chirurgie (▷ seins [chirurgie esthétique des]).

Commande hormonale défectueuse

Un mécanisme hormonal complexe commande les modifications des seins leur permettant de s'adapter à la situation : préparation, allaitement, repos. Ce mécanisme peut être déréglé par de nombreuses causes (troubles hormonaux, émotions, prise de certains médicaments). C'est alors qu'apparaissent des symptômes le plus souvent sans gravité mais qui peuvent être source d'anxiété comme la douleur des seins ou un écoulement mamelonnaire (▷ sein [douleurs du], mamelon et aréole).

Lésions bénignes du sein

La plupart d'entre elles sont consécutives à un fonctionnement hormonal défectueux. Elles constituent une boule plus ou moins ferme, régulière, lisse, mobile. Elles comprennent les tumeurs bénignes solides, dont l'exemple type est le *fibro-*

adénome de la femme jeune, et les tumeurs liquides ou *kystes*, fréquents à l'approche de la ménopause (▷ boule dans un sein, kyste du sein).

Dans certains cas les deux seins sont le siège de modifications internes diffuses, dues à la fois à l'action hormonale mal équilibrée et au type de tissu mammaire. Il s'agit alors de *mastose* (▷ ce mot).

Lésions malignes du sein

Il existe de nombreuses formes de cancer du sein avec différents degrés de gravité. Les progrès récents, diagnostiques et thérapeutiques, ont considérablement amélioré le pronostic; il est donc très important de poursuivre l'effort d'éducation du public (▷ sein [cancer du]).

Lésions infectieuses

Comme dans tout organe, des microbes peuvent s'installer et proliférer dans le sein. L'infection crée d'abord une inflammation du sein ou *mastite*, puis en l'absence de traitement un abcès. D'autres causes peuvent faire apparaître une mastite : régression rapide de la glande ou *mastite d'involution*, cancer ou *mastite carcinomateuse* (▷ mastite aiguë, bilan sénologique).

☞ INDEX THÉMATIQUE *(SÉNOLOGIE, GYNÉCOLOGIE, ENDOCRINOLOGIE)*

sein *(cancer du)*

Le cancer du sein est fréquent, mais tout de même dix fois moins fréquent que les maladies bénignes du sein. C'est donc sans retard mais sans angoisse qu'une femme doit toujours consulter le médecin lorsqu'elle découvre une anomalie ou une modification, même discrète ou anodine, d'un sein. En effet, la précocité du diagnostic est importante afin de permettre un traitement non mutilant et efficace.

Le cancer avéré se traduit par une boule dure,

sein *(cancer du). Signe de la peau d'orange.*

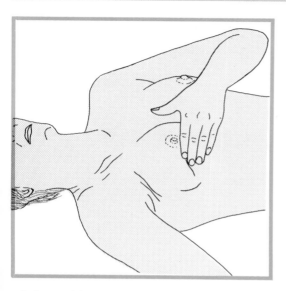

sein *(cancer du).* Autopalpation du sein.

irrégulière, peu mobile, adhérant à la peau ou au mamelon qui se rétracte progressivement. Des ganglions peuvent apparaître notamment sous le bras (ganglions axillaires) : ils traduisent la lutte de l'organisme pour faire barrage à la diffusion des cellules cancéreuses en différents points de l'organisme. Puis peuvent survenir des cancers secondaires ou métastases lorsque des cellules ont réussi à franchir la barrière constituée par les ganglions lymphatiques ou ont été entraînées dans la circulation sanguine.

Contre le cancer ainsi décrit – évolué, avec des métastases –, des moyens thérapeutiques de plus en plus efficaces sont disponibles. Cependant, il est infiniment souhaitable de ne pas en arriver là. C'est pourquoi chaque femme doit prendre en considération tout signe anormal : douleur inexpliquée d'un sein, écoulement unilatéral, rétraction même discrète de la peau ou du mamelon, eczéma du mamelon, ganglion du creux de l'aisselle.

Même si les symptômes paraissent discrets ou bénins, le médecin demandera toujours un bilan* sénologique dont l'un des buts essentiels est de diagnostiquer le cancer à son stade le plus précoce possible.

Les examens complémentaires sont de différentes natures. Aucun d'eux n'est infaillible et c'est leur association qui permet d'obtenir le résultat le plus fiable.

 ● **Facteurs de risque du cancer du sein**

Facteurs gynécologiques et mammaires
    puberté précoce (11 ans ou moins);
    première grossesse tardive (plus de 30 ans) ou

absence de grossesse;
    ménopause tardive (plus de 52 ans);
    mastose sévère;
    traumatisme du sein (notion discutée).

Facteurs médicaux personnels
    cholestérol élevé, diabète, hypertension artérielle;
    poids et taille élevés (notion actuellement discutée).

Facteurs socio-économiques
    niveau de vie élevé (le cancer du sein est plus rare chez les populations pauvres);
    études longues, importantes responsabilités professionnelles.

Facteurs familiaux
    cancer du sein de la mère ou d'une sœur;
    autres cancers dans la famille.

 ■ boule dans un sein ■ sein *(douleurs du)* ■ mamelon et aréole ■ mastite aiguë ■ mastose

 sein *(douleurs du)*

 Les douleurs mammaires sont fréquentes et de causes variées. Il vous sera possible dans bien des cas d'en préciser l'origine et ainsi de vous éviter bien des angoisses.

Assurez-vous qu'il s'agit bien d'une douleur du ou des seins. La principale confusion est créée par la douleur intercostale, née d'un trouble articulaire vertébral, exacerbée par certaines positions, lors des mouvements de torsion du thorax ou des mouvements respiratoires profonds. Cette douleur n'est pas limitée à la région du sein mais tend à se répercuter dans le dos. Elle est généralement unilatérale. Les douleurs d'origine cardiaque s'accompagnent en général d'autres symptômes évocateurs.

La douleur mammaire n'est peut-être qu'une simple exagération de la sensibilité des seins ressentie dans les jours qui précèdent les règles. Elle est bilatérale et peut se décrire comme une « tension douloureuse des seins avec forte sensibilité au toucher ». Cette douleur peut durer une semaine ou plus; elle régresse complètement ou presque lorsque surviennent les règles : elle est le signe d'un dérèglement hormonal, syndrome prémenstruel banal. On ne considère celui-ci comme anormal que s'il survient lors de plus de deux cycles sur cinq : il y a lieu alors de consulter le médecin qui jugera de l'utilité d'un traitement médical destiné à améliorer l'équilibre hormonal.

La douleur localisée d'un sein apparaissant brusquement en même temps qu'une boule évoque un kyste. Le diagnostic sera établi par les examens complémentaires, notamment l'échographie.

La douleur accompagnée d'un empâtement plus

ou moins étendu d'un sein, sans boule bien délimitée, évoque une inflammation du sein (*mastite*). Tous les cas de mastite doivent faire l'objet d'un examen médical avec bilan* sénologique, car il importe d'en établir la cause : infection, réaction à une régression rapide de la glande (*mastite d'involution*) mais aussi, dans quelques rares cas, cancer inflammatoire (*mastite carcinomateuse*).

 ■ syndrome prémenstruel ■ boule dans un sein ■ kyste du sein ■ mastite aiguë ■ abcès du sein ■ sein (*cancer du*)

sein (*traumatisme du*)

De par sa position, le sein est exposé à recevoir des coups, qu'il s'agisse d'un coup de pied d'un bébé, d'un coup malencontreux porté lors d'un jeu ou d'une pratique sportive, d'une agression, d'un accident...

Les conséquences immédiates sont rarement importantes : douleur, gonflement, apparition d'un bleu qui disparaîtra en quelques jours.

Un petit saignement interne dans la profondeur de la glande peut constituer une poche de sang (*hématome*) que l'on perçoit parfois sous la forme d'une induration localisée douloureuse. Cet hématome est bien repérable à l'examen à la lumière (*diaphanoscopie*) et peut se résorber totalement ou entraîner la formation d'une petite poche graisseuse (*cytostéatonécrose*) sans conséquence pratique.

La question majeure est : le traumatisme du sein peut-il déclencher un cancer ? La réponse, naguère formellement négative, doit aujourd'hui être nuancée, bien qu'il n'existe pas de preuve formelle. Il se pourrait que le traumatisme sur une lésion précancéreuse soit un facteur déclenchant. Aussi faut-il subir un bilan* sénologique dans les jours qui suivent un traumatisme, puis un an plus tard.

seins (*chirurgie esthétique des*)

La correction chirurgicale des seins trop gros ou trop petits est généralement possible, mais elle comporte toujours des inconvénients qu'il faudra apprécier avant de prendre une décision.

La **réduction d'un sein** pose quatre problèmes :
— cutané : le sein n'adhère pas normalement aux organes voisins, notamment aux muscles; ceci explique que les tentatives de musculation ne modifient aucunement sa chute. La cicatrice cutanée de l'intervention sera dissimulée au mieux, mais sa qualité est imprévisible, et ne dépend pas du geste opératoire;
— glandulaire : l'hypertrophie est due à un excès de tissu glandulaire, qui devra être réséqué, puis

reconstitué afin d'obtenir un enroulement de la glande;
— graisseux : chez une jeune fille, le tissu glandulaire est pratiquement seul présent; puis, au cours des années, il va se charger de graisse. Lors de la ménopause, l'atrophie glandulaire est presque complète; le tissu glandulaire est remplacé par un envahissement de graisse;
— mamelonnaire : le mamelon doit toujours être transposé dans une nouvelle situation.

L'intervention chirurgicale est délicate. Elle est parfois grevée de complications : nécrose de la peau, nécrose du mamelon, et surtout cicatrisation défectueuse.

La cicatrice mamelonnaire est généralement satisfaisante; par contre, la cicatrice sous-mammaire est parfois boursouflée, hypertrophique.

Les résultats de l'intervention sont excellents chez la jeune fille, car l'hypertrophie est purement

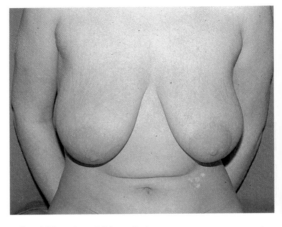
seins (*chirurgie esthétique des*). *Remonter et réduire le volume des seins nécessitent le changement de position du mamelon.*

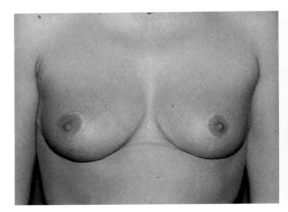

glandulaire, et non pas graisseuse; la glande est bien vascularisée, la peau tonique; il n'y a pas de chute du sein.

Les résultats sont bons chez la jeune femme ayant plusieurs enfants, mais la présence de graisse rend le modelage moins précis; la chute est généralement importante.

Les résultats sont par contre mauvais à la ménopause, car il n'y a pas de tissu glandulaire; on ne peut conférer à la graisse la forme souhaitée; de plus, la peau est distendue; la chute du sein est maximale.

Les petites chutes du sein sans hypertrophie glandulaire, dont les jeunes femmes réclament souvent la correction, sont en fait peu améliorées par l'intervention.

Plusieurs techniques sont possibles qui diffèrent surtout par le choix de l'incision cutanée.

Les **seins trop petits** peuvent être corrigés par la mise en place de différents types de prothèses de silicone contenant un gel : les prothèses sont souvent bien tolérées, mais là encore des incidents ou des complications peuvent survenir, telles que l'infection, le déplacement, et surtout la formation d'une coque dure autour de la prothèse, parfois perceptible à travers la glande mammaire. Il existe un risque de déplacement ultérieur de la prothèse au cours du vieillissement. La cicatrice pose généralement peu de problèmes; elle sera péri-aréolaire, ou sous-mammaire, mais facilement dissimulable.

semelles orthopédiques

Par son action sur le pied, le membre inférieur et le rachis lombaire, la semelle orthopédique vise à rétablir les axes normaux du pied, à rééquilibrer les appuis et à faire cesser les phénomènes douloureux. Il existe quatre types de semelles orthopédiques.

Les **semelles de stimulation**, qui sont employées surtout chez l'enfant, ont pour but de rétablir l'équilibre neuro-moteur du pied, sans aucune action de soutien osseux, et permettent ainsi une auto-rééducation permanente.

Les **semelles de stabilisation**, employées surtout par l'adulte, sont des semelles correctrices.

Les **semelles de compensation** n'ont aucun but correcteur, mais pallient des déséquilibres dus à des déformations osseuses, à des inégalités de longueur des membres inférieurs ou à des déviations irréductibles (pieds creux, pieds plats valgus ou varus, genu valgum, genu varum). Elles améliorent le confort de la marche et permettent souvent une sédation des douleurs.

Les **semelles de décharge** sont destinées à protéger des affections épidermiques telles que durillons, cors, papillomes, verrues, cicatrices, mal perforant plantaire, etc., en soulageant l'appui, en le répartissant sur les zones avoisinantes.

septicémie

A partir d'un foyer infectieux initial, des bactéries passent massivement et de façon répétée dans le sang. Elles sont alors véhiculées à différents organes, risquant de provoquer des localisations septiques secondaires.

Une fièvre est évocatrice d'une septicémie si elle est irrégulière avec plusieurs pics quotidiens élevés, suivis de sueurs et précédés de frissons (de véritables tremblements et claquements de dents).

Le malade est toujours fatigué. La découverte d'une grosse rate est inconstante mais évocatrice d'une septicémie.

La septicémie est affirmée lorsque plusieurs hémocultures* isolent une bactérie. Les hémocultures sont des prélèvements sanguins stériles immédiatement ensemencés sur des milieux de culture afin d'isoler le germe. Elles permettent aussi de tester la sensibilité du germe aux différents antibiotiques (antibiogramme*). Il faut les répéter trois ou quatre fois par jour, particulièrement au moment d'une ascension thermique car la présence de la bactérie dans le sang est fugace.

Dès le premier examen, le médecin recherche le foyer infectieux initial et d'éventuelles localisations secondaires afin de prévoir le germe responsable et l'antibiotique *a priori* efficace avant les résultats des hémocultures. Ceux-ci nécessitent parfois un délai incompatible avec l'urgence de la maladie. Ce choix pourra être ensuite corrigé à la lecture de l'antibiogramme.

 ■ infections ■ fièvre de l'adulte

sérologie des maladies infectieuses

La sérologie permet de diagnostiquer certaines infections anciennes ou récentes en détectant la présence d'antigènes et d'anticorps spécifiques de l'infection dans le sang du patient.

L'augmentation du taux des anticorps à quinze jours d'intervalle et/ou la mise en évidence d'anticorps récents (les immunoglobulines M) permettent d'affirmer le caractère récent de l'infection; un taux stable à deux examens successifs signifie que l'infection est ancienne.

La sérologie est précieuse dans le diagnostic de la rubéole, de la toxoplasmose, de l'hépatite virale, de la typhoïde, de la brucellose, de la syphilis...

sérums

 vaccins et sérums

sexualité à l'âge adulte
(troubles de la)

Fréquents, les troubles de la sexualité adulte témoignent plus souvent de difficultés psychologiques que d'affections organiques. L'association des deux reste possible.

La *masturbation*, banale chez l'adolescent, est encore fréquente chez l'adulte, où elle sert de substitut ou de complément à une génitalité vécue comme insuffisante; elle ne devient pathologique que lorsqu'elle prévaut sur l'acte sexuel normal.

L'*impuissance masculine*, ou l'impossibilité momentanée ou permanente de réaliser des relations sexuelles complètes avec une (ou un) partenaire sexuelle de son choix, fait l'objet d'un article particulier de ce livre (▷ impuissance).

La *frigidité* présente des aspects très variés : absence de désir, voire répulsion à la perspective du rapport sexuel, insensibilité vaginale, inhibition de la motricité, absence de plaisir et d'orgasme. Elle est le plus souvent partielle : les sensations voluptueuses sont présentes mais incomplètes ou ne sont perçues que lors de la masturbation ou des manœuvres préliminaires au coït. La frigidité peut être secondaire, en particulier, à une lésion de l'appareil génital, à un traumatisme, à un accouchement, mais aussi à une mauvaise technique ou une déficience du partenaire. Plus spécifique, le *vaginisme* est une contraction, d'ordre psychogène, des muscles vaginaux qui empêche la pénétration, tandis que la *dyspareunie*, ou douleur lors de la pénétration, qui entraîne parfois une frigidité secondaire, doit faire rechercher une cause locale. Une pathologie névrotique, un mauvais fonctionnement au sein du couple sont là encore les causes les plus fréquentes.

Les thérapeutiques des troubles sexuels sont variées : mis à part les traitements chirurgicaux (prothèse), médico-chirurgicaux (dans le cas du vaginisme, voire de la dyspareunie), médicaux (vaso-dilatateurs, médicaments du système nerveux autonome, notamment injectables), le traitement reste surtout psychologique :
— réaménagement des relations au sein du couple, le plus souvent en dehors de toute problématique sexuelle, sur la base d'un simple entretien, ou parfois d'une véritable prise en charge, dans le cadre d'une thérapie familiale;
— thérapies comportementales sexologiques type Masters et Johnson visant à modifier la conduite même de l'acte sexuel;
— enfin, prise en charge individuelle, en particulier quand les troubles sexuels sont un des signes d'une pathologie névrotique ou d'une dépression.

 ■ impuissance ■ rapports sexuels douloureux

sexualité de l'enfant

 comportement de l'enfant
(troubles du)

sexuels *(rapports douloureux)*

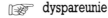 dyspareunie

SIDA

Le SIDA, abréviation de Syndrome Immuno-Déficitaire Acquis, pose un grave problème de santé publique car les porteurs du virus pathogène sont de plus en plus nombreux. Des progrès importants ont cependant été très vite accomplis : détection de cette nouvelle infection et des personnes à risque, isolement du virus responsable appelé HIV, mise au point de tests sérologiques mettant en évidence les anticorps anti-HIV. Mais la mise au point d'un traitement efficace reste à venir.

Nous développerons ici la prévention de la maladie qui permettra de réduire sa propagation.
Les personnes touchées sont :
— les homosexuels ou les bisexuels masculins,
— les consommateurs de drogues injectables,
— les receveurs de transfusions, les hémophiles,
— les nouveau-nés dont la mère est atteinte du SIDA ou seulement porteuse du virus HIV (transmission *in utero* et exceptionnellement par l'allaitement).

Il existe trois formes d'infection par le virus HIV :
— le SIDA en est la forme majeure mais aussi la plus rare, se manifestant par l'association d'infections et de tumeurs malignes de localisations diverses (cette diversité explique le polymorphisme de cette maladie, et les examens biologiques révèlent de profondes perturbations de l'immunité);
— les formes apparentées, de gravité moindre;
— les formes asymptomatiques qui ne présentent aucun des signes de la maladie mais dont la sérologie* est positive; ces cas sont les plus fréquents et, bien sûr, les moins graves.

Il est très important de comprendre que la positivité des tests sérologiques ne signifie pas que le patient a le SIDA mais seulement qu'il est porteur du virus.

Aujourd'hui, on ne sait pas distinguer parmi les porteurs asymptomatiques les rares personnes qui présenteront des signes de la maladie. Mais tous les porteurs du virus, même asymptomatiques, peuvent être contaminants. La contamination se fait par deux voies :
— *sexuelle* : le virus est transmis essentiellement par les rapports rectaux, homo ou hétéro-sexuels, et bien plus rarement par la voie vaginale. La multiplicité des partenaires et les pratiques

sexuelles quelque peu traumatisantes majorent les risques de transmission. Le *préservatif* réduit ces risques et reste aujourd'hui le meilleur moyen de prévention. Les personnes séropositives doivent avertir leur(s) partenaire(s) et les inciter à consulter leur médecin;

— *sanguine* : depuis le 1er mai 1985, chaque don de sang en France fait l'objet d'un dépistage systématique. Les facteurs de la coagulation transfusés aux hémophiles sont traités pour inactiver le virus.

Les femmes séropositives doivent éviter d'être enceintes : la grossesse majore la menace de développement de la maladie, et les nouveau-nés risquent d'être atteints du SIDA.

Il faut que les malades atteints du SIDA et les porteurs asymptomatiques conservent leur brosse à dents, leur rasoir et leur thermomètre pour un usage strictement personnel. Ils doivent désinfecter les toilettes après chaque miction ou chaque selle avec de l'eau de Javel domestique diluée à 0,1 %.

Rien ne justifie de marginaliser ces malades : ils ne doivent pas cesser leurs activités professionnelles et leurs relations familiales et amicales; les gestes de la vie quotidienne (poignées de mains, baisers...) n'ont jamais provoqué de contamination.

La prévention des professionnels de la santé impose des mesures plus draconiennes. Les substances contaminantes sont essentiellement le sang, les urines, les selles : leur manipulation implique le port de gants; toutes les surfaces ou récipients souillés par elles seront désinfectés à l'eau de Javel. Les professionnels de la santé utilisent de préférence un matériel à usage unique, sinon la désinfection des instruments se fait à l'alcool et par le chauffage à l'autoclave.

 ■ immunologie ■ maladies sexuellement transmissibles

silicose

 risques respiratoires professionnels

sinusite

 La sinusite est l'infection des cavités aériennes, ou sinus, disposées autour des fosses nasales. Les sinus maxillaires sont plus souvent touchés que les sinus frontaux.

Sinusite aiguë

A la suite d'un rhume qui traîne et, surtout, reste purulent, qui s'écoule dans la gorge et la trachée, et entraîne une toux essentiellement matinale, vous avez ressenti des douleurs de la face : il s'agit vraisemblablement d'une sinusite

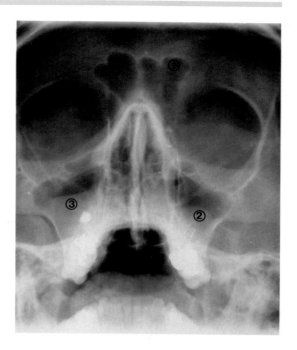

sinusite. (1) *sinus frontaux de transparence normale ;* (2) *opacité arrondie du sinus maxillaire gauche (kyste muqueux banal) ;* (3) *opacité à niveau horizontal du sinus maxillaire droit, témoin d'un niveau liquide (présence du pus).*

aiguë. L'examen, et surtout la radiographie, confirment le diagnostic et précisent quels sont les sinus atteints. Le traitement qui vous sera proposé comprend la prescription d'antibiotiques par voie orale, d'anti-inflammatoires (très souvent la cortisone) et d'inhalations. En cas d'échec du traitement médical, l'oto-rhino-laryngologiste pratiquera une ponction du sinus. Ce geste chirurgical consiste en l'introduction par le nez, à travers la cloison le séparant du sinus, d'une aiguille permettant le lavage du sinus et l'instillation d'antibiotiques.

Deux cas particuliers :

— la sinusite aiguë d'origine dentaire nécessite les mêmes mesures thérapeutiques, mais également le traitement de l'infection dentaire;

— la sinusite aiguë de l'enfant avant 2 ou 3 ans est très rare, car les sinus n'existent pas encore : ils ne se pneumatisent que plus tard. De ce fait, les images radiologiques sont souvent trompeuses, et d'interprétation délicate car il est difficile d'affirmer que le sinus est opacifié par la présence de pus ou simplement non encore aéré.

En revanche, l'ethmoïdite est possible dès l'âge de six mois : il s'agit d'un enfant fébrile, fatigué, qui souffre d'un écoulement nasal purulent et d'un œdème à la base du nez et des paupières.

L'ethmoïdite nécessite une antibiothérapie immédiate et à fortes doses.

Sinusite chronique

Après amélioration de la sinusite aiguë, les récidives deviennent plus fréquentes; les épisodes aigus alternent avec des périodes de rémission plus ou moins complète. Il n'existe pas de douleurs de la face, mais l'écoulement nasal reste purulent, la toux est fréquente car l'écoulement se fait aussi dans la gorge et dans la trachée.

La radiographie, là encore, confirmera le diagnostic. Le traitement comprend deux volets:
— curatif des poussées de sinusite aiguë (voir plus haut); la ponction est parfois suivie d'un drainage: mise en place d'un petit tuyau de plastique laissé dans le sinus, sortant par le nez et permettant le lavage bi-quotidien et le nettoyage en quelques jours des sinus;
— préventif des récidives: par administration prolongée de soufre; vaccinothérapie à l'aide de suspension de microbes tués ou de virulence atténuée, stimulant les défenses de l'organisme; cures thermales sulfureuses.

L'allergie devra être recherchée et, éventuellement, traitée par une désensibilisation et la prescription d'antihistaminiques. Une déformation de la cloison, une infection dentaire devront être traitées si elles sont reconnues à l'origine de la sinusite chronique.

☞ ■ **rhinopharyngite** ■ **allergique** *(êtes-vous)*

SMUR

☞ secours d'urgence

soins dentaires

☞ **dents** *(soins des)*

soins intensifs

☞ réanimation

soleil

L'exposition solaire fait courir le risque immédiat du « coup de soleil ». Si elle est brève, la rougeur de la peau apparaît dans les heures qui suivent et disparaît en deux jours. Si elle se prolonge, particulièrement si vous êtes roux ou blond, le coup de soleil peut se compliquer d'une brûlure importante avec formation de cloques.

A l'occasion d'une exposition solaire, vous vous plaignez de maux de tête, d'une sensation de malaise général, de nausées: il s'agit d'une *insola-*

tion. Si les signes ne disparaissent pas rapidement avec l'arrêt de l'exposition, ou si de la fièvre et des troubles de la conscience surviennent, une consultation médicale est nécessaire, car ces symptômes témoignent d'un « coup de chaleur », particulièrement redoutable chez le nourrisson (▷ fièvre du nourrisson, déshydratation aiguë du nourrisson).

Après une exposition solaire parfois de courte durée, vous notez l'apparition d'une irritation cuisante de la peau ou de lésions prurigineuses semblables à celle de l'eczéma. Les lésions s'étendent parfois à des zones de la peau non exposées au soleil: vous devez consulter un médecin, car il s'agit d'une *photosensibilité*. Les causes peuvent être diverses:
— souvent la prise concomitante d'un médicament dit « photosensibilisant » (sulfamides, antidiabétiques, tétracyclines, antidépresseurs, barbituriques, édulcorants de synthèse); ces thérapeutiques nécessitent que vous ne vous exposiez pas au soleil, ou du moins, que vous protégiez votre peau avec une crème-écran;
— certains savons, déodorants, parfums, produits cosmétiques (huile essentielle de bergamote, lavande, citron, santal...); entraînent une formation accélérée de pigment là où ils sont appliqués sur la peau, et donc un brunissement localisé plus rapide, plus intense et parfois indélébile (▷ pigmentation de la peau [troubles de la]);
— chaque année, l'exposition solaire provoque l'apparition d'une éruption faite de petites élevures qui démangent sur les épaules, le décolleté, les membres, mais jamais sur le visage: il s'agit de la lucite estivale bénigne, la plus fréquente des « allergies solaires ». Consultez votre médecin, il vous prescrira un traitement préventif souvent efficace.

Les effets à long terme du soleil sont le vieillissement de la peau dès l'âge de quarante ans, avec perte de son élasticité et apparition de rides.

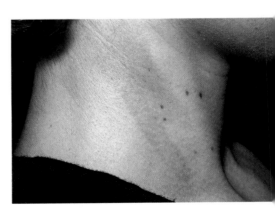

soleil. *Évitez l'application de produits parfumés sur la peau si vous vous exposez au soleil: ils peuvent entraîner l'apparition d'une tache pigmentée.*

Ce vieillissement prématuré sera efficacement prévenu par le respect des règles citées plus bas.

Enfin, l'excès d'exposition solaire peut entraîner l'apparition de lésions cutanées susceptibles de se cancériser. Il s'agit le plus souvent de petits épaississements localisés de la peau, de couleur rouge ou brune, se détachant difficilement et laissant apparaître une goutte de sang lors de l'arrachage.

Ces lésions doivent être détruites par le dermatologue. Là encore, le respect des règles préventives évitera la survenue de telles lésions.

● Comment prévenir les effets néfastes du soleil

— L'exposition doit être progressive : un quart d'heure le premier jour, puis une demi-heure le deuxième, trois quarts d'heure le troisième, etc.

— Évitez l'exposition entre 11 h et 14 h.

— Appliquez des crèmes-écran protectrices (toutes les deux heures, si l'exposition se prolonge, ou après chaque bain) :

les sujets blonds à peau claire utiliseront les premiers jours un produit haute protection (coefficient de 8 à 15), puis les jours suivants un produit de protection modérée pendant toutes les vacances;

les sujets bruns utiliseront initialement un produit de protection modérée puis faible (2 à 4), pour interrompre l'application après le dixième jour.

— Utilisez des produits haute protection en cas de séjour à la montagne ou sous les tropiques.

— Interrogez votre médecin sur le risque photosensibilisant des traitements en cours.

— En cas d'« allergie solaire », un traitement préventif peut être essayé. Pour être efficace il doit être débuté une quinzaine de jours avant le départ en vacances.

— Certaines maladies sont aggravées par le soleil, particulièrement les maladies de système, le vitiligo, l'herpès, l'acné rosacée.

sommeil *(troubles du)*

Les troubles du sommeil chez l'adulte sont dominés par une altération de la quantité de sommeil. L'insomnie est bien plus fréquente que l'hypersomnie.

Le sommeil

Mode périodique, temporaire, réversible et nécessaire de restauration physique et psychique, le sommeil est un processus actif comme en témoigne l'enregistrement de l'activité électrique du cerveau (électro-encéphalogramme*) ou des muscles (électromyogramme*).

Une nuit de sommeil est constituée de quatre à cinq cycles comprenant chacun deux états :

— *le sommeil lent avec ses quatre stades* : endormissement (I), sommeil léger (II), sommeil lent et profond (III et IV); c'est la phase de repos du corps avec baisse du tonus musculaire, de la tension artérielle et de la température centrale; sa durée est d'environ 90 minutes;

— *le sommeil rapide ou « paradoxal »* : le relâchement musculaire est total, le sommeil est très profond et seules de fortes stimulations peuvent réveiller le dormeur; mais les yeux bougent, la respiration et l'activité cardiaque sont irrégulières, l'activité électrique du cerveau est proche de celle de l'état de veille, le pénis est en érection, de brèves secousses musculaires surviennent; c'est la période du *rêve* qui dure de 10 minutes en début de nuit jusqu'à 20 minutes au petit matin, indispensable à l'équilibre psychique et dont la privation expérimentale entraîne la mort chez l'animal.

Le nouveau-né dort près de 20 heures, dont la moitié en sommeil paradoxal; il n'est pas rare qu'une personne âgée normale dorme 5 heures par nuit.

L'insomnie

La plupart des insomnies sont fonctionnelles (95 %). Elles sont nombreuses et diverses.

L'*insomnie d'endormissement*, fréquente, se rencontre chez des sujets anxieux :

— anxiété passagère, liée à des difficultés familiales ou socioprofessionnelles, et pouvant réagir favorablement à la relaxation ou aux benzodiazéprones en cure courte;

— anxiété chronique parfois associée à une névrose — hypochondrie, psychasthénie... — qui pourra éventuellement régresser après psychothérapie, psychomotricité ou relaxation, ou bien accompagner le sujet sa vie durant.

Parfois dans les cas simples — surmenage, abus de café, décalage horaire (travail en 3 × 8, voyage en avion)... — l'hygiène de vie est le seul traitement efficace.

L'*insomnie du petit matin*, où le sujet s'endort facilement au coucher la veille, est moins fréquente; elle peut signer une véritable dépression ou d'autres états pathologiques (organiques ou non). L'avis du spécialiste est nécessaire.

L'*insomnie du milieu de nuit*, avec éveils répétés, est sans cause bien caractérisée (parfois l'anxiété, parfois des cauchemars); elle peut s'associer à l'insomnie du soir ou du matin. Les réveils tardifs sont peu accessibles à la thérapeutique.

Bien particulière enfin est l'*insomnie à durée normale de sommeil* où le sujet, fatigué le matin, a l'impression de n'avoir pas dormi. L'électro-encéphalogramme peut montrer une désorganisation des cycles naturels du sommeil, parfois secondaires à un abus médicamenteux (hypnotiques, tranquillisants).

Enfin, il existe des insomnies symptomatiques — rares (environ 5 %) — d'affections caractérisées (psychoses, maladies organiques) ou d'une prise médicamenteuse (anorexigènes, cortocoïdes). Le traitement est celui de la cause.

L'hypersomnie

L'hypersomnie est un accroissement pathologique de la quantité de sommeil, dont sont exclus les longs dormeurs « naturels ». Elle accompagne parfois des affections cérébrales, certaines psychoses (avec clinophilie), ou névroses (hystérie, état dépressif). Ailleurs, elle constitue une maladie « en soi » : des endormissements diurnes brutaux, souvent en pleine activité, la caractérisent alors.

On distingue :

— l'*hypersomnie avec apnée*, associée ou non à une insuffisance respiratoire, affectant particulièrement un homme d'âge mur et obèse, présentant une étroitesse du pharynx, un cou court, un ronflement nocturne impressionnant, et surtout des pauses respiratoires pendant le sommeil; le traitement en est soit la cure chirurgicale, soit la pose d'un masque à oxygène pendant le sommeil;

— la *narcolepsie*, fréquemment héréditaire, qui associe des chutes brutales déclenchées par l'émotion (rire), des hallucinations à l'endormissement, et des paralysies au réveil; le traitement en est médicamenteux.

sommeil de l'enfant *(troubles du)*

Les troubles du sommeil de l'enfant sont d'ordre aussi bien quantitatif que qualificatif. Ils concernent tant les difficultés d'endormissement que les troubles paroxystiques.

Les insomnies du nourrisson

Les insomnies du nourrisson disparaissent normalement au-delà de deux mois; elles cèdent à une meilleure réogarnisation des repas (horaires réguliers, mais non rigides; quantités adéquates), à la suppression de sources sonores excessives, à la guérison d'une infection en cours ou après une poussée dentaire... sinon, elles relèvent de difficultés relationnelles entre la mère et l'enfant : anxiété, découragement, froideur...

L'insomnie précoce dite « agitée » est le fait d'un bébé qui s'éveille pour hurler et, souvent, se taper la tête avec les poings ou sur le mur; tout aussi grave est la forme dite « calme » où le bébé reste allongé les yeux ouverts et silencieux, de jour comme de nuit. Dans ces formes graves, la consultation psychologique s'impose et l'indication d'une psychothérapie couplée mère-enfant est souvent indiquée.

Les insomnies au-delà de 2 ans

L'absence de calme et de sentiment de sécurité avant le sommeil en est presque toujours la cause : parents absents, trop sévères ou laxistes, un entourage bruyant... On distingue :
— l'opposition au coucher, entre 2 ans et 3 ans, chez un enfant pourtant exténué, qui cède à un minimum de fermeté;
— les « rituels du coucher » (verre d'eau, disposition particulière d'objets, bonsoirs répétés de la mère...) qui disparaissent normalement avant 7 ans;
— les phobies du coucher combattues par la porte ouverte et la lumière allumée; elles sont souvent associées à des rêves d'angoisse ou des terreurs nocturnes;
— les rythmies d'endormissement : succion du pouce ou balancement du corps parfois prolongés dans le sommeil;
— les phénomènes hypnagogiques (de l'endormissement) : illusions, déformations, hallucinations, crampes, sursauts ou au contraire paralysies.

Les troubles paroxystiques du sommeil

La *terreur nocturne* est un état de panique hallucinatoire où l'enfant crie, gesticule. En sueur, pâle, effrayé, celui-ci ne reconnaît personne. En quelques minutes, il se rendort d'un sommeil profond. L'amnésie de la terreur est souvent totale. Les rêves d'angoisse sont bien plus fréquents : l'enfant pleure, appelle sa mère, mais il sera rassuré facilement. Parfois ce n'est que le lendemain qu'il raconte son « cauchemar ». Ces terreurs nocturnes ou rêves anxieux traduisent le plus souvent un conflit affectif lié à la maturation psychologique normale de l'enfant; ailleurs, ils sont la réaction transitoire à un traumatisme (naissance d'un cadet, hospitalisation, deuil). Mais leur répétition fréquente, ou bien leur persistance au-delà de la phase œdipienne (7 ans), impose une consultation spécialisée.

Le *somnambulisme* concerne au moins un enfant sur cinq, entre 7 ans et 12 ans. C'est une activité automatique, plus ou moins élaborée, survenant en première partie de sommeil en dehors d'une phase de rêve. Réveiller l'enfant ne présente pas de danger particulier, mais ce n'est pas utile. La répétition des accès de somnabulisme entraîne parfois un traitement par certains antidépresseurs.

Les *rythmies du sommeil* sont souvent confondues, à tort, avec des crises d'épilepsie nocturne. Elles seraient liées à une carence affective dont les manifestations varient quant à leur nature (roulement de la tête, balancement d'un membre ou du tronc) et à leur durée (de quelques secondes à une demi-heure).

Le *bruxisme*, ou grincement des mâchoires, et la *somniloquie*, ou parler en dormant, traduisent parfois des réactions anxieuses ou agressives non mentalisées.

somnambulisme

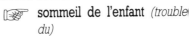

sommeil de l'enfant *(trouble du)*

souffle au cœur

Vous avez un souffle au cœur. Votre médecin vous l'a affirmé soit au cours d'une consultation motivée par de l'essoufflement, des palpitations ou tout autre symptôme potentiellement cardiaque, soit au cours d'un examen systématique (médecine du travail ou scolaire, certificat d'aptitude au sport, ou encore consultation pour un problème non cardiaque).

Le souffle est un bruit anormal produit par une turbulence du sang dans le cœur. Vous ne devez pas vous affoler car, actuellement, la plupart des souffles cardiaques sont sans gravité. Néanmoins, il faut consulter un cardiologue et faire un électrocardiogramme*, un examen radiologique complété le plus souvent actuellement par une échographie* cardiaque. Ainsi, on peut distinguer trois situations :

— *le cœur est strictement normal* et le souffle est dit « innocent ». Dans ce cas, les turbulences du sang qui produisent le souffle sont dues à une circulation excessivement vigoureuse (femmes enceintes, sujets jeunes et nerveux, etc.) : aucune précaution n'est nécessaire; le mode de vie ne doit être aucunement changé.

— *Il existe une lésion cardiaque minime* dont le cas le plus fréquent est le prolapsus de la valve mitrale (valve molle et redondante) : le mode de vie ne subira aucun changement et des efforts, même importants, peuvent être faits. La lésion, si elle ne gêne pas le fonctionnement cardiaque, prédispose à l'infection : il faudra veiller aux infections O.R.L.

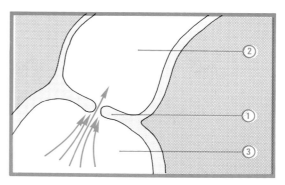

souffle au cœur. ① *valves aortiques,* ② *artère aorte,* ③ *ventricule gauche. Le passage du sang à travers l'orifice aortique est normalement silencieux. Il fait naître un souffle – perceptible à l'auscultation – lorsque l'orifice aortique se trouve rétréci.*

et dentaires qui seront traitées activement par les antibiotiques.

— *Il s'agit d'une lésion cardiaque plus sévère,* ce qui est de loin le cas le plus rare : une surveillance plus rigoureuse est nécessaire; selon l'importance des lésions, une certaine limitation de l'activité, voire un traitement sont justifiés. Enfin, dans certains cas, une intervention de chirurgie cardiaque peut être discutée.

☞ **valves cardiaques** *(maladies des)*

souffle au cœur. *Découvert chez votre enfant, le souffle au cœur est le plus souvent « innocent »; dans ce cas, la pratique du sport ne lui est pas interdite.*

spasme du sanglot

Il s'agit d'une syncope très fréquente du jeune enfant entre 6 mois et 3 ans. A l'occasion de pleurs violents, d'une colère, d'une vive émotion, d'un traumatisme, l'enfant bloque sa respiration, devient bleu ou très pâle, perd connaissance quelques secondes, puis reprend conscience spontanément.

Bien que très impressionnant, le spasme du sanglot n'est jamais grave et même s'il existe parfois une révulsion oculaire, ce n'est pas une convulsion.

Les récidives sont possibles pendant quelques mois, souvent entretenues par l'anxiété familiale. La juste attitude éducative devant cet enfant émotif doit être, plus que pour tout autre, une habile composition de fermeté sans excès et de souplesse sans laxisme.

spasmophilie

 tétanie et spasmophilie

spermatozoïde

 ■ embryogenèse normale ■ fécondation *in vitro* (ou bébé-éprouvette)

spermicides

 ■ contraception ■ maladies sexuellement transmissibles

spermogramme

Le spermogramme est un examen essentiel dans l'étude de la stérilité du couple.

Après 3 ou 4 jours d'abstinence, le sperme sera recueilli par masturbation et examiné immédiatement en laboratoire. Il sera possible d'en étudier la valeur quantitative et qualitative :
— Le volume de l'éjaculat (normal entre 3 et 6 cm^3).
— La viscosité (un sperme de viscosité élevée ne permet pas une bonne mobilité des spermatozoïdes).
— Le nombre de spermatozoïdes par millilitre. On admet actuellement comme normal un chiffre compris entre 20 et 180 millions/ml.

Leur mobilité est un facteur de la plus grande importance qui permet aux spermatozoïdes de parcourir les voies génitales féminines jusqu'au tiers externe de la trompe où a lieu la fécondation : soit environ 20 cm, que les spermatozoïdes fran-

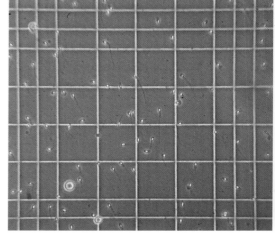

spermogramme. *Le spermogramme permet de compter le nombre de spermatozoïdes par champ, le pourcentage de spermatozoïdes mobiles et immobiles.*

chissent en quelque 25 minutes. Des études sont actuellement en cours qui visent à améliorer la concentration et la mobilité des spermatozoïdes. Il est encore trop tôt pour en apprécier les résultats.

Le spermocytogramme précise la morphologie et le pourcentage de formes anormales. Un sperme normal contient de 25 à 40 % de formes anormales. Certaines anomalies morphologiques, telles les spermatozoïdes à tête effilée ou à flagelles enroulées, permettent d'évoquer soit une varicocèle (▷ ce mot) à opérer éventuellement, soit une infection dont la guérison exige un traitement prolongé.

Dans l'état actuel de nos connaissances, 10 % seulement des infertilités masculines sont curables. Cependant, les progrès de la fécondation *in vitro* permettent aujourd'hui de féconder un ovule avec 100 000 spermatozoïdes bien mobiles. D'ores et déjà quelques spermes, théoriquement infertiles et voués à l'échec, ont pu donner des grossesses inespérées.

spina bifida

 malformation des membres et de la colonne vertébrale *(votre enfant naît avec une)*

spirographie

 épreuves fonctionnelles respiratoires

spondylodiscite du nourrisson

☞ marche *(refus de la)*

spondylolisthésis

☞ dos de l'enfant *(déformation du)*

staphylocoque

☞ furonculose

sténose du pylore

La sténose du pylore correspond à une augmentation de l'épaisseur du muscle pylorique qui commande l'évacuation de l'estomac. On ne connaît pas la cause de cette maladie. Lorsque le muscle est trop épais, l'estomac ne peut pas se vider et donc l'enfant vomit.

La maladie s'observe surtout chez le nourrisson jeune, de 15 jours de vie à 3 mois.

Le diagnostic est suspecté lorsqu'un nourrisson vif, tonique, réclamant son biberon, vomit en jet peu de temps après la prise de celui-ci et arrête de prendre du poids, ou même maigrit. A l'examen, on peut parfois voir, sous la paroi abdominale, les contractions de l'estomac qui lutte contre l'obstacle (ondulations péristaltiques.)

Le diagnostic repose sur trois éléments (un seul suffit) :
— la palpation par le médecin ou le chirurgien du muscle pylorique épaissi; c'est « l'olive pylorique »;
— l'échographie* qui montre également l'augmentation d'épaisseur du pylore;
— la radiographie qui montre l'absence de vidange et l'augmentation d'épaisseur du pylore.

Le traitement est chirurgical. On réalise une courte incision (verticale ou horizontale), au-dessus de l'ombilic, puis on sectionne les fibres musculaires du pylore, en laissant intacte la couche interne ou muqueuse, donc sans ouvrir le tube digestif. C'est la pylorotomie extra-muqueuse.

L'enfant est réalimenté dès la 2e heure après le réveil. L'hospitalisation dure quatre à six jours. Il n'y a pas de récidive.

stérilet

☞ contraception

stérilité du couple

Voilà 6 mois que vous tentez de concevoir un bébé... et chacune de vos règles est une déception;

vous décidez d'aller voir votre médecin et... vous avez tort. L'expérience prouve en effet que 75 % des femmes seront enceintes au bout d'un an sans aucun traitement, 90 % au bout de 2 ans.

Si vous décidez de consulter, vous devez prendre rendez-vous entre le dixième et le douzième jour de votre cycle afin que votre médecin puisse apprécier l'état de la glaire cervicale, abondante, filante, limpide, c'est un très bon indice de fertilité; pauvre et opalescente, elle témoigne d'une insuffisance œstrogénique ou d'une infection. L'examen gynécologique aura au moins le mérite de permettre un frottis* du col de l'utérus qui précisera, non pas un très exceptionnel cancer du col, mais une éventuelle infection et appréciera approximativement votre équilibre hormonal. S'il révèle une cause évidente de stérilité, il convient alors de faire appel à des examens complémentaires qui iront du plus simple au plus compliqué :

La courbe* ménothermique : prise de la température le matin avant le lever pendant plusieurs cycles; un décalage thermique franc, au-dessus de 37 degrés pendant 13 à 14 jours témoigne en principe d'une « bonne ovulation ».

Un spermogramme*, examen capital (30 % des stérilités sont d'origine masculine) quelquefois difficile à obtenir.

Le test de Huhner : ce prélèvement de la glaire cervicale fait au laboratoire aux environs du treizième jour du cycle, 7 à 15 heures après un rapport, permet d'étudier la survie des spermatozoïdes, leur nombre, leur mobilité. Immobiles et agglutinés, ils évoquent une pathologie infectieuse ou immunologique qui restera à préciser.

Les dosages hormonaux (▷ hormones), soit urinaires, soit sanguins, permettent d'évaluer la bonne séquence des sécrétions ovariennes pendant le cycle : estradiol pendant la première moitié du cycle, estradiol plus progestérone après l'ovulation.

L'échographie*, outre les renseignements fort précieux qu'elle donne sur les organes pelviens, permet de suivre le déroulement de l'ovulation. Elle visualise en effet la croissance du follicule qui doit atteindre entre 18 et 25 mm de diamètre, et sa disparition qui signe en principe l'ovulation.

Si ces examens ne révèlent aucune cause d'infertilité, il sera alors pratiqué une *hystérographie** : injection de produit iodé qui dessine tout l'appareil génital :
— le col, normal ou pathologique (sténose, béance, endométriose...);
— la cavité utérine, sa forme, sa taille, et ses éventuelles anomalies : tumorales (fibrome ou polype), infectieuses (tuberculose en particulier), traumatiques (accolements des parois après chirurgie appelés synéchies chirurgicales), malformatives;
— les trompes, fines, sinueuses et perméables ou dilatées par un hydrosalpynx, la diffusion péritonéale du produit avec ou non présence de poches adhérentielles.

Une biopsie* de l'endomètre (revêtement interne de l'utérus) en vérifie la structure et l'exacte coïncidence avec la date du cycle ainsi que sa bonne (ou mauvaise) capacité à la nidation de l'œuf.

Après ces examens et si aucune cause évidente d'infertilité n'a été trouvée, sera pratiquée une *cœlioscopie**, examen chirurgical qui permet une vision directe et remarquable du petit bassin. Elle seule permet de découvrir ou de confirmer les lésions telles que l'endométriose, la tuberculose tubaire ou l'anomalie grave des ovaires.

Au terme de ce bilan sera définie une attitude thérapeutique, souvent complexe, mais que l'on peut schématiser ainsi :
— *Les traitements chirurgicaux de première intention* concernent essentiellement les synéchies et les obturations des trompes et/ou les adhérences, séquelles d'une infection ancienne. La chirurgie plastique réparatrice des trompes donne environ 50 % de chances de succès.
— *Les traitements chirurgicaux de seconde intention* concerneront l'endométriose, la maladie de Stein-Lewenthal (coque entourant l'ovaire et empêchant la ponte ovulaire), certaines malformations utérines, certains fibromes ou polypes.
Les traitements médicaux par antibiotiques seront largement prescrits en cas d'infection de la glaire ou des trompes. Un cas particulier : les foyers tuberculeux réagissent au traitement spécifique mais la stérilité est définitive.

L'endométriose est justiciable avant toute chirurgie d'un traitement prolongé par les dérivés de la progestérone et/ou par le danatrol.

Les insuffisances hormonales relèvent d'un traitement de substitution adapté.

Les « défaillances » ovulatoires seront compensées avec des chances variables de succès par les inducteurs de l'ovulation, traitement fort actif qui doit faire l'objet d'une surveillance stricte et contraignante. En ce qui concerne l'infertilité masculine, les traitements médicaux restent très décevants : seront opérés les varicocèles, les sténoses ou malformations congénitales du canal déférent; cette chirurgie est délicate, les résultats restent incertains. Les infections, bien sûr, seront traitées par antibiotiques.

Tous les examens sont normaux, il faut savoir que 10 % des stérilités de couple restent inexpliquées. Certaines d'entre elles seraient d'origine psychologique. Il convient d'insister sur les progrès rapides de la fécondation *in vitro* qui permet d'ores et déjà à nombre de femmes jusqu'alors condamnées à une stérilité définitive, d'être enfin des mères à part entière.

☞ ■ **hormones** ■**ovaires** *(fonctionnement des)* ■ **ovulation** ■ **fibrones de l'utérus** ■ **polypes de l'utérus** ■ **salpingites aiguës et chroniques** ■ **endométriose** ■ **ovaire** *(tumeurs de l')* ■ **varicocèle** ■ **fécondation** *in vitro* (ou bébé-éprouvette)

strabisme et amblyopie

Le *strabisme* (ou « loucherie ») peut être *convergent*, c'est-à-dire que les yeux sont déviés vers le nez, ou, plus rarement *divergent*, les yeux étant déviés en dehors vers les tempes.

Il est normal qu'un bébé avant 6 mois louche *épisodiquement*. Si, par contre, la déviation des yeux est constante (même avant 6 mois), l'enfant sera montré à un ophtalmologue. Ce dernier vérifiera qu'il ne s'agit pas d'un faux strabisme dû à un épicanthus, — petit repli des paupières à l'angle interne des yeux —, très fréquent chez les bébés (et constant chez les Asiatiques).

La découverte d'un strabisme chez le bébé est significatif : il révèle souvent l'existence d'une *amblyopie* qui doit être traitée alors dans les premiers mois de la vie. L'amblyopie est la déficience fonctionnelle d'un œil; l'enfant utilise alors son « bon œil et l'œil déficient tourne généralement vers le nez ».

Le strabisme est donc une alerte à l'amblyopie mais celle-ci peut exister sans qu'il y ait strabisme. Les parents peuvent la dépister en jouant avec leur bébé : on cache successivement un œil puis l'autre et on observe le comportement de l'enfant. Plus tôt sera entrepris le traitement, plus rapide et plus complète sera la guérison. Le strabisme qui, dans ce cas, touche toujours l'œil amblyope peut alors s'améliorer, voire disparaître.

Il est des cas où il n'y a pas d'amblyopie et où l'enfant louche d'un œil ou de l'autre. On dit que le strabisme est *alternant*. Un strabisme d'un œil peut devenir alternant.

Un sujet qui louche devrait voir double; il n'en est rien car le cerveau efface automatiquement l'image donnée par l'œil dévié : on dit que cette image est *neutralisée*.

L'angle du strabisme peut être constant, *concomitant*, ou être variable, *incomitant*, par exemple plus important de près que de loin.

Enfin, les paralysies des muscles de l'œil provoquent, surtout chez l'adulte, des strabismes d'apparition souvent brutale et qui n'existent que dans certaines positions du regard où le malade se plaint de voir double (diplopie).

Les *traitements de l'amblyopie* sont généralement fondés sur l'occlusion partielle (secteurs) ou totale, parfois prolongée, de l'œil sain après correction complète du défaut de vision (souvent hypermétropie) associée ou non à l'astigmatisme.

Les *traitements du strabisme* tendent à rétablir la vision binoculaire, d'abord par des procédés physiques : lunettes ou lentilles avec surcorrection d'un œil, secteurs, prismes ou tout autre procédé stimulant la vision binoculaire.

En cas d'insuccès, une ou plusieurs interventions chirurgicales seront entreprises. L'opération consiste, après une étude soignée du fonctionnement des muscles, à modifier les insertions de ceux-ci sur l'œil pour augmenter ou diminuer leur action. Ces interventions se pratiquent sous anesthésie générale; quasiment indolores, elles ne nécessitent que quarante-huit heures d'hospitalisation sans pansement.

streptocoque

Le streptocoque est une bactérie responsable de trois groupes d'affections :
— des *infections localisées* : les angines, la scarlatine, l'impétigo, l'érysipèle;
— si ces infections localisées, lorsqu'elles sont dues à un streptocoque du groupe A, ne sont pas traitées par les antibiotiques, elles risquent de se compliquer de *maladies retardées* parfois sévères : le rhumatisme articulaire, la gloméru-néphrite aiguë, l'érythème noueux post-streptococcique;
— des *septicémies* et des *endocardites*.

Toute infection streptococcique doit être traitée par antibiotiques : pénicillines ou macrolides.

☞ ■ angine ■ scarlatine ■ impétigo ■ érysipèle ■ glomérulonéphrite aiguë *(après une angine à streptocoque non soignée)* ■ rhumatisme articulaire aigu ■ septicémie ■ endocardite bactérienne

stress

Le stress est un anglicisme retenu à la suite des travaux, en 1950, du neurobiophysiologiste Selye qui a étudié les différents facteurs d'agression et les réponses de l'organisme. Les stress peuvent être d'origines très diverses :
— *externe*, en provenance du milieu extérieur (chaleur, bruit, violence...),
— *interne*, en provenance de l'organisme lui-même (frustrations fondamentales [faim, soif, sexualité, immobilité], douleur, fatigue, maladie...),
— d'origine purement *psychologique* (angoisse, peur, phobie...).

L'homme possède un système nerveux qui lui permet de percevoir tout changement tant interne qu'externe, de le reconnaître, d'en évaluer les dangers, ceci en fonction d'expériences précédentes mémorisées, et d'imaginer et de conduire des actions adéquates pour fuir, se protéger ou lutter contre l'agression, ainsi que d'organiser son milieu interne pour fournir et répartir l'énergie nécessaire.

Les réponses au stress ont un double aspect : *énergétique* et *directionnel*.
— Une variation survenue dans l'environnement déclenchera une réponse nerveuse, laquelle déclenchera à son tour une *réponse métabolique* afin de maintenir l'équilibre de chaque élément et de son ensemble vis-à-vis de l'environnement. Le système nerveux alerté, alertant lui-même le système endocrinien, il en résulte une activation de la voie énergétique qui permet l'accomplissement d'un certain travail et une libération de chaleur. Cela se fera par une sécrétion d'adrénaline, de thyroxine et de corticoïdes surrénaux.
— L'activation du système neurovégétatif augmentera l'apport d'oxygène et répartira, par vasodilatation et vaso-constriction, la masse sanguine selon les besoins des organes.

Traitement des informations
Au cours des périodes d'éveils, les informations sont captées par des récepteurs de perception spécifiques. Elles sont ensuite conduites au système nerveux central par les fibres sensitives ascendantes afin d'être traitées :
— l'hypothalamus modulé par le système limbique régule les conduites nécessaires aux besoins fondamentaux (faim, soif, sexualité, agressivité, motricité, posture);
— les zones corticales et associatives — dont la zone réticulée, recevant et envoyant des informations multiples et diverses, régule la vigilance — focalisent l'attention, procèdent à la hiérarchie des informations, inhibent les conduites inutiles ou inadaptées au bénéfice des conduites utiles, préparent à la mémorisation des faits, équilibrent le tonus, mobilisent et répartissent l'énergie, ceci grâce à leurs connexions avec le système endocrinien et neurovégétatif, enfin organisent les chaînes opératoires acquises et mémorisées pour obtenir des comportements gestuels et le langage.

L'homme est le seul organisme vivant possédant des zones associatives développées qui lui permettent de créer de l'information à partir de son imaginaire et d'utiliser un langage symbolique. Cortex et lobe frontal créent des schèmes opératoires nouveaux et font le choix des conduites qui semblent adaptées. Les informations-réponses sont transmises aux effecteurs par les fibres nerveuses descendantes.

La qualité de l'adaptation au stress dépend donc :
— de la finesse de la perception,
— du dynamisme mental,
— de la variété des expériences préalables,
— des ressources énergétiques et leur libre circulation,
— de l'efficience des effecteurs.

L'homme devra faire la part des dangers réels et imaginaires. Une défaillance à un quelconque niveau entraînera des troubles psychosomatiques.

Cette adaptation au stress, il est nécessaire de l'acquérir dès le plus jeune âge en ne refusant pas à l'enfant des confrontations avec des risques et les frustrations, ceci sans pusillanimité, mais dans un climat de fiabilité et de confiance. Adulte, il conviendra de l'entretenir par une hygiène de vie tant physique que mentale et par un emploi régulier et optimal de toutes les fonctions vitales.

sueur *(test de la)*

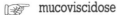 mucoviscidose

suicide *(tentative de)*

Fréquentes, les tentatives de suicides concernent surtout les sujets jeunes, la méthode employée étant essentiellement l'ingestion de toxiques et la section des veines.

Il faut apprécier le risque de suicide quand le sujet en confie son désir, ou, à la suite d'une tentative, le risque de récidive. Ce risque est d'autant plus grand que le sujet a des antécédents psychiatriques − notamment schizophrénie et dépression −, qu'il est âgé, isolé, sans famille ou sans amis, sans travail.

La plupart des tentatives de suicide ont une fonction d'appel à l'aide; la qualité de l'entourage familial et sa capacité à répondre à l'attente du suicidaire sont des éléments essentiels de dissuasion. Si le risque est élevé, l'hospitalisation doit être discutée avec le médecin, le patient et sa famille : elle permet d'éviter le passage à l'acte, résout parfois la crise et instaure une relation d'aide et de confiance nécessaire à la mise en œuvre éventuelle d'un traitement psychothérapique ou médicamenteux.

suites de couches

On entend par suites de couches la période qui s'étend de l'accouchement aux premières règles (appelées encore « retour de couches »). Elles surviennent généralement, et en l'absence d'allaitement, six à dix semaines après la naissance. Les suites de couches sont le plus souvent normales; elles peuvent être pathologiques.

Les suites de couches normales

Sur le plan psychologique, il est difficile d'évoquer en termes généraux un « vécu » spécifique à chacune d'entre vous et qui fait de toute naissance un événement unique et sans équivalent. Il vous faudra peut-être apprendre à aimer cet enfant réel qui n'est pas tout à fait l'enfant imaginaire que vous portiez depuis neuf mois; il vous faudra, avec quelques angoisses mais dans un climat d'infinie tendresse, instaurer avec lui une relation privilégiée, début d'une longue aventure.

Peut-être connaîtrez-vous ces quelques jours d'angoisse, de dépression que les Anglo-Saxons appellent « baby blue ». A ce propos, les psychanalistes invoquent la rupture douloureuse du lien fusionnel qui vous unissait à votre bébé pendant toute la vie intra-utérine; les endocrinologues, la chute brutale des hormones (folliculine et proges-

térone) qui inondaient votre organisme tout au long de la grossesse; les physiologistes, la modification de la masse sanguine circulante... Ils ont probablement tous un peu raison mais ceci reste fort théorique. Quoi qu'il en soit, sachez que cette phase ne dure pas et que vous retrouverez très vite un heureux équilibre psychologique.

Les suites de couches sont quelquefois grevées de petits maux, ce sont :
− *Les tranchées*, contractions utérines qui assurent l'hémostase (arrêt de l'hémorragie) mais qui peuvent être douloureuses. Elles seront facilement soulagées par des antispasmodiques légers.
− *Les hémorroïdes*, quelquefois fort gênantes, sont rapidement améliorées par une thérapeutique simple, locale ou générale.
− *L'épisiotomie* (▷ ce mot), très fréquente, est inconfortable voire douloureuse jusqu'à l'ablation des fils cutanés (sixième jour); elle ne doit perturber en rien votre vie sexuelle; la persistance d'une gêne douloureuse en cours de rapports nécessitera une infiltration locale de novocaïne aussi indolore qu'efficace.

Sur un plan strictement anatomo-pathologique, les suites de couches sont marquées par le retour progressif des organes génitaux à la normale :
− la vulve, le vagin, les muscles du périnée vont retrouver en quelques semaines leur tonicité; cette récupération peut être puissamment aidée par une rééducation adaptée qui doit être précoce (dixième jour) et intéresser d'abord les sphincters, surtout l'urétral (prévention d'une future incontinence), les muscles du périnée, puis dans un deuxième temps la sangle abdominale;
− l'utérus, après une phase de régression rapide, reprend lentement (deux à trois mois) un volume normal; sa cicatrisation avec élimination de pertes d'abord sanglante puis séro-sanglante dure environ trois semaines;
− en l'absence d'allaitement, la reprise de l'activité ovarienne s'effectue environ un mois après l'accouchement; la sécrétion de folliculine entraîne la prolifération de la muqueuse endométriale. Elle sera suivie, six à dix semaines après la naissance, de la première ovulation.

Sur un plan pratique, il convientt donc d'instituer une contraception efficace un mois environ après l'accouchement. Sera proposée en première intention une pilule normalement dosée qui aide à la cicatrisation de l'utérus et induit un retour de couches (artificiel) quelques jours après la fin de la plaquette. Cette contraception sera poursuivie par des pilules mini- ou normo-dosées au moins un ou deux mois avant la pose éventuelle d'un stérilet.

La lactation commence trois jours après l'accouchement; elle assure une contraception efficace mais qui devient, avec le temps, aléatoire; une pilule micro-dosée, voire mini-dosée, complétera heureusement son action contraceptive.

Les suites de couches pathologiques

Elles sont dominées par l'*infection* de la cavité utérine qui, mal cicatrisée, offre un milieu de culture idéal à une prolifération microbienne; elle s'exprime par des pertes de sang plus ou moins fétides, des leucorrhées purulentes, une petite température et quelques douleurs pelviennes. Il s'agit là de la « fièvre puerpérale » qui, il y a encore un siècle, tuait une femme sur vingt. Elle est parfaitement jugulée actuellement par un traitement antibiotique.

Les *phlébites*, avec formation d'un caillot dans une veine de la jambe ou du petit bassin, restent une complication d'autant plus redoutable qu'elle est souvent inapparente. Une élévation légère de température, une accélération du pouls et l'apparition d'un œdème même léger au niveau de la jambe en évoquent le diagnostic. Elle sera prévenue par un lever précoce et traitée par des injections de calciparine. Ainsi seront évitées les embolies pulmonaires, quelquefois mortelles, et les séquelles fonctionnelles qui enveniment à long terme cette affection de haute gravité.

Les *hémorragies* sont souvent le fait d'une infection mais expriment quelquefois la rétention dans la cavité utérine d'un fragment placentaire. Un curetage aux doigts, à la curette douce, en assurera la guérison.

Les complications psychiques (fort rares), bouffées délirantes, syndrome dépressif grave..., relèvent d'une thérapeutique spécialisée. Leur évolution est en général favorable à moyen terme.

 ■ allaitement ■ contraception ■ leucorrhées ■ phlébite ■ incontinence urinaire

 surdité

 La surdité est une baisse de l'audition, sans préjuger de son importance.

Certaines surdités n'altèrent pas la compréhension des mots et provoquent peu de gêne dans la vie sociale. Il s'agit essentiellement de :
— la surdité d'une seule oreille, quelle que soit son intensité;
— la surdité des deux oreilles ne dépassant pas 35 décibels;
— la surdité respectant les fréquences de la parole (fréquences moyennes de l'audiogramme* situées entre 500 et 2 000 Hertz).

Les autres surdités sont parfois invalidantes, surtout pour les enfants (▷ surdité de l'enfant).

Tout obstacle à la propagation des sons du pavillon de l'oreille jusqu'au cerveau peut provoquer une surdité (voir, plus bas, le tableau récapitulant les causes de surdité).

 L'examen de l'oreille et la lecture des courbes d'audiogramme permettent de distinguer les surdités de transmission, provoquées par un obstacle sur l'oreille externe ou moyenne, des surdités de perception, provoquées par une lésion de l'oreille interne, du nerf auditif, ou du cerveau. Cette distinction est précieuse sur le plan pratique :
— Les surdités de transmission sont améliorées par un traitement médical simple, ou par une intervention chirurgicale sur l'oreille moyenne.
— Le traitement médical des surdités de perception n'a en revanche que peu d'action sauf pour les

Causes de surdité

Oreille externe	Oreille moyenne	Oreille interne
obstruction du conduit auditif externe : - corps étranger - bouchon de cérumen - fracture du conduit - otite externe furoncle eczéma	**tympan normal :** - otospongiose - malformation congénitale - luxation des osselets **tympan pathologique :** fermé : - otite séreuse - otite baro-traumatique - otite aiguë perforé : - post-traumatique - post-otitique - otite chronique - atteinte des osselets	traumatismes < fracture du rocher / trauma sonore tumeurs *(neurinome de l'acoustique)* toxiques *(médicaments)* virales *(oreillons)* maladie de Ménière (▷ *vertiges*) vasculaires (▷ *surdité brusque*) presbyacousie *(vieillissement)*

N.B. : L'examen du spécialiste et l'audiogramme permettent de reconnaître le siège de la lésion.

surdités brusques (▷ surdité brusque). Seule une prothèse auditive peut alors améliorer l'audition. La surdité apparaissant avec l'âge, ou presbyacousie, est une surdité de perception. Cette surdité, surtout gênante dans le bruit, ou lorsque plusieurs personnes parlent en même temps, ne peut être améliorée que par une prothèse auditive. Le traitement vaso-dilatateur pourrait dans certains cas stabiliser l'évolution.

La prévention de la surdité repose sur :
— le traitement correct des otites aiguës de l'enfance;
— la protection et la surveillance des personnes exposées aux traumatismes sonores;
— la surveillance de l'audition lors de l'emploi de médicaments ototoxiques;
— la vaccination contre les oreillons.

surdité brusque

Les médecins appellent surdité brusque celle qui s'installe brutalement, sans cause évidente, et donc en dehors des traumatismes (fracture, baro-traumatisme, traumatisme sonore [▷ surdités traumatiques]) ou des infections graves (méningite...), ou encore d'antécédents de surdité passagère d'allure récidivante évocatrice d'une maladie de Ménière (▷ vertiges).

La surdité brusque, le plus souvent unilatérale, est une urgence médicale qui impose d'entreprendre un traitement immédiat afin d'éviter l'installation d'une hypoacousie définitive. En effet, la surdité brusque unilatérale est l'expression d'une atteinte de l'oreille interne (neuro-sensorielle); l'erreur serait d'évoquer une surdité d'oreille externe (conduit auditif) ou d'oreille moyenne (tympan, trompe d'Eustache...).

Or, les circonstances d'apparition de la surdité vous permettent de ne pas commettre cette erreur et donc de ne pas perdre de temps :
— le bouchon de cérumen peut certes provoquer une surdité brusque, mais celle-ci survient à l'occasion d'une douche, d'un shampooing, ou de l'introduction d'un coton-tige dans l'oreille. L'otoscopie affirmera le diagnostic, et l'ablation du bouchon restituera l'audition normale;
— l'otite moyenne aiguë et l'otite séreuse peuvent s'accompagner d'une hypoacousie, mais celles-ci sont précédées ou accompagnées de douleurs, de fièvre, ou d'une rhinopharyngite. L'otoscopie, là encore, permet d'établir le diagnostic.

Ainsi la surdité brusque, survenant en dehors des circonstances particulières évoquées, doit vous faire consulter immédiatement un oto-rhino-laryngologiste. Celui-ci évoquera le spasme vasculaire ou une infection virale à l'origine de la surdité, et mettra immédiatement en route le traitement par vasodilatateurs intraveineux. Ensuite, il devra rechercher la cause de la surdité et surveiller la récupération de l'audition.

Les causes de la surdité brusque sont variables :

Le plus souvent, il s'agit d'un spasme de l'artère auditive, qui entraîne un défaut de vascularisation (ischémie) de l'oreille interne. Cet accident peut survenir chez le sujet jeune à l'occasion d'une forte émotion; la contraception par pilule œstro-progestative est parfois décelée comme seule cause favorisante du spasme. Il faudra alors impérativement cesser la contraception orale. Chez le sujet âgé, le spasme survient souvent sur une artère déjà atteinte par l'artériosclérose. Très fréquente également est l'atteinte virale (il s'agit parfois du virus des oreillons); dans ce cas, la traitement par vasodilatateurs restera inefficace.

Les autres causes sont plus rares :
— atteinte toxique médicamenteuse bilatérale (quinine, gentamycine, streptomycine), mais le plus souvent dans ce cas, la surdité s'installe progressivement, d'où l'intérêt de la surveillance audiométrique des patients soumis à un tel traitement, et l'arrêt de celui-ci en cas de nécessité.
— atteinte du nerf auditif par une tumeur : le neurinome de l'acoustique. Ce mode de révélation du neurinome est exceptionnel, et l'oto-rhino-laryngologiste saura le dépister par des examens très spécialisés. Le traitement est chirurgical.
— atteinte traumatique : fracture du rocher, baro-traumatisme (plongée, avion), traumatisme sonore.

L'évolution de la surdité brusque par spasme vasculaire est appréciée par les audiogrammes répétés tous les jours ou tous les deux jours pendant l'hospitalisation du patient. Les vasodilatateurs par voie intraveineuse sont remplacés par des vasodilatateurs par voie orale lorsque l'audiogramme redevient normal. Puis la surveillance devra se poursuivre pendant au moins deux ans, en espaçant les audiogrammes. L'oto-rhino-laryngologiste vous conseillera également l'abstention des médicaments toxiques pour l'oreille interne, de mener une vie régulière sans stress, et d'éviter les excitants comme le tabac et l'alcool.

surdité de l'enfant

La surdité de l'enfant doit être dépistée le plus précocement possible, pour éviter un retard d'acquisition du langage et d'importantes difficultés scolaires. Une absence de sursaut de l'enfant au claquement de mains par exemple, ou un retard d'apparition du gazouillis devront inquiéter les parents, qui feront examiner l'enfant par un ORL. L'étude des potentiels auditifs évoqués permet de dépister une surdité dès la naissance. Cet examen ne tient pas compte des réactions de l'enfant aux sons, toujours difficiles à apprécier chez les tout petits.

Les principales causes de surdité de l'enfance sont une prise de toxiques au cours de la gros-

surdités traumatiques. *Le nerf auditif est toujours lésé par l'exposition prolongée aux bruits intenses.*

sesse, un accouchement anoxique, une otite chronique, les oreillons (la surdité est alors unilatérale, heureusement). Le plus souvent, aucune cause n'est retrouvée.

surdités traumatiques

Caractérisées par leur survenue accidentelle, brutale, trois circonstances très différentes peuvent en être la cause : traumatisme direct avec ou sans fracture du crâne, traumatisme sonore par effet du bruit et barotraumatisme par effet de changement de pression.

Le traumatisme direct

Accident de la voie publique, chute, traumatisme crânien, gifle : autant de situations susceptibles...,
— de déchirer le tympan;
— d'entraîner une fracture des différents éléments de l'oreille interne.

Dans tous les cas, la surdité est immédiate; sa guérison ou au contraire sa persistance ne dépendent que de l'endroit où siège la lésion; et l'issue de sang par le conduit auditif peut aussi bien être le signe d'une simple rupture tympanique que d'une redoutable fracture du rocher.

Ce sont donc l'examen du spécialiste et l'audiogramme qui, seuls, permettront de reconnaître :
— une atteinte de l'oreille moyenne (tympan, osselets, mastoïde) qui guérira, seule ou par une intervention chirurgicale;
— une atteinte de l'oreille interne qui, malheureusement, a de fortes chances d'être définitive.

Le traumatisme sonore

L'exposition, même très brève, à un bruit intense peut entraîner une perte auditive permanente : une déflagration, un coup de fusil, la proximité d'une enceinte acoustique lors d'un concert peuvent provoquer une surdité définitive, qui justifie un traitement d'urgence par injections intraveineuses de vasodilatateurs. Instauré dans les heures qui suivent l'accident, il permet parfois la guérison, mais après quelques jours c'est généralement trop tard.

On incombe à ces traumatismes acoustiques aigus les pertes auditives temporaires ou permanentes par exposition prolongée au bruit (bruits industriels, chasseurs, etc.). La perte intéresse surtout les sons aigus. Le traitement est essentiellement préventif, par des protections auriculaires, souvent mal acceptées car elles gênent l'audition.

Les barotraumatismes

Accidents de plongée, ou au cours de descente en avion : le mécanisme en est le même, c'est le blocage de la trompe d'Eustache, qui ne permet plus d'équilibrer les pressions de part et d'autre du tympan, et peut aboutir à sa rupture. D'où la règle de ne jamais plonger en étant enrhumé.

Cette surdité est réversible en quelques jours par des traitements anti-inflammatoires. Des gouttes nasales contenant des vasoconstricteurs doivent être utilisées avant que l'avion ne commence la descente, chez les passagers enrhumés ou sujets à ce type d'ennuis.

surrénales *(glandes)*

Les glandes surrénales doivent leur nom à leur situation anatomique au-dessus de chacun des deux reins. Elles produisent une série d'hormones qui servent théoriquement à adapter l'individu à son environnement non seulement physique mais aussi psychologique; aussi sont-elles les premières à réagir aux circonstances de stress.

La médullo-surrénale

Partie centrale des glandes surrénales, la médullo-surrénale secrète deux hormones du groupe

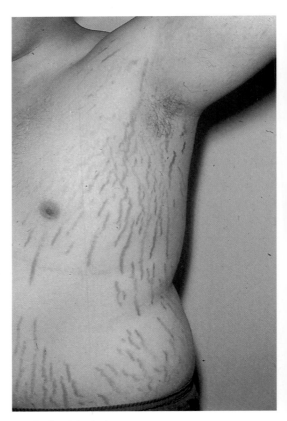

surrénales *(glandes). Vergetures : en cas d'hyperproduction importante et prolongée de cortisol (au cours des syndromes de Cushing par exemple), on voit apparaître des lésions cutanées sous forme de vergetures le plus souvent de coloration violacée.*

chimique des *catécholamines* : l'*adrénaline* et la *noradrénaline*. La sécrétion de ces hormones augmente instantanément en cas d'émotion vive, dès que le cerveau perçoit une situation inhabituelle, imprévue, le plus souvent *a priori* inquiétante. *L'adrénaline* élève alors le rythme cardiaque et la tension artérielle, provoque une mobilisation des graisses et du glucose qu'elle fait sortir des tissus de réserve pour les faire circuler dans le sang : ce processus peut favoriser un éventuel surcroît d'activité physique (par exemple la lutte ou la fuite) chez un sujet jeune et en bonne santé vasculaire.

Cependant, ces modifications peuvent être dangereuses chez un individu âgé, ayant une artériosclérose coronaire. La sécrétion d'adrénaline augmente également en cas d'effort physique, proportionnellement à l'intensité de cet effort et d'autant plus brutalement que le sujet est moins entraîné.

Dans certains cas, l'adrénaline peut être sécrétée en excès de façon inadaptée par une tumeur appelée *phéochromocytome*. Les principaux symptômes observés sont alors des crises d'hypertension artérielle accompagnées de brusques accélérations du rythme cardiaque, de sueurs, et souvent de douleurs épigastriques et d'anxiété. On dépiste l'existence de ces phéochromocytomes en recherchant la présence d'une quantité anormale de métabolites de l'adrénaline dans les urines. Il est alors nécessaire de procéder à l'ablation chirurgicale de la tumeur pour éviter que ne se produisent de graves accidents cardio-vasculaires.

La cortico-surrénale

Partie périphérique de la glande surrénale, la cortico-surrénale sécrète plusieurs hormones dont :
— l'*aldostérone* qui permet à l'organisme de retenir le sel (sodium) et de maintenir la masse hydrique et la pression artérielle ;
— le *cortisol* qui diminue et retarde les réactions inflammatoires douloureuses, et d'autre part puise dans le stock de protéine de l'organisme (muscles et parois digestives) pour fabriquer du sucre utilisable d'urgence ;
— les hormones à activité androgénique relativement faible comme la *déhydroépiandrostérone* (DHA) et l'*androsténédione*.

Lorsque la cortico-surrénale a un fonctionnement anormalement élevé, soit parce que ses cellules sont tumorales, soit parce qu'elle reçoit une stimulation excessive de l'hypophyse, on observe une série de symptômes regroupés sous le terme de « syndrome de Cushing » : la morphologie se modifie avec une répartition particulière du tissu adipeux au visage, au cou et au tronc, mais aussi avec un amaigrissement des membres inférieurs. Les masses musculaires s'atrophient, des vergetures apparaissent sur la peau ainsi qu'une acné fréquente et une accentuation de la pilosité. On observe une hypertension artérielle et un diabète sucré, puis une ostéoporose.

Il existe beaucoup plus fréquemment des anomalies incomplètes de fonctionnement de la cortico-surrénale liées à des défauts de fonctionnement d'une ou plusieurs enzymes. L'une des plus fréquentes (le déficit en 21 hydroxylase) aboutit à une synthèse anormalement élevée des hormones androgéniques et provoque une croissance excessive de la pilosité chez la femme. Les défauts enzymatiques peuvent avoir des conséquences beaucoup plus graves s'ils font résulter une insuffisance de production d'aldostérone, qui doit être dépistée dès le plus jeune âge.

Enfin le tissu de la cortico-surrénale peut se détruire progressivement (maladie d'Addison) soit sous l'influence d'une infection tuberculeuse, soit, plus fréquemment, à cause d'un dérèglement immunologique. Le sujet atteint ressent une grande fatigue, avec un amaigrissement considérable, et souvent une hypotension artérielle et une hypothermie. En relation avec la réaction de l'hypophyse à cette insuffisance surrénale, on observe le plus souvent une modification de la coloration de la peau et des muqueuses (mélanodermie) qui débute par l'apparition de taches brunes ou ardoisées sur la face interne des joues, des lèvres, sur la langue ou les gencives.

syncopes

Une syncope est une perte de connaissance complète et brève. Elle est donc différente des pertes de connaissance incomplètes, où l'on peut entendre ce qui se passe autour de soi (▷ malaises), et des pertes de conscience prolongées, comme c'est le cas lors des crises d'épilepsie ou des comas.

Vous êtes témoin d'une syncope ; tâchez d'allonger la victime sur le dos ou éventuellement sur le côté en cas de vomissements. Réclamez une aide médicale urgente (un médecin ou le SAMU). En attendant, stimulez vigoureusement la personne pour savoir si elle répond ; sinon, vérifiez si son cœur bat en palpant le pouls au niveau fémoral ou carotidien. S'il n'y a pas, d'une manière certaine, de battement cardiaque et si vous êtes parfaitement averti de la technique, vous pouvez tenter un massage cardiaque, en sachant que, mal fait, celui-ci peut être néfaste et entraîner des fractures des côtes, voire de plus graves complications.

Une fois la syncope terminée, une consultation est généralement indispensable afin d'écarter le diagnostic de maladie cardiaque.

Parmi les causes les plus fréquentes de syncope, on peut relever :
— *la syncope vagale*, la plus bénigne, quoi qu'impressionnante sur l'instant ; elle est due à un ralentissement extrême du cœur par réaction nerveuse, par exemple lors d'un repas abondant ou après avoir uriné ; elle est précédée par un malaise avec sueurs et nausées ;
— *la syncope due à l'hypotension orthostatique*, ou chute de la tension artérielle, lorsque le sujet se

lève brusquement ou reste trop longtemps debout immobile;

— *la syncope survenant au cours d'efforts de toux* (fumée ou fausse-route alimentaire) est rare; on l'appelle *ictus laryngé.*

Les syncopes d'origine cardiaque justifient un traitement urgent, ainsi :

— si la syncope a lieu à l'effort, il peut s'agir d'un rétrécissement de l'aorte, qui va nécessiter une intervention chirurgicale;

— si des douleurs thoraciques précèdent la syncope, il y a angine de poitrine (mais ceci évoque également un rétrécissement aortique);

— si la syncope a lieu dans un contexte de palpitations, il s'agit en général de tachycardies, souvent ventriculaires, nécessitant un traitement médical pour éviter les récidives qui peuvent être graves, voire mortelles;

— si la syncope est associée à un rythme cardiaque plus lent que la normale, même au repos, il faut pratiquer un électrocardiogramme* et confirmer le diagnostic de bloc auriculo-ventriculaire complet et, en urgence, mettre en place un pacemaker.

Pour le diagnostic de la cause des syncopes, outre l'interrogatoire qui précise les circonstances de déclenchement, le médecin s'aidera d'un électrocardiogramme* en continu sur vingt-quatre heures et, éventuellement, d'un cathétérisme cardiaque (petite sonde montée par une veine dans les cavités cardiaques) où sera enregistrée, provoquée au besoin, une anomalie du rythme cardiaque ou de la conduction.

Fort heureusement, ces syncopes d'origine cardiaque sont rares et, la plupart du temps, il s'agit en fait de brèves pertes de connaissance liées à d'autres causes. A cet égard, le simple examen clinique par le spécialiste, qui reconstitue les circonstances de déclenchement et le déroulement du malaise, rectifie les choses et permet d'être rassuré sur le pronostic.

 ■ **malaises** ■ **valves cardiaques** *(maladies des)* ■ **palpitations** ■ **rythme et conduction cardiaques** *(troubles du)* ■ **pacemaker** ■ **hypotension artérielle**

syndactylie

 malformation des membres et de la colonne vertébrale *(votre enfant naît avec une)*

syndrome néphrotique

 Le syndrome néphrotique est dû à une lésion des glomérules rénaux (structures assurant la filtration du sang). Il peut être primitif (sans cause) ou secondaire à un diabète, une maladie de système, une maladie infectieuse...

Il se manifeste essentiellement par une protéinurie* abondante et des œdèmes (▷ ce mot), des troubles du métabolisme des lipides.

syndrome prémenstruel

Près de 90 % des femmes ressentent, de temps en temps, des symptômes discrètement désagréables leur signalant que les règles vont apparaître quelques jours plus tard : les seins deviennent tendus et légèrement douloureux à la pression; le visage est un peu plus gonflé le matin au réveil; l'humeur change avec une plus grande nervosité; plus rarement, des petits ennuis cutanés ou des maux de tête apparaissent ou s'accentuent.

Chez 10 % des femmes environ, ces symptômes deviennent réellement gênants parce qu'ils sont plus intenses, se prolongent sur une huitaine de jours et se reproduisent presque tous les mois pendant une longue période avec d'importantes conséquences. Par exemple, la répétition mensuelle de phénomènes de gonflement mammaire trop brutal coïncide souvent avec l'apparition de lésions fibreuses ou kystiques du sein qui vont imposer des vérifications médicales et radiologiques régulières. Les variations d'humeur — soit une agitation agressive et hostile, soit une fatigue avec tristesse et repli sur soi-même — deviennent chez certaines femmes un véritable handicap professionnel périodique et un grave préjudice pour la vie affective. D'autres ont des maux de tête tellement intenses qu'elles ne peuvent quitter leur chambre plusieurs jours par mois.

 Actuellement la majorité des spécialistes ne croit plus, comme il y a quelques années, que ces phénomènes soient à mettre sur le compte de troubles psychiatriques, d'une névrose par exemple, survenant chez des femmes incapables d'admettre leur féminité et le sang menstruel. Il est beaucoup plus probable que les syndromes prémenstruels soient liés à des anomalies de concentration, dans certains tissus de l'organisme, soit de l'estradiol, soit de la progestérone, qui sont les deux hormones ovariennes principales.

Certains symptômes parmi les plus fréquents, comme la tension douloureuse des seins et les variations d'humeur avec agitation agressive, sont généralement bien corrigés par l'administration de progestérone, alors que les maux de tête et les variations d'humeur avec fatigue, tristesse et résignation sont plus souvent améliorés par l'administration d'estradiol.

☞ ■ **règles ou menstruations** ■ **pelviennes** *(douleurs)* ■ **ovaires** *(fonctionnement des)* ■ **hormones**

syphilis

Vous avez remarqué l'apparition d'une petite plaie ulcérée arrondie, rouge, suintante, peu douloureuse, au niveau du gland, accompagnée d'un gonflement de ganglions dans l'aine. N'y touchez pas et consultez rapidement, car il s'agit d'un *chancre syphilitique* : si vous appliquez sur la lésion une pommade antibiotique, les signes de la maladie se modifient et il sera très difficile d'établir le diagnostic.

Votre médecin prescrira :
— l'examen au microscope du liquide de suintement qui révélera l'existence des microbes, appelés *tréponèmes*, responsables de la syphilis ;
— une étude de la sérologie* qui permettra le dosage des anticorps spécifiques de cette maladie (▷ sérologie des maladies infectieuses).

Traité à ce stade par des injections quotidiennes de pénicilline pendant deux semaines, le chancre est guéri rapidement, et l'examen sanguin reste négatif.

Votre partenaire devra se faire examiner, car elle peut être contaminée. Chez la femme, le chancre passe souvent inaperçu, pouvant se développer sur les parois du vagin ou sur le col de l'utérus. Chez les homosexuels, il peut se localiser au niveau d'un pli de l'anus et, là aussi, être difficilement diagnostiquable. Les sujets porteurs de chancre sont contagieux.

Si le chancre n'est pas traité, il va malgré tout disparaître ; mais la maladie évoluera et se déclarera dans les semaines qui suivent : c'est la *syphilis secondaire*. Au début, celle-ci se manifeste par une éruption de taches rosées et arrondies sur le tronc : c'est la *roséole syphilitique* qui risque d'être prise à tort pour une allergie.

Si le malade tarde à se soigner, d'autres manifestations peuvent survenir, étalées sur deux ans :
— apparition de boutons durs siégeant aux paumes des mains et aux plantes des pieds ;
— éclosion de taches arrondies blanches au niveau de la bouche, des lèvres et des organes génitaux.

Lors de la période secondaire, la syphilis peut se dissimuler sous l'aspect de n'importe quelle maladie cutanée ; elle peut aussi entraîner une chute de cheveux, des maux de tête, une grande fatigue et l'apparition de petits ganglions.

Au moindre doute, votre médecin ordonnera une sérologie qui, à ce stade de la maladie, est très positive. Le traitement par pénicilline agit remarquablement et fait disparaître toutes les lésions en quinze à vingt jours. Mais l'examen sanguin reste positif malgré le traitement, sans que vous soyez contagieux ni malade.

Non traitées, les manifestations de la syphilis secondaire vont finir par disparaître... Pendant des années, il ne se passe rien, le seul témoin de la maladie étant le dosage des anticorps qui est

positif. Puis certains symptômes vont apparaître :
— des manifestations nerveuses (troubles de la marche, modification du psychisme) ;
— des manifestations cardiaques avec risque de mort par rupture d'anévrysme ;
— des manifestations cutanées, sorte d'indurations qui vont s'ulcérer ;
— des déformations osseuses.

 ■ **gland** *(lésions du)* ■ **maladies sexuellement transmissibles** ■ **fœtus** *(état de santé du)* ■ **grossesse et infections**

syringomyélie

Un adulte jeune constate un affaiblissement progressif de la force de ses membres supérieurs et, en particulier, de ses mains, avec une amyotrophie (fonte des muscles) ; il existe également une fatigabilité à la marche.

Lors de la consultation, le médecin constate, outre cette paralysie partielle des mains avec des troubles trophiques et cette paraparésie (paralysie partielle des membres inférieurs), des troubles sensitifs caractéristiques. En effet, il existe dans un territoire précis une perte de sensibilité à la douleur et à la température qui révèle la présence d'une cavité, responsable de la maladie, au centre de la moelle épinière. En revanche, la sensibilité tactile est conservée sur ce même territoire. Ce syndrome sensitif caractérise la syringomyélie.

Les examens qui permettent de reconnaître la présence du kyste centro-médullaire sont le scanner* et la myélographie. On leur préférera dans un avenir proche l'examen par résonance* magnétique nucléaire (R.M.N.).

Le traitement ne peut être que chirurgical ; et il ne permet, le plus souvent, que de stabiliser la maladie qui spontanément évoluera très lentement vers un état grabataire.

systole

 rythme et conduction cardiaques *(troubles du)*

veineuse chez les femmes prenant la pilule. Chez la femme enceinte, il augmente le risque d'avortement spontané, d'accouchement prématuré, mais également de maladies pour le nouveau-né.

Le tabagisme passif lié à la fumée de l'entourage est loin d'être négligeable, en particulier pour l'enfant dont les parents fument : les infections bronchiques et O.R.L. y sont alors beaucoup plus fréquentes.

Dans les pays développés, la diminution nette du tabagisme aurait un effet sur l'amélioration de la santé, et sur l'augmentation de la durée de la vie, beaucoup plus important que n'importe quel autre programme de médecine préventive.

tache mongolique

☞ **nouveau-né** *(examens du)*

taches de rousseur

☞ **éphélides**

tachycardie

☞ ■ **cœur du fœtus** *(troubles du rythme et malformations du)* ■ **rythme et conduction cardiaques** *(troubles du)*

tabac *(risques liés au)*

Le tabac est impliqué de façon incontestable dans un grand nombre de maladies.

Tabac et cancers

L'augmentation du cancer bronchique va de pair, dans les pays développés, avec l'accroissement de la consommation de cigarettes : le risque est proportionnel à la quantité de tabac fumé ; il s'élève encore si la fumée est inhalée, si l'usage du tabac a été plus précoce dans la vie et si la cigarette est consommée rapidement. Le risque de cancer bronchique avec le cigare ou la pipe, quoique moindre par rapport à la cigarette, reste important.

Le tabac est impliqué également dans de nombreux autres cancers dont ceux de la cavité buccale, du larynx et de l'œsophage : dans ces trois cas, l'alcoolisme est presque toujours associé au tabac. Une augmentation des cancers de la vessie et peut-être du rein est également constatée chez les fumeurs.

Le sevrage en tabac est suivi d'une diminution du risque de cancer bronchique, et plus sa durée est longue, plus le risque faiblit. Mais celui-ci ne s'annule jamais complètement si le tabagisme antérieur a été prolongé et intense.

Tabac et maladies respiratoires et cardio-vasculaires

Le tabac est aussi la principale cause de la bronchite chronique et de l'emphysème. Il constitue un facteur de risque considérable pour les maladies cardio-vasculaires, tout particulièrement pour l'infarctus et l'artérite des membres inférieurs.

Le tabac augmente le risque de thrombose

tænia

L'émission par l'anus, spontanément ou avec les selles, d'un ver plat de 0,5 centimètre de large, plus ou moins long, ressemblant à une nouille plate, évoque un tænia. Cette parasitose peut aussi s'accompagner de douleurs abdominales et de diarrhée. Le tænia, fréquent et bénin, se contracte

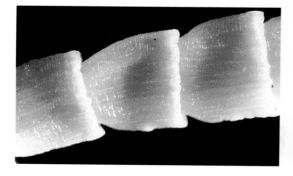

tænia. *Voilà pourquoi les anneaux du tænia sont souvent comparés à des nouilles plates !*

en ingérant de la viande de bœuf ou de porc, peu ou pas cuite.

Le traitement antiparasitaire spécifique permet d'éliminer les fragments de ver dans les jours suivant la prise du médicament.

taille de l'enfant

☞ ■ croissance *(retard de)* ■ croissance staturo-pondérale

tartre

☞ ■ dents *(soins des)* ■ gencives et dents déchaussées

tatouages
(chirurgie esthétique des)

L'ablation d'un tatouage est souvent difficile, du fait de la taille et de la profondeur de la pigmentation qui atteint toujours le derme.

Les tatouages peu étendus peuvent être découpés, et les bords de la perte de substance rapprochés; il persistera une cicatrice, mais celle-ci est facilement acceptée. Le laser permet parfois des réductions de tatouage, mais la cicatrisation est souvent défectueuse.

Les problèmes sont beaucoup plus complexes lorsque le tatouage couvre une grande surface. L'ablation crée alors une perte de substance qui doit être recouverte :
— soit par une greffe de peau prélevée sur le ventre ou la cuisse;
— soit surtout par l'utilisation d'expanseurs cutanés, sortes de poches placées sous la peau, que l'on gonfle une ou deux fois par semaine avec du sérum, jusqu'à obtenir une distension suffisante pour permettre la fermeture. L'avantage de l'utilisation d'expanseurs est de ne laisser qu'une ligne cicatricielle avec une peau d'aspect tout à fait normal.

taux de prothrombine

☞ ■ anticoagulant *(traitement)* ■ bilan sanguin hépatique

teignes

Les teignes sont des mycoses contagieuses qui affectent la couche superficielle de la peau, les poils, les cheveux et les ongles. Elles forment, sur le cuir chevelu, des plaques arrondies où les cheveux sont parasités et cassés ras. La plupart d'entre elles sont transmises par un animal contaminé, mais certaines variétés le sont par l'homme.

☞ ■ champignons ■ cheveux

télangiectasies

☞ peau

températures
(méthode des)

☞ ■ contraception ■ courbe mémothermique

tendinite

Le tendon est le trait d'union entre le muscle et l'os sur lequel il s'insère. Il est très résistant, car soumis à des contraintes importantes; les forces quelquefois disproportionnées s'exerçant sur lui entraînent son altération structurale aboutissant à la tendinite.

Le tendon est également fragilisé par les traumatismes directs, les dépôts de cristaux calciques ou uriques et le veillissement. Les grandes maladies inflammatoires sont également responsables d'altérations tendineuses.

Tous les tendons peuvent en théorie être le siège d'une tendinite. Les plus fréquentes sont localisées :
— au coude *(épicondylite)*,
— à l'épaule *(périarthrite scapulo-humérale)*,
— au poignet *(tendinite de Dequervain)*,
— au talon *(tendinite du tendon d'Achille)*,
— au genou *(tendinite de la patte d'oie)*.

Le diagnostic de tendinite est habituellement aisé, car la douleur privant souvent le malade de sommeil est précise, vive, facilement repérable à l'examen clinique et reproductible quand la structure tendineuse atteinte est mise sous tension.

Votre médecin recherchera une cause à cette tendinite : gestes répétitifs, surentraînement sportif, traumatisme dans la majorité des cas. La radiographie éliminera formellement une affection sous-jacente. Les clichés radiologiques de la tendinite sont normaux; quelquefois ils mettent en évidence des calcifications tendineuses.

L'évolution des tendinites est souvent bénigne, comparativement à la gêne fonctionnelle importante qu'elles peuvent engendrer. Outre les rechutes, la complication majeure est représentée par la rupture du tendon : rupture de la coiffe des rotateurs de l'épaule, entraînant une diminution de la mobilité active de l'épaule, rupture du tendon d'Achille nécessitant un traitement orthopédique ou chirurgical.

 ■ épicondylite ■ périarthrite scapulo-humérale

tennis elbow

 épicondylite

tension oculaire

 glaucome

terme gestationnel

 maturation du nouveau-né et croissance intra-utérine

terreurs nocturnes

☞ sommeil de l'enfant *(troubles du)*

test de grossesse

☞ ■ grossesse *(généralités et surveillance)* ■ règles ou menstruations

testicules

Chez le nouveau-né ou le nourrisson

L'ectopie testiculaire

C'est l'absence de descente complète d'un testicule, ou des deux. Normalement, quelques semaines après la naissance au plus tard, les deux testicules doivent être dans les bourses. Souvent c'est une petite hernie qui empêche le testicule de descendre. Cliniquement, on observe plusieurs cas.
— *Le testicule oscillant* : c'est un testicule qui descend bien dans la bourse, mais qui n'y reste pas. En principe, il finit par descendre.
— *Le testicule que l'on ne palpe pas* car il se trouve dans l'abdomen; dans ce cas, l'enfant doit être opéré le plus tôt possible, avant 2 ans. L'absence congénitale d'un testicule *(agénésie)* est possible. L'absence des deux testicules *(anorchidie)* est heureusement fort rare.
— *Le testicule palpé* : s'il n'est pas possible de l'abaisser jusque dans la bourse, on peut donner un traitement hormonal qui va faire grossir (momentanément) le testicule. Si rien ne l'empêche mécaniquement de descendre, l'augmentation de poids

induite par le traitement le fera migrer. Sinon, il faut opérer l'enfant.

En cas de hernie associée, le testicule ne descend jamais et il est nécessaire d'opérer. L'âge où l'enfant doit être opéré varie entre 2 et 6 ans, tout dépend de la hauteur et de la taille du testicule.

L'hydrocèle

Votre nourrisson a une augmentation de volume de la bourse et votre médecin a diagnostiqué un hydrocèle : il s'agit d'une sécrétion anormale de liquide par la tunique vaginale qui entoure le testicule; il s'ensuit une augmentation de volume de la bourse, qui peut être difficile à distinguer d'une hernie.

En fonction de son volume, l'hydrocèle peut disparaître toute seule ou nécessiter une intervention entre 2 et 4 ans. Il peut y avoir une hernie associée à l'hydrocèle, surtout chez le nourrisson. Le testicule est toujours normal.

Chez le grand enfant ou l'adulte jeune

Torsion du testicule

La survenue brutale d'une douleur d'un testicule, parfois à l'occasion d'un traumatisme, doit faire immédiatement penser à la torsion testiculaire.

Favorisée par une mauvaise fixation congénitale de la glande, la torsion du testicule s'effectue autour de son axe; celui-ci n'est plus vascularisé et se nécrose en quelques heures.

Parfois cette crise aiguë peut être précédée d'épisodes douloureux brefs et régressifs. Tout enfant se plaignant de douleurs testiculaires doit être examiné par un médecin ou un chirurgien.

Atteintes infectieuses

L'atteinte infectieuse est possible à tout âge; elle fait courir le risque d'une altération éventuelle de la fonction testiculaire.

L'atteinte la plus fréquente est l'infection ascendante des voies urinaires vers le testicule *(orchi-épididymite)*. De diagnostic habituellement aisé, elle s'accompagne de brûlures mictionnelles qui sont évocatrices de l'infection de départ. Dans certains cas, la douleur testiculaire est de survenue brutale; la bourse est rouge et augmentée de volume. En cas de diagnostic hésitant entre l'infection et la torsion testiculaire, une intervention s'impose : elle corrigera le diagnostic, mais évitera dans les cas de torsion atypique la destruction de la glande.

Les atteintes se font rarement par voie sanguine. La plus typique d'entre elles est celle due aux oreillons; elle survient généralement après la parotidite ourlienne et pose peu de problèmes diagnostiques.

Cancer du testicule

Le cancer du testicule atteint le sujet jeune, 25 à 30 ans; son premier signe est une anomalie à la palpation de la glande : zone irrégulière, nodule dur ou zone insensible ou encore un développement anormal de la glande mammaire (gynécomastie). Le dosage des prolans (hormones) dans le sang fera le diagnostic de choriocarcinome mais ignorera les autres types de cancers et seule l'exploration chirurgicale fera un diagnostic de certitude. L'ablation du testicule est inévitable, parfois suivie d'une intervention abdominale destinée à enlever les ganglions de drainage envahis. Les traitements anti-mitotiques (chimiothérapie) ont nettement amélioré le pronostic de cette maladie.

testicules
(fonction hormonale des)

Les testicules sont les glandes sexuelles de l'homme. Deux fonctions les caractérisent :
– la sécrétion des hormones mâles (les testicules fabriquent chaque jour environ 7 mg de *testostérone*) qui induisent les caractéristiques physiques de l'homme (développement du pénis, de la prostate, de la masse musculaire, de la pilosité, etc.) et tendent à influencer son comportement psychologique (tendances agressives et recherche d'une activité sexuelle);
– la production quotidienne des spermatozoïdes dont on retrouve plusieurs dizaines de millions par cm³ de sperme.

La taille des testicules chez l'adulte est très variable d'un individu à l'autre et, chez le même individu, d'un jour à l'autre en fonction de la fréquence de l'activité sexuelle. Les testicules ont en moyenne une forme ovoïde avec 5 cm pour le grand axe et environ 2,5 cm d'épaisseur. Ils produisent des quantités importantes de testostérone dans les six mois qui suivent la naissance puis cessent ensuite de fonctionner jusqu'à l'âge du début de la puberté, vers 12 ans.

La production de testostérone atteint son maximum en général vers 20 ans, puis diminue ensuite de façon très variable d'un individu à l'autre, en fonction de la fréquence des circonstances de stress d'une part, mais aussi d'un réel vieillissement des cellules testiculaires. Très approximativement, 50 % des hommes ont perdu 50 % d'activité de la testostérone vers 60 ans. Les hommes dont le vieillissement testiculaire est le plus précoce paraissent en moins bonne santé du point de vue non seulement de l'activité sexuelle mais aussi du risque cardio-vasculaire.

☞ ■ impuissance ■ gynécomastie

tests mentaux

Les tests mentaux sont des épreuves standardisées permettant la classification d'un sujet donné, en comparant les résultats obtenus à des normes statistiques de référence.

Un test n'a de valeur que s'il est sérieusement étalonné, effectué dans de bonnes conditions, avec un psychologue expérimenté. Sa signification doit être discutée, surtout quand il est utilisé avec un enfant : ses résultats peuvent en effet lui « coller une étiquette », alors que le trouble ou la difficulté ne sont que passagers, et lui faire supporter le poids d'une pathologie dont l'origine est à rechercher dans l'environnement familial ou social.

Les tests d'intelligence
Ils mesurent une aptitude évaluée à un moment donné (« photographie »), résultant de l'interaction entre l'individu et les stimulations de son environnement familial, social et culturel.

Le QI (quotient intellectuel) de développement est le rapport entre l'âge mental (AM) et l'âge réel (AR) :

$$QI = \frac{AM}{AR} \times 100.$$

Il représente un indice d'avance ou de retard dans le développement attendu de l'enfant. Il n'a aucune valeur définitive. La valeur pronostique est satisfaisante pour l'adaptation scolaire.

Le QI d'efficience intellectuelle, un des tests les plus utilisés, détermine un QI verbal et un QI de performance dont les résultats, parfois discordants, permettent de soupçonner un « blocage » psychologique. Lorsque le QI est inférieur à 70, le sujet est considéré comme déficient intellectuel et, s'il s'agit d'un enfant, doit bénéficier d'une pédagogie spécialisée.

Ces tests n'explorent pas la « compétence sociale » qui permettra à nombre d'enfants considérés comme débiles de trouver une insertion socioprofessionnelle normale à l'âge adulte.

A l'inverse, chez un adulte intelligent, un QI élevé peut masquer une détérioration mentale qui sera alors mise en évidence par l'échec à certaines épreuves particulières.

Les tests de personnalité
Ils permettent de décrire la structure de la personnalité, ses tendances, ses éventuels troubles névrotiques ou psychotiques. Ils sont nombreux et divers quant à leurs procédés, leurs finalités.
– Les *tests de production*, utilisés surtout avec les enfants, procèdent par dessin libre (arbre, bonhomme, famille).
– Les *tests projectifs* consistent pour le sujet à interpréter une image ou une scène imprécise selon ses propres préoccupations, conscientes ou non : on peut citer le test de Rorschach ou test des taches d'encre et les épreuves interprétatives (le sujet doit décrire une scène mettant en situation plusieurs personnages).
– Les *questionnaires de personnalité* : le M.M.P.I. (Inventaire multiphasique de personnalité du Minnesota) consiste en 550 questions permettant de décrire 9 échelles cliniques (hystérie, paranoïa, dépression, hypochondrie, psychopathie, psychas-

thénie, schizophrénie, manie, et dominance sexuelle), en détectant trucages et falsifications; le profil clinique (névrotique, psychotique) est évalué également.

tétanie et spasmophilie

La *tétanie* est un syndrome caractérisé par des crises de contractures prédominant aux extrémités. Les crises sont provoquées par toutes les situations qui font baisser le taux de calcium ou qui élèvent le pH sanguin. La *spasmophilie* est censée être une forme mineure de tétanie, correspondant à un état permanent d'hyperexcitabilité neuromusculaire avec calcémie et pH sanguin normaux.

Si la tétanie se traduit par des signes cliniques précis, il en va autrement pour la spasmophilie à laquelle certains attribuent à peu près n'importe quel désagrément, aboutissant à une description et à des explications théoriques et des tentatives thérapeutiques confuses et divergentes. Ainsi pourrait-on être « spasmophile » en cas d'anxiété, de maux de tête, de troubles du sommeil, de fourmillements des extrémités, de palpitations, de sensations vertigineuses, de frilosité, de douleurs thoraciques, de difficultés à avaler, de crampes, de troubles digestifs, de tendance dépressive, etc., ou tout simplement de fatigue.

Il est théoriquement possible de contrôler l'état spasmophilique en pratiquant un électromyogramme* à la recherche de l'« hyperexcitabilité neuro-musculaire ». Cependant, certains sujets qui ne se plaignent de rien ont apparemment des signes d'hyperexcitabilité à l'électromyogramme alors que des « spasmophiles » n'en ont pas et que ces signes varient d'un jour à l'autre chez le même individu indépendamment des malaises.

Certains auteurs ont décrit un déficit, non pas plasmatique mais intracellulaire, soit de calcium soit de magnésium. Pour d'autres, il y aurait chez les spasmophiles un déficit en vitamine D et/ou en calcitonine et/ou un excès de production des catécholamines. Aucune de ces hypothèses n'a été constamment confirmée et beaucoup ne voient dans la spasmophilie que des symptômes d'anxiété ou, au pire, de névrose hystérique. Les traitements proposés, avec des succès très inconstants, comportent le plus souvent des associations de vitamine D, de magnésium, de bêta-bloquants et d'anxiolytiques.

 alimentation normale

tétanos

En cas de plaie cutanée, vous devez vérifier la validité de votre vaccination antitétanique. En l'absence de protection, sachez ce qu'il faut faire.

— Retenez tout d'abord que toute plaie même bénigne (écharde, piqûre par une épine de rose) peut provoquer le tétanos : la maladie n'affecte pas uniquement les personnes qui se blessent en travaillant la terre; le germe peut infecter une plaie préexistante (brûlure, escarre, ulcère de jambe). L'âge n'immunise pas contre le tétanos. Celui-ci peut toucher également les personnes âgées qui négligent souvent de faire pratiquer les rappels de vaccinations.

— On regroupe parfois – à tort – sous le terme de « piqûre antitétanique » deux moyens différents de protection contre le tétanos :

les *gammaglobulines* qui assurent une immunité pendant vingt jours; on les préfère au sérum antitétanique car elles ne provoquent que rarement des accidents allergiques;

et la *vaccination*, efficace et sans danger, qui assure une longue protection à condition de faire pratiquer des rappels tous les cinq ou dix ans (les inscrire sur un carnet de vaccination).

— Il faut distinguer les plaies propres des plaies dangereuses : plaies importantes, négligées, vues avec retard, par balle, avec fractures nombreuses, contenant des corps étrangers et/ou des parties dévitalisées, déjà infectées, souillées de terre.

— La désinfection de la plaie avec des antiseptiques et/ou des antibiotiques est toujours nécessaire.

En l'absence de vaccination, le tétanos peut survenir une à deux semaines après la blessure.

Vaccination antitétanique

Date du dernier rappel	Plaie propre	Plaie dangereuse
moins de 1 an	vous êtes protégé	vous êtes protégé
1 à 5 ans	vous êtes protégé	faire un rappel de vaccin
5 à 10 ans	faire un rappel de vaccin	un rappel et des gammaglobulines
Absence de vaccination ou dernier rappel il y a plus de 10 ans	— injection immédiate de gammaglobulines et d'un vaccin ; — puis compléter la vaccination : 3 injections à 1 mois d'intervalle, puis 1 an après, puis tous les 5 ans.	

Sachez le reconnaître dès l'apparition du premier signe, c'est-à-dire une contracture douloureuse des muscles de la mâchoire (*trismus*). Puis apparaissent des contractures généralisées qui peuvent toucher les muscles respiratoires et cardiaques.

Les malades sont traités en réanimation. La mortalité est de 50 %, les survivants ont souvent de lourdes séquelles (rétractions tendineuses invalidantes).

Mettez donc à jour votre vaccination antitétanique.

☞ ■ immunologie ■ vaccins et sérums

tétralogie de Fallot

Il s'agit de la malformation cyanogène (entraînant une coloration bleue des lèvres et de la langue) la plus fréquente et la mieux tolérée. Elle associe deux grandes anomalies : une large communication interventriculaire (ouverture entre les ventricules) et un rétrécissement sur l'artère pulmonaire (▷ cœur du fœtus [malformations et troubles du rythme du], cœur du nouveau-né [malformations congénitales du], cyanose du nouveau-né, essoufflement du nourrisson pendant la prise du biberon).

Cette malformation n'entraîne jamais de défaillance cardiaque, c'est-à-dire ni essoufflement, ni foie douloureux, mais une cyanose. Celle-ci est d'autant plus intense que le rétrécissement pulmonaire est important. Dans les cas extrêmes — lorsque la quantité de sang qui parvient au poumon est trop faible —, surviennent d'éventuels malaises dus à une oxygénation insuffisante de l'organisme.

Le traitement de cette malformation est chirurgical. Il consiste à fermer la communication interventriculaire et à lever le rétrécissement de l'artère pulmonaire. Sauf cas particulier, cette chirurgie s'effectue vers l'âge de 1 an et donne d'excellents résultats.

thermographie

La thermographie utilise les propriétés physiques des rayonnements infrarouges. Tout corps émettant de la chaleur produit des rayonnements infrarouges — le corps humain entre autres. Ceux émis par un organe, ou une partie du corps, peuvent être recueillis sur un capteur sensible (caméra ou cristaux liquides), et il en résultera une *cartographie* de l'organe considéré.

Ces rayonnements varient en fonction de la physiologie et de la pathologie du tissu examiné.

Cette technique, bien qu'utilisée en complément, garde une valeur diagnostique et pronostique intéressante.

thorax *(douleurs du)*

La douleur peut être l'un des symptômes les plus patents d'une maladie. L'analyse soigneuse, la plus précise possible, par le patient, de ses caractères aide considérablement le médecin à identifier l'origine de cette douleur et à orienter son diagnostic clinique.

La douleur thoracique — siégeant n'importe où dans le thorax, entre le cou et l'extrémité inférieure de la cage thoracique — est un symptôme fréquent, l'atteinte de l'un quelconque des organes intra-thoraciques pouvant se traduire par un syndrome douloureux.

Il convient de s'attacher à préciser :
— *le mode de survenue* de la douleur : brutal ou progressif;
— *la notion éventuelle de circonstances provoquant spécifiquement l'apparition de la douleur*, telles que l'effort ou, à l'inverse, le repos (par exemple, pendant le sommeil), le froid, la marche, notamment en côte et/ou par temps humide, le changement de position, la respiration ample, la toux, etc.;
— *à l'inverse, ce qui influence favorablement la douleur*, le cas échéant;
— *le siège initial* de la douleur : antérieur, par exemple rétro-sternal, ou plutôt latéral, à la base ou au sommet du thorax, enfin postérieur près de la colonne vertébrale, de l'omoplate;
— *les éventuelles irradiations* douloureuses : au cou, à la mâchoire, aux épaules, aux bras, au rachis, à l'abdomen;
— *le type* de la douleur : elle peut être constrictive, responsable d'une sensation d'étau qui serre la poitrine; ailleurs, elle entraîne une impression de brûlure intra-thoracique; elle peut aussi être transperçante, comme une aiguille, un coup de poignard...;
— *son intensité*;
— *sa durée* : quelques secondes ou, à l'inverse, plusieurs heures sans interruption;
— *les symptômes qui, éventuellement, l'accompagnent* : nausées, vomissements, sueurs, essoufflement, malaise, voire évanouissement.

Ainsi, nombreuses sont les affections thoraciques qui peuvent être suspectées sur la présence de douleurs : l'angine de poitrine, l'infarctus du myocarde, l'anévrysme aortique, le rétrécissement et l'insuffisance aortiques, la pneumonie, la pleurésie, le pneumothorax, la péricardite, l'embolie pulmonaire, le diverticule œsophagien, la hernie hiatale, la lithiase biliaire, la fracture des côtes, le syndrome de Tietze, le zona, l'ostéoporose, la pelvispondylite rhumatismale...

Dans de nombreux cas, toutefois, ces douleurs

n'ont pas de cause organique et sont liées à une anxiété, une angoisse, certains soucis récents, etc. (toutes ces maladies font l'objet d'articles dans ce livre).

En pratique, *devant un syndrome thoracique douloureux, il est conseillé de consulter son médecin :* lui seul pourra, sur les caractères énumérés ci-dessus, déterminer si la douleur est liée à une cause précise, s'il importe d'effectuer des examens complémentaires dans le but de confirmer le diagnostic, si une hospitalisation s'impose ou non, éventuellement en urgence.

thorax *(traumatisme du)*

Le thorax peut être gravement traumatisé, lors d'un accident de la route par exemple, ou être le siège d'une plaie (▷ secours d'urgence, accidents de la route, plaies).

Il sera ici question du traumatisme thoracique simple entraînant une (parfois plusieurs) fracture de côtes : la douleur spontanée est très localisée; elle est majorée par l'inspiration et la toux; mais la gêne respiratoire est peu importante. La palpation retrouve un point douloureux précis sur la (ou les) côte fracturée. Le médecin vérifiera l'absence d'épanchement pleural toujours possible. La radiographie confirmera la fracture de côte et l'absence d'épanchement. Le traitement a pour but de lutter contre la douleur (repos, médicaments anti-douleurs) et de prévenir l'encombrement bronchique notamment chez le sujet âgé ou la personne manifestant une insuffisance respiratoire ou bronchitique chronique (pas de bandage, pas d'antitussifs, mais des fluidifiants bronchiques; kinésithérapie).

thyroïde *(glande)*

La glande thyroïde est située à la base du cou, plaquée sur le larynx et la trachée. Son poids moyen est d'environ 30 g mais avec d'importantes variations d'un individu à l'autre. Elle sécrète deux hormones principales, la *thyroxine* (T4) et la *triiothyronine* (T3), qui ont la particularité de contenir de l'iode. La sécrétion de ces hormones est normalement stimulée par une hormone d'origine hypophysaire, la *thyréostimuline* (TSH), elle-même contrôlée par une hormone d'origine hypothalamique (TRH).

Les hormones thyroïdiennes ont des propriétés multiples :
— elles sont indispensables à la croissance de l'enfant et interviennent directement sur les cartilages de conjugaison;
— elles agissent sur le système cardio-vasculaire en augmentant le rythme et le débit cardiaques en conjonction avec les catécholamines;

— elles sont nécessaires au bon fonctionnemen des muscles, du tube digestif, du rein, de la moelle osseuse, voire des testicules ou des ovaires;
— elles participent à la régulation de la tempéra ture du corps;
— elles interviennent sur les principaux équilibre: chimiques : lipidiques, glucidiques, protéiques e phosphocalciques.

 Un cas d'hyperfonctionnement thyroïdien la maladie de Basedow

En cas d'hyperfonctionnement thyroïdier comme par exemple au cours de la maladie d Basedow (particulièrement fréquente chez l femme), on observe généralement : une accéléra tion du rythme cardiaque, accompagnée d'essouf flement à l'effort et de palpitations; un amaigrisse ment souvent accompagné d'une conservation ou même d'une augmentation de l'appétit; une intolé rance à la chaleur avec une élévation de la température cutanée et une augmentation, parti culièrement nette, de la sudation des mains; une sensation de soif qui pousse à boire avec une fréquence anormale, y compris la nuit; une diminu tion du volume et de la force des muscles particu lièrement nette au niveau des cuisses; des trouble de l'humeur et du caractère avec émotivité, agres sivité et agitation; une accélération du transi

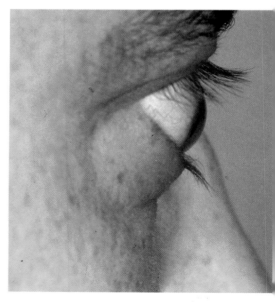

thyroïde *(glande). Exophtalmie : au cours de la maladie de Basedow, il est fréquent d'observer une protrusion inhabituelle des globes oculaires dont l'aspect est accentué par une rétraction de la paupière supérieure.*

thyroïde (glande). *Goître : le volume du corps thyroïde nécessaire pour assurer une production suffisante d'hormones thyroïdiennes peut être beaucoup plus important dans certaines familles (caractéristiques génétiques) ou dans certaines régions où l'alimentation est déficitaire en iode.*

digestif avec des diarrhées fréquentes; une perturbation du cycle menstruel.

Pour des raisons autres que l'excès d'hormones thyroïdiennes, on observe aussi fréquemment des modifications oculaires associées à la maladie de Basedow en particulier une exophtalmie et une rétraction de la paupière supérieure.

Un cas d'hypofonctionnement thyroïdien : le myxœdème

En cas d'hypofonctionnement de la glande thyroïde, par exemple au cours du *myxœdème* de l'adulte, le sujet se transforme progressivement : ses mouvements se ralentissent; sa silhouette s'alourdit; son visage paraît infiltré, bouffi; sa peau est pâle, froide, d'aspect rugueux et sans sudation; sa langue est épaisse et sa voix rauque; ses cheveux sont cassants et raréfiés; sa pilosité disparaît au niveau du pubis et sous les bras. Ce sujet devient indifférent, somnolent, et éprouve des difficultés à s'exprimer.

En même temps le pouls se ralentit, les possibilités respiratoires sont limitées; il existe une constipation; les masses musculaires paraissent augmentées de volume et durcies mais la force musculaire et la vitesse des mouvements sont diminuées; le taux de cholestérol sanguin augmente.

En cas de suspicion d'hyper ou d'hypothyroïdie, on procède aux dosages sanguins des hormones thyroïdiennes et de la TSH, puis fréquemment à une analyse scintigraphique* du volume et de l'homogénéité de la glande thyroïde. Les traite-

ments sont très divers et dépendent bien sûr de la cause de l'anomalie de fonctionnement de la thyroïde et de ses conséquences principales.

tics

Les tics sont des mouvements répétés, impérieux, involontaires, d'exécution soudaine, qui représentent souvent la caricature d'un acte naturel.

Rares chez un enfant de moins de 6 ans, les tics disparaissent le plus souvent spontanément. La meilleure attitude à adopter consiste à ne pas y prêter attention et ne jamais se moquer ou réprimander l'enfant.

Lorsqu'ils persistent, le médecin pourra conseiller, selon les cas, une rééducation psychomotrice ou, plus rarement, un traitement médicamenteux.

Tietze (syndrome de)

Le syndrome de Tietze est une tuméfaction douloureuse du cartilage d'une des premières côtes (côtes du haut). La douleur thoracique antérieure ressentie spontanément par le patient est majorée par la pression et la toux. Ce syndrome guérit spontanément ou avec une infiltration.

timbre tuberculinique

☞ réactions cutanées à la tuberculine

T.O.G.D.

☞ transit œso-gastro-duodénal

tomodensitométrie

☞ scanner

tomographie

☞ radiologie

torsions du testicule

☞ testicules

toux

La toux est un acte réflexe ou volontaire. Elle permet de rejeter à l'extérieur du thorax, par les voies aériennes, des sécrétions bronchiques ou, plus rarement, un corps étranger, à la suite d'une fausse route alimentaire. C'est toujours un phénomène pathologique dont il importe de préciser la cause avec votre médecin.

Elle peut résulter d'une atteinte des voies aériennes supérieures (fosses nasales, pharynx ou larynx), de l'arbre trachéo-bronchique, du médiastin ou de la plèvre.

Elle peut être *récente*, comme dans la bronchite aiguë : d'abord sèche et douloureuse, elle est accompagnée d'un peu de fièvre, puis elle devient grasse et productive. Ou bien, elle est *ancienne* et implique alors un processus chronique : lorsqu'elle est régulièrement productive – plus de trois mois par an –, elle oriente vers une *bronchite chronique*; lorsqu'elle est saisonnière, elle suggère une *origine allergique*.

La toux qui survient au début de la nuit ou en pleine nuit suggère une *affection allergique* ou même un *asthme*. La toux du matin, associée à l'expectoration, évoque plutôt une *bronchite chronique*. A l'inverse, l'expectoration avec très peu de toux, à tout moment de la journée, déclenchée par certaines positions, fait penser à une dilatation des bronches.

La toux déclenchée par des mouvements avec point de côté évoquera une *pleurésie*. Si elle survient à l'effort, elle suggère plutôt un *problème cardiologique*.

Chez l'enfant, l'apparition brutale de la toux, même ancienne, doit faire penser à l'inhalation d'un corps étranger.

L'association de la toux à une modification de la voix persistant plusieurs jours, ou à une expectoration teintée de sang, doit particulièrement attirer l'attention et amener à consulter votre médecin sans tarder. La toux est un symptôme souvent minimisé, parfois même nié : pour le fumeur, la toux du matin ne mérite pas d'être signalée au médecin, elle constitue pourtant souvent le premier signe d'une maladie dont le traitement est d'autant plus efficace qu'il débute précocement.

Enfin, la toux chez un fumeur implique qu'il doit arrêter de fumer.

☞ ■ expectoration ■ bronchite aiguë ■ bronchite chronique ■ asthme ■ corps étrangers inhalés *(dans le larynx, la trachée ou les bronches)* ■ INDEX THÉMATIQUE *(OTO-RHINO-LARYNGOLOGIE, ALLERGOLOGIE, CARDIOLOGIE)*

toxémie gravidique

☞ ■ éclampsie *(crise d')* ■ grossesse et hypertension artérielle

toxicomanie

La toxicomanie se caractérise par le besoin irrésistible d'utiliser des produits toxiques, licites ou non, dont les plus courants sont le tabac, les médicaments, l'alcool et les drogues dures ou douces.

Si tout produit peut être utilisé de façon toxicomaniaque, sa consommation, même régulière, n'est pas synonyme de toxicomanie. En effet, la toxicomanie suppose une dépendance physiologique et psychologique du sujet au produit. L'O.M.S. (Organisation mondiale de la santé) préfère le terme de pharmaco-dépendance à celui de toxicomanie : « La pharmaco-dépendance est un état psychique et quelquefois également physique, résultant de l'interaction entre un organisme et un produit. Cette interaction se caractérise par des modifications du comportement et par d'autres réactions qui engagent fortement l'usager à prendre le produit de façon continue ou périodiquement afin de retrouver les effets psychiques et parfois éviter un malaise de privation. Cet état peut s'accompagner ou non de tolérance; la tolérance étant un état d'adaptation pharmacologique nécessitant l'augmentation des doses pour obtenir les effets initiaux : une même personne peut être dépendante de plusieurs produits. »

La personnalité du toxicomane

Pour s'installer, la toxicomanie ne suppose pas obligatoirement une structure mentale pathologique. Cependant, certains individus sont prédisposés par leur physiologie, leur psychologie et leur histoire, et deviennent toxicomanes s'ils rencontrent le produit. Il s'agit souvent d'individus immatures ou hypersensibles, anxieux et/ou dépressifs. Le toxique insensibilise, colmate l'angoisse et protège de la dépression.

Le toxicomane ressent un sentiment d'attente désespérée d'une aide extérieure magique qui viendra combler le vide intérieur.

Déviance et délinquance s'associent à l'usage de toxiques par nécessité ou par jeu avec la loi.

Enfance et adolescence du toxicomane

Certains événements survenus dans l'enfance ou l'adolescence favorisent parfois la toxicomanie :
— la consommation excessive de tabac, d'alcool ou de médicaments par les parents;
— l'interrogation ou la découverte par l'adolescent d'une filiation dissimulée par les parents;
— la perte d'un frère ou d'une sœur; l'enfant vivant est considéré non comme un individu à part entière mais comme un substitut de l'enfant mort;
— le père est absent ou ne représente pas la loi; il ne donne pas à l'enfant limites, interdits, valeurs et espoirs;
— le père est supposé ne pas faire jouir la mère.

La prise de toxique n'est parfois que demande de reconnaissance, appel, « crise » d'adolescence. Une réponse adaptée de la famille — en modifiant les jeux relationnels, en posant des limites et en clarifiant les rapports à la loi — peut permettre au jeune de se structurer et le besoin du produit de disparaître.

La prévention repose sur des mesures officielles : information des adultes, aides apportées aux toxicomanes (soins, lieux de vie, réinsertion sociale) et à leur famille (centre d'accueil, de guidance ou de thérapies), lutte active contre le trafic de la drogue.

Mais que pouvons-nous faire individuellement ?
— Développer la solidarité envers le toxicomane et sa famille.
— Assurer à nos enfants une présence du couple parental, affective et effective (limites, interdits, valeurs, espoirs).
— Savoir prendre des mesures éducatives et sanitaires avec l'aide des professionnels de la santé et des spécialistes.

Le médecin de famille est souvent le premier soignant interpelé. Il a un rôle important à jouer auprès du toxicomane et (éventuellement) de sa famille. Il saura tenir compte de la nature du produit consommé, de la quantité et de la régularité des prises, de la personnalité du patient, de son âge, de son état général et du contexte social. Il tentera de nouer une relation de confiance permettant d'attendre et de préparer une demande de sevrage. Il donnera les informations nécessaires sur les centres de soins spécialisés, assurera un soutien pendant et après la cure.

Le médecin, comme toute personne en relation avec un toxicomane, aura la difficile tâche d'être à l'écoute, fiable et ferme, de ne pas se laisser abuser, manipuler ou fasciner, de fixer les limites, de rappeler les lois. Il ne devra pas se laisser décourager par les rechutes qui peuvent, à long terme, favoriser la structuration de l'individu.

La cure de désintoxication, mot clef dans la prise en charge des toxicomanes, mythe et réalité, « synonyme » de guérison, est une phase nécessaire mais non suffisante du processus thérapeutique. Elle doit être préparée et n'être entreprise qu'à la demande du sujet lui-même. Elle peut être assurée en services hospitaliers ou en cure ambulatoire avec l'aide de centres spécialisés et soutenue par une aide psychothérapique.

L'urgence existe, lors de crises de convulsions, comas, etc.; les centres d'urgence et de soins peuvent y répondre mais sevrage, désintoxication et thérapie ne peuvent être entrepris en urgence.

La post-cure peut se dérouler dans des lieux divers : centres communautaires, familles d'accueil, lieux de vie.

Tous les centres de soins — cure et post-cure — de guidance ou de thérapie familiales, de réinsertion sociale sont répertoriés pour la France au : Centre Didro, 9, rue Pauly, 75014 Paris, tél. 45 42 75 00.

La législation concernant la toxicomanie est traitée à l'article certificats médicaux et législation.

toxoplasmose acquise

Cette infection parasitaire n'est dangereuse que pour la femme enceinte non immunisée car elle risque de provoquer chez le fœtus une atteinte neurologique avec un retard mental et des lésions oculaires (toxoplasmose congénitale). Dès les premiers jours de la grossesse, une sérologie* de la toxoplasmose est nécessaire. Cette sérologie, chiffrant le taux de vos anticorps dirigés contre le parasite responsable de la toxoplasmose, permet de savoir si vous êtes ou non protégée contre l'infection.

— *Ce taux est nul* : vous n'avez jamais eu la toxoplasmose, mais vous n'êtes pas protégée; il faut prendre plusieurs précautions.

Vous devez éviter d'être contaminée : la viande doit être bien cuite, les fruits et les légumes bien lavés; évitez le contact des chats.

Vous devez être surveillée pour que soit dépistée le plus tôt possible une éventuelle contamination : refaites une sérologie tous les mois sans attendre l'apparition des signes de la maladie (ganglions, petite rhinopharyngite, discrète éruption, peu ou pas de fièvre), car la toxoplasmose est le plus souvent asymptomatique; si le taux de vos anticorps augmentait avec présence d'IgM (ce sont les anticorps n'apparaissant qu'au début de l'infection), vous seriez en train de contracter la toxoplasmose.

— *Le taux n'est que modérément élevé* : vous avez déjà eu la toxoplasmose, le plus souvent sans vous en être aperçue ; vous êtes protégée.

— *Le taux est élevé* : il faut refaire une sérologie vingt jours plus tard. Si le taux reste stable, il ne s'agit que de la trace d'une infection ancienne. En revanche, si ce taux augmente avec présence d'IgM, vous avez une toxoplasmose acquise récemment.

 ■ grossesse et infections ■ diagnostic anténatal des maladies fœtales ■ fœtus (*état de santé du*)

trachéite

 bronchite aiguë

trachéotomie

 réanimation

transaminases

 ■ bilan sanguin hépatique ■ hépatites virales (*A, B ou non A-non B*)

transfusion

 La transfusion sanguine est un geste médical courant : vous-même ou une personne de votre entourage avez sans doute déjà subi une transfusion de globules rouges. Lorsque votre médecin recourt à la transfusion de produits sanguins, c'est qu'il doit compenser rapidement un déficit de certaines cellules sanguines ou de certains composants plasmatiques mettant votre survie en jeu. En apportant des éléments étrangers à l'organisme, provenant d'un ou plusieurs donneurs, il réalise une sorte de greffe tissulaire qui doit obéir à des règles rigoureuses de compatibilité (▷ sang).

Lorsque des pertes importantes de globules rouges dépassent les possibilités de leur régénération spontanée et font courir ainsi un risque vital, leur transfusion dans votre organisme est une nécessité absolue. Auparavant, votre médecin doit vérifier la compatibilité des globules rouges transfusés avec les vôtres.

En effet, chaque globule rouge porte des signaux de reconnaissance : les antigènes de groupes sanguins. Vous connaissez sans doute le système ABO qui comporte deux antigènes : A et B. Ces antigènes peuvent être présents, isolés ou associés, ou absents à la surface de vos globules. Vous pouvez donc être du groupe A, B, AB ou O. Si vous êtes A ou B, vous disposez dans votre sang des

anticorps capables de détruire des globules rouges portant un autre antigène que le vôtre. Vous ne pourrez donc recevoir que du sang du même groupe. Cela est vrai également si vous êtes du groupe O, mais en revanche, vous pourrez théoriquement donner du sang à n'importe quel receveur. Si vous êtes AB, vous pouvez recevoir du sang de tous les autres groupes mais vous ne pouvez en donner qu'à un malade également AB.

En dehors du système ABO, il existe d'autres groupes importants à considérer, comme le groupe Rhésus ou le groupe Kell.

Le non-respect des règles de compatibilité expose à des accidents graves, consécutifs à la destruction des globules rouges transfusés par les anticorps présents dans le sang du receveur.

Dans certaines indications précises, votre médecin aura besoin d'autres dérivés du sang : plasma, concentrés de plaquettes, concentrés de globules blancs, fractions enrichies en facteurs de coagulation. Les produits dérivés du sang risquent de transmettre une maladie infectieuse, notamment la syphilis, l'hépatite B ou, aujourd'hui, le SIDA. Un contrôle est effectué avant toute utilisation pour éliminer les prélèvements suspects.

transit du grêle

 La radiographie de l'intestin grêle, dit transit du grêle, nécessite une préparation identique à celle des autres examens digestifs : ne pas prendre de produit pouvant donner des résidus opaques intestinaux et être complètement à jeun.

Le but de cette radiographie est de suivre, à travers l'intestin grêle, le transit d'une substance opaque, prise généralement en arrivant au cabinet du radiologue. Des clichés seront pris régulièrement, toutes les demi-heures ou toutes les heures, pour suivre ce transit depuis sa sortie de l'estomac jusqu'à son entrée dans le gros intestin (valvule iléo-cæcale, cæcum).

La durée moyenne de cet examen est de quatre à six heures normalement. Mais selon la pathologie en cause, elle peut se prolonger. Prévoyez toute votre journée pour cette investigation.

transit œso-gastro-duodénal

 C'est un examen radioscopique et radiologique de l'œsophage, de l'estomac et du duodénum, après ingestion d'une substance opaque aux rayons X, à base de sulfate de baryum.

Votre médecin vous a prescrit cet examen, souvent appelé T.O.G.D. : que devez-vous faire et en quoi consiste-t-il ?

Le radiologue devra s'assurer que vous ne prenez aucun médicament pouvant opacifier l'appareil digestif. Il vous demandera de venir à jeun, sans avoir bu, ni mangé, ni fumé depuis la veille ou au minimum huit heures avant l'examen.

Cet examen se fera bien sûr de préférence le matin, où le jeûne est moins difficile à supporter : s'il est fait l'après-midi, en général, en urgence, il faudra de toute façon huit heures de jeûne pour qu'il soit réalisable. On vous fera apporter au cabinet du médecin l'opacifiant nécessaire.

Radiographie de l'œsophage

Elle comporte une *phase radioscopique* qui permet d'apprécier la mobilité de ce viscère, et une *phase radiologique* qui, elle, va fournir des documents sous forme de radiographies.

L'opacifiant, à base de sulfate de baryum aromatisé, que l'on prend par la bouche, peut être soit pâteux, soit plus liquide, ceci selon la pathologie recherchée : dans ce cas, il s'agit d'un *contraste simple*. Si l'on y associe la prise d'air, on réalise un *double contraste*.

Des radiographies seront prises dans différentes positions : couchées, debout. L'œsophage apparaîtra comme un ruban plus ou moins dense, radio-opaque — *contraste simple* —, soit sous forme d'un double liseré opaque, dont l'intérieur est radio-transparent — *double contraste*. Chaque méthode a ses raisons, le double contraste montre particulièrement bien de fines anomalies pariétales.

Radiographie de l'estomac et du duodénum

Très souvent associée à la radiographie de l'œsophage, de préparation identique, en simple ou double contraste, elle permet d'analyser la jonction œsophago-gastrique, afin de dépister les hernies hiatales particulièrement fréquentes, les reflux gastro-œsophagiens, le reste de l'estomac, le bulbe et le duodénum, souvent le siège d'une pathologie notamment ulcéreuse.

transpiration

Vous transpirez de façon excessive et cela vous inquiète :
— vos mains sont moites, parfois ruisselantes de sueur;
— aux pieds et aux aisselles, la transpiration est un facteur de macération qui se complique volontiers d'eczéma, favorise la prolifération des verrues et des mycoses, les mauvaises odeurs;
— la sueur prédispose aux infections, aux allergies, à l'irritation lors de l'emploi de déodorants.

La sécrétion sudorale dans ces trois localisations est surtout déclenchée par les émotions, l'appréhension et les efforts physiques. Portez des chaussures en cuir, évitez le port de chaussures de sport, les chaussettes en matière synthétique ou en laine. Les traitements locaux sont souvent décevants mais méritent d'être essayés. A base de sel

d'aluminium, ils obstruent les pores; malheureusement, ils occasionnent parfois des irritations, notamment quand ils sont appliqués sur une peau humide. Le traitement chirurgical (ablation des glandes sudoripares) est réservé aux formes de transpiration invalidantes.

Vous ne transpirez pas suffisamment. La peau est parfois sèche et cela entraîne des démangeaisons, notamment chez les sujets âgés mais aussi au cours de certaines maladies comme le diabète, la sclérose en plaques, l'ichtyose, l'eczéma atopique, l'insuffisance thyroïdienne.

☞ ■ champignons ■ prurit généralisé ■ verrues

transplantation rénale

☞ greffe du rein

transposition des gros vaisseaux

Il s'agit d'une inversion chez le fœtus des deux artères qui sortent des ventricules : ainsi l'aorte sort du ventricule droit et l'artère pulmonaire du ventricule gauche (▷ cœur du fœtus [malformations et troubles du rythme du], cœur du nouveau-né [malformations congénitales du]).

Cette situation ne permettrait pas la vie s'il n'y avait pas de communication entre le cœur droit et le cœur gauche; il existe toujours des échanges, dans les premiers jours de vie du nouveau-né, par la communication inter-auriculaire et le canal artériel, mais celles-ci peuvent être insuffisantes.

C'est la raison pour laquelle, dès l'entrée dans le service de cardio-pédiatrie, votre nouveau-né sera cathétérisé, c'est-à-dire qu'une sonde spéciale sera montée jusqu'au cœur par l'intermédiaire d'une veine. Cette sonde permettra de perforer la membrane qui sépare les deux oreillettes : le nouveau-né pourra ainsi s'oxygéner de façon satisfaisante. Toutefois, avec la croissance et les besoins accrus d'oxygène, cette situation deviendra inconfortable en quelques semaines ou quelques mois. Il faut alors rétablir une circulation normale. Cet objectif peut être atteint de deux façons : soit, en période néo-natale, en réparant la malformation, c'est-à-dire en replaçant normalement les deux artères sur leurs ventricules; soit en créant un retour anormal des veines afin d'amener l'ensemble du sang bleu vers le ventricule gauche d'où il sera éjecté exclusivement dans l'artère pulmonaire, et l'ensemble du sang rouge vers le ventricule droit où il sera éjecté exclusivement dans l'aorte.

voir dessin page suivante

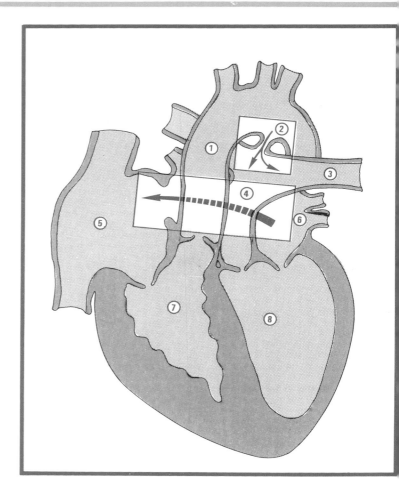

transposition des gros vaisseaux. *Le cœur est normal, mais les artères sont inversées. L'artère pulmonaire ③ naît du ventricule gauche ⑧, et l'aorte ① du ventricule droit ⑦. Ainsi le sang oxygéné retourne au poumon et le sang désoxygéné retourne à l'aorte. Dans cette malformation, l'oxygénation du sang dans le poumon et l'oxygénation des tissus ne peuvent se faire que grâce à la communication entre les oreillettes ④ (oreillette droite ⑤ et oreillette gauche ⑥) et celle entre les vaisseaux ② (canal artériel) indiquées sur le schéma par des flèches.*

■ traumatisme

Le traumatisme est une lésion ou une blessure provoquée par un agent extérieur agissant mécaniquement.

Il ne sera question, dans ce livre, que des accidents traumatiques entraînant des lésions organiques, et non pas du « traumatisme psychique » provoqué par un choc émotionnel.

 ■ accidents ■ plaies ■ doigts sectionnés et réimplantation digitale ■ hémorragie interne ■ secours d'urgence ■ abdomen *(traumatisme fermé de l')* ■ colonne vertébrale *(traumatismes de la)* ■ crâne *(traumatismes du)* ■ membres traumatisés *(entorse, luxation et fracture)*

■ sein *(traumatisme du)* ■ thorax *(traumatisme du)* ■ traumatisme avec écrasement ■ traumatismes bénins *(ecchymose et hématome)*

■ traumatisme avec écrasement

 Tout traumatisme est susceptible d'entraîner des dégâts des parties molles de l'organisme, en particulier de la peau, du tissu sous-cutané et des muscles. Parfois, même les viscères sont lésés en cas de traumatisme thoracique ou abdominal.

Les différents types d'écrasement
— Écrasement de brève durée : la lésion est fonction de la sévérité du choc, pouvant aller d'une éraflure (à traiter comme une plaie simple) à l'éclatement des parties molles (qui nécessite une

intervention chirurgicale réparatrice). Ne sous-estimez pas l'importance des lésions profondes, surtout si vous n'avez pas assisté à l'accident.

— Écrasement de longue durée : quelle qu'en soit la cause (ensevelissement, incarcération, etc.), les lésions apparentes peuvent être variables. Plus l'écrasement est long, plus l'oxygénation musculaire est compromise par défaut d'irrigation, plus l'anoxie s'installe, plus les toxines s'accumulent. Il est fortement recommandé d'éviter un dégagement trop rapide, sans précautions médicales, par crainte de supprimer brutalement ce « garrot naturel » qui libérera dans la circulation les toxines issues de la destruction cellulaire. Un état de choc grave peut alors survenir ainsi que des complications rénales infectieuses. Que faire ? Pas de dégagement intempestif, surveillance des fonctions vitales, alerte des secours. Pour faire davantage, une formation préalable au secourisme est nécessaire.

☞   secours d'urgence

traumatismes bénins
(ecchymose et hématome)

Ecchymose

Il s'agit de la présence de sang dans les couches profondes de la peau. L'apparition d'une ecchymose est secondaire à un traumatisme local, habituellement peu sévère, le plus souvent un frottement ou une striction. La survenue des ecchymoses est plus fréquente chez l'enfant, suite notamment à des jeux quelque peu brutaux. Une ecchymose isolée dont l'origine ne fait aucun doute ne justifie pas l'appel d'un médecin; mais lorsque la nature du traumatisme ou l'origine de l'ecchymose ne sont pas évidentes, une consultation est impérative. Si les ecchymoses se rencontrent sans traumatisme qui les justifie, il faut craindre un trouble de la coagulation et rechercher l'existence d'hématome et de saignements faciles (épistaxis, saignements dentaires). Chez un malade choqué (baisse de tension, malaise), l'ecchymose peut être le témoin d'une hémorragie interne grave de l'abdomen.

Hématome

Il s'agit d'une collection sanguine sous-cutanée. Un hématome n'est jamais totalement spontané : il survient à la suite d'un traumatisme local d'importance variable. Si le volume de l'hématome est trop disproportionné par rapport à la nature du traumatisme, il faut penser à une cause vasculaire ou à un problème de coagulation. A l'inverse, un hématome de petit volume sur une région exposée ne doit pas inquiéter : par exemple, le « bleu » à la face antérieure de la jambe chez un jeune garçon représente un hématome banal, s'il y a eu un choc (coup de pied au football).

Lors de tout choc, il faut craindre la survenue d'un hématome très rapidement; l'application de glace tout de suite après l'accident permet d'en réduire le volume. Si l'hématome est important, il est essentiel de faire appel à un médecin qui appréciera le risque de lésion cachée.

Un hématome volumineux doit souvent être évacué, parfois drainé : cela permet de diminuer considérablement le temps de guérison et, si les gestes sont accomplis avec la plus grande asepsie, d'éviter la surinfection. Seul le médecin peut juger de l'opportunité de ces interventions.

Par ailleurs, de volumineux hématomes peuvent survenir spontanément en cas de troubles graves de la coagulation, soit lors de traitements anticoagulants, soit chez les hémophiles ou les leucémiques.

☞   coagulation

travail *(accident du)*

☞   certificats médicaux et législation

travail lors de l'accouchement

☞   accouchement *(généralités)*

tremblements

Les tremblements sont des mouvements anormaux que l'on retrouve le plus souvent aux membres supérieurs et surtout aux mains. On les rencontre dans certaines conditions non pathologiques, tels les tremblements émotifs ou séniles; mais fréquemment, leur apparition est l'expression d'une maladie. Prenons deux exemples :

— le tremblement des mains, rapide et permanent, évoque une hyperthyroïdie;

— le tremblement lent, qui apparaît au repos et disparaît lors d'un mouvement volontaire ou durant le sommeil, évoque la maladie de Parkinson.

L'apparition d'un tremblement doit donc toujours vous faire consulter votre médecin.

☞   ■ Parkinson *(maladie de)* ■ thyroïde *(glande)*

trichinose

Cette parasitose parfois sévère se rencontre par petites épidémies sur tous les continents. La contamination est due à l'absorption de viandes de porc, de sanglier ou de cheval, insuffisamment cuites ou crues.

La maladie débute par une diarrhée abondante, des vomissements et des douleurs abdominales. Il apparaît ensuite une fièvre, des douleurs musculaires et un œdème de la face. Le malade est fatigué, parfois prostré. Des manifestations allergiques sont possibles : démangeaisons, urticaire, rarement une chute de la tension artérielle.

Le diagnostic est difficile au stade de la diarrhée s'il n'y a pas d'épidémie déclarée, ou si le patient ne se souvient pas avoir ingéré de la viande insuffisamment cuite. Il est confirmé par l'hémogramme (▷ sang) qui découvre une élévation importante du nombre de polynucléaires éosinophiles, ainsi que par l'isolement du parasite dans les selles (coproculture* et examen parasitologique) et la positivité de la sérologie* de la trichinose.

Les médicaments antiparasitaires assurent rapidement la guérison.

Ne mangez pas de viandes de porc, de sanglier ou de cheval insuffisamment cuites ou non contrôlées par les services vétérinaires.

☞ diarrhée aiguë

trichomonas

☞ ■ leucorrhées ■ maladies sexuellement transmissibles

triglycérides

☞ cholestérol, triglycérides et lipides

trisomie 21

La trisomie 21 est due à la présence d'un chromosome supplémentaire, le chromosome 21.

Il est nécessaire de le reconnaître dès la naissance de l'enfant devant les anomalies morphologiques et un retard psychomoteur :
— l'enfant est hypotonique et trop lent. Son faciès est arrondi, son nez est petit et largement implanté, l'angle externe des yeux est situé plus haut que l'angle interne, sa langue tend à sortir de sa bouche; sa nuque est plate;
— le retard psychomoteur de ces enfants est variable mais malheureusement constant : ils ne tiennent pas assis avant un an, ne marchent pas avant 2 ans et parlent tardivement. Ces enfants doux, affectueux et serviables, sont très aimés de leur entourage. Ils peuvent profiter de l'école maternelle avec les tres enfants jusqu'à 5 ou 6 ans, puis sont s   risés dans des instituts spécialisés où seron   veloppées les activités manuelles et artistiques.

La trisomie 21 est un accident inexpliqué que rien ne permet de prévoir, si ce n'est un âge maternel avancé. Ces femmes à risque, c'est-à-dire essentiellement les femmes âgées de plus de 38 ans, peuvent bénéficier d'une amniocentèse*.

Cet examen permet l'étude du liquide amniotique dans lequel flotte le fœtus. On peut ainsi détecter l'anomalie chromosomique responsable du mongolisme à partir de la dix-septième semaine après les dernières règles.

trompe d'Eustache

☞ ■ oreilles ■ otite

tropicales *(maladies)*

Conseils avant le départ en voyage dans un pays tropical

Les conseils concernent les *vaccinations*, la *prévention du paludisme* et l'*hygiène de vie*.

Les vaccinations
Il est recommandé de les effectuer selon le calendrier suivant :
— 1er jour : 1er T.A.B. (typhoïde et paratyphoïdes A et B) + rappel de D.T.P. (diphtérie, tétanos, polio) si la dernière injection remonte à plus de 5 ans;
— 8e jour : fièvre jaune;
— 21e jour : 2e T.A.B.;
— 28e jour : 1er choléra;
— 35e jour : 2e choléra;
— 42e jour : 3e T.A.B.

Ces vaccinations doivent être notées sur un carnet de vaccinations international.

La prévention contre le paludisme
Elle est impérative dans de nombreux pays tropicaux. Elle repose sur la nivaquine : un comprimé 6 jours sur 7 dès le premier jour du voyage, puis pendant 2 mois après le retour.

L'hygiène de vie
Les baignades en eau douce sont interdites. Vous devez éviter de marcher pieds nus sur un sol humide, à l'exception des plages de bord de mer.

En dehors des villes, là où l'hygiène de l'eau n'est pas contrôlée, il est recommandé de ne boire que de l'eau minérale ou de stériliser l'eau en lui ajoutant dix gouttes de permanganate ou trois gouttes d'eau de Javel par litre. Vous pouvez aussi la faire bouillir quinze minutes, puis la refroidir en prenant soin de la protéger de la poussière : cette eau servira à la boisson (le thé est probablement la boisson idéale car il est désaltérant et a été préalablement bouilli), au brossage des dents et au lavage des fruits et légumes consommés crus.

Méfiez-vous des glaçons et des sorbets confectionnés à partir d'une eau douteuse. La viande, le poisson et les crustacés doivent être mangés bien cuits.

Les moustiquaires, la climatisation, les répulsifs, l'ingestion d'infusion de citronnelle vous protégeront efficacement contre les piqûres d'insectes.

Vous emporterez avec vous des antiseptiques pour nettoyer d'éventuelles plaies cutanées, des médicaments antidiarrhéiques et des antiseptiques digestifs pour lutter contre la diarrhée.

Pensez également à vous couvrir la tête, à boire beaucoup (il faut limiter les boissons alcoolisées) lorsque vous serez en plein soleil. Portez des vêtements serrés aux poignets et aux chevilles pour éviter les piqûres d'insectes.

Méfiez-vous, encore un peu plus qu'ailleurs, des maladies sexuellement transmissibles.

Après votre séjour en pays tropical

A votre retour d'un pays tropical, deux situations pathologiques peuvent apparaître; elles imposent une consultation médicale :

La diarrhée
Son diagnostic sera affirmé par l'examen des selles. Il peut s'agir d'une salmonellose, d'une shigellose, d'une amibiase, d'une staphylococcie et, heureusement très exceptionnellement, d'un choléra.

La fièvre
En cas de fièvre, le médecin recherchera alors un autre signe qui guiderait le diagnostic :
– *la fièvre est isolée :* paludisme, fièvre typhoïde;
– *une diarrhée :* salmonellose, shigellose, fièvre typhoïde;
– *un gros foie douloureux* et/ou *un ictère :* amibiase hépatique, paludisme, hépatite virale, fièvre jaune, leptospirose;
– *une grosse rate :* paludisme;
– *un œdème de la face :* trichinose, bilharziose;
– *une anémie :* paludisme.

 ■ **coproculture et examen parasitologique des selles** ■ **fièvre de l'adulte** ■ **diarrhée aiguë** ■ **vaccins et sérums** ■ **paludisme** ■ **hépatites virales** *(A, B ou non A – non B)* ■ **typhoïde** ■ **amibiase** ■ **choléra** ■ **bilharziose** ■ **trichinose** ■ **leptospirose**

tuberculine

 ■ réactions cutanées à la tuberculine ■ tuberculose pulmonaire ■ vaccins et sérums

tuberculose pulmonaire

La tuberculose pulmonaire est une maladie infectieuse résultant de l'entrée dans l'organisme d'une bactérie particulière : le bacille de Koch.

Depuis cinquante ans, la fréquence de cette maladie a beaucoup diminué grâce à l'amélioration de l'hygiène de vie, puis à la généralisation de la vaccination par le B.C.G. (bacille de Calmette et Guérin).

Le traitement par les médicaments antituberculeux permet maintenant la guérison dans la quasi-totalité des cas. Pourtant la tuberculose frappe encore, particulièrement les personnes de bas niveau socio-économique, en premier lieu les immigrés et certaines collectivités (foyers de travailleurs, foyers de personnes âgées, cités de transit, etc.).

Deux principales manifestations de la tuberculose doivent être distinguées : la *primo-infection tuberculeuse* et la *tuberculose pulmonaire proprement dite.*

La primo-infection tuberculeuse

Vous n'avez jamais été vacciné par le B.C.G. ou votre vaccination est trop ancienne pour être encore efficace. Différents symptômes peuvent attirer votre attention :
– ganglions cervicaux ou sous-maxillaires,
– fatigue et amaigrissement inexpliqués,
– petite fièvre persistante,
– conjonctivite, érythème noueux (petites nodosités sous la peau des membres, douloureuses et disparaissant spontanément).

Parfois simplement un contrôle systématique par la radiographie pulmonaire ou un test cutané à la tuberculine – en médecine du travail ou en médecine scolaire – vont faire soupçonner la primo-infection.

Tous les symptômes cités plus haut sont dus à la première pénétration du bacille de Koch dans votre organisme jusqu'ici indemne de tout contact tuberculeux antérieur.

Votre médecin posera le diagnostic de primo-infection tuberculeuse sur un élément décisif : le virage de la réaction cutanée à la tuberculine. Ceci suppose qu'il connaisse l'état des réactions cutanées antérieures et qu'il pratique une injection intra-dermique de tuberculine. Si celle-ci est positive, alors que les réactions antérieures ne l'étaient pas, la primo-infection est très probable.

On conçoit alors l'intérêt de faire régulièrement ces tests cutanés chez les personnes non vaccinées par le B.C.G., ou dont la vaccination remonte à plus de dix ans, et de consigner les résultats sur le dossier médical.

Une fois le diagnostic posé ou suspecté, votre médecin demandera un ou plusieurs examens de l'expectoration et des urines pour y rechercher le bacille de Koch, et une radiographie* des poumons. Dans la majorité des cas, ces examens sont normaux. Parfois la radiographie montre déjà des signes d'atteinte tuberculeuse, souvent associée à des signes généraux (toux, fièvre, fatigue, amaigrissement).

Le médecin fera ensuite une enquête dans votre entourage proche, à l'aide d'examens radiologiques pulmonaires, afin de dépister la personne contaminante.

L'hospitalisation n'est en général pas nécessaire pour commencer le traitement, sauf si les lésions pulmonaires sont déjà importantes ou si l'expectoration contient de nombreux bacilles tuberculeux : l'isolement en milieu spécialisé est alors nécessaire en début de traitement pour éviter la contagion; il n'excède en général pas un mois.

Si la primo-infection tuberculeuse n'est pas dépistée et reste sans traitement, huit fois sur dix, tout rentre dans l'ordre, et aucune complication ultérieure ne survient. Mais une ou deux fois sur dix vont survenir des complications :
— *dissémination du bacille dans l'organisme* avec atteinte de la rate, du foie, de l'appareil urogénital, du squelette, etc. La méningite tuberculeuse reste une manifestation redoutable et redoutée de cette dissémination, bien que sa fréquence ait beaucoup diminué. Au pire on constate une tuberculose miliaire, résultant d'une dissémination de petites granulations tuberculeuses dans tout l'organisme, affectant en particulier les poumons mais aussi les autres viscères;
— *tuberculose pulmonaire* proprement dite par réactivation du foyer de primo-infection non traitée.

Tuberculose pulmonaire

Vous avez eu une primo-infection tuberculeuse mais celle-ci est passée inaperçue.

A l'occasion d'une période de surmenage, d'une dépression, d'une intervention chirurgicale, d'une maladie infectieuse ou même d'un traitement médical, vos défenses immunitaires amoindries ont permis la réactivation de l'ancien foyer de primo-infection.

Les symptômes qui vont vous alerter sont là encore très variables :
— crachements de sang,
— grippe «traînante», bronchite à répétition tenace avec ou sans expectoration purulente mais parfois teintée de sang,
— fatigue anormale, amaigrissement important, fièvre prolongée, sueurs nocturnes,
— douleur sur le côté révélatrice d'une pleurésie.

Votre médecin, orienté par ces symptômes, après vous avoir examiné et interrogé sur vos antécédents, vos vaccinations antérieures et les maladies de votre entourage, demandera une radiographie* des poumons, complétée éventuellement par des tomographies* qui, presque toujours, montreront des signes évocateurs de tuberculose.

Le souci de votre médecin, aidé alors par le pneumologue, sera de mettre en évidence le bacille de Koch, afin de confirmer le diagnostic : plusieurs jours de suite, votre expectoration sera recueillie, le matin à jeun, pour être analysée au laboratoire. Si les bacilles de Koch sont très nombreux, ils seront tout de suite identifiés. Si les lésions pulmonaires sont peu importantes et les bacilles peu nombreux, ceux-ci ne seront identifiés qu'après «mise en culture» de l'expectoration pendant trois à six semaines.

Parfois le pneumologue consulté pratiquera une endoscopie* bronchique afin d'aspirer directement dans les bronches les sécrétions pour les analyser. Il est possible de tester en laboratoire la sensibilité des bacilles aux différents médicaments antituberculeux, ce qui permettra de guider le traitement ultérieur avec le maximum de précision.

L'hospitalisation sera éventuellement décidée

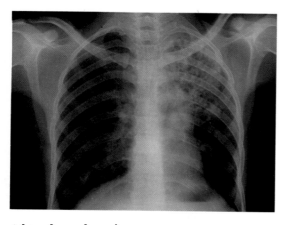

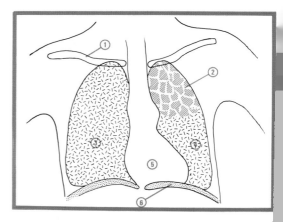

tuberculose pulmonaire. *La partie supérieure du poumon gauche est le siège de lésions tuberculeuses diffuses qui régresseront après un traitement adapté (ci-dessus, à gauche). Ci-dessus, à droite :* ① *clavicule,* ② *infiltrat tuberculeux,* ③ *poumon droit,* ④ *partie inférieure du poumon gauche (non touché par les lésions tuberculeuses),* ⑤ *cœur,* ⑥ *diaphragme.*

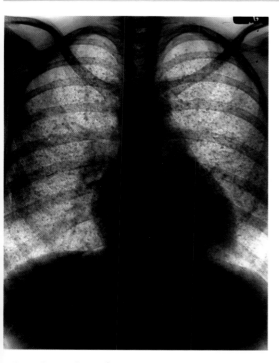

tuberculose pulmonaire : *miliaire tuberculeuse. Les deux poumons sont parsemés de petites granulations : il s'agit d'une atteinte tuberculeuse sévère mais qui guérira sans séquelles si le traitement est précoce et correctement suivi.*

par votre médecin, sur les conseils du pneumologue, dans les cas suivants :
— grande abondance des bacilles dans votre expectoration, ce qui constitue un risque majeur de contamination pour votre entourage ;
— pleurésie importante s'accompagnant d'essoufflements ;
— lésions pulmonaires importantes accompagnées de crachements de sang abondants ;
— altération importante de votre état général (gros amaigrissement, fièvre élevée).

Cette hospitalisation en service spécialisé ne dépassera pas un mois en général.

Enfin, le médecin traitant aura pour souci de dépister d'autres cas de tuberculose dans votre entourage par la radiographie des poumons et un test cutané à la tuberculine.

Quels que soient le siège, l'étendue et l'ancienneté des lésions tuberculeuses, un traitement anti-infectieux spécifique sera mis en route, visant à détruire la totalité des bacilles de Koch contenus dans votre organisme. Il comprend dans la majorité des cas trois médicaments antituberculeux pendant trois mois, puis deux médicaments seulement pendant six à neuf mois, soit une durée totale

de traitement de neuf à douze mois. Les principaux médicaments employés sont la rifampicine, l'izionazide, l'éthambutol et, plus rarement, la pirazinamide et la streptomycine.

L'administration de ces médicaments nécessite une surveillance attentive par votre médecin, qui pratiquera régulièrement en début de traitement des examens biologiques afin de dépister une intolérance éventuelle, en particulier au niveau hépatique. L'efficacité des médicaments sera contrôlée par des radiographies pulmonaires régulières et des examens de l'expectoration en début de traitement.

La certitude d'obtenir une guérison complète nécessitera de votre part le respect rigoureux des règles suivantes :
— prise des médicaments en une fois le matin ;
— poursuite du traitement au minimum pendant neuf mois, en respectant les posologies prescrites ;
— accepter durant toute la durée du traitement une surveillance médicale régulière et les examens complémentaires nécessaires afin de dépister d'éventuelles complications.

La reprise de toutes les activités professionnelles normales est en général possible dès la fin du deuxième mois de traitement, parfois plus précocement s'il s'agit d'une tuberculose minime n'ayant pas nécessité d'hospitalisation.

 ■ vaccins et sérums ■ réactions cutanées à la tuberculine ■ hémoptysie ■ pleurésie

 tularémie

La tularémie est une infection transmise par les lièvres et les petits rongeurs sauvages (rats des champs, écureuils, taupes).

Vous êtes exposé à la maladie si vous vivez à la campagne ou y avez séjourné récemment, ou encore si votre profession est exposée : gardes forestiers et gardes-chasse, chasseurs, vétérinaires, cuisiniers, marchands de gibiers, de fourrures, tanneurs, éleveurs de petits rongeurs (cobayes) ou d'animaux à fourrure, travailleurs de laboratoire en contact avec des petits rongeurs.

La maladie sera évoquée par votre médecin devant une fièvre élevée, un gros ganglion unique, douloureux, siégeant le plus souvent dans l'aisselle, une ulcération cutanée douloureuse là où le germe a pénétré votre peau (habituellement sur la main).

Le diagnostic est affirmé par l'isolement du germe dans le liquide de ponction du ganglion, par la positivité de la sérologie* de la tularémie et de la cutiréaction à la tularine.

Les antibiotiques assurent rapidement la guérison. Le port de gants et de bottes pendant les heures de travail est recommandé si votre profession vous expose à la tularémie.

tumeurs

Les cellules tumorales dérivent de celles, normales, d'un tissu dont elles ont gardé certains caractères qui permettent de les identifier au microscope. Contrairement aux tissus normaux, les tumeurs se développent pour leur propre compte, finissant par gêner ou léser l'organisme qui les porte.

Tumeurs bénignes et tumeurs malignes

— *Les tumeurs bénignes* ont une croissance lente, refoulant le tissu sain sans le détruire; leurs limites sont bien nettes, séparées du tissu sain par une capsule; elles ne donnent pas de colonies à distance et récidivent rarement après avoir été enlevées chirurgicalement;

— *Les tumeurs malignes* ou cancers ont une croissance souvent plus rapide, anarchique, avec de nombreuses divisions cellulaires, envahissant les tissus voisins qu'elles pénètrent sans démarcation nette. De plus, elles ont tendance à se propager à distance : des cellules cancéreuses colonisent les ganglions lymphatiques par les canaux de même nom, puis tous les organes par les vaisseaux sanguins. Ces colonies à distance s'appellent *métastases*.

Classification des tumeurs bénignes les plus fréquentes

— *Les tumeurs épithéliales*, dérivées des épithéliums ou tissus de revêtement; par exemple : verrues, papillomes de la peau, condylomes des organes génitaux.

— *Les tumeurs glandulaires* : polype du côlon, adénome du sein, de la prostate... Certaines tumeurs glandulaires deviennent kystiques par l'accumulation en leur centre de sécrétion des glandes qui ne s'écoule pas à l'extérieur; par exemple : kyste sébacé développé à partir des glandes sébacées de la peau, kyste mammaire, kyste de l'ovaire.

— *Les tumeurs conjonctives*, dérivant des tissus de soutien : ostéome sur l'os, lipome ou boule de graisse, angiome ou tumeur vasculaire, chéloïde, fibrome et fibromyome de l'utérus...

— *Les tumeurs pigmentaires* : nævus ou grain de beauté.

De nombreuses tumeurs bénignes sont traitées dans ce dictionnaire : ▷ polypes du côlon et du rectum, boule dans un sein, boule dans le cou, nævus, verrues, lipome, fibromes de l'utérus.

Il faut noter que certaines tumeurs bénignes peuvent à la longue se transformer en cancer : on dit qu'elles dégénèrent.

Classification des tumeurs malignes : ▷ cancer.

tumeurs cérébrales

Les lésions expansives intra-crâniennes évoluent habituellement en deux phases : une *période initiale*, parfois « muette » mais, parfois aussi, marquée par des symptômes focalisés (paralysie, troubles visuels, aphasie, etc.) qui vont s'étendre en tache d'huile; une *période d'hypertension intra-crânienne* liée au volume de la tumeur ou à la production d'une hydrocéphalie.

L'un des symptômes suivants peut être révélateur d'une tumeur cérébrale :

— *l'hypertension intra-crânienne* qui est une symptomatologie tardive et nécessite des examens urgents;

— *l'épilepsie* est un signe révélateur fréquent des tumeurs cérébrales; toute épilepsie récente, apparaissant après vingt-cinq ans, impose la recherche d'une tumeur;

— *les signes neurologiques déficitaires*, notamment l'apparition progressive d'un déficit moteur ou sensitif d'un hémicorps, ou des troubles de l'équilibre et de la coordination;

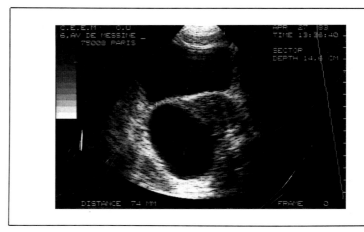

tumeurs. *Échographie pelvienne; tumeur kystique de l'ovaire.*

— les troubles visuels, en particulier une diplopie par paralysie oculo-motrice, une hémianopsie latérale homonyme ou bitemporale (atteinte du champ visuel), une baisse de l'acuité visuelle;

— les troubles cochléo-vestibulaires, surtout la surdité unilatérale progressive, plus rarement les vertiges et bourdonnements d'oreille;

— les troubles olfactifs avec anosmie (perte de l'odorat) sont un signe fréquent des tumeurs frontales;

— les troubles mentaux sont fréquents dans l'évolution d'une tumeur cérébrale; mais ils peuvent être révélateurs: confusion mentale, syndrome démentiel, syndrome frontal avec trouble du comportement, indifférence, jovialité et perte de l'autocritique;

— enfin, des troubles endocriniens peuvent révéler une tumeur de l'hypophyse: l'aménorrhée et la galactorrhée (absence de règles et écoulement de lait par le mamelon), l'apparition d'une malformation et l'hypertrophie des mains et des pieds, du nez, des oreilles.

L'apparition de l'un de ces troubles doit évoquer une tumeur cérébrale et vous faire consulter votre médecin.

L'examen neurologique que ce dernier réalisera montrera souvent quelques signes neurologiques déficitaires; le fond* d'œil indique parfois un œdème papillaire qui signe l'hypertension intracrânienne. Les radiographies du crâne retrouveront rarement des calcifications. L'électro-encéphalogramme* montrera souvent des signes de souffrance cérébrale.

Dans tous les cas, le scanner* cérébral est indispensable pour affirmer le diagnostic. Lors de l'hospitalisation, une artériographie* cérébrale ou un examen par résonance* magnétique nucléaire (R.M.N.) seront parfois nécessaires pour compléter le bilan.

Le traitement des lésions expansives intracrâniennes est chirurgical, à l'exception des tumeurs gliales malignes (gliomes) lorsqu'elles siègent dans des zones fonctionnelles importantes, des métastases multiples, de certaines tumeurs profondes du cerveau, de la plupart des tumeurs du tronc cérébral et de certaines tumeurs bénignes découvertes chez des sujets âgés.

La radiothérapie et la chimiothérapie associées à la corticothérapie seront utilisées lorsque la chirurgie n'est pas réalisable ou, en complément, pour les tumeurs cancéreuses.

 ■ hypertension intra-crânienne ■ épilepsie ■ aphasie

tutelle

 certificats médicaux et législation

tympanoplastie

 otite

tympans

■ oreilles ■ otite ● otorrhée
(ou écoulement d'oreille)

typhoïde

La typhoïde doit être évoquée devant toute fièvre isolée qui se prolonge plus de trois jours. Parfois des critères épidémiologiques et cliniques mettent plus rapidement sur la voie du diagnostic, cependant aucun d'entre eux n'est constant:

— les critères épidémiologiques sont le retour après un séjour dans un pays tropical, l'ingestion d'eau ou de lait douteux, de coquillages ou de légumes crus, les professions exposées (égoutiers, employés de laboratoire de bactériologie);

— les critères cliniques sont les maux de tête, l'insomnie, la somnolence et l'abattement, la diarrhée dans un cas sur trois ou au contraire la constipation avec des vomissements, des taches rosées sur l'abdomen (très rares), la présence d'une grosse rate.

La typhoïde est affirmée par les examens complémentaires: hémocultures*, coprocultures*, sérologie* spécifique. Le germe responsable est une salmonelle typhique. Parfois les examens isolent une salmonelle paratyphique para A ou para B responsable d'affections voisines: les paratyphoïdes A et B.

Une antibiothérapie progressive et soutenue pendant deux semaines permet la guérison. Le traitement doit être mené de préférence à l'hôpital pour dépister la survenue des rares complications de la maladie: occlusion intestinale, hémorragie digestive, troubles du rythme cardiaque, problèmes nerveux.

On contrôle les coprocultures* des personnes de l'entourage. Le malade est isolé vingt jours, ou moins longtemps si deux coprocultures à huit jours d'intervalles sont négatives. Les toilettes doivent être nettoyées à l'eau de Javel après chaque selle.

En zone d'endémie, évitez l'ingestion d'eau, de glaçons et de lait douteux, de coquillages et de légumes crus.

La vaccination est obligatoire pour les militaires et les professions exposées. Elle est recommandée avant un voyage en pays tropical.

 ■ fièvre de l'adulte ■ vaccins et sérums ■ tropicales (maladies)

ulcère de jambe

L'ulcère de jambe se manifeste par une perte de peau; il siège fréquemment au tiers inférieur de la jambe. Sa cicatrisation est souvent longue et difficile, entraînant des préjudices professionnels et personnels.

La survenue d'un ulcère de jambe impose une consultation médicale rapide. La négligence en ce domaine est source de nombreuses complications, notamment infectieuses. La prévention du tétanos par la vaccination et la sérothérapie sont impératives.

Votre médecin devra résoudre deux problèmes : quelle est la cause de l'ulcère ? Comment assurer la cicatrisation ? En effet, le traitement du trouble responsable doit toujours être entrepris parallèlement au traitement symptomatique assurant la cicatrisation.

On attribue les ulcères de jambes à la pathologie vasculaire :

— l'*insuffisance veineuse chronique* est la cause la plus fréquente (la stase veineuse est responsable d'œdème, de lésions trophiques qui aboutissent à une atrophie de la peau puis à l'ulcère); elle se rencontre au cours de la maladie variqueuse ou de la maladie post-phlébitique associée parfois aux varices (▷ phlébite, varices);

— l'*insuffisance artérielle* provoque un défaut d'oxygénation des tissus, entraînant une perte de substance (▷ artérite); l'ulcère artériel est plus rare;

— l'ulcère a parfois une origine mixte, *veineuse et artérielle*; dans le cas de diagnostic difficile, votre médecin aura recours à des examens complémentaires (▷ Doppler et échographie des vaisseaux, artériographie).

Le traitement de l'ulcère de jambe est donc nécessairement celui de la cause : varices, phlébites, artérite des membres inférieurs. Son *traitement symptomatique*, seul envisagé ici, comprend trois phases : désinfection, détersion et cicatrisation. (Attention : la vaccination antitétanique du patient doit être obligatoirement tenue à jour.)

— Les soins seront quotidiens au début. Dans un premier temps, on luttera contre la surinfection qui retarde la cicatrisation et risque de s'étendre aux tissus adjacents, voire se généraliser.

— Votre médecin prescrira des bains de pieds avec des solutions antiseptiques, suivis, au début, d'une détersion douce effectuée à l'aide d'une pince ou d'une petite curette qui vise à débarrasser délicatement la plaie des tissus morts et à éliminer les croûtes. Il existe des produits absorbants qui permettent de nettoyer la plaie : ce sont des poudres constituées de microsphères qui absorbent les sérosités.

— Lorsque l'ulcère est propre, bien détergé, le bourgeonnement du fond de la plaie va pouvoir s'amorcer, pour devenir granuleux, formé de petits bourgeons rosés. L'épidermisation s'amorce. Divers produits sont à la disposition de votre médecin pour stimuler le bourgeonnement de l'ulcère : tulle gras, pâtes, poudres ou plaque de mousse enduites de principes actifs utilisables même lors de la phase de détersion. A ce stade, les pansements seront effectués tous les trois jours jusqu'à la guérison. Lorsque la cicatrisation est longue à obtenir ou lorsque l'ulcère est de grande taille, des greffes cutanées peuvent être effectuées

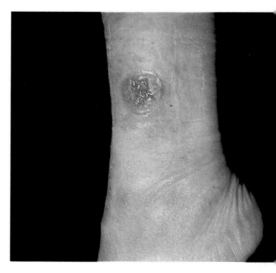

ulcère de jambe. *Cet ulcère de la face antérieure de la jambe est probablement d'origine artérielle. Le Doppler permettra d'en préciser formellement la cause.*

ulcère gastrique et duodénal

On appelle ulcère une perte de substance au niveau de la paroi interne de l'estomac ou du duodénum (muqueuse gastro-duodénale). Les causes en sont nombreuses, en particulier :

— l'hyperacidité due à l'hyperfonctionnement du nerf pneumogastrique et/ou à un facteur hormonal : augmentation de la gastrine d'origine gastrique ou exceptionnellement pancréatique (syndrome de Zollinger et Ellison);

— une diminution des mécanismes de défense de la paroi gastrique ou duodénale vis-à-vis de l'agression acide comme celle que l'on peut observer lors d'un reflux duodéno-gastrique de bile, ou d'une gastrite...

— il est aussi des causes particulières tels le stress (ressenti par exemple par le malade soigné en réanimation), la prise d'anti-inflammatoires ou l'hypercalcémie.

Vous avez des douleurs du creux épigastrique (au-dessus du nombril) semblables à des brûlures ou des crampes d'estomac; elles surviennent longtemps après les repas et sont calmées par l'alimentation. Elles évoquent l'ulcère surtout si elles se manifestent par périodes de plusieurs semaines entrecoupées d'accalmies complètes de plusieurs mois. Le propre de la maladie ulcéreuse est en effet sa tendance à évoluer par périodes douloureuses de 8, 15 jours, voire plus, où le patient souffre quotidiennement, entrecoupées de périodes de rémission de plusieurs mois ou années sans dou-

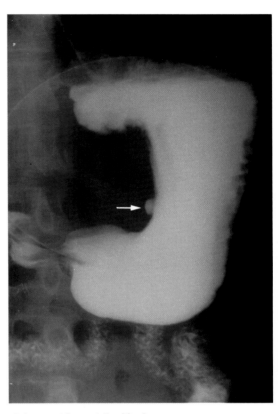

ulcère gastrique et duodénal. *Cette radiographie (transit gastro-duodénal) montre un ulcère de l'estomac sous la forme d'une petite image « d'addition » (indiquée par la flèche) remplie de baryte.*

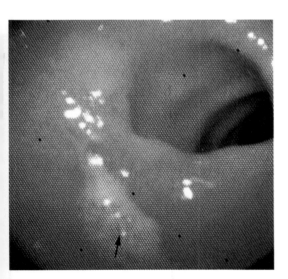

ulcère gastrique et duodénal. *Cette vue endoscopique montre la fausse membrane blanchâtre (indiquée par la flèche) qui recouvre un ulcère du bulbe duodénal (les biopsies sont inutiles ici).*

leur. Il existe ainsi souvent 2 à 3 périodes douloureuses par an (printemps et automne). De plus, certains ulcères, surtout les ulcères dits aigus ou de stress, sont révélés par un saignement digestif isolé. L'hémorragie digestive est parfois déclenchée par la prise d'aspirine ou d'anti-inflammatoires que les ulcéreux doivent donc éviter. Les autres complications sont la sténose (resserrement), source des vomissements, et la perforation, source de péritonite.

Afin d'authentifier l'ulcère et son siège, votre médecin demandera une radiographie de l'estomac et du duodénum (transit* œso-gastro-duodénal) et une endoscopie* qui permet un examen précis. On pratique alors des biopsies*, systématiques en cas d'ulcère de l'estomac, afin d'éliminer un cancer toujours possible à cet endroit. L'endoscopie gastrique est aussi le meilleur examen pour confirmer la guérison de l'ulcère après traitement.

Le traitement médical comprend :

— quelques règles d'hygiène et de diététique, notamment éviter les anti-inflammatoires dont

l'aspirine, et le tabac, le café, l'alcool…;
— des médicaments : anti-sécrétoires, qui régulent l'activité sécrétoire de l'estomac, anti-acides, qui neutralisent l'acidité gastrique, « pansements gastriques » qui forment un film protecteur.

Le traitement chirurgical est indiqué dans certaines complications et en cas d'ulcères récidivants ou résistant au traitement médical. Il consiste en l'ablation partielle ou totale de l'estomac (gastrectomie) ou en la section de rameaux du nerf pneumogastrique.

☞ ■ **hémorragie digestive haute** *(œsophage, estomac et duodénum)* ■ **anti-inflammatoires cortisoniques et non cortisoniques** ■ **stress** ■ **estomac** *(cancer de l')*

ultrasonographie

☞ échographie

urémie

☞ **insuffisance rénale chronique**

urétrite

☞ **maladies sexuellement transmissibles**

urétrographie

☞ **urographie intra-veineuse**

urgence

☞ **secours d'urgence**

urines

Les urines sont caractérisées par leur volume, la qualité de leur émission, leur couleur, leur odeur et les données de certains examens de laboratoire.

Le volume urinaire normal est compris entre 0,5 et 2,5 litres par jour; sa diminution, appelée *oligurie*, peut être due à :
— *une réponse physiologique des reins* qui « retiennent » l'eau afin de maintenir l'équilibre hydrique de l'organisme lorsque les boissons sont insuffisantes ou les pertes trop abondantes (transpiration profuse, diarrhée, vomissements);
— *une rétention d'urine* provoquée par un obstacle sur les voies urinaires; le malade a alors une envie d'uriner impérieuse et douloureuse qu'il ne peut satisfaire;
— *une insuffisance rénale.*

L'augmentation du volume urinaire normal, appelée *polyurie*, si elle n'est pas provoquée par l'abondance des boissons ou par un traitement diurétique, révèle parfois une maladie : diabète, hypercalcémie, insuffisance rénale…

Les anomalies de l'émission des urines sont souvent intriquées.
— *La pollakiurie* correspond à l'envie d'uriner fréquemment : elle évoque la présence d'une infection urinaire ou, chez l'homme, celle d'un adénome de la prostate.
— *Des mictions douloureuses* font rechercher une infection urinaire, une urétrite.
— Un retard à l'émission des urines, une *faiblesse du jet* font suspecter, chez l'homme, la présence d'un adénome de la prostate.

L'incontinence urinaire, plus fréquente chez la femme, est une perte involontaire des urines apparaissant d'abord à l'effort. Elle est souvent le témoin d'un prolapsus utérin (« *descente d'organe* »). L'émission inconsciente d'urine la nuit, fréquente chez les enfants, s'appelle *énurésie*.

Les anomalies de l'urine peuvent porter sur leur couleur. Des urines rouges sont parfois la conséquence d'une ingestion de betteraves rouges. Il faut cependant toujours rechercher la présence de sang dans les urines. Un traitement par un médicament contenant du bleu de méthylène colore les urines en bleu-vert. Si les urines sont couleur bière brune, cela évoque une jaunisse (▷ ictère).

Un aspect trouble peut être dû à une modification physico-chimique des urines, non pathologi-

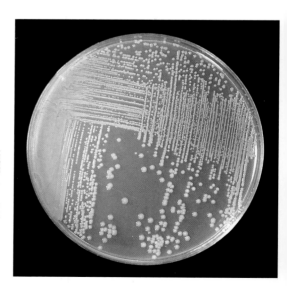

urines *(examen cyto-bactériologique des). Le biologiste étale linéairement, sur un milieu de culture propice à la croissance des germes, une goutte de l'urine infectée. (Ici chaque point blanc correspond à une colonie de colibacilles.) Il sera ensuite aisé de prélever une colonie afin d'étudier la sensibilité de la bactérie aux antibiotiques (▷ antibiogramme).*

que, ou à la présence de pus ou *pyurie* traduisant l'existence d'une infection urinaire; cette anomalie peut être également la seule manifestation d'une lithiase urinaire (▷ ce mot).

L'odeur des urines peut être modifiée par une ingestion d'asperge, une infection urinaire (dysurie avec pollakiurie et urines troubles).

Les examens de laboratoire finissent de caractériser les urines :
— la présence de cristaux fait suspecter une erreur diététique, une alimentation en boissons insuffisante, une lithiase urinaire;
— un compte de bactéries supérieur ou égal à 100 000/ml traduit l'existence d'une infection urinaire (▷urines [examen cyto-bactériologique des]);
— l'urine peut contenir des protéines (▷ protéinurie);
— l'hématurie est révélée par le compte d'Addis...

☞   INDEX THÉMATIQUE *(NÉPHROLOGIE)*

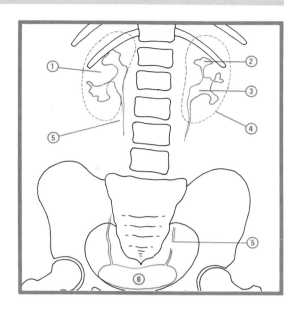

urines *(examen cytobactériologique des)*

L'examen cyto-bactériologique des urines (E.C. B.U.) consiste à examiner et à mettre en culture les urines prélevées lors de la miction ou, plus rarement, lors d'un sondage vésical.

Le recueil des urines doit obéir à des règles d'asepsie très strictes : recueil des premières urines matinales après toilette soigneuse de l'orifice urétral; flacon stérile; ne prélever que le milieu de la miction et éliminer les premières et les dernières gouttes; reboucher immédiatement le flacon; le porter rapidement au laboratoire (ou le laisser peu de temps dans le réfrigérateur) où il sera immédiatement examiné et ensemencé sur des milieux de culture.

L'étude du culot urinaire (sédiment après centrifugation) permet très rapidement de suspecter une infection urinaire. L'isolement du germe responsable de l'infection nécessite quarante-huit heures. Il sera toujours pratiqué un antibiogramme, afin de tester la sensibilité du germe aux antibiotiques. L'examen est pratiqué avant tout traitement, pendant et parfois après traitement, afin de vérifier la stérilisation des urines. Chez le nourrisson, le recueil des urines peut nécessiter la pose d'une poche stérile que l'on portera au laboratoire dès l'émission des urines.

urographie intra-veineuse

L'urographie intra-veineuse est une radiographie de l'appareil rénal après administration, par injection ou perfusion intra-veineuse, d'une substance opaque aux rayons X s'éliminant par les reins.

urographie intra-veineuse. *L'urographie intra-veineuse permet principalement de visualiser les voies urinaires excrétrices (calices, bassinets, uretères, vessie). Ci-dessus :* ① *kyste,* ② *calice et* ③ *bassinet (cavités rénales),* ④ *reins,* ⑤ *uretère,* ⑥ *vessie. Sur cette radiographie (ci-dessous), les calices et le bassinet droits sont déformés par la présence d'un kyste.*

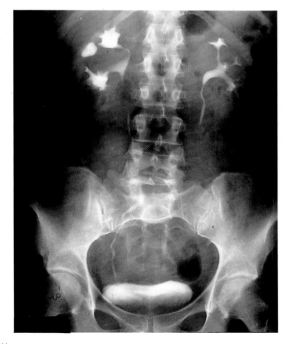

Pour effectuer cet examen, le radiologue vous demandera :
— de ne plus prendre, au moins 4 ou 5 jours avant, tout médicament pouvant opacifier l'intestin ;
— si vous faites des allergies ;
— de faire un dosage de l'urée ou de la créatinine sanguine, afin d'apprécier le fonctionnement rénal ;
— de ne plus boire après le dîner précédant l'examen (on vous demandera parfois de venir à jeun).

Après administration de la substance opaque, l'examen dure normalement une heure environ, selon le rythme de fonctionnement de vos reins. Des clichés seront pris toutes les cinq minutes pendant environ trente minutes, afin d'enregistrer la sécrétion et la forme des reins. La substance opaque sera éliminée totalement par les urines, en quarante ou cinquante minutes, en fin d'examen.

Afin de préciser certains clichés urographiques, on pratiquera des *tomographies* pour examiner des calculs, des petites lésions de l'appareil urinaire.

On complète généralement l'urographie intra-veineuse par d'autres radiographies :
— une *cystographie* ou examen de la vessie ; faite en cours d'urographie, au moment où la substance opaque se rassemble dans la vessie, elle est dite descendante ; faite en complément de l'urographie intra-veineuse, par sondage de l'urètre, elle est dite ascendante ;
— une *urétrographie* ou examen de l'urètre.

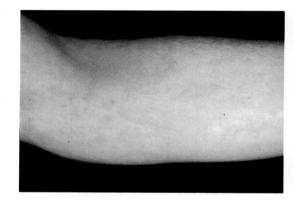

urticaire et œdème de Quincke. *Ces marbrures de couleur rouge qui s'accompagnent de démangeaisons et de gonflement témoignent d'une urticaire.*

doit être distingué de l'œdème angio-héréditaire ou maladie de Quincke, affection rare, due à un déficit génétique, dont les manifestations sont analogues mais le traitement très différent.

 ■ **allergique** *(êtes-vous)* ■ **allergènes** ■ **désensibilisation**

urticaire et œdème de Quincke

A la suite d'une impression de chaleur soudaine sur une partie de votre peau, vous découvrez en l'examinant l'apparition de plaques rouges, légèrement bombées et qui sont le siège de vives démangeaisons : il s'agit d'une crise d'urticaire. Parfois, toute une partie de votre corps se met à enfler de façon rapide : c'est alors un œdème de Quincke.

L'urticaire aiguë relève quelquefois d'une cause alimentaire ou médicamenteuse facile à découvrir. L'*urticaire chronique*, en relation avec une maladie générale ou des causes allergéniques difficiles à préciser, a un diagnostic plus complexe qui nécessitera le recours à un allergologue. Autre type d'urticaire : celle dite « aux agents physiques », provoquée par la sudation, la chaleur, le soleil ou le froid. La plupart des crises d'urticaire réagissent bien à la prise d'un antihistaminique.

Les crises d'œdème de Quincke ne sont préoccupantes que lorsqu'elles atteignent le carrefour pharyngé, comprimant la partie haute des conduits respiratoires. Dans ce cas, un traitement d'urgence, à base de corticoïdes essentiellement, ou une hospitalisation, s'impose. L'œdème de Quincke

utérus

L'utérus est un muscle creux qui occupe la région centrale du petit bassin.

Il est constitué de deux parties distinctes : en haut le corps utérin de forme triangulaire, prolongé dans sa partie inférieure par un cylindre creux, le col de l'utérus.

Le corps de l'utérus est constitué de fibres musculaires entrecroisées dans tous les plans de l'espace ; ces fibres se contracteront lors de l'accouchement pour exercer une poussée expulsive de haut en bas sur le bébé. Cette paroi musculaire limite une cavité triangulaire qui s'ouvre en haut au niveau des deux cornes, se prolonge dans les trompes et en bas rejoint le vagin par l'intermédiaire du canal endo-cervical. Cette cavité est tapissée d'un tissu appelé endomètre ou muqueuse utérine. Cette muqueuse est sensible à l'action des hormones ovariennes, folliculine et progestérone, qui tous les mois en modifient la structure et la préparent à assurer la survie et la nidation de l'œuf fécondé ; c'est en effet dans la cavité utérine que se développera la grossesse.

Le col de l'utérus est cylindrique, constitué essentiellement de fibres circulaires ; ces fibres assurent en cours de grossesse le verrouillage inférieur de la cavité utérine.

La partie tout inférieure du col fait saillie dans la cavité vaginale sous forme d'un tronc de cône centré par l'orifice inférieur du canal cervical. Elle est tapissée, comme le vagin, d'un tissu constitué de cinq couches de cellules en constant remaniement et dont la desquamation est à l'origine des pertes physiologiques (▷ leucorrhées); cette muqueuse est sensible à l'action des hormones ovariennes et varie de structure tout au long du cycle (▷ frottis du col de l'utérus).

Le canal cervical lui-même est tapissé d'une muqueuse dont les cellules sont elles aussi sensibles à l'action des hormones ovariennes: avant l'ovulation, sous l'action de la folliculine, ces cellules sécrètent un mucus à l'origine de la glaire cervicale dont la perméabilité, la filance et la structure physico-chimique vont permettre le passage des spermatozoïdes et accroître considérablement leur mobilité. Immédiatement après l'ovulation, la sécrétion de progestérone rend cette glaire pauvre et opaque. La glaire contient des substances antimicrobiennes et assure une excellente barrière contre les infections ascendantes (du vagin vers l'utérus et les trompes). C'est à la jonction des deux revêtements différents de la partie externe et interne du col que naîtront les cancers du col de l'utérus; c'est à ce niveau qu'ils seront repérés par les frottis du col.

☞ **gynécologique** (examen)

uvéite

C'est une inflammation de l'«uvée», c'est-à-dire: iris, corps ciliaire, choroïde. Elle peut être d'origine locale (sinus, dents) ou générale (rhumatismes, toxoplasmose, etc.).

vaccins et sérums

A la suite d'une petite blessure, votre médecin vous a fait une injection. S'agit-il d'un *sérum* ou d'un rappel de *vaccin*? Il est capital pour vous de bien faire la distinction entre ces deux sortes de thérapeutique.

Le *sérum* est le liquide qui exsude du caillot lorsque le sang est coagulé. Lorsqu'il provient d'un animal ou d'un sujet bien immunisé, il apporte des anticorps. Ceux-ci agissent de façon instantanée mais peu durable: ils seront éliminés en trois à quatre semaines environ par le sujet qui les aura reçus et les considérera comme étrangers.

Un *vaccin* est une substance (ou un mélange) composée de virus, de bactéries ou de toxines bactériennes dont on a atténué ou fait disparaître la virulence. Injecté ou absorbé, il va, dans un délai variable, faire apparaître dans l'organisme des modifications (production d'anticorps et/ou mécanismes lymphocytaires) qui permettront à ce dernier de se défendre contre la maladie en cause ou de l'éviter. Son action est lente, surtout s'il s'agit d'une primo-vaccination; elle est beaucoup plus rapide en cas d'injection de rappel, et plus durable.

Les principaux vaccins sont:

Le vaccin antivariolique
Longtemps obligatoire, ce vaccin ne l'est plus depuis juillet 1979. Découvert par Jenner en 1796, il consistait en une petite scarification inoculant une petite goutte de pus d'une maladie de la vache, le *cow-pox*. Ce pus contenait un virus vivant et donnait une maladie bénigne au sujet, la «vaccine» entraînant la production d'anticorps. L'immunité de la vaccine étant croisée avec celle de

la variole, cette méthode protégeait efficacement contre la terrible maladie. On estime que la variole a pu ainsi être totalement éliminée de la surface du globe. C'est un succès remarquable qui prouve l'efficacité de la vaccination.

Le vaccin antipoliomyélitique

De découverte plus récente, ce vaccin se présente sous deux formes : *virus tué* (souvent associé aux vaccins antidiphtérique ou antititanique) ou *virus atténué*. Il est obligatoire chez l'enfant et l'adulte jeune. Son efficacité est démontrée : il protège efficacement contre la poliomyélite, affection invalidante vis-à-vis de laquelle il n'existe aucune thérapeutique efficace pour empêcher les paralysies, une fois la maladie déclarée. Trois injections, ou prises orales, à un mois d'intervalle sont nécessaires, suivies d'un rappel un an après, puis tous les cinq ans. Il est le plus souvent proposé associé aux vaccins contre le tétanos, la diphtérie et la coqueluche (voir p. 446 le calendrier des vaccinations).

Le vaccin contre le tétanos

Le tétanos reste une maladie grave, très souvent mortelle. Sa prévention est absolue par le vaccin antitétanique. La maladie se caractérise par une diffusion d'une toxine dans tout l'organisme. La vaccination consiste à injecter une toxine dont la virulence est atténuée afin de faire produire des anticorps antitoxiques. La conduite à tenir, en cas de plaie, est expliquée à l'article tétanos*.

Le vaccin contre la diphtérie

Autrefois très répandue, la diphtérie était une maladie fréquemment mortelle à la suite d'une angine à fausses membranes suivie de paralysie du voile du palais. La vaccination par une toxine atténuée (*anatoxine*) protège efficacement contre cette redoutable affection.

Le vaccin anticoquelucheux

La coqueluche, maladie caractérisée par des quintes de toux évoquant le « chant du coq », est une maladie grave lorsqu'elle atteint l'enfant très jeune, surtout avant deux ans. Le vaccin anticoquelucheux est constitué de bacilles tués. Il provoque une assez bonne immunité mais sa tolérance est variable suivant les enfants; il peut provoquer des réactions locales et générales dans certains cas. Les rappels sont inutiles après l'âge de deux ans.

Le vaccin contre la rougeole, contre la rubéole, contre les oreillons

Le *vaccin antimorbilleux* est un virus vivant atténué qui protège contre la rougeole. Cette affection de l'enfance est souvent peu grave en elle-même mais elle est presque toujours suivie de complications (bronchite, otite, etc.) dues à l'affaiblissement des défenses immunitaires de l'organisme. La vaccination n'est pas obligatoire mais est très souhaitable (même si la rougeole est régulièrement bénigne dans les pays développés). Elle est possible dès le quatorzième mois. On dispose d'un vaccin simple, double (rougeole et rubéole) et triple (rougeole, rubéole et oreillons). La vaccina-

tion est très efficace et sans danger (les effets indésirables se résument parfois à une petite fièvre exceptionnellement accompagnée d'une discrète éruption, entre les cinquième et douzième jours suivant la vaccination). Son intérêt principal est d'éviter les complications neurologiques de la rougeole (*encéphalites*) qui sont rares mais graves.

La rubéole est une des maladies les plus bénignes et sa prévention n'aurait pas de sens si elle ne constituait une redoutable menace chez la femme enceinte. En effet, la survenue d'une rubéole dans les trois premiers mois d'une grossesse risque d'entraîner chez le fœtus la survenue de malformations congénitales importantes. De ce fait, si l'immunité contre la rubéole n'est pas apparue à la suite d'une maladie dans l'enfance, il est recommandé de vacciner les jeunes filles avant l'âge de mariage.

Le vaccin contre les oreillons est sans danger; il n'est pas obligatoire mais conseillé; une injection suffit à protéger efficacement contre la maladie et ses complications.

Le vaccin antituberculeux

Ce vaccin (B.C.G. : bacille de Calmette et Guérin) constitue une prévention efficace de la tuberculose. La loi rend cette vaccination obligatoire pour de très nombreuses catégories de la population, et pratiquement tous les sujets de moins de vingt-cinq ans doivent avoir été vaccinés. Le B.C.G. est actuellement de plus en plus pratiqué bien avant l'âge scolaire, souvent dès la première année.

Les techniques de vaccination sont au nombre de trois : scarifications, multi-puncture (bague) et injection intra-dermique. Cette dernière technique est de loin la plus efficace quoique un peu plus difficile à réaliser, surtout chez les nourrissons.

Après une vaccination par le B.C.G., le médecin doit contrôler quelques mois plus tard le « virage » de la réaction cutanée à la tuberculine (classique cutiréaction). La positivité du test cutané est la traduction de la protection conférée par le vaccin. Celle-ci dure environ dix ans, parfois plus. En pratique, le vaccin doit être refait lorsque le test cutané devient négatif.

Les incidents sont rares et presque toujours sans gravité : *ulcération* au point d'injection qui cicatrisera toujours mais parfois en plusieurs semaines; apparition d'*adénopathie* à proximité de la région où a été faite la vaccination, sans gravité, évoluant toujours spontanément vers la guérison (▷ réactions cutanées à la tuberculine).

Le vaccin antigrippal

Chaque année, le virus de la grippe entraîne un grand nombre de maladies, graves chez les personnes âgées. Le vaccin antigrippal consiste à injecter des virus tués, cultivés au préalable sur l'œuf embryonné de poulet. Chaque année, l'O.M.S. (Organisation mondiale de la santé) recommande aux laboratoires producteurs de vaccins le choix de souches de virus à utiliser à la suite d'une enquête épidémiologique effectuée sur le plan mondial. L'efficacité du vaccin antigrippal n'est pas aussi

vaccins et sérums. *Vaccination en Afrique : les maladies infectieuses restent un fléau ; il faut vacciner les enfants du monde entier.*

Calendrier des vaccinations

Âge	Vaccins
4ᵉ mois	Diphtérie - tétanos - coqueluche - polio (D.T.C.P.)
5ᵉ mois	D.T.C.P.
6ᵉ mois	D.T.C.P.
14ᵉ mois	Rougeole - oreillons - rubéole (R.O.R.)
18ᵉ mois	1ᵉʳ rappel de D.T.C.P.
entre 0 et 6 ans	Bacille de Calmette et Guérin (ou B.C.G. : vaccin antituberculeux). L'efficacité du vaccin sera régulièrement contrôlée par des tests tuberculiniques. Une vaccination s'impose lorsque ces tests sont négatifs.
6 ans	2ᵉ rappel de **D.T.P.** (la vaccination contre la coqueluche n'est plus nécessaire).
11 ans puis tous les 5 ans	rappels de **D.T.P.**

N.B. Les vaccinations contre la grippe, le pneumocoque, l'hépatite B, la typhoïde, la rage sont réservées aux sujets exposés à la maladie.
Les vaccinations contre la fièvre jaune et le choléra sont parfois exigées avant de partir pour un pays tropical.
La vaccination antivariolique n'est plus nécessaire.

bonne que celle des vaccins antitétanique ou antidiphtérique : on lui reproche un certain nombre d'échecs. En outre, il ne protège pas contre d'autres maladies dont les symptômes sont voisins de ceux de la grippe mais qui sont dues à des virus différents.

Qui vacciner contre la grippe ? Les personnes âgées de plus de soixante-cinq ans, les personnes atteintes d'une affection respiratoire chronique (bronchite chronique, asthme, emphysème), les cardiaques, les insuffisants rénaux et les sujets soumis aux hémodyalises répétées, les diabétiques, les enfants atteints d'une cardiopathie ou d'une insuffisance respiratoire, les femmes enceintes en raison des risques d'avortement (le nouveau-né profitera pendant ses cinq premiers mois des anticorps de sa mère, ce qui est particulièrement intéressant si la naissance est prévue en automne), les fumeurs plus exposés aux complications sévères, les professions dites « indispensables »

(agents de la sécurité, militaires, personnels soignants des hôpitaux).

La meilleure période pour vous faire vacciner sera septembre, octobre ou novembre; une injection suffit. La vaccination doit être répétée tous les ans. Il n'existe qu'une très rare contre-indication : l'allergie reconnue aux protéines de l'œuf. Les réactions mineures surviennent rarement : une rougeur ou une douleur locale; parfois une fièvre de un ou deux jours ne dépassant pas 38°5 C.

Le vaccin antipneumococcique

Le pneumocoque est fréquemment responsable d'otites, de pneumonies, de méningites. La mortalité due à ces infections, bien que très réduite grâce aux antibiotiques (la pénicilline surtout), reste encore importante parmi les personnes à risque qu'on incitera à se faire vacciner. Doivent être vaccinés : les sujets à qui on a retiré la rate ou chez qui la rate est inefficace (par exemple les sujets atteints de drépanocytose), les personnes âgées, les bronchiteux chroniques, les éthyliques, les insuffisants cardiaques.

Le vaccin antipneumococcique est inutile avant l'âge de deux ans et contre-indiqué pendant la grossesse ou lors d'une infection. Une seule injection suivi d'un rappel tous les trois ans suffit à entretenir l'immunité. On peut l'associer au vaccin de la grippe; les réactions sont fréquentes mais mineures: douleur et rougeur locale, fièvre discrète et passagère.

Le vaccin anticholérique

Ce vaccin, composé de vibrions tués, est recommandé pour les séjours dans les pays où le choléra est endémique, mais il n'est pas indispensable. Il est efficace dès le sixième jour après l'injection et pendant six mois. Deux injections à une semaine d'intervalle sont nécessaires.

Le vaccin anti-amaril

La fièvre jaune est une maladie grave, très souvent mortelle, vis-à-vis de laquelle il n'existe actuellement pas de thérapeutique efficace. Le virus responsable (*virus amaril*) est inoculé à l'homme à la suite d'une piqûre d'insecte. La fièvre jaune sévit en Afrique, en Asie et en Amérique inter-tropicale. La vaccination s'impose avant le départ. Elle est efficace dès le dixième jour. Elle ne peut être pratiquée que dans un centre agréé. Un certificat international est d'ailleurs exigé pour se rendre dans ces régions. Certains sujets ne peuvent néanmoins tolérer ce vaccin : il serait alors déraisonnable pour eux de se rendre en zone endémique.

Le vaccin T.A.B.

Ce vaccin protège pendant deux à trois ans, malheureusement incomplètement, contre la typhoïde et les paratyphoïdes A et B.

La vaccination contre l'hépatite virale B

Elle a prouvé son efficacité. Elle nécessite trois injections à un mois d'intervalle, puis un rappel un an après, ensuite tous les cinq ans. Les sujets à protéger sont le personnel médical, les patients polytransfusés et dialysés. Elle devrait être pratiquée chez les homosexuels et leurs partenaires, ainsi que chez les drogués.

Vaccinations des sujets allergiques

Des précautions particulières doivent être prises dans le cas de sujets allergiques, en particulier avec certains vaccins (anticoquelucheux, anti-amaril). Les vaccins viraux cultivés sur œuf embryonné de poulet sont contre-indiqués chez les sujets présentant une allergie prouvée aux protéines de l'œuf, ce qui est tout à fait exceptionnel. En général, moyennant certaines précautions que vous indiquera votre médecin, la majorité des vaccinations peut être effectuée.

Vaccination des femmes enceintes

Seuls les vaccins vivants sont contre-indiqués chez la femme enceinte, les autres vaccinations peuvent être effectuées sans appréhension.

valves cardiaques *(maladie des)*

Le jeu normal des valves pendant le cycle cardiaque consiste en une succession d'ouvertures et fermetures complètes (▷ cœur et circulation sanguine).

Il y a schématiquement deux types de maladies valvulaires : le rétrécissement et l'insuffisance valvulaires.

En cas de rétrécissement, la valve ne peut s'ouvrir complètement, d'où un orifice valvulaire de taille inférieure à la normale et un flux sanguin insuffisant à travers cet orifice rétréci. La chambre cardiaque qui doit se vider en aval par un orifice rétréci voit son travail augmenter considérablement; pour développer cette force, ce surcroît de travail, les parois de cette cavité située en amont du rétrécissement s'hypertrophient. Cet épaississement pariétal, d'abord bénéfique, finit par se compliquer d'insuffisance cardiaque. En aval du rétrécissement, les conséquences sont liées à la diminution de la circulation sanguine. Tous les phénomènes énumérés ci-dessus s'observent principalement en cas de rétrécissement valvulaire serré.

L'insuffisance valvulaire est l'absence de fermeture valvulaire correcte. Ainsi, au lieu de suivre son trajet normal d'amont en aval, le sang reflue en amont; la conséquence en est une congestion en amont et une dilatation des cavités cardiaques situées en amont de la valve atteinte. Lorsque l'insuffisance valvulaire est importante, elle peut se compliquer d'insuffisance cardiaque.

Les deux mécanismes d'atteinte valvulaire, rétrécissement et insuffisance, peuvent coexister sur la même valve et/ou sur plusieurs valves.

Atteinte de la valve mitrale

Le rétrécissement mitral est le plus souvent une séquelle d'un rhumatisme articulaire aigu, mais aussi de façon beaucoup plus rare d'origine congénitale. Affectant la valve située entre l'oreillette et le ventricule gauche, il a pour principale conséquence une congestion de l'oreillette gauche et des poumons. Il se traduit, quand il est serré, par un essoufflement, surtout d'effort, et des palpitations. L'échographie* cardiaque en permet facilement le diagnostic. Le traitement du rétrécissement mitral modéré et bien toléré consiste en une hygiène de vie correcte, en une surveillance cardiologique régulière – une à deux fois par an –, complétée par la prévention et, le cas échéant, le traitement sous couverture antibiotique, des problèmes dentaires (en raison du risque d'endocardite qu'ils font courir au patient). En cas de rétrécissement serré et, surtout, mal toléré, on peut recourir au traitement chirurgical : soit simple ouverture chirurgicale de l'orifice rétréci (ou commissurotomie), soit remplacement de l'ensemble de la valve malade par une prothèse valvulaire.

L'insuffisance mitrale peut être due au rhumatisme articulaire aigu, à une endocardite, à des lésions dégénératives avec un vieillissement excessif de l'ensemble de la valve. Elle peut aussi être due à un allongement de l'appareil d'amarrage de la valve au ventricule, avec un tissu valvulaire trop abondant et siège de boursouflures : c'est la ballonnisation mitrale. Quand elle est volumineuse, elle se traduit par un essoufflement d'effort, puis nocturne. L'échographie cardiaque et l'enregistrement Doppler* en permettent le diagnostic. Le traitement de l'insuffisance mitrale importante et mal tolérée est chirurgical : c'est le plus souvent un remplacement valvulaire. Le patient atteint d'une insuffisance mitrale modérée et/ou bien tolérée doit être régulièrement suivi, avec toujours les mêmes précautions quant à la prévention de l'endocardite d'origine dentaire.

Atteinte de la valve aortique

Le rétrécissement aortique est la diminution du calibre de l'orifice situé entre le ventricule gauche et l'aorte. Il entrave la vidange du ventricule dans l'aorte. Il peut être d'origine rhumatismale. Le plus souvent, il est dit dégénératif : il est observé chez le sujet de plus de cinquante ans, et en rapport avec un vieillissement de la valve qui se calcifie.

Lorsqu'il est serré, le rétrécissement aortique se complique de symptômes anormaux survenant à l'effort : essoufflement, angine de poitrine, syncopes. Le diagnostic en est confirmé par le phonomécanogramme et l'échographie cardiaque. Le rétrécissement aortique serré et mal toléré doit être traité de façon radicale, soit chirurgicalement par un remplacement valvulaire, soit, lorsque cela est possible, par une dilatation de la valve; il s'agit là d'une modalité thérapeutique récente, qui ne nécessite pas d'opération chirurgicale : elle implique que l'on monte dans l'aorte une sonde munie d'un ballonnet à son extrémité, ballonnet que l'on gonfle pour forcer le barrage de la valve rétrécie.

L'insuffisance aortique est le reflux anormal de sang, pendant la diastole (phase de repos du cœur), de l'aorte dans le ventricule gauche, dû à la mauvaise fermeture (ou à l'absence de fermeture) des valves aortiques en diastole. Elle reconnaît plusieurs causes : le rhumatisme articulaire aigu, l'endocardite, l'anévrysme de l'aorte en sont les principales. Quand elle est volumineuse et mal tolérée, elle entraîne essoufflement et angine de poitrine ; elle doit alors être éradiquée chirurgicalement par remplacement valvulaire.

Dans tous les cas de maladie valvulaire aortique, il est impératif de subir un examen stomatologique tous les six mois et de prévenir l'infection dentaire.

 ■ souffle au cœur ■ rhumatisme articulaire aigu ■ endocardite bactérienne ■ cardiaque *(hygiène de vie du)*

  varicelle

La varicelle est une infection virale bénigne sauf lorsqu'elle affecte une femme enceinte non immunisée, c'est-à-dire qui n'a pas eu la varicelle, et un malade immunodéprimé.

L'éruption de la varicelle apparaît quatorze jours après la contamination. Elle est faite de vésicules prurigineuses typiques, ressemblant à des gouttes de rosée, clairsemées sur l'ensemble du corps, n'épargnant ni le cuir chevelu, ni les muqueuses buccales, génitales et oculaires : trois ou quatre poussées successives, peu ou pas fébriles, peuvent survenir à trois jours d'intervalle.

Chaque vésicule se rompt, puis devient croûteuse. Les croûtes tombent en une dizaine de jours ; il peut persister quelques cicatrices, surtout là où l'enfant s'est gratté.

Le malade, contagieux tant que les vésicules ne

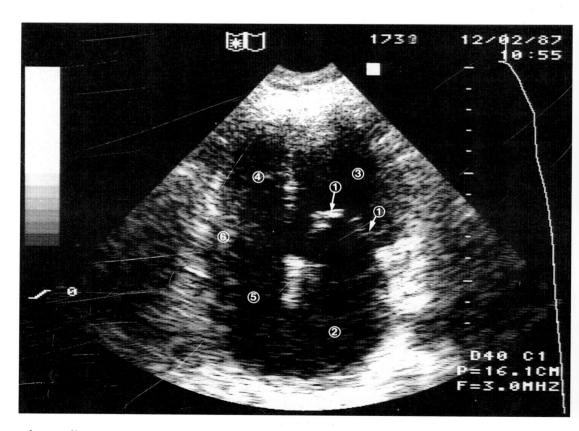

valves cardiaques *(maladie des). Le rétrécissement mitral. L'échographie permet facilement le diagnostic de rétrécissement mitral. La valve mitrale ①, bien visualisée, est anormale, épaisse, rétractée, avec une ouverture incomplète. Le retentissement de l'atteinte valvulaire est patent : oreillette gauche ② dilatée. Ventricule gauche ③, ventricule droit ④, oreillette droite ⑤, valve tricuspide ⑥.*

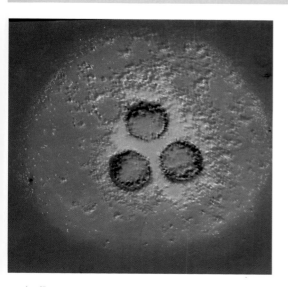

varicelle. *Virus de la varicelle.*

sont pas toutes recouvertes de croûtes, gardera la chambre environ huit à dix jours.

La prescription d'un sirop antihistaminique permet de soulager les démangeaisons. Il est recommandé de couper court les ongles des mains, et de les brosser soigneusement, ainsi que de tamponner les lésions avec un antiseptique afin d'éviter les surinfections cutanées.

varices

La maladie variqueuse est une affection fréquente qui touche plus d'un Français sur trois. Son incidence socio-économique est importante, et son coût annuel deux fois plus élevé que celui du diabète. C'est une affection invalidante, récidivante et évolutive qui doit donc être surveillée et traitée.

Les varices sont des dilatations anormales et permanentes des veines superficielles avec altération de leur paroi. Cette maladie héréditaire, touchant surtout la femme, est favorisée par certaines situations : station debout prolongée, chaleur, obésité, prise de pilule, grossesses répétées.

Les varices peuvent être *primitives* ou *secondaires*. Les *varices primitives* sont les plus fréquentes; elles sont dues à une incontinence des valvules veineuses superficielles, ce qui entraîne un reflux sanguin et une surcharge veineuse dilatant le réseau superficiel. Beaucoup plus rares sont les *varices secondaires* à une phlébite profonde ou à une fistule artérioveineuse.

Pour des raisons esthétiques et/ou fonctionnelles, vous devez consulter votre médecin afin d'établir un bilan veineux. Seules la palpation et la percussion du trajet des veines saphènes permettent d'affirmer si le patient a des varices ou non. En effet, de nombreuses varices sont palpables, mais non visibles : on parle alors de *varices internes* qui peuvent provoquer non seulement certains troubles fonctionnels − lourdeur, douleur, crampes, œdème des chevilles, impatiences... −, mais aussi des petites taches disgracieuses ou varicosités sur la face interne du genou ou sur la face externe de la cuisse.

Le traitement des varices internes par sclérose ou chirurgie fera disparaître vos troubles et vos varicosités.

La sclérose consiste à injecter dans une veine variqueuse une substance chimique irritante pour la tunique interne de la veine. Il s'ensuit une réaction inflammatoire aboutissant à la formation d'un cordon dur et fibreux imperméable à toute circulation sanguine. Il s'agit donc d'une technique qui ne nécessite ni hospitalisation, ni anesthésie générale, et qui donne d'excellents résultats. Les indications des scléroses sont : les varices diffuses non systématisées, les varicosités, les varices résiduelles et récidivantes après stripping.

Non traitées, les varices exposent à de nombreuses complications : l'eczéma, l'hémorragie variqueuse, les phlébites superficielles (ou paraphlébites) et surtout le redoutable ulcère variqueux.

Les moyens thérapeutiques que l'on peut opposer aux varices sont nombreux : médicaments phlébotoniques, contention par bandes et bas élastiques, cures thermales, injections sclérosantes ou éventuellement stripping chirurgical.

L'expérience montre cependant que le respect d'une certaine hygiène de vie a presque autant d'importance que l'ensemble des moyens thérapeutiques mis en œuvre. Il faudra donc :
− *éviter la chaleur*, car elle provoque une dilatation importante du système veineux superficiel, notamment :
le chauffage excessif de l'appartement (pas plus de 19°);
le chauffage par le sol (sinon portez des sabots en bois);
les bains trop chauds, les couvertures chauffantes, les bouillottes;
l'épilation à la cire chaude;
les chaussettes épaisses, les bottes fourrées; les bains de soleil prolongés;
− *éviter la station debout prolongée et le piétinement* : si le travail impose une station debout prolongée, faites de temps en temps une petite marche et, si possible, quelques pas sur la pointe des pieds; si le travail impose une station assise, évitez de croiser les jambes (ce qui bloque le retour veineux); placez une cale de 10 cm sous les pieds du lit, afin de favoriser le retour veineux pendant la nuit;
− *éviter l'excès de poids :* la surcharge pondérale

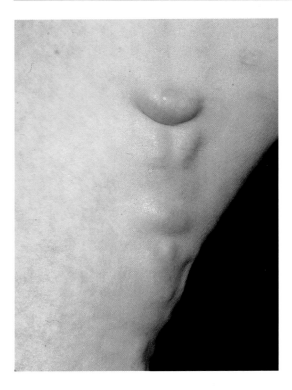

varices. *Les grosses varices ne peuvent être sclérosées car elles sont trop dilatées. Ce patient devra subir une intervention chirurgicale.*

ralentit le retour veineux;
— *éviter de porter des vêtements trop serrés ou des chaussures inappropriées :* les gaines, panties, bloquent le retour veineux; les chaussures trop plates écrasent mal la semelle veineuse plantaire, alors que les talons trop hauts inhibent la pompe musculaire du mollet; portez des chaussures permettant un bon étalement de l'avant-pied, avec un talon d'environ 5 cm;
— *éviter certains sports,* surtout ceux qui impliquent des « à-coups », comme le tennis, l'haltérophilie; vous ferez, en revanche, de la marche, du golf, de la natation.

● **L'injection sclérosante**

Les piqueurs de varices *(phlébologues)* et les arracheurs de veines *(chirurgiens)* utilisent des méthodes tout à fait complémentaires. Le but thérapeutique final est la suppression du reflux veineux superficiel. Sachez que :
— l'injection sclérosante est indolore (seule la sclérose des varicosités peut donner une impression de pincement);
— un jour ou deux après l'injection, vous pourrez

parfois ressentir soit localement, soit à distance du lieu d'injection, un petit cordon chaud et sensible qui correspond à une forte réaction de sclérose et qui est sans danger;
— la sclérose des varices nécessite plusieurs séances; à l'occasion de chaque consultation, le phlébologue, après avoir palpé la zone sclérosée, apprécie si la dose et la concentration du produit sclérosant utilisé étaient suffisantes ou non;
— dès les premières injections, les douleurs disparaissent, les œdèmes diminuent et les varicosités s'éclaircissent;
— après quelques séances de sclérose, votre état veineux est stabilisé; mais comme la maladie variqueuse est évolutive, une surveillance annuelle reste nécessaire.

Les grosses varices ne peuvent pas être sclérosées. Elles doivent être confiées au chirurgien qui réalisera un *stripping*, c'est-à-dire un arrachage de la veine malade sous anesthésie générale.

 ■ veines ■ jambes lourdes *(et parfois douloureuses)* ■ jambes douloureuses ■ phlébite ■ ulcère de jambe

 varicocèle

 La varicocèle est une tuméfaction indolore, molle et bleutée, située au contact du testicule. Il s'agit d'une hypertrophie du réseau veineux dont le retour est gêné.
— Si elle affecte le testicule droit, sa cause locale est le plus souvent retrouvée et la cure chirurgicale sera facile malgré un risque de récidive. La gêne du retour veineux peut se situer plus haut dans l'abdomen, et un bilan rénal sera systématiquement fait dans tous les cas.
— Si elle affecte le testicule gauche, sa cause est une anomalie de l'implantation de la veine spermatique dans la veine rénale : cette anomalie entraîne un reflux qui distend le retour veineux.

Chez le sujet jeune, l'existence d'une varicocèle impose la chirurgie, car une souffrance du testicule avec baisse de la fertilité peut progressivement apparaître *(oligo-asthéno-spermie).*

☞ stérilité du couple

variole

La vaccination antivariolique n'est plus recommandée depuis l'extinction de la maladie. Certains pays l'exigent encore : si vous comptez vous y rendre, renseignez-vous avant votre départ, car la législation peut changer d'un jour à l'autre.

☞ vaccins et sérums

végétations

 amygdales et végétations

végétations vénériennes

 Appelées aussi « crêtes de coq », les végétations vénériennes sont de petites tumeurs bénignes, contagieuses, d'origine virale, transmises le plus souvent à l'occasion des rapports sexuels. Il s'agit de petites excroissances rosées dont la surface est semblable à celle d'un chou-fleur.

Chez l'homme, elles siègent sur le gland, le prépuce, l'orifice urinaire. Chez la femme, elles se développent sur la région vulvaire ainsi que sur la paroi vaginale ou le col de l'utérus : la contamination de l'enfant lors de l'accouchement est alors possible.

Elles peuvent siéger autour de l'anus. Dans ce cas, il faudra s'assurer, grâce à un examen simple et indolore – l'anuscopie –, qu'il n'y a pas de végétations vénériennes dans le canal anal.

 La destruction des végétations vénériennes est impérative. Votre médecin aura recours à l'application d'azote liquide ou à l'ablation chirurgicale après anesthésie locale (bistouri électrique ou laser CO_2). Le traitement simultané des deux partenaires est toujours nécessaire ainsi que l'abstention des rapports sexuels jusqu'à la guérison.

 maladies sexuellement transmissibles

veines

 Les veines sont des conduits qui ramènent le sang de la périphérie vers le cœur. Les membres inférieurs sont drainés par deux réseaux veineux, l'un *superficiel*, l'autre *profond*, qui communiquent entre eux par des veines perforantes.

Le *réseau superficiel* ne draine qu'un dixième du sang; il est situé juste sous la peau et au-dessus des

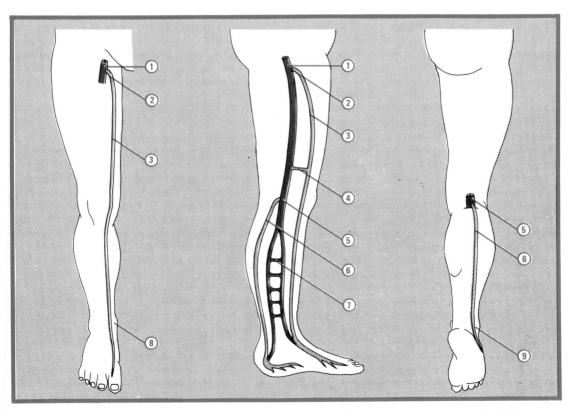

veines. *Schéma des veines du membre inférieur :* ① *veine fémorale,* ③ *veine saphène interne,* ② *crosse de la veine spahène interne,* ⑧ *maléole interne,* ④ *veine perforante,* ⑤ *veine poplité,* ⑥ *veine saphène externe,* ⑦ *veine tibiale antérieure,* ⑨ *maléole externe.*

muscles. Sa dilatation provoquera des varices, et son obstruction entraînera une paraphlébite (phlébite superficielle). Il est formé par deux troncs principaux : la veine saphène interne et la veine saphène externe qui reçoivent de nombreuses afférences tout le long de leur trajet (voir schéma des veines du membre inférieur, p. 451).

Le *réseau profond* draine les neuf dixièmes du sang. Constitué par les veines satellites des artères (en général deux veines par artère), il est situé dans la profondeur des muscles. L'obstruction de ces veines provoquera une phlébite profonde.

La contraction des muscles du mollet, les valvules situées dans la lumière (l'intérieur) de la veine, l'écrasement de la semelle veineuse de la plante des pieds sont les principaux moyens qui permettent à la colonne sanguine de remonter des pieds vers le cœur contre les effets de la pesanteur.

 ■ **jambes douloureuses** ■ **jambes lourdes** (*et parfois douloureuses*) ■ **phlébite** ■ **varices**

ventre
(chirurgie esthétique du)

Les vergetures, l'excédent cutané avec des formations de plis, l'excédent de graisse peuvent être corrigés par la chirurgie esthétique.

— Les vergetures, succédant à la grossesse, sont très difficiles à corriger, car elles intéressent une surface cutanée souvent trop importante. Les formes limitées, plus rares, sont, elles, accessibles à la chirurgie.
— L'excès de graisse, lorsqu'il est limité à la partie médiane de l'abdomen (le « petit ballon »), recouvert d'une peau en bon état, est une bonne indication de lipo-aspiration (▷ ce mot) qui évite les cicatrices cutanées.
— L'excès cutané (tablier abdominal) augmente au cours du vieillissement, mais il est également la conséquence d'un amaigrissement important. L'amaigrissement doit cependant toujours précéder toute chirurgie esthétique du ventre. Au cours de l'intervention corrigeant l'excès cutané, le chirurgien enlèvera également l'excès de graisse.

L'intervention chirurgicale est importante, longue, créant une cicatrice qui sera dissimulée en grande partie par le slip à la limite des poils pubiens mais qui devra néanmoins remonter sur les côtés.

L'abaissement de la peau, qui retend l'ensemble de l'abdomen, nécessite la remise en place de l'ombilic dans une nouvelle position.

Les résultats sont satisfaisants après plusieurs semaines, au cours desquelles le ventre reste induré. Il est souhaitable de ne faire cette intervention qu'après la dernière grossesse.

verge
(cancer de la)

Le cancer de la verge se présente comme une zone rouge qui ne guérit pas, puis, à un stade plus tardif, la tumeur bourgeonne ou s'ulcère. Le traitement est soit l'amputation, soit la radiothérapie par fils d'iridium qui permet de conserver la verge.

verge de l'enfant
(anomalies de la)

Phimosis
C'est le rétrécissement de l'orifice du prépuce. Il s'y associe souvent des adhérences, c'est-à-dire que la muqueuse du prépuce est collée sur le gland. Le traitement consiste à libérer ces adhérences sous anesthésie, puis à traiter le rétrécissement. On peut soit élargir le prépuce (*plastie prépuciale*), soit l'enlever (*circoncision*).

Hypospadias
C'est l'abouchement anormal, sous la verge, de l'orifice urétral ou méat. Cette malformation est plus ou moins grave selon l'endroit où s'abouche le méat : bénigne s'il est près de l'extrémité de la verge ; sérieuse s'il est au niveau de sa base, ou des bourses. La verge peut elle-même être coudée, gênant l'érection. Cette anomalie se corrige chirurgicalement entre 1 an et 5 ans, selon sa forme. Une ou plusieurs interventions peuvent être nécessaires. C'est une chirurgie difficile, minutieuse, qui doit être confiée au spécialiste.

Épispadias
L'épispadias est l'abouchement, à l'inverse de l'hypospadias, du méat urétral au-dessus de la verge. C'est une anomalie beaucoup plus rare. Le traitement est identique à celui de l'hypospadias.

Exstrophie
L'exstrophie vésicale, rare, est redoutable. C'est l'absence de paroi vésicale antérieure, avec absence de la paroi abdominale et de l'urètre. La vessie s'ouvre directement à la peau. Le traitement en est long et compliqué.

verrues

Les verrues sont de petites tumeurs bénignes d'origine virale survenant surtout chez les enfants en âge d'être scolarisés. Elles sont contagieuses et peuvent prendre divers aspects.
— Vous avez remarqué des petites tumeurs cornées, sèches et grisâtres sur les doigts, autour des ongles ou sur les paumes des mains de votre

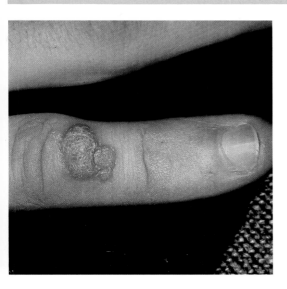

verrues. *Cette petite tumeur cornée et sèche du dos du doigt est une verrue. Provoquée par un virus, elle est contagieuse pour soi-même, avec risque d'apparition d'autres verrues, et pour les autres...*

enfant. Ce sont des *verrues vulgaires* qui risquent de grossir, d'entraîner des douleurs et de se multiplier si elles ne sont pas détruites rapidement. Prenez garde aux verrues situées autour des ongles, car elles ont tendance parfois à se développer sous l'ongle et deviennent alors très douloureuses et plus difficilement curables; elles se rencontrent surtout chez les enfants qui se rongent les ongles.

— Votre enfant se plaint d'une douleur très précise au talon lorsqu'il marche. Vous avez remarqué un petit grain translucide enchassé dans un durillon, dont la pression est douloureuse : il s'agit d'une *verrue plantaire* qui peut, dans d'autres cas, prendre l'aspect d'une petite nappe grisâtre parsemée de minuscules points noirâtres; il ne faut pas les confondre avec des épines. Les verrues plantaires sont favorisées par la transpiration, et la contamination se fait par contact des pieds nus sur le sol des piscines, des douches, des vestiaires, des gymnases...

— Les *verrues planes* siègent sur le dos des mains, sur les poignets, autour de la bouche, sur le menton ou le front. Comme leur nom l'indique, elles sont plates, lisses et un peu jaunâtres.

— Des *petites verrues pédiculées* comme de minuscules doigts de gant s'observent sur le visage. Facilement arrachées, elles se propagent rapidement, particulièrement chez l'homme du fait du rasage. Elles doivent être détruites rapidement.

— Les *végétations vénériennes* sont des verrues transmises au cours des rapports sexuels.

 Il ne faut pas trop compter sur une disparition spontanée des verrues, car celles-ci peuvent très bien persister et se multiplier pendant plusieurs années. Il est donc conseillé de les faire disparaître le plus rapidement possible.

Le traitement de choix consiste en des applications répétées d'azote liquide, produit qui détruit la verrue. Les applications auront lieu toutes les semaines jusqu'à destruction complète des lésions.

A la maison, vous pourrez appliquer des produits verrucides. Ces produits acides permettent de décaper les verrues. Ils suffisent parfois au traitement des petites verrues vulgaires.

Toutes les verrues doivent être soignées en même temps : le traitement de la verrue initiale (« verrue mère ») seul n'est pas suffisant pour faire disparaître les « verrues filles ».

 ■ cor, durillon et œil-de-perdrix ■ transpiration ■ végétations vénériennes

verrues séborrhéiques

 Ces verrues sont des tumeurs bénignes, de quelques millimètres à plusieurs centimètres de diamètre, survenant surtout chez les sujets âgés de plus de cinquante ans. Elles siègent principalement sur le thorax; leur surface est irrégulière et jaunâtre, un peu rugueuse; certaines sont plus saillantes, en dôme à surface lisse et pigmentée comme les grains de beauté. Elles n'ont aucun point commun avec les verrues vulgaires et ne sont pas contagieuses.

 Les petites verrues séborrhéiques seront détruites par application d'azote liquide. Les plus épaisses seront électro-coagulées très légèrement après leur ablation à l'aide d'une curette tranchante.

ver solitaire
 tænia

vertiges

Vous ressentez un trouble de l'équilibre avec l'impression de voir les objets tourner tous dans le même sens. Des nausées, des vomissements, un sentiment de malaise et d'anxiété accompagnent souvent le trouble de l'équilibre. Il ne s'agit pas d'une « crise de foie », mais d'un vertige « vrai ». Le « faux » vertige ne s'accompagne pas de la sensation de voir les objets tourner.

Le médecin que vous consulterez établira son diagnostic sur les données de son interrogatoire et de son examen clinique. Ce n'est que rarement qu'il devra s'aider, dans les cas difficiles, d'examens sophistiqués (électronystagmogramme, scanner*).

Votre médecin devra tout d'abord préciser l'origine périphérique (maladie oto-rhino-laryngologique) ou centrale (maladie neurologique cérébrale) de ce vertige.

— Un vertige est périphérique s'il est brutal, intense, très rotatoire, majoré par les changements de position. L'examen neurologique est dans ce cas normal.

— Un vertige est central lorsqu'il est peu rotatoire (excepté le cas d'une maladie neurologique appelée syndrome de Wallenberg), et surtout l'examen neurologique retrouve la présence de signes permettant le diagnostic.

Lorsque le diagnostic de vertige périphérique est porté, le simple examen des tympans (otoscopie) permet rapidement de s'orienter. L'otite aiguë ou chronique peut provoquer un vertige. Lorsque l'aspect du tympan est normal, les trois maladies les plus fréquemment en cause sont :

— le vertige paroxystique bénin, très nettement influencé par les changements de position de la tête. Ce vertige très bref (une minute) est dû au déplacement des petits cristaux situés dans l'oreille interne qui, à l'état normal, nous renseignent sur notre position. Ce vertige guérit spontanément, ou parfois par un simple changement de position (kinésithérapie spécialisée).

— Le vertige de Ménière associe au vertige vrai des bourdonnements d'oreille et une surdité unilatérale, qui indique le côté atteint. Les vomissements, la sensation de malaise sont souvent intenses. Le vertige se prolonge plusieurs heures, puis tout rentre dans l'ordre, à l'exception de l'audition qui reste diminuée. Les accès peuvent se produire à intervalles extrêmement variables, de quelques semaines à plusieurs dizaines d'années. Il est habituel de noter une baisse de l'audition à chaque épisode. Le vertige de Ménière nécessite le recours à un spécialiste ; il est dû à une augmentation de la pression des liquides de l'oreille interne, de cause inconnue ; son traitement est médical, rarement chirurgical.

— Le neurinome de l'acoustique (tumeur bénigne du nerf auditif) débute rarement par un vertige, mais plutôt par une surdité unilatérale progressive. Cependant, il peut simuler au début un vertige de Ménière, et des examens très spécialisés sont justifiés afin de le dépister le plus précocement possible, au stade de petite tumeur du conduit auditif interne, avant qu'elle ne grossisse et retentisse sur le cerveau. Le traitement est chirurgical.

Lorsque le diagnostic de vertige central est porté, l'hospitalisation dans un service de neurologie est nécessaire. L'examen du neurologue, les examens oto-rhino-laryngiques très sophistiqués, le scanner*, permettront de porter le diagnostic : accident vasculaire cérébral du syndrome de Wallenberg, dont le traitement est médical ; tumeur intra-crânienne, dont le traitement est chirurgical.

Attention : un vertige vrai accompagné de maux de tête importants (accident vasculaire cérébral ayant provoqué un hématome intra-cérébral), et/ou de fièvre (méningite) doivent vous faire consulter de toute urgence.

Chez les personnes âgées : des troubles de l'équilibre plus que des vertiges vrais (ne permettant pas de monter sur une échelle...) sont d'origine circulatoire et sont améliorés par un traitement vaso-dilatateur.

Les faux vertiges posent des problèmes bien différents. Les malaises peuvent entraîner une sensation de vertige (▷ malaises), ainsi que l'hypertension artérielle (▷ ce terme). Cependant, la très grande majorité des faux vertiges — et donc de l'ensemble des vertiges — est d'origine psychique : l'anxiété, l'altitude (vertige des montagnes), la claustrophobie sont autant de circonstances favorisant la survenue d'un faux vertige.

vésicules

☞ peau

violence de l'enfant

☞ comportement de l'enfant (troubles du)

vision

☞ ■ œil ■ vue (dépistage des troubles de la) ■ vue (prévention des troubles de la)

vitamines du nourrisson

La **vitamine D** est anti-rachitique. Elle sert en effet à fixer le calcium sur les os pour les solidifier. Cette vitamine est fabriquée dans la peau sous l'effet des rayons du soleil, à partir d'une substance contenue principalement dans le jaune d'œuf et les matières grasses : le beurre et surtout l'huile de foie de morue.

L'alimentation du nourrisson apporte trop peu de vitamine D. Il est donc indispensable de la rajouter systématiquement à son régime pour ne pas voir apparaître un rachitisme carentiel. Cette maladie provoquait :

— des déformations osseuses : les poignets et les chevilles sont trop gros. La cage thoracique est parfois insuffisamment développée. Lorsque la maladie continue à évoluer à l'âge de la marche, les jambes de l'enfant deviennent arquées ;

— un retard de fermeture de la fontanelle du crâne ;

— une hypotonie : le ventre de l'enfant est trop gros et trop mou ;

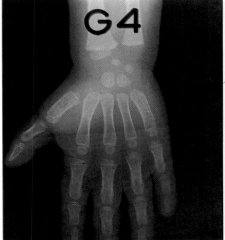
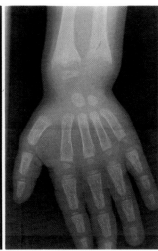

vitamines du nourrisson. *Au cours du* **rachitisme** *les radiographies ci-contre mettent en évidence des déformations, un retard de maturation et de minéralisation osseuse. La photographie ci-dessous montre bien l'élargissement en bourrelets du poignet très évocateur de la maladie.*

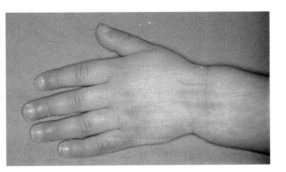

— une hypocalcémie responsable d'une irritabilité et parfois de convulsions.

Il faut préférer la vitamine D en gouttes données à l'enfant quotidiennement plutôt que la vitamine D en ampoule prescrite tous les trimestres afin d'éviter les oublis et les surdosages dangereux.

La carence majeure en **vitamine C** (scorbut) ne s'observe plus actuellement en France. L'allaitement maternel ou l'adjonction, au cours des premières semaines, de polyvitamines, puis ultérieurement des fruits et légumes à l'alimentation du nourrisson y pourvoient largement.

☞ alimentation du nourrisson

vitesse de sédimentation

La vitesse de sédimentation (abrév. V.S.) est la hauteur, exprimée en millimètres, du sédiment formé, au bout d'une heure et de deux heures, par la chute des globules rouges au fond d'un tube vertical contenant du sang rendu incoagulable.

Souvent prescrite systématiquement, la V.S. est un examen simple, peu coûteux.

La valeur usuelle de cet examen est de 10 mm après une heure et de 20 mm après deux heures. La mesure sur vingt-quatre heures n'a en pratique aucun intérêt.

Cette valeur est majorée lors de la grossesse ou lorsqu'il existe une anémie. La V.S. augmente également avec l'âge.

Bien que non spécifique, une V.S. a valeur de dépistage pour différentes maladies (maladies infectieuses, inflammatoires, tumorales); de plus, elle permet d'en suivre l'évolution et l'efficacité du traitement.

Dans quelles circonstances la vitesse de sédimentation est-elle demandée?

Au cours d'un bilan biologique de routine, une V.S. normale est très rassurante. Son accélération en revanche justifie la poursuite des examens complémentaires à la recherche d'une étiologie.

Souvent, c'est la V.S. qui permet à votre médecin d'orienter son diagnostic; ainsi:

— son augmentation chez un jeune homme souffrant de douleurs lombaires peut conduire au diagnostic de lombalgie inflammatoire (pelvispondylite rhumatismale);

— son augmentation chez le sujet âgé, avec altération de l'état général, souffrant de douleurs articulaires, oriente vers les maladies inflammatoires de type de pseudo-polyarthrite rhizomélique et/ou de maladie de Horton;

— son augmentation fera suspecter un myélome devant l'apparition de douleurs rachidiennes chez le sujet d'âge mûr.

Enfin, cet examen permet à votre médecin de suivre l'évolution de la maladie et d'adapter le traitement en conséquence, la reprise de l'augmentation de la V.S. faisant toujours craindre une

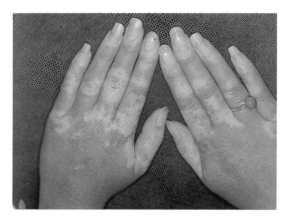

vitiligo. *Les taches dépigmentées du vitiligo sont hypersensibles au soleil.*

rechute clinique. On peut noter qu'à l'heure de la résonance* magnétique nucléaire, la V.S., examen simple, reste toujours d'actualité.

vitiligo

Le vitiligo est la plus fréquente des dépigmentations de la peau. Il se manifeste par des taches blanches, mates, à bords nets, plus ou moins étendues, apparues après une exposition au soleil. Il peut survenir à tout âge et se localise à n'importe quel endroit du corps. Il est impossible d'en déterminer la cause.

Le vitiligo est une maladie qui n'est ni grave, ni contagieuse, mais son caractère parfois inesthétique est gênant. Pour le traiter, il n'existe pas à l'heure actuelle de remède véritablement efficace.

Toutes les dépigmentations de la peau ne sont pas synonymes de vitiligo. Seul un œil averti pourra en faire le diagnostic. L'évolution de la maladie est imprévisible; souvent les plaques continuent de s'étendre progressivement, mais la repigmentation spontanée n'est pas rare.

☞ dépigmentation de la peau

voix *(troubles de la)*

Les modifications de la voix sont parfois secondaires à une lésion du larynx empêchant le fonctionnement normal des cordes vocales : ce sont les dysphonies organiques. Parfois au contraire, il n'existe pas de lésions du larynx, le trouble de la voix n'est dû qu'à une mauvaise utilisation des cordes vocales : ce sont les dysphonies fonctionnelles.

Les dysphonies organiques

Les lésions intéressant les cordes vocales sont constituées par :
— les tumeurs bénignes (polypes surtout) ou malignes;
— la paralysie d'une corde vocale par lésion du nerf récurrent;
— les laryngites aiguës ou chroniques, l'œdème et l'inflammation qu'elles entraînent ne permettent plus le libre jeu des cordes vocales.

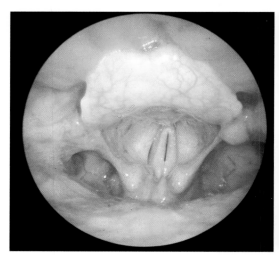

voix *(troubles de la). Les deux cordes vocales viennent se toucher pour produire la voix (ci-dessus). Elles s'écartent, laissant passer l'air pour la respiration (ci-dessous).*

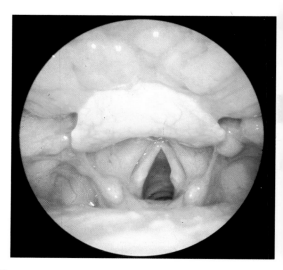

Les dysphonies fonctionnelles

Dans les conditions habituelles de la vie courante, la voix reste claire pour la majorité d'entre nous, mais nous reconnaissons tous que l'obligation de parler fort et longtemps est rarement compatible avec la conservation de la clarté de la voix. Celle-ci a tendance à se couvrir.

L'enrouement survient très rapidement si l'on est amené à parler longtemps dans un endroit bruyant, à enseigner, chanter, jouer une pièce de théâtre, etc.

De telles conditions nécessitent une parfaite adaptation du registre vocal aux conditions anatomiques du larynx : un ténor ne chante pas en soprano, etc. Il faut alors placer la voix. Problème d'éducation ou de rééducation à visée surtout respiratoire afin de pouvoir parler fort sans effort.

Le malmenage vocal est un véritable cercle vicieux : le défaut de puissance est dû à une fermeture incorrecte des cordes vocales que l'on contracte encore plus fort pour améliorer l'émission vocale, ce qui ne fait que la dégrader.

La persistance et la répétition de ces désordres (fréquents chez les enseignants) entraînent la formation de nodules voire de polypes. Ils sont sans gravité et disparaissent parfois totalement grâce à la seule rééducation de la voix.

La mue du garçon est un cas particulier : sous l'action des hormones mâles à la puberté, le larynx augmente de volume et la hauteur de la voix diminue de 1 à 2 octaves. Ce passage est habituellement progressif, mais parfois la mue se prolonge et les deux voix coexistent. La rééducation permet une rapide amélioration de la voix. La rééducation nécessite une participation active du sujet; elle sera vouée à l'échec chez un enfant satisfait, ou même fier, de sa voix enrouée.

 ■ **laryngite** ■ **O.R.L.** *(cancers)*

vol de l'enfant

 comportement de l'enfant *(troubles du)*

vomissements de l'enfant

De survenue récente :

— Une affection chirurgicale est à craindre, surtout s'il existe des douleurs abdominales : appendicite, occlusion intestinale, hernie étranglée, péritonite.

— Mais le plus souvent, la cause est médicale : indigestion, gastro-entérite, toutes les affections fébriles (angine, pneumonie, scarlatine, méningite, migraine, hypertension intra-crânienne qui sera éliminée en priorité devant l'association — vomisse-

ments, céphalées, absence de fièvre — hépatite virale, acidose diabétique...).

Il s'agit en fait d'un véritable catalogue : des vomissements de survenue récente imposent toujours une consultation médicale.

De survenue ancienne :

— *Les vomissements acétonémiques* ou « crise d'acétone » seront évoqués devant l'association de vomissements souvent incoercibles, d'une odeur acétonémique de l'haleine et de troubles du comportement (agressivité, torpeur). L'apparente gravité contraste avec un examen clinique normal. Les causes déclenchantes sont habituellement la fièvre, une intolérance alimentaire, un choc, mais bien souvent aucune cause n'est retrouvée. Le traitement de la crise consiste à administrer des boissons sucrées, en petite quantité, à intervalles réguliers. En dehors des crises : la pratique régulière d'un sport, un régime particulier fait de cinq petits repas fractionnés, sucrés, éviteront la survenue des crises. L'évolution ultérieure vers la migraine est classiquement reconnue.

— *Les vomissements psychogènes*, chez un enfant anxieux, ne seront qu'un diagnostic d'élimination.

vomissements du nourrisson

Il s'agit d'un symptôme très fréquent en pédiatrie. La réponse à trois questions simples va orienter le diagnostic :

— *S'agit-il bien de vomissements et non de simples régurgitations ?*

Celles-ci s'en différencient par leur survenue le plus souvent après le repas, avec le « rot », leur quantité peu abondante, l'absence de retentissement sur la croissance. L'épaississement du biberon, la position verticale (orthostatisme) après le repas, ou un changement de lait, suffisent dans la majorité des cas à les faire disparaître.

— *Le régime alimentaire est-il correct ?*

Une suralimentation, un forcing alimentaire, une mauvaise préparation des biberons, une introduction trop précoce d'aliments diversifiés, peuvent être à l'origine des vomissements. Une simple modification du régime résoudra le problème.

— *S'il s'agit de vomissements, leur date de survenue est-elle récente ou ancienne ?*

Si les vomissements apparaissent *brutalement* chez le nourrisson jusque-là bien portant. Une consultation médicale est nécessaire :

— L'enfant a de la *fièvre* : la cause est le plus souvent médicale, d'origine infectieuse.

Avec de la diarrhée : infection digestive le plus souvent (gastro-entérite),

Sans diarrhée : infection extra-digestive : rhinopharyngite, otite, infection urinaire, pneumopathie, méningite; l'appendicite est très rare chez le nourrisson, son diagnostic souvent très difficile impose l'intervention chirurgicale.

— L'enfant *n'a pas de fièvre* : une *intolérance au lait* sera évoquée si les vomissements sont apparus dès les premiers biberons de lait de vache.

Dans d'autres cas, c'est *une urgence chirurgicale* qu'il faut craindre : invagination intestinale aiguë, hernie étranglée.

La sténose du pylore est un cas particulier : si, dans la forme typique, les vomissements apparaissent brutalement chez un nourrisson de 1 à 3 mois, il en va parfois autrement car les signes caractéristiques ne s'installent que sur une période de plusieurs semaines. La sténose du pylore doit donc aussi être évoquée dans le cas de vomissements plus anciens.

Les vomissements de survenue moins récente : les vomissements sont apparus précocement, le plus souvent dès la première semaine de vie. Après avoir éliminé une intolérance au lait de vache, en cas d'allaitement artificiel, une anomalie de l'estomac sera évoquée devant :
— leur survenue immédiate, après la tétée, parfois plus tard;
— leur répétition qui entraîne stagnation pondérale ou amaigrissement;
— leur caractère parfois hémorragique, l'acidité du contenu gastrique provoquant des érosions de la muqueuse œsophagienne.

Ces signes imposent un examen radiologique (transit* œso-gastro-duodénal), complété par une endoscopie* et une pH-manométrie (mesures du pH et des pressions).

La radiologie reconnaîtra la cause :
— Le plus souvent, il s'agit d'un simple *reflux gastro-œsophagien* (ou béance du cardia). Celui-ci, trop large, laisse refluer le liquide gastrique dans l'œsophage. Le traitement associe l'orthostatisme plus ou moins permanent selon les cas, l'épaississement des biberons, des pansements protecteurs de la muqueuse gastrique, des antivomitifs. Les troubles disparaissent le plus souvent après 3 mois; l'introduction de repas plus épais accélère la guérison. Ce n'est que dans les rares cas où, malgré ce traitement, les vomissements entraînent un état de dénutrition importante avec des hémorragies répétées, qu'on aura recours à la chirurgie.
— Plus rarement, il s'agit d'une véritable *hernie hiatale* : une partie plus ou moins grande de l'estomac est attirée dans l'étage sus-diaphragmatique par l'orifice œsophagien du diaphragme. Le traitement est identique à celui de la béance du cardia.
— Dans d'autres cas, la radiographie montrera une *plicature gastrique*, anomalie fréquente, où l'estomac est replié sur lui-même. Elle disparaît en couchant l'enfant sur le ventre, après les tétées.

Les vomissements sont apparus après un intervalle libre de 3 semaines environ après la naissance. C'est la *sténose du pylore* qui sera évoquée.

Une origine psychologique des vomissements ne sera retenue qu'après avoir éliminé les autres causes. Avant 8 mois, les vomissements sont rarement d'origine psychologique.

voyage sous les tropiques

☞ **tropicales** *(maladies)*

voyeurisme

Le voyeurisme est une perversion propre à l'homme de surprendre par le regard l'intimité sexuelle ou sphinctérienne d'autrui. Ce comportement témoignerait de l'angoisse de castration.

vue
(dépistage des troubles de la)

La sensation de trouble visuel implique la recherche de l'œil atteint en fermant successivement l'œil droit et l'œil gauche.

La baisse ou la perte brutale de la vue d'un seul œil est une urgence qui nécessite une *visite immédiate* chez un ophtalmologue ou dans un service spécialisé; sera considérée la douleur qui l'accompagnera ou non.
— La perte totale et soudaine de la vue d'un œil est généralement due à une oblitération de l'artère centrale de la rétine. Celle-ci doit être traitée *dans les minutes qui suivent son apparition.*
— Si le trouble visuel est très important sans qu'il y ait pour autant cécité totale de l'œil, il s'agit vraisemblablement d'une oblitération de la veine centrale de la rétine (ou *thrombose*).
— La vision d'éclairs brillants ou de points noirs précède souvent le décollement de la rétine. Celui-ci se manifeste par un voile noir qui ampute le champ* visuel. Quand le voile apparaît en bas, il correspond à un décollement supérieur de la rétine particulièrement sérieux.
— Les hémorragies intra-oculaires provoquent un voile diffus plus ou moins important.

Les points communs à ces affections sont : leur unilatéralité, la brutalité de leur apparition et leur caractère strictement *indolore*.

D'autres maladies des yeux se manifestent également par une baisse rapide plus ou moins importante de la vue, mais elles s'accompagnent de *douleurs*; ce sont les *glaucomes* aigus ou subaigus, les *iritis* (ou iridoclytes) et les *kératites*.

Les altérations brutales du champ visuel des deux yeux — *hémianopsie* (perte de la moitié du champs visuel) ou *quadranopsie* (perte du quart du champs visuel) — sont d'origine neurologique.

Les baisses progressives d'acuité visuelle peuvent toucher un œil ou les deux yeux.
— Il peut s'agir de *cataracte*, de *glaucome* chronique; de lésions centrales de la rétine, dues à l'hypertension, au diabète, à l'artériosclérose; d'inflammations ou de lésions chorio-rétiniennes post-traumatiques.

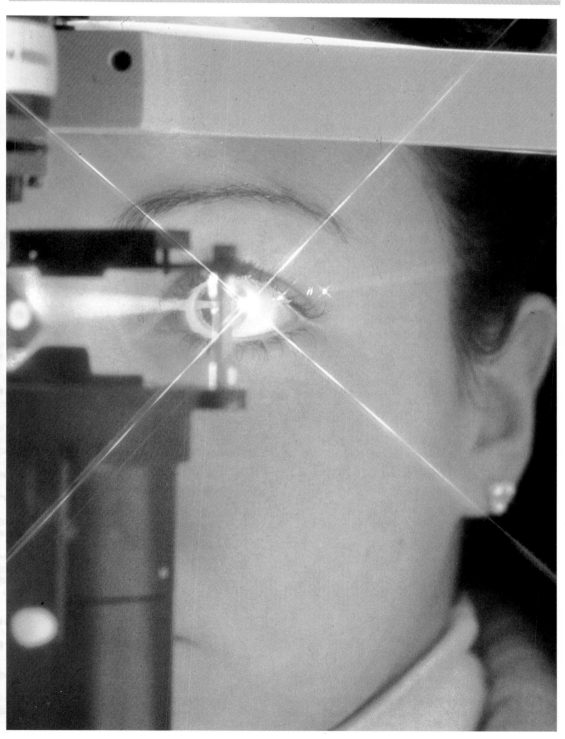

vue *(dépistage des troubles de la). Apprenez les symptômes qui doivent vous faire rapidement consulter votre ophtalmologue.*

— Il peut s'agir aussi d'*amétropies*: trouble de la vue de loin (*myopie*); trouble de la vue de loin et surtout de près (*hypermétropie*); trouble de la vue de près après 40 ans (*presbytie*); léger trouble de la vue de près et de loin (*astigmatisme*).

Chez l'enfant, il importe de dépister, dès les premiers mois de la vie, un déficit visuel fonctionnel d'un œil: l'*amblyopie*. Celle-ci peut être facilement suspectée si l'œil amblyope louche (*strabisme*), mais cela n'est pas toujours le cas.

A partir du sixième mois, les parents, surtout s'il existe des antécédents familiaux d'amblyopie, devraient, en jouant avec leur bébé, lui fermer successivement pendant un court instant un œil puis l'autre. Les réactions de l'enfant permettent de mettre en évidence le déficit visuel qui, à cet âge, peut être facilement traité par un ophtalmologue qualifié.

 INDEX THÉMATIQUE *(OPHTALMOLOGIE)*

vue *(prévention des troubles de la)*

La vision éduque l'œil. « Économiser ses yeux » ne sert à rien. Au contraire, puisque « la fonction crée l'organe », un œil qui ne fonctionne pas voit moins bien. Il convient donc de voir dans de bonnes conditions.

Voici *quelques précautions* à prendre pour bien voir:
— disposez d'un bon éclairage dirigé sur ce que vous faites, éclairage venant du côté opposé à votre latéralisation (de la gauche si vous êtes droitier); les tubes fluorescents ne doivent servir que d'éclairage d'ambiance;
— en montagne, à la neige, au bord de la mer, portez des lunettes teintées de bonne qualité; n'oubliez pas que les enfants sont aussi vulnérables que vous;
— portez des lunettes adaptées à votre vue, celles de vos amis ou de votre conjoint ne le sont qu'exceptionnellement;
— si vous portez des lentilles en air conditionné, n'hésitez pas à les hydrater fréquemment avec des larmes artificielles ou du sérum physiologique à 9‰;
— ne vous lavez pas systématiquement les yeux avec de la camomille ou des solutions calmantes, car vous supprimez ainsi le film de larmes et ses propriétés lubrifiantes et antiseptiques (si vos yeux sont un peu irrités, instillez un collyre antiseptique doux ne contenant pas d'anesthésique et consultez votre ophtalmologiste si l'irritation se prolonge);
— ne regardez jamais vers le soleil, surtout en cas d'éclipse, vous risquez de brûler définitivement votre rétine; équipez-vous de lunettes spéciales de protection;

— pour vous maquiller, respectez la ligne des cils; évitez le khôl sur le bord des paupières;
— si vous manipulez des produits dangereux (acides, bases fortes), portez des lunettes de protection. Faites-en de même pour la soudure à l'arc, même de très courte durée.

 ■ œil *(brûlures accidentelles de l')* ■ œil *(contusions de l')* ■ **corps étranger dans l'œil** ■ vue *(dépistage des troubles de la)*

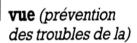

vulve *(maladies de la)*

Parmi les maladies de la vulve, nous distinguerons les maladies infectieuses, allergiques, tumorales, dystrophiques, par déficit hormonal et les maladies des glandes annexes de la vulve.

Les infections de la vulve
Elles se traduisent en général par une rougeur et des pertes de couleur d'importance variable; elles s'accompagnent volontiers de brûlures ou de démangeaisons; il s'agit assez souvent de maladies sexuellement transmissibles et sont le fait essentiellement:
— des *champignons* (mycoses) avec leurs pertes blanches en « lait caillé » caractéristiques, leurs brûlures quelquefois insupportables. Très fréquentes, elles sont largement entretenues par la contraception orale et les traitements antibiotiques. Leur traitement (partagé par le couple) est simple mais doit quelquefois être prolongé pendant de longues semaines;
— du *trichomonas*, dont les démangeaisons sont désagréables. Le traitement « éclair » est très efficace, pourvu qu'il soit partagé par le partenaire;
— du *gonocoque*, germe de la blennorragie que l'on peut évoquer devant une inflammation intense de la vulve intéressant l'orifice urétral et les glandes annexes, les glandes de Skene. Le laboratoire (indispensable) fait le diagnostic et précise l'antibiothérapie appropriée, à partager, là encore, par le ou les partenaires sexuels;
— de *l'herpès*: infection à virus qui se traduit par l'apparition, à intervalles souvent réguliers, d'un bouquet de vésicules; il s'agit d'une maladie inconfortable certes, mais sans réelle gravité. A signaler cependant son extrême importance chez la femme enceinte; le bébé doit à tout prix être protégé d'une contamination qui peut être gravissime;
— du *chancre syphilitique*: c'est une ulcération unique et indolore à laquelle s'ajoutent des ganglions inguinaux (dans l'aine). Deux mois plus tard, peuvent apparaître des lésions de syphilis secondaires caractérisées par des ulcérations quelquefois multiples et prurigineuses de la vulve;
— de *germes banals* (colibacille, entérocoque), simples visiteurs de voisinage qui peuvent parfois devenir pathogènes, mais dont la thérapeutique est simple.

Il faut signaler que la vulve peut être le siège de lésions allergiques en rapport avec l'usage d'un savon, d'une lessive ou d'un déodorant inapproprié; l'affection disparaît évidemment avec l'élimination de l'agent causal.

Les pantalons trop serrés, jeans en particulier, et l'accumulation des tissus synthétiques peuvent entraîner une irritation vulvaire sans gravité. Il va sans dire qu'elle cède avec le port de vêtements larges et en tissu naturel.

Les affections tumorales de la vulve

Elles sont de deux ordres :
— Les tumeurs bénignes. Ce sont essentiellement les végétations vénériennes appelées encore « crêtes de coq », dues à un virus sexuellement transmissible et qui se traduisent par de petites tumeurs gênantes plus que douloureuses qui parsèment l'ensemble de la vulve et quelquefois le vagin. Elles relèvent d'une destruction sous anesthésie générale ou locale par laser ou électrocoagulation; la récidive est toujours possible.
— Les tumeurs malignes. Le cancer de la vulve entraîne une ulcération prurigineuse ou au contraire une induration qui ne guérit pas. L'ablation chirurgicale est nécessaire.

Les lésions rouges des maladies de Paget et de Bowen sont en fait des cancers encore localisés; leur traitement se confond avec celui du cancer de la vulve.

Les lésions hormonales

Elles sont le fait de la femme ménopausée; l'absence d'imprégnation œstrogénique entraîne une atrophie muqueuse de la vulve qui devient sèche et blanchâtre; cette atrophie peut entraîner des démangeaisons pénibles et des douleurs lors des rapports sexuels. Elles cèdent très généralement à un traitement local à base de pommade œstrogénique.

Les lésions dites dystrophiques

Le type en est la leucoplasie, lésion blanche et irrégulière, qui doit faire l'objet d'une attention particulière, car elle peut se cancériser.

Plus graves, le lichen scléro-atrophique et le kraurosis vulvae sont caractérisés par des lésions blanches et sèches, infiltrantes, qui effacent tous les plis vulvaires, ferment l'orifice vaginal et interdisent tout rapport; leurs démangeaisons, quelquefois féroces, relèvent d'une thérapeutique longue et persévérante (pommade corticoïde ou androgénique); comme pour la leucoplasie, une biopsie* s'impose afin d'éliminer un cancer débutant.

Les affections des glandes annexes de la vulve

Les glandes annexes de la vulve, et les glandes de Bartholin en particulier, peuvent être le siège d'affections tumorales : une « boule » déforme une petite lèvre, elle est indolore et remplie d'un liquide séreux, il s'agit d'un kyste; elle est rouge et douloureuse, il s'agit d'un abcès; dans les deux cas, le traitement est chirurgical.

Chez la petite fille les oxyures (▷ oxyurose), petits vers intestinaux, sont parfois responsables d'une inflammation de la vulve.

Exceptionnellement, chez la jeune fille, peuvent apparaître des lésions de la vulve dont le caractère anormal oriente vers un frottis, voire une biopsie*. Il s'agit de lésions le plus souvent adénosiques, rarement cancéreuses. Elles sont dues à un médicament appelé distilbène ou diethylstilboestrol, prescrit à leur mère en début de grossesse, donc une vingtaine d'années auparavant.

☞ ■ leucorrhées ■ maladies sexuellement transmissibles

Waldenström *(maladie de)*

La maladie de Waldenström est une tumeur maligne formée de lymphocytes capables de libérer dans le sang une protéine anormale ou *macroglobuline* : il s'agit en fait d'une forme d'immunoglobuline, substance dont la fonction normale est celle d'anticorps. Le médecin évoquera cette affection s'il découvre des ganglions et une grosse rate chez un patient qui se plaint de fatigue, d'infections ou d'hémorragies répétées et qui présente une vitesse* de sédimentation très accélérée. Pour confirmer le diagnostic, il recherchera une immunoglobuline anormale dans le sang et un envahissement de la moelle osseuse par des lymphocytes anormaux. Un traitement médicamenteux est le plus souvent suffisant pour contrôler cette maladie dont l'évolution est lente.

yoyo

Il s'agit de petits drains en silicone, de formes variables, placés dans le tympan et le maintenant ouvert. Le drain réalise ainsi une paracentèse permanente, qui assure l'aération de l'oreille moyenne en se substituant à la trompe d'Eustache

à laquelle, normalement, ce rôle est dévolu.

Le yoyo est mis en place sous anesthésie locale chez l'adulte, sous anesthésie générale chez l'enfant; il sera laissé plusieurs mois; on profitera de l'anesthésie chez l'enfant pour enlever les végétations. Une fois mis en place, le yoyo n'entraîne aucune gêne.

Les avantages

— le yoyo prévient la récidive des otites séreuses qui conduisaient, très souvent autrefois, à la mastoïdite, laquelle a pratiquement disparu aujourd'hui;
— il restitue une audition normale chez beaucoup d'enfants handicapés par la présence de la réaction séreuse dans l'oreille moyenne;
— il permet les voyages en avion, sans douleur, l'équilibrage des pressions se faisant à travers le drain.

Les inconvénients

— la mise en communication de l'oreille moyenne avec l'extérieur ne permet pas la baignade, et des précautions devront être prises pour toutes les circonstances où de l'eau risque de pénétrer dans l'oreille, afin d'éviter une surinfection; cependant, la mise en place d'un obturateur avec empreinte sur mesure permet d'assurer une étanchéité satisfaisante;
— après l'ablation du yoyo, la perforation tympanique peut persister; elle nécessitera parfois une greffe tympanique.

Par conséquent, ce yoyo ne devra être mis en place que s'il est absolument nécessaire, c'est-à-dire dans deux circonstances:

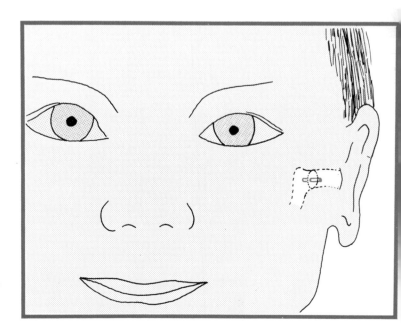

yoyo. *Le petit drain en silicone de 3/4 mm, laissé en place dans le tympan pendant quelques mois, permet l'aération de l'oreille et évite les otites séreuses.*

— surdité gênante parce qu'elle atteint les deux oreilles;
— otites séreuses à répétition qui peuvent entraîner de nombreuses complications.

Dans tous les autres cas, notamment de surdité unilatérale, une simple surveillance sera suffisante.

☞   otite

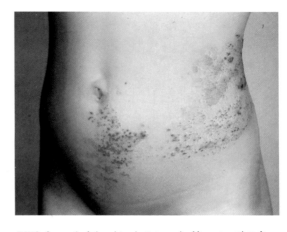

Le zona ne récidive généralement pas, contrairement à l'herpès qui est une infection virale de la même famille. Le zona est assez peu contagieux.

Le traitement consiste à éviter les surinfections cutanées en appliquant un antiseptique sur les lésions et à calmer les douleurs par des médicaments. Une radiothérapie locale pour certains, l'acupuncture pour d'autres, éviteraient la survenue de douleurs résiduelles.

zona

L'éruption du zona se manifeste par :
— une douleur superficielle à type de brûlure, parfois accompagnée d'une fièvre nocturne et d'un ganglion satellite; les caractères de cette douleur permettent parfois d'évoquer le zona avant l'apparition de l'éruption;
— cette éruption parfois très douloureuse est formée de plaques rouges recouvertes de vésicules groupées en bouquet; elle persiste huit à quinze jours. Elle siège sur le trajet d'un nerf : cela explique la topographie bien particulière du zona, strictement unilatérale.

Les deux localisations les plus fréquentes sont intercostale et ophtalmique (l'éruption siège autour de l'œil). Cette dernière localisation, dangereuse pour la cornée, nécessite un examen ophtalmologique spécialisé. Lorsque l'éruption siège sur l'oreille, le zona peut être responsable d'une paralysie faciale.

La possibilité de douleurs chroniques intenses est une complication majeure du zona chez les personnes âgées, surtout dans sa localisation ophtalmique.

index
thématique

(comment prévenir l')
allergie aux médicaments
  (comment reconnaître
  une)
allergie solaire
allergique (êtes-vous)
anticorps
asthme
atopie
choc anaphylactique
désensibilisation
eczéma
immunologie
œdème de Quincke
pollen de graminées
  (allergie au)
poussière (allergie à la)
rhinite spasmodique
rhume des foins
urticaire et œdème de
  Quincke
vaccins et sérums

anesthésie - réanimation

Dr Philippe DUPRAT

anesthésie
choc électrique externe
monitoring cardiaque
péri-durale
réanimation
trachéotomie

cancérologie

Dr Max DANA
bronches (cancer des)
cancer
cancérologie
chimiothérapie des
  cancers
cobalt
col de l'utérus (cancer du)
côlon (cancer du)

corps de l'utérus (cancer
  du)
curithérapie
estomac (cancer de l')
ganglions
marqueurs tumoraux
métastases
œsophage (cancer de l')
oncogènes (facteurs)
O.R.L. (cancers)
pancréas (cancer du)
peau (cancer de la)
radiothérapie
rectum (cancer du)
rein (cancer du)
sein (cancer du)
tumeurs
verge (cancer de la)

cardiologie et maladies des artères

Drs Andrée PIEKARSKI,
Bernard ATTAL,
Maurice ENRIQUEZ-SARANO

acrocyanose
anévrysme de l'aorte
angine de poitrine
arrêt cardiaque
artériosclérose
artérite
arythmie cardiaque
athérome
bloc cardiaque
Bouveret (maladie de)
bradycardie
cardiaque (hygiène de vie
  du)
cœur et circulation
  sanguine
coronaires
coronarographie
dérivés nitrés
digitaline (traitement
  par la)
dilatation des coronaires
diurétiques

Doppler et échographie
  des vaisseaux
échographie cardiaque
électrocardiogramme
emballement du cœur
embolie pulmonaire
endocardite bactérienne
essoufflement
extra-systole
fibrillation auriculaire et
  ventriculaire
flutter auriculaire
greffe du cœur
hypertension artérielle
hypotension artérielle
infarctus du myocarde
insuffisance

  - cardiaque
  - coronaire
  - valvulaire (aortique et
    mitrale)

jambes douloureuses
mains et pieds froids et
  violacés
malaises
massage cardiaque
  externe
myocarde (maladies du)
œdème aigu du poumon
  (dû à une maladie
  cardiaque)
pacemaker
péricardite
perte de connaissance
phéochromocytome
phlébite
phlébographie
pontage coronaire
pouls
régime sans sel
rétrécissement aortique et
  mitral
rythme et conduction car-
  diaques (troubles du)
soins dentaires
soins intensifs
souffle au cœur
streptocoque

syncopes
tabac (risques liés au)
tachycardie
taux de prothrombine
thorax (douleurs du)
valves cardiaques
(maladies des)

 cardiologie infantile

Dr Daniel SIDI

canal artériel (persistance
du)
coarctation de l'aorte
cœur du fœtus
(malformations et
troubles du rythme du)
cœur du fœtus
(physiologie du)
cœur du nouveau-né
(malformations
congénitales du)
communication
interventriculaire
cyanose du nouveau-né et
du nourrisson
enfant bleu
essoufflement du
nourrisson pendant la
prise du biberon
rétrécissement aortique et
mitral
souffle au cœur
tachycardie
tétralogie de Fallot
transposition des gros
vaisseaux

 chirurgie

Dr Bernard KRON

abcès
adénome de la prostate
abdomen (traumatisme

fermé de l')
alitement prolongé
anesthésie
brides cicatricielles
brûlures
crâne (traumatisme du)
descente d'organe
doigts sectionnés (et
réimplantation
digitale)
ecchymose
escarres
étranglement herniaire
faux kyste du pancréas
grossesse extra-utérine
hématome rétro-
placentaire
hémorragie interne
hernie abdominale
hygroma
incontinence urinaire
incontinence urinaire
d'effort
intervention chirurgicale
lithiase
● biliaire
● urinaire
lithotripsie
occlusion intestinale
opération
orchite (ou orchi-
épididymite)
pancréatite aiguë
pansement d'une plaie
péritonite
phlegmon
plaies
polypes du colon et du
rectum
polypes de l'utérus
ponction lavage du
péritoine
ponctions
prolapsus
testicules
torsion du testicule
traumatismes bénins
(ecchymose et
hématome)

 chirurgie infantile

Drs Gilles ALLOUCH,
Georges-François PENNEÇOT,
Bernard PAVY,
Alain-Charles MASQUELET

ambiguïtés sexuelles
appendicite
boiterie de l'enfant et/ou
douleurs de la hanche
bourses
brûlures
ectopie testiculaire
épiphysiolyse
fentes labiales
hernie abdominale
Hirschsprung (maladie de)
hypospadias
invagination intestinale
aiguë
ombilic du nouveau-né
(anomalie de l')
phimosis
prépuce
sténose du pylore
testicules
torsions du testicule
verge de l'enfant
(anomalies de la)

 **chirurgie plastique et
réparatrice**

Dr Olivier GOTLIB

calvitie (chirurgie
esthétique de la)
cicatrices cutanées
(chirurgie esthétique
des)
lifting
lipo-aspiration (chirurgie
esthétique des îlots
graisseux, cellulite)
nez (chirurgie esthétique
du)

oreilles décollées
(chirurgie esthétique
des)
paupières (chirurgie
esthétique des)
rides (chirurgie esthétique
des)
seins (chirurgie esthétique
des)
tatouages (chirurgie
esthétique des)
ventre (chirurgie
esthétique du)

dentisterie

Dr Olivier BERGEAUD

carie dentaire (prévention
de la)
dentition
dents (douleurs des)
dents
- cariées
- déchaussées
- de lapin et dents mal
plantées (quand
appareiller)
- de sagesse
fluor
gencives et dents
déchaussées
mâchoire (douleurs et
craquements de la)
plaque dentaire
soins dentaires
tartre

dermatologie et
maladies sexuellement
transmissibles

Dr Gilles RÉCANATI

acné juvénile
albinisme

allergie solaire
alopécie
angiomes
août ats
aphtes
balanites
blennorragie
brûlures en urinant
bulles
calvitie (chirurgie
esthétique de la)
Candida albicans
champignons
chancre syphilitique
chaude-pisse
chéilite
cheveux
chlamydia
chloasma
comédon
cosmétologie
couperose
crêtes de coq
dartres
démangeaisons
dépigmentation de la peau
dermatophytes
dysidrose
eczéma
engelure
éphélides
érythème
furonculose
gale
gland (lésions du)
gonocoque
grain de beauté
grattage
herpès
hyperchromie de la peau
ichtyose vulgaire
impétigo
kyste sébacé
langue
Leiner-Moussous
(maladie de)
lèpre
lèvres
lichen plan

lifting
lipome
lucite
lupus érythémateux
disséminé
maladies sexuellement
transmissibles
masque de grossesse
mélanocytes
mélanome
molluscum contagiosum
morpions
muguet
mycose
nævus
ongles
papules
peau
peau (cancer de la)
pelade
pellicules
perlèche
peste
pied d'athlète
pigmentation de la peau
(troubles de la)
pilosité excessive
pityriasis
- rosé de Gibert
- versicolor
poux
prélèvement mycologique
préservatifs
prurit généralisé
psoriasis
purpura
pustules
rosacée
rougeurs
séborrhée
soleil
syphilis
tache mongolique
taches de rousseur
teignes
télangiectasies
transpiration
ulcère de jambes
urétrite

467

urticaire et œdème de
    Quincke
végétations vénériennes
verrues séborrhéiques
vésicules
vitiligo

endocrinologie
(glandes hormonales) -
diététique

Dr Bruno de LIGNIÈRES,

régimes diététiques :
Nadia Faidherbes

acromégalie
Addison (maladie d')
adrénaline
alcool
aldostérone
alimentation normale
Basedow (maladie de)
bouffées de chaleur
calcium
calories
catécholamines
cholestérol, triglycérides
    et lipides
coma acido-cétosique
coma hypoglycémique
cortisol
Cushing (maladie de)
diabète sucré
galactorrhée
glucides
glycémies à jeun et post-
    prandiale
gynécomastie
hirsutisme
hormones
hypoglycémie
impuissance
lipides
magnésium
maigreur
malaises
ménopause

minéraux
myxœdème
obésité
œstrogènes
ovaires (fonctionnement
    des)
ovulation
phéochromocytome
pilosité excessive
progestérone
prolactine
protides
puberté
rachitisme
régime(s)
    • du diabétique
    • hypocholestérolémiant
    • normal équilibré
    • sans sel
    • hypocaloriques
spasmophilie
surrénales (glandes)
testicules (fonctions
    hormonales des)
tétanie et spasmophilie
thyroïde (glande)
triglycérides
vitamines du nourrisson

examens
complémentaires

acide urique
angiographie numérisée
antibiogramme
anticorps
artériographie
arthrographie
audiogramme
bilan sanguin hépatique
bilan sénologique
biopsie
bronchographie
bronchoscopie
caryotype fœtal
champ visuel

choléscystographie orale
cœlioscopie
colonoscopie
coproculture et examen
    parasitologique des
    selles
coronarographie
créatinine
cystographie
cystoscopie
Doppler et échographie
    des vaisseaux
échographie
    • cardiaque
    • obstétricale

électrocardiogramme
électro-encéphalogramme
électromyogramme
embryoscopie
endoscopie
épreuves fonctionnelles
    respiratoires
examen cyto-
    bactériologique des
    urines
fœtoscopie
fond d'œil
frottis du col de l'utérus (ou
    frottis de dépistage)
gamma G.T.
gaz du sang artériel
glycémies à jeun et post-
    prandiale
hémocultures
hémoglobine
hémogramme normal
hystérographie
lavement baryté
lymphographie
mensurations
    radiologiques
numération formule
    sanguine (ou
    hémogramme normal)
œsophagoscopie
parasitologie des selles
phlébographie
phosphatases alcalines

ponctions
prélèvement

- de gorge
- des pertes vaginales
- mycologique

radiographie des poumons
radiologie
radiopelvimétrie
radio-protection
rectoscopie
résonance magnétique
    nucléaire
scanner
scintigraphie
spermogramme
spirographie
taux de prothrombine
thermographie
tomographie
transaminases
transit

- du grêle
- œso-gastro-duodénal

urétrographie
urines (examen
    cytobactériologique
    des)
urographie intra-veineuse
vitesse de sédimentation

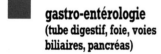

gastro-entérologie
(tube digestif, foie, voies
biliaires, pancréas)

Dr Claude EUGÈNE

aérophagie
angiocholite
anus (pathologie de l')
ballonnement abdominal
bilan sanguin hépatique
bilirubine
calculs
cholécystite
cholécystographie orale
cholédoque

cirrhose du foie d'origine
    alcoolique
colique hépatique
colites
côlon (cancer du)
colonoscopie
constipation
coproculture et examen
    parasitologique des
    selles
crise de foie
Crohn (maladie de)
diarrhée

- aiguë
- aiguë du nourrisson
- chronique
- chronique du nourrisson

diverticules
dysenterie
dyskinésie biliaire
dyspepsie
dysphagie
endoscopie
estomac (cancer de l')
fécalome
fibroscopie
fissure anale
gamma G.T.
gastrite
gastro-entérite
gaz intestinaux
Gilbert (maladie de)
hématémèse
hémorragie digestive
    haute (œsophage,
    estomac et duodénum)
hémorroïdes
hépatites virales (A, B ou
    non A - non B)
hernie hiatale
ictère
jaunisse
kyste hydatique hépatique
lavement baryté
laxatifs
lithiase biliaire
lithotripsie
méléna

œsophage (cancer de l')
œsophagoscopie
pancréas (cancer du)
pancréatite

- aiguë
- chronique

phosphatases alcalines
polypes du côlon et du
    rectum
prurit anal
psychosomatiques
    (maladies)
recto-colite hémorragique
rectorragie
rectoscopie
rectum (cancer du)
reflux gastro-œsophagien
transaminases
transit

- du grêle
- œso-gastro-duodénal

typhoïde
ulcère gastrique et
    duodénal

génétique et diagnostic
anténatal

Dr Yves DUMEZ

caryotype fœtal
conseil génétique
diagnostic anténatal des
    maladies fœtales
embryoscopie
fœtoscopie
fœtus (état de santé du)
mongolisme
mucoviscidose
myopathies
ovules
rubéole
spermatozoïde
spina bifida
syphilis
toxoplasmose acquise

469

gynécologie

Dr Pierre OGER

aménorrhée
bouffées de chaleur
Candida albicans
chlamydia
chromosomes
cœlioscopie
col de l'utérus (cancer du)
contraception
cordon ombilical
corps de l'utérus (cancer du)
courbe ménothermique
descente d'organe
dyspareunie
endomètre (ou muqueuse utérine)
endométriose
fibromes de l'utérus
frottis du col de l'utérus (ou frottis de dépistage)
glaire cervicale
gynécologique (examen)
hémorragies génitales entre les règles
hystérographie
leucorrhées
maladies sexuellement transmissibles
masque de grossesse
ménopause
mycose
œdèmes
œstrogènes
ovaire(s)
- (fonctionnement des)
- (tumeurs de l')

ovulation
ovules
pelviennes (douleurs)
pertes blanches
pilule contraceptive
polypes de l'utérus
prélèvement des pertes vaginales

préservatifs
progestérone
prolactine
prolapsus
puberté
règles ou menstruations
salpingites aiguës et chroniques
sexuels (rapports douloureux)
spermicides
spermogramme
stérilet
stérilité du couple
syndrome prémenstruel
températures (méthode des)
trichomonas
trisomie 21
utérus
vulve (maladies de la)

 ## hématologie
(sang)

Dr Jean-Yves SCOAZEC

anémies
aplasies médullaires
coagulation
fatigue
fer
ganglions
globules
- blancs (anomalie des)
- rouges

greffe de moelle osseuse
groupe sanguin
hémoglobine
hémogramme normal
hémophilie
Hodgkin (maladie de)
hyper-éosinophilie
leucémies
lymphomes malins
myélome
pâleur

plaquettes
polyglobulie
purpura
rhésus (facteur)
sang
transfusion
Waldenström (maladie de)

 ## infectiologie

Dr Pierre BELLICHA

amibiase
amygdales et végétations
angine
anguillulose
antibiotiques
anticorps
ascaridiose
B.C.G.
bilharziose
botulisme
brucellose
brûlures en urinant
chlamydia
choléra
colibacillose
coqueluche
cutiréaction à la tuberculine
cystite
défenses de l'organisme
diphtérie
douves du foie
envie fréquente d'uriner
érysipèle
examen cyto-bactériologique des urines
exanthème subit
fièvre de l'adulte
fièvre(s)
- du nourrisson
- jaune
- éruptives de l'enfance

gale
ganglions

kinésithérapie

Claire ROUCOU-ZIMMERMANN

 ## médicaments

spermicides
transfusion

néphrologie - urologie

Drs Franklin KHAZINE,
Bernard KRON

adénome de la prostate
albuminurie
bourses
colibacillose
colique néphrétique
créatinine
cystite
diurétiques
envie fréquente d'uriner
épidydimite
épurations extra-rénales
examen cyto-
    bactériologique des
    urines
glomérulonéphrite aiguë
    (après une angine à
    streptocoque non
    soignée)
greffe du rein
hématurie
incontinence urinaire
incontinence urinaire
    d'effort
insuffisance rénale
    chronique
kyste du rein
lithiase urinaire
lithotripsie
lombaires (douleurs)
œdèmes
polykystose rénale
prostate
prostatite
protéinurie ou albuminurie
pyélonéphrite
rein (cancer du)
rein artificiel
rétention aiguë complète
    d'urines
syndrome néphrotique

testicules
urétrite
urétrographie
urines
urographie intra-veineuse
varicocèle

neurologie

Dr Yves ADAM

accident vasculaire
    cérébral, par
    hémorragie
accident vasculaire
    cérébral transitoire,
    par ischémie
algie vasculaire de la face
Alzheimer (maladie d')
aphasie
attaque cérébrale
canal carpien (syndrome
    du)
céphalées
compression médullaire
crampes
crâne et face (douleurs)
crâne (traumatisme du)
démence
douleur
électro-encéphalogramme
électromyogramme
épilepsie
fourmillements
hémiplégie
hémorragie méningée
hydrocéphalie
hypertension intra-
    crânienne
Korsakoff (syndrome de)
mémoire (troubles de la)
méningite
migraine
myasthénie
myélopathie
    cervicarthrosique
myopathies
neurinome de l'acoustique

névralgie

- cervico-brachiale
- faciale
- intercostale

névrite optique
névrites
paralysie
paralysie faciale non
    traumatique
paraplégie
Parkinson (maladie de)
perte de connaissance
petit mal épileptique
Pick (maladie de)
poliomyélite antérieure
    aiguë
sclérose en plaques
spasmophilie
syringomyélie
tremblements
tumeurs cérébrales
vertiges

obstétrique

Dr Pierre OGER

accouchement
    (généralités)
accouchement après
    césarienne
accouchement impromptu
    au domicile
accouchement par le siège
    de l'enfant
accouchement prématuré
    (menace d')
âge gestationnel
agglutinines irrégulières
allaitement
aménorrhée
amniocentèse
amnioscopie
avortement
bébé éprouvette
bouchon muqueux
césarienne
chloasma
contractions utérines

ophtalmologie

Dr Jacques CRÉHANGE

orthopédie

Dr Georges-François PENNEÇOT

attelles
attitude scoliotique
bandage
béquilles
boiterie de l'enfant et/ou
    douleurs de la hanche
cannes anglaises
colonne vertébrale
    (traumatismes de la)
corset
coup du lapin
coxarthrose (arthrose de la
    hanche)
cyphose
déambulateur
dos de l'enfant
    (déformation du)
entorse
épiphysiolyse
fauteuil roulant
fracture du col du fémur
fractures
inégalité de longueur des
    membres inférieurs
jambes en « X », jambes en
    « O » (votre enfant a
    les)
langeage en abduction
ligaments
lordose
luxation
    ● congénitale de la hanche
    ● traumatique
malformation des membres
    et de la colonne
    vertébrale (votre
    enfant naît avec une)
marche
    ● (aide à la)
    ● (refus de la)
    ● (troubles de la démarche
       de l'enfant)
membre inférieur (votre
    enfant refuse de

s'appuyer sur son)
membre supérieur (votre
    enfant refuse de
    bouger son)
membres traumatisés
ménisques du genou
métatarsus varus
minerve et collier
orteils (déformation des)
orthopédie (traitement en)
ostéochondrite de la
    hanche
ostéomyélite
ostéosynthèse
pieds
    ● plats
    ● creux
    ● qui tournent en dedans
plâtre
pronation douloureuse
prothèse orthopédique
rhume de hanche
scoliose
spina bifida
spondylodiscite du
    nourrisson
syndactilie
traumatisme avec
    écrasement

 oto-rhino-laryngologie

Dr Olivier GOTLIB

amygdales et végétations
angine
audition (troubles de l')
bouchon de cérumen
boule dans la gorge
boule dans le cou
bourdonnement d'oreille
cholestéatome
cordes vocales
corps étranger dans le nez
corps étranger dans
    l'oreille

corps étrangers inhalés
    (dans le larynx, la
    trachée ou les
    bronches)
écoulement d'oreille
enrouement
épiglottite
épistaxis
kyste thyréo-glosse
laryngite
Ménière (vertige de)
neurinome de l'acoustique
névralgie faciale
nez
obstruction nasale
odorat (troubles de l')
oreille (douleurs de l')
oreilles
O.R.L. (cancers)
orthophonie
otite
otorrhée (ou écoulement
    d'oreille)
otospongiose
paracentèse
paralysie faciale non
    traumatique
parotide
plongée sous-marine
prélèvement de gorge
rhinite
    ● aiguë infectieuse
    ● spasmodique
rhinopharyngite
rhume
    ● de cerveau
    ● des foins
ronflement
salivaires (glandes)
sinusite
surdité
    ● brusque
    ● de l'enfant
    ● traumatique
tabac
thyroïde (glande)
trompe d'Eustache
tympans

tympanoplastie
végétations
vertiges
voix (troubles de la)
yoyo

 pédiatrie

Drs Claudine POLACK-LIVAK,
Françoise RASTOIN

abdomen de l'enfant
(douleurs de l')
acétone (crise d')
âge gestationnel
âge osseux
alimentation du nourrisson
allaitement
ambiguïtés sexuelles
anorexie du nourrisson
Apgar (score d')
articulations (douleurs des)
attitude scoliotique
BM-test
boiterie de l'enfant et/ou
douleurs de la hanche
bosse séro-sanguine
bronchite asthmatiforme
céphalhématome
constipation du nouveau-né
et du nourrisson
convulsions fébriles du
nourrisson
cordon ombilical
crâne et face de l'enfant
(douleurs)
croissance
- (retard de)
- intra-utérine
- staturo-pondérale

cyanose
dentition
déshydratation aiguë du
nourrisson
détresse respiratoire du
nouveau-né
développement
psychomoteur

diarrhée du nourrisson
- aiguë
- chronique
dos de l'enfant
(déformation du)
dents (douleurs des)
dyspnée aiguë de l'enfant
encéphalite virale de
l'enfant
enfant bleu
épiglottite
érythème fessier du
nourrisson
essoufflement
- du nourrisson pendant la
prise du biberon
ethmoïdite
exanthème subit
farines
fièvre(s)
- du nourrisson
- éruptives de l'enfance

fontanelle
gastro-entérite
gaucher (enfant)
glaucome de l'enfant
glomérulonéphrite aiguë
(après une angine à
streptocoque non
soignée)
gluten (intolérance au)
gynécomastie
hydrocèle
ictère du nouveau-né
incompatibilité sanguine
fœto-maternelle
intolérance aux protéines
du lait de vache
lactation
laits pour nourrisson
langage de l'enfant
langage de l'enfant
(troubles du)
langeage en abduction
laryngite
Leiner-Moussous
(maladie de)
lordose

maigreur de l'enfant
maladie cœliaque
maladresses de l'enfant
maturation du nouveau-né
et croissance intra-
utérine
méconium
membranes hyalines
(maladie des)

mensurations des enfants
métatarsus varus
milium
mongolisme
mort subite inexpliquée du
nourrisson

mucoviscidose
muguet
nourrisson (examens du)
nouveau-né (examens du)
obésité de l'enfant
ombilic du nouveau-né
(anomalie de l')

oreille (douleurs de l')
orthophonie
otite
oxyurose
parole (troubles de la)
périmètre crânien
pieds (douleurs des)
plicature gastrique
poids de l'enfant
post-maturité
prématurité
prépuce
primo-infection herpétique
pronation douloureuse
propreté du nourrisson
puberté
quotient intellectuel
rachitisme
réflexes archaïques
reflux gastro-œsophagien
du nourrisson
régurgitations
rhinopharyngite
rhumatisme articulaire aigu
rougeole
rubéole

scarlatine
Scheuermann
    (maladie de)
scoliose
sommeil de l'enfant
    (troubles du)
somnambulisme
souffle au cœur
spasme du sanglot
streptocoque
sueur (test de la)
surdité de l'enfant
syndrome néphrotique
taille de l'enfant
teignes
terme gestationnel
terreurs nocturnes
testicules
tests mentaux
trisomie 21
varicelle
végétations
ver solitaire
verrue
vitamines du nourrisson
vomissements de l'enfant
yoyo

phlébologie
(veines)

Dr Jean-Charles BENZIMRA

Doppler et échographie
    des vaisseaux
jambes
  - douloureuses
  - lourdes et parfois
    douloureuses

mains et pieds froids et
    violacés
phlébite
phlébographie
varices
veines

pneumologie

Dr Étienne LEROY - TERQUEM

abcès du poumon
amiante
appareil respiratoire
asbestose
asthme
bacille de Koch
B.C.G.
bronches (cancer des)
bronchite
  - aiguë
  - chronique
bronchographie
broncho-pneumonie
bronchoscopie
corps étrangers inhalés
    (larynx, trachée ou
    bronches)
crachats
  - de sang
cutiréaction à la
    tuberculine
dilatation des bronches
dyspnée
embolie pulmonaire
emphysème
épreuves fonctionnelles
    respiratoires
essoufflement
expectoration
gaz du sang artériel
grippe
hémoptysie
légionnaires (maladie des)
oxygénothérapie à
    domicile
pleurésie
plèvre
pneumoconiose
pneumonie
pneumothorax
poumon de fermier
poumons
primo-infection
    tuberculeuse

radiographie des poumons
réactions cutanées à la
    tuberculine
risques respiratoires
    professionnels
silicose
spirographie
tabac (risques liés au)
timbre tuberculinique
toux
trachéite
tuberculose pulmonaire

podologie - pédicurie

Maxime DUBOIS

cor, durillon et œil de
    perdrix
épine calcanéenne
névrome plantaire
ongle incarné
ongles
orteils (déformation des)
pied(s)
  - d'athlète
  - (douleurs des)
  - creux
  - plats
  - qui tournent en dedans
    (votre enfant a un ou les
    deux)

semelles orthopédiques

psychiatrie - psychologie

Dr Jacques DAYAN,
Annie OGER-PEIGNÉ

acte manqué
agitation
agoraphobie
alcool

rhumatologie
(os et articulations)

Dr Yves POLACK

myélome
myélopathie
    cervicarthrosique
névralgie(s)
- cervico-brachiale
- intercostales

orteils (déformation des)
os (tumeurs des)
ostéochondrite de la
    hanche
ostéomyélite
ostéonécrose aseptique de
    la tête fémorale
ostéoporose
Paget (maladie de)
pelvispondylite
    rhumatismale
polyarthrite rhumatoïde
pseudo-polyarthrite
    rhizomélique
rachis (douleurs du)
Raynaud (syndrome de)
rhizarthrose du pouce
rhumatisme articulaire aigu
rotule (syndrome fémoro-
    rotulien)
Scheuermann (maladie de)
sciatique par hernie
    discale
scoliose
spondylolisthésis
tendinite
tennis elbow
Tietze (syndrome de)

sécurité sociale - certificats - législation

Dr Philippe DUPRAT

aptitude aux sports
    (certificat d')
arrêt de travail (avis d')
certificats médicaux et
    législation
coups et blessures
curatelle

décès (certificat de)
déclaration de grossesse
dispense sportive
    (certificat de)
internement
interruption volontaire de
    grossesse
ivresse
législation
placement volontaire et
    placement d'office
prénuptial (certificat)
secret médical
travail (accident du)
tutelle

sénologie
(seins)

Dr Claude ANNONIER

abcès du sein
bilan sénologique
boule dans un sein
échographie
écoulement mamelonnaire
galactorrhée
kyste du sein
mamelon et aréole
mammographie
mastite aiguë
œstrogènes
progestérone
prolactine
sein(s)
- (cancer du)
- (douleurs du)
- (traumatisme du)
- (chirurgie esthétique des)

thermographie

crédits photographiques

Deguine. *p. 317* ph. © CNRI. *p. 322* ph. © Dr Cl. Eugène. *p. 325* 2 ph. © Dr O. Gotlib. *p. 326* gauche, ph. © Woodfin Camp - Cosmos. *p. 326* droite, ph. © coll. Dr R. Baran. *p. 329* ph. © coll. Pr A. Chevrot, service du Pr A. Pallardy, radiologie B, hôpital Cochin, Paris. *p. 330* ph. © Dr D. Sidi. *p. 331* ph. © coll. Dr A. Zara, B. Seigneury/Conseil. *p. 332* ph. © CGR - Ultrasonic. *p. 333* gauche, ph. © coll. Pr A. Roche, B. Seigneury/Conseil. *p. 333* droite, ph. © coll. Pr M. Tonnelier, B. Seigneury/Conseil. *p. 337* ph. © CMT - Assistance publique. *p. 340* ph. © Dr É. Leroy - Terquem. *p. 342* ph. © Dr É. Leroy - Terquem. *p. 344* ph. © B. Seigneury/Conseil. *p. 345* ph. © Dr Cl. Eugène. *p. 346* ph. © Dr Cl. Eugène. *p. 348* ph. Jeanbor © archives Photeb. *p. 350* ph. © coll. Dr. E.-A. Cabanis, B. Seigneury/Conseil. *p. 354* ph. © Dr G. Récanati. *p. 357* ph. © Edmund Engelmann, New York. *p. 360* ph. © R. Phelps Frieman - Rapho. *p. 361* ph. © CMT - Assistance publique. *p. 363* ph. © Dr É. Leroy - Terquem. *p. 365* ph. © doc. Thomson - CGR. *p. 367* ph. © Dr N. Guérin, chef de service des maladies transmissibles et vaccinations, centre international de l'Enfance. *p. 368* haut, ph. © B. Seigneury/Conseil. *p. 368* bas, ph. © Dr Cl. Eugène. *p. 369* ph. © Dr Cl. Eugène. *p. 373* 2 ph. © doc. Thomson - CGR. *p. 374* ph. © service du Pr Y. Pouliquen, Hôtel-Dieu de Paris - Photeb. *p. 378* 2 ph. © Dr O. Gotlib. *p. 379* ph. © Dr Ph. Franceschini - CNRI. *p. 380* 2 ph. © coll. Pr A. Chevrot, service du Pr A. Pallardy, radiologie B. hôpital Cochin, Paris - Photeb. *p. 395* ph. © P. Langlois - CNRI. *p. 386* gauche, ph. © CNRI. *p. 386* droite, ph. © J.-C. Révy. *p. 387* ph. © Thomson CGR. *p. 388* ph. © CNRI. *p. 389* ph. © J. Nettis - Science source/Fovea. *p. 391* ph. © Dr A. Champailler, médecine nucléaire, St-Étienne/coll. Sopha medical. *p. 396* ph. © Dr Y. Bruneau - Fotogram. *p. 398* 2 ph. © Dr O. Gotlib. *p. 401* ph. © coll. Pr M. Lacau. B. Seigneury/Conseil, *p. 402* ph. © Dr Y. Bruneau - Fotogram. *p. 405* ph. © C. Platiau, agence SAM. *p. 406* ph. © Dr Jondet - CNRI. *p. 413* ph. © P. Delarbre - Explorer. *p. 414* ph. © CMT - Assistance publique. *p. 418* ph. © CNRI. *p. 424* ph. © CMT - Assistance publique. *p. 425* ph. © coll. P. Bourrée, B. Seigneury/Conseil. *p. 434* ph. © B. Duruel - Explorer. *p. 435* ph. © Dr Y. Bruneau - Fotogram. *p. 436* ph. © CGR - Ultrasonic. *p. 438* ph. © CNRI. *p. 439* 2 ph. © Dr Cl. Eugène. *p. 440* ph. © CNRI. *p. 441* ph. © Pr Giraud - CNRI. *p. 442* ph. © CMT - Assistance publique. *p. 445* ph. © J.-C. Biscaras. *p. 448* ph. © CGR - Ultrasonic. *p. 449* ph. © CNRI. *p. 450* ph. © coll. Dr A. Zara. B. Seigneury/Conseil. *p. 453* ph. © J.-P. Noble - CNRI. *p. 455* haut, ph. © coll. A. Chevrot, service du Pr A. Pallardy, radiologie B. hôpital Cochin, Paris. *p. 455* bas, ph. © coll. Pr H. Bensahel, B. Seigneury/Conseil. *p. 456* haut gauche. ph. © coll. Dr R. Baran. *p. 456* milieu et bas, 2 ph. © Dr Ch. Ferlaud - CNRI. *p. 459* ph. © Stone - Fotogram. *p. 463* ph. © CNRI.

Achevé d'imprimer par Printer Industria Gráfica S.A.
Barcelona en décembre 1989
D.L.B. 34732-1987 Imprimé en Espagne